Gramática española

Instrumenta

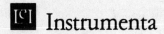

Letras e Ideas

Colección dirigida por
FRANCISCO RICO

Juan Alcina Franch
José Manuel Blecua

GRAMÁTICA ESPAÑOLA

EDITORIAL ARIEL, S. A.
BARCELONA

1.ª edición: 1975
2.ª edición: julio 1980
3.ª edición: octubre 1982
4.ª edición: septiembre 1983
5.ª edición: octubre 1987
6.ª edición: septiembre 1988

Córcega, 270 - 08008 Barcelona

ISBN: 84-344-8344-0

Depósito legal: B. 29.627 - 1988

Impreso en España

A Rosa María

PRÓLOGO

Este libro ha sido redactado con el fin primordial de poner en manos de los estudiantes un manual útil que exponga coherentemente los conocimientos actuales sobre la lengua española y que pueda servir de libro de consulta para los profesores de esta disciplina.

Toda la obra está presidida por este deseo didáctico de explicar con precisión el sistema de la lengua y sus aspectos más sobresalientes. El carácter eminentemente descriptivo del libro nos ha llevado a elegir un moderado estructuralismo como marco teórico, aunque somos conscientes en todo momento de las limitaciones que tiene este punto de partida. Sin embargo, pensamos que tal vez sea la base más adecuada, por su claridad, para establecer las líneas generales del conocimiento de la lengua, y un paso previo para llegar a descripciones más afines con las cuestiones teóricas actuales.

Juan Alcina Franch es autor de los capítulos de «Morfología» y «Sintaxis», cuyas páginas estaban compuestas tipográficamente a finales de 1973. Los capítulos de la «Introducción» y los correspondientes a «Fonética» y «Fonología» han sido redactados por José Manuel Blecua y se terminaron de componer en diciembre de 1974. Esta diferencia en las fechas explica que, tanto en los temas morfológicos como en los sintácticos, no haya podido utilizarse bibliografía posterior a 1972.

La «Introducción» está concebida como un panorama breve de las principales cuestiones teóricas; sólo tiene por misión familiarizar al lector con los problemas básicos que han ido apareciendo en la historia de la lingüística y estudiar muy ligeramente cuáles han sido los intereses en este campo con referencia a la lengua española.

La «Fonética» y la «Fonología», materias que sin ninguna duda cuentan con una mejor tradición descriptiva, se han redactado para dar una información de la situación actual de los elementos que componen el plano de la expresión. Hemos tenido muy presentes los manuales básicos (T. Navarro Tomás, S. Gili Gaya, E. Alarcos Llorach, A. Zamora Vicente y A. Quilis), que nos han sido imprescindibles, y hemos intentado, con la mayor humildad, hacer un estudio que les fuera complementario y recogiera materiales dispersos y poco accesibles para el lector medio. En todo momento se reconocen a pie de página las deudas con los diferentes autores y obras, pues el autor cree sinceramente que, como en la elaboración de alguna obra medieval, la única originalidad ha consistido en el esfuerzo.

En los capítulos dedicados a «Morfología» y «Sintaxis» es donde radica la parte más conflictiva: se ha tratado de exponer y describir con las bases teóricas citadas un amplio inventario de usos. Se ha elaborado así un marco expositivo con criterio dominantemente formalista y funcional. La interpretación semántica se subordina como un paso posterior a la descripción gramatical, que se entiende como descripción de relaciones formales y, en muchos casos, como simple descripción empírica de ordenaciones. Con esto, se ha pretendido dar una mayor coherencia a la sistematización, y este criterio ha permitido agrupar hechos aparentemente heterogéneos desde el punto de vista semántico y restringir la casuística inevitablemente amplia. Como consecuencia de la estructuración general de estos capítulos, el profesor dispone de un vasto repertorio de ejemplos para suplir la pobreza creciente, teórica y práctica, de temas y hechos de lengua[1].

Para conseguir rellenar este amplio esquema, se ha puesto a contribución el rico arsenal de observaciones y materiales acopiado por gramáticos de diferentes escuelas en nuestra lengua y en lenguas hermanas. Para los casos, más de los que fuera de desear en un manual, en los que se carece de una investigación cuidadosa, se ha aventurado, no sin temor, un nuevo planteamiento. En algunos otros —las perífrasis verbales, la interpretación del infinitivo como núcleo preposicional, el si *interrogativo y condicional, la sustantivación, etc.—, se han dispuesto los materiales de acuerdo con la sistematización adoptada.*

En todo caso se ha apoyado la descripción en la autoridad de escritores dominantemente peninsulares, que escribieron a finales del siglo pasado o en el XX hasta nuestros días. Excepcionalmente, se acude a escritores clásicos.

En ningún caso se ha pretendido fijar normas de uso; en muchos, se ha señalado el nivel de lengua en que tal construcción es usual, porque se entiende como una de las tareas fundamentales de la enseñanza[2]. *De una manera ge-*

1. Vid. R. L. WAGNER, *La grammaire française*, París, SEDES, 1968, como exposición argumentada contra el planteamiento exclusivamente teórico en la enseñanza de la lengua materna, y Frank MARCHAND, *Le français tel qu'on l'enseigne*, París, Larousse, 1971, documento de desbordante sinceridad para una realidad docente envidiable en todos los conceptos desde la perspectiva española.

2. Maurice COHEN, "Le bon usage ou le meilleur usage?", en *Mélanges de grammaire française offerts à M. Maurice Grévisse pour le trentième anniversaire du "Bon Usage"*, Gembloux, ed. J. Duculot,

neral, se ha pretendido describir principalmente el español estándar de la Península entre gentes de cultura.

Con bastante dolor y con más sentido crítico, el autor de la primera parte, a quien se había encomendado la redacción del capítulo titulado «Formación de palabras», ha preferido dejarlo en el telar para mejor ocasión. De esta manera nuestro libro nace dentro del tópico casi general en la estructuración de las obras descriptivas de la lengua española.

Gracias a la amabilidad y diligencia de Serafín Agud, Emilio Alarcos Llorach, Manuel Alvar, Tomás Buesa, Fernando González Ollé y Félix Monge, hemos podido consultar libros y artículos que nos resultaban inasequibles. Desde estas apresuradas líneas queremos manifestarles nuestra gratitud, gratitud que debemos extender a Rosa Navarro por la perfección y cuidado en la elaboración de los índices. Los autores agradecen a Francisco Rico la simpatía con que acogió el proyecto, y a Editorial Ariel, los medios técnicos empleados y la esmerada labor de todos los que han hecho posible este libro, en especial a Gonzalo Pontón y al equipo de correctores, sobre todo a Josep Poca y a Andreu Rossinyol.

Barcelona, diciembre de 1974.

1966, pp. 47-56; Bohuslav Havranek, "Zum Problem der Norm in der heutigen Sprachwissenschaft und Sprachkultur", en *A Prague School Reader in Linguistics*, 1964, pp. 413-420; y los trabajos sociolingüísticos de B. Bernstein, en *Educational Research* y *British Journal of Sociology*.

ABREVIATURAS *

AACol — *Anuario de la Academia Colombiana* (Bogotá).

Ábaco — *Ábaco.* Estudios sobre Literatura Española (Madrid).

ACILR X — *Actes du Xe Congrès international de linguistique et philologie romanes, Strasbourg, 23-28 avril, 1962,* 3 vols., París, Klincksieck, 1965.

ACILR XI — *Actas del XI Congreso internacional de lingüística y filología románicas,* publicadas por Antonio Quilis, con la colaboración de Ramón B. Carril y Margarita Cantarero, 4 vols., Madrid, CSIC, 1968.

AcL — *Acta Linguistica Hafniensia.* Revue internationale de linguistique structurale (Copenhague).

Acta Linguistica — vid. *AcL.*

Acta Salmanticensia — Universidad de Salamanca, Facultad de Filosofía y Letras (Salamanca).

* Entre corchetes van indicados los libros citados en el cuerpo de la obra.

AEAtl — *Anuario de Estudios Atlánticos* (Madrid-Las Palmas).

AEM — *Anuario de Estudios Medievales.* Instituto de Historia Medieval de España (Barcelona).

AFA — *Archivo de Filología Aragonesa* (Zaragoza).

[A-H] — Amado Alonso y Pedro Henríquez Ureña, *Gramática castellana,* 2 vols., Buenos Aires, Losada, 1946, 6.ª ed. (Se indican con I y II cada uno de los vols. correspondientes a *Primer curso* y *Segundo curso.*)

AILC — *Anales del Instituto de Lingüística de la Universidad de Cuyo* (Mendoza, Argentina).

AJPh — *American Journal of Philology* (Baltimore).

Al-An — *Al-Andalus. Revista de las Escuelas de Estudios Árabes de Madrid y Granada* (Madrid-Granada).

[Alarcos, *Fonolog*] — Emilio Alarcos Llorach, *Fonología española,* Madrid, Gredos, *BRH,* III-1, 4.ª ed., 1968.

ALEA — *Atlas Lingüístico y Etnográfico de Andalucía,* Universidad de Granada-CSIC, 1961-1973, vid. *PALA.*

ALEC — *Atlas Lingüístico y Etnográfico de Colombia* (en preparación). Vid. *Thesaurus, BICC,* XXII, 1967, pp. 94-100.

ALM — *Anuario de Letras.* Universidad Nacional Autónoma de México. Facultad de Filosofía y Letras. Centro de Lingüística Hispánica (Méjico).

ALPI — *Atlas Lingüístico de la Península Ibérica, Fonética,* 1, Madrid, CSIC, 1962.

American Speech	*American Speech. A Quarterly of Linguistic Usage* (Nueva York).
AnL	*Anthropological Linguistics* (Bloomington, Indiana).
ANPhE	*Annales Néerlandaises de Phonétique Expérimentale* (Amsterdam).
AO	*Archivum*. Revista de la Facultad de Filosofía y Letras, Universidad de Oviedo (Oviedo).
Arabica	*Arabica. Revue d'études árabes* (Leiden).
Arb.	*Arbor*. Revista General de Investigación y Cultura (Madrid, CSIC).
Archivos Leoneses	*Archivos Leoneses*. Revista del Centro de Estudios e Investigaciones de San Isidoro (León).
Archivum Linguisticum	vid. *ArL*.
ArL	*Archivum Linguisticum*. A Review of Comparative Philology and General Linguistics (Glasgow).
ASNP	*Annali della Scuola Normale Superiore di Pisa*. Lettere, storia e filosofia (Florencia).
ASNS	*Archiv für das Studium der Neueren Sprachen* (Braunschweig).
AUCh	*Anales de la Universidad de Chile* (Santiago de Chile).
AUM	*Anales de la Universidad de Madrid* (Madrid).
Azul	*Azul*. Revista de Ciencias y Letras (Argentina).
[B.]	vid. [Bello].
BAAL	*Boletín de la Academia Argentina de Letras* (Buenos Aires).

BABL	*Boletín de la Academia de Buenas Letras* (Barcelona).
BACol	*Boletín de la Academia Colombiana* (Bogotá).
BACh	*Boletín de la Academia Chilena de la Lengua* (Santiago de Chile).
BAV	*Boletín de la Academia Venezolana* (Caracas).
BBMP	*Boletín de la Biblioteca de Menéndez Pelayo* (Santander).
BDC	*Butlletí de Dialectologia Catalana* (Barcelona).
BdF	*Boletim de Filologia* (Lisboa).
BDH	*Biblioteca de Dialectología Hispanoamericana* (Instituto de Filología, Buenos Aires).
BDH I	Aurelio M. ESPINOSA, *Estudios sobre el español de Nuevo Méjico*, traducción, reelaboración y notas de Amado ALONSO y Ángel ROSENBLAT; seguido por *Problemas de Dialectología Hispanoamericana* de Amado ALONSO, Buenos Aires, 1930.
BDH II	Aurelio M. ESPINOSA, *Estudios sobre el español de Nuevo Méjico, Parte II, Morfología,* traducción, reelaboración y notas de Ángel ROSENBLAT; seguido por *Notas de Morfología dialectal* de Ángel ROSENBLAT, Buenos Aires, 1946.
BDH III	Eleuterio F. TISCORNIA, *La lengua de "Martín Fierro"*, Buenos Aires, 1930.
BDH IV	*El español en Méjico, los Estados Unidos y la América Central,* trabajos de E. C. HILLS, F. SEMELEDER, C. C. MARDEN, M. G. REVILLA, A. R. NYKL, K. LENTZNER, C. GAGINI y R. J. CUERVO, con

anotaciones y estudios de Pedro HENRÍQUEZ UREÑA, Buenos Aires, 1938.

BDH V — Pedro HENRÍQUEZ UREÑA, *El español en Santo Domingo,* Buenos Aires, 1940.

BDH VI — *El español en Chile,* trabajos de Rodolfo LENZ, Andrés BELLO y Rodolfo OROZ, traducción, notas y apéndices de Amado ALONSO y Raimundo LIDA, Buenos Aires, 1940.

BDH VII — Berta Elena VIDAL DE BATTINI, *El habla rural de San Luis. Parte I: Fonética, Morfología, Sintaxis,* Buenos Aires, 1949.

[Bello] — Andrés BELLO, *Gramática de la lengua castellana,* Buenos Aires, Sopena Argentina, 1954.

BFE — *Boletín de Filología Española* (Madrid).

BFM — *Boletín de Filología* (Montevideo).

BFUCh — *Boletín de Filología. Instituto de Filología de la Universidad de Chile* (Santiago de Chile).

BHi — *Bulletin Hispanique. Annales de la Faculté de Lettres de Bordeaux* (Burdeos).

BHS — *Bulletin of Hispanic Studies* (Liverpool) [continuación del *BSS*].

Biblos — Faculdade de Letras (Coimbra).

BICC — *Boletín del Instituto Caro y Cuervo* (Bogotá) [desde 1951, *Thesaurus, BICC*].

BJR — *Bulletin des jeunes romanistes* (Estrasburgo).

[Bouz.] — Jean BOUZET, *Grammaire espagnole,* París, Eugène Belin, 1946.

BRAE — *Boletín de la Real Academia Española* (Madrid).

BRAH — *Boletín de la Real Academia de la Historia* (Madrid).

BRH	*Biblioteca Románica Hispánica,* editorial Gredos (Madrid).
BSLP	*Bulletin de la Société de Linguistique de Paris* (París).
BSS	*Bulletin of Spanish Studies* (Liverpool) [continúa en el *BHS*].
Can	*El Curioso Americano* (La Habana).
[*Cant.*]	vid. [Pidal, *Gram.*].
Castilla	vid. *CastV*.
CastV	*Castilla, Revista de la Universidad de Valladolid* (Valladolid).
CEC (3)	*Actas del III Congreso Español de Estudios Clásicos, III, Estudios estructurales sobre las lenguas clásicas,* Madrid, 1968.
[Cejador]	Julio CEJADOR, *La lengua de Cervantes,* I, Madrid, 1906.
CFS	*Cahiers Ferdinand de Saussure* (Ginebra).
CH (3)	*Actas del III Congreso Internacional de Hispanistas,* México, 1970.
Classica et Mediaevalia	*Classica et Mediaevalia. Revue danoise de philologie et histoire* (Copenhague).
Classical Philology	vid. *ClPh*.
ClPh	*Classical Philology* (Chicago).
CLS	*Papers from the — Regional Meeting,* Chicago Linguistic Society, Department of Linguistics, University of Chicago (Chicago, Illinois).
Convivium	*Convivium. Filosofía, Psicología, Humanidades,* Facultad de Filosofía y Letras de Barcelona (Barcelona).
CSIC	*Consejo Superior de Investigaciones Científicas* (Madrid).
CTL	*Current Trends in Linguistics,* colección

dirigida por Thomas A. SEBEOK, La Haya-París, Mouton, 1963- .

[Cuervo, *Apunt.*] Rufino J. CUERVO, *Apuntaciones críticas sobre el lenguaje bogotano*, Bogotá, A. Cortés, 1939.

[Cuervo, *Dicc.*] Rufino J. CUERVO, *Diccionario de construcción y régimen de la lengua castellana*, 2 vols., Bogotá, Instituto Caro y Cuervo, 1953-1954.

[Cuervo, *Not.*] Rufino J. CUERVO, *Notas a la Gramática de la lengua castellana de Andrés Bello*, en la edición de Bello ya citada.

CuH *Cuadernos Hispanoamericanos* (Madrid).

Cultura Neolatina vid. *CuN*.

CuN *Cultura Neolatina*, Bolletino dell'Istituto di Filologia Romanza della Università di Roma (Módena).

DCELC vid. *DELC*.

DELC Juan COROMINAS, *Diccionario Crítico Etimológico de la Lengua Castellana*, 4 volúmenes, Madrid, Gredos, Berna, Francke, 1954-1957.

Der Deutschunterricht *Der Deutschunterricht*. Beiträge zu seiner Praxis und wissenschaftlichen Grundlelung (Stuttgart).

Die Neueren Sprache vid. *NS*.

Diogène *Diogène. Revue Internationale des Sciences Humaines* (París).

DRAE Real Academia Española, *Diccionario de la Lengua Española* (entre paréntesis se indica el número de la edición citada en cada caso; cuando no hay ninguna indicación, se hace referencia a la 19.ª edición).

EAc — *Español Actual.* Oficina Internacional de Información y Observación del Español (Madrid).

EDMP — *Estudios dedicados a Menéndez Pidal,* 7 tomos, más el vol. II del t. VII dedicado a *índices,* Madrid, CSIC, 1950-1962.

ELH — *Enciclopedia Lingüística Hispánica,* Madrid, CSIC, 1960- .

ELH I — *Enciclopedia Lingüística Hispánica,* I, *Antecedentes. Onomástica,* introducción de Ramón Menéndez Pidal, Madrid, CSIC, 1960.

ELH I Suplemento — Dámaso Alonso, *La fragmentación fonética peninsular,* Madrid, CSIC, 1962.

ELH II — *Enciclopedia Lingüística Hispánica,* II, *Elementos constitutivos y fuentes,* Madrid, CSIC, 1967.

Em — *Emerita.* Revista de Lingüística y Filología Clásica (Madrid).

ER — *Estudis Romànics.* Institut d'Estudis Catalans (Barcelona).

Esbozo — Real Academia Española, *Esbozo de una nueva gramática de la lengua española,* Madrid, Espasa-Calpe, 1973.

Estudio — *Estudio* (Barcelona).

Estudios Clásicos — *Estudios Clásicos.* Órgano de la Sociedad Española de Estudios Clásicos (Madrid).

Fil — *Filología,* Universidad de Buenos Aires. Facultad de Filosofía y Letras, Instituto de Filología y Literaturas Hispánicas "Dr. Amado Alonso" (Buenos Aires).

FL — *Foundations of Language*. International Journal of Language and Philosophy (Dordrecht-Boston).

FRJ — *For Roman Jakobson*, La Haya, Mouton, 1956.

FrM — *Le Français Moderne*. Revue de linguistique française (París).

[Gili] — vid. [Gili, *Curs.*].

[Gili, *Curs.*] — Samuel Gili Gaya, *Curso Superior de Sintaxis Española*, 9.ª ed., Barcelona, Bibliograf, 1964.

Gl — *Glotta*. Zeitschrift für griechische und lateinische Sprache (Göttingen).

Glotta — vid. *Gl*.

[*Gram. Acad.*] — Real Academia Española, *Gramática de la lengua española*, Madrid, Espasa-Calpe, 1931.

GRM — *Germanisch-Romanische Monatsschrift* (Heidelberg).

[Gröber, *Grund.*] — Gustav Gröber, *Grundriss der romanischen Philologie*, 2.ª ed., Estrasburgo, 1904-1906.

[*Grund.*] — vid. [Gröber, *Grund.*].

H — *Hispania*. A Journal Devoted to the Interests of the Teaching of Spanish and Portuguese. Published by the American Association of Teachers of Spanish and Portuguese (Appleton).

[H.] — vid. [Hanssen].

[Hans.] — vid. [Hanssen].

[Hanssen] — Federico Hanssen, *Gramática histórica de la lengua castellana*, Halle, Max Niemeyer, 1913.

HDA — *Studia Philologica.* Homenaje ofrecido a Dámaso Alonso por sus amigos y discípulos con ocasión de su 60.º aniversario, 3 vols., Madrid, Gredos, 1960-1963.

Helm — *Helmantica.* Revista de Humanidades Clásicas (Salamanca).

Helmantica — vid. *Helm.*

Historiographia linguistica — *Historiographia linguistica.* International Journal for the History of Linguistics, Revue internationale pour l'histoire de la linguistique, Internationale Zeitschrift für die Geschichte des Sprachwissenschaft (Amsterdam).

HMP — *Homenaje a Menéndez Pidal,* 3 vols., Madrid, 1925.

Hom. a James D. McCawley — Arnold M. ZWICKY, Peter H. SALUS, Robert I. BINNICK y Anthony L. VANEK, eds., *Studies out in Left Field: Defamatory Essays to James D. McCawley on the Occasion of the his 33rd or 34th Birthday,* Current Inquiry into Language and Linguistics, IV, Edmonton, 1971.

HR — *Hispanic Review* (Filadelfia).

Ibérida — *Ibérida.* Revista de Filologia (Río de Janeiro).

Ibero-romania — vid. *IR.*

ICC — *Instituto Caro y Cuervo* (Bogotá).

IF — *Indogermanische Forschungen.* Zeitschrift für Indogermanistik und allgemeine Sprachwissenschaft (Berlín).

IJAL — *International Journal of American Linguistics* (Baltimore).

IL — *Investigaciones Lingüísticas* (Méjico).

Insula — *Insula. Revista de Artes y Letras* (Madrid).

IR — *Ibero-romania.* Zeitschrift für spanische, portugiesche und katalanische Sprache und Literatur (Munich).

ISLL — *Illinois Studies in Language and Literature.* The University of Illinois Press (Urbana).

JASA — *Journal of the Acoustical Society of America* (Nueva York).

[Jespersen, *MEG.*] — Otto JESPERSEN, *A Modern English Grammar,* Copenhague-Londres, Einar Munksgaard-Georges Allen and Unwin, 1949-.

JL — *Journal of Linguistics.* Journal of the Linguistic Association of Great Britain (Londres).

Journal of Linguistics — vid. *JL.*

[K.] — vid. [Kenist.].

[Kany] — Charles E. KANY, *American-Spanish Sintax,* Chicago, The University of Chicago Press, 1963.

[Kenist.] — Hayward KENISTON, *The Syntax of Castilian Prose. The Sixteenth Century,* Chicago, The University of Chicago Press, 1937.

La Linguistique — *La Linguistique.* Revue internationale de linguistique générale (París).

Lan — *Language.* Journal of the Linguistic Society of America (Baltimore).

Lang. Soc. — *Language in Society,* Cambridge University Press (Londres-Nueva York).

Language Learning	*Language Learning.* A Journal of Applied Linguistics (Ann Arbor, Michigan).
Language Sciences	*Language Sciences,* Indiana University Research Center for the Language Sciences (Bloomington, Indiana).
LBer	*Linguistische Berichte* (Braunschweig).
Le Français Moderne	vid. *FrM.*
Le Maître phonétique	vid. *MPhon.*
[Lenz]	Rodolfo Lenz, *La oración y sus partes. Estudios de gramática general y castellana,* 3.ª edición, Madrid, Centro de Estudios Históricos, 1935.
LeS	*Lingua e Stile.* Quaderni dell'Istituto di Glottologia dell'Università degli Studi di Bologna (Bolonia).
LI	*Linguistic Inquiry* (Cambridge, Massachussets).
LingN	*Lingua Nostra* (Florencia).
Lingua	*Lingua.* International Review of General Linguistics/Revue Internationale de Linguistique Générale (Amsterdam).
Lingua Nostra	vid. *LingN.*
Linguistics	*Linguistics.* An International Review (La Haya-París).
LT	*La Torre.* Revista General de la Universidad de Puerto Rico (San Juan de Puerto Rico).
[*MEG.*]	vid. [Jespersen, *MEG.*].
[M-L]	W. Meyer-Lübke, *Grammaire des langues romanes,* 4 vols., París, H. Welter, 1890-1906.

MLJ — *Modern Language Journal* (Ann Arbor, Michigan).

MLN — *Modern Language Notes* (Baltimore).

MLR — *The Modern Language Review* (Cambridge).

MPhi — *Modern Philology* (Chicago).

MPhon — *Le Maître phonétique.* Organe de l'Association Phonétique Internationale (París).

N — *Neophilologus* (Groningen).

[Navas Ruiz] — Ricardo NAVAS RUIZ, *Ser y estar. Estudio sobre el sistema atributivo del español,* Salamanca, Acta Salmanticensia, XVII, 3, 1963.

NM — *Neuphilologische Mitteilungen.* Bulletin de la Société neophilologique de Helsinki (Helsinki).

NRFH — *Nueva Revista de Filología Hispánica* (Méjico).

NS — *Die Neueren Sprache* (Frankfurt-Berlín-Bonn).

[NT. *Ent.*] — Tomás NAVARRO TOMÁS, *Manual de entonación española,* Nueva York, Hispanic Institute, 1948.

[NT. *Pron.*] — Tomás NAVARRO TOMÁS, *Manual de pronunciación española,* 10.ª edición, Madrid, CSIC, 1961.

Orbis — *Orbis.* Bulletin International de Documentation Linguistique (Lovaina).

PALA — *Publicaciones del Atlas Lingüístico de Andalucía* (Granada).

Papers... Pierre Delattre — Albert VALDMAN, ed., *Papers in Linguistics and Phonetics to the Memory of*

	Pierre Delattre, La Haya-París, Mouton, 1972.
PFLE	*Presente y Futuro de la Lengua Española,* Actas de la Asamblea de Filología del I Congreso de Instituciones Hispánicas, 2 vols., Madrid, publicación de la OFINES, Ediciones Cultura Hispánica, 1964.
Phon	*Phonetica.* Internationale Zeitschrift für Phonetik/International Journal of Phonetics (Nueva York).
Phonetica	vid. *Phon.*
PhP	*Philologica Pragensia* (Praga).
PhQ	*Philological Quarterly* (Iowa City).
PICPS 4	*Proceedings of the 4th International Congress of Phonetic Sciences, Helsinki, September, 1961,* ed. by Antti Sovijärvi, La Haya, Mouton, 1962.
[Pidal, *Gram.*]	Ramón Menéndez Pidal, *Cantar de Mio Cid. Texto, Gramática y Vocabulario,* 4.ª ed., 3 vols., Madrid, Espasa-Calpe, 1964.
[Pidal, *Man.*]	Ramón Menéndez Pidal, *Manual de gramática histórica,* 7.ª edición, Madrid, Espasa-Calpe, 1944.
PILEI	*Programa Interamericano de Lingüística y Enseñanza de Idiomas.*
PMLA	*Publications of the Modern Language Association of America* (Nueva York).
[Pot. II]	Bernard Pottier, *Morphosyntaxe espagnole* (*Étude structurale*), París, Ediciones Hispanoamericanas [1966].
[Pot. *Syst.*]	Bernard Pottier, *Systématique des Éléments de relation. Étude de Morphosyntaxe structurale romane,* París, Klincksieck, 1962.

Prohemio	*Prohemio.* Revista cuatrimestral de lingüística y crítica literaria (Madrid-Barcelona).
[*Pron.*]	vid. [NT. *Pron.*].
PSA	*Papeles de Son Armadans* (Madrid-Palma de Mallorca).
RBPhH	*Revue Belge de Philologie et d'Histoire* (Bruselas).
RCHL	*Revue Critique d'Histoire et de Littérature* (París).
RdF	*Revista de Filosofía,* Instituto *Luis Vives,* CSIC (Madrid).
RdO	*Revista de Occidente* (Madrid).
RDTP	*Revista de Dialectología y Tradiciones Populares* (Madrid).
REE	*Revista de Estudios Extremeños* (Badajoz).
REL	*Revista Española de Lingüística.* Órgano de la Sociedad Española de Lingüística (Madrid).
Revista de la Facultad de Humanidades y Ciencias (Montevideo)	vid. *RFHC.*
Revue Belge de Philologie et d'Histoire	vid. *RBPhH.*
Revue Critique d'Histoire et Littérature (París)	vid. *RCHL.*
Revue de Philologie, de Littérature et d'Histoire	

Anciennes (París)	vid. *RPhLH*.
Revue de Philologie française et de Littérature	vid. *RPhFL*.
RF	*Romanische Forschungen*. Vierteljahrschrift für romanische Sprachen und Literaturen (Frankfurt).
RFE	*Revista de Filología Española* (Madrid).
RFH	*Revista de Filología Hispánica* (Buenos Aires).
RFHC	*Revista de la Facultad de Humanidades y Ciencias*. Universidad de la República (Montevideo).
RHi	*Revue Hispanique* (París-Nueva York).
RHM	*Revista Hispánica Moderna,* Hispanic Institute, Columbia University (Nueva York).
RIL I	Martin Joos (ed.), *Readings in Linguistics* I, *The Development of Descriptive Linguistics in America, 1925-1956*, 4.ª edición, The University of Chicago Press, Chicago-Londres, 1966.
RIL II	Eric P. HAMP, Fred W. HOUSEHOLDER y Robert AUSTERLITZ (eds.), *Readings in Linguistics* II, The University of Chicago Press, Chicago-Londres, 1966.
RJ	*Romanistisches Jahrbuch* (Hamburgo).
RLR	*Revue des Langues Romanes* (Montpellier).
RLiR	*Revue de Linguistique Romane* (Lyon-París).
Ro	*Romania* (París).
Rom. Gand.	*Romanica Gandesia* (Gante).

RPh — *Romance Philology* (Berkeley-Londres-Los Ángeles).

RPhFL — *Revue de Philologie Française et de Littérature* (París).

RPhLH — *Revue de Philologie, de Littérature et d'Histoire Anciennes* (París).

RR — *The Romanic Review* (Nueva York).

RUM — *Revista de la Universidad de Madrid* (Madrid).

RVF — *Revista Valenciana de Filología.* Instituto de Estudios Filológicos (Valençia).

[Salvá, *Gram.*] — Vicente SALVÁ, *Gramática de la lengua castellana,* 14.ª edición, París, Garnier Hermanos, s.a.

[Sapir] — Edward SAPIR, *El lenguaje,* trad. de Margit y Antonio ALATORRE, Méjico, Fondo de Cultura Económica, 1954.

SCL — *Studii şi Cercetări Lingvistice* (Bucarest).

[Seco] — Rafael SECO, *Manual de gramática española,* Revisada y ampliada por Manuel SECO, 5.ª edición, Madrid, Aguilar, 1962.

SEDES — *Société d'Édition de l'Enseignement Supérieur* (París).

[Selva, *Guía*] — Juan B. SELVA, *Guía del buen decir,* Buenos Aires, "El Ateneo", 1944.

[SFR] — Salvador FERNÁNDEZ RAMÍREZ, *Gramática Española. Los sonidos, el nombre y el pronombre,* I, Madrid, Revista de Occidente, 1951.

SiL — *Studies in Linguistics.* Department of Anthropology, Northern Illinois University (Dekalb, Il.).

SLHGT — M. Estellie SMITH, ed., *Studies in Linguistics in Honor of George L. Trager,* La Haya-París, Mouton, 1972.

[Sobej.] Gonzalo Sobejano, *El epíteto en la lírica española*, Madrid, Gredos, *BRH*, II-28, 1956.

[Spauld.] Robert K. Spaulding, *Syntax of the Spanish Verb*, Nueva York, Henry Holt, 1931.

Spec *Speculum*. A Journal of Mediaeval Studies (Cambridge, Massachusetts).

StL *Studia Linguistica*. Revue de Linguistique Générale et Comparée (Lund).

StN *Studia Neophilologica*. A Journal of Germanic and Romance Philology (Uppsala).

StPh *Studies in Philology* (Chapel Hill, North Carolina).

Strenae *Strenae*. Estudios de Filología e Historia dedicados al profesor Manuel García Blanco, *Acta Salmanticensia*, XVI, Salamanca, 1962.

Studia Linguistica vid. *StL*.

Studies in Linguistics vid. *SiL*.

Studii și Cercetări Lingvistice vid. *SCL*.

SW I Roman Jakobson, *Selected Writings*, I, *Phonological Studies*, Second, expanded edition, La Haya-París, ed. Mouton, 1971.

[Sweet] Henry Sweet, *A New English Grammar Logical and Historical*, Part I, Oxford, Clarendon Press, 1952.

Symp *Symposium*. A Journal Devoted to Modern Foreign Languages and Literature (Syracuse, Nueva York).

Symposium	vid. *Symp.*
TCLC	*Travaux du Cercle Linguistique de Copenhague* (Copenhague).
TCLP	*Travaux du Cercle Linguistique de Prague* (Praga).
Thesaurus	vid. *BICC.*
THRJ	*To Honor Roman Jakobson. Essays on the Occasion of his Seventieth Birthday*, 3 vols., La Haya-París, Mouton, 1967.
TLLS	*Travaux de Linguistique et de Littérature.* Publiés par le Centre de Philologie et de Littérature Romanes de l'Université de Strasbourg (Estrasburgo).
TLP	*Travaux Linguistiques de Prague* (Praga).
UCPL	*University of California Publications in Linguistics* (Berkeley-Los Ángeles-Londres).
VKR	*Volkstum und Kultur der Romanen. Sprache, Dichtum, Sitte* (Hamburgo).
VR	*Vox Romanica.* Annales Helvetici explorandis linguis Romanicis destinati (Berna).
[Wackernagel]	Jakob Wackernagel, *Vorlesungen über Syntax*, 2 vols., Basilea, Verlag Birkhäuser, 1950-1957.
Word	*Word.* Journal of the Linguistic Circle of New York (Nueva York).
YWML	*The Year's Work in Modern Language Studies, The Modern Humanities Research Association*, Leeds, Maney and Son.
Zeit. für Phonetik	*Zeitschrift für Phonetik, Sprachwissenschaft und Kommunicationsforschung* (Berlín).

ZFSL — *Zeitschrift für französischen Sprache und Literatur* (Wiesbaden).

ZRPh — *Zeitschrift für romanische Philologie* (Tübingen).

1. INTRODUCCIÓN HISTÓRICA Y TEÓRICA

1.0. INTRODUCCIÓN

El propósito de este capítulo no es escribir una historia de la lingüística, ya que existen abundantes obras de tipo panorámico *, pero es posible que el curioso lector pueda

* Hans ARENS, *Sprachwissenschaft: Der Gang ihrer Entwicklung von der Antike bis zur Gegenwart,* Friburgo-Munich, Karl Alber, 1969[2]; Milka IVIC, *Trends in Linguistics,* La Haya-París, 1970[2]; L. KUKENHEIM, *Esquisse historique de la linguistique française et de ses rapports avec la linguistique générale,* Leiden, 1966[2]; Georges MOUNIN, *Histoire de la linguistique des origines au XXe siècle,* París, PUF, 1967 (existe traducción española de Felisa Marcos, Madrid, Gredos, 1968); R. H. ROBINS, *A Short History of Linguistics,* Londres, Indiana, 1967 (traducción española con el título *Breve historia de la lingüística,* Madrid, Paraninfo, 1974); C. TAGLIAVINI, *Storia della linguistica,* Bolonia, Pàtron, 1970[3]; Guillermo THOMSEN, *Historia de la lingüística,* Prólogo, versión y epílogo de Javier DE ECHAVE SUSTAETA, Barcelona, Labor, 1945; John T. WATERMAN, *Perspectives in Linguistics. An Account of the Background of Modern Linguistics,* Chicago, The University of Chicago Press, 1963. **Sobre la historia de la filología clásica**: Gaetano RIGHI, *Breve storia della filologia classica,* Florencia, Sansoni (traducción española de J. M. García de la Mora, con un apéndice de J. Alsina, Barcelona, Labor, 1967); U. VON WILAMOWITZ-MOELLENDORF, *Geschichte der Philologie,* Leipzig, G. Teubner Verlagsgesellschaft, 1927 (existe trad. italiana de Fausto Codino, Turín, Einaudi, 1967). **Historiografía de la lingüística**: Yakov MALKIEL y Margaret LANGDON, "History and Histories of Linguistics", en *RPh,* XXII, 1968-1969, *Lucien Foulet Memorial. Alfred Foulet Testimonial,* pp. 530-574; E. F. K. KOERNER, "Towards a Historiography of Linguistics", en *AnL,* XIV, 1972, pp. 255-280, "An Annoted Chronological Bibliography of Western Histories of Linguistic

tener necesidad de un marco teórico en que encuadrar los problemas que aparecen tratados a lo largo de este libro, referencias a algunos autores o escuelas y a determi-

---

Thought, 1822-1972. Part. I, 1822-1915", en *Historiographia linguistica*, I, 1, 1974, pp. 81-94.

Diccionarios, enciclopedias y estudios de terminología lingüística: Olga S. Akhmanova, *Slovar' lingvističeskix terminov*, Moscú, Sovetskaja Enciklopedija, 1966; Walter Belardi y Nulla Minissi, *Dizionario di fonologia*, Roma, Ateneo, 1962; Jean Dubois *et al.*, *Dictionnaire de linguistique*, París, Larousse, 1973; Oswald Ducrot y Tzvetan Todorov, *Dictionnaire encyclopédique des sciences du langage*, París, Seuil, 1972 (trad. española, México, Siglo XXI, 1974); Emidio de Felice, *La terminologia linguistica di G. I. Ascoli e della sua scuola*, Utrecht-Amberes, Spectrum, 1954; Rudolf Engler, *Lexique de la terminologie saussurienne*, Utrecht-Amberes, Spectrum, 1968 (sobre la terminología de Saussure, vid., además, R. Godel, *Les sources manuscrites du Cours de linguistique générale*, Société de Publications Romanes et Françaises, LXI, París, Minard, Ginebra, Droz, 1957, pp. 252-281); E. P. Hamp, *A Glossary of American Technical Linguistic Usage, 1925-1950*, Utrecht-Amberes, Spectrum, 1966[3]; J. B. Hofmann y H. Rubenbauer, *Wörterbuch der grammatischen und metrischen Terminologie*, Heidelberg, Carl Winter, 1963; J. Knobloch, *Sprachwissenschaftliches Wörterbuch*, *Heidelberg*, Carl Winter, 1961- ; Fernando Lázaro Carreter, *Diccionario de términos filológicos*, Madrid, Gredos, 1968[3]; J. Marouzeau, *Lexique de la terminologie linguistique: français, allemand, anglais, italien*, París, Klincksieck, 1961; André Martinet (dir.), *Le langage*, Encyclopédie de La Pléiade, París, 1968; André Martinet, *La linguistique. Guide alphabétique*, París, Denoël, 1969 (trad. española, Barcelona, Anagrama, 1972); J. Mattoso Câmara Jr, *Dicionário de fatos gramaticais*, Río de Janeiro, 1956; Georges Mounin, *Dictionnaire de la linguistique*, París, PUF, 1974; Rose Nash, *Multilingual Lexicon of Linguistics and Philology: English, Russian, German, French*, Miami Linguistics Series, núm. 3, Miami, University of Miami Press, 1968; Robert A. Palmatier, *A Glossary for English Transformational Grammar*, Nueva York, Appleton, 1972; Mario Pei, *Glossary of Linguistic Terminology*, Garden City, Nueva York, Doubleday, 1966; Bernard Pottier (dir.), *Le langage*, París, Denoël, 1973; Aníbal Sánchez Díaz y Ernesto Zierer, *Glosario explicativo inglés-castellano de términos de gramática generativa transformacional*, Trujillo, Universidad Nacional, Departamento de Idiomas y Lingüística, 1971; D. Steible, *Concise Handbook of Linguistics*, Londres, Peter Owen, 1967; J. Vachek, *Dic-*

nados términos científicos. He elegido el método histórico, a pesar de los riesgos que entraña, no sólo por parecerme el más adecuado para una exposición elemental, sino también por otras causas más importantes, que ha señalado con inteligentes palabras Karl R. Popper: "Podría preguntarse quizá qué otros 'métodos' puede utilizar un filósofo. Mi respuesta es que, aunque hay un número indefinido de 'métodos' diferentes, no tengo ningún interés en enumerarlos: me da lo mismo el método que puede emplear un filósofo (o cualquier otra persona), con tal de que se las haya con un problema interesante y de que trate sinceramente de resolverlo. Entre los muchos métodos que puede usar —que dependerán siempre, desde luego, del problema que se tenga entre manos—, me parece que hay uno digno de ser mencionado (y que es una variante del método histórico, que actualmente no está de moda): consiste simplemente en intentar averiguar qué han pensado y dicho otros acerca del problema en cuestión, por qué han tenido que afrontarlo, cómo lo han formulado y cómo han tratado de resolverlo" [1].

La tradición en la historiografía lingüística suele plantearse la división de los estudios gramaticales en cuatro modelos básicos: (a) *la gramática tradicional,* (b) *los estudios de tipo comparativo,* (c) *la gramática estructural,* y (d) *la gramática generativo-transformacional.* Cada uno de estos tipos se caracteriza por unos medios de investigación peculiares y, sobre todo, por una diferente concepción del lenguaje y

---

tionnaire de linguistique de l'École de Prague, Utrecht-Amberes, Spectrum, 1966[2]; Hans J. Vermeer, *Einführung in die linguistische Terminologie,* Darmstadt, Wissenschaftliche Buchgesellschaft, 1970.

1. Karl R. Popper, *The Logic of Scientific Discovery,* trad. de Víctor Sánchez de Zavala, *La lógica de la investigación científica,* Madrid, Tecnos, 2.ª ed., 1967, p. 17.

del porqué de su estudio. Las gramáticas, en los cuatro modelos citados, están firmemente ancladas en las teorías científicas de la época en que han sido construidas: concepto de ciencia, situación de los estudios lingüísticos en el conjunto de las ciencias, en su lento caminar hacia su inmanencia, relación con ciencias conexas y finalidad de la investigación. Tampoco sería realmente científico separar la evolución de las doctrinas gramaticales de los sistemas pedagógicos que dominaron en cada época; baste recordar como ejemplos del tratamiento de este intrincado problema los trabajos de Marrou para la Antigüedad y la Edad Media y la tesis de J. C. Chevalier para la gramática francesa hasta el siglo XVIII*.

Por otra parte, las fronteras entre estos modelos no siempre están firmemente establecidas y suele haber una dependencia teórica con fundamentos anteriores o, al menos, una reacción contra los supuestos básicos del tipo de estudios inmediatamente anterior. El término *gramática tradicional* es, sin duda, el más ambiguo de todos, pues los tres restantes poseen límites más claros; este título es un cajón de sastre en el que se engloban más de veinte siglos de especulaciones, desde las raíces del pensamiento occidental hasta los manuales del siglo XX, especulaciones basadas fundamentalmente en el prestigio de la tradición grecolatina en todos los aspectos de la cultura occidental. Tal vez su nota característica sea el concepto de lengua como expresión del pensa-

* Henri-Irénée MARROU, *Histoire de l'éducation dans l'Antiquité*, París, Éditions du Seuil, 1955[3] (existe trad. española de José Ramón MAYO, *Historia de la educación en la Antigüedad*, Buenos Aires, Eudeba, 1970[2]); Jean-Claude CHEVALIER, *Histoire de la Syntaxe. Naissance de la notion de complément dans la grammaire française (1530-1750)*, Publications Romanes et Françaises, C, Ginebra, Droz, 1968, especialmente pp. 370-412 y 600-649.

miento, con una identificación de las categorías lógicas y lingüísticas. Como consecuencia del prestigio de la tradición clásica, las descripciones gramaticales toman como modelo las gramáticas latinas. Aunque hay casos de escasa dependencia, la deslatinización general de los estudios gramaticales en España será una conquista del siglo XIX.

Como ha observado justamente J. Lyons, la *gramática tradicional* presenta una riqueza de matices insospechada; en muchos casos, no podemos tener una idea cabal a causa de los escasos datos que poseemos, porque muchos autores siguen siendo asequibles solamente en extractos de sus manuscritos o en rarísimas ediciones.

Esta breve introducción se inclina conscientemente hacia la problemática de carácter lingüístico en España, en un intento de bosquejar cuáles han sido las preocupaciones de los siglos anteriores y, sobre todo, las diferencias con el resto del pensamiento europeo. Creo que me justifican las palabras que el benemérito don Cipriano Muñoz y Manzano escribió en su epístola a don Francisco Asenjo Barbieri, al frente de la edición zaragozana de la *Gramática* impresa por Bartolomé Gravio (Lovaina, 1559): "Pero es gloria tan pura, aunque modesta, la de los españoles i estrangeros que enseñaron nuestra habla en diversos reinos ó á ellos mandaron a empremir sus artes de gramática, que, aun los ya noticiosos de esta literatura, recebirán no pequeño gusto de la recordación de los más escogidos libros i escriptores de esta materia".

1.1. Los estudios gramaticales de tipo tradicional

1.1.1. La gramática en la Antigüedad y en la Edad Media *

1.1.1.1. *La gramática entre los griegos*

El interés de los griegos por la Lingüística se desarrolla en el marco de la Filosofía, de la Retórica y de la Filología,

* **Obras fundamentales**: R. H. Robins, *Ancient and Mediaeval Grammatical Theory in Europe, with Particular Reference to Modern Linguistic Doctrine,* Londres, G. Bell and Sons, 1951 (vid. la reseña de H. M. Hoenigswald, en *Lan,* XXIX, 1953, pp. 180-182); G. L. Bursill-Hall, *Speculative Grammars of the Middle Ages. The Doctrine of "Partes Orationis" of the Modistae,* La Haya-París, Mouton, 1971 (este libro posee abundante bibliografía sobre los problemas lingüísticos en la Edad Media). El lector encontrará una asequible exposición en la obra de R. H. Robins, *Breve historia de la lingüística,* Madrid, Paraninfo, 1974, pp. 13-96.

Textos: H. Keil, *Grammatici latini ex recensione,* Leipzig, 1855-1880; Ch. Thurot, *Noticies et extraits de divers manuscrits latins pour servir à l'histoire des doctrines grammaticales du Moyen Âge, Notices et Extraits des manuscrits de la Bibliothèque Impériale,* XXII, París, 1868; E. Bethunensis, *Graecismus,* ed. J. Wroblel, en *Corpus Grammaticorum Medii Ąevi,* I, Bratislava, 1887; M. de Dacia, *De Modis Significandi,* ed. H. Roos, en *Corpus Philosophorum Danicorum Medii Aevi,* II, Copenhague, 1961; Donatus, *Ars Grammatica,* ed. H. Keil, en *Grammatici latini ex recensione,* vol. IV, 2, Leipzig, 1864; Priscianus, *Institutionum Grammaticorum Libri XVIII,* ed. de M. Hertz en H. Keil, II y III; A. de Villadei, *Doctrinale,* ed. de D. Reichling, en *Monumenta Germaniae Paedagogica,* vol. XII, Berlín, 1893; *Ars Iuliani Toletani Episcopi. Una gramática latina de la España visigoda,* estudio y edición por M.ª A. H. Maestre Yenes, Publicaciones del Instituto de Estudios Toledanos, 1973; *Isidori Hispalensis Episcopi Etymologiarvm sive originvm libri XX,* recognovit brevique adnotatione critica instrvxit W. M. Lindsay, Oxford Classical Texts, 2 vols., Londres, 1957-1962 (reimpresión de la ed. de 1911).

Otra bibliografía: Paul Barth, *Los estoicos,* Madrid, Revista de Occidente, 1930; R. R. Bolgar, *The Classical Heritage and its Benefi-*

encuadre teórico que continuará a lo largo de la tradición grecolatina en el mundo cultural europeo. El tratamiento de los problemas gramaticales no hace sino reflejar estos

---

ciaries, Cambridge, Cambridge University Press, 1954; G. L. BURSILL-HALL, "Mediaeval Grammatical Theories", en *The Canadian Journal of Linguistics,* IX, 1963, pp. 40-54; J. COLLART, *Varron, grammairien latin,* París, Les Belles-Lettres, 1954; E. R. CURTIUS, "Das mittelalterliche Bildungswesen und die Grammatik", en *Romanischen Forschungen,* XL, 1947, pp. 1-26; *Literatura europea y Edad Media latina,* trad. de Margit Frenk Alatorre y Antonio Alatorre, México-Buenos Aires, Fondo de Cultura Económica, 1955; W. J. CHASE, *The Ars Minor of Donatus,* University of Wisconsin Studies, n.º 11, Madison, 1926; J. FONTAINE, *Isidore de Séville et la culture classique dans l'Espagne wisigothique,* París, 1959; D. FEHLING, "Varro und die grammatische Lehre von der Analogie und der Flexion", en *Glotta,* XXXV, 1956, pp. 214-270, XXXVI, 1957, pp. 48-100; H. FLEISCH, "Esquisse d'une histoire de la grammaire arabe", en *Arabica,* IV, 1957, pp. 1-22; P. B. R. FORBES, "Greek Pioneers in Philology and Grammar", en *The Classical Review,* XLVII, 1933, pp. 105-112; R. G. GODFREY, "Late Mediaeval Linguistic Meta-Theory and Chomsky's *Syntactic Structures*", en *Word,* XXI, 1965, pp. 251-256; S. HEINIMANN, "Zur Geschichte der grammatischen Terminologie im Mittelalter", en *ZRPh,* LXXIX, 1963, pp. 23-37; R. W. HUNT, "Studies on Priscian in the 11th and 12th Centuries", en *Mediaeval and Renaissance Studies,* I, 1941-1943, pp. 194-231, II, 1950, pp. 1-56; "Hugutio and Petrus Helias", en *Mediaeval and Renaissance Studies,* II, 1950, pp. 174-178; D. T. LANGENDOEN, "A Note on the Linguistic Theory of M. Terentius Varro", en *Foundations of Language,* II, 1966, pp. 33-36; J. H. MARSHALL, *The "Donatz Proensals" of Uc Faidit,* Londres, Oxford University Press, 1969; Richard MCKEON, "Rethoric in the Middle Ages", en *Speculum,* XVII, 1942, pp. 9-32; A. NEHRING, "A Note of Functional Linguistics in Middle Ages", en *Traditio,* IX, 1953, pp. 430-434; Gabriel NUCHELMANS, *Theories of the Proposition. Ancient and Mediaeval Conceptions of the Bearers of Thruth and Falsity,* Amsterdam, North-Holland Linguistic Series, VIII, 1972; L. J. PAETOW, *The Arts Course at Mediaeval Universities with Special Reference to Grammar, and Rethoric,* The University of Illinois Studies, n.º VII, Urbana, 1909; R. H. ROBINS, "Dionysius Thrax and the Western Grammatical Tradition", en *Transactions of the Philological Society,* 1957, pp. 67-106; R. H. ROBINS, "The Development of the Word Class System of the European Grammatical Tradition", *Foundations*

condicionamientos intelectuales, condicionamientos que producen una honda especulación en unos campos muy precisos y, a la vez, llevan en sus principios teóricos sus propias limitaciones. El concepto del lenguaje como expresión del pensamiento y el interés único por la lengua literaria, pues la lengua coloquial es considerada una degradación de la primera, serán pilares básicos en los estudios lingüísticos, cuyas huellas aparecen todavía en muchos manuales actuales. Los estudios gramaticales de la Antigüedad, además, no harán distinción entre lo que posteriormente se denominará *gramática descriptiva* y *gramática normativa.*

Entre los pensadores presocráticos, el estudio de la gramática se sitúa dentro del amplio mundo de los debates sobre la naturaleza del lenguaje, y este tipo de especulación

---

of Language, II, 1966, pp. 3-19; H. Roos, "Sprachdenken im Mittelalter", en *Classica et Mediaevalia,* IX, 1948, pp. 200-215; *Die Modi Significandi des Martinus de Dacia. Forschungen zur Geschichte der Sprachlogik im Mittelalter, Beiträge zur Geschichte der Philosophie und Theologie des Mittelalters,* vol. XXXVII, Copenhague, 1952; Aldo D. Scaglione, *Ars Grammatica,* La Haya-París, Mouton, 1970, contiene una bibliografía comentada, pp. 11-43; J. E. Sandys, *History of Classical Scholarship,* Cambridge, 1921³; H. Steinthal, *Geschichte der Sprachwissenschaft bei Griechen und Römern,* Berlín, 1890²; Karl D. Uitti, *Linguistics and Literary Theory,* Englewood Cliffs, New Jersey, Prentice Hall, 1969. Sobre los problemas de la Retórica, además del clásico libro de Paetow, vid. Heinrich Lausberg, *Handbuch der literarischen Rhetorik. Eine Grundlelung der Literaturwissenschaft,* Munich, Max Hueber, 1960 (traducido por José Pérez Riesco, *Manual de retórica literaria. Fundamentos de una ciencia de la literatura,* Madrid, Gredos, 3 vols., 1966); J. J. Murphy, *Medieval Rhetoric: A Select Bibliography,* Toronto, Toronto University Press, 1971; Edmond Faral, *Les arts poétiques du XIIe et du XIIIe siècle. Recherches et documents sur la technique littéraire du Moyen Âge,* París, Librairie Honoré Champion, 1962; Charles Faulhaber, *Latin Rhetorical Theory in 13th and 14th Century Castile,* University of California Publications in Modern Philology, Berkeley-Los Ángeles, 1972; "Retóricas clásicas y medievales en bibliotecas castellanas", en *Ábaco,* IV, 1973, pp. 151-300.

está condicionado por el carácter de las cuestiones que eran centrales en la Filosofía de la época[2]. Dentro del pensamiento presocrático se planteó el problema de si las instituciones humanas eran *convencionales* o *naturales* y, por lo tanto, si el lenguaje humano era debido a φύσις o θέσις, tema fundamental del diálogo platónico *Cratilo*. Este problema, primer estímulo para las investigaciones gramaticales, obligó a estudiar con gran minuciosidad la estructura formal de las palabras para tratar de probar o negar una conexión directa con su significado correspondiente. Esta cuestión inicia, además, la problemática del origen del lenguaje, que posteriormente, con el cristianismo, dará paso al triunfo de la hipótesis del origen divino.

Con el intento de demostrar que todas las palabras eran apropiadas *naturalmente* a su significado, se desarrolló la práctica de la *etimología;* se trataba de descubrir el origen auténtico de la palabra y llegar al fondo de lo que era su significado *verdadero*. Los *convencionalistas* examinaban cuidadosamente la estructura formal de las palabras para intentar poner de relieve lo apropiado de su tesis: las palabras no reflejan la naturaleza de las cosas. Este examen cuidadoso llevó a establecer clases formales y a observar las variaciones de estructura formal en las diferentes combinaciones secuenciales. En esta especulación tiene también su origen todo el complejo problema de las *clases de palabras* o *partes de la oración**. Los argumentos de los partidarios del

2. R. H. Robins, *Ancient and Mediaeval Grammatical Theories in Europe, with Particular Reference to Modern Linguistic Doctrine*, Londres, G. Bell and Sons, 1951, pp. 6-7.

* Consúltese el artículo de R. H. Robins, "The Development of the Word Class System of the European Grammatical Tradition", en *FL*, II, 1966, pp. 3-19, especialmente el esquema de la p. 18 (reimpreso en *Diversions of Bloomsbury,* Amsterdam, North-Holland, 1970). Lamentablemente, la investigación hispánica carece de un libro tan útil como

carácter *natural* se basaban en las palabras de tipo onomatopéyico y fonosimbólico, pues en su origen la estructura formal de las palabras se debía a las cosas a las que correspondían. La necesidad de explicar el amplio conjunto de palabras no incluidas en las hipótesis anteriores, llevó a los seguidores del concepto *naturalista* a ampliar las bases de trabajo con la adición de la metáfora y, sobre todo, de la relación entre dos palabras, gracias a un sistema de derivación, dada la relación *natural* entre ellas.

A esta época de la Antigüedad se deben las primeras construcciones teóricas que toman la palabra como centro y base de los estudios gramaticales, y también la primera distinción entre *nombre* y *verbo,* distinción en la que se utiliza por primera vez el género como criterio formal para el análisis del nombre. Los estudios sobre el género se deben a Protágoras, y ya en el siglo v a. de J. C. comenzaron las primeras investigaciones para distinguir el género como índice de concordancia entre palabras dentro de unas determinadas construcciones sintácticas, y también la correlación que se establece entre el sexo y la forma de las palabras masculinas y femeninas[3].

La disputa entre *convencionalistas* y *naturalistas* se convirtió posteriormente en la discusión acerca del carácter regular de los hechos lingüísticos: el problema está centrado en saber si la lengua presenta un carácter sistemático, como defienden los *analogistas,* o si no es posible, a causa de sus múltiples excepciones, reducirla a un conjunto de reglas, como sostienen los *anomalistas.* La discusión entre los partidarios de la *anomalía* y los de la *analogía* tiene muchos pun-

---

el de Ian MICHAEL, *English Grammatical Categories and the Tradition to 1800,* Londres, Cambridge University Press, 1970 (vid. la bibliografía contenida en 3.0).

3. R. H. ROBINS, *Ancient and Mediaeval...,* pp. 15-16.

tos de contacto con la ya citada entre *naturaleza* y *convención,* aunque no se trate exactamente de lo mismo. De acuerdo con los pensadores partidarios de la *analogía,* el lenguaje era *natural,* aparecía la lengua como un todo armónico, lógico y regular, mientras que los *anomalistas* creían que las irregularidades se manifiestan en todos los aspectos de la lengua.

Platón supone uno de los puntos de partida del pensamiento gramatical griego; para Platón, la palabra es expresión material de una idea, y en esta idea radica el comienzo de nuestro conocimiento del mundo[4]. Al sostener este principio teórico, Platón define las categorías gramaticales con referencia a la lógica: existen el *nombre* y el *verbo,* que no se definirán con criterios formales ni lingüísticos, sino filosóficos. La lengua, para el pensador griego, está formada por el *nombre,* del que se predica una acción o una cualidad, y el *verbo,* lo que es predicado del nombre. Esta definición, basada en el concepto de proposición lógica, es la justificación para que Platón clasifique los adjetivos dentro de la categoría del *verbo.* Con este planteamiento platónico, se inicia en el pensamiento gramatical occidental una íntima relación entre *Lógica* y *Gramática,* que será fundamental en su desarrollo posterior.

La doctrina gramatical de Aristóteles se basa en la distinción platónica de tipo lógico entre *nombre* y *verbo,* aunque añade una tercera clase de palabras, σύνδεσμοι ('conjunciones'); la división se justifica en que, considerados aisladamente, tanto los nombres como los verbos pueden poseer significación[5], pero no los elementos gramaticales com-

4. M. Ivic, *Trends in Linguistics,* Londres-La Haya-París, Mouton, 1965, p. 17.

5. Para el estudio del significado en Aristóteles, vid. Miriam Therese Larkin, *Language in the Philosophy of Aristotle,* La Haya-París,

prendidos en esta tercera clase, que únicamente está dotada de función gramatical. Aristóteles se plantea por primera vez el problema teórico de la definición de palabra, a la que concibe como la *mínima unidad significativa,* y diferencia el significado de estas unidades aisladas del de las construcciones sintácticas. También se debe a Aristóteles el reconocimiento del carácter de *tiempo* que implica el *verbo,* y la necesidad metodológica de distinguir entre nombres simples y compuestos.

Los primeros grandes avances teóricos en el estudio de los problemas gramaticales se deben a los *estoicos,* que fijaron, por vez primera, el lugar de las especulaciones gramaticales dentro del campo de la Filosofía. En la significación, establecieron la distinción básica entre *lo que significa* y *lo que es significado* (*forma* y *significación*), distinción que llega hasta el siglo XX, y también desarrollaron el estudio de la Fonética.

En los primeros estoicos aparece la división de las partes de la oración en cuatro *categorías primarias: nombre, verbo, conjunción* y *artículo,* para las que se partía de la base de categorías filosóficas como las de *sustancia, acción* o *relación;* entre los estoicos posteriores se encuentra la división en cinco partes de la oración, gracias a la escisión de la categoría de *nombre* en *propio* y *común.* En la teoría gramatical estoica se distingue entre *conjunciones* y *conjunciones prepositivas;* el *adjetivo* aparece ya clasificado en la categoría de *nombre.* Además de las *categorías primarias,* ya citadas, los pensadores estoicos distinguían las *categorías secundarias: número, género, caso, voz, modo* y *tiempo,* gra-

Mouton, 1971, pp. 13-44. Una asequible exposición de los problemas lingüísticos en Platón y Aristóteles se encuentra en la obra de Karl D. UITTI, *Linguistics and Literary Theory,* pp. 6-26.

cias a las cuales se pueden clasificar y definir las *categorías primarias.* Notaron que el número era una categoría lingüística y formal, dada la concordancia; los casos se deslindan en los tradicionales *recto* y *oblicuo.*

En la escuela alejandrina se produce el primer fenómeno de especialización dentro del campo de los estudios gramaticales: *lexicógrafos, glosadores, escoliastas, retóricos,* etc.; en este ambiente cultural alejandrino se desarrolla la obra de Dionisio de Tracia (h. 100 a. de J. C.), que fue el primer estudioso que redactó un cuerpo de doctrina en el que ordenadamente se clasificaban y exponían con minuciosidad los avances anteriores. Para Dionisio de Tracia, la gramática griega tiene por fin fundamental preservar el griego literario para que no se contamine ni se corrompa, pues los eruditos alejandrinos, apasionados de la Filología, habían observado la diferencia entre el griego hablado y la lengua de los textos homéricos, y pensaban que las diferencias se basaban en las diferentes corrupciones que había sufrido la lengua hablada y no sujeta a normas gramaticales. Comienza su obra con un análisis de las *letras* y de las *sílabas*; continúa con el examen de las *partes de la oración,* donde demuestra una gran preocupación por la analogía. Dionisio de Tracia concibe ocho *partes de la oración* o *clases de palabras,* que son: *nombre, verbo, participio* (participa de las características formales y funcionales del verbo y del nombre), el *artículo* (que sigue manteniendo en su apartado al pronombre relativo), el *pronombre,* la *preposición,* el *adverbio* y la *conjunción.* Sus definiciones están basadas en criterios morfológicos o sintácticos; por ejemplo, el *nombre* es la parte de la oración que posee caso, que significa persona o cosa, y que puede ser general o particular: *piedra, Sócrates.*

Ya en la época del Imperio Romano, el gramático Apolonio Díscolo (siglo II d. de J. C.) llenaría la laguna existente en la exposición gramatical de Dionisio de Tracia al dedicar una parte de su estudio a la sintaxis. En otros aspectos, se mostró mucho más conservador que su antepasado, pues volvió otra vez a los criterios lógicos como base teórica para la clasificación de las *clases de palabras.*

1.1.1.2. *La gramática en Roma*

La teoría gramatical en Roma sigue los cauces abiertos por la gramática griega, influjo que hay que situar en el prestigio que van a tener en el mundo latino los elementos culturales griegos. Sin embargo, la cultura europea medieval hasta el siglo XIII, incluso después, beberá en las fuentes de los gramáticos latinos, sobre todo de Donato y Prisciano.

En general, los gramáticos romanos se limitaron a estudiar la lengua latina bajo los modelos de la gramática griega, y fueron muy pocos los que intentaron plantearse desde un nuevo ángulo la problemática del estudio de la lengua latina. Es verdad que la aplicación de los moldes gramaticales griegos al latín planteaba algunos problemas: existencia de seis casos frente a los cinco del griego e inexistencia del artículo, lo que obligó a introducir la interjección entre las *clases de palabras* (esta innovación se debe a Remio Palemón, en el siglo I d. de J. C.).

Entre los autores originales destaca Varrón (siglo I a. de J. C.), autor de una obra titulada *De lingua latina*; Varrón suele conservar una postura de equilibrio ante los problemas antagónicos planteados por la tradición gramatical griega; cree que el gramático debe descubrir la regularidad del lenguaje, pero no imponerla por la fuerza en sus estudios. Su doctrina, contenida en *De lingua latina,* es bastante original: distingue tres partes en el estudio gramatical: *Eti-*

mología, Morfología y *Sintaxis;* divide las *clases de palabras* bajo un criterio nuevo, de tipo formal, en el que acepta las antiguas categorías secundarias para la clasificación: (a) *nombre* (palabras con inflexión casual), (b) *verbo* (palabras con tiempo), (c) *participio* (palabras con tiempo y caso), (d) *conjunción* y *adverbio* (palabras sin tiempo ni caso). El *nombre,* según Varrón, se divide en cuatro apartados: *nombre común, nombre propio, pronombre interrogativo* y *pronombre demostrativo.*

Como ha señalado Karl D. Uitti, el objeto de la investigación gramatical es, para Varrón, la defensa de la *latinitas,* a la que define como "*natura, analogia, consuetudo, auctoritas*" (vid. *Linguistics and Literary Theory,* p. 30).

Desde un nuevo ángulo, D. T. Langendoen ha notado cómo es Varrón el primer estudioso que eleva la gramática al nivel de *epistéme* (*comprensión*); el gramático latino observa que la derivación sintáctica es un universal de las lenguas naturales, lo que le lleva a plantearse el problema de la habilidad que poseen los hablantes para formar, de una manera sistemática, un ilimitado número de expresiones (palabras) con un limitado número de elementos, y señala el caso de palabras como *argentifodinae* 'minas de plata' (vid. *FL,* II, 1966, pp. 33-36). Muchos años después, las *Institutiones* de Prisciano dedicarán parte del libro V al problema de la formación de palabras y notará Prisciano que en casos como *parricida* (*parens* + *caedere*) existen ambos elementos plenos y el intelecto humano los comprende perfectamente (vid. el análisis de este pasaje en Karl D. Uitti, *op. cit.,* p. 33).

Los estudios gramaticales florecieron en la baja latinidad sobre todo con los dos autores que posteriormente se convertirán en la base de los conocimientos gramaticales de la Edad Media europea: Donato y Prisciano. En esta época el pensamiento gramatical está muy próximo al de la escuela alejandrina: existe un pasado literario que es necesario estudiar e imitar, pues se trata de no perder la pureza del período clásico[6]. Se escriben comentarios de los escritores y se hace dominante el concepto de "auctoritas". En estas obras se encuentra el modelo que dura hasta hoy de obtener los ejemplos gramaticales de obras cuyos autores tienen una reconocida calidad literaria. En este período, de escasa fecundidad teórica, quizá el autor más independiente sea Macrobio (siglo IV d. de J.C.), que escribió una obra en la que se comparaban los sistemas verbales griego y latino, titulada *De differentiis et societatibus graeci latinique verbi.*

Donato (h. 400 d. de J.C.) es autor de un *Ars grammatica,* que conoció una versión redactada en preguntas y respuestas. La disposición de la obra de Donato, que aparecerá con mucha frecuencia posteriormente, está basada en el estudio y descripción de las *letras,* la *sílaba* y su función dentro del verso, las reglas del *acento* y el estudio de las *partes de la oración*; siguen a estos apartados, donde se mezcla lo gramatical con lo retórico, una lista de errores en las construcciones sintácticas y la explicación de las figuras de construcción apoyadas en los *auctores.* La obra de Prisciano, que vivió en Constantinopla hacia el año 500 d. de J.C., parte del concepto del carácter indivisible de la palabra, como unidad lingüística, aunque haya casos en que sea significativa la unión de elementos dentro de la palabra (tema + caso). Para la división de las *clases de palabras,* se apoya en el concepto teórico de la significación y distingue ocho categorías: *nombre, verbo, participio, pronombre, preposición, adverbio, interjección* y *conjunción.*

Los dos últimos libros de las *Institutiones grammaticae* (XVII y XVIII) están dedicados a la sintaxis; J. C. Che-

6. R. H. Robins, *op. cit.*, pp. 61-62.

valier ha demostrado la decisiva importancia que tendrán en la formación de los conceptos sintácticos de la gramática europea. El punto de partida será la concepción lógica de "oratio perfecta" y se estudiará la unión de las formas para organizar este complejo lógico.

1.1.1.3. *Los estudios gramaticales en la Edad Media*

Es casi un tópico entre los investigadores que han trabajado en este período (Robins, Bursill-Hall) señalar dos épocas diferentes en los estudios gramaticales medievales; estos dos períodos tendrían como frontera el Renacimiento del siglo XII y el descubrimiento de Aristóteles y otros filósofos griegos, aunque esta división tenga un carácter más escolar que científico, pues perviven en la segunda época una serie de elementos fundamentales de la primera y, además, el cambio en el pensar lingüístico se comienza a realizar un poco antes del siglo XII, pero tarda en generalizarse por una serie de factores.

Existen unas profundas lagunas en el conocimiento actual de lo que fue la teoría gramatical desde el siglo VI hasta el siglo XI[7], sin embargo aparecen los hitos fundamentales de Boecio, Casiodoro, San Isidoro de Sevilla y Aelfric, abad de Eynsham[8]. Es de sobras conocido que en los estudios de la época la gramática (la gramática latina) ocupa una posición destacada, dada la fuerza de la tradición clásica, el prestigio del latín como lengua culta, el gusto por los

7. G. L. BURSILL-HALL, *Speculative Grammars of the Middle Ages. The Doctrine of "Partes Orationis" of the Modistae*, La Haya-París, Mouton, 1971, p. 22.

8. Vivió hacia el año 1000; fue autor de una gramática latina en anglosajón, un glosario y un coloquio; vid. R. H. ROBINS, *op. cit.*, pp. 71-74.

comentarios de los *auctores* y la lectura y comentario de la Vulgata; en este último punto se planteará una de las cuestiones disputadas entre los intelectuales medievales: el conflicto de "auctoritas" entre las enseñanzas lingüísticas de Donato y Prisciano, apoyadas precisamente en autores clásicos, y la lengua del texto sagrado.

En el primer período medieval los autores básicos serán Donato y Prisciano, que se utilizaban en la enseñanza a través de los resúmenes y comentarios que con el título de *Summa...* o de *Commentum super...* tanto abundan, y que seguirán ejerciendo un influjo en materia de conocimientos gramaticales latinos durante toda la Edad Media. Esta enseñanza estaba íntimamente ligada al comentario de los autores literarios latinos y al intento de comprender el mundo clásico; este método, ya esté basado en el comentario de autores literarios o en el de los gramáticos clásicos, se prolonga a través de las escuelas de Chartres y Orleans, mientras que la Universidad de París se va a convertir en el centro de los avances de la lógica de corte aristotélico, que influirá decisivamente en el nuevo desarrollo de las investigaciones gramaticales, desligadas de los afanes filológicos, aunque queden los reductos ya señalados y la peculiar situación de España e Italia [9].

Como consecuencia del descubrimiento de Aristóteles, comienza un nuevo examen de las teorías gramaticales anteriores, enmarcado en un intento general de establecer la

9. Hacia 1280 escribe Fray Juan Gil de Zamora su interesante *Prosodion,* de acuerdo con las investigaciones de M. de Castro y Castro, Charles Faulhaber y Francisco Rico. El *Prosodion,* que es un tratado de prosodia y ortografía, sigue la línea de Prisciano y de la escuela italiana. Actualmente, el joven investigador L. Alonso prepara una edición crítica de la obra. La situación de los "auctores" en el siglo XIII peninsular ha sido resumida por F. RICO, *Alfonso el Sabio y la "General Estoria"*, Barcelona, Ariel, 1972, pp. 174-175.

noción de *ciencia* como "un necesario conocimiento justificado por una estricta demostración", mientras que la noción de *arte* suponía únicamente un conjunto sistemático de principios y consecuencias [10]. A pesar del nuevo enfoque, Prisciano, sobre todo, sigue siendo la base de los conocimientos gramaticales del siglo XIII y del XIV, aunque tuvo que compartir su influjo con el *Doctrinale* de Alejandro de Villedieu (siglo XII), escrito en hexámetros, y el *Graecismus* de Eberardo de Bethun, en hexámetros leoninos.

La revolución del siglo XIII viene precedida por los comienzos de la inserción de la dialéctica en la enseñanza de la gramática en el siglo XI, y, posteriormente, por el influjo de la lógica bajo la enseñanza de Pedro Helias, autor de una *Summa in Priscianum*. Según Bursill-Hall, la primera etapa del influjo de la lógica en la gramática se debe al grupo de Guillermo de Conches, P. Helias y V. de Beauvais; a esta época sigue el período de consolidación, situado entre los autores ya citados y los *modistae*, con los nombres de los comentaristas de Prisciano R. Kilwardby y Nicolás de París. Estos autores preparan la profusión de gramáticas especulativas en los siglos XIII y XIV, que arrancan de R. Bacon, quien hacia 1245 escribió una *Summa Grammatica*. Bacon considera que en toda lengua existen dos clases de problemas: los que son típicos de la lengua en cuestión, que no pueden ser objeto de estudio científico, y otros, comunes a todas las lenguas, *universales*, que pueden ser estudiados en una gramática general del lenguaje humano.

10. Vid. G. L. BURSILL-HALL, *op. cit.*, p. 26. La historia del problema de la gramática como ciencia o como conocimiento práctico ha sido trazada por R. H. ROBINS, "Theory-orientation versus data-orientation", en *Historiographia Linguistica*, I, 1974, pp. 11-26. Sobre el problema del *saber* y los *saberes* en los siglos XII y XIII, vid. la obra de F. RICO, *Alfonso el Sabio y la "General Estoria"*, p. 142 y la bibliografía contenida en p. 142, n. 1.

El tercer período está dominado por los *modistae*[11], que se adueñan del mundo gramatical desde la segunda mitad del siglo XIII y durante todo el siglo XIV, aunque sus teorías sigan influyendo en los siglos posteriores (en Port Royal, por ejemplo) y que su distinción entre *sustantivo* y *adjetivo* llegue hasta hoy. Se conocen varias obras de estos investigadores, aunque haya algunas inéditas y con bastantes problemas textuales; las más estudiadas son las de Martín de Dacia (1270), Juan de Dacia (1280) y, ya en el siglo XIV, las de Siger de Courtrai y Tomás de Erfurt. Para estos autores, la gramática tiene su base situada fuera de la lengua: hay una gramática universal que depende de la estructura de la realidad, y las reglas de la gramática son independientes del lenguaje en que se expresan. "La teoría de la gramática —escribe Bursill-Hall— culmina la creencia de que la universalidad de las cosas es concebida y comprendida por la universalidad de la razón humana y podía ser expresada en un lenguaje universal, el latín, que adquiere el rango de metalenguaje"[12]. Al depender de la estructura de la realidad, la lengua será un "speculum" en el que se refleja la realidad del mundo circundante, y la investigación de la lengua será un camino para el conocimiento de la realidad.

La técnica descriptiva de las gramáticas especulativas suele obedecer a una doctrina general, que difiere sobre todo en la presentación. Acostumbran a comenzar con una introducción, en la que se plantean los problemas descriptivos del metalenguaje, seguida por el inventario de las *partes orationis* (*Etymologia,* para T. de Erfurt) y la sintaxis (*Diasyntetica,* también para T. de Erfurt). La terminología suele ser muy

11. El término *modistae* parece que fue utilizado por primera vez por J. Müller; vid. G. L. BURSILL-HALL, *op. cit.*, p. 31, n. 65.
12. *Ibid.*, p. 38.

compleja, agravada por la carencia de ejemplos concretos, pues los tratados *De modis significandi* debían de ser explicados con algún complemento de gramática latina. Esta introducción servía para explicar la terminología utilizada en la obra y, además, enumerar los elementos y las categorías que se seguirían en el proceso descriptivo. Para la descripción de las *partes orationis* se utilizan las diferencias modales de *esencial-accidental*, que toman distintas subdivisiones según los gramáticos, aunque básicamente se seguía la doctrina gramatical antigua, con variación en las definiciones, que estaban basadas en la compleja lógica medieval.

Es decisiva la teoría de la significación, pues las palabras no reflejan directamente la naturaleza de la cosa significada, sino que la representan de un *modo* particular como formas de las partes de la oración que representan [13].

La publicación de la obra de Chomsky *Cartesian Linguistics* ha motivado un extraordinario interés por los problemas de historia de la lingüística, ya sea para justificar la interpretación dada en la obra o, más frecuentemente, para demostrar su inadecuación con la realidad histórica. En esta última línea hay que situar el trabajo de Peter H. Salus "Pre-pre-cartesian Linguistics" (en *CLS*, V, 1969, pp. 429-434), que trata de la importancia de los *modistae* en la construcción de una teoría del lenguaje y, sobre todo, el artículo del mismo investigador), "The Modistae as Proto-Generativists" (en *CLS*, VII, 1971, pp. 530-534), donde se plantea la posición *moderna* y *generativa*, que no transformativa, de estos autores medievales. Parte Salus del examen de las teorías sintácticas en Tomás de Erfurt, en las que se podría encontrar un ilustre antecedente del análisis en constituyentes inmediatos.

13. J. LYONS, *Introducción*, p. 15.

1.1.2. Los problemas lingüísticos y gramaticales en el Renacimiento *

A partir del siglo xv se empieza a producir un profundo cambio intelectual; como consecuencia, la lingüística variará profundamente al estar en íntima ligazón con las nuevas

* **Obras generales**: Louis Kukenheim, *Contributions à l'histoire de la grammaire italienne, espagnole et française à l'époque de la Renaissance,* Amsterdam, 1932; *Contributions à l'histoire de la grammaire grecque, latine et hébraïque à l'époque de la Renaissance,* Leiden, E. J. Brill, 1951; W. F. de Jongh, *Western Language Manuals of the Renaissance,* University of New Mexico Publications in Language and Literature, 1, Alburquerque, 1949; C. Trabalza, *Storia della grammatica italiana,* Bolonia, 1963; Jean-Claude Chevalier, *Histoire de la Syntaxe. Naissance de la notion de complément dans la grammaire française (1530-1750),* Publications Romanes et Françaises, C, Ginebra, Droz, 1968. **Obras sobre Retórica y Poética**: Bernard Weinberg, *A History of Literary Criticism in the Italian Renaissance,* 2 vols., Chicago, The University of Chicago Press, 1963^2; Antonio Martí, *La preceptiva retórica española en el Siglo de Oro,* Madrid, Gredos, 1972; José Rico Verdú, *La retórica española de los siglos XVI y XVII,* Revista de Literatura, Anejo XXXV, Madrid, CSIC, 1973.

Bibliografía de los estudios lingüísticos en España: Conde de la Viñaza, *Biblioteca histórica de la filología castellana,* Madrid, Imprenta de M. Tello, 1893 [sigue siendo el repertorio más importante de textos gramaticales]; A. Alonso, *De la pronunciación medieval a la moderna en español,* Madrid, Gredos, t. I, 2.ª edición 1967, t. II, 1969 [contiene gran cantidad de datos sobre gramáticas en el Siglo de Oro]; William Knapp, *Concise Bibliography of Spanish Grammars and Dictionaries from the Earliest Period to the Definitive Edition of the Academy's Dictionary, 1490-1780,* Boston, 1884; S. Gili Gaya, *Tesoro Lexicográfico,* Madrid, 1947 [el prólogo da importantes datos sobre diccionarios españoles clásicos]; H. Serís, *Bibliografía de la lingüística española,* Bogotá, 1964, n.º 11.403 y ss. **Otra bibliografía**: A. Alonso, "Gramáticos españoles y franceses de los siglos xvi, xvii y xviii", en *NRFH,* V, 1951, pp. 1-37; "Identificación de gramáticos españoles clásicos", en *RFE,* XXXV, 1951, pp. 221-236; Emilio Alarcos García, "Una teoría del origen del castellano", en *BRAE,* XXI, 1934, pp. 209-228; Werner Bahner, *Beitrag zum Sprachbewusstsein in der spanischen Li-*

posiciones del hombre ante los problemas de la existencia y con la aparición de la imprenta y la extensión del libro en Europa, sin olvidar la generalización de hallazgos metodo-

---

teratur des XVI. und XVII. Jahrhunderts, traducido con el título *La lingüística española del Siglo de Oro,* Madrid, Ciencia Nueva, 1966; G. M. Bertini, "Della prima grammatica italo-spagnuola", en *EDMP*, IV, 1953, pp. 27-35 [sobre las *Observationi* de Miranda]; L. Cardim, *Gramaticas anglo-castelhanas o castelhano-ànglicas (1586-1878), O Instituto*, LXXXI, 1931; Carlos Clavería, *España en Europa. Aspectos de la difusión de la lengua y las letras españolas desde el siglo XVI*, Discurso de ingreso en la Real Academia, Madrid, 1972; G. Díaz-Plaja, *Las teorías sobre la creación de lenguaje en el siglo XVI*, Zaragoza, 1939; A. M. Gallina, *Contributi alla storia della lessicografia italo-spagnuola dei secoli XVI e XVII*, Biblioteca dell'"Archivum Romanicum", I, 58, Florencia, 1959; P. U. González de la Calle, "Latín y romance. Contribución al estudio de la vida docente española en el siglo xvi", en *Varia. Notas y apuntes sobre temas de letras clásicas*, Madrid, 1916, pp. 211-299; "Latín universitario. Contribución al estudio del uso del latín en la Universidad de Salamanca", en *HMP*, I, 1925, pp. 795-818; R. Hamilton, "Juan de Valdés and some Renaissance Theories of Language", en *BHS*, XXX, 1953, pp. 125-133; María Rosa Lida de Malkiel, "Túbal, primer poblador de España", en *Ábaco*, III, 1970, pp. 9-48; Juan M. Lope Blanch, "La *Gramática Española* de Jerónimo de Texada", en *NRFH*, XIII, 1959, pp. 1-16; A. Malaret, "Cambios del idioma", en *BAAL*, XVII, 1948, pp. 161-207; H. Marquant, "La función sustitutiva del pronombre en la gramática española de los siglos xvi y xvii", en *Orbis*, XVI, 1967, pp. 202-224; Judith S. Merrill, "The Presentation of Case and Declension in Early Spanish Grammars", en *ZRPh*, LXXVIII, 1962, pp. 162-171; A. Morel-Fatio, *Ambrosio de Salazar et l'étude de l'espagnol en France sous Louis XIII*, París-Toulouse, 1901 [1900]; "La Grammaire espagnole de Gerónimo de Texeda", en *BHi*, III, 1901, pp. 63-64; Margherita Morreale, *Pedro Simón Abril, RFE*, anejo, LI, Madrid, CSIC, 1949; Blanca Periñán, "La *Gramática* de Lorenzo Franciosini", en *Prohemio*, I, 1970, pp. 225-250; R. J. Steiner, *Two Centuries of Spanish and English Bilingual Lexicography. 1590-1800*, La Haya, 1970; **Textos**: Para la Gramática de Nebrija, vid. nota 19; A. de Nebrija, *Vocabulario de romance en latín*, transcripción crítica de la edición revisada por el autor, Sevilla, 1516, con introducción de G. J. MacDonald, Madrid, Castalia, 1973; *Gramática de la lengua vulgar de España, Lovaina, 1559,*

lógicos tan fundamentales como pueden ser, por ejemplo, el uso de la clasificación alfabética en los registros lexicográficos o la paginación de los libros impresos. Desde el punto de

---

edición facsimilar y estudio de Rafael de Balbín y Antonio Roldán, *Clásicos Hispánicos,* Madrid, CSIC, 1966; *Gramática castellana por el licenciado Villalón, Amberes, 1558,* edición facsimilar y estudio por Constantino García, *Clásicos Hispánicos,* Madrid, CSIC, 1971; Juan de YCIAR, *Orthographia pratica. Recopilación subtilissima intitulada Orthographia pratica, por la qual se enseña a escrevir perfectamente, Zaragoza, 1548,* introducción de J. García Morales, *Primeras ediciones,* n.º 1, 1973; Antonio DE TORQUEMADA, *Manual de escribientes,* edición de M.ª Josefa C. de Zamora y A. Zamora Vicente, Madrid, *BRAE,* anejo XXI, 1970; J. DE VALDÉS, *Diálogo de la lengua,* edición de J. F. Montesinos, La Lectura, 1928; existen además las ediciones de Rafael Lapesa, Zaragoza, Ebro, 1940; Cristina Barbolani de García, Florencia, 1967, y Juan M. Lope Blanch, Madrid, *Clásicos Castalia,* 1969; **Bibliografía sobre Nebrija**: J. SIMÓN DÍAZ, *Bibliografía de la Literatura Hispánica,* III, 5.246-5.398; P. LEMUS, "El maestro Elio Antonio de Lebrixa", *RHi,* XXII, 1910, pp. 460-508, XXIX, 1913, pp. 13-120; A. ODRIOZOLA, *La caracola del bibliófilo nebrisense. Extracto seco de bibliografía de Nebrija en los siglos XV y XVI,* Madrid, Imp. Blass, 1947; *Miscelánea Nebrija,* t. I, Madrid, CSIC, 1946; A. ALONSO, "Examen de las noticias de Nebrija sobre antigua pronunciación española", en *NRFH,* III, 1949, pp-1-82; E. ASENSIO, "La lengua compañera de imperio. Historia de una idea de Nebrija en España y Portugal", en *RFE,* XLIII, 1960, pp. 399-413; M. BASSOLS DE CLIMENT, "Nebrija en Cataluña. Significación de las "Institutiones" o gramática latina de Nebrija y su influencia en Cataluña", en *RFE,* XXIX, 1945, pp. 49-64; B. ESCUDERO DE JUANA, *Contribución al estudio del romance español. La "Ortografía" de Lebrija comparada con la de los siglos XV, XVI y XVII,* Madrid, 1923; J. CASARES, "Nebrija y la gramática castellana", en *BRAE,* XXVI, 1947, pp. 335-367; Américo CASTRO, "Antonio de Nebrija", en *Lengua, enseñanza y literatura,* Madrid, 1924, pp. 140-155; S. GILI GAYA, "Nebrija et sa grammaire castillane", en *Les Langues Neo-latines,* XLII, 1947, n.º 105; I. GONZÁLEZ LLUBERA, "Notas para la crítica del Nebrisense", en *BSS,* IV, 1927, pp. 89-92; Félix G. OLMEDO, *Nebrija (1441-1522),* Madrid, Editora Nacional, 1942; Judith SENIOR, "Dos notas sobre Nebrija", en *NRFH,* XIII, 1959, pp. 83-88; J. SIMÓN DÍAZ, "La Universidad de Salamanca y la reforma del Arte de Nebrija", en *Aportación documental para la erudición española,* Madrid, CSIC, 8.ª serie, 1951, pp. 1-7; **Bibliografía sobre Sánchez de las Brozas**:

vista teórico, el punto de arranque del nuevo pensar lingüístico es la crisis de la gramática de tipo especulativo y el triunfo del carácter filológico de los nuevos ideales humanistas. El proceso es largo, de compleja estructura y de difícil sistematización, pues son diversos los factores que lo producen y, además, muchos elementos de la doctrina lingüística clásica y medieval seguirán perviviendo bajo un nuevo enfoque. De una manera simplista, podemos señalar algunos de estos factores: (a) gusto y afán por restituir la *latinitas* con toda su pureza, que se dan ya en figuras como Lorenzo Valla; (b) triunfo de los estudios de la lengua griega, proceso que se inicia en la época de Petrarca; (c) necesidad y amor por el conocimiento de la lengua hebrea; (d) función de los nuevos sentimientos nacionales y, como

---

Aubrey G. BELL, *Francisco Sánchez el Brocense*, Londres, Oxford University Press, 1925, Constantino GARCÍA, *Contribución a la historia de los conceptos gramaticales. La aportación del Brocense*, *RFE*, anejo LXXI, Madrid, CSIC, 1960; P. U. GONZÁLEZ DE LA CALLE, *Francisco Sánchez de las Brozas. Su vida profesional y académica*, Madrid, Victoriano Suárez, 1923; "Contribución a la biografía del Brocense", en *RABM*, XLIX, 1928, pp. 178-200; F. GARCÍA SALINERO, "Actualidad lingüística de Francisco Sánchez de las Brozas", en *REE*, XXIX, 1973, pp. 431-443; José M.ª LIAÑO PACHECO, *Sanctius el Brocense*, Madrid, 1971; "La primera redacción de la *Minerva*", en *Estudios Clásicos*, 63, 1971, pp. 187-203; Judith S. MERRILL, "Las primeras clasificaciones tripartitas de las partes de la oración: Villalón y el Brocense", en *NRFH*, XIX, 1970, pp. 105-110; J. MOREAU, "Sanches, précartésien", en *Revue Philosophique de France et de l'Étranger*, XCII, 1967, pp. 264-270; Carlos P. OTERO, "Lancelot «avant la lettre»: Sánchez de las Brozas", en *Introducción a la lingüística transformacional*, México, Siglo XXI, 1970, pp. 32-39; M. SÁNCHEZ BARRADO, "Estudios sobre el Brocense: Su concepción de la gramática. Su filosofía del lenguaje", en *Revista Crítica Hispano Americana*, V, 1910, pp. 5-26; A. TOVAR y M. DE LA PINTA LLORENTE, *Procesos inquisitoriales contra Francisco Sánchez de las Brozas*, Madrid, CSIC, 1941. **Bibliografía sobre Juan Luis Vives**: E. COSERIU, "Zur Sprachtheorie von Juan Luis Vives", en *Festschrift W. Mönch*, Heidelberg, 1971, pp. 234-255.

consecuencia, sistematización de los estudios sobre las lenguas vulgares, que pueden ser reducidas a *arte,* con los precedentes ilustres y conocidos de Dante, los Donatos provenzales o las *Regole* florentinas, coetáneas estas últimas de la *Gramática* de Nebrija. La trascendencia de estos cuatro puntos señalados es muy grande y estará representada por el ideal de conseguir el *homo trilinguis*; muchos años después (1627), Gonzalo Correas, en su *Arte Trilingüe,* se lamentará, en la Dedicatoria a Felipe III, de sólo presentar en el volumen las tres gramáticas (castellana, latina y griega), "porque la hebrea no he tenido letras con que imprimirla, para que fuera junta con ellas". Todos estos apartados anteriores serían ya muy importantes en sí mismos para el desarrollo del nuevo pensar teórico, pero existe, además, un deseo vivísimo por la búsqueda de la verdad científica y racionalmente explicada, que, a mi juicio, aparecerá simbolizado en las distintas posiciones ante los problemas textuales bíblicos que se plantean en Alcalá entre Cisneros y Nebrija, que ha interpretado sabiamente Bataillon[14]. Esta búsqueda científica de la correcta fijación de un texto y su explicación filológica conducirá inexorablemente a un nuevo planteamiento de la teoría gramatical, con la necesidad imperiosa de separar cada vez más dos tipos de estudios: la *grammatica methodica* tendrá que apartarse de la *grammatica exegetica*[15]; la *grammatica methodica,* ya sea para profesores o para alumnos, cumplirá con su función didáctica y llenará sistemáticamente la curiosidad por conocer la propia lengua

14. M. Bataillon, *Erasmo y España,* trad. de Antonio Alatorre, México, Fondo de Cultura Económica, 2.ª ed. en español, 1966, p. 26 y ss.

15. L. Kukenheim, *Contributions à l'histoire de la grammaire grecque, latine et hébraïque à l'époque de la Renaissance,* Leiden, E. J. Brill, 1951, p. 50.

(incluso como camino para conocer la latina) o la lengua de otros países, y quedará reflejada en los manuales de lenguas para extranjeros: Miranda, Percyvall, Stepney, Villalón, Oudin, Salazar, Franciosini; en los diálogos amenos centrados en núcleos temáticos de la vida cotidiana; en diccionarios bilingües o en los impresionantes Calepinos, sin olvidar la descripción más o menos utilitaria de las lenguas que los nuevos descubrimientos ponían en contacto con el mundo europeo, como las *artes* de lenguas americanas o la tradición que se inicia por entonces de los *Mithridates*. La *grammatica exegetica* estará, en cambio, dramáticamente enlazada con la problemática religiosa de la época y, también, con la comprensión y explicación de autores literarios clásicos o en lengua vulgar, pero elevados a categoría de modelos: Dante, Petrarca, Juan de Mena o Garcilaso de la Vega.

Desde una perspectiva anecdótica, el horror de los humanistas por obras tan populares anteriormente como el *Doctrinale* o el *Graecismus* hace que, en 1521, el rey Christian de Dinamarca decida quemar públicamente estos libros citados, a los que acompañaron otros en su triste destino, como algunas obras del maestro Juan de Garland, el "maestro Juan el inglés" de las obras alfonsíes; sin embargo, como ha rastreado hábilmente L. Kukenheim, estos manuales tradicionales, en compañía de Nebrija, llegan hasta el siglo XIX.

Las gramáticas siguen conservando su estructura tradicional, con apartados dedicados a la métrica o a las figuras retóricas, aunque adquieran un carácter sistemático, sean breves y llenas de claridad expositiva. Habrá casos, como en en la Edad Media, de gramáticas escritas en verso, y abundarán, sobre todo en la enseñanza de la lengua griega, las gramáticas dialogadas, con la estructura de preguntas y respuestas, que tenían en la disposición del *Ars Minor* de Donato su más ilustre antecedente. Es general en esta primera época del siglo XVI la distinción en ocho partes de la oración a la manera tradicional, sin embargo para Nebrija son diez[16], y para las gramáticas de la lengua hebrea sólo tres: *nombre, verbo* y *partículas*. Se ha sospechado desde Delbrück que tal vez sea esta tradición lingüística de los estudios semíticos la que inspire la clasificación tripartita del Brocense[17], aunque se trate de criterios de clasificación que parten de presupuestos teóricos distintos, y que luego serán seguidos, con algunas diferencias, por Jiménez Patón y el maestro Gonzalo Correas. No se puede olvidar, sin embargo, la fuerza de la clasificación en ocho partes, pues cuando Reuchlin, a principios del siglo XVI, escribe su gramática hebrea, adapta las tres partes de la oración a las ocho de la tradición grecolatina[18]. En los primeros cuarenta años del siglo XVI triunfan totalmente las ideas de los humanistas y la labor de hombres como Nebrija, Erasmo o Escalígero se extiende por Europa y comienza en el panorama gramatical un oscuro e intrincado problema de transmisión de ideas lingüísticas y, en muchos casos, de copias serviles, incluso en los ejemplos.

En España, la figura más importante es Antonio de Nebrija (1441-1522), que estudió en Salamanca y hacia 1460 marchó a Italia; "assí que a la edad de diez y nueve años —cuenta— yo fui a Italia: no por la causa que otros van: o para ganar rentas de Iglesia: o para traer fórmulas de derecho civil o canónico: o para trocar mercaderías: mas para que la ley de la tornada después de luengo tiempo restituyesse en la possesión de su tierra perdida los autores del latín:

16. Vid. Judith SENIOR, "Dos notas sobre Nebrija", en *NRFH*, XIII, 1959, pp. 83-88.

17. Judith S. MERRILL, "Las primeras clasificaciones tripartitas de las partes de la oración: Villalón y el Brocense", en *NRFH*, XIX, 1970, pp. 105-110.

18. Vid. L. KUKENHEIM, *Contributions*, p. 103.

que estaban ya, muchos siglos avía, desterrados de España". Todos los libros e investigaciones de Nebrija son un reflejo de la postura humanista ya señalada: se preocupa por los comentarios críticos y por la fijación de los textos bíblicos, problemas que le llevaron a escribir sus *Quinquagenae* y más tarde la *Apologia;* redacta un *Lexicon iuris civilis*; investiga por primera vez en arqueología en su obra *Antigüedades de España* (Burgos, 1499); se preocupa por la pedagogía en su *De liberis educandis,* además de publicar libros sobre historia y retórica. La gran preocupación de Nebrija es la filológica, a la que dedica sus obras más importantes: escribe sus *Introductiones latinae* (Salamanca, 1481), para enseñar racionalmente el latín, que luego traduciría cinco años después, además de tentar el camino de la lexicografía latino-española en sus diccionarios (1492)*, el mismo año que un impresor desconocido, en Salamanca, publicaba su *Gramática de la lengua castellana,* cuyas vicisitudes editoriales ha estudiado minuciosamente I. González Llubera[19]. La *Gramática* es el

* E. Antonio DE NEBRIJA, *Vocabulario español-latino: Interpretación de las palabras castellanas en latín, Salamanca, ca. 1495,* Madrid, 1951. Vid. sobre este problema: Américo CASTRO, *Glosarios latino-españoles de la Edad Media, RFE,* Anejo XXII, Madrid, 1936; Eduardo GARCÍA DE DIEGO, *Glosarios latinos del Monasterio de Silos,* Murcia, 1933; Alonso DE PALENCIA, *Universal vocabulario en latín y en romance,* Sevilla, 1490 (reproducción facsímil, Madrid, Comité Permanente de Academias de la Lengua Española, 1967); John M. HILL, *"Universal Vocabulario" de Alfonso de Palencia, Registro de voces españolas internas,* Madrid, Real Academia Española, 1957; Johannes [PASTRANA], *Comprehensorium,* Valentie, 1475 (vid. H. SERÍS, *Bibliografía de la lingüística española,* núm. 10.419); F. HUARTE MORTON, "Un vocabulario castellano del siglo XV", en *RFE,* XXXV, 1951, pp. 310-340; Edwin J. WEBER, "A Spanish Linguistic Treatise of the Fifteenth Century", en *RPh,* XVI, 1962-1963, pp. 32-40.

19. Actualmente se pueden consultar las siguientes ediciones de Nebrija: *reproducciones*: E. Walberg, Halle, 1909; P. Galindo y L. Ortiz Muñoz, Madrid, Junta del Centenario, 1946; y la más re-

primer intento en castellano de reducir a reglas, a la manera de las lenguas clásicas, una lengua vulgar, aunque el maestro Nebrija no advierte, como ha notado Menéndez Pidal, la enorme diferencia que supone el tratamiento de una lengua muerta y una lengua viva en continua evolución. Contiene un *prólogo* introductorio, donde se plantean los problemas teóricos, y cinco apartados o *libros*: (1) Partes de la Gramática y Ortografía; (2) Prosodia y Sílaba; (3) Etimología (Partes de la Oración); (4) Sintaxis y Estilística, y (5) Instrucciones para los extranjeros que quieran aprender castellano. Parte Nebrija del intento de fijar el uso del castellano en todos los aspectos, con un fin en gran parte político, puesto que concibe a las lenguas "compañeras del imperio", dentro de una teoría cuya fortuna ha estudiado, con su peculiar erudición, E. Asensio[20]: al auge político de un país corresponde el auge y progreso de una lengua, y la caída política de una nación trae consigo el desmoronamiento de la lengua correspondiente. Concibe el castellano como un producto de la corrupción del latín, y sólo acepta como palabras castizas las que proceden de esa lengua, tema que será una de las causas de los ataques de Valdés, que admite como vocablos castellanos los de uso común, sin intentar investigar su origen. Tiene la *Gramática* brillantes hallazgos, como la clara distinción entre sonido y letra[21], la clasifica-

---

ciente de Scolar Press, Menston, 1969. *Ediciones*: I. González Llubera, Londres, Oxford University Press, 1926 (contiene además las *Antigüedades* y las *Reglas de Orthographía*); J. Rogerio Sánchez, Madrid, Hernando, 1931; y la citada de P. Galindo y L. Ortiz Muñoz.

20. "La lengua compañera del imperio. Historia de una idea de Nebrija en España y Portugal", en *RFE*, XLIII, 1960, pp. 399-413. La idea arranca de Lorenzo Valla, y se encuentra en Gonzalo de Santa María, Nebrija y F. de Oliveira.

21. *Letra* designó en la tradición gramatical española tanto el grafema como el sonido; lo mismo sucede con *letter* en inglés y *lettre* en

ción distributiva de los sonidos y sus noticias sobre pronunciación española a fines del siglo XV, que pudo estudiar Amado Alonso. Descubre, mucho antes que Dolce y Castelvetro, el origen *por rodeo* del condicional y del futuro románicos y analiza el papel que los elementos lingüísticos juegan en la composición de la obra literaria, sobre todo la función de la sílaba en el verso.

En los primeros años del siglo XVI se intenta también la sistematización de la Ortografía; el 12 de mayo de 1517 Arnao Guillén de Brocar publica en Alcalá las *Reglas de Orthographía en la Lengua Castellana* de A. de Nebrija[22]. Se apoya el autor en el precepto de Quintiliano: "Que assí tenemos de [e]screuir como hablamos, τ hablar como escriuimos"[23]. Procede a un análisis casi distributivo de los sonidos[24]; y todo el tratadito está dominado por la claridad y el deseo de sistematización. En general, la ortografía española de los siglos XVI y XVII oscilará, según los diferentes tratadistas, entre los partidarios de Quintiliano, como Nebrija, tendencia que seguirá en el XVII Mateo Alemán; los seguidores de una ortografía de tipo latinizante (M. Sebastián o Cascales), y los partidarios del criterio horaciano del uso, a los que hay que añadir los innovadores, creadores de

francés. Esta significación, muy importante en la historia de las ideas fonéticas y ortográficas, se encuentra en la Antigüedad, en la que *littera* posee un *nomen* (nombre) que recubre *potestas* (sonido) y *figura* (grafema); vid. D. ABERCROMBIE, "What is a 'letter'?", en *Studies in Phonetics and Linguistics*, Londres, Oxford University Press, 2.ª ed., 1966, pp. 76-85; el artículo se publicó antes en *Lingua*, II, 1949, pp. 54-63. Más adelante se tratará del problema de la búsqueda de una notación fonética de tipo universal, vid. notas 52 y 53. Para el caso concreto de Nebrija, vid. A. ALONSO, *NRFH*, III, 1949, pp. 1-82.

22. Consúltese la edición preparada por I. González Llubera como apéndice a la *Gramática de la lengua castellana*, pp. 231-260.

23. *Ibid.*, pp. 237-238.

24. Capítulo IX de las *Reglas de Orthographía*.

una ortografía casi de notación fonética, como el manual del maestro Correas (1630)[25].

El influjo de Nebrija en la enseñanza de la gramática latina vive durante todo el siglo XVI en las universidades españolas; en 1594, Felipe II envía una provisión real al claustro de la Universidad de Salamanca para que se decida un libro de texto único para todas las universidades españolas y sólo se cita a Nebrija. La renovación en estas enseñanzas se produce gracias a los esfuerzos de Francisco Sánchez de las Brozas, el *Brocense* († Valladolid, 1601), que intentó enseñar con sus manuales en la Universidad de Salamanca[26]. El 17 de marzo de 1582, como ha exhumado P. Urbano González de la Calle[27], solicita el humanista poder explicar su *Arte*, "que no era sacada de Nebrixa, pues es tan contraria y que era mal hado para España aver durado Nebrixa tanto en ella y ansý me dieron licencia..."[28]. Alega, además, que en otros países se explican otros manuales y "se

25. *ORTOGRAFIA / KASTELLANA, / nueva i perfeta. / DIRIXIDA AL PRINZIPE / Don Baltasar N.S. / I / EL MANUAL DE EPIKTETO, / i la Tabla de Kebes, Filosofos / Estoikos. / AL ILUSTRISIMO SEÑOR / Konde Duke. / [...] Uno i otro lo primero ke se á inpreso / kon perfeta ortografia. / Kon privilexio Real, en Salamanka en / kasa de Xazinto Tabernier, inpresor de la Universidad, año 1630.* (No han podido utilizarse los tipos especiales que corresponden a *ll*, *r* y *d*, característicos de G. Correas). Sobre la historia de la ortografía española es fundamental la consulta del excelente estudio de A. ROSENBLAT, "Las ideas ortográficas de Bello", en *Obras Completas de A. Bello,* t. V, *Estudios Gramaticales,* Caracas, 1951, pp. IX-CXXXVIII; para la historia de la ortografía en el período medieval y en Nebrija, vid. F. TOLLIS, "L'orthographe du castillan d'après Villena et Nebrija", en *RFE,* LIV, 1971, pp. 53-106.

26. Vid. Pedro Urbano GONZÁLEZ DE LA CALLE, *Francisco Sánchez de las Brozas. Su vida profesional y académica,* Madrid, Victoriano Suárez, 1923, p. 211.

27. *Ibid.*, Apéndice E, pp. 505-510.

28. *Ibid.*, p. 505.

sabe mucho latín". El claustro nombra una comisión, con profesores tan notables como Fray Luis de León y Francisco Salinas, comisión que aprueba por mayoría que Sánchez pueda explicar su *arte* en "horas extraordinarias", pero en 1587 hay una denuncia contra el Brocense porque había leído "el 4.º del Antonio y el quinto por el suyo", con lo que piensa P. Urbano González de la Calle que utilizó su *Minerva* como libro de texto[29]. Tal vez este episodio no sea más que una anécdota entre los muchos disgustos del Brocense en su vida académica, disgustos creados por el profundo racionalismo y el sentido común característicos de este humanista. Este espíritu racionalista preside la primera redacción de su *Minerua seu de Latinae linguae causis et elegantia* (1562), edición que ha sido descubierta por José M.ª Liaño. En 1587, en Salamanca, se publicará la definitiva *Minerva: seu de causis linguae Latinae,* obra que se extenderá por Europa y que tanto influjo ejercerá en la *Nouvelle méthode pour apprendre facilement et en peu de temps la langue latine,* de Lancelot, a partir de la tercera edición de 1654 (vid. R. Lakoff, *Lan,* XLV, 1969, p. 356 y ss.)[30].

29. *Ibid.*, p. 291.

30. Sobre la *Minerva* de 1562 deben consultarse los trabajos de José M.ª Liaño, "La primera redacción de la *Minerva*", en *Estudios Clásicos,* 63, 1971, pp. 187-203, y su libro *Sanctius el Brocense,* Madrid, 1971, esp. pp. 83-110. Ya compuestas estas líneas, recibo el trabajo de Luis Michelena, "El Brocense hoy", en *Homenaje a la memoria de D. Antonio Rodríguez-Moñino, 1910-1970,* Madrid, Castalia, 1975, pp. 429-442, en el que se analizan algunos interesantes aspectos de la obra de Sánchez de las Brozas y se recuerda cómo ya F. Lázaro había indicado, en 1949, el influjo de la *Minerva* en la *Nouvelle méthode...* (vid. *Las ideas lingüísticas en España durante el siglo XVIII,* p. 135 y ss). Un año antes, el mismo investigador (*RdF,* VII, 1948, p. 895) ya había apuntado esta influencia. Abundando en las agudas observaciones del profesor Michelena, hay que recordar cómo F. Lázaro va acompañado del ilustre antecedente de Vicente Salvá, quien escribe en el prólogo a su *Gramática de la lengua castellana,* París, 1835², p. IX: "Mas en

Esta obra se divide en cuatro libros: el libro I analiza las *partes de la oración;* los libros II y III están dedicados a la *constructio* (sintaxis). (En el libro II se plantean los problemas de tipo nominal, *De constructione nominum,* y en el libro III los del verbo, *De constructione verborum.*) La segunda parte de la *Minerva* (libro IV) está dedicada fundamentalmente a la *Elipsis;* a partir del cap. XIV, estudia problemas de tipo semántico, como la homonimia. Para el Brocense, el estudio de la *Sintaxis* es el fin de la *Gramática:* "Sed oratio sive syntaxis est finis grammaticae" (libro I, cap. II). La oración se divide en *dictiones,* que son las *partes de la oración:* "Dividimus igitur orationem in voces seu dictiones, et has vocamus partes orationis; in quibus tanta est inconstantia grammaticorum" (libro I, cap. II). Reconoce la existencia de tres partes de la oración: *nombre, verbo* y *partículas.* C. García ha negado que el posible origen de la clasificación tripartita resida en los tratados hebreos y árabes, mientras B. Delbrück creía, en cambio, en un posible influjo de la gramática árabe, a través de la hebrea. No hay que olvidar que es el mismo Brocense el primero que pone

---

honor de la verdad, y para gloria de aquel siglo y de nuestra nación, debe decirse que quizá no descollarían tanto los nombres de Locke, Brosses, Condillac, Dumarsais, Beauzée, Horne Tooke, Destutt-Tracy y Degerando, si no les hubiesen servido de antorcha las profundas investigaciones de los solitarios de Port-Royal; ni éstos hubieran dado a luz su *Lógica,* su *Gramática General* y los *Nuevos Métodos,* griego, latino y castellano, a no haber bebido los fundamentos de su doctrina en la inmortal *Minerva* del Brocense. Celébrense en hora buena los notables adelantos de los ideólogos modernos, pero tributemos el justo loor a nuestro compatriota Francisco Sánchez; y si los estranjeros, poco imparciales, se obcecasen en alabar sólo a sus escritores, digámosles con Iriarte:

Presumís en vano
De esas composiciones peregrinas:
¡Gracias al que nos trajo las gallinas!"

en contacto su teoría con la tradición oriental: "Sunt autem tria, nomen, verbum, particulae. Nam apud Hebraeos tres sunt partes orationis, nomen, verbum et dictio consignificans. Arabes quoque has tantum tres orationis partes habent" (libro I, cap. II). A pesar del antecedente próximo de Villalón (1558), la clasificación de Sánchez de las Brozas se basa en criterios morfológicos, frente a Villalón que lo hace con un punto de partida semántico[31]. En la teoría del Brocense parecen haber influido las teorías de P. Ramus, Thomas Linacre[32] y el análisis racionalista de Escalígero.

Los puntos más importantes de su *Minerva* son: el nuevo análisis del pronombre; el eliminar la *interjección* de las *partes de la oración*: "*Interjectionem* non esse partem orationis, sic ostendo: quod naturale est, idem est apud omnes: sed gemitus et signa laetitiae idem sunt apud omnes: sunt igitur naturales. Si vero naturales, non sunt partes orationis. Nam eae partes, secundum Aristoteles, *ex instituto, non natura,* debent constare" (libro I, cap. II); el destierro el número dual y el excelente análisis de la *elipsis,* a la que dedica el libro IV: "Ellipsis est defectus dictionis vel dictionum ad legitimam constructionem" (libro IV, cap. I), y reconoce su universalidad: "Nulla linguarum est, quae in loquendo non amet brevitatem: atque eo festivius quidque dicitur, quo plura relinquuntur intelligenda" (libro IV, cap. II); en el cap. III (libro IV) se dan las reglas generales y, posteriormente, se analizan particularmente los nombres, participios, verbos, preposiciones, adverbios y conjunciones,

31. Vid. Judith S. MERRILL, en *NRFH*, XIX, 1970, p. 107.
32. El influjo de Linacre ha sido señalado por Liaño, vid. L. MICHELENA, *art. cit.*, p. 439. El curioso lector deberá consultar el erudito trabajo de W. Keith PERCIVAL, "On the Historical Source of Sanctian Linguistics", en *Hom. a James D. McCawley,* pp. 191-197, redactado con la especial seriedad que caracteriza a todo el volumen.

además de dedicar un estudio especial al zeugma y al hipérbaton.

Un tema que apasionó a los hombres del Siglo de Oro español fue el del origen del castellano, que iba íntimamente entrelazado con las hipótesis acerca de la lengua primitiva de la Península. Es curioso observar cómo en todas las teorías que se examinarán desempeña una función importante Túbal, al que se consideraba primer poblador dentro de una tradición que arranca de Flavio Josefo y cuya fortuna ha estudiado con su ejemplar sabiduría M.ª Rosa Lida de Malkiel[33]. La tradición de Josefo es recogida por el arzobispo don Rodrigo Jiménez de Rada, que atribuye a Túbal el haber traído el latín a la Península, dato que recoge el Tostado, que concede la coexistencia con otras antiguas lenguas peninsulares. También Túbal servirá para demostrar que fue el hebreo la lengua primitiva, teoría que se apoya en etimologías como *Cetubalia* > *Setubal*; en esta tesis del hebraísmo existen factores muy diversos; a este propósito escribe la ilustre investigadora citada: "Probablemente —y con seguridad para el caso de Toledo y de Mérida— la argumentación partía de la población hebrea misma, que en la Península, así como en otros puntos de la diáspora, se esforzaba por demostrar que su establecimiento era anterior a la Pasión y que, por lo tanto, nada había tenido que ver con ella"[34]. Las teorías de fundaciones de ciudades hispánicas por los hebreos no se apoyan únicamente en la tradición de Túbal, aunque sea la de más éxito, porque aparecen también las leyendas de ciudades fundadas por los hebreos que acompañaron a Nabucodonosor en un hipotético viaje desde las costas africanas. En este aspecto es necesario recor-

33. "Túbal, primer poblador de España", en *Ábaco,* III, 1970, pp. 9-48.

34. *Ibid.*, p. 21.

dar el inmenso prestigio del hebreo en el Renacimiento, que va muy unido con los estudios de crítica textual bíblica, y la creencia general hasta el siglo XVIII en esta lengua como la primitiva de la humanidad.

Además de esta teoría, existen otras hipótesis sobre el origen del castellano y acerca de la primitiva lengua peninsular: (A) La llamada *teoría de la corrupción*[35], según la cual el castellano procede de la corrupción del latín en la decadencia imperial, pero no de la lengua latina de los escritores clásicos, fijada por las leyes de la gramática, sino de un latín popular no sujeto a las reglas gramaticales. Paladines de esta tesis de origen italiano (Bembo, Varchi) son Nebrija y Alejo Venegas; Valdés sostenía, en cambio, que la primitiva lengua de la Península fue el griego (como Budé para Francia), que fue vencido por el latín. A Bernardo José de Aldrete se debe la corrección de esta teoría, de la que eliminó la creencia en la existencia de un latín distinto, en su obra *Del origen y principio de la lengua castellana que oi se usa en España,* Roma, 1606[36]. En los siglos XVI y XVII abundan las composiciones literarias escritas rebuscadamente en

35. Estos problemas han sido estudiados por Werner BAHNER, *Beitrag zum Sprachbewusstsein in der spanischen Literatur des XVI. und XVII. Jahrhunderts,* traducido con el título *La lingüística española del Siglo de Oro,* Madrid, Ciencia Nueva, 1966.

36. *DEL / ORIGEN, Y / PRINCIPIO DE LA LENGVA / CASTELLANA O ROMANCE / que oi se usa en España / Por el doctor Bernardo Aldrete Canonigo / en la Sancta Iglesia de Cordoua* [...] *Roma, 1606.* Vid. la edición facsimilar bajo la dirección de Lidio Nieto Jiménez, Madrid, *Clásicos Hispánicos,* CSIC, 1972, y los trabajos de José Andrés DE MOLINA REDONDO, "Ideas lingüísticas de Bernardo de Aldrete", en *RFE,* LI, 1968, pp. 183-207; H. M. GAUGER, "Bernardo Aldrete (1565-1645). Ein Beitrag zur Vorgeschichte der romanischen Sprachwissenschaft", en *RJ,* XVIII, 1967, pp. 207-248 y la interesante correspondencia publicada por Juan MARTÍNEZ RUIZ, "Cartas inéditas de Bernardo José de Aldrete (1608-1626)", en *BRAE,* L, 1970, pp. 77-135; 277-314 y 471-515.

latín y castellano, que tienen su origen profundo en el intento de demostrar la proximidad del castellano con el latín, incluso a identificarlos, como ha estudiado E. Buceta[37], y que quieren probar la primacía del castellano sobre las restantes lenguas románicas. (B) La teoría del *origen vasco*[38] tuvo una gran audiencia hasta el siglo XVIII, en el que todavía encuentra datos abundantes J. Caro. Esta hipótesis está ligada también con el tema de Túbal, ya que se pensaba que uno de los lugares del desembarco del hijo de Jafet había sido Tudela, lo que daba pie para explicar la antigüedad y peculiaridad del vascuence; ya Pablo de Santa María había presentado a Túbal como padre de los vascones. En esta teoría encontramos escritores como Alonso Venero, L. Marineo Sículo, Martín de Viciana, Esteban de Garibay y el doctor Andrés Poza. (C) La pintoresca *teoría del castellano primitivo*[39], que sostiene la peregrina suposición de la existencia del castellano en el período de la romanización, con sus antecedentes naturales en Túbal, aparece en la obra de López Madera *Discurso de la certidumbre de las reliquias descubiertas en Granada desde el año 1588 hasta el de 1598*, Granada, 1601. Siguen a López Madera, Luis de Cueva, T. Tamayo de Vargas, Gonzalo Correas y Jiménez Patón, aunque Aldrete demostró con argumentos de excelente calidad científica la improcedencia de esta hipótesis.

37. E. Buceta, "La tendencia a identificar el español con el latín. Un episodio cuatrocentista", en *HMP*, I, 1925, pp. 85-108; y "De algunas composiciones hispano-latinas en el siglo XVII", en *RFE*, XIX, 1932, pp. 388-414.

38. M.ª Rosa Lida de Malkiel, *art. cit.*, p. 45; J. Caro Baroja, "Observaciones sobre la hipótesis del vascoiberismo considerada desde el punto de vista histórico", en *Emerita*, X, 1942, pp. 237-286, y XI, 1943, pp. 1-59.

39. Emilio Alarcos, "Una teoría del origen del castellano", en *BRAE*, XXI, 1934, pp. 209-228.

1.1.3. Los problemas lingüísticos y gramaticales en los siglos XVII y XVIII *

El influjo renovador de Pedro Ramus, Escalígero y Sánchez continúa en el siglo XVII en obras como la *Grammatica philosophica* (1628) de Gaspar Scioppio o el *De*

* Hans Aarsleff, *The Study of Language in England, 1780-1860*, Princeton, 1967; "The History of Linguistics and Professor Chomsky", en *Lan*, XLVI, 1970, pp. 570-585; L. Couturat y L. Leau, *Histoire de la langue universelle*, París, Hachette, 1907; Noam Chomsky, *Cartesian Linguistics. A Chapter in the History of Rationalist Thought*, Nueva York, Harper and Row, 1966, traducción española de E. Wulf, Madrid, Gredos, 1969; Roland Donzé, *La Grammaire générale et raisonnée de Port-Royal*, Berna, Francke, 1967, traducción española de M. Ayerra Redín, Buenos Aires, Eudeba, 1970; Daniel Droixhe, " 'Lettre' et phonème à l'âge classique, avec un essai inédit de Turgot", en *Lingua*, XXVIII, 1971, pp. 82-99; G. Harnois, *Les théories du langage en France de 1660 à 1821*, París, Les Belles Lettres, 1928; P. Kuehner, *Theories on the Origin and Formation of Language in the Eighteenth Century in France*, Filadelfia, University of Pennsylvania Press, 1944; Robin Lakoff, reseña a la edición de H. M. Brekle, en *Lan*, XLV, 1969, pp. 343-364; M. Leroy, "Un précurseur de la phonétique: Cordemoy", en *Actes du Xe Congr. Int. des Linguistes, Bucarest, 1967*, Bucarest, 1970, II, pp. 307-311; Jan Miel, "Pascal, Port-Royal, and Cartesian Linguistics", en *Journal of the History of Ideas*, XXX, 1969, pp. 261-271; G. M. Shalin, *César Chesneau du Marsais et son rôle dans l'évolution de la grammaire générale*, Mâcon, Protat, 1928; P. A. Verburg, "Ennoësis of Language in 17th Century Philosophy", en *Lingua*, XXI, 1968, *Hom. a A. Reichling*, pp. 558-572; Luigi Rosiello, *Linguistica illuminista*, Bolonia, Il Mulino, 1967; Pierre Juliard, *Philosophies of Language in Eighteenth-Century France*, La Haya-París, Mouton, 1970.

Bibliografía para el español: Mateo Alemán, *Ortografía Castellana*, edición de J. Rojas Garcidueñas, estudio preliminar de T. Navarro Tomás, México, El Colegio de México, 1950; Gonzalo Correas, *Arte de la lengua española castellana*, edición de E. Alarcos García, *RFE*, anejo LVI, Madrid, CSIC, 1954; Sebastián de Covarrubias Orozco, *Tesoro de la lengua castellana o española*, según la edición de 1611, con las adiciones de Benito Remigio Noydens publicadas en

arte grammatica libri septem de Gerardo J. Vossio (1635). Scioppio anotó, además, la *Minerva* de Sánchez (1654), que luego se seguiría reeditando con los comentarios de J. Perizonio (1687) a lo largo del siglo XVIII. Sin duda, la obra más importante del siglo XVII es la *Grammaire générale et raisonnée,* París, 1660 [40], más conocida por la *Grammaire de Port-Royal,* que se debe a la colaboración del gramático Claude Lancelot y el lógico Antoine Arnauld, quien

---

la de 1674, edición preparada por Martín DE RIQUER, Barcelona, Horta, 1943; Bartolomé JIMÉNEZ PATÓN, *Epítome de la Ortografía latina y castellana. Instituciones de la Gramática Española,* edición de A. QUILIS y J. M. ROZAS, Madrid, *Clásicos Hispánicos,* CSIC, 1965; E. ALARCOS GARCÍA, "La doctrina gramatical de Gonzalo Correas", en *CastV,* I, fasc. I, 1941, pp. 11-102; "Datos para una biografía de Gonzalo Correas", en *BRAE,* VI, 1919, pp. 524-551, VII, 1920, pp. 47-81, 198-233; T. NAVARRO TOMÁS, "Doctrina fonética de Juan Pablo Bonet (1620)", en *RFE,* VII, 1920, pp. 150-177; "Manuel Ramírez de Carrión y el arte de enseñar a hablar a los mudos", en *RFE,* XI, 1924, pp. 225-266; **Siglo XVIII**: Fernando LÁZARO CARRETER, *Las ideas lingüísticas en España durante el siglo XVIII, RFE,* anejo XLVIII, Madrid, CSIC, 1949; J. L. PENSADO, *Fray Martín Sarmiento: sus ideas lingüísticas,* Oviedo, 1960; Ángel DEL RÍO, "Los estudios de Jovellanos sobre el dialecto de Asturias", en *RFH,* V, 1943, pp. 209-243; **Bibliografía sobre la Real Academia**: E. COTARELO Y MORI, "La fundación de la Academia Española y su primer director D. Juan Manuel F. Pacheco, Marqués de Villena", en *BRAE,* I, 1914, pp. 4-38, 89-127; F. GIL AYUSO, "Nuevos documentos sobre la fundación de la Real Academia Española", en *BRAE,* XIV, 1927, pp. 593-599; Fernando LÁZARO CARRETER, *Crónica del Diccionario de Autoridades (1713-1740),* Discurso de ingreso en la Real Academia, Madrid, 1972.

40. Cito por el facsímile de Scolar Press, Menston, 1968. Para la historia de las ediciones de la *Grammaire générale et raisonnée,* vid. R. DONZÉ, *La gramática general y razonada de Port-Royal,* p. XXI, n. 8. La primera traducción al inglés es de 1753 y se atribuye a Thomas Nugent (existe facsímile, Scolar Press, Menston, 1968). La edición crítica ha sido realizada por Herbert H. BREKLE en dos vols., Stuttgart-Bad Cannstatt, Friedrich Fromann Verlag, 1966, vid. las reseñas de Robin LAKOFF, en *Lan,* XLV, 1969, pp. 343-364 y Robert MATHIESEN, en *Lan,* XLVI, 1970, pp. 126-130.

redactó, en colaboración con Pierre Nicole, la *Lógica* de 1662. La *Grammaire générale et raisonnée* recoge la tradición de la gramática especulativa medieval y la nueva orientación dada por investigadores como Escalígero, Sánchez de las Brozas, Scioppio, Vossio, Campanella y Buomattei.

Donzé creía en un fuerte influjo del racionalismo cartesiano [41], pero Miel, en cambio, ha demostrado la existencia de un influjo agustinista y pascaliano, como cabía esperar de todo el pensamiento de Port-Royal [42].

La obra intenta, como su título indica, buscar un método fundado en la razón que se pueda aplicar al análisis de los procedimientos lingüísticos, método de carácter general, porque si el pensamiento puede ser analizado por la lógica, única y universal, será posible crear una *Gramática general* que tenga una validez universal. Toda la obra está impregnada de un deseo de claridad; sorprende la trabazón lógica de su desarrollo y el análisis minucioso de los hechos lingüísticos. Se parte del principio: "La Grammaire est l'art de parler. Parler est expliquer ses pensées par des signes, que les hommes ont inventez à ce dessein". En el signo, casi como en Saussure, se distingue (a) su carácter natural (sonidos y grafías), y (b) su significación, "la maniere dont les hommes s'en servent pour signifier leurs pensées" (p. 5). Esta dicotomía en la composición del signo obliga a dividir la *Grammaire* en dos partes: la primera, muy breve (pp. 6-25), se ocupará de los sonidos, la sílaba, el acento y las grafías; la segunda parte, mucho más original que la anterior y más extensa (pp. 26-147), tiene por finalidad el análisis de todos los elementos de carácter espiritual, significativo, que

41. R. DONZÉ, *op. cit.*, p. 3 y ss.
42. Jan MIEL, "Pascal, Port-Royal, and Cartesian Linguistics", en *Journal of the History of Ideas*, XXX, 1969, pp. 261-271.

forman la lengua. Se reconoce el carácter articulado del lenguaje, "...cette invention merveilleuse de composer de 25 ou 30 sons cette infinie varieté de mots..." (p. 27). Las bases de análisis se encuentran en las operaciones lógicas: dada la proposición *La terre est ronde*; *la terre* es el sujeto de la proposición y *ronde* el atributo, ambos son conceptos, mientras que *est*, la *liaison*, pertenece al *juicio*; por lo tanto, se podrán distinguir dos tipos de palabras: (a) las que significan los objetos de los pensamientos: *nombres, artículos, pronombres, participios, preposiciones y adverbios*, y (b) las palabras que corresponden a la forma o manera de nuestros pensamientos, "el acto en virtud del cual el atributo se afirma del sujeto", como ha explicado R. Donzé; integran esta última categoría el *verbo*, las *conjunciones* y las *interjecciones*. Ambos apartados se analizan sobre criterios lógicos; los puntos más originales e importantes son: la *connotación*, una significación "confuse, qu'on peut appeller connotation d'une chose, à laquelle convient ce qui est marqué par la signification distincte. Ainsi la signification distincte de *rouge* est la *rougeur;* mais il la signifie en marquant confusément le sujet de cette rougeur, d'où vient qu'il ne subsiste point seul dans le discours, parce qu'on y doit exprimer ou sousentendre le mot qui signifie ce sujet" (pp. 31-32); en el artículo se hace la distinción entre *artículo definido* y *artículo indefinido*; en los capítulos dedicados al pronombre aparecen algunas notas importantes, como la observación de que la frase *Dieu invisible a crée le monde visible* contiene tres juicios: (1) *Dieu est invisible*, (2) *il a crée le monde*, y (3) *le monde est visible*, análisis en que se presagian las transformaciones actuales, y en el que se ha detenido Chomsky; también en estos capítulos se hace una crítica aguda de la afirmación de Vaugelas "el pronombre relativo no puede aparecer después de un nombre sin artículo"; se comprueba la falsedad de esta afirmación, pero —sobre todo— los casos de uso de la lengua son sistematizados y se descubre que existen entre ellos íntimos puntos de contacto [43]; el verbo se define como "un mot dont le principal usage est de signifier l'affirmation" (p. 90); pues no se trata de estudiar sólo un hombre que concibe las cosas, sino que las juzga y las afirma. En las proposiciones de tipo *Petrus vivit* el verbo es a la vez afirmación y atributo (*Pierre vit = Pierre est vivant*). Lancelot y Arnauld reconocen el carácter natural de la interjección, y dedican las últimas páginas al análisis, brevísimo, de la sintaxis y de las figuras de construcción.

Las teorías de Port-Royal influyen decisivamente en la lingüística del siglo XVIII, y algunos aspectos, como la distinción entre *artículo definido* y *artículo indefinido,* han llegado hasta el siglo XX [44]; pero, sobre todo, de la *Grammaire générale et raisonnée* procede gran parte del logicismo que ha sido una de las bases teóricas de la gramática de tipo general. Un problema interesante en la hora actual de la lingüística es valorar exactamente la importancia de este pensamiento y de su tradición, a los que Chomsky califica de "cartesianos" [45]. Algunos investigadores, como J. Lyons,

43. R. DONZÉ. *op. cit.*, p. 22 y ss. Keith PERCIVAL ha examinado con detalle el concepto de *uso* en Vaugelas y, frente a Chomsky, ha llegado a la conclusión de que esta noción no puede calificarse de "pure descriptivism", vid. "The Notion of Usage in Vaugelas and in the Port Royal Grammar", en *CLS,* IV, 1968, pp. 165-176.

44. Fernando Lázaro encuentra esta distinción por primera vez en el *Arte en romance castellano...* (1769) del P. Benito de San Pedro, obra fuertemente influida por la *Grammaire* de Port-Royal; vid. *Las ideas lingüísticas en España durante el siglo XVIII*, *RFE,* anejo XLVIII, Madrid, CSIC, 1949, p. 188. La formulación definitiva aparece en Jaime Balmes, vid. el artículo de F. LÁZARO, "Los problemas lingüísticos en el pensamiento de Balmes", en *RdF,* VII, 1948, p. 901.

45. Noam CHOMSKY, *Cartesian Linguistics. A Chapter in the History of Rationalist Thought*, Nueva York, Harper and Row, 1966 (cito

casi no creen en la relevancia de esta tradición[46]; Chomsky, en cambio, observa las notas de Descartes sobre el carácter creador del lenguaje humano, e intenta rastrear su tradición en Cordemoy y en otros autores, pero sobre todo en Humboldt, donde aparece un punto de vista sobre el problema que Chomsky califica de "típicamente romántico"[47]. También observa Chomsky el precedente teórico de los conceptos de *estructura superficial* y *estructura profunda*[48]. Hans Aarsleff ha demostrado convincentemente que no es el cartesianismo el pensamiento que inspira la *Grammaire,* y que es el pensamiento de Locke, no el de Descartes, el que influye poderosamente hasta el Romanticismo a través del *Essai sur l'origine des connoissances humaines* de Condillac[49].

En el siglo XVII comienzan los primeros ensayos sobre las lenguas universales, que buscan un alfabeto artificial y una clasificación lógica de todos los elementos. Fernando Lázaro

---

por la trad. española de E. Wulf, Madrid, Gredos, 1969). El libro de Chomsky ha originado una serie de trabajos que puntualizan aspectos muy interesantes y, en general, se muestran disconformes con la interpretación del joven maestro, vid. H. AARSLEFF, "*Cartesian Linguistics*: History or Fantasy?", en *Language Sciences,* XVII, 1971, pp. 1-12; H. M. BRACKEN, "Chomsky's Cartesianism", en *Language Sciences,* XXII, 1972, pp. 11-17; Leon DORSTET, "Descartes on Language", en *SLHGLT,* pp. 44-49; Karl D. UITTI, "Descartes and Port-Royal in two Diverse Retrospects", en *RPh,* XXIII, 1969-1970, pp. 75-85, y las reseñas de Herbert E. BREKLE, en *Ling.*, 49, 1969, pp. 74-91; Vivian SALMON, en *Journal of Linguistics,* V, 1966, pp. 165-187, y Karl E. ZIMMER, en *IJAL,* XXXIV, 1968, pp. 290-303.

46. J. LYONS, *Introducción*, p. 17, n. 12.

47. N. CHOMSKY, *Lingüística cartesiana,* p. 54.

48. *Ibid.*, p. 79, n. 67. Sobre este problema y sus antecedentes, vid. R. LAKOFF, *Lan,* XLV, 1969, p. 348 y, sobre todo, Jan MIEL, *Journal of the History of Ideas,* XXX, 1969, pp. 263-264.

49. Hans AARSLEFF, "The History of Linguistics and Professor Chomsky", en *Lan,* XLVI, 1970, pp. 570-585.

ha señalado como una de las causas del florecimiento de este tema a finales del XVII la creencia en el valor supranacional de la cultura [50]. El tema arranca de Descartes, se extiende a lo largo de todo el siglo XVII y continuará en el siglo XVIII; en este aspecto trabajaron Scioppio, Dalgarno, Leibniz, y en el XVIII, el abate de l'Épée y el abate Sicard. Entre los españoles también preocupó este tema; el jesuita Pedro Bermudo es el autor de la obra titulada *Aritmeticus nomenclator mundi omnes nationes ad linguarum et sermonis unitatem invitans*, que se publicó anónima en 1653, en Roma, a la que siguió la obra de Juan Joaquín Becher (1661) [51]. D. Abercrombie ha estudiado algunos autores preocupados por hallar un alfabeto universal de características fonéticas, como Francis Lodwick, autor de *An Essay Towards an Universal Alphabet* (1686) [52]. En Francia, la diligencia de Daniel Droixhe le ha llevado a descubrir un texto manuscrito de Turgot (anterior a 1750), *Essay d'un alphabet universel,* "au moyen duquel on peigne exactement les sons des differentes langues et l'on puisse en indiquer la veritable prononciation aux etrangers et aux gens de province qui s'en cartent". En este manuscrito se encuentra ya la observación de *papa* y *mama* en el lenguaje infantil; en este terreno los primeros estudios sistemáticos se deben a C. de Brosses (1765) [53].

Todos estos datos, casi escogidos al azar, son prueba del

50. F. LÁZARO, *Las ideas lingüísticas en España durante el siglo XVIII*, p. 113.
51. *Ibid.*, p. 115 y ss.
52. D. ABERCROMBIE, "Forgotten phoneticians", en *Studies in Phonetics and Linguistics,* Londres, Oxford University Press, 2.ª ed., 1966, pp. 45-75.
53. Vid. el estudio de Daniel DROIXHE, "'Lettre' et phonème à l'âge classique, avec un essai inédit de Turgot", en *Lingua,* XXVIII, 1971, pp. 82-99.

aumento del interés por los estudios lingüísticos que va a ser general en el siglo XVIII. El intelectual de la época reflexiona acerca del lenguaje dentro de las corrientes de pensamiento ya señaladas, sobre todo Locke, con el apoyo de la *Gramática* de Port-Royal. Se preocupan los hombres dieciochescos por los problemas del origen del lenguaje, e intentan encontrar nuevos cauces a la gramática de tipo general; en este camino, la obra fundamental es *HERMES: / OR, A / Philosophical Inquiry / Concerning LANGUAGE / AND / UNIVERSAL GRAMMAR / By J. H.* [...], Londres, 1751 [54]. James Harris (1709-1780), su autor, es un especialista en Aristóteles, que logra una labor decisiva que tuvo un gran éxito (siete ediciones inglesas hasta 1825), que fue traducida al alemán, y que en la traducción francesa de F. Thurot contiene un prólogo en el que se traza el primer panorama histórico de los estudios gramaticales [55].

El racionalismo gramatical de J. Harris procede de Sánchez de las Brozas, como él mismo reconocía, y sufre, además, un fuerte influjo de Bacon y Wilkins. A. Joly ha negado razonablemente el neoplatonismo del lingüista inglés y lo sitúa dentro de una corriente de pensamiento "idealista".

Para Harris, la máxima preocupación consiste en la búsqueda de unos principios comunes y universales en todas las lenguas. Sorprendentemente, elige una definición de

54. Existe una reproducción facsímil, Scolar Press, Menston, 1969.

55. François THUROT, *Hermès, ou recherches philosophiques sur la grammaire universelle, Ouvrage traduit de l'anglois, de jacques harris, avec des remarques et des additions*, París, Messidor, an IV [1796]. De la traducción de Thurot existe una edición facsímil, con introducción y notas de André JOLY, publicada en Ginebra, Droz, 1972, edición que presenta un excelente estudio; el prólogo de Thurot no figura en esta edición, pero ha sido publicado por el mismo especialista, vid. *Tableau des progrès de la science grammaticale (Discours préliminaire à "Hermès")*, Collection Ducros, núm. VII, Burdeos, 1970.

lenguaje llena de modernidad, con lo que se convierte en el primer lingüista que define el lenguaje como *sistema* en la tradición lingüística: "un sistema de sonidos articulados, signos o símbolos de nuestras ideas, pero principalmente de las que son generales o universales".

Parte de los conceptos aristotélicos de *causa* y *efecto*; en su tipo de análisis, la oración (*sentence*) es la unidad máxima, compuesta de elementos más pequeños que la construyen; trata de encontrar los principios generales que guían la construcción de todas las frases, ya que reconoce su carácter infinito y la necesidad de llegar a unos modelos de construcción. Todas las frases pueden reducirse a dos tipos fundamentales: *declarativas* (que proceden de la percepción) y las de carácter *imperativo* e *interrogativo* (que proceden de la voluntad). También las *partes de la oración* se dividen en dos tipos fundamentales: *principales* (de significado absoluto) y *accesorias* (de significado relativo); esta última clase está integrada por los *artículos,* los *artículos pronominales* (pronombres posesivos, demostrativos e indefinidos, en función secundaria) y los *conectivos.*

Se detiene en el análisis del verbo, en el que muestra una gran originalidad, pues es el primer investigador que niega la existencia del *presente,* al que considera un límite móvil situado entre el pasado y el futuro.

Como ha observado Joly, la publicación de la obra de Harris coincide exactamente con el inicio de la publicación de la Enciclopedia, que tantos elementos renovadores en materia de lingüística contendrá.

Los artículos gramaticales fueron redactados en principio por C. Chesneau Du Marsais y, a su muerte, por Douchet y Beauzée (vid. la lista de Du Marsais en la obra de L. Rosiello, *Linguistica illuminista,* Bolonia, 1967, pp. 92-93, n. 132, y los restantes, en Jean-Claude Chevalier, *Histoire de la syntaxe. Naissance de la notion de complément dans la grammaire française (1530-1750)*, Ginebra, 1968, páginas 722-723).

Además, el siglo XVIII descubrirá las posibilidades del comparatismo, gracias a los estudios sobre el sánscrito de William Jones (1746-1794), que tanta importancia tendrán para las corrientes lingüísticas del siglo XIX.

Como ha rastreado Fernando Lázaro, en el XVIII español se registran también las citadas influencias de Locke y, posteriormente, de Condillac; los escritores españoles se entretienen en las polémicas sobre el origen y naturaleza del lenguaje, que se mezclan con los últimos retazos de la teoría del hebreo como origen de todas las lenguas. En la primera mitad del siglo destaca la obra de Mayans *Orígenes de la lengua española* (1737); a finales del XVIII L. Hervás y Panduro publicará en italiano su *Catálogo de las lenguas de las naciones conocidas,* Roma, 1794, que se completará en la edición española (1800-1804). Hervás niega que todas "las lenguas provengan de una misma matriz" [56]; da una importancia grande a la fonética en los estudios comparados, aunque la base de comparación se establezca en el contraste entre las diferentes estructuras sintácticas [57]. En esta época, a manera de la Academia della Crusca (1583) y de la Academia Francesa (1634), se funda en Madrid la *Academia Española* (1713) por don Juan Manuel Fernández Pacheco, Marqués de Villena (1650-1725) [58]. Entre las tareas que se impuso la nueva institución, figura, con carácter

56. F. LÁZARO, *op. cit.*, p. 103.
57. *Ibid.*, p. 107 y ss.
58. E. COTARELO Y MORI, "La fundación de la Academia Española y su primer director D. Juan Manuel F. Pacheco, Marqués de Villena", en *BRAE*, I, 1914, pp. 4-38 y 89-127; F. GIL AYUSO, "Nuevos documentos sobre la fundación de la Real Academia Española", en *BRAE*, XIV, 1927, pp. 593-599.

primordial, la redacción de un diccionario que contuviese el tesoro léxico de la lengua, que había alcanzado sus más altas glorias en el siglo XVII. El resultado será el magnífico *Diccionario de Autoridades* (1726-1739)[59], de cuyos avatares ha sido puntual cronista Fernando Lázaro[60]. Muchas fueron las dificultades que tuvieron que vencer los animosos académicos, desde el establecimiento de las sucesivas *plantas* o modelos de trabajo hasta detalles mínimos como la aparición de las fichas o papeletas, las famosas *cédulas*; entre estas dificultades, una de las más importantes consistió en el intento de sistematizar la ortografía, intento en el que aquellos hombres supieron encontrar una postura equilibrada entre el rigor etimologista y la solución foneticista[61]. La primera *Ortografía* académica se publicará en 1741, y bastante más tarde, en 1771, la primera *Gramática*[62], que fue impuesta de una manera oficial en 1780 por Carlos III, quien ordenó que en todas las escuelas se enseñe "a los niños por la Gramática que ha compuesto y publicado la Real Academia de la Lengua, previniendo que a ninguno se admita a estudiar latinidad sin que conste antes estar bien instruido en la Gramática española"[63]. La Gramática

59. *Diccionario de la lengua castellana, en que se explica el verdadero sentido de las voces, su naturaleza y calidad, con las phrases o modos de hablar, los proverbios o refranes, y otras cosas convenientes al uso de la lengua [...],* Madrid, 1726-1739. Existe una reproducción facsímil, 3 vols., Madrid, Gredos, 1963.

60. *Crónica del Diccionario de Autoridades (1713-1740),* Discurso de ingreso en la Real Academia, Madrid, 1972.

61. *BRAE,* I, 1914, pp. 119-120; y F. LÁZARO, *Crónica del Diccionario de Autoridades,* p. 46 y ss.

62. Para el catálogo de las ediciones de la *Gramática* de la Real Academia, vid. M. MOURELLE-LEMA, *La teoría lingüística en la España del siglo XIX,* Madrid, Prensa Española, 1968, p. 378, n. 69.

63. *Apud* F. LÁZARO, *Las ideas lingüísticas en España durante el siglo XVIII,* p. 176.

académica, excesivamente sujeta a la tradición de los estudios latinos, no fue el primer manual gramatical del siglo XVIII; ya se habían publicado la *Gramática de la lengua castellana* de Martínez Gayoso (1743) y el *Arte de romance castellano* (1769) del ya citado P. Benito de San Pedro, que es el primer caso claro de influjo de las ideas de Port-Royal en los estudios gramaticales en España; posteriormente, en 1795, Jovellanos redacta sus *Rudimentos de gramática general,* que son el intento de incorporar estos estudios en España, como notó Fernando Lázaro.

1.1.4. Los estudios lingüísticos y gramaticales hispánicos en el siglo XIX *

Los primeros años del siglo XIX español conocen el auge del prestigio de Condillac, sobre todo a través de las obras de Destutt de Tracy, que se comenzó a traducir en 1817; es

* Amado Alonso, "Introducción a los estudios gramaticales de Andrés Bello", prólogo a la *Gramática, Obras Completas de Andrés Bello,* t. IV, Caracas, 1951, pp. IX-LXXXVI; Miguel Luis Amunátegui, *Vida de don Andrés Bello,* Santiago de Chile, 1882; Rufino José Cuervo, *Obras,* 2 vols., Bogotá, Instituto Caro y Cuervo, Colección Clásicos Colombianos, 1954; Juan David García Bacca, "Filosofía de la gramática y gramática universal según Andrés Bello", en *Revista Nacional de Cultura,* Caracas, IX, 1947, pp. 7-23; Samuel Gili Gaya, "Introducción a los estudios ortológicos y métricos de Bello", prólogo a *Estudios Filológicos, Parte 1.ª, Obras Completas de Andrés Bello,* t. VI, pp. XI-CIII; Pedro Urbano González de la Calle, "Formación general lingüística del Maestro Rufino José Cuervo. Apuntes para un ensayo", en *BICC,* I, 1945, pp. 212-241; Pedro Grasses, "Bibliografía de estudios sobre Andrés Bello", en *Doce estudios sobre Andrés Bello,* Buenos Aires, Ed. Nova, 1950, pp. 157-178; Guillermo Luis Guitarte, "Bosquejo histórico de la filología hispanoamericana", en *El Simposio de Cartagena,* Bogotá, Instituto Caro y Cuervo, 1965, pp. 230-244; Guillermo Luis Guitarte y Rafael Torres Quintero, "Linguistic Correctness and the Role of the Academies", en *CTL,* IV, 1968, pp. 562-604;

bastante duradero el influjo de Condillac en el pensamiento gramatical decimonónico, pues llega hasta las obras de Balmes [64]. A este influjo, y muy unido con él, hay que añadir el triunfo de las ideas de la *Gramática general* (Beauzée, Sicard, Silvestre de Sacy y Pierre Girault Duvivier) en obras como los *Elementos de gramática castellana* de J. M. Calleja (1818) [65]. El libro más importante de este período es el de José Gómez Hermosilla, *Principios de gramática gene-*

Baltasar Isaza Calderón, *La doctrina gramatical de Bello*, Panamá, 1960; Fernando Antonio Martínez, "Estudio preliminar a R. J. Cuervo", en *Obras*, I, Bogotá, Instituto Caro y Cuervo, 1954, pp. XI-CXLVI; Manuel Mourelle-Lema, "Datos inéditos para una biografía de Vicente Salvá", en *BRAE*, XLV, 1965, pp. 497-505; *La teoría lingüística en la España del siglo XIX*, Madrid, Prensa Española, 1968; Luis Juan Piccardo, "Dos momentos en la historia de la gramática. Nebrija y Bello", en *RFHC*, IV, 1949, pp. 87-112; José María Roca Franquesa, "Las corrientes gramaticales en la primera mitad del siglo XIX: Vicente Salvá y su influencia en Andrés Bello", en *AO*, III, 1953, pp. 181-213; Claudio Rosales, "Cien años de señorío de la gramática de Andrés Bello", en *BFUCh*, IV, 1944-1946, pp. 247-259; Ángel Rosenblat, "Las ideas ortográficas de Bello", en *Estudios Gramaticales, Obras Completas de Andrés Bello,* t. V, pp. IX-CXXXVIII; *El pensamiento gramatical de Andrés Bello,* conferencia pronunciada en el Auditorium del Liceo "Andrés Bello", noviembre, 1959, Cáracas, 1961; *Andrés Bello a los cien años de su muerte*, Caracas, 1966; Juan B. Selva, "Una gramática inédita de don Andrés Bello. La descubre, comenta y publica el Dr. Miguel L. Amunátegui", en *BAAL*, junio 1938, pp. 107-119; *Trascendencia de la gramática de Bello y el estado actual de los estudios gramaticales,* Buenos Aires, 1950; Rafael Torres Quintero, "Bibliografía de Rufino José Cuervo", en *Obras*, t. II, Bogotá, Instituto Caro y Cuervo, 1954, pp. 1743-1817.

64. Es importante el análisis que Balmes dedica a problemas como el género, el pronombre, el artículo y, sobre todo, el verbo, vid. F. Lázaro, "Los problemas lingüísticos en el pensamiento de Balmes", en *RdF,* VII, 1948, pp. 887-908. Sobre el influjo de Destutt de Tracy, vid. el artículo de Richard Baum, "Destutt de Tracy en España", en *IR,* III, 2, 1971, pp. 121-130.

65. M. Mourelle-Lema, *La teoría lingüística en la España del siglo XIX*, p. 299 y ss.

ral, publicado en 1835, pero que se venía utilizando como texto desde 1825 en las clases del Colegio de San Mateo[66]; esta obra parece tener una positiva influencia en Salvá y en Bello.

En el XIX español decae el interés por el problema de los orígenes del lenguaje, tan debatido en el siglo anterior, y todavía se registran huellas de la teoría vasquista en Astarloa[67], ya que la preocupación de los españoles se encamina hacia otras cuestiones como el pintoresco proyecto de creación de una lengua universal, sobre todo a cargo de Sotos Ochando, cuya historia ha trazado Mourelle-Lema. Como en los siglos anteriores, tampoco faltan intentos por inventar una ortografía de tipo universal, como el del polifacético Sinibaldo de Más. Son éstos los últimos restos de un tipo de estudios que ya no aparecerán en el pensamiento español más que de una manera anecdótica; en 1856 se crea en Madrid la primera cátedra de sánscrito, que fue encomendada a don Manuel de Assas, con lo que se inicia en el país, de una manera académica, el conocimiento de las investigaciones de tipo comparatista[68].

La ruptura con el logicismo de tipo gramatical se produce con la obra de Vicente Salvá, que publicó en 1831,

66. *Ibid.*, p. 299 y ss.

67. J. CARO BAROJA, "Observaciones sobre la hipótesis del vascoiberismo considerada desde el punto de vista histórico", en *Emerita,* X, 1942, pp. 244-245.

68. M. MOURELLE-LEMA, *op. cit.*, p. 157 y ss. Como ha escrito acertadamente Antonio TOVAR, "Nuestro siglo XIX ha estado completamente fuera de la marcha mundial de la filología. Basta ver los libros de texto, diccionarios y demás publicaciones, así como el ambiente en que nos hemos criado, para apreciar esto. El buen diccionario de Raimundo de Miguel se apoya en Forcellini directamente, y para él ¡en 1860 y tantos! no existe una lingüística comparada, mas ni siquiera la labor de un siglo de filología europea", en *Lingüística y filología clásica. Su situación actual,* Madrid, Revista de Occidente, 1944, p. 59.

en París, su *Gramática de la lengua castellana según ahora se habla* (portada, 1830)[69]; con este libro se instituye en la investigación lingüística hispánica la observación y descripción minuciosa del *uso* lingüístico de las "personas doctas". A partir de la segunda edición[70], se introducen algunas precisiones de *gramática general,* acaso por influjo de Gómez de Hermosilla, como supone Mourelle-Lema. La *Gramática* de Salvá posee un interesante prólogo en el que se traza un panorama del pensamiento gramatical español hasta la fecha de su redacción[71]. Presenta como fin utilitario enseñar a los jóvenes: "Los principios que me han guiado en la formación de estos elementos justifican suficientemente su título de *Gramática de la lengua castellana según ahora se habla,* y el que haya citado casi siempre, para comprobación de sus reglas, ejemplos de los autores que han florecido después de mediado el siglo último" (p. xxv). Se preocupa por encontrar una definición exacta de *gramática*: "La *gramática de la actual lengua castellana* no es otra cosa que *el conjunto ordenado de las reglas de lenguaje que vemos observadas en los escritos o conversación de las personas doctas que hablan el castellano o español*" (p. 1)[72]. Divide la *Gramática* en las cuatro partes tradicionales: *Analogía, Sintaxis, Ortografía* y *Prosodia,* aunque en la Ortografía, como él declara, se limita a exponer los criterios de la Real Academia y sólo se ocupa de aquellas letras que pueden ofrecer dificultad. A la manera del Brocense, distingue tres partes de

69. *Ibid.*, p. 359; sobre V. Salvá, vid., pp. 351-378.

70. París, 1835. He utilizado esta edición para las citas de este capítulo. Para el influjo de G. Hermosilla, vid. SALVÁ, *op. cit.*, p. XXXIV.

71. ¿Es posible que la idea de este prólogo proceda de la lectura del *Discours préliminaire* de F. Thurot a la traducción francesa de J. Harris?

72. Vid. *Apéndice B*, pp. 456-457.

la oración: "Puede simplificarse el número de las partes de la oración, reduciéndolas a tres, a saber, *nombre, verbo* y *partículas*; aunque de ordinario se cuentan nueve, por añadirse el *artículo, pronombre* y *participio*, cuyos accidentes son los mismos del nombre; y por especificarse las partículas indeclinables, que son *preposición, adverbio, interjección* y *conjunción*" (p. 11). Los puntos más interesantes de la *Gramática* de Salvá son, entre otros, las páginas clarividentes que dedica a la formación nominal (pp. 30-48), la eliminación del condicional como tiempo del subjuntivo y su integración en el indicativo (*Apéndice C*, pp. 457-458), y el amplio inventario que dedica a la construcción de verbos con preposición (pp. 267-330). La *Gramática* de Salvá, la primera gran obra dedicada a la descripción sincrónica del español, tuvo un gran éxito de ediciones y también de refundiciones y resúmenes y preparó el camino intelectual de A. Bello (1781-1865), que publicó su *Gramática de la lengua castellana destinada al uso de los americanos* (editada en Santiago de Chile, 1847; en 1874 se publicó en Bogotá con las adiciones de "notas y un copioso índice alfabético" de don Rufino José Cuervo, edición que se fue completando hasta la de París de 1911). La pretensión fundamental de Bello es que la gramática eduque a los ciudadanos en las buenas maneras de hablar; advierte constantemente a sus lectores del peligro de los barbarismos y neologismos, aunque no mantenga una posición cerrada en este aspecto; el criterio de selección vendrá dado por la lengua de los escritores clásicos y por el *uso* que de la lengua hagan los hispanoamericanos cultos, posición en la que se advierte el eco de Salvá. Bello reduce las partes de la oración, pues elimina el pronombre y la interjección. Para la clasificación de las palabras recurre a un criterio funcional, puesto que "la clasificación de las palabras es propiamente una clasificación de oficios gramaticales"; concibe como elemento dominante al sustantivo, y todas las demás palabras "concurren a explicarlo y determinarlo"; el adjetivo y el verbo son signos de segundo orden, mientras que el adverbio "modifica modificaciones" (como se observa, existe una gran proximidad en esta postura con lo que será posteriormente la teoría de los rangos de O. Jespersen). Otra enorme novedad es el trascendental análisis del sistema de tiempos verbales, donde introduce una nueva visión y una terminología viva todavía; en esta visión se parte del concepto del tiempo como algo relativo, concepto que ya había sido expuesto en su libro *Filosofía del entendimiento*. El fruto de esta labor, iniciada en los años de Londres, fue su *Análisis ideolójica de los tiempos de la conjugación castellana* (1841).

Un problema que preocupó a Bello, como a otros emigrados londinenses, fue el de la unificación ortográfica, que en su pensamiento era fundamental para la educación en América. Igual que en sus ideas gramaticales, Bello intenta deslatinizar la ortografía, huyendo de los criterios de tipo etimologizante y recurriendo al sentimiento fonético. En colaboración con Juan García del Río, publicó sus *Indicaciones sobre la conveniencia de simplificar i uniformar la ortografía en América* (1823); este artículo fue el preludio de todos los trabajos de reforma ortográfica que siguieron, a los que se unió el intento de Sarmiento en 1841, que culminaron con la adopción oficial por parte de Chile, que duró hasta el decreto de 20 de agosto de 1927. A partir de la edición de 1850, la *Gramática* de la Real Academia empieza a incorporar las novedades de Salvá y Bello, y la investigación gramatical hispánica toma un rumbo nuevo, que sólo se verá influido por las nuevas corrientes teóricas, aunque la *Gramática* de Bello y las obras de Cuervo sigan siendo obras fundamentales.

1.2. Comparatismo e historicismo *

Mientras la lingüística hispánica presentaba las características esbozadas rápidamente en 1.1.4., la situación europea era radicalmente diferente, pues los trabajos científicos

* **Bibliografía introductoria**: M. Ivic, *Trends in Linguistics*, Londres-La Haya-París, 1965, pp. 37-66; L. Kukenheim, *Esquisse historique de la linguistique française et de ses rapports avec la linguistique générale,* Leiden, 1966²; M. Leroy, *Les grands courants de la linguistique moderne,* Travaux de la Faculté de Philosophie et Lettres, XXIV, Bruselas-París, PUF, 1963, pp. 17-60; B. Malmberg, *Les nouvelles tendances de la linguistique,* París, PUF, 1966, pp. 9-50 (existe traducción española, *Los nuevos caminos de la lingüística,* México, Siglo XXI, 1973⁵); A. Meillet, "Ce que la linguistique doit aux savants allemands", [1923], en *Linguistique historique et linguistique générale,* II, París, Klincksieck, 1952, pp. 152-159; G. Mounin, *Histoire de la linguistique des origines au XXᵉ siècle,* París, PUF, 1967, pp. 152-213 (existe traducción española, Madrid, Gredos); C. Tagliavini, *Storia della linguistica,* Bolonia, Pàtron, 3.ª ed., 1970, p. 50 y ss.; H. Pedersen, *Linguistic Science in the Nineteenth Century,* traducción de J. W. Spargo, Cambridge, Mass., Harvard University Press, 1931 (reimpreso con el título *The Discovery of Language,* Bloomington, Indiana, Indiana Univ. Press, 1959, y Harvard Univ. Press, 1962); Kurt R. Jankowsky, *The Neogrammarians. A Re-evaluation of their Place in the Development of Linguistic Science,* La Haya-París, Mouton, 1972; W. P. Lehmann, *A Reader in Nineteenth Century Historical Linguistics,* Bloomington, Indiana, Indiana Univ. Press, 1967; *Introducción a la lingüística histórica,* traducción de P. Gómez Bedate, Madrid, Gredos, 1969.

Bibliografía sobre lingüística histórica y otros problemas afines tratados en este capítulo: M. Alvar, *Estructuralismo, geografía lingüística y dialectología,* Madrid, Gredos, 1969; Raimo A. Anttila, *An Introduction to Historical and Comparative Linguistics,* Nueva York, Macmillan, 1972; H. Basilius, "Neo-Humboldtian Ethno-linguistics", en *Word,* VIII, 1952, pp. 95-105; C. E. Bazell, *Linguistic Typology,* Londres, School of Oriental and African Studies, 1958; É. Benveniste, "La classification des langues", en *Problèmes de linguistique générale,* París, 1966, pp. 99-118; R. L. Brown, *Wilhelm von Humboldt's Conception of Linguistic Relativity,* La Haya-París, Mouton, 1967; W. Buman, *Die Sprachtheorie Heymann Steinthals,* Meisenheim, 1965;

se encaminaban hacia metas insospechadas hasta entonces. Se ha escrito que en la historia de la lingüística moderna existen dos hitos básicos separados exactamente por un siglo:

C. Clavería, "La *Gramática Española* de Rasmus Rask", en *RFE*, XXX, 1946, pp. 1-22; E. Coseriu, *La geografía lingüística,* Montevideo, 1956; E. Fiesel, *Die Sprachphilosophie der deutschen Romantik, 1801-1816,* Tübingen, 1927; D. Gazdaru, *Controversias y documentos lingüísticos,* La Plata, 1967; A. W. de Groot, "Structural Linguistics and Phonetic Law", en *Lingua,* I, 1948, pp. 175-208; Sarah C. Gudschinsky, "The ABC of Lexicostatistics", en *Word,* XII, 1956, pp. 175-210; H. R. Haas, "Historical Linguistics and the Genetic Relationship of Languages", en *CTL,* III, 1966, pp. 113-153; A. A. Hill, "Phonetic and Phonemic Change", en *Lan,* XII, 1936, pp. 15-22; Charles F. Hockett, "Sound Change", en *Lan,* XLI, 1965, pp. 185-204; H. M. Hoenigswald, "Sound Change and Linguistic Structure", en *Lan,* XXII, 1946, pp. 138-143; "The Principal Step in Comparative Grammar", en *Lan,* XXVI, 1950, pp. 357-364; *Linguistic Change and Linguistic Reconstruction,* Chicago, Chicago Univ. Press, 1960; "On the History of the Comparative Method", en *AnL,* V, 1963, pp. 1-11; "The Comparative Method", en *CTL,* XI, 1973, pp. 51-62; Kibby M. Horne, *Language Typology: 19th and 20th Century Views,* Washington, DC, Georgetown University, Institute of Language and Linguistics, 1966; I. Iordan, *Lingüística románica. Evolución, corrientes, métodos,* reelaboración parcial y notas de M. Alvar, Madrid, Alcalá, 1967 (sobre la fortuna de esta obra, vid. n. 93); R. Jakobson, "Typological Studies and their Contribution to Historical Comparative Linguistics", en *Procedings of VIII International Congress of Linguists,* pp. 17-25; Radoslav Katicic, *A Contribution to the General Theory of Comparative Linguistics,* La Haya-París, Mouton, 1970; Robert D. King, *Historical Linguistics and Generative Grammar,* Englewood Cliffs, N. J., Prentice Hall, 1969; Paul Kiparsky, "Linguistic Universals and Linguistic Change", en Emmon Bach y Robert T. Harms (eds.), *Universals in Linguistic Theory,* Nueva York, Holt, 1968, pp. 170-202; Paul Kiparsky, "Historical Linguistics", en J. Lyons (ed.), *New Horizons in Linguistics,* 1970, Penguin Books, pp. 302-315; Paul Kiparsky, "On Comparative Linguistics: The Case of Grassmann's Law", en *CTL,* XI, 1973, pp. 115-134; Jerzy Kurylowicz, "Internal Reconstruction", en *CTL,* XI, 1973, pp. 63-92; Hans Krahe, *Indogermanische Sprachwissenschaft,* Berlín, 3.ª edición, 1958-1959; W. Labov, "The Social Motivation of a Sound Change", en *Word,* XIX, 1963, pp. 273-309; "The Social Setting of Linguistic Change", en *CTL,* XI, 1973, pp. 195-251; Simone Lecointre

1816, año de la publicación del libro *Über das Conjugationssystem der Sanskritsprache in Vergleichung mit jenem der griechischen, lateinischen, persischen und germanischen*

---

y Jean LE GALLIOT, eds., *Le changement linguistique*, en *Langages*, XXXII, diciembre, 1973 (contiene trabajos de J. C. Chevalier, R. Lakoff, Y. Malkiel, A. Rey, F. Robert, S. A. Schane y E. Traugot); W. P. LEHMANN y Y. MALKIEL, *Directions for Historical Linguistics. A Symposium*, Austin y Londres, Univ. of Texas Press, 1968; Y. MALKIEL, "Language History and Historical Linguistics", en *RPh*, VII, 1953-1954, pp. 65-76; *Essays on Linguistics Themes*, Oxford, Blackwell, y University of California Press, 1968; *Linguistica generale, Filologia Romanza. Etimologia*, traducción de Olga Devoto, Florencia, G. C. Sansoni, 1970; "General Diachronic Linguistics", en *CTL*, IX, 1.ª parte, 1972, pp. 82-118; "Comparative Romance Linguistics", en *CTL*, IX, 2.ª parte, 1972, pp. 835-925; A. MEILLET, *La méthode comparative en linguistique historique*, Instituttet for sammenlignende kulturforsking, serie A-II, Oslo, 1925; *Introduction à l'étude comparative des langues indo-européennes*, París, 8.ª edición, 1937 (existe reimpresión, University of Alabama Press, 1964); *Linguistique historique et linguistique générale*, París, Librairie Honoré Champion, 1965; Luis MICHELENA, *Lenguas y protolenguas*, Acta Salmanticensia, XVII, 2, Salamanca, 1963; William G. MOULTON, "Geographical Linguistics", en *CTL*, IX, 1.ª parte, 1972, pp. 196-222; V. PISANI, "August Schleicher und einige Richtungen der heutigen Sprachwissenschaft", en *Lingua*, IV, 1954-1955, pp. 337-368; S. POP, *La Dialectologie. Aperçu historique et méthodes d'enquêtes linguistiques*, Lovaina, 1950; Ernst PULGRAM, "Family Tree, Wave Theory, and Dialectology", en *Orbis*, II, 1953, pp. 67-72; "Neogrammarians and Sound Laws", en *Orbis*, IV, 1955, pp. 61-65; John A. REA, "The Romance Data of the Pilot Studies for Glottochronology", en *CTL*, XI, 1973, pp. 355-367; R. H. ROBINS, "The History of the Language Classification", en *CTL*, XI, 1973, pp. 3-41; David SANKOFF, "Mathematical Developments in Lexicostatistic Theory", en *CTL*, XI, 1973, pp. 93-113; F. C. SOUTHWORTH, "Family-Tree Diagrams", en *Lan*, XL, 1964, pp. 557-565; R. D. STEVICK, "The Biological Model and Historical Linguistics", en *Lan*, XXXIX, 1963, pp. 159-169; R. P. STOCKWELL y R. K. S. MACAULAY, eds., *Linguistic Change and Generative Theory*, Bloomington, Indiana, Indiana University Press, 1972; Oswald SZEMERÉNYI, *Trends and Tasks in Comparative Philology*, Londres, 1964; "Comparative Linguistics", en *CTL*, IX, 1.ª parte, 1972, pp. 119-195; B. A. TERRACINI, "L'héritage de la méthode comparative", en *AcL*, II, 1941, pp. 1-22; "W. D. Whitney y la lingüística

Sprache de F. Bopp (1791-1867), y *1916*, fecha del *Cours de linguistique générale* de Saussure[73].

El Romanticismo supuso no sólo un entusiasmo historicista, que se extenderá a lo largo del siglo XIX y continuará hasta hoy, sino también la identificación de la lengua como expresión más característica de la cultura y del espíritu de una nación[74]. Al pensamiento romántico se debe también

---

general", en *RFH*, V, 1943, pp. 105-147; Julio de URQUIJO, "El epistolario de Hugo Schuchardt y Menéndez Pelayo", *Revista de Estudios Hispánicos*, V, 1935, pp. 533-546; José M.ª VALVERDE, *Guillermo de Humboldt y la filosofía del lenguaje*, Madrid, Gredos, 1955; Alberto VÀRVARO, *Storia, problemi e metodi della linguistica romanza*, Nápoles, Liguori, 1968; "Storia della lingua: passato e prospettive di una categoria controversa", en *RPh*, XXVI, 1972-1973, pp. 16-51 y 509-531; P. A. VERBURG, "The Background to the Linguistic Conception of Bopp", en *Lingua*, II, 1950, pp. 438-468; U. WEINREICH, W. LABOV y M. I. HERZOG, "Empirical Foundations for a Theory of Language Change", en W. P. LEHMANN y Y. MALKIEL, eds., *Directions for Historical Linguistics*, pp. 104-125. Werner WINTER, "Basic Principles of the Comparative Method", en Paul L. GARVIN, ed., *Method and Theory in Linguistics*, La Haya-París, 1970, pp. 147-153, y la discusión en pp. 153-156.

73. Oswald SZEMERÉNYI, "Comparative Linguistics", en *CTL*, IX, 1.ª parte, 1972, p. 119.

74. Alberto VÀRVARO, "Storia della lingua: passato e prospettive di una categoria controversa", en *RPh*, XXVI, 1972-1973, pp. 17-18. Vàrvaro, con su amplia erudición, analiza minuciosamente la importancia que tuvo para la investigación lingüística esta identificación, característica del pensamiento romántico alemán. Este trabajo es fundamental como síntesis de la problemática general de la historia de la lengua. Sobre la situación de la historia de la lengua dentro de las ciencias humanas, vid. Yakov MALKIEL, "Language History and Historical Linguistics", en *RPh*, VII, 1953-1954, pp. 65-76; Malkiel escribe: "With the history of art, of social institutions, and of ideas, upon which it encroaches repeatedly, language history forms part of general history. It is subject to the same hazards of transmission, to the same instability of standards used in reconstruction, and to the same astonishingly wide range of subjectivity in interpretation. Linguistic historians, like any other group of historians, disagree among themselves on such basic

el gusto por lo oriental y exótico, gusto que se verá ampliamente recompensado en la investigación del sánscrito, decisiva para los futuros estudios indoeuropeístas, o en detalles menores, por ejemplo el desciframiento de la escritura jeroglífica egipcia (1822).

Muchas de las investigaciones lingüísticas decimonónicas dependerán de bases teóricas de tipo general, como la necesidad de predicción, característica de todas las ciencias, que aparece ya en Saint-Simon y todavía hoy se encuentra, con modificaciones, entre los problemas teóricos del generativismo; esta necesidad de predicción se halla en estrecha relación con la búsqueda de leyes generales, tema tan caro al pensamiento científico europeo desde Comte, y que llevará a grandes descubrimientos en el terreno del comparatismo y del historicismo. Se observa, por tanto, que los lingüistas del siglo XIX, mucho más que sus antepasados en la investigación del lenguaje, no pueden considerarse aislados de la problemática general de las ciencias y sus descubrimientos, sobre todo en la relación de la lingüística con las ciencias naturales. Rask se refiere a Linneo en su afán de hallar una sistemática en el estudio de las lenguas, y entre sus notas aparece también el nombre de Newton; Linneo es citado también por Schleicher, lo mismo que los trabajos de G. Cuvier[75]; no hay que olvidar tampoco el conocido

---

questions as the role of the leading individual, of the élite, and of the masses, the impact of the economic conditions on human habits and preferences, the existence of recurrent cycles in the development of makind. Some subscribe and others refuse to subscribe to the doctrine of determinism" (pp. 65-66).

75. Para el estudio del influjo de G. Cuvier y su relación con teorías coetáneas y posteriores, sobre todo con el concepto de dependencia mutua de las funciones y con el concepto de sistema, vid. el ya clásico artículo de Ernst A. CASSIRER, "Structuralism in Modern Linguistics", en *Word*, I, 1945, pp. 97-120, esp. p. 106 y ss. Las conclusiones a que

influjo del geólogo inglés Charles Lyell en Wilhelm Scherer[76] y la continua comparación con las ciencias naturales que aparece en la obra del lingüista norteamericano W. D. Whitney, a pesar de su diferente concepción del lenguaje. Gracias a un trabajo de John P. Maher[77], se ha desvanecido la creencia común en la historiografía contemporánea acerca del darvinismo de A. Schleicher.

El método comparatista no es exclusivo de la lingüística de la primera mitad del siglo XIX, sino que viene precedido por los trabajos en la historia del pensamiento religioso o en la literatura, y es coetáneo de los estudios de anatomía comparada. G. Mounin ha observado agudamente que el establecimiento de una cátedra de *Gramática Comparada* en el *Collège de France* es treinta años posterior a la creación de la de *Literatura Comparada*[78]. La curiosidad histo-

---

llega Cassirer en este trabajo son muy importantes: "What I wished to make clear in this paper is the fact that the structuralism is no isolated phenomenom; it is, rather, the expression of a general tendency of thought that, in these last decades, has become more and more prominent in almost all fields of scientific research" (p. 120).

76. Kurt R. JANKOWSKY, *The Neogrammarians. A Re-evaluation of their Place in the Development of Linguistic Science,* La Haya-París, Mouton, 1972, p. 110. La comparación con la geología en las investigaciones de este tipo es bastante frecuente y llega hasta hoy, vid. L. MICHELENA, *Lenguas y protolenguas,* Acta Salmanticensia, Salamanca, 1963, p. 18, donde se examina la relación entre la geología histórica y la lingüística diacrónica. La relación que puede establecerse entre geografía lingüística y estratigrafía ha sido estudiada en B. E. VIDOS, *Manual de lingüística románica,* trad. de la edición italiana de F. de B. Moll, Madrid, Aguilar, 1963, p. 71 y ss., y la bibliografía contenida en p. 85.

77. Vid. J. P. MAHER, "More on the History of the Comparative Method: the Tradition of Darwinism in August Schleicher's Work", en *AnL,* VIII, 1966, pp. 1-12.

78. "De la comparación crítica entre los textos nació finalmente la comparación lingüística", ha escrito W. VON WARTBURG, *Problemas y*

ricista de J. Grimm en la investigación de las lenguas germánicas procede de los estudios realizados en el campo del derecho por Friedrich Karl von Savigny, con quien Grimm había trabado conocimiento en sus clases de la Universidad de Marburgo [79].

Los descubrimientos científicos en el terreno del comparatismo y del historicismo han oscurecido trabajos loables en otro tipo de investigaciones, incluso llevadas a cabo por los mismos científicos comparatistas; por ejemplo, el intento de R. K. Rask (1787-1832) por encontrar una gramática general basada en el estudio de abundantes lenguas diferentes, lo que explica los estudios sistemáticos realizados por el investigador danés con su método peculiar, como su *Spansk Sproglaere* (1824), que ha estudiado C. Clavería, y en la que todavía aprendió español Otto Jespersen [80].

Las ideas lingüísticas de Rask se encuentran situadas dentro del pensamiento de origen romántico que considera al lenguaje como "un objeto de la naturaleza", lo que sitúa su estudio en un plano similar al de la *Historia Natural* (postura semejante a la de A. Schleicher para su *Glótica*), ya que el lenguaje se ofrece "como objeto de consideración

---

métodos de la lingüística, trad. de Dámaso Alonso y Emilio Lorenzo, Madrid, CSIC, 1951, p. 6.

79. C. Tagliavini, *Storia della linguistica,* Bolonia, Pàtron, 3.ª ed., 1970, pp. 65-66.

80. Carlos Clavería, "La *Gramática Española* de Rasmus Rask", en *RFE,* XXX, 1946, pp. 1-22. El trabajo de este investigador no sólo posee el mérito de indagar en fuentes insólitas para los españoles, sino también revalorizar aspectos ignorados de la obra de Rask dentro del pensamiento europeo de la primera mitad del siglo xix. Vid. la conferencia de L. Hjelmslev, "Commentaires sur la vie et l'oeuvre de Rasmus Rask", reimpresa en Thomas A. Sebeok, ed., *Portraits of linguists,* I, pp. 179-195, y el trabajo de L. Sletsjøe, "Rasmus Rask romaniste", en *Studia Neophilologica,* XXXIX, 1957, pp. 39-53.

filosófica: 1) relación entre los sencillos fenómenos naturales: sistema; 2) constitución de estos cuerpos y lo que encubren: fisiología" [81]. (A pesar de que se acostumbra a situar el concepto de *sistema* en los trabajos lingüísticos a partir de Saussure, es término frecuente en la investigación decimonónica, lo mismo que *estructura* u *organismo*; la novedad de Saussure reside precisamente en la concepción de la lengua como un sistema de valores relativo-negativos) [82].

En esta época aparecen otras preocupaciones, como el intento de W. von Humboldt de utilizar el estudio lingüístico para llevar a cabo una antropología comparada, y residuos de antiguos problemas, por ejemplo, la búsqueda de la lengua primitiva, pues en algunos autores la investigación del sánscrito sería el camino para llegar a esa lengua primera, o la preocupación por el origen del lenguaje, tema constante en todas las épocas, que sigue vivo en todo el siglo. Citaré el caso de la obra *Siete enigmas del mundo* (1880) del fisiólogo alemán E. Du Bois-Reymond, en la que el enigma 6.º es "el pensamiento racional y el origen del lenguaje". A finales de la primera mitad del siglo XIX aparecen los trabajos de Grimm y de Renan sobre este mismo tema, y un poco después, 1866, la Société de Linguistique

81. *Apud* C. Clavería, *art. cit.*, pp. 10-11.

82. Para el análisis del concepto de lengua como sistema en Hegel, vid. E. Coseriu, *Sincronía, diacronía e historia. El problema del cambio lingüístico*, 2.ª ed. revisada y corregida, Madrid, Gredos, 1973, p. 22, n. 32, y p. 52. Ernst A. Cassirer, en *Word*, I, 1945, p. 109 y ss., examina el concepto de lengua como organismo. Kurt R. Jankowsky, *op. cit.*, pp. 48-49, estudia *Organismus* y *System* en von Humboldt. André Joly ha estudiado, desde comienzos del siglo XVIII, el significado de los términos *sistema* y *estructura* en relación con la lengua; vid. su estudio preliminar a la traducción francesa de J. Harris, pp. 51-57. Sobre el problema del concepto de *sistema* en los siglos XIX y XX, vid. Karl D. Uitti, *Linguistics and Literary Theory*, pp. 108-109.

de París decide no aceptar ninguna comunicación que trate del origen del lenguaje [83].

La fundación de la *Lingüística General* como ciencia se encuentra en la obra de Wilhelm von Humboldt (1767-1835) *, obra de carácter muy complejo y de claridad escasa, características que no han impedido la transmisión de sus teorías hasta la actualidad. Por su formación, Humboldt es un hombre del siglo XVIII, que sufre un fuerte influjo del pensamiento romántico. Cassirer ha establecido la presencia de una doble corriente de influencias: Goethe y Kant, del que acepta su teoría del conocimiento y aplica sus principios al estudio del lenguaje [84]. Ya se ha indicado que la preocupación máxima de este investigador es la búsqueda, a través del estudio de las lenguas, de una antropología com-

83. Para más datos sobre el tema, vid. C. TAGLIAVINI, *Storia*, p. 138; I. IORDAN, *Lingüística románica. Evolución. Corrientes. Métodos,* reelaboración parcial y notas de M. Alvar, Madrid, Alcalá, 1967, p. 92 y ss., y Winfred P. LEHMANN, *Introducción a la lingüística histórica,* trad. de Pilar Gómez Bedate, Madrid, Gredos, 1969, p. 304 y ss., y, sobre todo, la obra monumental de Arno BORST, *Der Tumbau von Babel. Geschichte der Meinungen über Ursprung und Vielfacht der Sprachen und Völker,* 4 tomos, VI vols., Stuttgart, Hiersemann, 1957-1963.

* R. L. BROWN, *Wilhelm von Humboldt's Conception of Linguistic Relativity,* La Haya-París, Mouton, 1967; M. E. CONTE, "Wilhelm von Humboldt nella linguistica contemporanea. Bibliografia ragionata 1960-1972", en *LiS*, VIII, 1973, pp. 127-165; Eugenio COSERIU, "Sulla tipologia linguistica di Wilhelm von Humboldt. Contributo alla critica della tradizione linguistica", en *LiS*, VIII, 1973, pp. 235-266; Luis MICHELENA, "Guillaume de Humboldt et la langue basque", en *LiS,* VIII, 1973, pp. 107-125; E. RUPRECHT, "Wilhelm von Humboldt und Spanien", en *Homenaje a Johannes Vincke,* Madrid, 1962-1963, II, pp. 665-673; José M.ª VALVERDE, *Guillermo de Humboldt y la filosofía del lenguaje,* Madrid, Gredos, 1955.

84. Vid. Ernst A. CASSIRER, *Word,* I, 1945, p. 115 y ss. Ambos influjos, en unión de Schiller, han sido señalados por Y. MALKIEL, en *HR,* XXVI, 1958, p. 162.

parada, de aquí su interés por estudiar las lenguas más diversas, y la lectura de sus obras sorprende por la cantidad de ejemplos en las lenguas más exóticas. Este conocimiento de las lenguas, como en el caso de Rask, es fundamental dentro de su pensamiento: "Persuadido de que nada perjudica tan notablemente el estudio de las lenguas como los razonamientos generales que no se basan en un conocimiento real, he intentado —escribe Humboldt—, en la medida en que podía hacerlo sin excederme en el desarrollo, aportar ejemplos en apoyo de todos los casos particulares, dándome perfecta cuenta de que el estudio completo de al menos una de las lenguas aquí consideradas es la única manera de infundir en el espíritu una verdadera convicción"[85]. Estas lenguas se analizan desde el punto de vista sincrónico[86]; sin embargo, este tipo de estudios no debe hacernos pensar en una identificación entre los conceptos de *sincrónico* y *estático*, ya que Humboldt cree que este carácter es sólo aparente, pues en el lenguaje hay una constante creatividad por parte de los hablantes. La lengua se concibe no como ἔργον sino como ἐνέργεια, como una actividad y no como un producto, tal como se ha escrito infinitas veces. Estos conceptos humboldtianos proceden de Aristóteles, y ya advirtió Coseriu que no se trata de una actividad

85. W. von Humboldt, *Sobre el origen de las formas gramaticales y sobre su influjo en el desarrollo de las ideas,* cito por la traducción de C. Artal, Barcelona, Anagrama, 1972, p. 31.

86. E. Coseriu, *Sincronía, diacronía e historia,* p. 22, escribe: "También es notorio que el carácter 'sistemático' de la lengua fue claramente reconocido por Humboldt..." En esta misma página, n. 33, Coseriu indica que fue V. Mathesius, en *TCLP,* IV, 1931, p. 292, el que señaló a Humboldt como verdadero iniciador de la lingüística "estática" moderna. Como ya se ha indicado, fue J. Harris el primer lingüista que definió la lengua como un *sistema,* y es muy verosímilmente el origen de las ideas de Humboldt sobre este punto. Vid. n. 82.

cualquiera, sino una "actividad libre y finalista, que lleva en sí su fin y es realización del fin mismo, y que, además, es idealmente anterior a la 'potencia'" [87]. Sin embargo, nota el mismo investigador, históricamente la "potencia" es anterior al "acto", por tanto hay que integrar la libertad, dado que se trata de una actividad libre, en la historicidad. La lengua se hace constantemente, y la gramática reside en el espíritu, como escribe Humboldt: "Porque la gramática, en mayor medida que cualquier otra parte del lenguaje, existe esencialmente en el espíritu, al que ofrece la manera de enlazar las palabras para expresar y concebir las ideas, y todos los que se ocupan de una lengua extranjera se acercan a ella, permítaseme la imagen, con compartimentos separados para clasificar los elementos que la realidad les presenta" [88]. La lengua no reproduce la realidad sino sólo como los hablantes se la representan: la *forma interior del lenguaje* (*innere Sprachform*) [89], que adquiere constitución gracias

87. E. Coseriu, *op. cit.*, p. 46 y ss.

88. W. von Humboldt, *Carta a M. Abel Rémusat sobre la naturaleza de las formas gramaticales en general y sobre el genio de la lengua china en particular*, cito por la traducción de C. Artal, Barcelona, Anagrama, 1972, p. 48.

89. Este concepto teórico se ha utilizado con alguna frecuencia en la investigación hispánica; basta recordar el bellísimo trabajo de Amado Alonso, "Americanismo en la forma interior del lenguaje", en *Estudios lingüísticos. Temas Hispanoamericanos*, Madrid, Gredos, 3.ª ed., 1967, pp. 61-83; más recientemente, en el trabajo de Rafael Lapesa, "Evolución sintáctica y forma lingüística interior en español", *ACILR*, XI, pp. 131-140. "Para mí —escribe Lapesa, *art. cit.*, p. 138—, la forma lingüística interior sería la configuración del contenido psíquico correspondiente a su configuración gramatical, y dirigida a ella; haz psíquica cuyo envés gramatical es lo que los estructuralistas de la escuela danesa entienden por 'forma del contenido'"; y en el mismo lugar, p. 139, añade, al rectificar un enunciado de Amado Alonso, "la *forma* interior no es el *contenido* psíquico, sino la *conformación psíquica* del contenido, correspondiente a cada construcción con estructura propia".

a la *forma exterior del lenguaje* (*äussere Sprachform*). Todo en el lenguaje es para Humboldt *materia formada*, como él mismo observa: "Considerado absolutamente, no puede darse dentro de un lenguaje nada que sea *materia no formada*, ya que todo en él concurre a un fin determinado, la expresión del pensamiento, y tal elaboración empieza ya en su primer elemento, el fonetismo articulado, que se articula precisamente gracias a la forma. La materia real del lenguaje es por una parte el fonetismo en general, y por otra la totalidad de las impresiones sensibles y de los movimientos mentales espontáneos y activos, que proceden a la formación del concepto con ayuda del lenguaje". Existen otros temas en el pensamiento de Humboldt, por ejemplo la relación entre la historia espiritual y la historia lingüística de los pueblos, en la que sufre un influjo de las ideas de Fichte[90], o el tema del origen del lenguaje, sobre el que alguna vez manifestó su desaliento acerca de la posibilidad de encontrar una solución. La influencia de la obra de Humboldt es muy fuerte en Sapir, Whorf, Weisgerber, Vossler y Cassirer; actualmente Chomsky ha examinado ciertos conceptos, estrechamente ligados con la teoría generativa, como el de *creatividad*[91].

En los trabajos de la primera mitad del siglo XIX la preocupación máxima es el establecimiento del parentesco entre lenguas en una comparación en la que se acostumbra a utilizar el análisis de la estructura morfológica, sin que se olvide la investigación fonética, que a lo largo del siglo irá cobrando mayor importancia. Los manuales de historia de la lingüística suelen señalar el conocimiento del sánscrito, a partir de los trabajos de Sir William Jones (1786), como

90. A. VÀRVARO, *RPh*, XXVI, 1972-1973, p. 19.

91. N. CHOMSKY, *Current Issues in Linguistic Theory*, La Haya-París, 1969, 4.ª ed., p. 17 y ss.

el punto de arranque de las investigaciones del comparatismo, pero hay que recordar algunas obras que nada tienen que ver con el estudio de la lengua sánscrita y que inician en Europa los trabajos de este tipo: Janos Sajnovics (1733-1785) demostró la relación entre el húngaro y el lapón en su *Demonstratio idioma Ungarorum et Lapponum idem esse* (Copenhague, 1770), y posteriormente Samuel Gyarmathi (1751-1830) iniciará las investigaciones sobre la familia fino-ugria en su *Affinitas linguae hungaricae cum linguis fennicae originis gramatice demonstrata* (1799). Ambas obras fueron conocidas por Rask y le permitieron poseer unas bases mínimas para su trabajo sobre las lenguas nórdicas.

Antes de los estudios de W. Jones, ya existían noticias sobre el sánscrito[92], pero fueron sus trabajos, las gramáticas de H. Th. Colebrooke (1805) y de W. Carey (1806), entre otras, y la publicación de la obra de F. Schlegel *Über die Sprache und Wisheit der Indier* (1808), los que produjeron el interés creciente por estos estudios, que culminan en la fecha ya señalada de 1816 con la publicación de la obra de Bopp. Tagliavini añade a todos estos factores la importancia de los depósitos de manuscritos llevados a las bibliotecas de París y Londres y que permitían estudiar sobre obras diversas los problemas de la lengua sánscrita. Al ponerse en

92. Las notas sobre las noticias del sánscrito anteriores a Sir William Jones se encuentran en Kurt R. Jankowsky, *op. cit.*, p. 26 y ss. La historia de los problemas de la clasificación de las lenguas ha sido trazada por R. H. Robins, "The History of the Language Classification", en *CTL*, XI, 1973, pp. 3-41; la tipología lingüística ha sido estudiada por Joseph H. Greenberg, "The Typological Method", en *CTL*, XI, 1973, pp. 149-193, este período en pp. 167-170; vid., además, la obra de Kibby M. Horne, *Language Typology: 19th and 20th Century Views*, Washington, Georgetown University, Institute of Language and Linguistics, 1966.

contacto con los textos gramaticales sánscritos, los investigadores descubrieron nuevos y originales sistemas descriptivos que influirán ya en la *Vergleichende Grammatik...* (1833-1852) de Bopp y que continuarán su influjo hasta L. Bloomfield.

Muy pronto los avances en el terreno del comparatismo se iban a reflejar en campos más restringidos y con plena orientación historicista: J. Grimm (1785-1863) comienza en 1819 a publicar sus investigaciones sobre las lenguas germánicas en su *Deutsche Grammatik*, y en 1836-1843 F. Diez (1794-1876) publica su *Grammatik der romanischen Sprachen*, a la que seguirá en 1853 su *Etymologisches Wörterbuch der romanischen Sprachen*. El campo de las lenguas románicas, todavía hoy, es el que reúne condiciones únicas para la investigación de la metodología comparatista e historicista, dadas las posibilidades que presentan estas lenguas para verificar en gran parte la reconstrucción [93], y que encontrarán su más notable cultivador en W. Meyer-Lübke (1861-1936), ya dentro de una franca posición neogramáti-

93. La historia de la romanística se encuentra estudiada en la ya citada obra del profesor I. IORDAN, publicada en rumano en 1932, traducida y ampliada en la versión inglesa, *An Introduction to Romance Language. Its Schools and Scholars*, Revised, traslated and in parts recast by John Orr, Londres, Methuen and Co., 1937; existe una versión alemana, también ampliada, por W. Bahner, Berlín, Akademie-Verlag, 1962, y la edición inglesa, Oxford, 1970, con el excelente apéndice de Rebecca POSSNER, "Thirty years on"; más breve es la presentación de B. E. VIDOS, *Manual de lingüística románica*, trad. de la ed. italiana por F. de B. Moll, Madrid, Aguilar, 1963. El manual más recomendable para adentrarse en la romanística es el de A. VÀRVARO, *Storia, problemi e metodi della linguistica romanza*, Nápoles, Liguori, 1968. La crónica más completa de este tema se encuentra en el trabajo de Yakov MALKIEL, "Comparative Romance Linguistics", en *CTL*, IX, 2.ª parte, 1972, pp. 835-925, páginas escritas con el aparato bibliográfico y la seriedad científica que caracterizan a este investigador.

ca[94]. Meyer-Lübke es autor de obras decisivas para la investigación románica como su *Grammatik der romanischen Sprachen* (1890-1902), *Romanisches Etymologisches Wörterbuch, Einführung in das Studium der romanischen Sprachwissenschaft* (1.ª ed. 1900 y última 1920), además de estudios particulares sobre algunas lenguas románicas y de los artículos especializados sobre problemas muy concretos de fonética histórica.

La obra de Meyer-Lübke tuvo una gran influencia en los países hispánicos; baste recordar los trabajos que produjo *Das Katalanische,* por ejemplo; la *Einführung* fue traducida por Américo Castro y publicada por el Centro de Estudios Históricos en 1914. Esta traducción, enriquecida con abundantes notas, procedía de la segunda edición alemana, y fue pirateada por Júdice en la edición portuguesa de Teixeira (*RFE,* V, p. 111); mejor suerte corrió la traducción de la edición alemana de 1920 (3.ª ed.), realizada "con tanto esfuerzo y cuidado", como confesaba el mismo Américo Castro. Este libro ha sido durante mucho tiempo el manual básico en las enseñanzas de Filología Románica en España.

El comparatismo, a partir de August Schleicher (1821-1868), comienza a tomar otras directrices: se inician las primeras formulaciones rigurosas de las leyes fonéticas[95]; se plantean los primeros intentos científicos de reconstrucción del indoeuropeo y se establece una teoría de la relación genética entre las lenguas, la famosa *Stammbaumtheorie*[96].

94. Sobre W. Meyer-Lübke vid. Yakov MALKIEL, *CTL,* IX, 2.ª parte, p. 836 y ss., y *op. cit.,* n. 59.

95. Vid. Kurt R. JANKOWSKY, *op. cit.,* p. 100.

96. Sobre esta teoría y la llamada *teoría de las ondas,* vid. Winfred P. LEHMANN, *Introducción a la lingüística histórica,* p. 175 y ss.; E. PULGRAM, "Family Tree, Wave Theory, and Dialectology", en *Orbis,* II, 1953, pp. 67-72. El profesor MALKIEL en su nota "An Early Formu-

Schleicher, de formación hegeliana, fue un científico preocupado por los problemas de lingüística general. Distinguió perfectamente entre la lingüística comparada, ciencia natural y empírica, pues el lenguaje —según Schleicher— es permanentemente un organismo natural porque puede ser clasificado en géneros, especies y subespecies, y la lingüística histórica, a la que negó su carácter de ciencia natural[97]. Su máxima preocupación consistió en intentar reconstruir científicamente el indoeuropeo, al que incorporó el lituano, en un trabajo publicado en 1856-1857; escribió, además, un excelente *Compendium der vergleichenden Grammatik der indogermanische Sprachen* (1861-1862). En un trabajo de Schleicher, titulado *Die Unterscheidung von Nomen und Verbum in der lautlichen Form* (1865), aparece la curiosa afirmación de que nombre y verbo sólo son partes de la oración diferentes en las lenguas indoeuropeas, pero esta diferencia está ausente en otras lenguas, para lo que se basa en la afirmación de que una categoría gramatical no existe más que si es expresada por formas fonéticas. Este curioso trabajo ha permitido que W. Keith Percival

---

lation on the Linguistic Wave Theory", *RPh,* IX, 1955-1956, p. 31, encuentra el primer esbozo de la teoría de las ondas en la obra de H. Schuchardt, *Der Vokalismus des Vulgärlateins,* I, 1866, p. 82 y 94. Parece evidente que la idea de la teoría del *árbol genealógico* de las lenguas procede de las clases de crítica textual de Friedrich Ritschl (1806-1876), técnica que Schleicher conocía perfectamente y que había aplicado al estudio de manuscritos. Henry H. Hoenigswald, en su trabajo "On the History of the Comparative Method", en *AnL,* V, 1963, p. 8, ha subrayado la analogía metodológica entre la técnica del error textual y el problema de la innovación fonética. Estos antecedentes han vuelto a ser estudiados por John P. Maher, "More on the History of the Comparative Method: The Tradition of Darwinism in August Schleicher's Work", en *AnL,* VIII, 1966, pp. 7-9.

97. John P. Maher, en *AnL,* VIII, 1966, p. 4.

("Nineteenth Century Origins of Twentieth Century Structuralism", en *CLS*, V, 1969, pp. 416-420) haya encontrado las raíces de determinadas afirmaciones de Bloomfield en la investigación decimonónica.

Las investigaciones de Schleicher, en unión de los trabajos de W. Scherer [98], preparan el camino de las teorías de los neogramáticos, tan disputadas, y que en muchos aspectos llegan desde 1875 hasta hoy. Los *neogramáticos* [99], August Leskien (1840-1916), Karl Brugmann (1849-1919), H. Osthoff (1847-1909), Berthold Delbrück (1842-1922) y Hermann Paul (1846-1921), como aseguraban con bastante razón los *Altgrammatiker* y sus adversarios posteriores, poseían en su teoría elementos anteriores, comenzando por los primeros esbozos de *ley fonética,* pero introducían una serie de visiones teóricas nuevas e importantísimas, y sin las cuales no son comprensibles discusiones científicas actuales [100]. Los puntos más sobresalientes de estas teorías son: la concepción de la regularidad de la ley fonética con carácter

98. Una exposición de las teorías de este investigador se encuentra en la obra de Kurt R. JANKOWSKY, pp. 107-114.

99. La anécdota de los *Junggrammatiker* ha sido contada bastantes veces, vid. la exposición de G. MOUNIN, *Histoire de la linguistique des origines au XXe siècle,* p. 202 y ss. Sobre la hipótesis del origen de la denominación, vid. C. TAGLIAVINI, *Storia*, p. 171 y ss. El creador del jocoso término fue el germanista F. Zarncke, que tomó como modelo la expresión *junges Deutschland,* que se aplicó al movimiento de vanguardia antirromántico y posteriormente a varias corrientes de signo antitradicional. Para este término, vid. Kurt R. JANKOWSKY, *op. cit.*, p. 125, n. 2. La traducción poco afortunada de G. I. Ascoli iniciará la moda del término *neogramáticos.*

100. Como ejemplo en el mundo científico hispánico, cf. la discusión de L. MICHELENA a las teorías de F. Rodríguez Adrados sobre las leyes fonéticas, *Lenguas y protolenguas*, p. 70 y ss. Michelena reconoce que el concepto de ley fonética es necesario e insustituible en todo trabajo de reconstrucción; se apoya en la teoría expuesta por R. MENÉNDEZ PIDAL, *Orígenes del español,* p. 529 y ss.

inexorable, pues las excepciones se explican fundamentalmente por reajustes de tipo analógico (el primer lingüista que establece este concepto de *analogía* con bases científicas es Wilhelm Scherer)[101], lo que supone conceder un papel importante a la psicología individual en el cambio lingüístico. Ambos conceptos, ley fonética y analogía, se complementan y suponen la importancia del concepto sistemático del lenguaje tanto en aspectos diacrónicos como sincrónicos, pues el conocimiento de los problemas del lenguaje en su sistema actual puede suponer una mejor concepción de los mecanismos del cambio lingüístico. Esta distinción entre lo estático y lo histórico supone, ya desde H. Paul, G. von der Gabelentz, A. Marty y F. N. Finck[102], el establecimiento de la dicotomía que luego aparecerá en Saussure.

Existen otros aspectos en las obras de los neogramáticos de importancia decisiva para la evolución teórica posterior,

101. A propósito del problema de la *analogía*, vid. las precisiones del inteligente artículo de Jerzy KURYLOWICZ, "La nature des procès dits 'analogiques'", en *AcL*, V, 1945-1949, pp. 121-138, reimpreso en *RIL*, II, pp. 158-174 (este artículo fue redactado en 1947, vid. la nota de Y. MALKIEL, *CTL*, IX, 1.ª parte, p. 83, n. 2). Sobre este tema existen dos trabajos de W. MANCZAK, "Tendances générales des changements analogiques", en *Lingua*, VII, 1958, pp. 298-325 y 387-420, y "Tendences générales du développement morphologique", en *Lingua*, XII, 1963, pp. 19-38. Sobre el desarrollo y evolución del concepto de *analogía*, vid. el trabajo de Cristina VALLINI, *Linee generali del problema dell'analogia dal periodo schleicheriano a F. de Saussure*, Biblioteca dell'Italia dialettale e di studi e saggi linguistici, 5, Pisa, 1972.

102. E. COSERIU, *Sincronía, diacronía e historia*, p. 22; una nota sobre este concepto en G. von der Gabelentz aparece en la obra citada de JANKOWSKY, p. 153, n. 4; vid. el trabajo de E. COSERIU, "Georg von Gabelentz et la linguistique synchronique", en *Word*, XXIII, 1967, pp. 74-100; y la bibliografía contenida en *RPh*, XXVII, 1973-1974, p. 76, n. 7. E. F. K. KOERNER, en su trabajo "Hermann Paul and Synchronic Linguistics", en *Lingua*, XXIX, 1972, pp. 274-307, ha negado el influjo de Gabelentz con sólidos argumentos, vid. *loc. cit.*, pp. 294-295.

me refiero al interés y a la preocupación por los aspectos formales del lenguaje, que se desarrollarán sistemáticamente en el siglo xx, además de otros elementos anecdóticos para la prehistoria del estructuralismo como la aparición de términos como *Synkretismus* (Brugmann) o *Suppletivwesen* (Osthoff)[103].

Sería totalmente absurdo pretender encontrar todas las bases teóricas de la lingüística de comienzos del siglo xx en autores del movimiento neogramático; sin embargo, hay que reconocer que son varios de los pilares fundamentales en Saussure, y que su obra es totalmente incomprensible desgajada del conjunto teórico de la época. También es verdad que en la lingüística de tipo historicista del siglo xx aparece un fuerte componente nacido precisamente de la oposición a las teorías de los *Junggrammatiker*: los ataques al principio de la analogía, el reconocimiento de la importancia del cultismo y, por lo tanto, la observación de los diferentes niveles en los que las palabras se desarrollan en la historia de una lengua, el descubrimiento de la existencia del sustrato[104], y, sobre todo, la importancia de los estudios dialectológicos, con la ayuda del perfeccionamiento de los conocimientos de fonética, que suponen reconocer la heterogeneidad y complejidad del lenguaje humano, y que llevarán al auge de la geografía lingüística y posteriormente al estudio de elementos etnológicos y de cultura material, a partir de los trabajos de Meringer y de Schuchardt en la primera década del siglo xx. Estas últimas direcciones con-

103. Kurt R. Jankowsky, *op. cit.*, p. 140 y ss.

104. El concepto de sustrato parece que fue utilizado por primera vez por el filólogo italiano Cattaneo, vid. I. Iordan, *Lingüística románica*, p. 20, n. 36; su propagación en el mundo de la romanística se debe a G. I. Ascoli.

ducen a una progresiva *lexicalización*[105] de los estudios lingüísticos en el campo de la romanística. Frente al excesivo formalismo de los estudios de tipo positivista, a partir de H. Schuchardt y de K. Vossler, se tiende hacia trabajos en los que predominan los intereses semánticos.

Las investigaciones de tipo historicista a lo largo del siglo xx han sufrido un interesante proceso de depuración de las teorías positivistas y una incorporación de los elementos más valiosos de las nuevas corrientes teóricas, lo que ha producido obras de tanta calidad como las de Menéndez Pidal, A. Meillet y, más tarde, las dc É. Benveniste, J. Kurylowicz y Y. Malkiel[106].

Lentamente, la lingüística del siglo xix fue ganando autonomía, se independizó de las teorías de otras ciencias, sobre todo de las ciencias naturales (ya Hermann Paul anuncia su carácter de disciplina histórica y niega su relación con las ciencias naturales), y ha ido creando sus propios métodos de investigación en fecundas discusiones, lo que ha hecho posible el camino de las nuevas corrientes del siglo xx, como ha escrito G. Ferrater: "Que la lingüística histórica alcanzara aquel grado de precisión en la investigación de sus problemas, era seguramente un requerimiento previo para que la lingüística general pudiera formular los suyos, más abstractos y que por consiguiente no hubieran podido definirse sin la experiencia de un debate intenso y prolongado

105. El término procede del trabajo de Yakov Malkiel, "Genetic Analysis of Word Formation", en *CTL*, III, pp. 307-308. En general, la filología peninsular ha evitado los excesos de "lexicocentrismo", vid. Diego Catalán, *CTL*, IX, 1.ª parte, p. 1.099.

106. Una amplia visión de los problemas, corrientes y autores de esta importante rama de la lingüística se encuentra en el estudio de Yakov Malkiel, "General Diachronic Linguistics", en *CTL*, IX, 1.ª parte, 1972, pp. 82-118.

sobre los problemas de método"[107]. Sin embargo, como observa inteligentemente Michelena a propósito de la lingüística histórica, "seguimos dependiendo en lo fundamental del siglo pasado: hemos afinado los procedimientos que nos legaron, hemos comprendido mejor su sentido y alcance y, sobre todo, hemos introducido la duda donde reinaba la alegre seguridad de la inconsciencia"[108].

1.3. Teorías estructurales *

1.3.0. Introducción

En los primeros años del siglo XX siguen vigentes las corrientes positivistas de corte neogramático en conflicto con el conjunto de tendencias que condujeron al reconoci-

107. Gabriel Ferrater, "Lingüística", en *Enciclopedia Labor*, volumen X, *Avances del saber*, 1968, p. 813.

108. L. Michelena, *Lenguas y protolenguas*, p. 19; en cuanto al influjo de nuevas corrientes, por ejemplo, el estructuralismo, el mismo investigador ha escrito: "Si nos atenemos primero a la reconstrucción externa, se puede decir que el estructuralismo no ha traído consigo ningún cambio fundamental de los métodos clásicos: no ha aumentado, en otras palabras, su poder de penetración en el pasado no directamente atestiguado de las lenguas. Su aportación, en todo caso, afecta más bien al planteo que a las soluciones. Nos da una mejor comprensión de los resultados de las operaciones de reconstrucción y de la misma naturaleza de éstas: de su servidumbre, más que de su grandeza. Su contribución, en resumen, impone nuevas trabas y nuevas exigencias, a menudo difíciles de cumplir", "Estructuralismo y reconstrucción", en *Problemas y principios del estructuralismo lingüístico*, Madrid, CSIC, 1967, pp. 304-305.

* Émile Benveniste, "Tendances récentes en linguistique générale", en *Journal de Psychologie Normale et Pathologique*, XLVII-LI, 1954, pp. 130-145 (reimpreso en *Problèmes de linguistique générale*, París, Gallimard, 1966, pp. 3-17); Manfred Bierwisch, *El estructuralismo: historia, problemas, métodos*, edición a cargo de Gabriel Ferrater, Barcelona, Tusquets, 1971; Einar Haugen, "Directions in Modern Linguis-

miento de la heterogeneidad del lenguaje humano, en las que aparecen como ideas directrices la doctrina intuitiva de Bergson y el influjo del pensamiento de Croce. La síntesis de esta problemática se encuentra en el título de la obra de Karl Vossler (1872-1949) *Positivismo e idealismo en la lingüística,* cuya primera edición alemana, 1904, está dedicada significativamente al filósofo italiano. En la primera

---

tics", en *Lan,* XXVII, 1951, pp. 211-222 (reimpreso en *RIL,* I, pp. 357-363, y en la antología de BOLELLI, *Linguistica generale, strutturalismo, linguistica storica,* pp. 282-299); Ofelia KOVACCI, *Tendencias actuales de la gramática,* Buenos Aires, Columba, 1971²; Giulio C. LEPSCHY, "Aspetti teorici di alcune correnti della glottologia contemporanea", en *ASNP,* XXX, 1960, pp. 187-267; *La linguistica strutturale,* Turín, Einaudi, 1966 (existe trad. española, Barcelona, Anagrama, 1971, y una versión inglesa, *A Survey of Structural Linguistics,* Londres, Faber and Faber, 1972); Maurice LEROY, *Les grands courants de la linguistique moderne,* Univ. Libre de Bruxelles, Travaux de la Faculté de Philosophie et Lettres, XXIV, Bruselas-París, PUF, 1971² (la traducción española fue publicada por el Fondo de Cultura Económica, México, 1974²); Bertil MALMBERG, *Nya vägar inom språkforskningen: en orientering i modern lingvistik,* Estocolmo, Svenska Bokförlarger, 1959 (trad. inglesa, *New Trends in Linguistics: an Orientation,* Estocolmo-Lund, Bibliotheca Linguistica, I, 1964; la primera edición de la versión española, *Los nuevos caminos de la lingüística,* se publicó en 1967, México, Siglo XXI); Georges MOUNIN, *La linguistique du XXe siècle,* París, PUF, 1972; Thomas A. SEBEOK (ed.), *Portraits of Linguists: a Biographical Source Book for the History of Western Linguistics, 1746-1963,* 2 vols., Indiana Univ. Studies in the History and Theory of Linguistics, Bloomington-Londres, 1966; *Trends in European and American Linguistics 1930-1960,* Ed. on the Occasion of the Ninth Int. Congress of Linguists, Cambridge, Mass., 1962, por Chr. MOHRMANN, A. SOMMERFELT y J. WHATMOUGH, Utrecht-Amberes, 1973²; *Trends in Modern Linguistics,* Ed. on the Occasion of the Ninth Int. Congress of Linguists, Cambridge, Mass., 1962, por Chr. MOHRMANN, F. NORMANN y A. SOMMERFELT, Utrecht-Amberes, 1973²; Tristano BOLELLI, *Linguistica generale, strutturalismo, linguistica storica,* Pisa, Nistri-Lischi, 1971 (útil antología de textos teóricos; en ese terreno, deben consultarse los dos vols. de *RIL;* vid., además, la bibliografía referente a esta época en los tratados generales citados en 1.0).

página del texto se enunciaba con claridad meridiana: "Positivismo e idealismo no son conceptos teóricos del conocimiento, sino conceptos metodológicos" [109]; Vossler, sin embargo, establece una diferencia básica entre el positivismo metafísico y el auxiliar [110]. Es muy frecuente en la época actual el menosprecio de la visión idealista del lenguaje, pero la lectura de ciertos pasajes de Vossler recuerda textos teóricos contemporáneos. Me refiero, por ejemplo, a los reproches contenidos en la ya citada obra a trabajos de Meyer-Lübke o al *Grundriss* de Gröber: "Pero cuando se sostiene que los sonidos constituyen las sílabas, éstas las palabras y las palabras la oración, y las oraciones el lenguaje, se ha pasado, sin pensar, del positivismo metodológico al metafísico, y se ha dicho un concepto sin sentido, como el siguiente: los miembros del cuerpo constituyen el hombre. Esto es, se ha establecido una falsa conexión causal, porque el principio de causalidad se ha colocado en los fenómenos parciales en vez de referirlo a una unidad superior. En realidad, el nexo causal sigue un curso totalmente inverso: el espíritu que vive en el lenguaje humano constituye la oración, la frase, la palabra y el sonido: todo a la vez; y no solamente los constituye, sino que los crea" [111]. Las tesis de Vossler pueden resumirse con sus mismas palabras: "Lingüística, en el puro sentido de la palabra, es Estilística, y ésta pertenece a la Estética. La Lingüística, como estudio concreto del lenguaje, es historia del Arte. Los numerosos filólogos que se pasman al oír la palabra Estética, se representan aún la

109. Cito por la traducción de José Francisco Pastor, Madrid-Buenos Aires, Poblet, 1929, p. 11.

110. "Nosotros tendremos la paciencia de distinguir cuidadosamente el positivismo radical del metodológico, el autocrático del modestamente auxiliar: admitiremos y aprobaremos; con el primero seremos inflexibles", *op. cit.*, p. 14.

111. *Ibid.*, p. 18.

vieja estética dogmática, no la nueva, la crítica. La antigua comparaba la obra de arte con un ideal abstracto de belleza; la nueva compara la obra de arte con ella misma, porque ha comprendido que los ideales de belleza son tantos cuantas obras de arte. El poeta no debe seguir las intuiciones del crítico, sino el crítico las del poeta, por mostrar cómo y dónde el poeta está en conflicto con su propia intuición y es infiel a su propia musa. Este método es el de toda crítica idealista; es decir, reproducción consciente del proceso interno que ha conducido a la obra de arte" [112].

A pesar del reconocido prestigio e indudable influencia que el idealismo lingüístico tuvo en los países hispánicos (v. 1.4.2.), el pensamiento teórico del siglo XX en sus corrientes más vigorosas y fructíferas se apartará decididamente de las bases idealistas para preferir otros presupuestos científicos muy diferentes. Frente a la importancia del individuo y de la psicología personal en la creación del lenguaje, principio fundamental del idealismo, los lingüistas contemporáneos se inclinarán por concebir el lenguaje como una institución social y tratarán de analizarlo con nuevos métodos que permitan sistematizar e interpretar los datos.

Como en el siglo anterior, los investigadores se preocuparán por encontrar la posición de la lingüística dentro del edificio de las ciencias. La postura más frecuente será la concepción autónoma de la ciencia del lenguaje, que arranca de los textos del norteamericano W. D. Whitney (1827-1884) [113], quien ya había enunciado claramente la relación

112. *Ibid.*, pp. 48-49.

113. Es muy importante la postura teórica de este investigador, ya que es uno de los iniciadores de temas habituales de la lingüística contemporánea y uno de los autores más admirados por Saussure. A W. D. Whitney se debe el comienzo de planteamientos tan fundamentales como la importancia de la descripción sincrónica y el concepto

entre comparatismo y lingüística general: "La filología comparada (gramática comparada) —escribe Whitney— y la lingüística (lingüística general) son las dos caras de un mismo estudio. La primera abarca los hechos aislados de cierto grupo de lenguas, indica sus relaciones y llega a las conclusiones que estas relaciones dictan. Objeto principal de la segunda son las leyes y los principios generales en el lenguaje; los hechos no le sirven sino de testimonio" [114].

Aunque la vida científica contemporánea haya supuesto una mayor posibilidad de comunicación entre los lingüistas de tendencias muy diversas: congresos, revistas, homenajes o profesores invitados de universidades extranjeras, es necesario observar que siguen vivas características de formación profesional muy diferentes y, sobre todo, intereses científicos muy diversos a la hora de estudiar el lenguaje. Hay, sin embargo, unos puntos comunes fundamentales, que caracterizan las corrientes teóricas actuales: el interés por lenguas no indoeuropeas y prioridad de análisis del lenguaje hablado [115], que se tenderá a examinar con métodos que se inclinarán por planteamientos abstractos; existe, además, un deseo de formalización que culminará en la interpretación de los hechos lingüísticos por parte de la teoría generativa.

---

de sistema, el reconocimiento del papel de la semántica, y detalles menores como el intento de establecer el signo cero. Vid. Michael SILVERSTEIN, *Selected Writings of William Dwight Whitney,* Cambridge, Mass., y Londres, MIT Press, 1971 (contiene los trabajos de M. SILVERSTEIN, "Whitney on Language" y de Roman JAKOBSON, "The World Response to Whitney's Principles of Linguistic Science"); puede consultarse también el ya clásico estudio de A. Benvenuto TERRACINI, "W. D. Whitney y la lingüística general", en *RFH,* V, 1943, pp. 105-147. Sobre el influjo de W. D. Whitney en Unamuno, vid. Yakov MALKIEL, en *CTL,* IV, 1968, p. 223, n. 149.

114. Utilizo la traducción de A. B. Terracini, apud *RFH,* V, 1943, p. 124.

115. J. LYONS, *Introducción,* 1.4.2.

La lingüística dejará de ser una ciencia subordinada a la metodología de otras ciencias y pasará, a partir de la segunda guerra mundial, a ser ciencia que dirija las investigaciones de las ciencias sociales. Sin embargo, después de 1957, los lingüistas renunciarán a la autonomía ideal, que fue imprescindible y básica en el desarrollo anterior, para integrarse en posturas de apertura mayor, que puedan ayudar a construir una teoría del lenguaje más adecuada al objeto de estudio.

Las polémicas entre el idealismo y el positivismo lingüísticos quedan oscurecidas por la aparición de las teorías estructurales, que desplazarán todas las cuestiones anteriores. Como ya se ha advertido, gran parte de los elementos componentes de las teorías del siglo XX tienen su entronque o su formulación más o menos explícita en el positivismo decimonónico; incluso los grandes investigadores, como Saussure, Bloomfield, Trubetzkoy o Jakobson, no han desdeñado los intereses típicos del historicismo y del comparatismo. El punto común de estas teorías estructurales es la consideración de no intervención de criterios extralingüísticos para el análisis del lenguaje y la concepción de la lengua como un conjunto de elementos solidarios, dotado de una estructura de carácter abstracto, por lo que el lingüista tiene que descubrir las leyes a las que obedecen tales estructuras lingüísticas: *inmanencia* y *estructura,* para recordar el título de una obra antológica de Togeby, serán los rasgos básicos de estas nuevas concepciones.

Estas consideraciones anteriores han llevado a los lingüistas a concentrar gran parte de sus trabajos en los problemas del análisis de una lengua. La pregunta básica que se han hecho los investigadores de formación estructuralista es ¿cuál es el método más adecuado científicamente para descubrir las unidades que componen el sistema y sus relaciones? Ante este planteamiento, hay dos tipos de soluciones, según el método que elija el investigador: la gran mayoría se ha inclinado por recoger un *corpus* de mensajes de una lengua, y de su examen minucioso obtener una serie de elementos fijos, constantes, y sus variables, que se relacionan de acuerdo con determinadas leyes. Frente a este método de tipo *inductivo,* que ha sido el más general, existe una minoría de investigadores que ha preferido el método *deductivo.*

Ambos métodos no se dan nunca en estado puro, como sucede en todas las ciencias, pues el método inductivo necesita de unos puntos de partida teóricos y unos apoyos en el desarrollo del análisis; y el método deductivo lleva consigo la necesidad de comprobar las teorías en su adecuación a la realidad de las lenguas naturales. Aunque existen casos aislados, como L. Hjelmslev, por ejemplo, sería más exacto afirmar que la gran mayoría de los lingüistas afines con el estructuralismo trabajan con métodos en gran parte inductivos.

En las teorías del estructuralismo lingüístico existen otros problemas centrales, que han tenido diferentes soluciones a causa de puntos de partida o de metodologías diferentes:

(a) La consideración del significado dentro del análisis como parte integrante de la estructura de la lengua y, por tanto, los métodos usados se aplicarán al plano significativo y el significado tendrá una gran importancia en la construcción de la teoría lingüística y en el análisis, como sucede en mayor o menor medida con los trabajos que tienen su origen en el *Curso de lingüística general* de F. de Saussure. Los descriptivistas de formación bloomfieldiana opinan, por el contrario, que el significado, por su naturaleza, presenta una problemática muy compleja; esta complejidad y la ausencia de métodos científicos para el análisis de este campo, son causa de la construcción de teorías que no incluyen esta poblemática, aunque reconozcan su importancia y se recurra a la significación como criterio de descubrimiento. El significado, piensan estos investigadores, no puede ser directamente observado y estudiado, sino solamente interpretado a base de las diferentes *situaciones*.

Esta doble posición ante la inclusión del significado en la estructura de la lengua suele estar íntimamente conectada con la posibilidad de que el lingüista recurra a explicaciones relacionadas con procesos mentales en el hablante, *mentalismo*, o se crea capaz de describir el sistema lingüístico sin recurrir a estos procesos, *antimentalismo*. Como es natural, estas últimas posiciones están fuertemente ligadas con las teorías psicológicas de base "behaviorista" [116].

(b) Un problema muy importante del análisis estructural es el establecimiento de una jerarquía de niveles, conjunto de subsistemas de naturaleza diversa; esta jerarquía y su conexión han sido causa de múltiples discusiones entre cien-

116. Esta polémica ha sido una constante entre los lingüistas norteamericanos; vid. Jerrold J. KATZ, "Mentalism in Linguistics", en *Lan*, XL, 1964, pp. 124-137, raducido al español en H. CONTRERAS (compilador) *Los fundamentos de la gramática transformacional,* México, Siglo XXI, 1971, pp. 205-223; J. J. Katz da la siguiente definición: "La controversia entre la lingüística taxonómica y la lingüística mentalista puede formularse en términos de la siguiente oposición. El lingüista que adopta una concepción causal del mentalismo sostiene que las teorías puramente lingüísticas no pueden predecir ni explicar exitosamente los hechos de la actuación lingüística sin hacer referencia a sucesos mentales, capacidades y procesos del hablante, es decir, las teorías lingüísticas deben incluir conceptos que capaciten al lingüista para formular los principios de operación mental en que se basa el lenguaje. Por otra parte, el lingüista que adopta la concepción taxonómica de la lingüística sostiene que las teorías puramente lingüísticas pueden predecir y explicar con éxito los hechos de la actuación lingüística [sin referencia a hechos mentales]", cito por H. CONTRERAS, *op. cit.*, pp. 208-209.

tíficos de opiniones diversas. Habitualmente se distinguen varios tipos de niveles: *fonético, fonológico, morfológico* y *sintáctico,* casi a la manera tradicional, a los que hay que añadir los dedicados a la significación en las teorías que plantean su integración. Estos niveles básicos pueden estar conectados, en algunos casos, por niveles intermedios: el *nivel morfonológico,* por ejemplo. Dado que todos los elementos que componen un sistema son *interdependientes,* el establecimiento de niveles no es más que una ficción metodológica a la que recurre el lingüista para realizar científicamente la descripción[117].

Esta ficción metodológica viene impuesta por la relación indirecta que todas las lenguas naturales establecen entre el plano fonético y el plano significativo; esta relación se refleja en el establecimiento de niveles jerárquicos y conectados.

(c) La búsqueda de unidades de análisis, problema en el que las teorías estructurales alcanzan métodos refinados, sobre todo en los planos fonético y morfológico, y que ha sido su máxima servidumbre, pues para algunos investigadores éste ha sido el problema central del estudio de las lenguas, en una confusión peligrosa de lo ontológico con lo metodológico, confusión que ha señalado Coseriu en varios aspectos de la lingüística contemporánea.

La lingüística tradicional se había apoyado en dos tipos básicos de unidades: la *palabra* y la *oración*; a principios del siglo xx se produce la crisis del concepto de palabra, dada la imposibilidad de encontrar una definición científica de

117. Vid. Charles F. Hockett, "Linguistic Elements and their Relations", en *Lan,* XXXVII, 1961, pp. 29-53, y el clásico trabajo de É. Benveniste, "Les niveaux de l'analyse linguistique", en *Proceedings of the IX International Congress of Linguists, 1962* (reimpreso en *Problèmes de linguistique générale,* París, Gallimard, 1966, pp. 119-131).

validez universal, aunque quede viva la realidad psicológica de la palabra, como han apuntado muchos lingüistas contemporáneos. Incluso algunos investigadores, como los hombres del Círculo Lingüístico de Praga, han construido teorías donde la palabra, nuevamente definida, tiene una gran importancia.

Hacia 1894 Saussure confesaba en una carta a Meillet la imposibilidad de trabajar con las unidades tradicionales con arreglo a los nuevos avances teóricos (vid. É. Benveniste, *CFS*, XXI, 1964, p. 95, y *CFS*, XX, 1963, p. 13). El análisis estructural supondrá, pues, la fijación de unas unidades que sean aptas para la descripción del sistema de la lengua y, consecuentemente, el establecimiento de unos niveles. En esta investigación tuvo una gran importancia el descubrimiento de los originales métodos descriptivos de la gramática sánscrita, como ya reconoció L. Bloomfield.

El gusto por la búsqueda de unidades y por su clasificación, además de la preferencia casi total por el método inductivo, hacen del estructuralismo un claro descendiente de las teorías científicas decimonónicas, aunque ciertos aspectos, como el carácter autónomo de la descripción sincrónica y el interés por las lenguas no indoeuropeas, podrían hacernos creer en una total independencia con respecto a las teorías del siglo pasado.

A estas tres cuestiones, que están íntimamente ligadas, habría que añadir temas como el problema teórico de los *modelos* [118], el tratamiento de las relaciones con la realidad

118. N. D. Andreev, "The Model as a Tool in Linguistic Analysis", en *Word*, XVIII, 1962, pp. 186-197; Noam Chomsky, "Three Models for the Description of Language", versión francesa en *Langages*, IX, marzo de 1968, pp. 51-76; Charles F. Hockett, "Two Models of Grammatical Description", en *Word*, X, 1954, pp. 210-233; Maurice Gross, *Les modèles en linguistique, Langages*, IX, marzo, 1968; Yuen

extralingüística o con la estilística y el análisis de la obra literaria.

En honor a la verdad, es necesario advertir al lector del abuso que en las obras lingüísticas contemporáneas se hace del término *modelo*. Y. R. Chao ha encontrado una treintena de acepciones distintas en el uso de la palabra, valores que van desde 'marco teórico' hasta 'sistema de análisis', pasando por 'abstracción', 'tipo particular de gramática' o 'teoría formalizada' (vid. Y. R. Chao, 1962, pp. 558-566, y 1970, pp. 19-20). Parece bastante evidente, como ha escrito I. I. Revzin, que la definición de *modelo* tendría que ser: "construcción científica hipotética" (*op. cit.*, p. 3); se trata, en realidad, de una simulación del funcionamiento de la lengua o de parte de ella, simulación formalizada, que tiene una interpretación lingüística.

Los manuales de historia de la lingüística gustan de exponer el estructuralismo como un movimiento nacido casi de la nada a comienzos del siglo XX, que se divide en corrientes diferentes y casi nacionales, y se olvida, por ejemplo, que la línea de pensamiento de Saussure, básica en los hombres del Círculo de Praga, llega a Estados Unidos a través de figuras como Roman Jakobson [119] o tampoco se recuer-

---

REN CHAO, "Models in Linguistics and Models in General", en *Logic, Methodology and Philosophy of Science. Proc. of the 1960 International Congress*, editado por E. Nagel, P. Suppes, A. Tarski, Stanford University Press, 1962, pp. 558-660; "Some Aspects of the Relation between Theory and Method", en Paul L. GARVIN, *Method and Theory in Linguistics*, La Haya-París, 1970, pp. 15-20 (discusión en pp. 20-26); I. I. REVZIN, *Modeli jazyka*, trad. al inglés con el título *Models in Linguistics*, Londres, 1966; cito por *Les modèles linguistiques*, París, Dunod, 1968; Rodney HUDDLESTON, "The Development of Non-Process Model in American Structural Linguistics", en *Lingua*, XXX, 1972, pp. 333-384; Bruce R. STARK, The Bloomfieldian Model", en *Lingua*, XXX, 1972, pp. 385-421.

119. Charles F. HOCKETT, *The State of the Art*, La Haya, Mou-

da el tipo de artículos y la nómina de colaboradores del tomo VIII de los *TCLP*, volumen dedicado a la memoria de Trubetzkoy.

1.3.1. Ferdinand de Saussure *

Las teorías estructurales europeas encuentran gran parte de sus fundamentos en el *Cours de linguistique générale* de

---

ton, 1968; cito por la traducción italiana de Giorgio R. Cardona, *La linguistica americana contemporanea,* Bari, Laterza, 1970, pp. 22-23. En esta misma obra, p. 37, Hockett ha narrado cómo el concepto de *alomorfo* le fue sugerido por la lectura de textos teóricos europeos. También ha insistido sobre el problema del influjo de determinados investigadores y escuelas de origen europeo Karl D. Uitti, *Linguistics and Literary Theory,* p. 119 y n. 10.

* Ferdinand de Saussure, *Recueil de publications scientifiques de Ferdinand de Saussure,* Ginebra y Heidelberg, 1922; "Notes inédites de F. de Saussure", en *CFS*, XII, 1954, pp. 49-71. **Problemas textuales**: Rudolf Engler, "CLG und SM; eine kritische Ausgabe des *Cours de linguistique générale*", en *Kratylos,* IV, 1959, pp. 119-132; *Cours de linguistique générale: édition critique,* Wiesbaden, Otto Harrassowitz, 1967; Robert Godel, *Les sources manuscrites du Cours de linguistique générale de Ferdinand de Saussure,* Société de Publications Romanes et Françaises, LXI, Ginebra, E. Droz, y París, Minard, 1957 (existe una edición de 1969); "Cours de linguistique générale (1908-1909). Introduction", en *CFS,* XV, 1957, pp. 3-103; "Nouveaux documents saussuriens. Les Cahiers E. Constantin", en *CFS*, XVI, 1958-1959, pp. 23-32; S. Heinimann, "Ferdinand de Saussures *Cours de linguistique générale in neuer Sicht*", en *ZRPh,* LXXV, 1959, pp. 132-137; K. Rogger, "Kritischer Versuch über de Saussures *Cours général*", en *ZRPh,* LXI, 1941, pp. 161-224; Jean Starobinski, "Les anagrammes de Ferdinand de Saussure. Textes inédits", en *Mercure de France,* CCCL, febrero, 1964, pp. 243-262; "Les mots sous les mots: textes inédits des cahiers d'Anagrammes de F. de Saussure", en *To Honor Roman Jakobson,* III, pp. 1906-1917; (existe un libro con el mismo título, París, Gallimard, 1971). Gran cantidad de materiales han sido recogidos en la excelente edición italiana de Tullio de Mauro, *Corso di linguistica generale,* introducción, traducción y comentarios, Bari, La-

terza, 1967 (vid. la reseña de Koerner a la 3.ª edición, 1970, en *RPh,* XXVII, 1973-1974, pp. 75-78); Kathleen CONNORS, "Philological Exegesis of Saussure's *Cours*", en *RPh,* XXIII, 1969-1970, pp. 201-214. **Para la terminología de Saussure**: R. ENGLER, *Lexique de la terminologie saussurienne,* Utrecht-Amberes, Spectrum, 1968, y R. GODEL, *Les sources manuscrites du CLG,* pp. 252-281; **Otra bibliografía**: G. MOUNIN, *Ferdinand de Saussure ou le structuraliste sans le savoir,* París, Seghers, 1968 (es una breve y excelente introducción; existe traducción española de J. Argenté, Barcelona, Anagrama); Charles BALLY, *Ferdinand de Saussure et l'état actuel des études linguistiques,* Leçon d'ouverture du cours de linguistique générale, lue le 27 octobre 1913 à l'Aula de l'Université, Ginebra, ed. Atar (reimpreso en *Le langage et la vie,* 3.ª edición, Ginebra, Droz, 1952, pp. 147-160); Émile BENVENISTE, "Nature du signe linguistique", en *AcL,* I, 1939, pp. 49-55 (reimpreso en *RIL,* II, pp. 104-108, y en *Problèmes de linguistique générale,* París, Gallimard, 1966, pp. 49-55); "Saussure après un demi-siècle", en *CFS,* XX, 1963, pp. 7-21 (reimpreso en *Problèmes de linguistique générale,* pp. 32-45); E. BUYSSENS, "Les six linguistiques de Ferdinand de Saussure", en *Revue de Langues Vivantes,* Bruselas, 1942, I, pp. 15-23, y II, pp. 46-55; "Mise au point de quelques notions fondamentales de la phonologie", en *CFS,* VIII, 1949, pp. 37-60 (vid. H. FREI, en *CFS,* IX, 1950, pp. 7-28 y la contestación de BUYSSENS, "Dogme ou libre examen?", en *CFS,* X, 1952, pp. 47-50); "L'unité linguistique complexe", en *Lingua,* XII, 1963, pp. 66-68 (vid. H. FREI, *Lingua,* XI, pp. 129-140 y XII, 423-428); "Origine de la linguistique synchronique de Saussure", en *CFS,* XVIII, 1961, pp. 17-33; E. COSERIU, *Sistema, norma y habla,* Montevideo, 1952 (reimpreso en *Teoría del lenguaje y lingüística general,* Madrid, Gredos, 1962); "L'arbitraire du signe. Zur spätgeschichte eines aristotelischen Begriffes", en *Archiv. für das Studium der neuren Sprachen,* CCIV, 1967, pp. 81-112; W. DOROSZEWSKI, "Quelques remarques sur les rapports de la sociologie et de la linguistique: Durkheim et F. de Saussure", en *Journal de Psychologie Normale et Pathologique,* XXX, 1933, pp. 82-91 (existe traducción española en *Psicología del lenguaje,* Buenos Aires, Paidos, 1952, pp. 66-73); Niels EGE, "Le signe linguistique est arbitraire", en *Recherches Structurales, TCLC,* V, 1949, pp. 11-29; R. ENGLER, "Théorie et critique d'un principe saussurien: l'arbitraire du signe", en *CFS,* XIX, 1962, pp. 5-66, y "Compléments à l'arbitraire", en *CFS,* XXI, 1964, pp. 25-32; Henri FREI, "Saussure contre Saussure?", en *CFS,* IX, 1950, pp. 7-28 (vid. los artículos, ya citados, de BUYSSENS, en los *CFS,* para el estudio de esta polémica); "Le signe de Saussure et le signe de Buyssens", en *Lingua,* XII, 1963, pp. 423-428 (respuesta a BUYSSENS, *Lingua,* XII, pp. 66-68); Thomas V. GAMKRELIDZE, "The Problem of 'l'arbitraire du signe'", en *Lan*, L, 1974, pp. 102-110; Robert GODEL, "F. de Saussure's Theory of Language", en *CTL*, III, 1966, pp. 479-493; Ebarhard HILDEBRANDT, *Versuch einer kritischen Analyse des "Cours de linguistique générale" von Ferdinand de Saussure,* Marburger Beiträge zur Germanistik, XXXVI, Marburgo, 1972; L. HJELMSLEV, "Langue et Parole", en *CFS*, II, 1943, pp. 29-44; S. KARCEVSKIJ, "Du dualisme asymétrique du signe linguistique", en *TCLP*, I, 1929, pp. 33-38 (reimpreso en *A Prague School Reader*, pp. 81-87). E. F. K. KOERNER, *Contribution au débat postsaussurien sur le signe linguistique,* Approaches to Semiotics, II, 1972; W. P. LEHMANN, "Saussure's Dichotomy Between Descriptive and Historical Linguistics", en W. P. LEHMANN y Y. MALKIEL, *Directions for Historical Linguistics. A Symposium,* Austin y Londres, 1968, pp. 1-20; Giulio C. LEPSCHY, "Ancora su 'l'arbitraire du signe'", en *ASNP*, serie II, XXXI, 1962, pp. 65-102; "Sintagmatica e linearità", en *Studi e Saggi Linguistici,* V, 1965, pp. 21-36; Bertil MALMBERG, "Ferdinand de Saussure et la phonétique moderne", en *CFS*, XII, 1954, pp. 11-28; Antoine MEILLET, "Ferdinand de Saussure", en *Annuaire de l'École des Hautes Études* (Section des sciences historiques et philologiques), 1913-1914, p. 115 y ss. (reimpreso en *Linguistique historique et linguistique générale,* II, pp. 174-183); Pierre NAERT, "L''arbitraire' du signe", en *Word*, XXIII, 1967, *Linguistic Studies Presented to A. Martinet,* parte I, pp. 422-427; Albert SECHEHAYE, "Les trois linguistiques saussuriennes", en *VR*, V, 1940, pp. 1-48; Rulon S. WELLS, "De Saussure's System of Linguistics", en *Word*, III, 1947, pp. 1-31 (reimpreso en *RIL*, I, pp. 1-18, y traducido al español en *Ferdinand de Saussure,* ed. a cargo de Ana María NETHOL, Buenos Aires-México-Madrid, Siglo XXI, 1971, pp. 61-104; Peter WUNDERLI, *Ferdinand de Saussure und die Anagramme. Linguistik und Literatur,* Tübingen, Max Niemeyer, 1972; "Zur Saussure. Rezeption bei Gustave Guillaume und in seiner Nachfolge", en *Historiographia linguistica,* I, 1974, pp. 27-66. La edición francesa del *Curso de lingüística general,* París, Payot, 1974, se ha enriquecido con la traducción de las notas y la bibliografía de la edición italiana de Tullio DE MAURO.

Repertorios bibliográficos: E. F. K. KOERNER, *Bibliographia Saussureana 1870-1970: An Annoted, Classified Bibliography on the Background, Development and Actual Relevance of Ferdinand de Saussure's General Theory of Language,* Metuchen, N. J., The Scarecrow Press, 1972; E. F. K. KOERNER, *Contribution au débat post-saussurien sur le signe linguistique. Introduction générale et bibliographie annotée,* Approaches to Semiotics, 2, La Haya-París, Mouton, 1972.

Ferdinand de Saussure[120], redactado por Charles Bally y Albert Sechehaye sobre los cuadernos de los alumnos. El *Curso* sigue, principalmente, las lecciones del año académico 1910-1911, y ha proporcionado durante varias décadas un pensamiento bastante homogéneo, que no parece correspon-

120. Ferdinand de Saussure (1857-1913), entroncado con una ilustre familia de ingenios, estudió con el indoeuropeísta A. Pictet, para quien redactó su *Essai sur les langues* en 1872. Pictet fue fundamental para la vocación de Saussure y, posiblemente, le inició en el conocimiento de Hegel, de quien había recibido una fuerte influencia, lo mismo que de Schelling. Antes de su ingreso en la Universidad de Ginebra (1875), donde cursó física y química, Saussure ya había comenzado a estudiar sánscrito con la gramática de Bopp y había leído los *Grundzüge der griechischen Etymologie* de Curtius. Durante los años 1876-1880 estudia en Leipzig y en Berlín, y comienza a enviar comunicaciones a la Société de Linguistique de París. La primera obra importante de Saussure, y por la que fue conocido por sus coetáneos (vid. R. Godel, *op. cit.*, p. 23), fue la *Mémoire sur le système primitif des voyelles dans les langues indo-européennes*, Leipzig, 1879 [dic. 1878], en la que se postula un elemento abstracto *A, confirmado posteriormente. Se doctora en 1880 con su trabajo *De l'emploi du génitif absolu en sanscrit*, Ginebra, 1881, donde ya aparece el término *caractère distinctif*, idea clave en su construcción teórica posterior.

Saussure marcha a estudiar a París; allí asiste a las clases de Michel Bréal y de Louis Havet en L'École des Hautes Études, donde ocupará su primer puesto docente para enseñar gramática histórica y comparada (30 octubre 1882), y colaborará con asiduidad en los trabajos de la Société de Linguistique. En la primavera y verano de 1890 hay que situar el viaje de Saussure a Lituania, como ha demostrado R. Godel, "A propos du voyage de F. Saussure en Lituanie", en *CFS*, XXVIII, 1973, p. 7 y ss.

En 1891 vuelve definitivamente a Ginebra, en cuya universidad explicará sánscrito y lenguas indoeuropeas, enseñanza que alterna con cursos sobre la fonética del francés moderno (1900-1901), sobre los *Nibelungos* (1904) y, sobre todo, con los de *Lingüística general* (1907, 1908-1909 y 1910-1911). Hacia 1907 se tienen noticias de sus comienzos de investigación sobre los *anagramas*, y en el verano de 1912, poco antes de su muerte, estaba preocupado por problemas de sinología. Para la biografía de Saussure debe consultarse la edición italiana de T. de Mauro, pp. 285-325.

der con toda exactitud al del maestro ginebrino, mucho menos rígido, a juzgar por los estudios textuales posteriores.

La obra, tal como se publicó en 1916[121], presenta una división en cinco *partes,* además de una no muy extensa *Introducción* y unos apéndices (*CLG,* pp. 293-303). En la *Introducción* se plantea la tarea de la lingüística, la distinción entre lengua y lenguaje y el lugar de la lengua en los hechos humanos. La *Primera parte* se dedica a los denominados *principios generales*: naturaleza del signo lingüístico y dualidad entre lingüística estática y lingüística evolutiva. La *Segunda parte* se ocupa de la lingüística sincrónica, el problema de las unidades, el concepto de valor, el papel de las relaciones sintagmáticas y las asociativas en el mecanismo de la lengua y las cuestiones referentes a las divisiones de la gramática. La *Tercera parte* está centrada en la lingüística diacrónica; la *Cuarta parte* tiene como tema la geografía lingüística, y la *Quinta parte,* la lingüística de tipo *retrospectivo* (ambas son muy breves). Esta disposición del *Curso* no parece corresponder con la de la realidad de los manuscritos.

Saussure reprocha a los tradicionales estudios comparatistas el no haberse preocupado por determinar la naturaleza de su objeto[122] de estudio, "y, sin tal operación elemental,

121. Lausanne y París, Payot, 1916. En la segunda edición francesa, 1922, se hicieron algunas correcciones y se cambió la paginación, vid. R. GODEL, *Les sources manuscrites du CLG,* p. 18, y las notas 17 y 18 de la edición italiana de Tullio de Mauro, pp. 368-369. La tercera edición francesa apareció en 1931 y la cuarta en 1949. Desde esta edición, el interés por las nuevas teorías lingüísticas justifica las nuevas reimpresiones, 1955, 1962, 1965... Para las reseñas al *CLG,* vid. R. GODEL, *op. cit.*, p. 20, y más extensamente en la ed. italiana, p. 334; en esta obra, pp. 334-343, se encuentra una excelente exposición de la fortuna del *CLG* y de sus traducciones; la primera lengua a la que se tradujo fue al japonés, Tokio, 1928. Las citas de este capítulo se harán por la traducción de Amado Alonso, Buenos Aires, Losada, 1945.

122. Parece evidente la interpretación de T. DE MAURO, *op. cit.*,

una ciencia es incapaz de procurarse un método" (*CLG*, p. 42); reconoce que la lingüística tiene ante sí una amplia tarea, sobre todo si se parte de un presupuesto como el siguiente: "la materia de la lingüística está constituida en primer lugar por todas las manifestaciones del lenguaje humano, ya se trate de pueblos salvajes o de naciones civilizadas, de épocas arcaicas, clásicas o de decadencia, teniendo en cuenta, en cada período, no solamente el lenguaje correcto y el 'bien hablar', sino todas las formas de la expresión" (*CLG*, p. 46).

Esta materia, de tal extensión, supone la existencia de tres objetivos fundamentales para la lingüística: (1) estudiar todas las lenguas posibles, tanto en su descripción como en su historia; (2) investigar "las fuerzas que intervengan de manera permanente y universal en todas las lenguas" (*CLG*, p. 46) y, por último, (3) "deslindarse y definirse ella misma". Los dos primeros puntos están cercanos a la distinción ya postulada por Whitney, aunque el concepto de universales lingüísticos en Saussure parece proceder de M. Bréal, según T. de Mauro. El tercer punto supondrá el primer intento serio de autonomía, en la que Saussure no parece ser tan tajante como nos indica la última frase del *Curso*, añadida por los redactores: "La lingüística tiene por único y verdadero objeto la lengua considerada en sí misma y por sí misma" (*CLG*, p. 364)[123].

---

n. 40, pp. 375-376, quien atribuye a Saussure haber utilizado *objeto* en el sentido escolástico de "finalidad de una actividad", lo que sitúa en relación íntima los términos *materia* y *objeto*. El investigador italiano escribe: "La totalità dei fatti qualificabili come linguistici è la *matière*, la *langue* come sistema formale è l'*object*", *op. cit.*, p. 376.

123. No parece corresponder a la realidad, vid. T. DE MAURO, n. 13, p. 365.

Dada la extraordinaria complejidad de los hechos lingüísticos (relación entre el sonido y el significado, doble aspecto social e individual del lenguaje, que es, a su vez, institución social y producto del pasado), el capítulo III de la *Introducción* plantea la necesidad de situarse en el terreno de la *lengua,* que resulta ser "a la vez un producto social de la facultad del lenguaje y un conjunto de convenciones necesarias adoptadas por el cuerpo social para permitir el ejercicio de esa facultad en los individuos" (*CLG*, p. 51). Esta concepción, salvando algunas diferencias, procede de Whitney, quien se fundó en una tradición del empirismo inglés (Adam Smith y John Stuart Mill)[124].

La introducción del término *lengua,* fundamental en la lingüística desde 1916, nos lleva al planteamiento de la primera de las antinomias de Saussure[125]: *lengua-habla* (*langue-parole,* en la edición francesa). Esta dicotomía se

124. Vid. B. A. Terracini, *RFH*, V, 1943, p. 126. La historia del problema de la visión del lenguaje como hecho social ha sido trazada por W. Labov, "The Social Setting of Linguistic Change", en *CTL*, XI, 1973, p. 195 y ss.

125. Estas antinomias, características de Saussure, parecen proceder de Hegel, a través de Victor Henry y de su obra *Antinomies linguistiques,* París, 1896, como ya observó R. Jakobson en 1938. Sobre los antecedentes de *langue* y *parole,* vid. E. Coseriu, "Georg von der Gabelentz et la linguistique synchronique", en *Word*, XXIII, 1967, *Linguistic Studies Presented to A. Martinet,* pp. 74-100. Cf. la opinión contraria de E. F. K. Koerner, en *Lingua,* XXVIII, 1971, pp. 153-159, quien sostiene que proceden de *Sprachusus* (*langue*) e *individuelle Sprechtätigkeit* (*parole*) de H. Paul, vid. *loc. cit.*, p. 157; para una exposición detallada del problema, vid. el artículo de E. F. K. Koerner, "Hermann Paul and Synchronic Linguistics", en *Lingua,* XXIX, 1972, pp. 274-307, especialmente, pp. 290-295. La discusión ha seguido, vid. Uwe Petersen y Gunter Narr, "On Koerner, Coseriu, and Gabelentz (A Brief Rejoinder)", en *Lingua,* XXX, 1972, pp. 460-463, y E. F. K. Koerner, "A Brief Reply to Messrs. Narr and Petersen", en *Lingua,* XXX, 1972, pp. 462-463.

basa en una oposición fundamental: sistema-realización individual del sistema; la lengua presenta el lazo social, mientras que el *habla* supone la ejecución, el carácter individual (*CLG*, pp. 56-57). La *lengua* es "un sistema gramatical virtualmente existente en cada cerebro, o, más exactamente, en los cerebros de un conjunto de individuos, pues la lengua no está completa en ninguno, no existe perfectamente más que en la masa" (*CLG*, p. 57), ya que "hace falta una masa parlante para que haya una lengua" (*CLG*, p. 144). Frente al *habla,* que es "un acto individual de voluntad e inteligencia", la *lengua* es un "producto registrado pasivamente por el individuo" (*CLG*, p. 57), que forma "un conjunto de hábitos lingüísticos que permiten a un sujeto comprender y hacerse comprender" (*CLG*, p. 144).

La distinción entre *lengua* y *habla* resulta fundamental tanto para el pensamiento contenido en el *Curso* como para las investigaciones estructuralistas posteriores; por oposición al carácter heterogéneo del lenguaje, la *lengua* presenta una naturaleza homogénea, "es un sistema de signos en el que sólo es esencial la unión del sentido y de la imagen acústica y donde las dos partes del signo son igualmente psíquicas" (*CLG*, pp. 58-59). A pesar de existir una total interdependencia entre la *lengua* y el *habla* (*CLG*, p. 64), el estudio de la lengua sólo será posible desde el habla.

Desde Saussure, el estudio lingüístico tendrá como una parte esencial la *lengua,* el sistema, lo que posteriormente se denominará la *estructura,* mientras que el estudio del *habla* presentará un carácter secundario. El situar la base de la investigación en la lengua como sistema permite deslindar dos tipos diferentes de estudio: la *lingüística interna,* que estudiará exclusivamente la estructura ("es interno todo cuanto hace variar el sistema en un grado cualquiera", *CLG*, p. 70), y la *lingüística externa,* preocupada por un conjunto de relaciones complejas entre el sistema y la historia política, las instituciones o la literatura[126].

Como apunta Manfred Bierwisch, "En la escuela de Saussure, la distinción entre *langue* y *parole* se ha discutido con mucho más calor e insistencia que la distinción entre la *langue* y el *langage*"[127], ya que el *Curso* tiene su centro de interés en la *langue*; sin embargo hay que reconocer el enorme acierto de Saussure al enfocar el problema de las relaciones *lengua-lenguaje*: "Se podría decir que no es el lenguaje hablado el natural al hombre, sino la facultad de constituir una lengua, es decir, un sistema de signos distintos que corresponden a ideas distintas" (*CLG*, p. 53). En este punto concreto se encuentra una de las diferencias mayores entre las teorías estructurales y las de corte generativo: los estructuralistas se preocuparán casi únicamente de la investigación de la *lengua*, mientras que Chomsky y sus discípulos, por el contrario, pondrán su atención en el estudio de la *facultad de constituir una lengua*.

Al concebir la *lengua* como un sistema de signos y como una institución social, Saussure piensa en la posibilidad de construir una ciencia que se centre en el "estudio de la vida de los signos en el seno de la vida social" (*CLG*, p. 60); esta ciencia, la *Semiología*, contendría a la lingüística y, a su vez, quedaría enmarcada dentro de la psicología social[128].

126. Vid. T. DE MAURO, *op. cit.*, p. 315.

127. *El estructuralismo: historia, problemas, métodos,* trad. de Gabriel Ferrater, Barcelona, Tusquets, 1971, p. 17.

128. Adrien Naville, decano de la Facultad de Letras y Ciencias Sociales de Ginebra, en su obra *Nouvelle classification des sciences. Étude philosophique,* París, 1901, escribe: "M. Ferdinand de Saussure insiste sur l'importance d'une science très générale, qu'il appelle *sémiologie* et dont l'objet serait les lois de la création et de la transformation des signes et de leurs sens. La sémiologie est une partie essentielle de la sociologie. Comme le plus important des systèmes de signes c'est le

Como hemos apuntado, el concepto de lengua como institución social tiene una amplia tradición; lo mismo ocurre, en gran parte, con la concepción sistemática (v. nota 102); en cambio, la visión de que "la lengua es la parte social del lenguaje, exterior al individuo, que por sí solo no puede ni crearla ni modificarla" (*CLG*, p. 58), con la ya señalada importancia de la *masa*, se creyó durante mucho tiempo que procedía de la sociología de Durkheim, aunque las investigaciones recientes de E. F. K. Koerner niegan esta influencia[129].

Los signos lingüísticos que componen el sistema de una lengua se conciben por Saussure como elementos psíquicos; todo signo lingüístico es una unidad diferencial, compuesta por dos elementos interdependientes: el *significante*, la huella psíquica que en el cerebro de un hablante une un determinado conjunto de sonidos con un concepto, que se

---

langage conventionnel des hommes, la science sémiologique la plus avancée c'est la *linguistique* ou science des lois de la vie du langage", *apud* T. de Mauro, *op. cit.*, pp. 318-319, n. 8.

129. La lengua es un "hecho social" y, según Durkheim, estos "hechos sociales" sólo existen en la "conciencia colectiva", *vid.* W. Doroszewsky, "Algunas precisiones sobre las relaciones de la sociología con la lingüística: Durkheim y F. de Saussure", traducido en la obra colectiva *Psicología del lenguaje*, Buenos Aires, Paidós, 1952, pp. 66-73. Este investigador escribe: "F. de Saussure —lo sé de fuente segura— seguía con profundo interés el debate filosófico empeñado entre Durkheim y Tarde" (*art. cit.*, p. 72). El informador fue Louis Caille, a quien Doroszewsky conoció gracias a A. Sechehaye. "El rigorismo de la noción de 'langue' es de origen durkheimiano; las concesiones hechas al factor individual, a la 'palabra' [*habla*] se basan en las ideas de Tarde", concluye Doroszewsky, *art. cit.*, p. 72. Sin embargo no todos los investigadores aceptan las tesis de este trabajo, vid. E. F. K. Koerner, en *RPh*, XXVII, 1973-1974, p. 77, n. 8, y también en *Lingua*, XXIX, 1972, p. 294, donde analiza la influencia de H. Paul en esta idea. Sobre el posible influjo de Tarde en el concepto de *valor lingüístico* en Saussure, vid. R. Godel, *Les sources manuscrites du CLG, Addendum*, p. 282.

denomina *significado* (los términos *signifiant* y *signifié* fueron introducidos en el tercer curso, 1910-1911; vid. R. Godel, *Les sources manuscrites,* pp. 246-248). El aspecto más importante de toda la problemática del signo lingüístico se centra en el carácter arbitrario de las relaciones entre los dos elementos constitutivos, principio fundamental de todas las lenguas naturales. En su concepción del signo lingüístico, Saussure se mueve dentro de una amplia tradición que arranca de Parménides y llega hasta los investigadores del siglo XIX, como ha apuntado Koerner (vid. su *Contribution au débat post-saussurien sur le signe linguistique,* p. 13 y ss.); el citado investigador prefiere reconocer la deuda de Saussure con los lingüistas anteriores; por ejemplo, Whitney ya había insistido en el carácter arbitrario, pero la nómina puede ser extensa: M. Bréal, Carl Svedelius, Otto Francke, Karl Otto Erdmann, Kristoffer Nyrop y el investigador polaco Jan von Rozwadowski (vid. Koerner, *op. cit.,* p. 19, y también la edición de Tullio de Mauro, notas 137 y 138).

Junto a la arbitrariedad, el signo presenta el principio del *carácter lineal del significante,* los significantes no pueden aparecer de manera simultánea en la cadena, y los principios, aparentemente paradójicos, de *mutabilidad* e *inmutabilidad,* que se basan en los deslizamientos que se producen a lo largo de la historia de una lengua, en el primer caso; mientras que, en el segundo, se insiste en el carácter inmutable desde el punto de vista sistemático.

Los signos pueden contraer dos tipos de relaciones: (a) relaciones que se establecen en el encadenamiento lineal de las unidades, y (b) relaciones y conexiones que aparecen fuera de este encadenamiento citado. El primer tipo de relaciones, denominadas por Saussure *relaciones sintagmáticas,* dependen del principio del carácter lineal del significante; las relaciones de tipo *asociativo,* que integran el segundo apartado, son de estructura más compleja y están basadas en un entramado de factores lingüísticos y psicológicos; estas últimas se caracterizan por no presentar un orden fijo ni un número determinado de elementos.

La relación sintagmática se realiza *en presencia,* puesto que se apoya en dos o más elementos en una serie efectiva; las relaciones asociativas, por el contrario, se producen entre términos *en ausencia,* términos que no presentan este encadenamiento efectivo y lineal.

Las relaciones de tipo asociativo son muy complejas e intrincadas y podrían proceder de H. Paul, quien parece basarse en la teoría asociacionista de Herbart, a través de Steinthal, Lazarus y Misteli, entre otros, como ha subrayado Koerner; las relaciones de carácter sintagmático es posible que tengan su origen en Mikolaj Kruszewski (vid. *Lingua,* XXX, 1972, pp. 296-299).

El establecimiento de esta dualidad de relaciones permite superar las anteriores divisiones de la gramática, como se lee en el *Curso de lingüística general*: "En resumen, las divisiones tradicionales de la gramática pueden tener su utilidad práctica, pero no corresponden a distinciones naturales y no están unidas por ningún lazo lógico. La gramática sólo se puede edificar sobre un principio diferente y superior. [...] La interpretación de la morfología, de la sintaxis y de la lexicología se explica por la naturaleza en el fondo idéntica de todos los hechos de sincronía. Y no puede haber entre ellos ningún límite trazado de antemano. Sólo la distinción arriba establecida entre relaciones sintagmáticas y relaciones asociativas sugiere un modo de clasificación que se impone por sí mismo, el único que se puede poner como base del sistema gramatical" (pp. 225-226).

La lingüística estructural de la primera mitad del siglo XX ha utilizado con gran provecho ambos conceptos, después de una nueva y precisa formulación, en la que se han eliminado todos los elementos psicológicos que integraban la versión primera; L. Hjelmslev fue el primero en utilizar el término *paradigmático* para denominar las relaciones *en ausencia.*

Como ya observó Bloomfield en su favorable reseña al *CLG,* (en *MLJ,* VIII, 1924, pp. 317-319), Saussure se apoya más en las palabras que en la oración; este desinterés por la sintaxis, como ha notado Godel, procede de las especiales características de los estudios indoeuropeístas y será uno de los elementos decimonónicos que heredará gran parte de la lingüística estructural. Efectivamente, en Saussure no existe una teoría de la frase, sino sólo una teoría del sintagma (vid. R. Godel, *Les sources manuscrites,* p. 168) y una gran preocupación por las unidades significativas inferiores a la palabra (vid. R. Godel, *op. cit.,* p. 208 y ss., y T. Mauro, n. 207).

Economía y lingüística, apuntaba Saussure, son ciencias que operan con valores; el sistema de una lengua es de carácter relativo-negativo: cada unidad no tiene valor en sí misma, su valor diferencial consiste en no ser lo que las demás son; su valor depende de su posición en el sistema. En la lengua, según el axioma de Saussure, no hay más que diferencias. De aquí que la lengua sea definida como un conjunto de relaciones, una *forma,* y no una *substancia.*

Dentro de las investigaciones decimonónicas fue frecuente la distinción entre los estudios de *lingüística dinámica,* trabajos concentrados en la evolución, y los de *lingüística estática,* de interés descriptivo y referentes a un estado de la historia de una lengua. Se trata, como advierte Saussure, de una dualidad interna de todas las ciencias que operan con valores, dualidad que viene introducida por el factor *tiempo.* En el *Curso de lingüística general,* esta distinción aparece reflejada en la conocida distinción entre *diacronía* y *sincronía.*

Todo examen científico de una lengua o de una familia de lenguas puede realizarse desde dos perspectivas distintas: la evolución de una lengua o de una familia a lo largo de la historia (*diacronía*) o el estudio de un estado de lengua (*sincronía*). Ante este planteamiento, es necesario hacer algunas observaciones:

(a) La dualidad no pertenece al objeto de estudio, el lenguaje, sino a la ciencia encargada de su investigación, como ha estudiado E. Coseriu[130].

(b) *Sincronía* es una ficción metodológica que el investigador utiliza, pues las lenguas son fundamentalmente dinámicas. Entre las notas del segundo curso (1908-1909) aparece una afirmación tajante: "la langue n'est jamais immobile" (vid. R. Godel, *Les sources manuscrites,* p. 78); también es posible leer en el *CLG*: "En la práctica un estado de lengua no es un punto, sino una extensión de tiempo más o menos larga durante la cual la suma de modificaciones acaecida es mínima. Puede ser de diez años, una generación, un siglo, más todavía. Una lengua cambiará apenas durante un largo intervalo para sufrir en seguida transformaciones considerables en pocos años. Entre dos lenguas coexistentes en un mismo período, la una puede evolucionar mucho y la otra casi nada; en este último caso el estudio será necesariamente sincrónico, en el otro diacrónico. Un estado absoluto se define por la ausencia de cambios, y como a pesar de todo

130. Eugenio Coseriu, *Sincronía, diacronía e historia. El problema del cambio lingüístico,* Madrid, Gredos, 1973²; del mismo autor, "Georg von der Gabelentz et la linguistique synchronique", en *Word,* XXIII, 1967, *Linguistic Studies Presented to A. Martinet,* pp. 74-100, y también el excelente artículo de E. F. K. Koerner, "Hermann Paul and Synchronic Linguistics", en *Lingua,* XXIX, 1972, pp. 274-307.

la lengua se transforma por poco que sea, estudiar un estado de lengua viene a ser prácticamente desdeñar los cambios poco importantes, del mismo modo que los matemáticos desprecian las cantidades infinitesimales en ciertas operaciones, por ejemplo en el cálculo de logaritmos. [...] Por lo demás, la limitación en el tiempo no es la única dificultad que encontramos en la definición de un estado de lengua; el mismo problema se plantea a propósito del espacio. En suma, la noción de estado de lengua no puede ser más que aproximada. En lingüística estática, como en la mayoría de las ciencias, no hay demostración posible sin una simplificación convencional de los datos" (pp. 176-177). (La historia y evolución de esta dicotomía aparece trazada en la edición de Tullio de Mauro, nota 176.)

El tiempo transcurrido desde la publicación del *Curso de lingüística general* permite trazar un rápido esbozo de la importancia de los conceptos contenidos en la obra, su influjo teórico en los progresos científicos posteriores y conocer con bastante exactitud qué hay de tradición y de originalidad en el pensamiento de Saussure.

Las investigaciones actuales han comenzado a precisar los elementos decimonónicos que aparecen en el *CLG*, tanto de los *Junggrammatiker* como de sus adversarios y de los investigadores independientes. Saussure recoge cuestiones tradicionales en el estudio historicista (concepción de la lengua como sistema o diferenciación entre lingüística evolutiva y lingüística estática); los estudios relacionados con la lingüística general son también fuente de otras preocupaciones del maestro ginebrino, sobre todo de su interés por el problema de los universales lingüísticos, que parece proceder, como ya se ha indicado, de la obra de M. Bréal. Los influjos más importantes residen en los trabajos de Whitney y Paul, sobre todo en los del investigador norteamericano; en este inventario de influencias no habría que olvidar tampoco a M. Kruszewski y Baudouin de Courtenay.

Roman Jakobson notó hace muchos años la deuda con el pensamiento hegeliano en el gusto por la formulación de antinomias: *lengua-habla, sincronía-diacronía, relaciones sintagmáticas - relaciones asociativas;* Tullio de Mauro ha dedicado un apéndice de su edición a estudiar la relación con el lingüista Adolf Golthard Noreen, de la que ya había apuntado algunos rasgos Collinder.

Los conceptos de Saussure han ejercido una notable influencia en los principios teóricos del Círculo de Praga y en la Glosemática danesa. E. F. K. Koerner cree que también está presente en el pensamiento lingüístico de E. Sapir, pues las abundantes coincidencias no pueden explicarse únicamente por el tan socorrido "mentalismo", aunque Sapir no nombre nunca a Saussure. A juicio del citado investigador, también parece haber influido en Bloomfield, entre 1922 y 1933. Dentro de la lingüística contemporánea algunas cuestiones básicas en el *Curso de lingüística general* vuelven a encontrarse en discusiones de Chomsky[131].

1.3.2. Principales direcciones del estructuralismo

Tomando como punto de partida las características generales que presentan todas las teorías estructurales (v. 1.3.0.), a partir de los años veinte, comienzan a distinguirse diferentes grupos de investigadores, presididos por programas teó-

131. Vid. el resumen de la tesis doctoral de E. F. K. Koerner, *Ferdinand de Saussure - Origin and Development of His Linguistic Theory and Its Influence Upon the Major Linguistic Schools of the Western World: A Critical Evaluation of the Relevance of Saussurean Principles to Contemporary Theories of Language*, en *LBer*, 9, 1970, pp. 52-54.

ricos comunitarios o muy semejantes, y preocupados por un tipo especial de intereses epistemológicos o simplemente metodológicos.

En la disposición habitual de los manuales de historia de la lingüística contemporánea, por un indudable deseo de claridad pedagógica, suelen aparecer títulos como *La escuela de Copenhague* o *El estructuralismo norteamericano*. Es evidente, en cambio, que la investigación de tipo estructuralista parte de unos presupuestos comunes y difiere en mayor o menor grado en cuanto a los métodos de trabajo; hay, sin embargo, un hecho común, que es el *fin* de la investigación: analizar el sistema de una lengua, clasificar sus unidades y estudiar las relaciones que las unen. En general, salvo contadas excepciones, la metodología empleada es de tipo *inductivo*, inducción de la que se pretende obtener posteriormente una generalización. El uso de determinados criterios, como la exclusión del significado de la estructura de la lengua o el empleo de metodologías de análisis basadas en la distribución, pueden dar la impresión de que se trata de pensamientos teóricos muy diferentes. Esta impresión de singularidad se acentúa todavía más con la abundancia de terminologías diversas y, en muchos casos, abrumadoras.

Lo que sí sucede es que los diferentes centros de trabajo han agrupado a lingüistas de formación más o menos afín, han poseído planes de investigación muy concretos (como en el caso del interés de los filólogos checos por las lenguas eslavas o de los lingüistas estadounidenses por las lenguas indias); estos planes de investigación, por la distinta tradición de las lenguas estudiadas, han obligado a usar técnicas diferentes, pues resulta obvio que el estudio de la lengua de los indios hopi no plantea las mismas técnicas que el eslavo eclesiástico. Por lo tanto, una parte importante del estudio de las nuevas corrientes de pensamiento en la lingüística contemporánea tendría que incluir el estudio de los intereses dominantes, ya sean filológicos o antropológicos, y también el análisis de la tradición cultural que ha llevado a estas preocupaciones. En un panorama ideal tampoco tendrían que faltar los estudios encaminados a dar cuenta de las complejas relaciones existentes entre el lingüista y la sociedad: los diferentes canales de distribución de ayudas económicas y los factores sociopolíticos que contribuyen a un determinado auge de cierto tipo de estudios o las dificultades que el desarrollo de una corriente teórica ha encontrado en las estructuras políticas dominantes[132].

La tradición de las enseñanzas de Saussure en Ginebra * se mantuvo en un grupo de investigadores (Charles Bally, Albert Sechehaye y Henri Frei), que constituyeron el núcleo de la ortodoxia dirigida al mantenimiento de las ideas del maestro ginebrino. Las notas más sobresalientes de este grupo de estudiosos son: la insistencia en el carácter social del lenguaje y la preocupación, fundamental en la obra de Bally, por investigar los aspectos *emotivos* o *afectivos* del lenguaje. La estilística ha adquirido un fuerte apoyo en algunos conceptos de este fino investigador, sobre todo en su análisis

132. Vid. los trabajos de Frederick J. NEWMEYER y Joseph EMONDS, "The Linguist in American Society", en *CLS*, VII, 1971, pp. 285-303, y René L'HERMITE, "S. K. Saumjan et la linguistique soviétique", en *Langages*, 33, marzo, 1974, pp. 3-14.

* Robert GODEL, "L'école saussurienne de Genève", en Chr. MOHRMANN *et al.*, *Trends in European and American Linguistics, 1930-1960*, Utrecht-Amberes, Spectrum, 1961, pp. 294-299; Robert GODEL (ed.), *A Geneva School Reader in Linguistics*, Indiana Univ. Studies in the History and Theory of Linguistics, Bloomington-Londres, Indiana Univ. Press, 1969; F. M. JENKINS, "Bally's Masterpiece in a Critical Retrospect", en *RPh*, XIX, 1965, pp. 58-68; Manuel MOURELLE-LEMA, "The Geneva School of Linguistics: a Bibliographical Record", en R. GODEL, *A Geneva School Reader*, pp. 1-25; J. VENDRYES, "L'oeuvre linguistique de Charles Bally", en *CFS*, VI, 1946-1947, pp. 48-62.

de los desvíos que aparecen en los usos lingüísticos individuales con respecto al sistema, concepto que volverá a aparecer, nuevamente elaborado, en los nuevos críticos de orientación generativista.

En octubre de 1926 se funda el *Círculo Lingüístico de Praga**, uno de los grupos más importantes para las investigaciones de la lingüística teórica y también para el desarrollo de la filología de las lenguas eslavas. Un grupo de lingüistas checos, V. Mathesius, B. Havranek, B. Trnka, J. Vachek, entró en contacto con tres grandes investigadores

* Frantisek DANES y Josef VACHEK, "Prague Studies in Structural Grammar Today", en *TLP*, I, 1966, pp. 21-31; Frantisek DANES, "One Instance of Prague School Methodology: Functional Analysis of Utterance and Text", en Paul L. GARVIN (ed.), *Method and Theory in Linguistics*, La Haya-París, Mouton, 1970, pp. 132-140 (discusión en pp. 141-144); E. FRIED (ed.), *The Prague School of Linguistics and Language Teaching*, Londres, Oxford Univ. Press, 1972; Paul L. GARVIN (ed.), *A Prague School Reader on Aesthetics, Literary Structure, and Style*, Washington, D.C., Georgetown Univ. Press, 1964; "Czechoslovaquie", en *CTL*, I, pp. 499-522; "The Prague School of Linguistics", en Archibald A. HILL (ed.), *Linguistics Today*, Nueva York, 1969, pp. 229-238; "L'École de Prague aujourd'hui", *TLP*, I, 1966 (contiene una serie de valiosos trabajos); Roman JAKOBSON, "The so-called Prague School", en *Trends in Modern Linguistics*, Utrecht-Amberes, Spectrum, 1963; Alois JEDLICKA, "Zur Prager Theorie der Schriftsprache", en *TLP*, I, 1966, pp. 47-58; Jan MUKAROVSKY *et al.*, *El Círculo de Praga*, trad. de Ana María DÍAZ y Nelson OSORIO, Valparaíso, Editorial Universitaria, s.a.; *El Círculo de Praga. Tesis de 1929*, trad. de M.ª Inés CHAMORRO, Madrid, Alberto Corazón, 1970; B. TRNKA *et al.*, *El Círculo de Praga*, trad. y prólogo de Joan ARGENTÉ, Barcelona, Anagrama, 1971; Josef VACHEK y Josef DUBSKY, *Dictionnaire de linguistique de l'École de Prague*, Utrecht-Amberes, Spectrum, 1966[2]; Josef VACHEK, *A Prague School Reader in Linguistics*, Indiana Univ. Studies in the History and Theory of Linguistics, Bloomington-Londres, Indiana Univ. Press, 1967[3]; *The Linguistic School of Prague: An Introduction to Its Theory and Practice*, Bloomington-Londres, Indiana Univ. Press, 1966; "Prague Phonological Studies Today", en *TLP*, I, 1966, pp. 7-20; René WELLEK, *The Literary Theory and Aesthetics of the Prague School*, Ann Arbor, Univ. of Michigan, 1969.

rusos, S. Karcevskij, R. Jakobson y N. S. Trubetzkoy. Los hombres del Círculo de Praga fundaron la prestigiosa revista *Travaux du Cercle Linguistique de Prague* (*TCLP*), que desde 1929 a 1938 publicó una importante colección de artículos tanto de los investigadores citados como de otros profesionales, que muy pronto se sintieron atraídos por las teorías o por el prestigio del Círculo.

Las ideas básicas que presiden los trabajos de Praga se encuentran resumidas en las famosas *tesis* presentadas al *Primer Congreso de Filólogos Eslavos* de 1929. Las *tesis* cubren campos muy diversos del interés lingüístico, desde problemas generales hasta casos muy concretos de investigación de las lenguas eslavas, pasando por cuestiones relacionadas con la problemática del estudio de la lengua poética, en el que se advierte un fuerte influjo de las corrientes del formalismo ruso.

"La lengua, producto de la actividad humana —según aparece en la *tesis* primera—, comparte con tal actividad su carácter teleológico o de finalidad. Cuando se analiza el lenguaje como expresión o como comunicación, la intención del sujeto hablante es la explicación que se presenta con mayor facilidad y naturalidad. Por esto mismo, en el análisis lingüístico debe uno situarse en el punto de vista de la función. Desde este punto de vista, *la lengua es un sistema de medios de expresión apropiados para un fin*. No puede llegarse a comprender ningún hecho de lengua sin tener en cuenta el sistema al cual pertenece". Esta concepción de los elementos lingüísticos como solidarios y dependientes del sistema procede de Saussure, pero los lingüistas de Praga consideran fundamental el carácter de finalidad, de *función*, que todos estos elementos poseen. De esta consideración procede la denominación de *lingüística funcional* o *funcionalismo*, que recibe esta corriente lingüística.

Aunque se considera el análisis sincrónico como la manera más adecuada para "la esencia y el carácter de una lengua", la concepción funcional debe aplicarse también a los estudios diacrónicos, dirección en la que ha trabajado R. Jakobson, y en la que hay que situar los estudios de A. Martinet y E. Alarcos Llorach.

Los avances teóricos más importantes del Círculo se produjeron en la investigación fonológica, pero sería completamente injusto no recordar los trabajos de carácter sintáctico, los problemas de los niveles en el análisis lingüístico, los intentos de concretar y analizar el campo morfonológico y las teorías relacionadas con la problemática de la lengua literaria.

La prestigiosa tradición en el estudio del lenguaje que ya poseían los países nórdicos desde los trabajos del siglo XIX, aparece revitalizada con las investigaciones del grupo de profesionales que integran el *Círculo Lingüístico de Copenhague* (V. Brøndal, H. J. Uldall, L. Hjelmslev, K. Togeby y Eli Fischer-Jørgensen), y que se publicaron en las revistas *Travaux du Cercle Linguistique de Copenhague* (*TCLC*), fundada en 1944, y *Acta Linguistica* (1939), además de las obras independientes que poseen gran importancia para la evolución del pensamiento teórico*. Entre estas últimas,

* Viggo BRØNDAL, *Essais de linguistique générale*, Copenhague, Munksgaard, 1943; *Les parties du discours*, Copenhague, Munksgaard, 1948; *Théorie des prépositions. Introduction à une sémantique rationnelle*, Copenhague, Munksgaard, 1950; Louis HJELMSLEV, *Omkring sprogteoriens grundlaeggelse*, Copenhague, 1943 (traducción inglesa de Francis J. WHITFIELD, *Prolegomena to a Theory of Language*, Madison, The University of Wisconsin Press, 1963², y al español por J. L. DÍAZ DE LIAÑO, Madrid, Gredos, 1971); "La stratification du langage", en *Word*, X, 1954, pp. 163-189; *Essais linguistiques*, en *TCLC*, XII, 1959 (traducido por Elena BOMBÍN IZQUIERDO y Félix PIÑERO TORRE, Madrid, Gredos, 1972); *Sproget*, Copenhague, 1963 (traducción de M.ª Victoria CATALINA, Madrid, Gredos, 1968); Knud TOGEBY, *Struc-*

ocupa un puesto de honor el libro de Hjelmslev *Omkring sprogteoriens grundlaeggelse* (1943), conocido con el título de *Prolegómena de una teoría del lenguaje,* de acuerdo con la traducción inglesa de Francis J. Whitfield, que hizo asequible la obra del lingüista danés. El arranque teórico del libro tiene que situarse en los trabajos realizados en colaboración con H. J. Uldall entre 1934 y 1939 y también en las discusiones sostenidas en la *Sociedad de Filosofía y Psicología* de Copenhague.

El primer gran problema que se plantea Hjelmslev es cómo es posible construir una verdadera lingüística, fin para

---

ture immanente de la langue française, en *TCLC,* VI, 1951 (reimpreso en París, Larousse, 1965); *Mode, aspect et temps en espagnol,* Copenhague, 1953; *Immanence et structure, Revue Romane,* Numéro spécial, II, 1968; H. J. Uldall, *Outline of Glossematics, I: General Theory,* en *TCLC,* X, 1957. **Bibliografía**: E. Alarcos Llorach, *Gramática estructural (según la escuela de Copenhague y con especial atención a la lengua española),* Madrid, Gredos, 1969[2]; Eli Fischer-Jørgensen, "Danish Linguistic Activity 1940 to 1948", en *Lingua,* II, 1949, pp. 95-109; Martha Garret Worthington, "Immanence as Principle", en *RPh,* XXIV, 1970-1971, pp. 488-505; Sydney M. Lamb, "Epilegomena to a Theory of Language", en *RPh,* XIX, 1965-1966, pp. 531-573; André Martinet, "Au sujet des Fondements de la théorie linguistique de Louis Hjelmslev", en *BSLP,* XLII, 1946, pp. 19-43; Luisa Muraro, "Hjelmslev lettore del Corso di Linguistica Generale", en *CFS,* XXVIII, 1970-1972, pp. 43-53; Henrik Prebensen, "La théorie glossématique est-elle une théorie?", en *Langages,* 6, junio, 1967, pp. 12-25; B. Siertsema, "Further Thoughts on the Glossematic Idea of Describing Linguistic Units by their Relations only", en *Proceedings of VIII Int. Congress of Linguists, Oslo, 1958,* pp. 142-143; *A Study of Glossematics. Critical Survey of its Fundamental Concepts,* La Haya, M. Nijhoff, 1965[2]; Hans Christian Sørensen, "Fondements épistémologiques de la Glossématique", en *Langages,* 6, junio, 1967, pp. 5-11; H. Spang-Hanssen, "Glossematics", en *Trends in European and American Linguistics,* Utrecht-Amberes, Spectrum, 1961, pp. 128-164; Knud Togeby (ed.), *La Glossématique. L'héritage de Hjelmslev au Danemark, Langages,* 6, junio, 1967; Francis J. Whitfield, "Linguistic Usage and Glossematic Analysis", en *FRJ,* pp. 670-675.

el que hay que desechar todos los elementos extralingüísticos (físicos, psicológicos, lógicos y sociológicos) y considerar el lenguaje como un todo autosuficiente, "como una estructura *sui generis*", y partiendo de esta hipótesis, construir una teoría del lenguaje que formule sus principios, indique sus métodos de análisis y fije con precisión los procedimientos de trabajo.

Dentro de las teorías de base estructural, Hjelmslev plantea la novedad de intentar construir una teoría que sirva para analizar todas las lenguas naturales; esta teoría, la *Glosemática*, cuyos *prolegomena* estarán contenidos en su obra de 1943, será el más claro ejemplo de los métodos deductivos en su aplicación al análisis estructural. Como indicó su autor, los datos de la experiencia nunca podrán confirmar o negar la validez de la teoría, sino únicamente su *adecuación a la experiencia.*

La teoría debe cumplir el llamado *principio de empirismo*[133]: la descripción debe ser *no contradictoria, exhaustiva y tan simple como sea posible.*

"La exigencia de no contradicción —observa Hjelmslev— lleva consigo la de exhaustividad y la exigencia de exhaustividad supone la de simplicidad."

El lingüista debe procurar la búsqueda de invariantes, de elementos constantes que aparezcan en la construcción de los mensajes; a la manera de Saussure, se distingue entre el *sistema* y la realización del sistema, el *proceso,* que se manifiesta al investigador en el *texto* (el *texto* es el conjunto de datos a analizar, desde una oración hasta todas las frases que aparezcan en un autor o una obra). Dado el *texto,* el

133. Sobre el uso del término *empírico* en Hjelmslev, vid. el trabajo de B. Siertsema, *A Study of Glossematics. Critical Survey of its Fundamental Concepts,* La Haya, M. Nijhoff, 1965², pp. 37-39, donde recoge también las observaciones de Eli Fischer-Jørgensen y A. Martinet.

estudio debe consistir en encontrar el *sistema* subyacente que lo ha hecho posible. El *texto* se considera segmentable en partes, que, a su vez, son divisibles en partes más pequeñas, hasta que se cumpla la exhaustividad del principio de análisis.

Gracias a este análisis, realizado de acuerdo con los principios expuestos en la teoría, será posible analizar los restantes textos de la misma lengua y predecir la estructura de todos los que sean *teóricamente posibles.*

La teoría está construida como un conjunto de definiciones: el *texto* y sus *partes* no existen más que en virtud de las relaciones o dependencias que los ligan; el *texto,* afirma Hjelmslev, no es más que el punto de intersección de todas las relaciones o dependencias que lo constituyen. Existen en la teoría tres tipos fundamentales de dependencias o de relaciones entre elementos: *interdependencias, determinaciones* y *constelaciones.*

(a) *Relación de interdependencia.* Este tipo de relaciones se establece entre dos elementos lingüísticos que mutuamente se presuponen: el elemento *A* necesita para aparecer la presencia del elemento *B* y viceversa. Es la relación que se establece, por ejemplo, entre la oración y la línea de entonación.

(b) *Relación de determinación.* Se establece entre dos elementos *A* y *B,* ya que *A* necesita para aparecer la presencia de *B,* pero este último puede aparecer sin que necesariamente esté presente el primero. Por ejemplo, existe relación de *determinación* en español entre *vocales* y *consonantes.*

(c) *Relación de constelación.* Cuando dos elementos aparecen combinados entre sí, sin que entre ellos exista la menor relación de dependencia, se clasifican dentro de las relaciones de *constelación.* Las relaciones de este tipo son las que se establecen entre las oraciones coordinadas o entre los adjetivos que acompañan a un sustantivo.

Estas tres relaciones fundamentales establecen las dependencias entre todos los elementos lingüísticos y se producen en tres terrenos básicos: en la *teoría,* en el *sistema* y en el *texto,* de aquí que Hjelmslev, como en otros casos, haya establecido un juego de denominaciones paralelas para distinguir las tres posibles referencias.

La primera labor del investigador consiste en establecer la división del *texto*; el *texto* es una *cadena* (conjunto de partes, de clases), esta cadena se divide en partes que serán otras cadenas (oraciones, proposiciones, palabras, sílabas) hasta encontrar cadenas irreductibles, que no pueden ser analizadas en partes más pequeñas. Cada operación de división dependerá de las divisiones anteriores y, a su vez, será presupuesto para las siguientes; existe, pues, entre todas las divisiones una relación de *determinación.*

Las dependencias que aparezcan en el análisis se denominarán *funciones* y los términos de cada dependencia serán los *funtivos* o miembros de una función. En el análisis de un texto existirá *función* entre los miembros que componen el texto y el texto mismo; de esta manera, cada funtivo se convierte en una función, que puede ser descompuesta en otros funtivos y, sucesivamente, en virtud de la exhaustividad de la teoría, se llega a los últimos funtivos que no pueden ser descompuestos en otras funciones, a los que se conoce con el nombre de *magnitudes.*

Una vez que la teoría ha establecido firmemente el concepto de *función* (*relación de dependencia*) y de *funtivo* (*miembro de una función*), es posible volver a formular de una manera clara y exacta los tipos de relaciones de dependencia, en virtud de la existencia de *constantes* (funtivos cuya presencia siempre es necesaria para el funtivo con el que entran en relación) y *variables* (funtivos cuya presencia no es condición necesaria).

También es necesario distinguir dos tipos de funciones básicas para el desarrollo de la teoría de Hjelmslev: relaciones en las que existe la función *y* (*conjunción*) y relaciones en las que existe la función *o* (*disyunción*); es ésta una distinción que corresponde a los planos del *sistema* (*o*) y del *texto* (*y*).

La función *o* (*paradigmática*) se denominará *correlación*, mientras que la función *y* (*sintagmática*) se llama *relación*; los miembros de una correlación son *correlatos* y los miembros que integran una relación reciben el nombre de *relatos*.

Sentados estos principios básicos, ya es posible una definición exacta de *sistema* y de *proceso*: "Un sistema es una jerarquía de correlaciones y un proceso es una jerarquía de relaciones". El *sistema* y el *proceso* están en relación de determinación.

A medida que el análisis avanza, el estudioso notará que cada vez son menos los elementos que integran la clase dada; el *texto*, por definición, presenta un carácter infinito, lo mismo sucede con las frases o con las palabras, pero, en cambio, sí presenta carácter finito el número de sílabas que componen una lengua. Al dividir las sílabas, aparecen los elementos que tradicionalmente se conocen por *fonemas*.

Es verdad, de acuerdo con Saussure, que *la lengua es un sistema de signos*, pero también aparecen unas unidades menores que los signos: las sílabas, por ejemplo. Existen, pues, en toda lengua *signos* y *no signos* (unidades más pequeñas que los signos, desprovistas de significación, que se utilizan para formar signos).

Se suele aceptar como regla general que el paso del inventario de los *signos* al de los *no signos* supone el paso de un inventario infinito a un inventario finito, cerrado. El conjunto de las palabras de una lengua es infinito, siempre está abierto, se crean unas palabras y desaparecen otras, pero el conjunto de las sílabas o de los fonemas en un estado de lengua es siempre un conjunto finito, cerrado.

Los *no signos* que se integran en el sistema de signos reciben el nombre de *figuras*; de esta manera, se llega al principio básico en la organización del lenguaje: *un número finito de figuras es capaz de crear un sistema de signos*, con lo que queda modificada en gran medida la definición dada por Ferdinand de Saussure. Estas *figuras* recibieron en el comienzo de la teoría el nombre de *glosemas*, de aquí el nombre genérico de *Glosemática* para designar esta corriente del pensamiento estructural.

Toda lengua supone una función esencialmente significativa y comunicativa; esta función aparece formada por dos funtivos: *expresión* y *contenido*; no hay función significativa sin la presencia de ambos, por lo tanto existe entre ellos relación de *interdependencia*, no pueden aparecer aisladamente.

En el plano del contenido se distingue una *forma* específica, la *forma del contenido*, que es independiente del *sentido*, que está con él en relación arbitraria y que se transforma en una *substancia del contenido*.

Solamente gracias a la *forma del contenido* y a la *forma de la expresión*, existen la *substancia del contenido* y la *substancia de la expresión*, que aparecen, como explicó Hjelmslev, cuando se proyecta la *forma* sobre el *sentido*, como cuando una malla proyecta su sombra sobre una superficie.

El *signo* se define como la unidad constituida por la *forma de la expresión* y la *forma del contenido*; todo mensaje, todo *texto*, y, por extensión, todas las lenguas naturales se organizan bajo la función de interdependencia entre ambos planos y cada lengua posee una *forma* diferente para conformar su *substancia,* ya sea fónica (expresión) o semántica (contenido), pues se trata de un *principio universal de organización lingüística.*

Al llegar a este punto de la teoría, se plantea la necesidad de encontrar un sistema de análisis que permita analizar ambos *planos* de acuerdo con un *principio único.*

La descripción se basa en dos principios fundamentales: el *principio de economía* (el procedimiento de análisis debe conducir a resultados lo más simples y se debe detener cuando no haya posibilidad de llegar a otra división) y el *principio de reducción* (cada operación de análisis tiene que repetirse hasta que la descripción sea exhaustiva y, en cada nivel, debe llegar al inventario de los *elementos* cuyo número sea el más pequeño posible).

Como es lógico, la teoría tiene que proporcionar al investigador un método seguro para poder distinguir todas las *variantes* que aparecen en un *texto* dado y hacerlas corresponder a su *invariante* correspondiente; en un *texto,* aparecen varias sílabas que serán una *misma* sílaba, varias palabras que serán la *misma* palabra y varias oraciones que serán la *misma* oración. El método se basa en la *conmutación*: cualquier cambio de una *invariante* en el plano de la expresión tiene que llevar necesariamente a un cambio en el plano del contenido y viceversa. La operación consiste en analizar las magnitudes que constituyen inventarios no finitos en magnitudes que forman inventarios finitos.

De esta manera, el investigador debe clasificar e inventariar todos los elementos *invariantes* irreductibles en cada lengua y las relaciones que los caracterizan.

Dado que el *texto* puede presentar una gran extensión, por ejemplo los escritos de un autor o de una época, habrá que encontrar, en las primeras divisiones que se establezcan en el análisis, la interdependencia entre el plano de la expresión y el del contenido, que se manifestará en obras independientes, capítulos y párrafos. En este punto se manifiesta el contacto de la Glosemática con la crítica literaria, contacto que puede proporcionar excelentes métodos para el análisis de las obras de un autor o de una época determinada[134].

En Estados Unidos, la lingüística estructural de carácter descriptivo* presenta algunas características muy peculiares,

134. Consúltese la Sección D, *La Glossématique et l'eshétique*, de *Recherches structurales*, en *TCLC*, V, 1949, que contiene los trabajos de Ad. STENDER-PETERSEN, "Esquisse d'une théorie structurale de la littérature", pp. 277-287, y Sven JOHANSEN, "La notion de signe dans la glossématique et dans l'esthétique", pp. 288-303; una excelente aplicación de este método en el análisis de una obra hispánica se encuentra en el trabajo de Gregorio SALVADOR, *Comentarios estructurales a "Cien años de soledad"*, La Laguna, Tenerife, Universidad de La Laguna, 1970.

* B. BLOCH y G. L. TRAGER, *Outline of Linguistic Analysis*, Baltimore, Waverly Press, 1942; B. BLOCH, "A Set of Postulates for Phonemic Analysis", en *Lan*, XXIV, 1948, pp. 3-46; Leonard BLOOMFIELD, "A Set of Postulates for the Science of Language", en *Lan*, II, 1926, pp. 153-164; L. BLOOMFIELD, *Language*, Nueva York, Holt, 1933 (trad. española de Alma Flor ADA DE ZUBIZARRETA, Lima, Universidad de San Marcos, 1964); "Linguistic Aspects of Science", en *International Encyclopedia of Unified Science*, Chicago, University of Chicago Press, 1939, I, 4 (trad. española, Madrid, Taller de Ediciones, 1973); Charles F. HOCKETT (ed.), *A Leonard Bloomfield Anthology*, Bloomington, Indiana, 1970; J. B. CARROLL, *The Study of Language. A Survey of Linguistics and Related Disciplines in America*, Cambridge, Mass., 1955; S. CHATMAN, "Immediate Constituents and Expansion Analysis", en *Word*, XI, 1955, pp. 377-385; Jean DUBOIS y Françoise DUBOIS-CHARLIER (eds.), *Analyse distributionnelle et structurale, Langages*, 20, diciembre, 1970; "Principes et méthodes de l'analyse distributionnelle", en *Langages*, 20, diciembre, 1970, pp. 3-13; C. C. FRIES, "The Bloomfield 'School'", en *Trends in European and American Linguistics, 1930-1960*, Amberes-Utrecht, Spectrum, 1961, pp. 196-224; R. A. HALL Jr, "American Linguistics, 1925-1950", en *Archivum Linguisticum*, III, 1951,

que la hacen divergente de las teorías examinadas. Estas singularidades tienen su base en dos factores que han tenido una importancia decisiva en su desarrollo: (a) la necesidad

---

pp. 101-125, y VI, 1952, pp. 1-16; E. P. HAMP, *A Glossary of American Technical Usage, 1925-1950,* Utrecht-Amberes, Spectrum, 1966[3]; Zellig S. HARRIS, "Morpheme Alternants in Linguistic Analysis", en *Lan,* XVIII, 1942, pp. 169-180 (reimpreso en *RIL,* I, pp. 109-115); "Discontinuous Morphemes", en *Lan,* XXI, 1945, pp. 121-127; "From Morpheme to Utterance", *Lan,* XXII, 1946, pp. 161-183 (reimpreso en *RIL,* I, pp. 142-153, traducido al francés en *Langages,* 9, marzo, 1968, pp. 23-50); *Methods in Structural Linguistics,* Chicago, The Univ. of Chicago Press, 1951 (reimpreso con el título *Structural Linguistics,* Chicago, The Univ. of Chicago Press, Phoenix Books, 1960); "Discourse analysis", en *Lan,* XXVIII, 1952, pp. 1-30; "Distributional Structure", en *Word,* X, 1954, pp. 146-162 (traducido al francés en *Langages,* 20, diciembre, 1970, pp. 14-34); "From Phoneme to Morpheme", en *Lan,* XXXI, 1955, pp. 190-222; "Co-occurrence and Transformation in Linguistic Structure", en *Lan,* XXXIII, 1957, pp. 283-340; *Papers in Structural and Transformational Linguistics,* Formal Linguistics Series, I, Dordrecht, Reidel, 1970; Einar HAUGEN, "Directions in Modern Linguistics", en *Lan,* XXVII, 1951, pp. 211-222 (reimpreso en *RIL,* I, pp. 357-363); Charles F. HOCKETT, "Problems in Morphemic Analysis", en *Lan,* XXIII, 1947, pp. 321-343 (reimpreso en *RIL,* I, pp. 229-242); "Two Models in Grammatical Description", en *Word,* X, 1954, pp. 210-234 (reimpreso en *RIL,* I, pp. 386-399); *A Manual of Phonology,* Indiana University Publications in Anthropology and Linguistics, Memoir 11 of the *IJAL,* XXI, 4, 1.ª parte, Baltimore, Waverly Press, 1955; *A Course in Modern Linguistics,* Nueva York, Macmillan, 1958 (traducido y adaptado al español por Emma GREGORES y Jorge A. SUÁREZ, Buenos Aires, Eudeba, 1971); "Linguistic Elements and their Relations", en *Lan,* XXXVII, 1961, pp. 29-53; *The State of the Art,* La Haya-París, Mouton, 1968; Rodney HUDDLESTON, "The Development of a non-Process Model in American Structural Linguistics", en *Lingua,* XXX, 1972, pp. 333-384; Martin JOOS, "Description of Language Design", en *JASA,* XXII, 1950, pp. 701-708 (reimpreso en *RIL,* I, pp. 349-356); J. J. KATZ, "Mentalism in Linguistics", en *Lan,* XL, 1964, pp. 123-137 (traducido al español en Heles CONTRERAS (compilador), *Los fundamentos de la gramática transformacional,* México, Siglo XXI, 1971, pp. 205-223); S. R. LEVIN, " 'Langue' and 'parole' in American Linguistics", en *FL,* I, 1965, pp. 83-94; E. A. NIDA, "The Identification of Morphemes", en *Lan,* XXIV, 1948, pp. 414-441 (reimpreso en *RIL,* I, pp. 255-271);

de estudiar y clasificar gran número de lenguas indígenas carentes de tradición escrita, y (b) el entronque con corrientes psicológicas mecanicistas, basadas en los datos directamente observables.

Los fines del estudio lingüístico, a pesar de las diferencias, son muy similares a los que aparecen en otras direcciones estructurales: describir una lengua, segmentar sus elementos constitutivos, clasificarlos y estudiar sus relaciones. Sin embargo, la necesidad de trabajar con lenguas de estruc-

---

"The Analysis of Grammatical Constituents", en *Lan,* XXIV, 1948, pp. 168-177; *Morphology. The Descriptive Analysis of the Words,* University of Michigan Publications in Linguistics, 2, Ann Arbor, Univ. of Michigan Press, 1949; *Outline of Descriptive Syntax,* Glendale, California, 1951; K. L. PIKE, "Taxemes and Immediate Constituents", en *Lan,* XIX, 1943, pp. 65-82; *Language in Relation to Unified Theory of the Structure of Human Behavior,* La Haya, Mouton, 1967[2]; "A Guide to Publications Related to Tagmemic Theory", en *CTL,* III, 1966, pp. 365-394; R. S. PITTMAN, "Nuclear Sructures in Linguistics", en *Lan,* XXIV, 1948, pp. 287-292; Paul POSTAL, *Constituent Structure: A Study of Contemporary Models of Syntactic Description,* Publication 30 of Indiana University Research Center in Anthropology, Folklore and Linguistics, Bloomington, Indiana-La Haya, Mouton, 1964; Edward SAPIR, *Language. An Introduction to the Study of Speech,* Nueva York, Harcourt, 1921 (traducido al español por M. FRENK y A. ALATORRE, Fondo de Cultura Económica, Breviarios, núm. 96, 1971[3]); *Selected Writings in Language, Culture and Personality,* ed. by D. G. MANDELBAUM, Berkeley, 1951[2]; Sol SAPORTA, "Morpheme Alternants in Spanish", en H. R. KAHANE y A. PIETRANGELI, *Structural Studies on Spanish Themes,* Acta Salmanticensia, XII, 3, Salamanca, 1959, pp. 15-162; B. R. STARK, "The Bloomfieldian Model", en *Lingua,* XXX, 1972, pp. 385-421; Karl V. TEETER, "Descriptive Linguistics in America: Triviality and Irrelevance", en *Word,* XX, 1964, pp. 197-206; George L. TRAGER, *The Field of Linguistics, Studies in Linguistics,* Occasional Papers, 1, 1949 (Washington, D. C., 1952); C. F. y F. M. VOEGELIN, "On the Structuralizing in Twentieth Century America", en *AnL,* V, 1963, pp. 12-37; Rulon S. WELLS, "Immediate Constituents", en *Lan,* XXIII, 1947, pp. 81-117 (*RIL,* I, pp. 186-207, y traducido al francés en *Langages,* 20, diciembre, 1970, pp. 61-100); "Automatic Alternation", en *Lan,* XXV, 1949, pp. 99-116.

tura no muy bien conocida por el investigador y recurrir únicamente a los datos directamente observables, produjo sistemas refinados que, en apariencia, por su riqueza de procedimientos de análisis y por su abundancia terminológica, dan un aspecto original al descriptivismo estadounidense.

La tradición de los trabajos de W. D. Whitney en el siglo XIX se enriquece en nuestro siglo con el interés de las investigaciones sobre las lenguas indígenas en dos científicos de talla colosal: Franz Boas (1858-1942), que preparó una completa introducción para el estudio de las lenguas amerindias, y Edward Sapir (1884-1939), hombre de vastísima cultura, autor de uno de los libros más sugestivos de toda la historia de la lingüística, *Language* (1921). En Sapir parece que existen influencias de Humboldt, Croce y Saussure; concibe la lengua como un sistema simbólico y funcional; concede gran importancia a los elementos culturales, incluso dedica un capítulo de su obra al problema de la lengua literaria, y hace un completo estudio de la clasificación tipológica de las lenguas.

En los años veinte comienza un prodigioso auge de los intereses lingüísticos en Estados Unidos; en 1924 se funda la *Linguistic Society of America,* y un año después comienza la publicación de la revista *Language;* este auge va íntimamente ligado a la figura de Leonard Bloomfield (1887-1949) [135].

Frente al idealismo que traslucen las páginas de Sapir, el libro *Language* (1933) de Bloomfield va a establecer las bases más firmes para el desarrollo del descriptivismo esta-

135. Este período ha sido calificado duramente por Postal: "the unhappy and largely sterile path of structuralism in the United States during the period from 1933-1960", en *FL,* II, p. 153 y n. 3, p. 177.

dounidense hasta la década de los sesenta, con una intensa producción de estudios y de introducciones a los problemas de la lingüística (vid. Peter H. Salus, "American Introductions to Linguistics: 1933-1963", en *Orbis,* XIII, 1964, pp. 309-313).

Bloomfield estaba fuertemente influido por las teorías psicológicas de A. P. Weiss y contaba, a la vez, con una honda formación de raigambre positivista; su máxima preocupación es lograr una descripción de la lengua rigurosa y precisa; para ello toma como punto de partida los datos directamente observables. Este punto de arranque tiene como consecuencia inmediata la dificultad de analizar los significados, que sólo pueden ser observados a través de "situaciones" de comportamiento humano. De manera terriblemente injusta, se ha dicho muchas veces que Bloomfield no tiene en cuenta el *significado,* sin embargo dedicó a este tema un capítulo de su obra, el interesantísimo IX[136], y un artículo en 1943; a pesar de estas consideraciones, Bloomfield reconocía que el significado era "the weak point in the language study".

Como ha observado B. R. Stark (*Lingua,* XXX, 1972, p. 411), aunque Bloomfield excluye el significado de la estructura del lenguaje, no lo elimina de la construcción de su teoría lingüística, pues existen unas unidades de significación, *noemas* (*sememas* y *episememas*), que se unen a otro tipo de unidades, *signal units, fememas* (*fonemas* y *taxemas*), y producen las formas lingüísticas (*morfemas* y *tagmemas*),

136. B. R. Stark, "The Bloomfieldian Model", en *Lingua,* XXX, 1972, pp. 408-415, ha analizado ese problema. No me ha sido asequible el artículo de E. F. K. Koerner, "Bloomfieldian Linguistics and the Problem of *Meaning*: A Chapter in the History of the Theory and Study of Language", en *Jahrbuch für Amerikastudien,* XV, 1970, pp. 162-183.

pues todas las formas lingüísticas, en la concepción de Bloomfield, son una correlación entre unidades formales y unidades significativas. La dificultad estriba en el conocimiento científico del *significado* y en su definición exacta. Los lingüistas discípulos de Bloomfield, como Bloch o Hockett, en cambio, ya no consideran al significado como integrante de la teoría, aunque seguirán utilizándolo en la investigación como un criterio de análisis.

El descriptivismo americano, a partir de Bloomfield, sigue preferentemente los métodos de carácter inductivo; los lingüistas de esta época se concentrarán en el análisis del plano sintagmático, ya que es el único que presenta posibilidades de acceso directo.

La lengua es, para los descriptivistas norteamericanos de esta época, un complejo sistema de *hábitos* que se manifiestan en una serie de *emisiones,* que los reflejan y dependen de ellos. Las *emisiones* son los únicos hechos observables por el investigador y de su estudio intenta inferir la estructura de la lengua. Cada emisión reflejará parte de la estructura fonológica y gramatical de la lengua en cuestión y, de esta manera, el estudio de un *corpus* abundante de emisiones permitirá que el lingüista descubra el sistema de la lengua en cuestión. Posteriormente, la teoría generativa demostrará lo inadecuado de esta postura (v. 1.3.3.a.).

Según la concepción de Hockett, la estructura de una lengua se considera compuesta por dos tipos de subsistemas: *sistemas centrales* y *sistemas periféricos.* Los sistemas del primer tipo no poseen ninguna relación directa con el mundo en el que se producen las emisiones. Los sistemas centrales se dividen en tres grandes apartados: *sistema gramatical, sistema fonológico* y *sistema morfonológico.*

El *sistema gramatical* está formado por el conjunto de morfemas y por las reglas que gobiernan su distribución y combinación. Este sistema, a su vez, se encuentra dividido en dos subsistemas: *morfología* y *sintaxis*. La *morfología* está integrada por el repertorio de todos los morfemas segmentales y por las reglas de combinación que permiten formar palabras. La *sintaxis* está formada por el conjunto de reglas que ordenan la combinación de palabras para formar emisiones y por los morfemas suprasegmentales. El *sistema fonológico* comprende el conjunto de fonemas de una lengua y sus reglas de combinación. La conexión entre los dos sistemas anteriores se realiza gracias al *sistema morfonológico*.

Los sistemas de tipo *periférico, semántico* y *fonético*, ponen en conexión los sistemas centrales con el mundo en el que se producen las emisiones. El *sistema fonético* posee el conjunto de reglas que convierten el sistema fonológico en señales acústicas; el *sistema semántico* asocia morfemas o combinaciones de morfemas con situaciones o cosas pertenecientes al mundo no lingüístico.

Este modelo de estructura de una lengua no plantea, en modo alguno, que los sistemas periféricos sean menos importantes que los centrales, sino la necesidad de distinguir entre lo directamente observable y lo que el lingüista puede extraer de esta observación.

De Bloomfield procede el análisis en *constituyentes inmediatos*, que fue desarrollado posteriormente por Wells, Hockett y Harris, y también la distinción entre *formas libres* y *formas trabadas*. En el análisis, las emisiones se van descomponiendo en sus constituyentes y se examinan cuidadosamente los elementos que los componen, las relaciones que los unen y los restantes elementos lingüísticos que pueden ocupar la misma posición, que poseen la misma distribución, hasta llegar a los últimos elementos lingüísticos provistos de significación, los *morfemas*, formados por *fonemas*, elementos que ya no presentan carácter significativo, y que se van reconociendo por la posibilidad de repetirse en distintos morfemas.

El descriptivismo americano comenzó con el análisis de los elementos fónicos, análisis basado en la *distribución*; posteriormente, los logros metodológicos obtenidos en el análisis y descripción de las unidades que componen el plano fónico se extendió, a partir de 1942, al estudio de la morfémica, parte de la gramática especializada en los morfemas. Ambas zonas de la investigación lingüística fueron exhaustivamente examinadas, mientras que la sintaxis y la semántica quedaban mucho más olvidadas, tal vez porque, en el caso de la sintaxis, se pensaba que el análisis en constituyentes resolvía los problemas, mientras que, en el campo semántico, el abandono procedía de los puntos de partida del pensamiento teórico.

1.3.3. La teoría generativa *

En 1957, un año antes de publicarse en Nueva York el manual clásico de Charles F. Hockett *A Course in Modern Linguistics,* Noam Chomsky publica su libro *Syntactic*

* **Repertorios bibliográficos**: William Orr Dingwall, *Transformational Generative Grammars. A Bibliography,* Center for Applied Studies, Washington, D.C., 1965; Herwig Krenn y Klaus Müllner, *Bibliographie zur Transformations-Grammatik,* Heidelberg, Carl Winter, 1968; Giulio C. Lepschy, "La grammatica transformazionale. Nota introduttiva e bibliografia", en *Studi e Saggi Linguistici,* IV, 1964, pp. 87-114. **Manuales e introducciones**: E. Bach, *An Introduction to Transformational Grammar,* Nueva York, Holt, Rinehart and Winston, 1964; *Theory of Syntax,* Nueva York, Holt, Rinehart and Winston, 1974; Johannes Bechert, Danièle Clément, Wolf Thümmel y Karl Heinz Wagner, *Einführung in die generative Transformationsgrammatik,* Linguistische Reihe, 2, Munich, Hueber, 1970; Manfred Bierwisch, "Strukturalismus, Geschichte, Probleme und Methoden", en *Kurbusch,*

Structures, que constituirá una revolución en los planteamientos teóricos de la lingüística contemporánea. Chomsky se había formado dentro del estructuralismo norteamericano

---

5, 1966, pp. 77-152 (traducido al inglés en *Modern Linguistics. Its Developments, Methods and Problems,* La Haya-París, Mouton, 1971, y al español por Gabriel FERRATER, Barcelona, Tusquets, 1971); Heles CONTRERAS (comp.), *Los fundamentos de la gramática transformacional,* México, Siglo XXI, 1971; John T. GRINDER y Suzette Haden ELGIN, *Guide to Transformational Grammar. History, Theory, Practice,* Nueva York, Holt, Rinehart and Winston, 1973; Roger L. HADLICH, *A Transformational Grammar of Spanish,* Englewood Cliffs, New Jersey, Prentice Hall, 1971 (traducido al español por Julio BOMBÍN, Madrid, Gredos, 1973); A. KOUTSOUDAS, *Writing Transformational Grammars. An Introduction,* Nueva York, McGraw-Hill, 1966; Humberto LÓPEZ MORALES, *Introducción a la gramática generativa,* Madrid, Alcalá, 1974; Carlos P. OTERO, *Introducción a la lingüística transformacional (Retrospectiva de una confluencia),* México, Siglo XXI, 1973²; N. RUWET, *Introduction à la grammaire générative,* París, Plon, 1967 (traducido al español, Madrid, Gredos, 1974). **Bibliografía**: J. P. B. ALLEN y Paul VAN BUREN (eds.), *Chomsky: Selected Readings,* Londres, Oxford University Press, 1971; Emmon BACH y Robert T. HARMS, *Universals in Linguistics Theory,* Nueva York, Holt, Rinehart and Winston, 1968; E. BACH, "Nouns and Nouns Phrases", en BACH y HARMS, *Universals,* pp. 91-122; Manfred BIERWISCH, "Generative Grammar and European Linguistics", en *CTL,* IX, 1.ª parte, 1972, pp. 313-342; J. CASAGRANDE y B. SACIUK (eds.), *Generative Studies in Romance Languages,* Rowley, Mass., Newbury House Publishers, 1972; Noam CHOMSKY, *Syntactic Structures,* La Haya, Mouton, 1957 (introducción, notas, apéndices y traducción de C. P. OTERO, con un prólogo del autor para la ed. española, México-Madrid-Buenos Aires, Siglo XXI, 1974); *Current Issues in Linguistic Theory,* La Haya, Mouton, 1964; *Aspects of the Theory of Syntax,* Cambridge, Mass., The MIT Press, 1965 (introducción, versión, notas y apéndice de C. P. OTERO, Madrid, Aguilar, 1970); "Topics in the Theory of Generative Grammar", en *CTL,* III, pp. 1-60 (existe una edición, La Haya, Mouton, 1966); *Cartesian Linguistics. A Chapter in the History of Rationalist Thought,* Nueva York, Harper and Row, 1966 (traducción española de Enrique WULFF, Madrid, Gredos, 1969); N. CHOMSKY y M. HALLE, *The Sound Pattern in English,* Nueva York, Harper and Row, 1968; N. CHOMSKY, *Studies on Semantics in Generative Grammar,* La Haya-París, Mouton, 1972 (la versión española de *Syntactic Structures* contiene una excelente bibliografía de Chomsky);

más perfeccionado, pues había sido alumno de Z. S. Harris, y además se había preocupado por poseer unos conocimientos sólidos de psicología, lógica y —sobre todo— de los problemas referentes a la teoría de la ciencia.

William Orr Dingwall, "Transformational Grammar: Form and Theory. A Contribution to the History of Linguistics", en *Lingua*, XII, 1963, pp. 233-275; "Recent Developments in Transformational Generative Grammar", en *Lingua,* XVI, 1966, pp. 292-316; Charles F. Fillmore, "The Case for Case", en Bach y Harms, *Universals,* pp. 1-88; "Toward a Modern Theory of Case", The Ohio State University Research Foundation Project on Linguistics Analysis, Report 13, 1966, pp. 1-24; J. A. Fodor y J. J. Katz (eds.), *The Structure of Language. Readings in the Philosophy of Language,* Englewood Cliffs, N. J., Prentice Hall, 1964; M. Gross y A. Lentin, *Notions sur les grammaires formelles,* París, Gauthier-Villars, 1967; Morris Halle, "Phonology in Generative Grammar", en *Word,* XVIII, 1962, pp. 54-72 (traducido al español en la antología citada de Heles Contreras); *The Sound Pattern in Russian,* La Haya-París, Mouton, 1971²; James W. Harris, *Spanish Phonology,* Cambridge, Mass., The MIT Press, 1969; R. A. Jakobs y P. S. Rosenbaum (eds.), *Readings in English Transformational Grammar,* Waltham, Mass., Ginn-Blaisdell, 1970; J. J. Katz y J. A. Fodor, "The Structure of a Semantic Theory", en *Lan,* XXXIX, 1963, pp. 170-210; J. J. Katz y P. M. Postal, *An Integrated Theory of Linguistic Description,* Cambridge, Mass., The MIT Press, 1964; J. J. Katz, *The Philosophy of Language,* Nueva York, Harper and Row, 1966 (traducción española, Barcelona, Martínez Roca, 1971); J. J. Katz, "Recent Issues in Semantic Theory", en *FL,* III, 1967, pp. 124-194; F. Kiefer y N. Ruwet, *Generative Grammar in Europe,* Dordrecht, Reidel, 1973; R. D. King, *Historical Linguistics and Generative Grammar,* Englewood Cliffs, N. J., Prentice Hall, 1969; Paul Kiparsky, "Linguistic Universals and Linguistic Change", en Bach y Harms, *Universals,* pp. 171-202; Fernando Lázaro, "Sintaxis y Semántica", en *REL,* IV, 1, 1974, pp. 61-85; R. E. Lees, *The Grammar of English Nominalizations,* Memoir, 23, *IJAL,* Bloomington, Indiana, 1964³; J. D. McCawley, "The Role of Semantics in a Grammar", en Bach y Harms, *Universals,* pp. 124-169; Carlos P. Otero, *Evolución y revolución en romance,* Barcelona, Seix Barral, 1971; D. Perlmutter, *Deep and Surface Structure Constraints in Syntax,* Nueva York, Holt, Rinehart and Winston, 1970; Paul M. Postal, *Aspects of Phonological Theory,* Nueva York, Harper and Row, 1968; Mario Saltarelli, "Romance Dialectology and Generative Grammar", en *Orbis,* XV, 1966, pp. 51-59; Víctor

El planteamiento de Chomsky es bastante complejo; intentaremos reducirlo a sus aspectos fundamentales:

(a) Chomsky demuestra la falta de adecuación de las teorías de tipo taxonómico para dar cuenta de fenómenos tan elementales y característicos de las lenguas naturales como la concordancia [137]. Las teorías examinadas tampoco son capaces de dar cuenta de una manera explícita de cómo los seres humanos son capaces de crear constantemente nuevos mensajes y ser entendidos por los oyentes. Este último punto va ligado íntimamente con el problema general, e importantísimo, de establecer cómo se adquiere el lenguage, problema que se tratará en (c).

SÁNCHEZ DE ZAVALA (comp.), *Semántica y sintaxis en la lingüística transformatoria. Comienzos y centro de la polémica,* I, Madrid, Alianza, 1974; S. A. SCHANE (ed.), *La phonologie générative,* en *Langages,* 8, 1967; John SEARLE, *Chomsky's Revolution in Linguistics,* Nueva York, 1972 (traducción española de Carlos MANZANO, Barcelona, Anagrama, 1973); U. WEINREICH, "Explorations in Semantic Theory", en *CTL,* III, pp. 395-477 (publicado como libro, La Haya, Mouton, 1966).

137. "El problema crítico para la teoría gramatical no es hoy en día el corto número de datos, sino más bien la inadecuación de las teorías actuales para dar razón de masas de datos que apenas se pueden poner en duda", ha escrito Noam Chomsky en *Aspectos de la teoría de la sintaxis,* p. 20. Paul M. POSTAL, en su obra *Constituent Structure: A Study of Contemporary Models of Syntactic Description, IJAL,* XXX, n.° 1, Part III, 1964, ha formalizado diferentes teorías estructurales y ha demostrado su escasa adecuación para dar cuenta de los hechos lingüísticos; vid. la dura reseña de este investigador a la traducción inglesa de la obra de MARTINET, *Elementos de lingüística general,* en *FL,* II, 1966, pp. 151-186. Chomsky ha puesto de manifiesto la imposibilidad de comparar teorías que no han sido creadas bajo los supuestos de la formalización, vid. *Aspectos,* p. 37, donde escribe: "Es también evidente que no se puede usar las medidas evaluativas de los tipos discutidos en los escritos de gramática generativa para comparar diferentes teorías de la gramática; la comparación de una gramática de una clase de gramáticas propuestas con una gramática de otra, *por medio de una de esas medidas,* no tiene el menor sentido".

(b) La nueva teoría abandona el método inductivo, que hasta entonces había sido característico de las investigaciones lingüísticas. Se produce un planteamiento nuevo, similar a los puntos de partida teóricos de otras ciencias: una vez que se poseen los datos suficientes de tipo descriptivo, la ciencia, en este caso la lingüística, debe abandonar las tareas taxonómicas y pasar a una fase posterior: la construcción de modelos de funcionamiento y predicción.

(c) Chomsky sostiene, frente a la psicología de base conductista, que el aprendizaje se realiza gracias a la facultad innata que el ser humano posee. Dada la capacidad creativa del hablante, no es posible explicarla partiendo de los términos tradicionales de *estímulo, respuesta, refuerzo,* etc.[138] Se trata de plantear el lenguaje como un conjunto finito de mecanismos capaz de crear un conjunto infinito de mensajes.

(d) Aceptados los puntos anteriores, el investigador tendrá que construir una teoría que intente dar cuenta de la capacidad lingüística del hablante, de su capacidad creativa, que posee inconscientemente, la *competencia,* y que realiza en cada acto de habla, *actuación*[139]. El lingüista debe inten-

138 Vid. la reseña de Chomsky a la obra de B. F. SKINNER, *Verbal Behavior,* que se publicó en *Lan,* XXXV, 1959, pp. 26-58, recogida en Jerry A. FODOR y Jerrold J. KATZ, *The Structure of Language. Readings in the Philosophy of Language,* Prentice-Hall, Englewood Cliffs, Nueva Jersey, 1964, pp. 547-578, traducida al francés en *Langages,* XVI, diciembre, 1969, pp. 16-49, y al español en *Convivium,* XXXVIII, 1973, pp. 65-105. Vid. *Aspectos,* p. 45 y ss., y especialmente p. 55. El tema se ha convertido en un lugar común dentro de los trabajos de orientación generativa.

139. La distinción *competencia-actuación* recuerda vagamente la tradicional *lengua-habla,* sin embargo las diferencias son importantes. "Hacemos, pues —escribe Chomsky—, una distinción fundamental entre COMPETENCIA (el conocimiento que el hablante-oyente tiene de su len-

tar la construcción de un modelo que corresponda a la *competencia* de un hablante-oyente ideal, que será la *gramática* de la lengua en cuestión.

(e) La *gramática* será un conjunto de reglas capaz de dar cuenta del mecanismo finito mencionado en (c), o mejor todavía, un *modelo de la competencia* (d) que dé cuenta, gra-

---

gua) y ACTUACIÓN (el uso real de la lengua en situaciones concretas). Sólo en la idealización establecida en el párrafo anterior es la actuación reflejo directo de la competencia. En la realidad de los hechos, es obvio que no puede reflejar directamente la competencia. Cualquier testimonio del habla natural mostrará numerosos arranques en falso, desviaciones de las reglas, cambios de plan a mitad de camino y demás. Para el lingüista, como para el niño que está aprendiendo la lengua, el problema es determinar con los datos del uso el sistema de reglas subyacente que el hablante-oyente domina y del que se vale en la actuación concreta. De ahí que, en sentido técnico, la teoría lingüística sea mentalística, ya que se trata de descubrir una realidad mental subyacente en la conducta concreta. El uso observado de la lengua o las hipotizadas disposiciones para responder, los hábitos y demás pueden brindar datos respecto a la naturaleza de esta realidad mental, pero desde luego no pueden constituir el verdadero objeto de la lingüística si ésta ha de ser una disciplina seria. La distinción que aquí señalo está relacionada con la distinción LANGUE/PAROLE de Saussure, pero es preciso rechazar su concepto de LANGUE como mero inventario sistemático de unidades y más bien volver a la concepción de Humboldt de la competencia subyacente como un sistema de procesos generativos", en *Aspectos,* p. 6. La interpretación de Chomsky no parece ajustarse a los últimos conceptos de *lengua* en Saussure, ya que la lengua aparece como un conjunto de reglas y no como un inventario; vid. las precisiones de R. GODEL, en *CTL,* III, 1966, pp. 489-490, donde se lee: "Todo hablante, al construir sus oraciones, aplica inconscientemente las reglas de la lengua, y éstas le permiten comprender e interpretar correctamente los enunciados de otros hablantes. Equivale a decir que las oraciones pertenecen a la lengua en la medida en que el código incluye pautas oracionales. Si recordamos que las oraciones son sintagmas y que la sintagmática es una parte de la gramática, tenemos que reconocer la coherencia de la teoría de Saussure" (utilizo la traducción española de la obra colectiva *Ferdinand de Saussure,* ed. a cargo de Ana María NETHOL, Buenos Aires-México-Madrid, Siglo XXI, 1971, p. 53).

cias a un conjunto de reglas, de todas las frases bien formadas de la lengua, de todas las frases *gramaticales* y sólo de ellas y sea capaz de excluir a todas lás frases *no gramaticales.*

(f) Las gramáticas de este tipo serán llamadas *generativas*, de acuerdo con el término matemático *generar*, 'hacer explícito por medio de reglas'[140], reglas que se van aplicando ordenadamente para enumerar todas las frases gramaticales de una lengua. Este conjunto de reglas trata de dar cuenta de todo el mecanismo que es capaz de poner en relación un significado con una estructura fónica. Una gramática generativa estará formada, según la teoría estándar, por una *estructura profunda,* de carácter sintáctico, de tipo abstracto, que irá acompañada de dos subcomponentes de carácter interpretativo: un subcomponente semántico y otro fónico. Dentro de la teoría de *Aspects* sólo la *estructura profunda* determina el significado de las frases; los subcomponentes, como ya se ha indicado, son puramente interpretativos.

Estos tres componentes, con sus correspondientes niveles, sus elementos y relaciones, forman un *universal* de tipo *formal.* Junto a los universales formales, "que implican —como ha escrito Chomsky— el carácter de las reglas que aparecen en las gramáticas y sus posibles modos de interconexión", existen los *universales substanciales,* que se refieren al conjunto de elementos de un tipo determinado, que pueden ser extraídos de una clase de elementos fija; por ejemplo, si se toman los rasgos distintivos de R. Jakobson.

140. N. Chomsky, "On the Notion 'Rule of Grammar' ", en R. Jakobson (ed.), *Structure of Language and its Mathematical Aspects,* Proceedings of the Twelfth Symposium in Applied Mathematics, Providence, 1961, pp. 6-24; reimpreso en J. A. Fodor y J. J. Katz, *op. cit.*, pp. 119-136; existe traducción francesa en *Langages,* IV, diciembre, 1966, pp. 81-104.

Existirán, pues, reglas sintácticas que enumerarán un conjunto infinito de estructuras sintácticas, que aparecerán en coordinación con un significado gracias a las reglas semánticas, y con su estructura fónica mediante reglas fonológicas.

(g) El componente central es bastante complejo de estructura; consta de unas reglas básicas abstractas, las *reglas sintagmáticas,* y de un *léxico* donde se contienen todos los morfemas de la lengua clasificados de acuerdo con sus rasgos sintácticos, semánticos y fonológicos. Ambos elementos forman la *base* del conjunto central; existen, además, un conjunto de *reglas de transformación,* de diferentes tipos, cuya misión fundamental es poner en relación las estructuras profundas con las estructuras superficiales. Un tipo de reglas de transformación convierte unas oraciones en otras de clase diferente (activas en pasivas, por ejemplo); otro tipo introducen un elemento o una frase o eliminan algún elemento. Existen unas reglas de transformación muy específicas, como las que establecen la concordancia.

Una vez que han entrado en funcionamiento todas las reglas de transformación, que lo hacen por un orden establecido en la gramática, aparecen las reglas morfológicas y fonológicas que proporcionan el conjunto de instrucciones para la materia sonora.

Como se advierte, esta teoría engloba todos los niveles, que tanto preocuparon a los estructuralistas, de una manera armónica y presenta un carácter muy completo. La relación indirecta entre significado y sonido queda patente en el conjunto de reglas y transformaciones que toda frase tiene que seguir necesariamente. La construcción de la teoría, de la gramática, de acuerdo con rigurosos principios científicos, debe ser explícita y estar formulada con medios tales que pueda comprobarse en cualquier momento su falsedad. En este punto se encuentra otra de las características más sugestivas de la teoría generativa: la posibilidad de demostrar su falsedad como parte integrante de la propia teoría. Esta posibilidad proporciona una base de *autocorrección,* de la que carecían los estudios de tipo estructural y que ha proporcionado interesantes avances a las nuevas investigaciones.

(h) Actualmente, el gran problema teórico que tiene planteado la lingüística de tipo generativo es la disputa entre los partidarios de la teoría estándar, de acuerdo con los principios expuestos hasta aquí, y un grupo de discípulos de Chomsky que creen que es necesario partir de una semántica generativa y no únicamente interpretativa[141].

1.4. Filología y lingüística

1.4.1. Filología y lingüística en la España del siglo xx *

En 1.1.4. se han establecido de una manera muy elemental las líneas maestras del pensamiento lingüístico en la España del siglo XIX. La nota más característica es la ausen-

141. Vid. el estado de la cuestión en el trabajo de Fernando Lázaro, "Sintaxis y semántica", en *REL,* IV, 1, 1974, pp. 6-85, y la antología compilada por Víctor Sánchez de Zavala, *Semántica y sintaxis en la lingüística transformatoria,* I, Madrid, Alianza, 1974, que contiene estudios sobre el tema de N. Chomsky, G. Lakoff, J. D. McCawley y J. R. Ross.

* Diego Catalán Menéndez-Pidal, *La escuela lingüística española y su concepción del lenguaje,* Madrid, Gredos, 1955; "Ibero-romance", en *CTL,* IX, 2.ª parte, 1972, pp. 927-1106 (existe una edición española con el título *Lingüística íbero-románica. Crítica retrospectiva,* I, Madrid, Gredos, 1974); Yakov Malkiel, "Old and New Trends in Spanish

cia total de comparatismo e historicismo en la investigación hispánica decimonónica. Esta ausencia, como también sucede en la mayor parte de Hispanoamérica, producirá, a su vez, un gran desinterés por los problemas teóricos. Gracias al trabajo de Menéndez Pidal y de los primeros hombres del *Centro de Estudios Históricos,* el historicismo hispánico salvará, y con gran originalidad, la ausencia de tradición, pero, lamentablemente, las cuestiones epistemológicas y los trabajos de tipo descriptivo no tendrán tanta suerte, salvo en los estudios fonéticos, merced al esfuerzo de Tomás Navarro Tomás y Samuel Gili Gaya. Los lingüistas peninsulares en la primera mitad del siglo xx, salvo honrosas excep-

---

Linguistics", en *StPh,* XLIX, 1952, pp. 437-458; "Filología española y lingüística general", en *Actas del Primer Congreso de Hispanistas (Oxford, 1962),* Oxford, 1964, pp. 107-126; Dámaso Alonso, "La obra lingüística de D. Vicente García de Diego", en *BRAE,* XLVIII, 1968, pp. 373-386; Carlos Blanco Aguinaga, *Unamuno, teórico del lenguaje,* México, El Colegio de México, 1954; M.ª Concepción Casado, "Nuestros filólogos: Vicente García de Diego", en *BFE,* VI, 1960, pp. 1-5; Américo Castro, "Rafael Lapesa", en *Studia Hispanica in honorem R. Lapesa,* I, pp. 11-13; Gerardo Diego, "En los noventa años de Don Vicente García de Diego", en *BRAE,* XLVIII, 1968, pp. 365-371; Luis Flórez, "Tomás Navarro Tomás", en *Orbis,* V, 1956, pp. 556-560 (vid. nota 158); Antonio Gallego Morell, "Homero Serís", en *RFE,* LIV, 1971, pp. 165-175; Manuel García Blanco, *Don Miguel de Unamuno y la lengua española,* Salamanca, 1952; F. Huarte, "El ideario lingüístico de Miguel de Unamuno", en *Cuadernos de la cátedra de Miguel de Unamuno,* V, pp. 5-183; Rafael Lapesa, "Carlos Clavería Lizana (1909-1974)", en *BRAE,* LIV, 1974, pp. 357-363; Y[akov] M[alkiel], "Américo Castro (1885-1972) as a Philologist", en *RPh,* XXVII, 1973-1974, pp. 61-62; Manuel Muñoz Cortés, "Tendencies and Stylistic Schools in Spain", en *Style,* Univ. of Arkansas, III, 1969, pp. 134-154; V. Ruiz Ortiz, "Nuestros filólogos: Dámaso Alonso", en *BFE,* VII, 1960, pp. 1-5; "Rafael Lapesa Melgar", en *BFE,* IX, 1961, pp. 1-7. La bibliografía referente a D. Ramón Menéndez Pidal se encuentra en nota 151 (el autor debe reconocer su deuda con el trabajo de Diego Catalán, en *CTL,* IX, 2.ª parte, 1972, pp. 927-1106, que le ha sido básico para la redacción de este capítulo).

ciones de hombres dedicados a estudios descriptivos (Samuel Gili Gaya y Salvador Fernández Ramírez), encontrarán una metodología firmemente establecida en el historicismo o en los estudios monográficos dialectales, que se inician como modelo con el trabajo del malogrado P. Sánchez Sevilla sobre Cespedosa de Tormes (ya en 1910, Menéndez Pidal, A. Castro, T. Navarro Tomás y F. de Onís habían comenzado los trabajos de investigación dialectal sobre el dominio lingüístico leonés)[142], y hacia estas dos metas encaminarán sus pasos. No es ninguna casualidad que la primera revista dedicada a la investigación de las lenguas y las literaturas modernas, como ha observado agudamente Malkiel, sea *Filología Moderna*, que se comienza a publicar en 1960; como no lo es tampoco que las primeras cátedras universitarias de *Lengua Española*[143] se hayan dotado en los años finales de la década de los sesenta.

142. V. García de Diego publicó su estudio titulado "Dialectalismos" en *RFE*, III, 1916, pp. 301-318.

143. Cuatro únicamente en el momento de redactar este capítulo (1974). La *Lingüística General* no existe como cátedra independiente en España, aunque se mantienen las clásicas denominaciones de *Gramática General y Crítica Literaria;* incluso, en los últimos años, se han elaborado planes de estudio de carácter nacional que carecían de la disciplina de *Lingüística General,* y que iban destinados a futuros especialistas en *Filología Hispánica.* En 1945, cuando Javier de Echave tradujo la *Historia de la lingüística* de Thomsen (1902), que se publicó en Barcelona, por Labor, no existía en español ningún manual de historia de la lingüística para los alumnos universitarios. La sorpresa de G. Mounin en su libro *Histoire de la Linguistique. Des origines au XXe siècle,* París, PUF, 1967, p. 217, porque el profesor Echave añada un epílogo sobre la escuela sociológica de París y el idealismo y no cite los autores estructuralistas, me parece significativa, pues este hecho refleja claramente la situación teórica peninsular, con un fuerte predominio de las corrientes idealistas. En filología clásica había empezado un poco antes el interés por los problemas de historiografía lingüística; de 1942 son las conferencias dadas por Antonio Tovar a los alumnos de la Facul-

A fines del siglo XIX, cuando inicia sus publicaciones don Ramón Menéndez Pidal (1869-1968), se contaba en el vecino Portugal con los trabajos de la benemérita investigadora doña Carolina Michaëlis (1851-1925), formada en la tradición germánica; en España, se publicaba en 1893 la *Biblioteca* del Conde de la Viñaza, que sigue siendo hoy fuente obligada; estaban apareciendo las publicaciones de E. Benot, dotadas de gran originalidad y que han sido injustamente olvidadas; y existían por esas fechas del cambio de siglo algunas traducciones que veían la luz de una manera esporádica: el primer capítulo de la obra de Whitney, *The Life and Growth of Language*, que aparecía en una traducción anónima, con el título de *La vida del lenguaje: De cómo el hombre adquiere el lenguaje*, Madrid, 1890[144]; sospecho que por esas fechas José de Case tradujo *La ciencia del lenguaje* de Max Müller (siguiendo la 6.ª ed. de Londres, 1866)[145]; y sin fecha, en la colección de *La España Moderna*, aparecía la traducción, también anónima, del *Ensayo de Semántica* (*Ciencia de las significaciones*) de M. Bréal.

Como ha demostrado con una dramática anécdota don Américo Castro[146], Menéndez Pidal careció de maestros en el terreno lingüístico, y tuvo que construir con auténtico tesón y originalidad todas las bases de la nueva ciencia filológica. La labor de don Ramón, engarzada claramente

---

tad de Letras de Valladolid, que se recogieron en su libro *Lingüística y filología clásica. Su situación actual*, Madrid, Revista de Occidente, Col. Hesterna Hodierna, La herencia científica del siglo XIX y nosotros, 1944.

144. B. A. TERRACINI, en *RFH*, V, 1943, p. 112, n. 3.

145. B. A. TERRACINI, *loc. cit.*, p. 108, n. 4. La misma obra se ha publicado en Buenos Aires en 1944.

146. *PSA*, XIII, n.º 39, 1959, p. 285.

con las ideas noventayochistas[147], no se limita a una obra personal, grandiosa de amplitudes y de precisión, sino que se extiende a su labor organizadora en el *Centro de Estudios Históricos* (1910)[148] y en la *Junta para la Ampliación de Estudios e Investigaciones Científicas* (1907), con sus proyectos personales y colectivos[149], con su magisterio constante, que culmina en su ejemplaridad personal, como glosó G. Marañón[150].

La obra de Menéndez Pidal[151] comienza con su trabajo

147. Julián MARÍAS, "Los frutos tardíos. Don Ramón Menéndez Pidal en su generación", en *PSA,* XIII, n.º 39, 1959, p. 322; Diego CATALÁN, en *CTL,* IX, 2.ª parte, 1972, pp. 930 y 942; Pedro LAÍN ENTRALGO, *La Generación del Noventa y Ocho,* Madrid, Austral, 1947, p. 29; Gianfranco CONTINI, "Memoria di Ramón Menéndez Pidal", en *Altri esercizî (1942-1971),* Turín, Einaudi, 1972, p. 388; Amancio BOLAÑO E ISLA, "Menéndez Pidal y la Generación del 98", en *ALM,* VII, 1968-1969, pp. 59-64.

148. El acogedor ambiente del *Centro* ha sido evocado por Rafael LAPESA, en *PSA, loc. cit.,* pp. 315-316; vid., además, el trabajo de Tomás NAVARRO TOMÁS, "Don Ramón en el Centro de Estudios Históricos", en *ALM,* VII, 1968-1969, pp. 10-24, que me ha proporcionado interesantes noticias sobre la organización del *Centro.*

149. A. CASTRO, *loc. cit.,* pp. 288-289. Los proyectos personales de don Ramón Menéndez Pidal eran una *Historia de la lengua* y una *Historia de la poesía épica.* Sobre este problema debe consultarse el trabajo de Diego CATALÁN MENÉNDEZ PIDAL, "Las obras futuras de Menéndez Pidal", en *LT,* 18-19, 1970-1971, pp. 51-73. Entre los capítulos publicados de la futura **Historia de la lengua,* hay que señalar el titulado "El lenguaje del siglo XVI", en *Cruz y Raya,* VI, 1933, pp. 9-63.

150. *BRAE,* XXXIX, 1959, p. 10.

151. H. SERÍS y G. ARTETA, "Ramón Menéndez Pidal: bibliografía", en *RHM,* IV, 1938, pp. 302-330; M. L. VÁZQUEZ DE PARGA, "Bibliografía de don Ramón Menéndez Pidal", en *RFE,* XLVII, 1964, pp. 7-127; Dámaso ALONSO, "Menéndez Pidal y su obra", en *Del Siglo de Oro a este siglo de siglas,* Madrid, Gredos, 1962, pp. 113-125; "Menéndez Pidal en la *RFE*", en *RFE,* LI, 1968, pp. 1-15; "Juventud, madurez y ancianidad en la obra de Menéndez Pidal", en *BRAE,* XLVIII, 1968, pp. 351-360; *Menéndez Pidal y la cultura española,* La Coruña, Instituto "José Cornide", 1969; "La tradición épica castellana en la obra de

Menéndez Pidal (Teoría y hechos comprobados)", en *LT,* 18-19, 1970-1971, pp. 15-49; E. ALLISON PEERS, "Hispanists past and present. Ramón Menéndez Pidal", en *BSS,* V, 1928, pp. 127-131; Manuel ALVAR, "De Ortega a Celaya: Una lección de los *Orígenes del español*", en *ALM,* VII, 1968-1969, pp. 65-71; "La lección de Menéndez Pidal: Las dos ediciones del *Poema de Yúçuf*", en *Fil,* XIII, 1968-1969 [1970], pp. 49-58; A. ANTELO IGLESIAS, "Filología e historiografía en la obra de Ramón Menéndez Pidal", en *BICC,* XIX, 1964, pp. 397-415; Antonio M.ª BADÍA MARGARIT, "Ramón Menéndez Pidal (1869-1968)", en *RLiR,* XXXIII, 1969, pp. 220-222; Marcel BATAILLON, "Don Ramón Menéndez Pidal (1869-1968)", en *BHi,* LXXI, 1969, pp. 441-451; Amancio BOLAÑO E ISLA, "Menéndez Pidal y la Generación del 98", en *ALM,* VII, 1968-1969, pp. 59-64; Francisco CANTERA BURGOS, "Don Ramón Menéndez Pidal y la historia hispana", en *CuH,* 238-240, oct.-dic., 1969, pp. 27-41; M.ª Concepción CASADO, "Nuestros filólogos: D. Ramón Menéndez Pidal", en *BFE,* II, 1954, pp. 9-12; Américo CASTRO, "Cuánto le debemos", en *PSA,* XIII, n.º 39, 1959, pp. 283-290; Diego CATALÁN MENÉNDEZ PIDAL, "Las obras futuras de Menéndez Pidal", en *LT,* 18-19, 1970-1971, pp. 51-73; Gianfranco CONTINI, "Memoria di Ramón Menéndez Pidal", en *Altri esercizî (1942-1971),* Turín, Einaudi, 1972, pp. 387-403 (conferencia pronunciada en la *Accademia dei Lincei* el día 13 de diciembre de 1969 y publicada en 1970); Guillermo DÍAZ-PLAJA, "Ramón Menéndez Pidal", en *LT,* 18-19, 1970-1971, pp. 163-177; M. FERNÁNDEZ AVELLO, "El bautismo literario de Don Ramón Menéndez Pidal", en *AO,* IX, 1959, pp. 7-11; Vicente GARCÍA DE DIEGO, "Don Ramón Menéndez Pidal (1869-1968)", en *BRAE,* XLVIII, 1968, pp. 343-349; Luis GARCÍA DE VALDEAVELLANO, "Don Ramón Menéndez Pidal (1869-1968)", en *BRAH,* CLXIII, 1968, pp. 177-189; Iorgu IORDAN, "Ramón Menéndez Pidal (1869-1968)", en *SCL,* XX, 1969, pp. 685-687; Rafael LAPESA, "Doctrina y ejemplo de don Ramón", en *PSA,* XIII, n.º 39, 1959, pp. 283-290; "La mesura del claro varón", en *BRAE,* XLIX, 1969, pp. 391-394; "Don Ramón Menéndez Pidal. Los trabajos y los días", en *RyF,* 179, 1969, pp. 475-492; "Menéndez Pidal y la lingüística", en *CuH,* 238-240, oct.-dic., 1969, pp. 7-16; "Don Ramón Menéndez Pidal. Ejemplo y doctrina", en *Fil,* XIII, 1968-1969 [1970], pp. 1-32; Fernando LÁZARO CARRETER, "Don Ramón, maestro", en *Insula,* 268, 1969, pp. 3 y 14; Pierre LE GENTIL, "La notion d'*État latent* et les derniers travaux de M. Menéndez Pidal", en *BHi,* LV, 1953, pp. 113-148: "Le traditionalisme de D. Ramón Menéndez Pidal", en *BHi,* LXI, 1959, pp. 183-214; Jean LEMARTINEL, "Cartas de Menéndez Pidal a Morel-Fatio", en *CuH,* 238-240, oct.-dic., 1969, pp. 246-266; Yakov MALKIEL, "Old and New Trends in Spanish Linguistics", en *StPh,* XLIX, 1952, pp. 437-458, especialmente p. 441

sobre el *Poema de Mio Cid,* en el que se fija el texto y se hace el estudio gramatical y de vocabulario (1893)[152], y tres

y ss.; "Era omme esencial...", en *RPh,* XXIII, 1970-1971, *Ramón Menéndez Pidal Memorial,* Part I, pp. 371-411; Juan Antonio MARAVALL, *Menéndez Pidal y la historia del pensamiento,* Madrid, Arión, 1960; F. A. MARTÍNEZ, "Ramón Menéndez Pidal y Rufino José Cuervo. Correspondencia epistolar", en *Thesaurus, BICC,* XXIII, 1968, pp. 417-479; Julián MARÍAS, "Los frutos tardíos. D. Ramón Menéndez Pidal en su generación", en *PSA,* XIII, n.º 39, 1959, pp. 319-326; Harri MEIER, "Ramón Menéndez Pidal und die Methoden der Sprachgeschichte", en *ASNS,* CCV, 1968, pp. 418-430; "Ramón Menéndez Pidal y los métodos de la historia lingüística", en *ALM,* VII, 1968-1969, pp. 43-58; Ernesto MEJÍA SÁNCHEZ, "Menéndez Pidal y Alfonso Reyes", en *ALM,* VII, 1968-1969, pp. 25-42; Manuel MUÑOZ CORTÉS, "Don Ramón", en *BHS,* XXVI, 1949, pp. 200-210; "Del vivir de D. Ramón", en *Insula,* 268, 1969, p. 4; Tomás NAVARRO TOMÁS, "Don Ramón Menéndez Pidal en el Centro de Estudios Históricos", en *ALM,* VII, 1968-1969, pp. 9-24; Jesús NEIRA GONZÁLEZ, "Menéndez Pidal, una nueva tradición española", en *AO,* XVIII, 1968, pp. 5-10; Antonio QUILIS, "El Centenario de Don Ramón Menéndez Pidal: Don Ramón y la lengua española", en *BFE,* IX, 30-31, 1969, pp. 3-8; A. RABANALES, "La obra lingüística de Don Ramón Menéndez Pidal", en *RFE,* LIII, 1970, pp. 225-292; Juan REGLÁ, "Menéndez Pidal y el Compromiso de Caspe", en *CuH,* 238-240, oct.-dic., 1969, pp. 116-127; Francisco Javier SÁNCHEZ CANTÓN, "Sobre el estilo de Menéndez Pidal", en *BRAE,* XLIX, 1969, pp. 397-400; Antonio SÁNCHEZ ROMERALO, "Ramón Menéndez Pidal - Juan Ramón Jiménez. Notas de dos vidas paralelas", en *LT,* 18-19, 1970-1971, pp. 95-142; K. SCHNELLE, "Metodología e historia. Algunas reflexiones sobre la obra de Ramón Menéndez Pidal", en *CH*(3), pp. 823-830; K. SCHOTTLÄNDER, "Unas palabras sobre D. Ramón Menéndez Pidal", en *Revue Romane,* V, 1970, pp. 250-255; C. C. SMITH, *Ramón Menéndez Pidal, 1869-1968,* Londres, The Hispanic and Luso-Brazilian Councils, Diamante Series, 10, 1970; Guillermo DE TORRE, "Menéndez Pidal, el conciliador", en *Insula,* 268, 1969, pp. 1 y 13; Antonio TOVAR, "Menéndez Pidal y el problema de las lenguas primitivas de la Península", en *CuH,* 238-240, oct.-dic., 1969, pp. 17-26; "Menéndez Pidal y la Historia española", en *BRAE,* XLIX, 1969, pp. 369-374; "Sobre la escuela de Menéndez Pidal", en *LT,* 18-19, 1970-1971, pp. 75-93; Alonso ZAMORA VICENTE, "Una ojeada al magisterio de Ramón Menéndez Pidal", en *LT,* 18-19, 1970-1971, pp. 143-162.

152. La gran edición aparecerá en 1908-1911. Ya *La leyenda de*

años después publica su libro *La leyenda de los Infantes de Lara;* en 1906 aparece su edición de la *Primera Crónica General.* Desde muy joven, don Ramón había sentido curiosidad por el estudio de los elementos dialectales (sus *Notas acerca del bable de Lena* se publicaron en 1897), y también por los problemas etimológicos (*Ro,* XXIX, 1900, pp. 334-379). La formación del ilustre filólogo era totalmente positivista, pero no pudo sustraerse al inmenso atractivo que podían ofrecerle el estudio de la creación literaria o el de la transmisión épica; de aquí que la obra de Menéndez Pidal, desde su juventud, ofrezca como característica más acusada el amor por la *filología,* entendida como el estudio de los problemas lingüísticos, histórico-literarios o estilísticos que un texto puede suponer[153]. Este amor, unido con la precisión y el rigor en el trabajo científico, aprendido en las técnicas positivistas y en la actitud ética de los hombres de la Institución Libre de Enseñanza, son, con su obra, la más hermosa herencia que Menéndez Pidal ha legado a la ciencia lingüística y literaria hispánicas.

---

los Infantes de Lara había producido una reseña elogiosa del erudito Morel-Fatio en las páginas de la prestigiosa revista *Romania*; "Si en España se lee este libro —escribía el ilustre hispanista—, si se le comprende, puede provocar un verdadero renacimiento de los estudios filológicos e históricos. Los jóvenes, sobre todo, aprenderán en él que nada, ni aun las dotes más brillantes, puede reemplazar al trabajo metódico, la escrupulosidad en las investigaciones y el prurito constante de la exactitud", *apud* Dámaso Alonso, *BRAE,* XLVIII, 1968, p. 353.

153. Sobre el valor de *filología* y *filólogo* en la Escuela de Madrid, vid. Yakov Malkiel, *CTL,* IV, 1968, p. 158, y Diego Catalán, *CTL,* IX, 2.ª parte, 1972, p. 933. El uso de estos términos está claramente diferenciado en su significación del término *lingüista*; por ejemplo, en el prólogo al volumen I del *Homenaje a Menéndez Pidal,* Madrid, 1925, se lee: "Numerosos filólogos y lingüistas acudieron con pasmosa solicitud a la invitación de la Comisión organizadora y se adhirieron con valiosos trabajos en la idea de formar este conjunto de monografías".

En 1904 aparece la primera edición del actual *Manual de gramática histórica española,* la contribución más fiel a las teorías y a las metodologías historicistas de corte germánico, y dos años después publica su obra *El dialecto leonés.*

Entre 1911 y 1917, Diego Catalán sitúa la variación en el pensar teórico de don Ramón Menéndez Pidal, que le lleva a un abandono del positivismo como teoría general, no del positivismo auxiliar, para utilizar el término de Vossler. Don Ramón reconoce que el hecho lingüístico, y también el hecho literario, no pueden ser estudiados como objetos científicos independientes de la historia o de la cultura [154]. Estos años, además, serán decisivos para la formación de la primera generación de alumnos del *Centro de Estudios Históricos,* para usar la clara clasificación generacional de D. Catalán; esta primera generación está formada por Américo Castro, Federico de Onís y Tomás Navarro Tomás, quien muy pronto se encargaría de todos los problemas relacionados con la fonética de tipo experimental; a este conjunto de investigadores, se unirán lingüistas de formación diferente, como don Vicente García de Diego [155].

En 1914, el *Centro* edita el primer tomo de la *Revista de Filología Española,* que se presentaba con el rigor y el tipo de temas que le iban a ser característicos [156]. La *Revista*

154. Diego CATALÁN, *op. cit.,* p. 935 y ss. Las características de la obra de Menéndez Pidal en su primera época han sido estudiadas por Dámaso ALONSO, "Juventud, madurez y ancianidad en la obra de Pidal", en *BRAE,* XLVIII, 1968, p. 354.

155. *CTL,* IX, 2.ª parte, p. 941. Sobre los trabajos y el pensamiento teórico de don Vicente García de Diego, vid. Dámaso ALONSO, "La obra lingüística de Don Vicente García de Diego", en *BRAE,* XLVIII, 1968, pp. 373-386. Don Vicente García de Diego fundará con el CSIC la *Revista de Dialectología y Tradiciones Populares* (1944); la obra de García de Diego presenta la novedad, en su contexto, de plantear problemas de lingüística general.

156. Vid. *Guía para la consulta de la Revista de Filología Española*

de Filología Española procedía de un primer proyecto de publicación que se iba a titular *Cuadernos de Trabajo del Centro de Estudios Históricos,* que reuniría colaboraciones de todas las Secciones del *Centro,* como ha narrado D. Tomás Navarro Tomás: "Por correspondencia con don Ramón, advertí que el proyecto de los *Cuadernos* no llenaba enteramente sus propósitos. Su deseo hubiera sido una revista de publicación regular y de carácter propiamente filológico. Por su indicación, cuando me hallaba trabajando en el Phonetisches Laboratorium de Hamburgo, me puse en contacto con la oficina editorial dc la *Revue de Dialectologie Romane,* establecida en el Vorlesungsgebäude de aquella ciudad. Recibí generosa información del doctor Fritz Krüger, joven hispanista entonces y hoy prestigiosa autoridad en lingüística española. Me hice además con un ejemplar de la *Zeitschrift für Französiche Literature,* superior a las demás revistas de aquel tiempo por la organización de sus secciones y por su presentación tipográfica.

"La puntualidad de estos acuerdos hace necesario decir que cuando regresé a Madrid en 1914, pertrechado de notas y de impulso juvenil, en el ánimo de don Ramón se definió concretamente la idea de la *Revista de Filología Española.* Los estudios sobre *Elena y María* y sobre el *Viaje a la Meca,*

(1914-1960), compilada por Alice M. Pollin y Raquel Kersten. Codificación electrónica dirigida por Jack Heller, Nueva York, New York University Press, 1964. Este libro presenta los índices temáticos de la *RFE;* también es muy útil para trabajos de muy diverso tipo la obra *Indice de voces y morfemas de la RFE,* 2 vols., *RFE,* Anejo LXXXVIII, Madrid, CSIC, 1969, elaborada por Elena Alvar, con la colaboración de C. Mas, P. Mulet y V. Robles, bajo la dirección de Manuel Alvar. Curiosamente, en el tomo I de la *RFE,* pp. 340-341, aparece una dura reseña de la obra de Charles Bally, *Le langage et la vie,* firmada por J. O. G., que nos indica el poco aprecio en los primeros años del Centro por la teoría de este lingüista.

dispuestos para el *Cuaderno de Trabajo,* pasaron a formar el primer número de la *Revista,* y se procedió con urgencia a la redacción de las reseñas de libros y de la bibliografía metódica que habían de acompañar a aquellos estudios. El primer fascículo de la *Revista* apareció pocas semanas antes de que empezara la primera guerra europea. La primera suscripción que recibimos fue la de don Miguel de Unamuno" (*ALM*, VII, 1968-1969, pp. 13-14).

En estos años, se desarrolla la época denominada de *madurez* por Dámaso Alonso; los años comprendidos entre 1910 y 1929, que, para mi gusto, tienen su cima más alta en 1926 con la publicación de su libro *Orígenes del español. Estado lingüístico de la Península hasta el siglo XI*, la obra más hermosa de toda la filología hispánica. En esta época concluye Menéndez Pidal sus trabajos más importantes sobre problemas de la épica: *Poesía juglaresca y juglares* (1924) y *La España del Cid* (1929). Entran en el *Centro* alumnos más jóvenes: A. Alonso, S. Fernández y D. Alonso, y muy poco después P. Sánchez Sevilla y Rafael Lapesa, que serán los alumnos notables de la época de madurez de Menéndez Pidal, y también disfrutarán del magisterio de Navarro Tomás y Américo Castro[157]. Son también los años de madurez para los trabajos del *Centro*: investigaciones fonéticas a cargo de Navarro Tomás[158], Gili Gaya y A. Alonso; preocu-

157. Diego Catalán, *op. cit.*, p. 941, n. 70, quien cita además al conjunto de encuestadores del *ALPI,* y nombres como J. Corominas, A. Steiger, G. Tilander y G. Sachs, que procedían de formaciones teóricas muy diversas y que colaboraron en los trabajos del *Centro de Estudios Históricos.*

158. Para la bibliografía de T. Navarro Tomás, vid. Luis Flórez, "Tomás Navarro Tomás", en *Orbis,* V, 1956, pp. 556-560, y Theodore S. Beardsley Jr, *Tomás Navarro Tomás. A Tentative Bibliography 1908-1970*, Nueva York, Centro de Estudios Hispánicos, Syracuse University, 1971.

pación por los *glosarios* y por los estudios léxicos en A. Castro y S. Gili Gaya, y se comienzan a perfilar las líneas generales del *ALPI*, cuyo primer tomo se publicará por el CSIC en 1962[159].

Además de la *Sección de Filología,* dirigida por Menéndez Pidal, el *Centro de Estudios Históricos* contaba con la sección de *Instituciones Medievales,* bajo la dirección, en sus comienzos, de E. de Hinojosa y, posteriormente, de C. Sánchez Albornoz; la sección de *Arqueología y Arte,* dirigida por M. Gómez Moreno y E. Tormo; la de *Estudios Árabes,* por J. Ribera y M. Asín; son más tardías las secciones de *Historia de España* (R. Altamira) y *Derecho Civil* (F. Clemente de Diego).

Por su contacto con los problemas de la filología hispánica, es necesario mencionar los investigadores arabistas y hebraístas, que recogieron gran parte de la tradición decimonónica de los trabajos de R. Dozy y F. J. Simonet; además de los ya citados, J. Ribera y M. Asín, hay que señalar la obra de F. Codera, E. García Gómez y J. Oliver Asín, en el terreno del arabismo; y entre los hebraístas, la de J. M.ª Millás, en Barcelona, e I. González Llubera, en Inglaterra (vid. D. Catalán, *CTL,* IX, 2.ª parte, pp. 963-966).

En la década de los veinte las actividades científicas del *Centro* se incrementan con la invitación a conferenciantes extranjeros: Meyer-Lübke, Vossler, Bataillon, Serrailh, Lenz, Marden o Espinosa. "Bajo el nombre de don Ramón —ha escrito Navarro Tomás—, el papel del Centro, sin haberlo pretendido, vino a ser en Madrid el de un verdadero instituto de relaciones culturales".

159. Todos estos aspectos han sido estudiados por D. Catalán, en *CTL,* IX, 2.ª parte, p. 957 y ss. Vid., además, M. Sanchis Guarner, *La cartografía lingüística en la actualidad y el Atlas de la Península Ibérica,* Madrid, CSIC, 1953.

La última sección creada fue la de *Estudios Clásicos*, dirigida por G. Bonfante, en la que trabajó A. Tovar, que pertenece, junto con M. Muñoz Cortés, en la de Filología, a la generación más joven del *Centro de Estudios Históricos.*

Junto a las actividades del *Centro* en Madrid, aparecen los trabajos del *Institut d'Estudis Catalans* de Barcelona (1907), que también fundaría una sección dedicada a los estudios filológicos (1911). Las labores iniciales tuvieron un imprescindible carácter normativo, que ya venía precedido por los trabajos del *Primer Congrés Internacional de la Llengua Catalana, Barcelona, 1906,* cuyo presidente de las Comisiones organizadoras había sido Mossèn Antoni M.ª Alcover; en las Actas del Congreso puede leerse: "Cal, donchs, ara que la llengua catalana ha recobrat la seva dignitat literària, que'ns afanyèm a estudiar-la tècnicament en la seva íntima estructura. Es aquesta una necessitat espiritual nostra y un deute que tenim amb la cultura universal". Este estudio técnico, para el que se pedía el concurso de los científicos del mundo entero, tuvo una primera fase caracterizada por los trabajos de Alcover y por las obras de P. Fabra, que están dotadas de excelente espíritu gramatical. En esta época los problemas de tipo normativo aparecen unidos con el interés por la dialectología (Alcover, Griera, Montoliu) y por la fonética experimental en Barnils, aunque no se descuiden otros campos, como la sintaxis medieval, en la obra clásica de A. Par. F. de B. Moll colaboró con Mossèn Alcover en la publicación de los dos primeros volúmenes del *Diccionari Català-Valencià-Balear,* que, desde 1932, a la muerte de Alcover, ha sido llevado a feliz término por el filólogo mallorquín. En la generación siguiente, destacan nombres de tanta calidad como J. Corominas y M. Sanchis Guarner (vid. *CTL,* IX, 2.ª parte, 1972, pp. 938-941, 944-948 y 972-973).

Como consecuencia de la guerra civil (1936-1939), quedó rota la inmensa labor del *Centro de Estudios Históricos*, y muchos de sus miembros emigraron al extranjero. La formación de los lingüistas españoles que cursaron sus estudios en los años cuarenta (E. Alarcos Llorach, Manuel Alvar, Diego Catalán, Fernando Lázaro o Félix Monge) se caracteriza por una continuidad de la vocación filológica del primer tercio del siglo xx, transmitida por las obras de los investigadores citados y por el magisterio de Dámaso Alonso [160], Manuel García Blanco y Rafael Lapesa [161]. Esta generación presenta, además, un mayor interés por las cuestiones teóricas y, como consecuencia, un deseo de aplicar nuevas metodologías en el análisis descriptivo de la lengua. Los años cuarenta y cincuenta conocerán también un auge de los estudios dialectales, en muchos casos monografías redactadas para obtención del grado de doctor. En 1952 se publica el *Cuestionario* del *Atlas lingüístico de Andalucía* [162], poste-

160. La interesante labor de investigación lingüística de Dámaso Alonso, en un curioso paralelo con su obra poética, se desarrolla en los años posteriores a 1939, salvo en dos artículos publicados en 1923 y 1931. Vid. Dámaso ALONSO, *Estudios lingüísticos peninsulares. Obras Completas,* I, Madrid, Gredos, 1972.

161. "La que Dámaso Alonso llamó la 'tercera generación' de filólogos españoles —escribe M. Alvar en 1966—, se planteó —tácitamente, claro— la necesidad de seguir la tradición recibida, y de enriquecerla. Alarcos aplicó técnicas que eran casi ignoradas entre nosotros; Badía —punto menos que a solas— elaboró y reelaboró la filología catalana; yo emprendí la tarea de redactar los atlas regionales. Ninguno de nosotros pensó en otra cosa que en la dura responsabilidad de poner en práctica cada mañana el aprendizaje de la lección de Menéndez Pidal; lección que valía —también— 'para muchos campos que a su llegada eran secarral'", en *Arbor*, n.° 243, marzo, 1966, p. 264.

162. Vid. "Proyecto de un Atlas lingüístico de Andalucía", en *Orbis,* II, 1953, pp. 54-60. El resultado de las primeras encuestas (diciembre 1953-marzo 1955) fue publicado por M. ALVAR, *Las encuestas del "Atlas lingüístico de Andalucía"*, *PALA*, I, 1, Granada, 1955,

riormente *ALEA*, y en 1961 ve la luz el primer volumen del Atlas (el volumen VI se publicará en 1973). Con los trabajos del *ALEA*, se inicia un conjunto de mapas regionales, algunos terminados ya y a punto de publicación y otros todavía en curso de realización[163].

Rafael Lapesa publicó su *Historia de la lengua española* en 1942; el libro es una excelente visión de conjunto, que se ha ido enriqueciendo a lo largo de siete ediciones; también Lapesa ha intentado llenar el hueco existente en el terreno de la sintaxis histórica con una serie de sólidos artículos preparatorios de una futura obra de conjunto.

A finales de los años cuarenta comienzan a publicarse los interesantes trabajos de Carlos Clavería Lizana sobre el problema de los gitanismos del español, que se recogerán en su libro *Estudios sobre los gitanismos del español*, Madrid, 1951. Como en el caso de Lapesa, Clavería une una sólida preparación lingüística con la finura en el análisis de los textos literarios.

El interés por la lexicografía, comenzado en el *Centro de Estudios Históricos* y que tenía que haber culminado con la publicación del **Corpus Glossariorum* (vid. D. Catalán, *CTL*, IX, 2.ª parte, pp. 958-960 y 1061), se reanuda en los

---

y *Diferencias en el habla de Puebla de Don Fadrique (Granada)*, *PALA*, I, 3, Granada, 1957. Vid., además, la bibliografía contenida en *Arbor*, n.º 243, marzo, 1966, p. 269, n. 16. Colaboraron en la elaboración del *ALEA* Antonio Llorente Maldonado de Guevara, Gregorio Salvador y, en las láminas de morfología verbal (*ALEA*, VI), J. Mondejar, autor de un valioso libro sobre el tema del verbo andaluz. En los restantes atlas trabajan con Alvar, Llorente, G. Salvador, Tomás Buesa, que había colaborado con L. Flórez en el de Colombia, y A. Quilis.

163. A. Quilis, "Situación actual de la geografía lingüística en el dominio hispánico", en *EAc*, 3, 1964, pp. 3-6; y M. Alvar, "Estado actual de los atlas lingüísticos españoles", en *Arbor*, n.º 243, marzo, 1966, pp. 263-286.

años cuarenta con el inicio de la publicación del *Tesoro Lexicográfico (1492-1726)* por Gili Gaya; en la década siguiente, verá la luz el *Diccionario Crítico Etimológico de la Lengua Castellana* (1954-1957), obra monumental del filólogo catalán J. Corominas. A partir de 1960 se comienza la publicación del *Diccionario Histórico de la Lengua Española* (existen ya los siete primeros fascículos), realizado por el "Seminario de Lexicografía" de la Real Academia Española (vid. D. Catalán, *op. cit.*, pp. 1061-1062).

El aprendizaje de los estudios sintácticos ha tenido como base el manual de Samuel Gili Gaya *Curso superior de Sintaxis* (1.ª ed. en México, 1943). Lamentablemente, dada su excelente calidad, sólo se ha publicado un volumen de la obra de Salvador Fernández Ramírez *Gramática española. Los sonidos, el nombre y el pronombre* (Madrid, 1951). Este libro estaba basado en hondos conocimientos de los problemas lingüísticos de las lenguas clásicas; poseía una abundante base documental y empleaba como criterio ordenador la clasificación en rangos de O. Jespersen, además de aplicar, con gran éxito, algunas de las ideas fundamentales de Karl Bühler (1879-1963).

En estos años de las décadas de los cincuenta y de los sesenta es bastante fuerte el influjo de la obra de Bühler *La teoría del lenguaje*; este influjo ha sido observado por Coseriu para Hispanoamérica, y su éxito peninsular estudiado por su traductor, Julián Marías[164]. Es una influencia perfectamente explicable, no sólo por la calidad intrínseca de la obra, sino también por el hecho de estar traducida.

164. J. Marías, "Karl Bühler y la teoría del lenguaje", en *Doce ensayos sobre el lenguaje*, Madrid, Publicaciones de la Fundación Juan March, 1974, pp. 99-115. La traducción de J. Marías, Revista de Occidente, 1950, conoce ya tres ediciones; vid. P. Ramón Ceñal Lorente, *La teoría del lenguaje de Carlos Bühler*, Madrid, CSIC, 1941.

Me parece evidente la importancia de las traducciones de obras teóricas o de libros que estudian la obra de un lingüista o de una escuela, base en la formación de los universitarios en estos años, tanto en España como en Hispanoamérica, como ha apuntado con un extenso inventario E. Coseriu[165].

A partir de 1950 se desarrolla un creciente interés por las teorías estructurales; ya Dámaso Alonso había explicado en el verano de 1934, en un curso de la Universidad de Santander, las nuevas corrientes (Saussure, Bally, Trubetzkoy)[166]; y en 1945 Amado Alonso publicaba en Buenos Aires su traducción del *Curso de lingüística general*. La popularización de las nuevas teorías se logra gracias a los trabajos de E. Alarcos Llorach, que supondrán para los universitarios españoles la posibilidad de familiarizarse con los nuevos conceptos fonológicos y con la *Glosemática* danesa; poco después M. Sánchez Ruipérez aplicaba el estructuralismo al análisis del sistema de *aspecto* y *tiempo* en el verbo griego antiguo[167]. Este tipo de trabajos supuso el triunfo de

165. *CTL*, IV, 1968, p. 27.

166. Diego Catalán, *CTL*, IX, 2.ª parte, 1972, p. 980.

167. Alarcos publicó la primera edición de su *Fonología Española* en 1950, y la *Gramática Estructural (Según la Escuela de Copenhague y con especial atención a la lengua española)* en 1951. Ambas fueron editadas por Gredos, que también acogió algunos trabajos de E. Coseriu, *Teoría del lenguaje y lingüística general*, que influirán poderosamente en el pensamiento teórico peninsular. La editorial Gredos, con las obras lingüísticas contenidas en su *Biblioteca Románica Hispánica*, con la publicación del *DCELC* de J. Corominas (en este caso en colaboración con la editorial suiza Francke), y con la reproducción del *Diccionario de Autoridades*, ha extendido y popularizado la lingüística en España e Hispanoamérica, como han señalado acertadamente E. Coseriu y D. Catalán. El libro de M. Sánchez Ruipérez es *Estructura del sistema de aspectos y tiempos del verbo griego antiguo. Análisis funcional sincrónico*, Salamanca, CSIC, 1954. Los investigadores en filología clásica, A. Tovar, F. R. Adrados, S. Mariner, L. Rubio o V. Bejarano, se han

un estructuralismo engarzado en bases saussureanas, escuelas de Praga y Copenhague; sin embargo, el estructuralismo de carácter bloomfieldiano está ausente en los trabajos realizados en la Península, aunque se aplica al español en algunos artículos redactados por investigadores norteamericanos[168]. El momento de posible difusión peninsular de este tipo de estructuralismo, que corresponde a los primeros años setenta, gracias a la adaptación del manual de Hockett por E. Gregores y J. A. Suárez (Buenos Aires, 1971) y la fuerza que pudiera arrastrar el tratamiento de ciertos temas en el *Esbozo de una nueva gramática de la lengua española* (Madrid, 1973), coincide con el prestigio cada vez mayor entre las jóvenes promociones de teorías de carácter generativista. El estructuralismo, con las características ya precisadas, triunfó con bastante rapidez en la Península, y sus teorías se han aceptado con toda naturalidad tanto por los investigadores dedicados a los estudios descriptivos, como también por los especialistas en historicismo o dialectología.

---

preocupado por incorporar nuevas técnicas a su investigación, incluso RODRÍGUEZ-ADRADOS ha publicado una *Lingüística estructural* (Madrid, Gredos, 1969). La investigación de temas lingüísticos bajo presupuestos generativos dentro de esta generación de filólogos, es realizada por Agustín García Calvo. Entre los lingüistas españoles no dedicados al hispanismo tradicional, pero de importancia decisiva para la formación teórica contemporánea, ocupa un puesto de honor el profesor L. Michelena.

168. George L. TRAGER, "The Phonemes of Castillian Spanish", en *TCLP*, VIII, 1939, *Études phonologiques dédiées à la mémoire de M. le Prince Trubetzkoy*, pp. 217-222; *Descriptive Studies in Spanish Grammar,* edited by Henry R. Kahane and Angelina Pietrangeli, *ISLL*, XXXVIII, The University of Illinois Press, Urbana, 1954; *Structural Studies on Spanish Themes,* editado por Henry R. Kahane y Angelina Pietrangeli, Salamanca, Acta Salmanticensia, XII, 3, 1959; y algunos trabajos de tipo fonológico, referentes a variedades dialectales del español americano, aparecidos en la revista *Studies in Linguistics*.

En el momento de redactar estas líneas, se asiste en el mundo intelectual de la Península, como en otros países, a la introducción de las nuevas corrientes generativistas. Este movimiento de introducción se inicia en mayo de 1964 cuando Carlos P. Otero redacta su *Mínima introducción a la lingüística*, que vería la luz en la revista *Grial*[169]. Ya en 1962, Heles Contreras había publicado su libro, en colaboración con Saporta, y su reseña de *Syntactic Structures* (v. 1.4.2.). Hasta lo que llega a mi conocimiento, la fecha más temprana de aparición de estas teorías en una obra hispánica peninsular es la de 1963, y corresponde a la obra de L. Michelena, *Lenguas y protolenguas*, resultado de unos cursos profesados en los dos años anteriores[170].

El conocimiento de los nuevos problemas que plantean las relaciones entre la lingüística y el análisis del lenguaje literario, dados los avances teóricos realizados, aparece resumido de manera clara en el trabajo de Fernando Lázaro *La lingüística norteamericana y los estudios literarios de la última década*, que permitió a los jóvenes universitarios descubrir un tipo actual de posibilidades de análisis, completamente ajeno a los modelos usados tradicionalmente[171].

Sería injusto olvidar en este breve panorama la importante labor realizada por el hispanismo en la investigación

169. El artículo se recogió en la obra de Carlos P. Otero, *Letras, I*, 1.ª edición, Londres, 1966; cito por la 2.ª edición, Barcelona, Seix Barral, 1972, pp. 21-50. Una bibliografía de los trabajos de lingüística generativa sobre lenguas románicas se encuentra en la obra de Jean Casagrande y Bohdan Saciuk (eds.), *Generative Studies in Romance Languages*, Rowley, Mass., Newbury House Publishers, 1972, pp. 399-431.

170. Salamanca, Acta Salmanticensia, 1963, p. 28.

171. *RdO*, n.º 81, diciembre, 1969, pp. 319-347. El mismo investigador ha profundizado en este tema en el trabajo "Consideraciones sobre la lengua literaria", en *Doce ensayos sobre el lenguaje*, Madrid, Publicaciones de la Fundación Juan March, 1974, pp. 35-48.

de la lengua y de la literatura españolas, cuyas obras siguen siendo en muchos casos la única fuente existente sobre muchos temas: Morel-Fatio, Keniston, Bataillon, Spitzer, Krüger, Gillet, H. y R. Kahane, Margherita Morreale, Martinet, Malmberg, Pottier, Ṭobegy y, *last but not least,* Y. Malkiel [172], son nombres ejemplares con los que la filología hispánica tendrá siempre una deuda imborrable.

1.4.2. Filología y lingüística en Hispanoamérica en el siglo xx *

Como sucede en España, el desarrollo de las ideas lingüísticas en Hispanoamérica está condicionado por factores bastante complejos, que en muchas ocasiones son similares

172. Cf. Yakov Malkiel y Francisco Rico, "Breve autobibliografía analítica", en *AEM,* VI, 1969, pp. 609-639. Una extensa bibliografía sobre hispanismo e hispanistas aparece en el libro de Anna Maria Paci, *Manual de bibliografía española,* Pisa, Università di Pisa, 1970, n.º 666-826. A este respecto publica una sección bibliográfica la *Nueva Revista de Filología Hispánica.*

* Thomas A. Sebeok, ed. (y Robert Lado, Norman A. McQuown, Sol Saporta y Yolanda Lastra), *Ibero-American and Caribbean Linguistics,* en *Current Trends in Linguistics,* IV, La Haya-París, Mouton, 1968; la información referente a la bibliografía de trabajos lingüísticos en Hispanoamérica ha sido recogida por E. Coseriu, en *CTL,* IV, pp. 6-7; Heles Contreras, "Applied Linguistic Research", en *CTL,* IV, pp. 534-542; Eugenio Coseriu, "General Perspectives", en *op. cit.,* pp. 5-62; Alberto Escobar, "Present State of Linguistics", en *op. cit.,* pp. 616-627; Erica García, "Hispanic Phonology", en *op. cit.,* pp. 63-83; Guillermo L. Guitarte y Rafael Torres Quintero, "Linguistic Correctness and the Role of the Academies", en *op. cit.,* pp. 562-604; Yolanda Lastra, "The Organization of Linguistic Activities", en *op. cit.,* pp. 607-615; Juan M. Lope Blanch, "Hispanic Dialectology", en *op. cit.,* pp. 106-157 (existe una edición española, *El español de América,* Madrid, Ed. Alcalá, 1968); Yakov Malkiel, "Hispanic Philology",

a los peninsulares, pero que en otros casos acentúan todavía más las dificultades. En muchos aspectos, sin embargo, el desarrollo está íntimamente ligado a la evolución de las teorías en la Península [173].

---

en *CTL*, IV, pp. 158-228 (el trabajo del profesor Malkiel se ha publicado ampliado, con el título *Linguistics and Philology in Spanish America. A Survey (1925-1970)*, Janua Linguarum, Series Minor, n.º 97, La Haya-París, Mouton, 1972); Beatriz R. LAVANDERA, "On Sociolinguistic Research in New World Spanish: A Review Article", en *Lang. Soc.*, III, 2, 1974, pp. 247-292; Fernando Antonio MARTÍNEZ, "Lexicography", en *CTL*, IV, pp. 85-105; deben consultarse, además, los trabajos contenidos en los dos volúmenes de la obra *Presente y futuro de la lengua española*, Madrid, OFINES, Cultura Hispánica, 1963.

173. Es éste un movimiento de doble dirección. Las obras de Andrés Bello y de Rufino J. Cuervo han tenido en España un gran prestigio; la primera reseña que se publica en la *RFE* (I, 1914, pp. 97-103 y 181-184) es la de Américo Castro a la traducción de la *Gramática histórica de la lengua castellana* (Halle, 1913) de Federico Hanssen. El *Centro de Estudios Históricos* acogió en su prestigiosa colección "Publicaciones de la *Revista de Filología Española*" la obra de Rodolfo LENZ, *La oración y sus partes* (1.ª edición 1920, 2.ª edición 1925, retocada por última vez en 1935; en 1945 hubo una 4.ª edición en Chile, ed. Nascimento); esta obra, redactada bajo un claro influjo de Wundt, en principio estaba destinada a los estudiantes chilenos. La relación se incrementó a partir de 1923 con la facultad que concedió la Universidad de Buenos Aires a Menéndez Pidal para designar un director para el *Instituto de Filología* (Américo Castro, 1923; Agustín Millares, 1924; Manuel de Montoliu, 1925); la designación de Amado Alonso (1927) tendrá una importancia decisiva. Hoy en día nombres como los de Alfonso Reyes, Pedro Henríquez Ureña, María Rosa Lida de Malkiel (vid. *RPh*, XVII, 1963-1964, pp. 9-32), Ángel Rosenblat, Raimundo Lida, Eleuterio Tiscornia, Ángel Batistessa, Frida Weber de Kurlat, Berta Elena Vidal de Battini, Ana María Barrenechea, Rodolfo Oroz, Daniel Devoto, Juan Bautista Avalle-Arce, Luis Jorge Prieto o Heles Contreras gozan de una merecida fama en las aulas peninsulares, donde se manejan con frecuencia las traducciones de las obras de F. de Saussure, K. Vossler o Ch. Bally realizadas por A. Alonso y R. Lida, *El lenguaje* de Sapir traducido por Margit y Antonio Alatorre o la excelente adaptación del manual de Hockett hecha por Emma Gregores y Jorge Alberto Suárez.

Es evidente que Hispanoamérica no puede ser considerada como un todo homogéneo, pues son muy grandes las diferencias existentes entre centros prestigiosos de investigación y de difusión, Puerto Rico, Méjico, Buenos Aires, Santiago de Chile, Concepción, Montevideo, Bogotá o Lima, y capitales que carecen de historia científica y de bibliotecas especializadas[174].

Hispanoamérica presenta en algunos países una brillante tradición de estudios lingüísticos: los trabajos de Andrés Bello no sólo son el inicio de las investigaciones en Chile sino en todo el continente y en la Península; Chile contará, además, con las figuras de Federico Hanssen[175] y Rodolfo Lenz, y el núcleo colombiano aparece encabezado por Rufino José Cuervo, Miguel Antonio Caro y Marco Fidel Suárez. A pesar de los estudios de Cuervo y de Hanssen, los países hispanoamericanos también carecieron del auge del comparatismo o historicismo de tipo germánico que supondrán el descubrimiento de los problemas teóricos. Esta ausencia de trabajos sobre cuestiones epistemológicas o simplemente metodológicas marcará decisivamente las investigaciones posteriores, que carecerán de autonomía teórica[176]. Esta falta de creatividad presenta como contrapartida una fuerte receptividad de ideas procedentes de escuelas muy diversas.

El declinar del prestigio de la filología germánica después de la primera guerra mundial y el creciente éxito de

174. A. Escobar, "Present State of Linguistics", en *CTL*, IV, 1968, pp. 616-617.

175. Federico Hanssen, *Estudios. Métrica-Gramática-Historia literaria*, 3 vols., Santiago de Chile, *AUCh*, 1958; vid. además, Eladio García, "La obra científica de Federico Hanssen", en *Estudios*, vol. I, pp. 9-26, y el trabajo de Julio Saavedra Molina, "Bibliografía de don Federico Hanssen", en *Estudios*, vol. III, pp. 245-255.

176. E. Coseriu, *CTL*, IV, 1968, p. 7, y Sol Saporta, *op. cit.*, pp. 3-4.

la Escuela de Madrid, como ha observado Yakov Malkiel[177], producen el interés cada vez mayor en Hispanoamérica por los estudios de tipo *filológico,* en el sentido ya indicado, trabajos en los que se combinan intereses lingüísticos, histórico-literarios y estilísticos.

En general, se puede afirmar con Sol Soporta[178] que los estudios lingüísticos en Hispanoamérica están centrados sobre el español y el portugués, y tienen tres campos fundamentales: (a) historia y filología de estas lenguas, con algún intento ocasional de obras descriptivas; (b) estudios sobre los dialectos y las diferencias léxicas, y (c) investigación del influjo de las lenguas indígenas, sobre todo en el área léxica[179].

Puntos fundamentales para el estudio de los diferentes caminos de la lingüística en la América hispana son: la creación de los diferentes centros e institutos de investigación, el estudio de sus bases teóricas y metodológicas, los diversos campos de estudio, los diferentes investigadores extranjeros invitados, la aparición de revistas especializadas, las traducciones de obras teóricas que han influido poderosamente y, en una fase posterior, a partir de 1946, la marcha

177. Y. MALKIEL, *CTL,* IV, 1968, p. 162.

178. S. SAPORTA, *loc. cit.*, p. 3.

179. La crónica de los estudios en Hispanoamérica y sobre los temas del español americano ha sido trazada por Yakov MALKIEL, "Hispanic Philology", *CTL,* IV, 1968, pp. 158-228. En este mismo volumen de *Current Trends in Linguistics* aparecen otros trabajos que resumen el estado de la cuestión en campos específicos: Erica GARCÍA, "Hispanic Phonology", pp. 63-83; Fernando A. MARTÍNEZ, "Lexicography", pp. 84-105; y Juan M. LOPE BLANCH, "Hispanic Dialectology", pp. 106-157, que ha sido publicado en Madrid, Ed. Alcalá, 1968, con el título *El español de América.* Un excelente resumen crítico de los problemas sociolingüísticos en el español de América se encuentra en el trabajo de Beatriz R. LAVANDERA, "On Sociolinguistic Research in New World Spanish: A Review Article", en *Lang. Soc.,* III, 2, 1974, pp. 247-292.

de investigadores a centros extranjeros, como el caso de Ana María Barrenechea.

La llegada de los profesores extranjeros se inicia en los años veinte con la invitación de la Universidad de Buenos Aires a Américo Castro (1923), con quien comienzan las labores del prestigioso *Instituto de Filología,* que posteriormente llevará el nombre de *Dr. Amado Alonso,* quien llegó a la capital porteña en 1927 y hasta 1946 desarrolló una extraordinaria labor. Amado Alonso[180] (Lerín, 1896-Harvard, 1952) había ingresado en el *Centro de Estudios Históricos* en 1917; allí estudió fonética con Tomás Navarro Tomás y más tarde en Hamburgo bajo la dirección de Panconcelli-Calzia (1922-1924); desde 1924 hasta 1927 fue profesor del *Centro.* En el verano de 1927 marchó invitado a Puerto Rico antes de hacerse cargo de la dirección del *Instituto de Filología* de la Universidad de Buenos Aires;

180. E. Coseriu, "Amado Alonso", en *RFHC,* X, 1953, pp. 31-39; G. L. Guitarte, "Amado Alonso", en *Fil,* IV, 1952-1953, pp. 3-7; Alfonso Reyes, "Amado Alonso", en *NRFH,* VII, 1953, pp. 1-2; Ángel Rosenblat, "Amado Alonso", en *Cultura Universitaria,* Caracas, XXXI, 1952, pp. 61-71. Para la labor de A. Alonso en Buenos Aires debe consultarse E. Coseriu, *CTL,* IV, 1968, pp. 14-15; en la misma obra, p. 27, se examina el importante programa de traducciones en colaboración con Raimundo Lida; vid. Diego Catalán, *La escuela lingüística española y su concepción del lenguaje,* Madrid, Gredos, 1955. En la obra que se cita más adelante (Buenos Aires, 1946) María Rosa Lida escribió con gran galanura una bella semblanza del maestro.

Bibliografía de los trabajos de Amado Alonso: *Bibliografía de Amado Alonso. Homenaje de sus discípulos,* Buenos Aires, Imprenta Coni, 1946 (contiene una biografía, la citada semblanza de A. A. por María Rosa Lida y un inventario de 154 trabajos); A[na] M[aría] B[arrenechea], "Bibliografía de A. Alonso. *Addenda*", en *Buenos Aires Literaria,* I, octubre, 1952, pp. 8-10, y finalmente debe consultarse la bibliografía de 200 títulos recogida en *NRFH,* VII, *Homenaje a Amado Alonso,* 1953, 3-15. La diligencia y devoción de Rafael Lapesa han permitido la publicación de los dos primeros volúmenes de la gran obra póstuma *De la pronunciación medieval a la moderna en español.*

en 1946 tuvo que abandonar este cargo por circunstancias políticas, y hasta su muerte fue profesor de la Universidad de Harvard. En los años anteriores a 1927 A. Alonso había realizado algunos estudios de fonética sincrónica y diacrónica (vid. *RFE*, IX, 1922, pp. 69-72; el trabajo sobre el grupo *tr*, en *HMP*, II, pp. 167-191; la crónica de los estudios de filología española en los años 1914-1924 en *RLiR*, I, 1925, pp. 171-180 y 329-347), además había publicado su primera contribución a la polémica de la subagrupación románica del catalán (v. *RFE*, XIII, 1926, pp. 1-38 y 225-261), se había interesado por la picaresca (*RFE*, XII, 1925, pp. 179-180) y había leído su tesis sobre la *Estructura de las "Sonatas"* de Valle-Inclán. Estas primeras investigaciones del joven filólogo navarro muestran una formación y unos intereses engarzados con el pensamiento filológico del *Centro de Estudios Históricos*: el gusto por la precisión en la labor científica y la amplitud de inquietudes en el terreno de la lengua y de la literatura. Este espíritu de la escuela de Menéndez Pidal, trasplantado por A. Alonso al *Instituto* de Buenos Aires, y el gran atractivo pedagógico del filólogo hispano, crearon una época dorada en la investigación porteña.

La labor de Amado Alonso en Buenos Aires responde a las inquietudes intelectuales ya apuntadas: funda la *Biblioteca de Dialectología Hispanoamericana,* cuyo primer volumen, la obra de A. M. Espinosa, *Estudios sobre el español de Nuevo Méjico* (1930), traducido y comentado con la colaboración de A. Rosenblat, contiene su importante trabajo *Problemas de dialectología hispanoamericana.* Por estas fechas comienzan sus estudios sobre el artículo y el diminutivo, las primeras traducciones, en colaboración con Raimundo Lida, de trabajos de K. Vossler, L. Spitzer y H. Hatzfeld (1932) y los artículos preparatorios de *El problema de la lengua de América* (Madrid, 1935). En 1938 publica *Castellano, español, idioma nacional* y aparece el primer curso de su excelente *Gramática castellana* (1938-1939), en colaboración con P. Henríquez Ureña, que tanta importancia ha tenido en la formación descriptivista de los jóvenes universitarios españoles. A partir de 1939, la obra de A. Alonso se hace más profunda y compleja: funda la *Revista de Filología Hispánica*; comienza a publicar artículos sobre la poesía de Neruda, que conducirán a su obra *Poesía y estilo de Pablo Neruda. Interpretación de una poesía hermética* (1940). De esta época son también sus artículos sobre la novela histórica; su libro *Ensayo sobre la novela histórica. El modernismo en "La gloria de Don Ramiro"*, se editará en 1942; también en estos años comienzan a publicarse sus primeras notas sobre la pronunciación americana de ç y z en el siglo XVI. De 1941 son sus trabajos sobre *substratum* y *superstratum* (*RFH*, III, 1941, pp. 209-218) y la importante *Carta a Alfonso Reyes sobre la Estilística.* Un año después aparecen sus primeras notas sobre el *fonema* (*RFH*, VI, 1944, pp. 280-283), que, según la apreciación de E. Coseriu[181], le sitúan más cerca de Courtenay y de Sapir que de los modernos estructuralistas. Estas inquietudes fonemáticas continuarán en su trabajo *Una ley fonológica del español. Variabilidad de las consonantes en la tensión y distensión de la sílaba* (*HR*, XIII, 1945, pp. 91-101), el mismo año que publica, en colaboración con R. Lida, el artículo *Geografía fonética: **-l** y **-r** implosivas en español* (*RFH*, VII, 1945, pp. 313-345) y la traducción del *Curso de lingüística general* de F. de Saussure. A partir de 1946, con la marcha a Harvard y las posibilidades de excelentes medios de trabajo, las investigaciones de A. Alonso se con-

181. *CTL*, IV, p. 47.

centrarán en el estudio de la historia de la pronunciación española, que ya estaba en una redacción muy avanzada[182], con alguna breve huida hacia el campo literario: Fray Luis de León y Cervantes.

Amado Alonso representa en la filología hispánica el culminar del idealismo, aunque en todo momento reconozca la necesidad ineludible de un positivismo auxiliar[183]. Las ideas de A. Alonso sobre el lenguaje y el cambio lingüístico se encuentran excelentemente resumidas en la *Introducción* al vol. I de su obra póstuma: "Casi es un axioma lingüístico el que el hablar de las personas cultas es 'artificial' y que el hablar de los ignorantes es el 'natural'. Pero es un espejismo tan general como engañador. Nada hay 'natural' en el lenguaje más que la facultad humana de hablar.

182. Sabemos, gracias a la *Noticia* publicada al frente del vol. I de la obra *De la pronunciación medieval a la moderna en español,* Madrid, Gredos, 1955, que los estudios habían comenzado en 1929: "Empecé —confiesa el filólogo navarro— el estudio del paso de la pronunciación medieval a la moderna, en 1929, en el Instituto de Filología de Buenos Aires, con medios gravemente insuficientes. La biblioteca de Buenos Aires tiene muy escasos fondos antiguos, y tuve que valerme de algunos raros ejemplares que hallé en bibliotecas particulares (generalmente de las gramáticas reimpresas para un grupo de amigos por el Conde de la Viñaza) y sobre todo del grueso volumen *Biblioteca de la Filología castellana,* [...] Cuando dejé Buenos Aires en 1946 ya tenía casi redactado el primer libro, pero al llegar a Harvard y echar un vistazo a su riquísima Biblioteca me encontré con muchos de los libros extractados por La Viñaza, con otros que sólo tenía un conocimiento del título, con muchos otros extranjeros que daban ocasionales o ricas noticias de la pronunciación española en los siglos XVI y XVII, y sobre todo con la posibilidad de adquirir sin limitación los microfilms que necesitara (en Buenos Aires no disponíamos de máquinas proyectoras). Aquí he podido estudiar los autores mismos", *op. cit.*, pp. 13-14.

183. Sobre las ideas de Amado Alonso sigue siendo el mejor estudio la obra juvenil de Diego CATALÁN, *La escuela lingüística española y su concepción del lenguaje,* Madrid, Gredos, 1955, dedicada precisamente a la memoria del filólogo navarro.

Todos los idiomas particulares son construcciones, estructuras móviles que sociedades en continuidad han ido y van haciendo, renovando, rehaciendo, sin que la naturaleza haga nada con prescindencia de los hablantes. Se suele hacer esta distinción, anticientífica, acrítica, para destacar lo que en el lenguaje inculto hay de inconsciente, mecánico y sin propósito, enfrente del lenguaje de los cultos alerta, consciente, gobernado con visibles propósitos. Pero aunque hay evidentes diferencias, nadie podrá denunciar una que sea de esencia: todas son de grado. Por otra parte, también es como un axioma que es la multitud de los incultos, y no la minoría culta, la que hace e impone los cambios lingüísticos. Pero si ése es el papel de los incultos, y el resultado de su labor es siempre una estructura, un sistema organizado, o para hacerlo más claro, un sistema de sistemas, es decir, el conjunto organizado de los sistemas fonético, morfológico, etc., ¿cómo vamos a aceptar como ni siquiera pensable que los incultos hacen sus cambios lingüísticos sin intervención de la conciencia, ni de la fantasía, ni de la voluntad, ni de sus afecciones, sino que resultan un sistema porque sí? Para referirnos a los cambios fonéticos, los más batallones y los que ahora nos conciernen, bien sabemos que en gran parte se van cumpliendo sin que los hablantes se den cuenta de ello, de modo que son sin conciencia, mecánicos, sin propósitos, etc.; pero aun así, los cambios no se hacen jamás sin intervención del espíritu de los hablantes, cultos o incultos: no resultan los cambios en español como en bantú, en japonés como en alemán, sino en cada idioma conforme a su propia tradición, conforme a gustos y preferencias colectivas y perdurables" [184].

184. Amado Alonso, *De la pronunciación medieval a la moderna*, I, Madrid, Gredos, 1955, pp. 18-19. La cita es, sin duda, excesivamente

En el pensamiento de A. Alonso, gracias a su entronque con Humboldt, y con Vossler, aparecen afirmaciones de gran actualidad, como por ejemplo: "la lengua consiste en un instrumento numerable capaz de expresar pensamientos innumerables" [185].

La prosa de Amado Alonso posee un gran sentido de precisión, de belleza natural, que le hacen destacar entre los críticos de su generación. Hoy sabemos, gracias a M.ª Rosa Lida de Malkiel, la cuidada elaboración de todos sus trabajos; la aparente facilidad de redacción en algunos casos, como en la *Carta a Alfonso Reyes sobre la Estilística*, publicada en *La Nación* de Buenos Aires y dirigida al gran público, oculta un proceso de elaboración en cuatro redacciones diferentes [186].

La lamentable situación europea, guerra de España y guerra mundial, produjo una diáspora de científicos hacia Hispanoamérica, a los que hay que sumar diferentes invitaciones cursadas posteriormente: Américo Castro, Tomás Navarro Tomás, Pere Bosch Gimpera, J. Corominas, B. A. Terracini, Fritz Krüger, Pedro Urbano González de la Calle, E. Coseriu, Antonio Tovar, D. Gaždaru, Alonso Zamora Vicente, Bertil Malmberg y, en la generación más joven, Juan M. Lope Blanch.

Junto a la labor de los centros argentinos de filología (el Departamento de Lingüística y Literaturas Clásicas de Buenos Aires y el Instituto de Lingüística de la Universidad

---

extensa, pero manifiesta con toda evidencia las ideas del autor sobre el debatido problema del cambio lingüístico.

185. Prólogo al *CLG*, pp. 24-25.

186. María Rosa Lida, en *Biografía de Amado Alonso. Homenaje de sus discípulos*, Buenos Aires, Imprenta Coni, 1946, pp. 17-18. Sobre las ideas estilísticas de A. Alonso, vid. Valeriano Báez San José, *La estilística de Dámaso Alonso*, Sevilla, 1971, pp. 21-23.

de Cuyo, Mendoza, donde realizaron una gran labor J. Corominas y F. Krüger), hay que situar la modélica organización del *Instituto Caro y Cuervo* (Bogotá, 1942), dedicado fundamentalmente a la investigación lingüística de temas colombianos; los trabajos del *Instituto de Filología* de la Universidad de Chile (1943), del *Instituto de Filología* de la Universidad de San Marcos, del importante *Departamento de Lingüística* de la Facultad de Humanidades y Ciencias (Montevideo, 1951), del *Instituto de Filología "Andrés Bello"* de la Universidad Central (Caracas, 1947), y del *Centro de Estudios Lingüísticos y Literarios* del *Colegio de México* (1943). La actividad investigadora de estos centros, además de manifestarse en obras independientes, ha aparecido reflejada regularmente en revistas de tanta categoría como los *Anales del Instituto de Lingüística de la Universidad de Cuyo* (1942), el *Boletín de Filología de la Universidad de Chile* (1944), *Filología* (Buenos Aires, 1949), la *Nueva Revista de Filología Hispánica* (1947) y el *Anuario de Letras* (1961), que cuentan con el antecedente ilustre de la *Revista de Filología Hispánica* (Buenos Aires, 1939-1946)[187].

En el siglo XX hispanoamericano se han ido sucediendo, como en la Península, idealismo y estructuralismo, y apuntan los primeros brotes de tipo generativista. El influjo idealista tiene pleno poderío hasta el comienzo de la década de los cincuenta, aunque en años anteriores hayan aparecido los primeros indicios de estructuralismo[188]. Curiosamente, en esta encrucijada juegan un papel importante los trabajos de A. Alonso sobre el fonema y su traducción de Saussure;

187. E. COSERIU, "General Perspectives", en *CTL*, IV, 1968, pp. 13-26, y Yolanda LASTRA, "The Organization of Linguistic Activities", en *op. cit.*, pp. 605-615.

188. E. COSERIU, *CTL*, IV, 1968, pp. 32-33.

el idealismo también procede en gran parte del mismo investigador y del programa de traducciones realizado con Raimundo Lida[189]. El estructuralismo se refuerza y gana originalidad con la llegada de E. Coseriu a Montevideo; aparecen los primeros trabajos de W. Vásquez, I. Silva-Fuenzalida y Guillermo L. Guitarte.

Las primeras noticias sobre el generativismo en Hispanoamérica aparecen en las mismas fechas que en la Península. Coseriu ha colocado en cabeza la reseña de Heles Contreras a *Syntactic Structures* (*BFUCh*, XIV, 1962, pp. 251-257)[190], el mismo año de la publicación, con Sol Saporta, de *A Phonological Grammar of Spanish.*

189. Raimundo Lida es autor de trabajos muy interesantes, vid. "Bergson, filósofo del lenguaje", en *Letras Hispánicas*, México, Fondo de Cultura Económica, 1958, pp. 45-99, y los estudios lingüísticos aludidos en *op. cit.*, nota de la p. 10.

190. *CTL*, IV, p. 22.

1.5. Introducción a la Fonética, Morfología y Sintaxis

En este libro se parte del carácter sistemático del lenguaje. Se acepta como procedimiento descriptivo un estructuralismo moderado, con los tradicionales pasos de segmentación de unidades, construcción de clases con los elementos procedentes del inventario y estudio de las relaciones entre las unidades, su función y su aspecto significativo.

El *sistema* de la lengua se actualiza en el *texto* o *discurso*; el análisis del discurso se realiza tomando como unidad básica el *enunciado,* un segmento de la comunicación, cualquiera que sea su extensión, comprendido entre dos pausas marcadas o el silencio anterior al habla y una pausa marcada. Todo enunciado concluye con un tonema característico (v. 7.0.) [191]. Un *enunciado* está formado por uno o varios *constituyentes* o *grupos de intensidad,* que son secuencias sonoras dominadas por un acento de intensidad (v. 2.8.1.3.); cada *constituyente* puede estar formado por un morfema o por más de un morfema organizados en una o más palabras (v. 7.1.).

En los capítulos dedicados a la *Sintaxis* ha parecido conveniente distinguir entre *oración* y *frase* (v. 7.0.1.), según que los constituyentes que forman los enunciados se orga-

191. Vid. las precisiones introducidas en 2.8.2.5.

nicen en relación con un verbo conjugado en forma personal que actúa como *núcleo ordenador* de la comunicación o que exista una ausencia de verbo en forma personal en función de núcleo ordenador de las palabras que constituyen la comunicación: *Ya sé que lo habéis pasado bien por el pueblo. / Sí* (v. 7.0.1.).

La presencia en un enunciado de un solo verbo en forma personal o de más de uno sirve para distinguir entre oraciones *simples* y *compuestas*: (a) *La casa de mi amigo estaba vacía* / (b) *La casa de mi amigo, que has visto arder, estaba vacía* (v. 7.1.), aunque en ambas exista un verbo dominante en forma personal, que actúa como núcleo ordenador de las palabras que constituyen cada enunciado.

Una vez segmentados los *constituyentes* de un enunciado, se trata de investigar las relaciones que los unen y establecer unas unidades superiores, labor que se realiza gracias a los morfemas concordantes y funcionales y, también, recurriendo al sentido. Está claro que, en el ejemplo anterior, tiene sentido la relación de los constituyentes 1 y 2 (*la casa de mi amigo*) y no la de los constituyentes 2 y 3 (*de mi amigo estaba*).

En el análisis, se toma como punto de partida el verbo en forma personal que no posee ningún marcativo de subordinación, y se van aislando unas nuevas unidades que contraen determinadas relaciones sintagmáticas con el núcleo ordenador; estas nuevas unidades, compuestas por uno o más constituyentes, reciben el nombre de *elementos* de la oración. Los *elementos* se dividen en dos grandes clases: *elementos simples*, formados por un único constituyente, y *elementos compuestos,* que poseen más de un constituyente. Esta última combinación puede poseer una estructura en la que un constituyente actúa como *núcleo ordenador* o *cabeza* (v. 7.7.); estas construcciones se denominan *endo-*

céntricas porque el constituyente complementario del núcleo forma unidad con él como elemento de la misma importancia. Un *elemento*, en otras ocasiones, puede estar constituido por toda una oración, que habitualmente va introducida por un morfema subordinante; este tipo de elementos se englobarán bajo el término de *complejos* o *proposicionales*.

En toda *construcción endocéntrica* es importante establecer el *núcleo ordenador*, cuya naturaleza morfológica fijará, a su vez, la naturaleza de los constituyentes relacionados por el núcleo. El *núcleo* puede ser un *sustantivo* ("la *casa* blanca"), un *adjetivo* ("no es *capaz* de comprenderlo") o un *adverbio* ("vive *delante* de tu casa"). La descripción morfológica permite fijar los esquemas de cualquier elemento, a los que llamaremos *esquemas elementales* (v. 7.7.1.).

Los elementos se clasifican en los esquemas sintácticos de acuerdo con su función formal o semántica; el enunciado ya utilizado *La casa de mi amigo estaba vacía* es actualización de la fórmula *S + V + Atr.*, fórmula que corresponde también a los enunciados /*Son hermosas estas flores*/, /*El perro que ladra está furioso*/ o a /*Es imposible que le oigas*/, que se considerarán actualizaciones distintas, con palabras diferentes y con mayor o menor complejidad de sus elementos, de una misma organización que mantiene idénticas relaciones sintagmáticas. Se tratará, pues, de fijar los *patrones* o *esquemas básicos* que correspondan a las posibilidades de la lengua y que el hablante usa en cada hecho de habla (v. 7.4.). Estos esquemas básicos serán oraciones afirmativas simples, compuestas por elementos de tipo simple y carentes de reflexivo. De una manera general, se distinguirá el *sujeto* por tratarse del único elemento que varía su marca de número de acuerdo con el verbo con el que concuerda, salvo en los casos muy específicos apuntados en 7.2.0.1.

Determinados complementos nominales (los llamados tradicionalmente *complemento directo, complemento indirecto* y *atributo*) pueden ser conmutados por los pronombres personales átonos que se integran en el grupo acentual del verbo ordenador de la oración a la que pertenecen; por este motivo se los agrupará en la clase general de los *integrables* (v. 7.2.1.)[192].

En la estructura de los esquemas básicos se señala como *predicación* el contenido del verbo ordenador incrementado por los *integrables,* aunque puedan existir casos de una segunda predicación paralela, de valor secundario, que se consigue gracias a adjetivos, participios o gerundios; estos elementos son los que la gramática tradicional denominaba *predicativos* (v. 7.3.1.), a los que hay que añadir los *elementos concordados* (v. 7.3.2.), *autónomos* (v. 7.3.3.), *regidos* (v. 7.3.4.) y *periféricos* (v. 7.3.6.).

Junto a los cuatro *esquemas básicos,* existen unos *patrones básicos secundarios* (v. 7.5.), las construcciones reflexivas con todas sus variantes (v. 7. 5. 1. y ss.), y unos *esquemas básicos transformados,* que producen las oraciones de tipo *negativo* (v. 7.6.1.) y las oraciones *interrogativas* (v. 7.6.9.)[193].

En la *sintaxis compuesta* (v. 8.0.) se estudian diferentes tipos de combinaciones: (a) cuando uno de los elementos, por lo menos, es una secuencia ordenada por un verbo conjugado o un infinitivo; (b) cuando aparecen dos o más oraciones simples enlazadas por conjunciones, y (c) cuando se enlazan por conjunciones dos o más oraciones compuestas o se unen elementos cubiertos por secuencias ordenadas por un verbo conjugado o un infinitivo. En la clasificación de las

192. Los tradicionales *complementos circunstanciales* se estudian de una manera general en 7.3.

193. Los *esquemas interrogativos complejos* se examinan en 8.4. y ss.

oraciones subordinadas se ha recurrido a un criterio formal (v. 8.0.3.).

Para el estudio morfológico se parte del análisis de morfemas gracias a los procedimientos de conmutación y clasificación sobradamente conocidos; se supone una segmentación de *morfos* para llegar a establecer los diferentes *alomorfos* que corresponden a los *morfemas*.

El proceso de análisis se basa en una teoría similar a la que se ha utilizado para la reelaboración de la *Gramática* de la Real Academia; se define una *forma lingüística* como "todo fonema o conjunto de fonemas dotados de significación", y *forma lingüística libre* es "la forma lingüística que constituye un enunciado". Los *morfemas* o *formas simples* son las formas lingüísticas en las que "no existe semejanza parcial, fonológica o significativa, con otra forma lingüística". Utilizando el criterio de *separabilidad* se pueden distinguir *formas exentas*, que se pueden encontrar en la cadena entre pausas normales o virtuales, y *formas trabadas*, que son las que aparecen siempre unidas a otra forma lingüística; esta división permite dividir los morfemas en dos clases: *exentos* y *trabados*.

En los capítulos dedicados a la Morfología se distinguirán dos grandes clases de morfemas: *morfemas lexemáticos*, que aparecen en diferentes combinaciones aportando siempre el mismo contenido ({gat} en *gato, gatuno, gatear*, etc.), y los *morfemas flexivos* o *categorizadores*, de carácter gramatical, y que poseen capacidad de convertir en palabras de una determinada clase los morfemas lexemáticos simples, compuestos o incrementados por derivativos (v. 3.0.3.). En la clase de los *morfemas lexemáticos* ha parecido indicado distinguir dos subclases: *morfemas sinsemánticos*, cuya significación en el decurso reside en el mismo morfema, y los *morfemas pronominales,* en los que su significado es identificable en el decurso por alusión (v. gráfico en 3.0.3.).

La *palabra* se concibe como la secuencia de sonidos formada por uno o más morfemas que puede ser aislada por *conmutación* (v. 3.0.3.). Para el estudio de las palabras de base lexemática se utiliza la *teoría de los rangos,* formulada por O. Jespersen y reelaborada por L. Hjelmslev (v. 3.0.1.), teoría que presenta analogías con las clásicas formulaciones de Bello y de la que ha hecho un fecundo uso Salvador Fernández Ramírez en su *Gramática Española* (Madrid, 1951).

Los elementos del *plano de la expresión* han sido estudiados en el capítulo segundo de esta obra (*Fonética* y *Fonología*) teniendo en cuenta constantemente la interdependencia existente entre ambos tipos de estudios. Las descripciones del mecanismo articulatorio y de las características acústicas de los sonidos, lo mismo que sus clasificaciones, se han hecho siguiendo los manuales tradicionales en este tipo de estudios. Teóricamente nos inclinamos por un procedimiento de tipo analítico; se parte de las unidades estructurales superiores hasta llegar a las unidades que presentan un carácter irreductible (v. 2.3.5.0.); previamente, en 2.3., se realiza una exposición muy breve de los tipos de unidades fonéticas y fonológicas y de su delimitación. En 2.3.5.1. y ss. el interés ha estado centrado en las teorías generales sobre la sílaba, sus elementos constituyentes (v. 2.3.5.2.), el análisis de los tipos silábicos del español (v. 2.3.5.3.), y de la cantidad silábica (v. 2.3.5.6.).

El análisis de los elementos que constituyen la sílaba en español permite distinguir dos clases de segmentos: *vocales* y *consonantes* (v. 2.3.6.). En los estudios de las vocales españolas (v. 2.4.) se plantean los diferentes criterios de clasificación, se establece el sistema fonológico y se estudian los diferentes *alófonos*. Un planteamiento similar se ha seguido para las consonantes (v. 2.5.); se analizan las diferentes variantes de realización que cada fonema puede poseer, teniendo en cuenta factores sociales y geográficos. La descripción intenta ser fundamentalmente sincrónica, sin embargo, en algunos casos (seseo, yeísmo o confluencia *b/v*) se han puesto de relieve los diferentes sistemas que han conducido a la situación actual. En el estudio de los elementos segmentales se ha tratado de mostrar la asombrosa riqueza de realizaciones fonéticas en los dominios geográficos de la lengua; no se trata de un culto por los elementos fonéticos, sino de un intento de exponer una realidad evidente, que hoy sólo podemos sospechar y que podrá ser estudiada profundamente cuando dispongamos de una cantidad muy superior de estudios de geografía lingüística y dialectología. Ésta es la razón por la que en este trabajo aparecen con mayor frecuencia citas de zonas que poseen más abundante bibliografía. En algunos casos los datos manejados, incluso en estudios de tipo experimental, son bastante antiguos, y no se nos oculta la imprecisión de aparatos venerables e incluso la falta de rigor de ciertas noticias acerca de zonas escasamente estudiadas, pero nos ha parecido conveniente reunir estos materiales como punto de partida para futuros trabajos, y también como recuerdo y homenaje hacia unos hombres que, de la nada, levantaron un soberbio edificio.

Aunque la orientación fundamental de la parte fonética y fonológica se asienta sobre teorías de base funcionalista (la deuda del autor con E. Alarcos Llorach es evidente en cada página), no se han desdeñado los trabajos que toman la *distribución* como base teórica y, en algún caso, se han añadido referencias o explicaciones de tipo generativista, que enriquecen la explicación de determinadas cuestiones y, sobre todo, pueden influir en la curiosidad de los lectores para el conocimiento de este tipo de trabajos. Esta postura es la explicación de que en la bibliografía aparezcan citados trabajos con bases teóricas muy diversas, o que en algún problema, como la clasificación de los elementos que constituyen los diptongos (v. 2.6.5.2.4.), se hayan recogido diferentes trabajos que han intentado resolver esta espinosa cuestión.

Las indecisiones más profundas se han manifestado a la hora de redactar el capítulo dedicado a la *entonación* (v. 2.8.2.0.), que se presenta ahora con una fuerte dosis de provisionalidad, ya que el tema requiere una larga investigación experimental. Se ha utilizado como fuente la obra clásica de don Tomás Navarro, cuyas conclusiones se han intentado conjugar en lo posible con el proyecto de sistematización de Joseph H. Matluck. Los ejemplos han sido comprobados con hablantes de diferente procedencia y en los casos dudosos se ha vuelto a realizar una segunda comprobación con los alumnos del quinto curso (1974-1975) de la Facultad de Letras de la Universidad Autónoma de Barcelona, a quien el autor agradece vivamente la colaboración prestada.

Para la transcripción fonética se ha utilizado el tradicional alfabeto fonético de la *RFE*, dado que la inmensa mayoría de los ejemplos citados proceden de autores que usan este tipo de notación, creado especialmente para el estudio de nuestra lengua.

2. FONÉTICA Y FONOLOGÍA

2.0. LA COMUNICACIÓN *

Todo proceso de comunicación se establece entre un emisor *E*, que envía un mensaje, y un receptor *R*, que lo recibe y es capaz de comprenderlo; de acuerdo con el esquema

$$E \xrightarrow{\text{mensaje}} R$$

Este esquema, tan simple en apariencia, en el proceso de la comunicación lingüística presenta una serie de problemas que todavía hoy no son conocidos científicamente.

* Eric Buyssens, *La communication et l'articulation linguistique*, Université Libre de Bruxelles, *Travaux de la Faculté de Philosophie et Lettres*, t. XXXI, Bruselas, París, 1967; Colin Cherry, *On Human Communication. A Review, a Survey, and a Criticism*, The MIT Press, 2.ª ed., 1968; Roman Jakobson, "Linguistique et théorie de la communication", en *Essais de Linguistique Générale*, París, 1963, pp. 87-99; Bertil Malmberg, *Lingüística estructural y comunicación humana. Introducción al mecanismo del lenguaje y a la metodología de la lingüística*, Madrid, Gredos, 1969; G. A. Miller, *Language and Communication*, Nueva York, 1963; Mamud M. Okby, *Verbal Cues of Organizational Information in Message Decoding. An Integrative Approach to Linguistic Structure*, Janua Linguarum, Series Minor, n.º 127, La Haya-París, Mouton, 1972; John W. Oller, Jr., *Coding Information in Natural Languages*, Janua Linguarum, Series Minor, n.º 123, La Haya-París, 1971; Luis J. Prieto, *Mensajes y señales*, Barcelona, Seix Barral, 1967; Claude E. Shannon y Warren Weaver, *The Mathematical Theory of Communication*, Urbana, The University of Illinois Press, 1949.

El hablante *E* desea enviar un mensaje de significado *S* al interlocutor *R*; para ello, el hablante tiene que cifrar este mensaje en un código que les sea común a ambos: la lengua. El mensaje, una vez cifrado, ha dejado de ser un pensamiento del hablante: un deseo, una pregunta o una orden, y se ha convertido en un conjunto de señales o de signos que recibe el interlocutor. Estas señales combinadas tienen una doble función: (a) avisar a *R* que *E* desea comunicarle algo; y (b) la transmisión propiamente dicha del significado *S*. El receptor del mensaje tiene que descifrar las señales para comprender el mensaje; una vez comprendido, *R* decide contestar a *E*, y le envía el mensaje de significación *S1*. En este momento se invierten los papeles: el receptor pasa a ser emisor, y viceversa, con lo que ha quedado cerrado y completo el circuito de la comunicación.

Sobre esta estructura, tan simple, está construido cualquier sistema de comunicación, desde los más sencillos hasta los más complejos. Hay sistemas de comunicación no lingüísticos muy elementales (el timbre de la puerta, los semáforos), pero son muy pobres, pues poseen un código muy elemental. El conductor de un automóvil, por ejemplo, se encuentra ante la luz roja del semáforo, señal que transmite un determinado significado, que él entiende perfectamente, y detiene su vehículo.

2.1. La comunicación lingüística. Fonética y fonología *

En el proceso de la comunicación lingüística todo es más complejo: desde la estructura de las señales hasta la infi-

* **Bibliografía general:** D. Abercrombie, *Elements of General Phonetics*, Edimburgo, Edinbourgh University Press, 1967; O. Akhmanova, *Phonology, Morphonology, Morphology*, La Haya-París, Mouton,

nita cantidad de significados que pueden transmitir, pero, en sus líneas generales, la comunicación lingüística funciona de acuerdo con este esquema.

1971; Valerie Becker MAKKAI, *Phonological Theory. Evolution and Current Pratice,* Nueva York, Holt, Rinehart and Winston, 1972; B. BLOCH y G. L. TRAGER, *Outline of Linguistic Analysis,* Baltimore, Waverly Press, 1942; Rudolf P. BOTHA, *Methodological Aspects of Transformational Generative Phonology,* La Haya-París, Mouton, 1971; N. CHOMSKY y M. HALLE, *The Sound Pattern in English,* Nueva York, Harper and Row, 1968; Erik C. FUDGE, "Phonology and Phonetics", en *Current Trends in Linguistics,* IX, 1.ª parte, La Haya-París, Mouton, 1972, pp. 254-312; M. HALLE, "Phonemics", en *CTL,* I, La Haya, Mouton, 3.ª ed., 1970, pp. 5-21; Charles F. HOCKETT, *A Manual of Phonology,* Memoir 11 of the *IJAL,* Baltimore, Waverly Press, 1955; R. JAKOBSON y M. HALLE, *Fundamentos del lenguaje,* Madrid, Ciencia Nueva, 1967; R. JAKOBSON, *Selected Writings,* I, *Phonological Studies,* La Haya-París, Mouton, 2.ª ed., 1971; P. LADEFOGED, *Preliminaries to Linguistic Phonetics,* Chicago, Chicago University Press, 1971; B. MALMBERG (ed.), *Manual of Phonetics,* Amsterdam, North Holland, 3.ª ed., 1974; *Les domaines de la phonètique,* París, PUF, 1971; A. MARTINET, *Phonology as Functional Phonetics,* Londres, Oxford University Press, 1949; *La description phonologique avec application au parler franco-provençal d'Hauteville* (*Savoie*), Société de Publications Romanes et Françaises, LVI, Ginebra-París, 1956; *Économie des changements phonétiques. Traité de phonologie diachronique,* Berna, Francke, 2.ª ed., 1964; Zarko MULJACIC, *Fonología general,* Barcelona, Laia, 1974; K. L. PIKE, *Phonetics,* Ann Arbor, 1968; *Phonemics,* Ann Arbor, 1959; Paul M. POSTAL, *Aspects of Phonological Theory,* Nueva York, Harper and Row, 1968; S. K. SAUMJAN, *Problems of Theoretical Phonology,* La Haya-París, Mouton, 1968; Sanford A. SCHANE, *La phonologie générative, Langages,* VIII, 1967; S. A. SCHANE, *Generative Phonology,* Prentice Hall Foundations of Modern Linguistics Series, Englewood Cliffs, New Jersey, 1973; N. S. TRUBETZKOY, *Principes de phonologie,* trad. de J. Cantineau, París, Klincksieck, 1964; J. VACHEK, *A Prague School Reader in Linguistics,* Bloomington, Indiana University Press, 3.ª ed., 1967; N. I. ZINKIN, *Mechanisms of Speech,* La Haya-París, Mouton, 1968. Las obras de V. BECKER MAKKAI, E. C. FUDGE y B. MALMBERG, *Manual of Phonetics,* contienen una importante bibliografía sobre el tema.

Fonética y Fonología españolas

Repertorios bibliográficos: M. ALVAR, *Dialectología española,*

El hablante y el oyente poseen ambos el código lingüístico, que consiste en un conjunto de reglas (fonéticas, morfológicas, sintácticas) que les permiten transmitir todo tipo

---

Cuadernos Bibliográficos, n.° VII, Madrid, CSIC, 1962; María R. AVELLANEDA, Norma BUCCIANTI, Edda LECKER DE PRATS, Jorge PRATS y Juana V. RODAS, "Contribución a una bibliografía de dialectología española y especialmente hispanoamericana", en *BRAE*, XLVI, 1966, pp. 335-369; XLVII, 1967, pp. 125-156, y 311-342; A. QUILIS, *Fonética y fonología del español*, Cuadernos Bibliográficos, n.° X, Madrid, CSIC, 1963; A. QUILIS, "Últimos estudios sobre fonética y fonología españolas", en *BFE*, XII, 1964, pp. 37-42; H. W. NICHOLS, *A Bibliographical Guide to Materials on American Spanish*, Cambridge, 1941 (vid. L. B. KIDDLE, *Revista Iberoamericana*, VII, 1943, pp. 221-240); Carlos A. SOLÉ, *Bibliografía sobre el español en América: 1920-1967*, Georgetown Univ. Press, Washington, 1970; "Bibliografía sobre el español en América: 1967-1971", en *ALM*, X, 1972, pp. 253-288; J. E. DAVIS, "The Spanish of Argentina and Uruguay. An annoted bibliography for 1940-1965", *Orbis*, XV, 1966, pp. 160-189, 442-488; XVII, 1968, pp. 232-277, 538-573; XIX, 1970, pp. 205-232; XX, 1971, pp. 236-269; B. FERNÁNDEZ, *Bibliografía del español de la Argentina*, Buenos Aires, Consejo Nacional de Educación, 1967; M. FODY, "The Spanish of the American Southwest and Louisiana: A bibliographical survey for 1954-1969", *Orbis*, XIX, 1970, pp. 529-540; Beatriz R. LAVANDERA, "On Sociolinguistic Research in New World Spanish: A Review Article", *Lang. Soc.*, II, 1974, pp. 247-292, esp. pp. 285-292; Hensley C. WOODBRIDGE, *Central American Spanish. A Bibliography*, Washington, D.C., 1956.

Obras más importantes: E. ALARCOS LLORACH, *Fonología Española*, Madrid, Gredos, 4.ª ed. aumentada, 1971; J. D. BOWEN y R. P. STOCKWELL, *Patterns of Spanish Pronunciation*, Chicago, Chicago University Press, 1960; María Josefa CANELLADA, *Antología de textos fonéticos*, Madrid, 1965; D. L. CANFIELD, *La pronunciación del español en América. Ensayo histórico-descriptivo*, Bogotá, Instituto Caro y Cuervo, 1962; D. CATALÁN, "Ibero-romance", en *CTL*, IX, parte II, La Haya-París, Mouton, 1972, pp. 927-1106; P. C. DELATTRE, *Comparing the Phonetic Features of English, French, German and Spanish. A Interim Report*, Filadelfia, Chilton Books, 1965; Erica GARCÍA, "Hispanic Phonology", en *CTL*, IV, La Haya, 1968, pp. 63-83; V. GARCÍA DE DIEGO, *Manual de Dialectología Hispánica*, Madrid, Ediciones Cultura Hispánica, 2.ª ed., 1959; S. GILI GAYA, *Elementos de fonética general*, Madrid, Gredos, 1961; James W. HARRIS, *Spanish Phonology*, Cambridge, Mass.,

de significados y entender todos los mensajes, incluso los que nunca han sido emitidos en la lengua correspondiente. Todo el proceso de la comunicación lingüística se basa en la conversión de un significado en materia sonora y, además, en la capacidad que tienen los hablantes para asociar a unas determinadas combinaciones de sonidos unos significados precisos. Es imprescindible observar que el lenguaje no es un código que pueda ser analizado exactamente igual que otros códigos utilizados en la comunicación, aunque el esquema básico sea igual. No hay que ólvidar el carácter esencialmente humano del lenguaje que obliga a considerar elementos psicológicos, históricos y culturales, elementos que son fundamentales a la hora de realizar un estudio completo y de los que carecen los restantes códigos.

Al investigador le interesan, desde el punto de vista del sonido, dos aspectos fundamentales:

The MIT Press, Research Monograph, n.° 54, 1969; Charles F. HOCKETT, *Curso de Lingüística Moderna,* trad. y adaptación de Emma Gregores y Jorge Alberto Suárez, Buenos Aires, Eudeba, 1971; Rafael LAPESA, *Historia de la Lengua Española,* Madrid, Escelicer, 7.ª ed. corregida y aumentada, 1968; J. M. LOPE BLANCH, *El español de América,* Madrid, Alcalá, 1968 (existe una versión en inglés anterior en *CTL,* IV, pp. 106-157); Yakov MALKIEL, "Hispanic Philology", en *CTL,* IV, La Haya, 1968, pp. 158-228; B. MALMBERG, *La América hispanohablante. Unidad y diferenciación del castellano,* Madrid, Istmo, 1970; T. NAVARRO TOMÁS, *Manual de Pronunciación Española,* Madrid, CSIC, 17.ª ed., 1972 (1.ª ed. de 1919); *Estudios de Fonología Española,* Syracuse N. Y., Syracuse University Press, 1946; C. P. OTERO, *Evolución y revolución en romance,* Barcelona, Seix Barral, 1971; A. QUILIS y Joseph FERNÁNDEZ, *Curso de fonética y fonología españolas,* Madrid, CSIC, 6.ª ed., 1972; REAL ACADEMIA ESPAÑOLA, *Esbozo de una nueva gramática de la lengua española,* Madrid, Espasa-Calpe, 1973; S. SAPORTA y H. CONTRERAS, *A Phonological Grammar of Spanish,* Seattle, University of Washington Press, 1962; A. ZAMORA VICENTE, *Dialectología Española,* Madrid, Gredos, 2.ª ed., 1967; el trabajo de Y. MALKIEL ha sido publicado posteriormente con el título *Linguistics and Philology in Spanish America. A Survey (1925-1970),* La Haya-París, Mouton, 1972.

(a) el estudio de la materia fónica, ya sea desde el ángulo del emisor, como desde el punto de vista del receptor;
(b) investigar la capacidad que tienen las combinaciones fónicas para asociarse con unos significados determinados y, además, cómo la materia sonora es capaz de distinguir unos significados de otros.

Ante el plano material del lenguaje hay que plantearse cómo se pronuncia una **b**, qué características acústicas posee, y cómo todas las consonantes **b** se identifican como **b**, distinguiéndolas de **t** o de **p**. El conjunto de toda esta problemática pertenece al estudio detallado de la **Fonética**, rama lingüística que estudia la *substancia* de los sonidos de una lengua y también todos los restantes elementos fónicos que contribuyen a la formación de los mensajes, frente a la **Fonología**, que estudia la *forma* de este material fónico. Ambos términos se utilizan en esta exposición con el sentido que les dio Saussure, quien atribuye al término *forma* el valor de conjunto de relaciones que determinan la posición de una unidad en el sistema [1]. Desde un punto de vista científico, la **Fonética**, rama experimental muy precisa, estudia la estructura material del sonido, su producción y sus cualidades físicas. La **Fonología**, en cambio, se ocupa de la *función* que tienen los elementos fónicos en el lenguaje y su capacidad para formar signos y mensajes diferentes.

Como planteó acertadamente Eugenio Coseriu [2], ambos

1. Vid. las observaciones de B. Malmberg, "Ferdinand de Saussure et la phonétique moderne", *CFS*, XII, 1959, pp. 9-28.

2. Eugenio Coseriu, *Forma y sustancia en los sonidos del lenguaje*, Montevideo, 1954 (reimpreso en *Teoría del lenguaje y lingüística general*, Madrid, Gredos, 1962, pp. 115-234). Un punto de vista muy similar sostiene B. Malmberg en su trabajo "Análisis estructural e instrumental de los sonidos del lenguaje. Forma y substancia", en *Thesaurus, BICC*, XVIII, 1963, pp. 249-267, y en su obra *Los nuevos caminos de la lin-*

estudios son interdependientes, pues es totalmente imposible estudiar el conjunto de reglas que ordenan una materia sonora, sin antes haber estudiado científicamente la materia en cuestión. Nosotros somos capaces de distinguir un sonido de otro, dentro de una lengua dada, por su carácter de "substancia formada", conformada por la red de relaciones que constituye el sistema fonológico de una lengua.

Aunque por comodidad expositiva se acostumbre a estudiar la **Fonética** y la **Fonología** como un todo independiente de las restantes disciplinas gramaticales, sería erróneo concebirlas como un sistema autónomo e independiente, pues los elementos fónicos juegan un importante papel en la construcción de los mensajes y no pueden ser desligados de los sistemas morfológicos o sintácticos de cada lengua. Junto

---

güística, México, Siglo XXI, 1967, p. 107, donde escribe: "La investigación reciente [...] es menos propensa que la de Trubetzkoy y la de la Escuela de Praga a establecer una distinción entre fonética y fonología. En realidad las dos disciplinas no son sino dos maneras de examinar el mismo objeto, y las dos están igualmente justificadas y son igualmente necesarias". Vid., además, E. Coseriu y W. Vásquez, *Para la unificación de las ciencias fónicas. (Esquema provisional.)* Montevideo, 1953, y A. Martinet, *La linguistique synchronique. Études et recherches,* París, PUF, 1965, pp. 36-108 (trad. española, Madrid, Gredos, 1968, pp. 42-110). Sobre el problema hubo un coloquio en Bucarest (septiembre 1965), *Forme et substance en phonétique,* cuyas actas fueron publicadas en el tomo III de *Cahiers de linguistique théorique et appliquée,* Universidad de Bucarest, 1966. Habría que sumar los ilustres precedentes teóricos de R. Jakobson, "On the Identification of Phonemic Entities", en *Recherches Structurales, TCLC,* V, 1949, pp. 205-213; Eli Fischer-Jørgensen, "Remarques sur les principes de l'analyse phonémique", en *TCLC,* V, 1949, pp. 214-234, y también A. Nehring, en *Word,* IX, 1953, p. 165, que escribe, a propósito de un trabajo de J. Holt, también publicado en el mismo vol. de *TCLC,* "In other words, one cannot ignore the phonetic 'substance' in studies of this kind". Para el análisis de este problema en un caso concreto de fonética hispánica, puede consultarse el artículo de Gabriel G. Bès, "Examen del concepto de rehilamiento", en *Thesaurus, BICC,* XIX, 1964, pp. 18-42.

a esta posible concepción autónoma de estas disciplinas, otro error, también muy grave, ha acechado al investigador, sobre todo a los seguidores de determinados estructuralismos, error que ha consistido en suponer una misma organización sistemática del plano fónico y de los restantes planos de la lengua; o, al menos, suponer que ciertos métodos de análisis utilizados con gran provecho para el estudio del plano fónico del lenguaje eran los más apropiados para estudiar los restantes, sobre todo, el plano morfológico.

2.2. EL SONIDO

2.2.1. Características físicas del sonido

El sonido está basado en ondas producidas por la vibración de un cuerpo, vibración que se propaga por el aire a la velocidad de 340 metros por segundo.

Las ondas producidas pueden ser *simples* o *compuestas*, según se trate de una única onda producida por la vibración o sean varias las ondas sonoras. Se suele distinguir entre vibraciones *periódicas*, cuando se repiten en un espacio igual de tiempo, y *no periódicas*, cuando emplean distintos espacios de tiempo en su repetición.

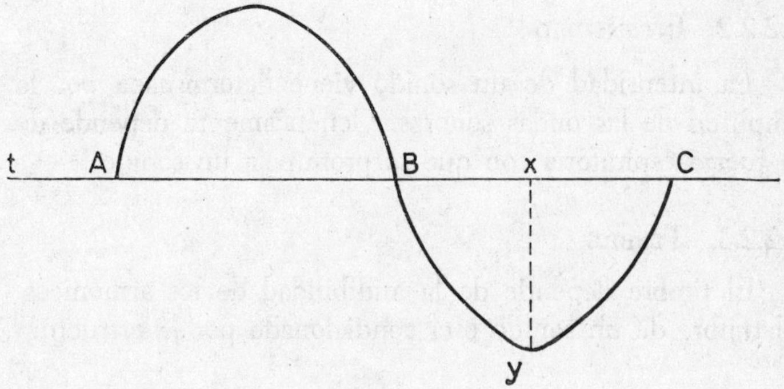

De acuerdo con este gráfico, representamos por *t* la línea del tiempo, *A—C* es el período o vibración doble (un ciclo), mientras que la distancia *x—y* representa la *amplitud* de la vibración.

Se denomina *frecuencia* de un sonido el número de ciclos que alcanza por unidad de tiempo, unidad que normalmente suele ser el segundo (c.p.s.).

En el lenguaje humano, las ondas sonoras son siempre compuestas: aparece una onda de tipo *fundamental*, acompañada de otras que se conocen con el nombre de *armónicos*.

2.2.2.0. Componentes acústicos del sonido

De acuerdo con estas bases teóricas establecidas, se conocen unos componentes acústicos del sonido: el **tono**, la **intensidad**, el **timbre** y la **cantidad**.

2.2.2.1. Tono

Altura musical de un sonido. Una misma frecuencia origina siempre un mismo tono. Si la frecuencia aumenta, el tono se hace más alto; cuando la frecuencia disminuye, el tono se vuelve más bajo.

2.2.2.2. Intensidad

La intensidad de un sonido viene determinada por la amplitud de las ondas sonoras. Genéticamente depende de la fuerza espiratoria con que se pronuncia un sonido.

2.2.2.3. Timbre

El timbre depende de la audibilidad de los armónicos. El timbre de un sonido está condicionado por la estructura de la caja de resonancia y por el tamaño de la abertura. El timbre puede ser definido, de acuerdo con Quilis y Fernández, como el conjunto formado por el tono fundamental más los armónicos filtrados cuyas frecuencias coinciden con las que permiten las cavidades de resonancia.

2.2.2.4. Cantidad

Duración en tiempo del sonido, que se mide en centésimas de segundo (c.s.) o en milésimas.

2.2.3. El sonido articulado

2.2.3.1. Producción del sonido articulado *

Las lenguas naturales utilizan como elemento básico para la comunicación el aire espirado por los pulmones, el cual atraviesa los bronquios y la tráquea, en cuyo extremo supe-

* **Bibliografía introductoria:** Bertil Malmberg, *La fonética,* trad. y adaptación de Gabriel G. Bès, Buenos Aires, Eudeba, p. 26 y ss., y del mismo autor, *Les domaines de la Phonétique,* París, PUF, 1971, pp. 156-182, y J. Roca Pons, *El lenguaje,* Barcelona, Teide, 1973, pp. 119-127.

Bibliografía sobre articulación, audición y técnicas experimentales: J. R. Firth, Word-palatograms and Articulation", en *Bubetin of the School of Oriental and African Studies,* XII, 1948, (reimpreso en *Papers in Linguistics, 1934-1951,* Londres, Oxford University Press, 4.ª ed., 1964, pp. 148-155); J. R. Firth y H. J. F. Adam, "Improved Techniques in Palatography and Kymography", en *Bulletin of the School of Oriental and African Studies,* XIII, 1950 (reimpreso en *Papers in Linguistics, 1934-1951,* pp. 173-176); H. M. Kaplan, *Anatomy and Phisiology of Speech,* Nueva York, 1960; Jean Claude Lafon, *Message et phonétique,* París, PUF, 1961; *The Phonetic Test and the Measurement of Hearing,* Eindhoven, Centrex Co., 1966; "Perception phonétique au seuil d'audition", en *Papers ... P. Delattre,* pp. 287-307; P. Rousselot, *Principes de Phonétique Expérimentale,* París, 1924; P. Simon, "Films radiologiques des articulations et les as-

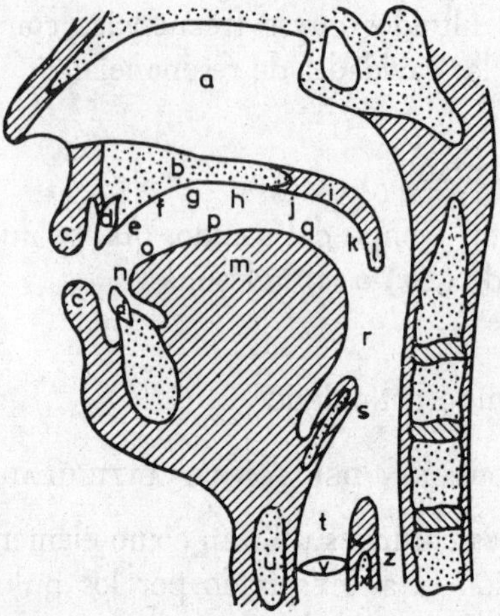

a, cavidad nasal; *b*, hueso del paladar; *c*, labios; *d*, dientes; *e*, alvéolos; *f*, prepaladar; *g*, mediopaladar; *h*, postpaladar; *i*, velo del paladar; *j*, zona prevelar; *k*, zona postvelar; *l*, úvula; *m*, lengua; *n*, ápice; *o*, predorso; *p*, mediodorso; *q*, postdorso; *r*, faringe; *s*, epiglotis; *t*, laringe; *u*, tiroides; *v*, cuerdas vocales; *x*, cricoides; *z*, esófago.

Corte transversal del aparato articulatorio según el esquema de T. Navarro Tomás, Pronunciación, *p. 16*

rior se encuentra la laringe, que contiene las cuerdas vocales, dos músculos simétricos que, al abrirse, dejan pasar el aire (en la respiración y en la realización de ciertos sonidos), pero que pueden unirse, adquirir una gran tensión y vibrar en la realización de los sonidos llamados sonoros. El aire atraviesa la laringe y asciende por la faringe hacia la boca. En la producción de la articulación desempeñan un papel importantísimo los elementos que componen las cavidades bucal, faríngea y nasal.

La cavidad bucal se compone de una serie de órganos pasivos, fijos: los dientes, los alveolos, el paladar; y otros órganos de tipo activo: el maxilar inferior, la lengua, los labios y el velo del paladar. Gracias a la combinación de estos órganos activos y pasivos, la caja de resonancia se modifica, adopta unas características diferentes; modificaciones que permiten distinguir diferentes sonidos articulados.

En los últimos años las investigaciones de Straka y de Žinkin, por ejemplo, han permitido conocer mucho mejor el papel de determinados órganos, ciertos músculos o la faringe, en la realización de elementos fónicos tan importantes como vocales y consonantes o la sílaba[3].

---

pects génétiques des sons du langage", en *Orbis,* X, 1961, pp. 47-68; B. SONESSON, "The Functional Anatomy of the Speech Organs", en B. MALMBERG, *Manual of Phonetics,* Amsterdam, 3.ª ed., 1974, pp. 45-75; Raymond Herbert STETSON, *Motor Phonetics. A Study of Speech Movements in Action,* Amsterdam, North-Holland, 2.ª ed., 1951; F. STRENGER, "Radiographic, palatographic, and labiographic methods in phonetics", en *Manual of Phonetics,* pp. 334-364; A. TOMATIS, *L'oreille et le langage,* París, Seuil (trad. española, *El oído y el lenguaje,* Barcelona, Martínez Roca, 1969); J. W. VAN DEN BERG, "Mechanism of the Larynx and the Laryngeal Vibrations", en *Manual of Phonetics,* pp. 278-308; Claes WITTING, "New Techniques of Palatography", en *Studia Linguistica,* VIII, 1953, pp. 54-68.

3. G. STRAKA, en *TLLS,* I, 1963, pp. 17-99; N. I. ZINKIN, *Mechanisms of Speech,* La Haya-París, Mouton, 1968.

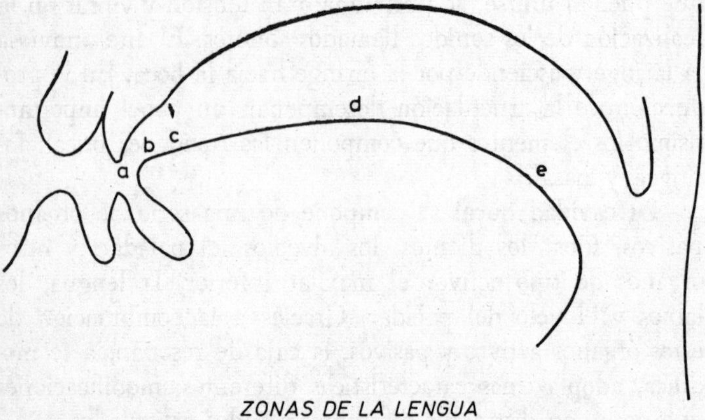

ZONAS DE LA LENGUA

a: ápice; *b*: corona; *c*: predorso; *d*: dorso; *e*: postdorso.

2.2.3.2. ANÁLISIS ACÚSTICO DEL SONIDO *

En la descripción de los sonidos de una lengua se acostumbra a utilizar tanto criterios de tipo articulatorio (v. 2.2.5.) como los que proceden del análisis acústico realizado con

* El lector encontrará una clara exposición de los problemas relacionados con la acústica en B. MALMBERG, *Les domaines de la Phonétique*, París, PUF, 1971, pp. 104-139, y en M. HALLE, *The Sound Pattern of Russian. A Linguistic and Acoustical Investigation*, La Haya-París, Mouton, 2.ª ed., 1971, pp. 79-109. Vid. R. CERDÁ, "La ciencia fonética y sus relaciones con la fonología y la información. Notas metodológicas", en *BdF*, XXII, 1964-1971, pp. 43-57; A. COHEN, "On the Value of Experimental Phonetics for the Linguists", en *Lingua*, XI, 1962, pp. 67-74; F. S. COOPER, "Instrumental Methods for Research in Phonetics", en *Proceedings of the Fifth International Congress of Phonetic Sciences, Münster,*

aparatos adecuados. Estas últimas investigaciones suelen estar basadas en el espectrógrafo, que es un aparato capaz de reproducir gráficamente en una banda de papel especial las

---

1964, Nueva York, Basel, 1965, pp. 142-171; Pierre DELATTRE, "The Physiological Interpretation of Sound Spectrograms", en *PMLA,* LXVI, 1951, pp. 864-876; P. C. DELATTRE, A. M. LIBERMAN, F. S. COOPER y L. J. GERSTMAN, "An Experimental Study of the Acoustic Determinants of Vowel Color; Observations on One- and Two-Formant Vowels Synthesized from Spectrographic Patterns", en *Word,* VIII, 1952, pp. 195-210; P. C. DELATTRE, "Les atributs acoustiques de la nasalité vocalique et consonantique", en *Studia Linguistica,* VIII, 1954, pp. 103-109; P. C. DELATTRE, A. M. LIBERMAN y F. S. COOPER, "Acoustic Loci and Transitional Cues for Consonants", en *JASA,* XXVII, 1955, pp. 769-773; P. C. DELATTRE, F. S. COOPER, A. M. LIBERMAN y L. J. GERSTMAN, "Speech Synthesis as a Research Technique", en *Proceedings of the Seventh International Congress of Linguists, London, 1952,* Londres, International University Booksellers, 1956, pp. 543-561; P. DELATTRE, "Les indices acoustiques de la parole. Premier rapport", en *Phonetica,* II, 1958, pp. 108-118 y 226-251; P. C. DELATTRE, "Le jeu de transitions des formants et la perception des consonnes", en *Proceedings of the Fourth International Congress of Phonetic Sciences, Helsinki, 1961,* La Haya, Mouton, 1962, pp. 407-417; M. DURAND, "De la perception des consonnes occlusives. Questions de sonorité", en *Word,* XII, 1956, pp. 15-34; F. FALC'HUN, "Point de vue structuraliste en phonétique experimentale", en *Word,* XXIII, 1967, *Linguistic Studies Presented to A. Martinet,* parte I, pp. 138-149; C. G. M. FANT, "Modern Instruments and Methods for Acoustic Studies of Speech", en *Proceedings of the Eighth International Congress of Linguists, Oslo, 1958,* Oslo, University Press, 1960, pp. 282-362; *Acoustic Theory of Speech Production,* La Haya, Mouton, 1964; "Sound Spectrography", en *Proceedings of the Fourth International Congress of Phonetic Sciences, Helsinki, 1961,* La Haya, Mouton, 1962, pp. 14-33; "Analysis and Synthesis of Speech Processes", en Bertil MALMBERG, *Manual of Phonetics,* Amsterdam, North Holland, 3.ª ed., 1974, pp. 173-277; Eli FISCHER-JØRGENSEN, "The Phonetic Basis for Identification of Phonemic Elements", en *JASA,* XXIV, 1952, pp. 611-617; "What Can the New Techniques of Acoustic Phonetics Contribute to Linguistics?", en *Proceedings of the Eighth International Congress of Linguists, Oslo, 1958,* Oslo University Press, 1960, pp. 433-478 (reimpreso en Sol SAPORTA, *Psycholinguistics. A Book of Readings,* Nueva York, 1961, pp. 112-142);

características acústicas de un mensaje. Los dos tipos de descripción son imprescindibles, aunque algunos investigadores se han inclinado por las descripciones y clasificaciones

Erik C. FUDGE, "Phonology and Phonetics", en *CTL*, IX, vol. I, pp. 290-295; P. S. GREEN, "Consonant-Vowel Transitions. A Spectrographic Study", *Studia Linguistica*, XII, 1958, pp. 57-105; Roman JAKOBSON, C. Gunnar M. FANT y Morris HALLE, *Preliminaries to Speech Analysis. The Distinctive Features and their Correlates*, Cambridge, Mass., The MIT Press, 9.ª ed., 1969; Roman JAKOBSON y Morris HALLE, *Fundamentos del lenguaje*, Madrid, Ciencia Nueva, 1967; Martin A. JOOS, *Acoustic Phonetics*, Language Monographs, n.º 23, Baltimore, Waverly Press, 1948; Peter LADEFOGED, *Elements of Acoustic Phonetics*, Chicago, Chicago University Press, 1962; *Preliminaries to Linguistic Phonetics*, Chicago, Chicago University Press, 1972; A. M. LIBERMAN, F. INGEMANN, L. LISKER, P. C. DELATTRE y F. S. COOPER, "Minimal Rules for Synthesizing Speech", en *JASA*, XXXI, 1959, pp. 1440-1449; A. M. LIBERMAN y F. S. COOPER, "In Search of the Acoustic Cues", en Albert VALDMAN (ed.), *Papers in Linguistics and Phonetics to the Memory of Pierre Delattre*, La Haya-París, Mouton, 1972, pp. 329-338; L. LISKER, F. S. COOPER y A. M. LIBERMAN, "The Uses of Experiment in Language Description", en *Word*, XVIII, 1962, pp. 82-106; Ilse LEHISTE, *Readings in Acoustic Phonetics*, Cambridge, The MIT Press, 1967; André MALÉCOT, "New Procedures for Descriptive Phonetics", en Albert VALDMAN, ed., *Papers... Pierre Delattre*, pp. 345-355; Bertil MALMBERG, "Análisis estructural y análisis instrumental de los sonidos del lenguaje. Forma y substancia", en *Thesaurus, BICC*, XVIII, 1963, pp. 249-267; *Phonétique Générale et Romane*, La Haya-París, Mouton, 1971; H. MOL y E. M. UHLENBECK, "The Analysis of the Phoneme in Distinctive Features and the Process of Hearing", en *Lingua*, IV, 1955, pp. 167-193; "The Correlation between Interpretation and Production of Speech Sounds", en *Lingua*, VI, 1956, pp. 333-353; H. MOL, *Fundamentals of Phonetics*, t. I, *The Organ of Hearing*, Janua Linguarum, Series Minor, XXVI, La Haya, Mouton, 1963, y t. II, *Acoustical Models Generating the Formants of the Vowel Phonemes*, Janua Linguarum, Series Minor, XXVI, 2, La Haya, Mouton, 1970; R. K. POTTER, G. A. KOPP y H. C. GREEN, *Visible Speech*, Nueva York, 1947; Ernest PULGRAM, *Introduction to the Spectrography of Speech*, La Haya, Mouton, 1959; A. QUILIS, "El método espectrográfico. Notas de fonética experimental", en *RFE, XLIII*, 1960, pp. 415-428; *Album de fonética acústica*, Madrid, CSIC, 1973; S. M. SAPON, "Étude instrumentale de

acústicas, más netamente diferenciales y más estables, como ha notado el fonetista sueco B. Malmberg[4].

2.2.3.2.1. *El espectrógrafo*

Espectrógrafo es el nombre genérico de estos aparatos, y el resultado obtenido es un *espectrograma.* B. Malmberg ha indicado la conveniencia de distinguir estos términos de *sonógrafo* y *sonograma,* que deben ser reservados únicamente para el aparato llamado *Sona-Graph,* fabricado por la casa Kay-Electric, que suele ser el más utilizado, y para el resultado obtenido con este artilugio[5]. En la banda de papel especial en la que aparece el espectrograma pueden ser estudiados tres factores acústicos distintos: la *frecuencia* en c.p.s., en el eje de las ordenadas; *duración* total de la grabación y de cada sonido, en el eje de las abcisas; y la mayor o menor *intensidad* relativa de un sonido, que se observa en el mayor o menor ennegrecimiento de los formantes. Un

---

quelques contours mélodiques fondamentaux dans les langues romanes", en *RFE,* XLII, 1958-1959, pp. 167-177; H. M. TRUBY, "A Definition of Speech-Sound Analysis, 'Speech Synthesis', and Speech", en *Word,* XXIII, 1967, *Linguistic Studies Presented to A. Martinet,* part I, pp. 518-556; "Sonocineradiography in Speech-Sound Analysis", en Albert VALDMAN (ed.), *Papers... Pierre Delattre,* pp. 451-472; F. WINCKEL, "Acoustical Foundations of Phonetics", en *Manual of Phonetics,* pp. 17-44.

4. B. MALMBERG, "Le problème du classement des sons du langage et quelques questions connexes", en *Studia Linguistica,* VI, 1952, pp. 1-56 (reimpreso en *Phonétique Générale et Romane,* La Haya-París, Mouton, 1971, pp. 67-108) y *Thesaurus, BICC,* XVIII, 1963, pp. 265-266.

5. B. MALMBERG, *Les domaines de la Phonétique,* París, PUF, 1971, p. 110 y n. 1. Una asequible descripción del funcionamiento de este aparato ha sido realizada por A. QUILIS, "El método espectrográfico (Notas de fonética experimental)", *RFE,* XLIII, 1960, p. 418 y ss.; vid., Zarco MULJACIC, *Fonología general,* Barcelona, 1974, pp. 89-97.

espectrógrafo se basa en la conversión de la onda acústica en onda eléctrica, que va quemando el papel sensible en el que se va dibujando el espectrograma. La energía acústica se descompone a través de un sistema de filtros que sólo permiten el paso de una frecuencia determinada; según el tipo de sonidos que se quiera estudiar detenidamente, es conveniente utilizar filtros de banda estrecha (45 c.p.s.) o de banda ancha (300 c.p.s.). Cada sonido posee un timbre característico que determina un conjunto de frecuencias, conjunto que aparece en los espectrogramas descompuesto en sus formantes; como ha advertido A. Quilis, "cada uno de los formantes no es un tono único, sino una zona en la que se pone de relieve un conjunto de armónicos, cada uno situado a una frecuencia determinada. Por eso se suele llamar también *zona de formantes*" [6]. Los formantes se ordenan a partir del borde inferior de la banda de papel (F_1, F_2, F_3, ...); en las vocales, F_1 y F_2 están claramente dibujados y bastan para la caracterización del timbre, pero pueden aparecer formantes suplementarios de nasalización, producidos por la adición del resonador nasal. [Alarcos, *Fonología*, 35]. Normalmente en los formantes vocálicos aparecen las desviaciones de transición producidas por las consonantes en contacto. En las consonantes los problemas son mucho más complejos: las consonantes sonoras se caracterizan por la presencia de una mancha de frecuencias muy bajas, a este formante se le denomina *barra de sonoridad*, que está ausente en las consonantes de tipo sordo, en las consonantes oclusivas es característica la aparición de

6. A. Quilis, *RFE*, XLIII, 1960, p. 422. Para la historia y definición del término *formante*, vid. H. Mol, *Fundamentals of Phonetics*, t. II: *Acoustical Models Generating the Formants of the Vowel Phonemes*, La Haya, Mouton, 1970, pp. 19-34, y B. Malmberg, *Les domaines de la phonétique*, p. 106 y ss.

una zona blanca, típica de la explosión seguida por la barra vertical de explosión, que está claramente dibujada. En las fricativas sonoras [ƀ], [đ], [ǥ], además de la barra de sonoridad, existen unos formantes más altos que parecen continuar los formantes de los sonidos vocálicos en contacto. Los investigadores cuentan con un aparato sintetizador, que permite comprobar la exactitud de la interpretación y el análisis que se ha realizado sobre el espectrograma; el sintetizador reproduce las condiciones acústicas atribuidas al sonido y de esta manera, se puede comprobar la bondad del análisis.

2.2.4. La transcripción fonética

Los lingüistas han adoptado unas notaciones convencionales que son capaces de expresar con auténtica precisión los matices fonéticos que no aparecen en la ortografía habitual. En España y en los países de habla española es tradición utilizar el Alfabeto Fonético de la *Revista de Filología Española*[7], que se intentó ajustar a las necesidades de los investigadores hispánicos. En algunas investigaciones se ha utilizado el Alfabeto Fonético Internacional, pero T. Navarro Tomás ha explicado con gran detalle las ventajas que para el estudioso de las hablas hispánicas presenta el sistema de la *RFE*[8]. Es obvio que resulta imprescindible el conocimiento de ambos sistemas de transcripción; a lo largo de este libro utilizaremos únicamente el primer sistema[9].

7. *RFE*, II, 1915, pp. 374-376.

8. T. Navarro, "El alfabeto fonético de la *Revista de Filología Española*", en *ALM*, VI, 1966-1967, pp. 5-10.

9. Las realizaciones fonéticas se transcriben entre [ ], y los fonemas van colocados entre / /. Para una fácil consulta de las instrucciones complementarias para el manejo del *AFI*, vid. R. H. Robins, *Lingüística General*, Madrid, Gredos, 1971, pp. 124-125. A propósito de

Alfabeto Fonético de la "RFE"

Vocales

[i], [e], [o], [u]	*cerradas*
[į], [ę], [ǫ], [ų]	*abiertas*
[í], [é], [á], [ó], [ú]	*tónicas*
[a]	*media*
[ạ]	*velar*
[ĩ], [ẽ], [ã], [õ], [ũ]	*nasales*
[ĩ́], [ẽ́], [ã́], [ṍ], [ṹ]	*nasales* y *tónicas*

Semiconsonantes

[j], [w]

Semivocales

[i̯], [u̯]

Consonantes

[b]	*bilabial oclusiva sonora* [bjén] (bien)
[ƀ]	*bilabial fricativa sonora* [túƀo] (tubo)
[ĉ]	*palatal africada sorda* [muĉáĉo] (muchacho)
[θ]	*interdental fricativa sorda* [θóna] (zona)
[d]	*dental oclusiva sonora* [dáɹ] (dar)

---

la finalidad de una transcripción fonética, debe consultarse el artículo de A. Martinet, en *Le Maître Phonétique*, LXXXVI, 1946, pp. 14-17 (reimpreso en *La lingüística sincrónica*, Madrid, Gredos, 1968, pp. 161-166). Vid., además, J. Vachek, "Some Remarks on Writing and Phonetic Transcription", en *Acta Linguistica*, V, 1945-1949, pp. 86-93 (reimpreso en *RIL*, II, pp. 152-157), y Robert W. Albright, *The International Phonetic Alphabet. Its Backgrounds and Development*, Baltimore, Waverly Press, 1958.

[đ] *dental fricativa sonora* [déđo] (dedo)
[^{đ}] *variante débil* en los participios en *-ado* y, en general, en posición intervocálica final [kansá^{đ}o] (cansado)
[^{đ}̥] *variante débil ensordecida* en posición final [bọņdá^{đ}̥] (bondad)
[f] *labiodental fricativa sorda* [fwégo] (fuego)
[g] *velar oclusiva sonora* [gẹ́r̄a] (guerra)
[ǥ] *velar fricativa sonora* [dáǥa] (daga)
[k] *velar oclusiva sorda* [kalamiđá^{đ}̥] (calamidad)
[l] *alveolar fricativa lateral sonora* [ála] (ala)
[ḷ] *interdental lateral sonora* [ạḷθáɹ] (alzar)
[l̩] *dental lateral sonora* [ạ́l̩to] (alto)
[l̮] *palatal lateral sonora* [kál̮e] (calle)
[m] *bilabial nasal sonora* [múĉo] (mucho)
[m̯] *labiodental nasal sonora* [ẹ́m̯fẹrmo] (enfermo)
[n] *albeolar nasal sonora* [tenẽ́mọs] (tenemos)
[ṇ] *interdental nasal sonora* [ọ́ṇθe] (once)
[ņ] *dental nasal sonora* [aņduƀimọs] (anduvimos)
[ŋ] *velar nasal sonora* [téŋgo] (tengo)
[n̮] *palatal nasal sonora* [ún̮a] (uña)
[p] *bilabial oclusiva sorda* [tápa] (tapa)
[r] *alveolar vibrante simple* [pero] (pero)
[ɹ] *alveolar fricativa,* variante relajada de casos como [kolọ́ɹ] (color)
[r̄] *alveolar vibrante múltiple* [pẹ́r̄o] (perro)
[s] *alveolar fricativa sorda* [kása] (casa)
[t] *dental oclusiva sorda* [láta] (lata)
[x] *velar fricativa sorda* [kạ́xa] (caja)
[y] *palatal fricativa sonora* [áyo] (ayo)
[ŷ] *palatal africada sonora* [kọ́n̮ŷuxe] (cónyuge)
[z] *alveolar fricativa sonora* [ázno] (asno)
[ẓ] *interdental fricativa sonora* [al̮áẓgo] (hallazgo)

		Bilabial	Labio-dental	Dental y alveolar	Retro-fleja	Palato-alveolar	Alveolo-palatal	Palatal	Velar	Uvular	Farin-gal	Glotal
CONSONANTES	Explosivas (oclusivas y africadas)	p b		t d	ʈ ɖ			c ɟ	k ɡ	q ɢ		ʔ
	Nasales	m	ɱ	n	ɳ			ɲ	ŋ	ɴ		
	Laterales fricativas			ɬ ɮ								
	Laterales no fricativas			l	ɭ			ʎ				
	Vibrantes múltiples			r						ʀ		
	Vibrantes simples			ɾ	ɽ					ʀ		
	Fricativas	ɸ β	f v	θ ð | s z | ɹ	ʂ ʐ	ʃ ʒ	ɕ ʑ	ç ʝ	x ɣ	χ ʁ	ħ ʕ	h ɦ
	Continuas no fricativas y semivocales	w ɥ	ʋ	ɹ				j (ɥ)	(w)	ʁ		
VOCALES								Anterior Central	Posterior			
	Cerradas	(y ʉ u)						i y ɨ ʉ	ɯ u			
	Medio cerradas	(ø o)						e ø	ɤ o			
	Medio abiertas	(œ ɔ)						ɛ œ ə	ʌ ɔ			
	Abiertas	(ɒ)						æ ɐ a	ɑ ɒ			

Alfabeto fonético internacional

2.2.5. Clasificación de los sonidos

2.2.5.0. Clasificación articulatoria de los sonidos

Desde el punto de vista de su realización, los sonidos se clasifican de acuerdo con la combinación de cuatro factores fundamentales: *el punto de articulación, el modo de articulación, la acción de las cuerdas vocales* y *la acción del velo del paladar.*

2.2.5.1. *El punto de articulación*

El **punto de articulación** es el lugar en el que un órgano activo entra en contacto o se aproxima a otro órgano (activo o pasivo) para producir un cierre o un estrechamiento en el canal. En fonética española se consideran los siguientes puntos de articulación, que determinan tipos distintos de realizaciones fonéticas:

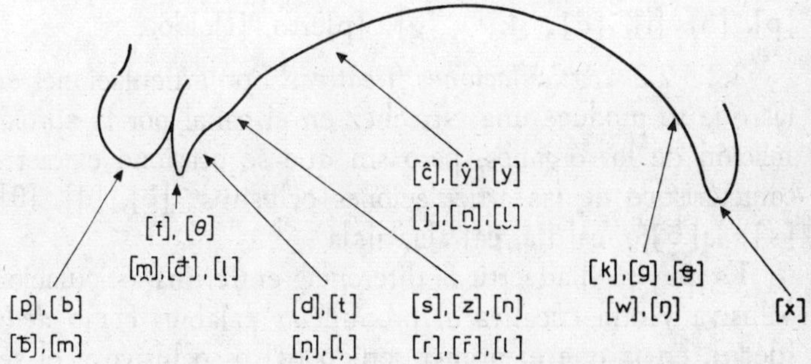

Puntos de articulación de los sonidos españoles, según el esquema de T. Navarro Tomás, Pronunciación, *p.* 76

Articulaciones	*bilabiales*	[p], [b]	[b]arrio, [p]apá
	labiodentales	[f]	[f]ortaleza
	interdentales	[θ]	[θ]arago[θ]a
	dentales	[d], [t]	[d]ar, [t]ejado
	alveolares	[s], [n]	[s]anto, [n]iño
	palatales	[l̮], [n̮]	[l̮]orar, ni[n̮]o
	velares	[k], [x]	[k]ampo, te[x]a

2.2.5.2. *El modo de articulación*

El **modo de articulación** es la especial manera con que se realiza cada articulación, independientemente del punto del canal en que se aproximen o entren en contacto los órganos articulatorios. Este criterio permite clasificar las articulaciones de acuerdo con unos grandes apartados: *oclusivas, fricativas, africadas, laterales, vibrantes, semiconsonantes, semivocales* y *vocales*.

2.2.5.2.1. *Articulaciones oclusivas*. Se realizan en un contacto completo entre los órganos articulatorios; el canal se cierra totalmente para abrirse en una breve explosión: [p], [b], [t], [d], [k] y [g]: [p]erro, [t]oldo.

2.2.5.2.2. *Articulaciones fricativas*. Son articulaciones en las que se produce una estrechez en el canal por la aproximación de los órganos, pero sin que se ocasione el cierre característico de las articulaciones oclusivas: [ƀ], [đ], [θ], [s]: la[ƀ]io, ca[đ]a, ca[θ]a, a[s]a.

Es muy fácil advertir la diferencia entre una articulación oclusiva y otra fricativa al pronunciar palabras como *dedo* [déđo], en la que el primer sonido [d] es oclusivo y el segundo [đ] fricativo.

2.2.5.2.3. *Articulaciones africadas*. Son articulaciones en las que aparece un primer movimiento oclusivo que, suavemente, se convierte en fricativo: [ĉ], que corresponde a la grafía *ch* (v. 2.5.13.1): [ĉ]oza, cu[ĉ]ara.

2.2.5.2.4. *Articulaciones laterales.* En este tipo de realizaciones fonéticas el aire sale por los lados de la lengua, mientras que es el ápice de la lengua en contacto con el órgano pasivo el que establece el obstáculo para la libre salida de la corriente del aire: [l], [l̬] (v. 2.5.10.1): [l]ámina, [l̬]anto.

2.2.5.2.5. *Articulaciones vibrantes.* Son articulaciones en las que la lengua realiza un movimiento de vibración que, de una manera alternativa, dificulta la salida del aire: [r], [r̄] (v. 2.5.12.2): pe[r]o (pero), pe[r̄]o (perro).

2.2.5.2.6. *Articulaciones semiconsonantes.* Esta clase especial está caracterizada por partir de una estrechez típica de las consonantes, que se resuelve en una amplitud muy cercana a la de las vocales: [j], [w]: pend[j]ente, n[w]evo (pendiente, nuevo).

2.2.5.2.7. *Articulaciones semivocales.* En estas articulaciones se produce un movimiento contrario al de las articulaciones semiconsonantes: la articulación comienza teniendo un amplio carácter vocálico que se va convirtiendo en una estrechez: [i̯], [u̯]: pe[i̯]ne, ta[u̯]maturgo.

2.2.5.2.8. *Articulaciones vocales.* El aire no encuentra ningún obstáculo al salir por el canal; la cavidad bucal varía de forma, según las distintas posiciones de la lengua: [a], [e], [o], [i], [u].

2.2.5.3. *La acción de las cuerdas vocales*

La acción de las cuerdas vocales determina la existencia de sonidos **sonoros**, en los que aparece la vibración característica, y **sordos**, carentes de esta particularidad: [d]-[t],

[p]-[b], por ejemplo. Las parejas léxicas [t]eja-[d]eja o [p]eso-[b]eso se diferencian por la presencia o ausencia de las vibraciones de las cuerdas vocales en el primer elemento fonético.

2.2.5.4. *La acción del velo del paladar*

Igualmente es muy importante la acción del velo del paladar, que puede adoptar una posición de cierre del aire hacia las fosas nasales, articulaciones de tipo **oral**, o, por el contrario, permitir el paso de dicha corriente hacia las fosas nasales, con lo que el sonido se convierte en una articulación **nasal**: [t] es una consonante de tipo oral, frente a las consonantes [m], [n] o [n̪], que son de tipo nasal: [m]ar, tre[n]es, le[n̪]a). En contacto con articulaciones nasales, las vocales también pueden impregnarse de nasalidad: m[ã́]no.

2.2.5.5. *Definición articulatoria de las realizaciones fonéticas*

De acuerdo con estos cuatro criterios anteriormente citados, las realizaciones fonéticas se definen por la combinación de estos rasgos:

[t] *dental oclusiva sorda*
[n] *alveolar nasal sonora*
[θ] *interdental fricativa sorda.*

2.2.5.6.0. Clasificación acústica de los sonidos

Como ya se anotó en 2.2.3.2, los investigadores han intentado definir los sonidos desde el ángulo de la acústica, por considerar que este tipo de clasificación es más válido y exacto que el articulatorio. No hay que olvidar que el lenguaje es básicamente una comunicación para ser oída, y el descubrimiento de que articulaciones distintas no afectan a la comprensión de un sonido ha inclinado definitivamente a los investigadores hacia este tipo de clasificación. Basta recordar que en el español pueden aparecer diferentes tipos articulatorios de *s*, [ṡ], [ș] o [s̄], sin que el hablante deje de interpretar correctamente el mensaje, pues, como ha indicado B. Malmberg, lo que es más característico de este sonido es su frecuencia extraordinariamente alta y mucho menos importante resulta indicar exactamente con qué medios articulatorios se consigue esta frecuencia[10]. Desde el punto de vista de la comunicación lingüística es básico descubrir qué rasgos acústicos fundamentales permiten esta comunicación y cuál es el conjunto auténticamente económico de elementos diferenciales. Casi todos los lingüistas están convencidos de la necesidad de definir los sonidos desde el punto de vista acústico, sobre todo después de los últimos avances en fonética experimental, pero un grupo de lingüistas e investigadores, R. Jakobson, C. Gunnar M. Fant y Morris Halle, propuso unos rasgos acústicos aparentemente universales, que están presentes en todas las lenguas conocidas (*vocálico-no vocálico, consonántico-no consonántico, denso-difuso*) o en casi todas (como sucede con la oposición *nasal-oral*), mientras que otros rasgos acústicos son seleccionados por cada lengua, de acuerdo con unas determinadas reglas y sin que puedan aparecer todos juntos en una sola. Estos rasgos se distribuyen en oposiciones de tipo binario (+ **presencia**/— **ausencia**); esta teoría binarista ha reci-

10. Bertil Malmberg, "Le problème du classement des sons du langage et quelques questions connexes", en *Studia Linguistica,* VI, 1952, pp. 1-56. Cito por *Phonétique Générale et Romane,* La Haya-París, Mouton, 1971, p. 74.

bido serios ataques por parte de ilustres investigadores[11], aunque hay que reconocer que, a pesar de sus limitaciones, permite una más exacta clasificación de los elementos fónicos

11. El lector encontrará una asequible exposición de las teorías de R. Jakobson en la obra de Giulio C. LEPSCHY, *La lingüistica strutturale,* Turín, Einaudi, 1966, pp. 119-128 (existe trad. española, Barcelona, Anagrama, 1971). Hay que advertir que en la historia del binarismo no existen una serie de hitos revolucionarios, sino la evolución de un pensamiento teórico al que se unen los nuevos descubrimientos de tipo experimental. La primera concepción binarista en la teoría fonológica apareció en la comunicación presentada por Roman JAKOBSON al Círculo Lingüístico de Praga titulada "Observations sur le classement phonologique des consonnes", presentada posteriormente en el III Congreso Internacional de Ciencias Fonéticas, Gante, 1938 (vid. *Selected Writings,* t. I: *Phonological Studies,* La Haya-París, Mouton, 2.ª ed., 1971, pp. 272-279). En este trabajo se ponen en relación, por primera vez, las características articulatorias con las acústicas, con una nueva terminología, que después sufrirá algunas modificaciones, y se aportan las directrices teóricas que aparecerán en el trabajo "On the Identification of Phonemic Entities", en *Recherches Structurales, TCLC,* V, 1949, pp. 205-213, y en "The Correct Presentation of Phonemic Problems", en *Symposium,* V, 1951, pp. 328-335 (*Selected Writings,* t. I, pp. 435-442). La unión de las investigaciones de R. JAKOBSON, C. Gunnar M. FANT y Morris HALLE producirá el discutido libro *Preliminaries to Speech Analysis. The Distinctive Features and their Correlates,* Cambridge, Mass., The MIT Press, 9.ª ed., 1969, donde se intenta buscar el conjunto de rasgos universales utilizados por los sistemas fonológicos. Vid. la reseña de Yuen Ren CHAO, en *RPh,* VIII, 1954-1955, pp. 40-46, donde el ilustre investigador reconoce que la teoría "is definitely a great step in advance toward reducing the ambiguity of 'solutions'" (p. 45). Sobre este importante problema, no resuelto definitivamente, vid. C. E. BAZELL, "Correspondence Fallacy in Structural Linguistics", en *Studies by Members of the English Department, Istanbul University,* III, 1952, pp. 1-41 (cito por *RIL,* II, pp. 294-298). Las ideas de 1952 aparecerán depuradas en la obra de R. JAKOBSON y M. HALLE, *Fundamentals of Language,* La Haya, Janua Linguarum, n.º 1, Mouton, 1956 (hay trad. española, *Fundamentos del lenguaje,* Madrid, Ciencia Nueva, 1967), y posteriormente revisados en el capítulo "Phonology in Relation to Phonetics", redactado en 1966-1967, para el *Manual of Phonetics* dirigido por B. Malmberg, Amsterdam, North-Holland, 1968 (vid. "The Revised Version of the List of Inherent Features", en *Selected Wri-*

utilizados por una lengua y, además, superar en parte antiguos problemas teóricos de muy difícil solución. De acuerdo con la declaración de los tres investigadores citados, se trata

---

tings, t. I, pp. 738-742). Como es natural, resulta completamente imposible desligar el conjunto de la teoría jakobsoniana de los problemas de la comunicación y el papel que en la información desempeña el binarismo, como ha señalado el propio investigador, vid. R. JAKOBSON, E. Colin CHERRY y Morris HALLE, "Toward the Logical Description of Languages in their Phonemic Aspect", en *Lan,* XXIX, 1953, pp. 34-46 (*Selected Writings,* t. I, pp. 449-463), y "Linguistics and Communication Theory", en *Structure of Language and its Mathematical Aspects,* Proceedings of Symposia of Applied Mathematics, American Mathematical Society, XII, 1961, pp. 245-252 (existe trad. francesa de N. Ruwet, en *Essais de Linguistique Générale,* París, Les Éditions de Minuit, 1963, pp. 87-99). Sobre este aspecto fundamental ha insistido Morris HALLE en dos trabajos, "The Strategy of Phonemics", en *Word,* X, 1954, pp. 197-209, especialmente p. 203 y ss. para el binarismo; y "In Defense of Number Two", *Studies Presented to Joshua Whatmough on his Sixtieth Birthday,* E. Pulgram ed. La Haya, 1957, pp. 65-72; trabajos a los que hay que añadir el intento de interpretar matemáticamente los lasgos distintivos y su estructura binaria realizado por G. UNGEHEUER, "Das logistische Fundament binärer Phonemklassificationem", en *Studia Linguistica,* XIII, 1959, pp. 69-97. Los *Fundamentos* de JAKOBSON y HALLE recibieron algunas críticas importantes, vid. N. CHOMSKY, en *International Journal of American Linguistics,* XXIII, 1957, pp. 234-242 (reimpreso en Valerie Becker MAKKAL, *Phonological Theory. Evolution and Current Pratice,* Nueva York, Holt, Rinehart and Winston, 1972, pp. 343-350), crítica dedicada a la primera parte del libro y con inteligentes observaciones; también los interesantes comentarios críticos de Yehoshua BAR-HILLEL, "Three Methodological Remarks on *Fundamentals of Language*", en *Word,* XIII, 1957, pp. 323-335; además de D. B. FRY, *For Roman Jakobson,* La Haya, Mouton, 1956, pp. 169-183, y Harry HOIJER, en *RPh,* XI, 1957-1958, *Percival B. Fay Testimonial,* parte I, pp. 292-294. Bertil MALMBERG ha insistido en varios lugares de su obra en la insuficiencia descriptiva de la teoría binarista, vid. "Changements de perspectives en phonétique", en *Phonétique Générale et Romane,* p. 294 y ss., y sobre todo en "Distinctive Features of Swedish Vowels: Some Instrumental and Structural Data", *For Roman Jakobson,* La Haya, Mouton, 1956, pp. 316-321 (*Phonétique Générale et Romane,* pp. 249-255), donde plantea el problema de los diferentes grados de labialización que posee el sistema vocálico sueco, no

de encontrar el conjunto finito de rasgos distintivos que posee un código lingüístico, el conjunto finito de reglas para agruparlos en fonemas y también el conjunto de leyes que permite la agrupación de fonemas en secuencias[12].

2.2.5.6.1. *Rasgos distintivos*

2.2.5.6.1.1. I. *Vocálico-no vocálico.* En el espectrograma, los rasgos *vocálicos* se presentan con una estructura claramente definida de los formantes, mientras que en los *no vocálicos* está ausente esta clara definición. Articulatoriamente, como sabemos, el carácter vocálico se caracteriza por la libertad en la salida del aire por la cavidad bucal.

---

previstos por la teoría binarista. En la obra del lingüista francés André MARTINET se encuentra una decidida oposición de la teoría binarista, vid. *La Lingüística sincrónica,* Madrid, Gredos, 1968, pp. 81-87, y también *Économie des changements phonétiques. Traité de phonologie diachronique,* A. Francke, 2.ª ed., 1964, 3.14 y ss.; como contestación a alguna objeción de Martinet, vid. R. JAKOBSON, en *Selected Writings,* t. I, p. 645, y Morris HALLE "In defense of Number Two". La teoría de los rasgos de Jakobson fue escogida, aunque con carácter arbitrario, en los comienzos de la fonología generativa, vid. M. HALLE, "Phonology in Generative Grammar", en *Word,* XVIII, 1962, pp. 54-72 (existe trad. española en la obra dirigida por H. Contreras, *Los fundamentos de una gramática transformacional,* México, Siglo XXI, 1971, pp. 137-163); no hay que olvidar tampoco la condición segunda expuesta por el mismo autor en su obra *The Sound Pattern of Russian. A Linguistic and Acoustical Investigation,* La Haya-París, Mouton, 2.ª ed., 1971, 1.2., donde se afirma el carácter binario de los rasgos distintivos. Dada la gran evolución que ha sufrido la fonología en la teoría transformativa a partir de la obra de CHOMSKY y HALLE, *The Sound Pattern of English,* Nueva York, Harper and Row, 1968, se debe consultar la exposición hecha por Rudolf P. BOTHA, *Methodological Aspects of Transformational Generative Phonology,* Janua Linguarum, Series Minor, 112, La Haya, París, Mouton, 1971, donde se resumen claramente los nuevos avances teóricos.

12. R. JAKOBSON, C. Gunnar M. FANT y Morris HALLE, *Preliminaries to Speech Analysis,* 9.ª ed., 1969, p. 4.

2.2.5.6.1.2. II. *Consonántico-no consonántico.* Los rasgos *consonánticos* están originados por una obstrucción en el canal bucal, frente a los *no consonánticos,* que no presentan esta obstrucción. Desde el punto de vista espectrográfico, los rasgos consonánticos presentan una energía total baja.

2.2.5.6.1.3. *Líquida-no líquida.* Tipo de sonidos caracterizados por poseer a la vez rasgo vocálico y rasgo consonántico. Presentan como las vocales un generador armónico que determina la existencia de unos formantes, pero también poseen las antirresonancias típicas de las consonantes [13]. Desde un punto de vista articulatorio, suelen poseer una obstrucción del canal y la abertura de las vocales. Según los tipos de líquida, el aire encuentra un obstáculo y sale por los laterales de la lengua o por un lateral [l̮], [l], o encuentra una obstrucción que se abre cada cierto espacio de tiempo [r̄].

2.2.5.6.1.4. III. *Denso-difuso.* En las articulaciones caracterizadas por el rasgo de densidad, aparece una concentración de energía en la zona central del espectro, mientras que en las difusas se ofrece una zona central del espectrograma sin apenas intensidad; en las primeras aumenta la cantidad total de energía, mientras que disminuye sensiblemente en las segundas. Articulatoriamente, se caracterizan por la diferencia que aparece en el volumen de la caja de resonancia con relación al punto donde se produce la estrechez. En las consonantes *densas* predomina la cavidad bucal sobre la faríngea *(palatales* y *velares),* y en las *difusas,* al revés *(labiales* y *dentales).*

2.2.5.6.1.5. IV. *Tenso-flojo.* Articulatoriamente esta oposición se basa en la mayor deformación del aparato articu-

13. *Preliminairies,* 2.222, y E. Alarcos, *Fonología Española,* 47.

latorio tomando como punto de partida la posición de reposo. Acústicamente aparece una mayor difusión de energía en el espectrograma, en los *tensos*, unida a una mayor duración en el tiempo, frente a una menor difusión de energía y de duración en los *flojos*. Como es lógico, la cantidad total de energía es mucho más elevada en los primeros que en los segundos[14].

2.2.5.6.1.6. V. *Sonoro-sordo*. Articulatoriamente este rasgo está motivado por la presencia o ausencia de vibración de las cuerdas vocales. En los sonidos *sonoros* se registra en el espectrograma una excitación periódica de baja frecuencia, originada por la vibración de la glotis (v. 2.2.3.2.1, para la "barra de sonoridad" en las consonantes oclusivas y fricativas sonoras).

2.2.5.6.1.7. VI. *Nasal-oral*. Al añadirse la cavidad nasal como resonador, el espectrograma presenta una sensible reducción en la densidad de los formantes, sobre todo en F_1, además de la adición de formantes nasales adicionales, por oposición a los sonidos *orales*, que —por ausencia de este resonador suplementario—, no presentan ni los formantes nasales ni tampoco la reducción de densidad.

2.2.5.6.1.8. VII. *Interrupto-continuo*. Desde el punto de vista articulatorio en los sonidos *interruptos* se producen determinados cierres en el canal bucal (*oclusivas* y *vibrantes*) mientras que en los *continuos* la articulación se produce con la ausencia de estas interrupciones (*fricativas* y *laterales*). La presencia de estas interrupciones o cierres rápidos y conti-

14. Roman Jakobson y Morris Halle, "Tenseness and Laxness", en *In Honor of Daniel Jones*, Londres, 1962, pp. 96-101 (reimpreso en *Preliminaries*, pp. 57-61). Para la interpretación de la función de estos rasgos en la historia del castellano, vid. J. H. D. Allen, Jr., "Tense/Lax in Castilian Spanish", en *Word*, XX, 1964, pp. 295-321.

nuados produce en el espectrograma una zona de silencio en las articulaciones interruptas, que no aparece en las de tipo continuo.

2.2.5.6.1.9. VIII. *Grave-agudo.* Son acústicamente *graves* los sonidos que presentan la concentración de energía en la zona baja del espectro, mientras que se califican de *agudos* los que presentan la concentración de energía en la zona alta. Estas características acústicas están condicionadas por la diferente forma del canal bucal: en los sonidos *graves,* el canal toma una forma alargada (*labiales* y *velares*), mientras que en los *agudos* (*dentales* y *palatales*) la lengua corta el canal bucal en "dos cajas de resonancia más cortas" [15].

2.2.5.6.1.10. IX. *Estridente-mate.* Acústicamente, las realizaciones *estridentes* se caracterizan por una fuerte turbulencia, frente a las *mates* que presentan frecuencias más uniformes. Articulatoriamente, las *estridentes* están producidas por una obstrucción adicional, que falta en las *mates.* De acuerdo con la descripción de Alarcos, son estridentes los sonidos labiodentales, ciceantes, chicheantes y uvulares; y mates, las realizaciones bilabiales, dentales y velares. Otras veces la oposición *oclusiva/fricativa* es la que supone la oposición *mate/estridente* [16]. Como demostró A. Quilis, las africadas españolas son estridentes [17].

2.2.5.6.1.11. X. *Recursivo-infraglotal.* Acústicamente, el primer rasgo supone una mayor descarga de energía en un tiempo más limitado, frente al segundo, que posee una descarga de energía mucho menor en un tiempo más extenso.

15. E. ALARCOS, *Fonología Española,* 42.
16. *Ibid.,* 44.
17. Antonio QUILIS, "Datos para el estudio de las africadas españolas", en *Mélanges de Linguistique et de Philologie Romanes offerts à Monseigneur Pierre Gardette,* Estrasburgo, 1966, p. 407.

	o	a	e	u	i	ḽ	l	r	r̄	g	x	k	ŋ	y	s	ĉ	m	b	f	p	n	d	θ	t
1. Vocal/No vocal	+	+	+	+	+	+	+	+	+	—	—	—	—	—	—	—	—	—	—	—	—	—	—	—
2. Consonante/No consonante .	—	—	—	—	—	+	+	+	+	+	+	+	+	+	+	+	+	+	+	+	+	+	+	+
3. Denso/Difuso	+	+	+	—	—	+	—			+	+	+	+	+	+	+	—	—	—	—	—	—	—	—
4. Grave/Agudo	+	±	—	+	—					+	+	+	—	—	—	—	+	+	+	+	—	—	—	—
5. Nasal/Oral										(—)	(—)	(—)	+	—	—	—	+	—	—	—	+	—	—	—
6. Continuo/Interrupto						+	+	—	—		+	—			+	—			+	—			+	—
7. Sonoro (flojo)/Sordo (tenso)								+	—	+	(—)	—		+	(—)	—		+	(—)	—		+	(—)	—

Rasgos acústicos del sistema hispánico, según Alarcos Llorach.

Articulatoriamente, los fonemas *recursivos* están producidos por una oclusión de la glotis, por oposición a los *infraglotales,* que no poseen glotalización.

2.2.5.6.1.12. XI. *Bemolizado-normal.* Desde el punto de vista acústico, los *bemolizados* presentan una debilitación de algunos de sus componentes de frecuencia más elevada o un descenso de tono. Articulatoriamente, en los primeros se reduce la abertura del resonador bucal, con un redondeamiento de los labios, y el resonador aumenta de tamaño gracias a una velarización que acompaña a esta articulación.

2.2.5.6.1.13. XII. *Sostenido-normal.* Los sonidos *sostenidos* poseen una elevación de algunos de sus componentes de frecuencia más alta. Desde el punto de vista articulatorio, los *sostenidos* presentan una mayor abertura de la faringe, acompañada de una palatalización que divide la cavidad bucal[18].

18. Para el estudio de los rasgos *bemolizado* y *sostenido* en los sistemas vocálicos, vid. E. Alarcos, *Fonología Española,* 32 y 33.

2.3. ELEMENTOS FONÉTICOS Y FONOLÓGICOS. TIPOS MÁS IMPORTANTES

2.3.0. Unidades en la descripción fonética y fonológica

Si nosotros recibimos el mensaje

> Un sueño sin faroles y una humedad de olvidos,
> pisados por un nombre y una sombra.
>
> (Rafael Alberti)

estas señales se componen de unos elementos fonéticos y unas unidades de significación. Hay una perfecta interrelación entre los dos planos: el plano fonético y el plano significativo de la lengua. Si tomamos algunas combinaciones de este mensaje: *olvidos, pisados,* y las intentamos analizar de acuerdo con los planos establecidos, observaremos que ambas combinaciones están provistas de unos elementos fonéticos y de unos significados. A su vez, el conjunto de elementos pertenecientes al plano fonético pueden ser analizados en unidades menores:

[ol]-[v$\overset{\times}{\text{i}}$]-[dos] [pi]-[s$\overset{\times}{\text{a}}$]-[dos]

que admiten también un análisis en unidades más simples, que tampoco están dotadas de valor significativo:

[o-l-v-$\overset{\times}{\text{i}}$-d-o-s] [p-i-s-$\overset{\times}{\text{a}}$-d-o-s]

2.3.1. Segmentos

Estos elementos que hemos encontrado en el último análisis forman un conjunto muy reducido, porque son prácticamente iguales la [o] de *olvid**o**s* y la de *pisad**o**s,* lo mismo que sucede con [m] en *so**m**bra* y *no**m**bre.* Si este mensaje tuviese una mayor extensión pronto obtendríamos los segmentos fónicos que componen este código lingüístico. Este aspecto económico es el que caracteriza a los sistemas lingüísticos: unos pocos elementos, gracias a unas reglas de combinación y a su relación arbitraria con la significación, son capaces de formar todos los mensajes de una lengua determinada y también de distinguir unos mensajes de otros. Al realizar un pequeño cambio: [*pisados*] → [*pisad**a**s*], se observa que inmediatamente lleva consigo un cambio en la significación.

2.3.2. Rasgos suprasegmentales

Además de los segmentos fónicos que constituyen los mensajes, existe otro tipo de elementos fónicos, en relación de dependencia con ellos, que no pueden aparecer más que en combinación con estos elementos: son los *prosodemas* o *rasgos suprasegmentales* (el acento de intensidad: *p*$\overset{\times}{\textit{i}}$*so-pis*$\overset{\times}{\textit{o}}$, y el conjunto de elementos que componen la entonación). Tanto los elementos segmentales como los suprasegmentales son básicos en la realización de los mensajes; ambos tipos de elementos tienen capacidad para distinguir unos significados de otros.

2.3.3. Las oposiciones *

La *Fonética* estudia los segmentos fónicos y los rasgos suprasegmentales, como ya hemos advertido (v. 2.1), desde un punto de vista material, mientras que la *Fonología* se ocupa de estudiar cómo estas diferencias fónicas se utilizan en cada lengua para la composición de mensajes y también investiga la capacidad *distintiva* de estos elementos. Toda distinción supone inmediatamente el concepto de *oposición*: [*sueño* - *sueña*], [*nombra* - *sombra*]; y son las **oposiciones fonológicas, distintivas** o **relevantes** los puntos de partida en la investigación fonológica.

Si oponemos

[dádo] : [dédo]

veremos que la diferencia fónica que se establece entre la vocal [a] y la vocal [e] es distintiva, pues su conmutación

* E. Alarcos Llorach, *Fonología,* 23-25 (para la clasificación); Bernard Bloch, "Contrast", en *Lan,* XXIX, 1953, pp. 59-61 (reimpreso en V. Becker Makkai, *Phonological Theory,* pp. 224-225); J. Cantineau, "Les oppositions significatives", en *CFS,* X, 1952, pp. 11-40 (vid. el trabajo de A. Martinet citado más adelante); "Le classement logique des oppositions", en *Word,* XI, 1955, pp. 1-19; Charles F. Hockett, *A Manual of Phonology,* Baltimore, Waverly Press, 1955, especialmente p. 61; K. Horálek, "A propos de la théorie des oppositions binaires", en *Proceedings of 9th International Congress of Linguists. Cambridge, Mass., 1962,* La Haya, Mouton, 1964, pp. 414-417; R. Jakobson, "For the Correct Presentation of Phonemic Problems", en *Symposium,* V, 1951, (reimpreso en *Selected Writings,* I, pp. 435-442); André Martinet, "La jerarquía de las oposiciones significativas", en *La Lingüística sincrónica,* Madrid, Gredos, 178-192; N. S. Trubetzkoy, "Essai d'une théorie des oppositions phonologiques", en *Journal de Psychologie,* XXXIII, 1936, pp. 5-18; *Principes de Phonologie,* trad. J. Cantineau, París, Klincksieck, 2.ª ed., 1964, p. 30 y ss. (vid. además la bibliografía en n. 11).

nos conduce a un cambio de significado: 'dado'/'dedo'; mientras que las realizaciones [d] *oclusiva* y [đ] *fricativa* no son capaces de oponerse en el sistema para lograr distinciones de significado:

[dáđo] — [dádo] = 'dado'

2.3.4.1. El fonema y las variantes de realización

Este concepto de oposición *distintiva, relevante* o *pertinente* es básico para distinguir las unidades fonológicas de la lengua: /**a**/ y /**e**/ son unidades capaces de distinguir unos mensajes de otros. Cada uno de los miembros de una oposición distintiva es una unidad diferencial o fonológica, y cada miembro recibe el nombre de **fonema**[19].

19. El término *fonema* parece que fue conocido por Saussure en París. Robert Godel cree que se debe al uso que el fonetista A. Dufriche-Desgenettes hizo de este término en su comunicación presentada en la Société de Linguistique de Paris, "Sur la nature des consonnes nasales" (24 de mayo de 1873), en ella existían términos de su invención, "entre autres le mot *phonème* qui est hereusement trouvé pour désigner d'une façon générale les voyelles et les consonnes", según Godel, *Les sources manuscrites du Cours de Linguistique Générale*, Ginebra-París, 1957, pp. 160-161. Este fonetista citado usó también la palabra *phonologie*. La palabra *phonème* impresionó a Saussure, que la utilizó unas veinte veces en su *Memoire*. J. R. Firth en su artículo, "The Word 'phoneme' ", en *Le Maître phonétique*, XLVI, 1934 (en *Papers in Linguistics, 1934-1951*, Oxford Univ. Press, 4.ª ed., 1964, pp. 1-2), encuentra la primera cita en 1879 en Kruszewski, compañero de B. de Courtenay, que le dio ya un valor moderno, aunque extendió su significación hasta abarcar alternancias fonéticas relacionadas con la morfología. Firth pone en contacto el hallazgo del término con la búsqueda de términos técnicos que se produjo entre los interesantes miembros de la escuela de Kazan; cf. Milka Ivic, *Trends in Linguistics*, La Haya, Mouton, 1965, pp. 97-100. Para el abandono de este concepto en los últimos años de B. de Courtenay y su paso a concepciones psicologistas, vid. *op. cit.*, pp. 133-134. El término *fonema*, como ya notó A. Martinet, *Économie des changements phonétiques*, Berna, Francke Verlag, 2.ª ed., 1964, 1.2., es un término altamente equívoco en la lingüística contemporánea. Abundan

/d/ es un fonema frente a /t/, pues su oposición es capaz de variar la significación de los mensajes: /**t**/ - /**d**/ constituyen una oposición relevante en el sistema fonológico del español:

/tomar/ : /domar/

En cambio, [d] frente a [đ] no aparecen en oposición, no son más que *variantes de realización*. Basta recordar que,

---

los investigadores propensos a conceder un valor abstracto al *fonema*, pero los últimos descubrimientos de la acústica han permitido, hasta cierto punto, superar esta concepción, vid. Jirí KRÁMSKY, *The Phoneme. Introduction to the History and Theories of a Concept,* International Bibliothek für Allgemeine Linguistik, n.° 28, 1974. **Bibliografía sobre el fonema:** Amado ALONSO, "La identidad del fonema", en *RFH,* VI, 1944, pp. 280-283 (reimpreso en *Estudios Lingüísticos. Temas españoles,* pp. 308-314); Z. M. AREND, "Baudoin de Courtenay and the Phoneme Idea", en *Le Maître phonétique,* III, 1934, pp. 12-23; William M. AUSTIN, "Criteria for Phonetic Similarity", en *Lan,* XXXIII, 1957, pp. 538-544; Charles E. BAZELL, "Phonemic and Morphemic Analysis", en *Word,* VIII, 1952, pp. 33-38; Walter BELARDI, "El 'significato' del fonema", en *Word,* XXIII, 1967, *Linguistic Studies Presented to André Martinet,* parte I, pp. 25-36; Bernard BLOCH, "Phonemic Overlapping", en *American Speech,* XVI, 1941, pp. 278-284 (reimpreso en *RIL,* I, pp. 93-96); "A Set of Postulates for Phonemic Analysis", en *Lan,* XXIV, 1948, pp. 3-46 (reimpreso en Valerie Becker MAKKAI, *Phonological Theory. Evolution and Current Pratice,* Nueva York, Holt, Rinehart and Winston, 1972, pp. 167-199); Viggo BRØNDAL, "Sound and Phoneme", en *Proceedings of the 2nd International Congress of Phonetic Sciences, London, 1935,* Cambridge, Cambridge University Press, 1936, pp. 40-45; Eric BUYSSENS, "Mise au point de quelques notions fondamentales de la phonologie", en CFS, VIII, 1949, pp. 37-60; A. COHEN, "The Sounds of Speech: Segments or Figments?", en *Lingua,* XXI, 1968, *Homenaje a A. Reichling,* pp. 41-54; Yen Ruen CHAO, "The Non-Uniqueness of Phonemic Solutions of Phonetic Systems", en *Bulletin of the Institute of History and Philology, Academia Sinica,* IV, 1934, pp. 363-397 (reimpreso en *RIL,* I, pp. 38-54); Eli FISCHER-JØRGENSEN, "On the Definition of Phoneme Categories on a Distributional Basis", en *Acta Linguistica,* VII, 1952, pp. 8-39 (reimpreso en *RIL,* II, pp. 299-321); "The Commutation Test and Its Application to Phonemic Analysis", en *For Roman Jakobson,* La Haya, Mouton, 1956, pp. 140-151;

desde Saussure, cualquier unidad lingüística es un valor relativo negativo, no tiene valor en sí misma, sino que su valor vendrá dado por no ser el de las otras unidades con las que forma sistema, por lo tanto, el valor diferencial de /d/ frente a /t/ será no ser /t/, y viceversa. Las unidades fono-

---

Zellig S. HARRIS, "Simultaneous Components in Phonology", en *Lan*, XX, 1944, pp. 181-205 (reimpreso en *RIL*, I, pp. 124-138, y en Valerie Becker MAKKAI, *Phonological Theory*, pp. 115-133); Archibald A. HILL, "Various Kinds of Phonemes", en *Studies in Linguistics*, XVI, 1962, pp. 3-10 (reimpreso en V. Becker MAKKAI, *Phonological Theory*, pp. 236-240); "The Current Relevance of Bloch 'Postulates' ", en *Lan*, XLIII, 1967, pp. 203-207 (reimpreso en V. Becker MAKKAI, *Phonological Theory*, pp. 241-244); Charles F. HOCKETT, "A System of Descriptive Phonology", en *Lan*, XVIII, 1942, pp. 3-21 (reimpreso en V. Becker MAKKAI, *Phonological Theory*, pp. 99-112); Lee S. HULTZÉN, "Free Allophones", en *Lan*, XXXIII, 1957, pp. 36-41; Y. LEBRUN, "Le phonème, unité d'emploi ou unité de description?", en *Revue Belge de Philologie et d'Histoire*, XLV, 1967, pp. 761-776; Roman JAKOBSON, "On the Identification of Phonemic Entities", en *Recherches Structurales, TCLC*, V, 1949, pp. 205-213; "Saussure's Unpublished Reflection on Phonemes", en *CFS*, XXVI, 1970, *Mélanges de Linguistique offerts à Henri Frei*, II (reimpreso en *Selected Writings*, I, pp. 743-750); Daniel JONES, "On Phonemes", en *TCLP*, IV, 1931, pp. 74-79; *History and Meaning of the Term 'Phoneme'*, Londres, International Phonetic Association, 1957; *The Phoneme. Its Nature and Use*, Cambridge, Heffer, 2.ª ed., 1962; F. H. H. KORTLANDT, *Modelling the Phoneme. New Trends in East European Phonemic Theory*, Janua Linguarum, Series Minor, n.º 68, La Haya-París, Mouton, 1972, especialmente cap. VIII, pp. 131-150; JIRÍ KRÁMSKY, "Some Remarks on the Problem of the Phoneme", en *To Honor Roman Jakobson*, La Haya, Mouton, 1967, pp. 1084-1093; A. MARTINET, "Un ou deux phonèmes?", en *Acta Linguistica*, I, 1939, pp. 94-103 (reimpreso en *La lingüística sincrónica*, Madrid, Gredos, 1968, pp. 111-124); Dragan D. MILIVOJENIC, *Current Russian Phonemic Theory, 1952-1962*, Janua Linguarum, Series Minor, n.º 78, La Haya-París, 1970 (para la teoría del fonema, p. 16 y ss., en las pp. 43-55 se discute el concepto de fonema y se resume la discusión de Jakobson, Martinet y A. A. Reformatskij; para Saumjan, vid. p. 60 y ss.); H. MOL y E. M. UHLENBECK, "Hearing and the Concept of the Phoneme", en *Lingua*, VIII, 1959, pp. 161-185; H. MOL, "On the Phonetic Description of the Phoneme", en *Lingua*,

lógicas son también valores relativos negativos, no poseen definición en sí mismos, sino que la adquieren en cada oposición:

/d/: *dental oclusiva* **sonora**
/t/: *dental oclusiva* **sorda**

La presencia / ausencia de vibración de las cuerdas vocales es el rasgo fonológicamente diferencial entre /tomar/-

---

XI, 1962, *Studia De Groot,* pp. 289-293; Ph. MUNOT, "Note au sujet des précurseurs de la phonologie", en *Word,* XXIII, 1967, *Linguistic Studies Presented to André Martinet,* parte I, pp. 414-421; L'udovít NOVÁK, "Projet d'une nouvelle définition du phonème", en *TCLP,* VIII, 1939, *Études phonologiques dédiées à la mémoire de M. le Prince Trubetzkoy,* pp. 66-70 (reimpreso en *A Prague School Reader,* pp. 150-155, y en Alabama Linguistic and Philological Series, n.° 2, University of Alabama Press, 1964); Ernst PULGRAM, "Phoneme or Grapheme: A Parallel", en *Word,* VII, 1951, pp. 15-20; Edward SAPIR, "Sound Patterns in Language", en *Lan,* I, 1925, pp. 37-51 (reimpreso en *RIL,* I, pp. 19-25, y en V. Becker MAKKAI, *Phonological Theory,* pp. 13-21); "La réalité psychologique des phonèmes", en *Journal de Psychologie Normale et Pathologique,* XXX, 1933, pp. 247-265 (texto en inglés en *Selected Writings of Edward Sapir in Language, Culture, and Personality,* ed. D. G. Mandelbaum, Berkeley, Los Ángeles, University of California, 1949, pp. 46-60, y en MAKKAI, *Phonological Theory,* pp. 22-31); Holger Steen SØRENSEN, "The Phoneme and the Phoneme Variant", en *Lingua,* IX, 1960, pp. 68-88; "A Note on the Phoneme and the Phoneme Variant", en *Lingua,* X, 1961, pp. 302-304. Henning SPANG-HANSSEN, "Typological and Statistical Aspects of Distribution as a Criterion in Linguistics Analysis", en *Proceedings of the 8th International Congress of Linguists, Oslo, 1957,* Oslo, University Press, 1958, pp. 182-194; Morris SWADESH, "The Phonemic Principle", en *Lan,* X, 1934, pp. 117-129 (reimpreso en *RIL,* I, pp. 32-37, y en MAKKAI, *Phonological Theory,* pp. 32-39); "Twadell on Defining the Phoneme, *Language Monograph, n.° 16*", en *Lan,* XI, 1935, pp. 244-250 (reimpreso en MAKKAI, *Phonological Theory,* pp. 41-44); William Freeman TWADELL, *On Defining the Phoneme, Language Monograph, n.° 16,* Baltimore, 1935 (reimpreso en *RIL,* I, pp. 55-80); "On Various Phonemes", en *Lan,* XII, 1936, pp. 53-59 (reimpreso en MAKKAI, *Phonological Theory,* pp. 45-48); J. VACHEK, "Phonemes and Phonological Units", en *TCLP,* VI, 1936, pp. 235-239 (reimpreso en *A Prague School Reader,* pp. 143-149; existe traducción española, en Juan ARGENTÉ, *El Círculo de Praga,* Barcelona,

-/domar/. El fonema aparece como un conjunto de propiedades fonológicamente pertinentes frente a las otras unidades fonológicas. El fonema es un haz de rasgos diferenciales, está constituido por una serie de elementos coexistentes: los *rasgos pertinentes, distintivos* o *relevantes,* que aparecen simultáneamente en cada fonema[20]. Presenta unas

---

Anagrama, 1971, pp. 64-71); H. ULASZYN, "Laut, Phonema, Morphonema", en *TCLP,* IV, 1931, pp. 53-61.

20. Gabriel G. BÈS, "Trait distinctif", en *Word,* XXIII, 1967, *Linguistic Studies Presented to André Martinet,* parte I, pp. 36-46; E. Colin CHERRY, "Roman Jakobson's 'distinctive features' as the Normal Co-ordinates of a Language", en *For Roman Jakobson,* La Haya, Mouton, 1956, pp. 60-64; Morris HALLE, "The Strategy of Phonemics", en *Word,* X, 1954, pp. 197-209, especialmente 203 y ss.; Roman JAKOBSON, "The Phonemic Concept of Distinctive Features", en *Proceedings of 4th International Congress of Phonetic Sciences, Helsinki, 1961,* La Haya, Mouton, 1962, pp. 440-455 (gran parte de esta comunicación se encuentra en "Retrospect", *Selected Writings,* I, pp. 631-658). Peter LADEFOGED, "Phonetic Perequesites for a Distinctive Feature Theory", en *Papers in Linguistics and Phonetics to the Memory of Pierre Delattre,* La Haya-París, Mouton, 1972, pp. 273-285; Valerie Becker MAKKAI, *Phonological Theory. Evolution and Current Pratice,* Nueva York, Holt, Rinehart and Winston, 1972 (contiene una excelente antología de textos sobre el problema de los rasgos distintivos en la nueva gramática generativa, pp. 299-558); André MARTINET, "Substance phonique et traits distinctifs", en *BSLP,* LIII, 1957, pp. 72-85 (el texto se encuentra renovado en *La Lingüística sincrónica,* Madrid, Gredos, 1968, pp. 125-140); James D. MCCAWLEY, "Le rôle d'un système de traits phonologiques dans une théorie du langage", *Langages,* VIII (diciembre 1967), pp. 112-123. H. MOL y E. M. UHLENBECK, "The Analysis of the Phoneme in Distinctive Features and the Process of Hearing", en *Lingua,* IV, 1954-1955, pp. 167-193; Luis J. PRIETO, "Traits oppositionels et traits contrastifs", en *Word,* X, 1954, pp. 43-59; "D'une asymétrie entre le plan de l'expression et le plan du contenu de la langue", en *BSLP,* LIII, 1958, pp. 86-95; "Figuras de la expresión y figuras del contenido", en *Estructuralismo e Historia, Misc. Homenaje a André Martinet,* La Laguna, 1957, t. I. pp. 243-249; C. F. VOEGELIN, "Methods for Typologizing Directly and by Distinctive Features (in Reference to Uto-Aztecan and Kiowa-Tanoan Vowel Systems)", en *Lingua,* XI, 1962, *Studia de Groot,* pp. 469-487 (vid. bibliografía contenida en nota 11).

características formales, un conjunto de relaciones que lo definen, mientras que el sonido es la realización material o substancial del fonema y está compuesto tanto de rasgos distintivos como no distintivos. Los conceptos de *forma* y de *substancia* permiten comprender cómo varios sonidos diferentes pueden ser realizaciones materiales de un mismo fonema:

/d/ → — [d] en [dáđo]
— [đ] en [déđo]
— [^{đ}] en [kansá^{đ}o]
— [$^{đ̥}$] en [aƀlá$^{đ̥}$]

Un mismo fonema /d/ puede tener una serie de variantes de realización que dependen del contexto, de su distribución dentro del mensaje. Las *variantes de realización* o *alófonos* pueden aparecer libremente, sin estar sujetos a una regla, o pueden estar condicionados por una determinada distribución; cuando unos alófonos aparecen siempre en una determinada posición, y otros en otra también fija, y diferente, se encuentran en *distribución complementaria*. Cuando un fonema no aparece nunca en una determinada distribución, presenta *distribución defectiva*.

2.3.4.2. *Delimitación de unidades* *

Para hacer el inventario de los segmentos de una lengua, se recurre al procedimiento llamado **conmutación.** Si tomamos la combinación fonética [*dáđo*], es posible realizar

* Paul Diderichsen, "The Importance of Distribution versus Other Criteria in Linguistic Analysis", en *Proceedings 8th International Congress of Linguists. Oslo, 1957*, Oslo, Oslo University Press, 1958,

una serie de sustituciones: podemos sustituir *a* por *e/u*: [*dédo*], [*dúdo*]; también podemos sustituir la parte final: [*dále*], [*dága*], [*dába*], o la parte inicial: [*tódo*]. Poco a poco iremos obteniendo unas unidades mínimas que son capaces de producir un cambio de significación: /**a**, **e**, **u**, **d**, **g**, **t**, .../, que serán los fonemas de la lengua. El método empleado para distinguir las realizaciones que corresponden a fonemas diferentes de las que sólo son variantes consiste en conmutar las dos realizaciones estudiadas: [bóbo - bóbo]; si no se produce un cambio de significación, se trata de variantes; mientras que si se produce un cambio, se trata de fonemas diferentes.

Otros investigadores han utilizado la *distribución* como

---

pp. 156-182; Oswald Ducrot, "La commutation en Glossématique et en Phonologie", en *Word*, XXIII, 1967, *Linguistic Studies Presented to André Martinet*, pp. 101-121; Eli Fischer-Jørgensen, "Remarques sur les principes de l'analyse phonèmique", en *Recherches Structurales, TCLC*, V, 1949, pp. 214-234; "On the Definition of Phonemes Categories on a Distributional Basis", en *Acta Linguistica*, VII, 1952, pp. 8-39 (reimpreso en *RIL*, II, pp. 299-321, y en V. Becker Makkai, *Phonological Theory*, pp. 563-580); "The Commutation Test and its Application to Phonemic Analysis", en *For Roman Jakobson*, La Haya, Mouton, 1956, pp. 140-151 (reimpreso en V. Becker Makkai, pp. 582-592); Zellig S. Harris, "Distributional Structure", en *Word*, X, 1954, *Linguistics Today*, pp. 146-162; "From Phoneme to Morpheme", en *Lan*, XXXI, 1955, pp. 190-222; Fred Walter Householder, Jr., "The Distributional Determination of English Phonemes", en *Lingua*, XI, 1962, pp. 186-191; André Martinet, *La description phonologique, avec application au parler franco-provençal d'Hauteville*, Ginebra, Droz, 1956; Sol Saporta, "Phoneme Distribution and Language Universals", en *Universals of Language*, dirigido por J. H. Greenberg, Cambridge, Mass., The MIT Press, 2.ª ed., 1966, pp. 61-72; Henning Spang-Hanssen, "Typological and Statistical Aspects of Distribution as a Criterion in Linguistic Analysis", en *Proceedings 8th Int. Congress of Linguists, Oslo, 1957*, Oslo, Oslo Univ. Press, 1958, pp. 182-194; Hans Vogt, "Phoneme Classes and Phoneme Classification", en *Word*, X, 1954, pp. 28-34.

criterio para definir las unidades fonéticas y fonológicas de la lengua[21].

2.3.4.3. *Oposiciones constantes y oposiciones neutralizables* *

En cada lengua aparece un conjunto de oposiciones que se producen en cualquier posición que ocupen los fonemas en la cadena sonora, mientras que otras oposiciones desapa-

21. Parece que fue Sapir el primer lingüista contemporáneo que eligió este criterio, y fue seguido posteriormente por Bloomfield, como ha advertido Eli Fischer-Jørgensen, en *RIL,* II, p. 299. Actualmente investigadores de tendencias muy diversas han admitido la posibilidad de completar la descripción y definición fonética con criterios de distribución sintagmática, como apunta Martinet, *La lingüística sincrónica,* Madrid, Gredos, 1968, p. 125 y ss., vid. Eli Fischer-Jørgensen en el artículo citado anteriormente, y la excelente *Fonología* de Alarcos, que hace uso de ambos criterios, además de aplicar toda la problemática relacionada con la similitud fonética. Hay descripciones del sistema del español claramente distributivas, como George L. Trager, "The Phonemes of Castilian Spanish", en *TCLP,* VIII, 1939, pp. 217-222, la adaptación realizada por Emma Gregores y Jorge Alberto Suárez del *Curso de Lingüística Moderna* de Charles F. Hockett, Buenos Aires, Eudeba, 1971, y la descripción del *Esbozo de la nueva gramática de la lengua española,* Madrid, 1973.

* E. Alarcos Llorach, *Fonología,* 56-58; C. E. Bazell, "Three Conceptions of Phonological Neutralisation", en *For Roman Jakobson,* La Haya, Mouton, 1956, pp. 25-30; E. Decaux, "La neutralisation n'est pas un changement structural", en *BSLP,* LXI, 1966, pp. 57-81; Zellig S. Harris, "Review of *Grundzüge der Phonologie*", en *Lan,* XVII, 1941, pp. 345-349: en el apartado 2 se analiza el problema de la neutralización en Trubetzkoy (reimpreso en V. Becker Makkai, *Phonological Theory,* pp. 301-304); S. Mariner Bigorra, "«Latencia» y neutralización, conceptos precisables", en *AO,* VIII, 1958, pp. 15-32; André Martinet, "Neutralisation et archiphonème", en *TCLP,* VI, 1936, pp. 46-57; N. S. Trubetzkoy, "Die Aufhebung der phonologischen Gegensätze", en *TCLP,* VI, 1931, pp. 29-45, y *Principes de Phonologie,* trad. de J. Cantineau, París, Klincksieck, 1964, pp. 80-81, y 247, 254; J. Vachek, *Dictionnaire de Linguistique de l'École de Prague,* Utrecht, Amberes, Spectrum, 2.ª ed., 1966, *s.v.* "neutralisation".

recen en determinadas posiciones: /m/ - /n/ se neutralizan en posición final de palabra ante pausa y también ante consonante labial; en el primer caso, el resultado material de la neutralización es [n], mientras que en el segundo [m]. Desde un punto de vista fonológico, el resultado de una neutralización de fonemas es un *archifonema*, que se representa gráficamente con letras mayúsculas: /N/ [22].

2.3.4.4. *Las combinaciones de fonemas* *

Uno de los problemas más interesantes que presenta la organización de la materia sonora en las lenguas naturales se centra en el conjunto de reglas que ordenan la combinación de fonemas. Sólo se conoce un grupo que tenga validez universal, que es el formado por la combinación *consonante + vocal* [23]; pero cada lengua en particular posee un grupo

22. El término aparece alguna vez bajo la forma *arquifonema*, cf. *Esbozo*, p. 35. Como ha advertido E. ALARCOS LLORACH, en *Fonología*, p. 99, sobra el concepto de neutralización si se adopta el criterio de la distribución para definir el sistema fonológico de una lengua.

* E. ALARCOS LLORACH, *Fonología*, p. 186 y ss.; É. BENVENISTE, "Répartition des consonnes et phonologie du mot", en *TCLP*, VIII, 1939, pp. 27-35; V. MATHESIUS, "La structure phonologique du lexique du tchèque moderne", en *TCLP*, I, 1949, pp. 67-84; "Zum Problem der Belastungs-und Kombinations-fähigkeit der Phoneme", en *TCLP*, IV, 1931, pp. 148-152 (reimpreso en *A Prague School Reader*, pp. 177-182); B. TRNKA, "General Laws of Phonemic Combinations", en *TCLP*, VI, 1936, pp. 57-62 (reimpreso en *A Prague School Reader*, pp. 294-300); N. S. TRUBETZKOY, *Principes de Phonologie*, trad. de Cantineau, París, Klincksieck, 2.ª ed., 1964, pp. 262-289 (las notas sobre el artículo anterior de Trnka se encuentran en p. 264 y ss.); Joseph TUBIANA, "Agencement et ambigüité en phonologie", en *CFS*, X, 1952, pp. 41-46.

23. R. JAKOBSON, C. Gunnar M. FANT y M. HALLE, *Preliminaries to Speech Analysis*, 9.ª ed., 1969, p. 20; Joseph H. GREENBERG, *Universals of Language*, Cambridge, Mass., The MIT Press, 2.ª ed., 1966, p. XXV.

de reglas que ordenan la combinación de los fonemas de una manera precisa, como sucede, por ejemplo, en español: imposibilidad de aparición de [r] en posición inicial de palabra, de [l̥] en posición final antes de pausa, o la ausencia de grupos iniciales tipo [st-] que son tan característicos de otras lenguas. Estas reglas que ordenan los grupos de fonemas no son siempre constantes a lo largo de la historia de la lengua, sino que varían por una serie de causas muy diversas. Estos cambios sistemáticos de tipo diacrónico son considerados por algunos autores como de enorme trascendencia funcional[24].

2.3.5.0. Procedimiento analítico

Uno de los problemas teóricos más importantes con que se enfrenta el lingüista en la descripción fonológica de las lenguas naturales es el establecimiento de cuál debe ser el punto de partida del análisis. Nos inclinamos por partir de las unidades estructurales superiores y proceder a un análisis de sus componentes hasta llegar a las unidades más pequeñas e irreductibles del sistema: los rasgos distintivos o per-

24. Éste es uno de los problemas más apasionantes en el estudio de la lengua; afecta tanto a la estructura silábica como a los elementos que pueden aparecer en contacto en las fronteras silábicas. Bertil MALMBERG y Diego CATALÁN han insistido con sólidos argumentos sobre este problema, vid. *RPh,* XVIII, 1964-1965, p. 191 y n. 53; y Diego CATALÁN, *CTL,* IX, 2.ª parte, p. 1.083. No me ha sido posible consultar el trabajo del mismo investigador "En torno a la estrucura silábica del español de ayer y del español de mañana", en *Sprache und Geschichte. Festschrift für Harri Meier zum 65. Geburtstag,* Munich, 1971, pp. 77-110, ni tampoco la tesis de Pablo VALENCIA, *An Historical Study of Syllabic Structure in Spanish,* University of Michigan, 1966 (v. 2.3.5.1. Bibliografía).

tinentes, agrupados en unidades denominadas fonemas. Si adoptamos el siguiente esquema previo de análisis[25]:

(a) | *secuencia entre pausas* |
↓
(b) | *grupo acentual* |
↓
(c) | *sílaba* |
↓
(d) | *fonema* |

Dado el ejemplo: *José tenía los libros en la mesa.*

(a) /*José tenía los libros en la mesa*↓/[26]. (niveles tonales: 1 2 sobre *José*; 1 1 sobre *mesa*)

Esta secuencia presenta un conjunto de rasgos suprasegmentales, que nos permiten distinguirla de la misma secuencia fónica como entonación interrogativa *¿José tenía los libros en la mesa?*, o exclamativa *¡José tenía los libros en la mesa!* Esta secuencia puede ser dividida en unidades menores, **grupos acentuales**, en la que los segmentos fónicos se agrupan alrededor de un acento principal:

(b) /*Jóse*/ - /*tenía*/ - /*los líbros*/ - /*en la mésa*/ (× sobre las sílabas acentuadas)

25. De acuerdo con Salvador FERNÁNDEZ RAMÍREZ, *Gramática Española*, Madrid, Revista de Occidente, 1951 y las sugerencias de D. CATALÁN, en *RPh*, XVIII, 1964-1965, p. 185, n. 31.

26. En ese ejemplo utilizo la notación de tipo numérico para la entonación, que más adelante será estudiada con detalle. Se trata de pronunciación normal, coloquial, en la que los números indican los niveles tonales y la flecha final el descenso característico de las emisiones de tipo enunciativo.

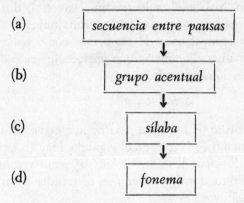

Como se puede observar, el análisis en grupos acentuales coincide en algún caso con las unidades tradicionalmente designadas como "palabras", mientras que en otros, dos o tres "palabras" quedan agrupadas en la misma unidad.

Al comparar agrupaciones de segmentos como *tenía* y *tenia*, notaremos unas diferencias que aparecerán marcadas en una pronunciación esmerada:

tenia / tení-a

En el primer caso, el hablante pasa de una manera diferente de un segmento a otro que en el segundo. Hay en español dos formas distintas de pasar de un segmento vocálico o consonántico a otro, dos tipos diferentes de transición entre segmentos consecutivos:

transición continua: *tenia, sublimar*
transición discontinua: *tení-a, sub-lunar*

Este tipo de transición discontinua entre segmentos consecutivos recibe el nombre de **juntura**[27]; en el ejemplo anterior las junturas nos permiten encontrar otras unidades menores:

(c) */Jo-sé/te-ní-a/los-li-bros/en-la-me-sa/*

Estas unidades lingüísticas menores en las que se puede dividir una secuencia entre pausas se denominan tradicio-

27. Adopto el concepto de *juntura* para denominar la transición discontinua entre segmentos, de acuerdo con la definición de Charles F. HOCKETT, *Curso de Lingüística Moderna*, adaptado al español por Emma Gregores y Jorge Alberto Suárez, Buenos Aires, Eudeba, 1971, pero no su inclusión en la categoría de fonemas. Otros valores del término *juntura* se examinarán más adelante (v. 2.8.0. y n. 186). Vid. además la obra del mismo investigador, *A Manual of Phonology*, Indiana University Publications in Anthropology and Linguistics, Memoir 11 of the *IJAL*, Baltimore, Waverly Press, 1955, 22.

nalmente sílabas, que, a su vez, se descomponen en uno o más segmentos consecutivos. Toda secuencia entre pausas tiene que poseer al menos una sílaba. Como han advertido R. Jakobson y M. Halle, la estructura fonemática de la sílaba viene delimitada por un conjunto de reglas y toda secuencia de segmentos se basa en la aparición regularmente repetida de este modelo de construcción[28].

2.3.5.1. La sílaba *

Desde puntos de vista teóricos muy diferentes, la sílaba aparece como una unidad fundamental en la descripción lingüística de los mensajes, aunque esta gran importancia no

28. *Fundamentos del lenguaje,* p. 29.

* Amado Alonso, "Una ley fonológica del español. Variabilidad de las consonantes en la tensión y en la distensión de la sílaba", en *HR,* XIII, 1945, pp. 91-101 (reimpreso en *Estudios Lingüísticos. Temas Españoles,* pp. 288-303); "Nota sobre una ley fonológica del español", en *HR,* XIV, 1946, pp. 169-172 (reimpreso en *Estudios Lingüísticos. Temas Españoles,* pp. 304-307); Gordon F. Arnold, "A Phonological Approach to Vowel, Consonant and Syllable in Modern French", en *Lingua,* V, 1955, pp. 253-281; Dumitru Copceag, "Une tendance 'romane' à la syllabe ouverte?", en *Cahiers de Linguistique Théorique et Appliquée* (Bucarest), VII, 1970, pp. 1-6; František Daneš, "The Relation of Centre and Periphery as a Language Universal", en *TLP,* II, 1966, pp. 9-21; Pierre Delattre y Carroll Olsen, "Syllabic Features and Phonic Impression in English, German, French and Spanish", en *Lingua,* XXII, 1969, pp. 160-175; Marguérite Durand, "La syllabe: ses définitions, sa nature", en *Orbis,* III, 1954, pp. 527-533; "La notion de syllabe. Ses richesses. Les problèmes qu'elle soulève", en *Orbis,* IV, 1955, pp. 230-234; A. M. Espinosa, "Syllabic Consonants in New Mexican Spanish", en *Lan,* I, 1925, pp. 109-118 (vid. *BDH,* I, 167, y las dudas que opuso Amado Alonso en el mismo volumen, pp. 431-439); E. C. Fudge, "Syllables", en *Journal of Linguistics,* V, 1969, pp. 193-320, y las notas del mismo autor en *CTL,* IX, I parte, pp. 296-297; Samuel Gili Gaya, "La cantidad silábica de la frase", en *Castilla,* I, 1940-1941, fasc. II, pp. 287-298; Germán de Granda, *La estructura silábica y su influencia en la evolución fonética del dominio ibero-romá-*

impide que no haya un acuerdo acerca de la definición de sílaba y que sean muy numerosos los problemas surgidos en su estudio. Como ya notó Bertil Malmberg, gran parte de

---

nico, RFE, anejo LXXXI, Madrid, CSIC, 1966; A. W. DE GROOT, "La syllabe: essai de synthèse", en *BSLP,* XXVII, 1926, pp. 1-42; "Voyelle, consonne et syllabe", en *Annales Néerlandaises de Phonétique Expérimentale,* XVII, 1941, pp. 21-41; E. HAUGEN, "The Syllable in Linguistic Description", en *For Roman Jakobson,* La Haya, Mouton, 1956, pp. 213-222; L. HJELMSLEV, "The Syllable as a Structural Unit", en *Proceedings of the 3th International Congress of Phonetic Sciences, Ghent, 1938,* Gante, 1939, pp. 266-272; L. HJELMSLEV, *Le Langage,* París, Les Éditions de Minuit, 1966, especialmente pp. 55-69; Jens HOLT, "La frontière syllabique en danois", en *Recherches Structurales, TCLC,* V, 1949, pp. 256-265; Roman JAKOBSON, "Why 'Mama' and 'Papa'?", en *Perspectives in Psychological Theory, Dedicated to Heinz Werner,* Nueva York, 1960 (reimpreso en *Selected Writings,* t. I, *Phonological Studies,* pp. 538-545); M. Kloster JENSEN, "Die Silbe in der Phonetik und Phonemik", en *Phonetica,* IX, 1963, pp. 17-38; K. J. KOHLER, "Is the Syllable a Phonological Universal?", en *Journal of Linguistics,* II, 1966, pp. 207-208; J. KURYLOWICKZ, "La notion d'isomorphisme", en *Recherches Structurales, TCLC,* V, 1949, pp. 48-60, y "Contribution à la théorie de la syllabe", en *Bulletin de la Société Polonaise de Linguistique,* VIII, 1948, pp. 80-114; Yvan LEBRUN, "Sur la syllabe, sommet de sonorité", en *Phonetica,* XIV, 1966, pp. 1-15; Bertil MALMBERG, "La structure syllabique de l'espagnol. Étude de phonétique", en *BdF,* IX, 1948, pp. 99-120 (reimpreso en *Estudios de Fonética Hispánica,* Madrid, CSIC, 1965, pp. 3-28); "The Phonetic Basis for Syllable Division", en *Studia Linguistica,* IX, 1955, pp. 80-87 (reimpreso en *Phonétique Générale et Romane,* La Haya-París, Mouton, 1971, pp. 114-121); "Remarks on a Recent Contribution to the Problem of the Syllable", en *Studia Linguistica,* XV, 1961, pp. 1-9 (reimpreso en *Phonétique Générale et Romane,* pp. 122-127); Bertil MALMBERG, "Voyelle, Consonne, syllabe, mot", en *Estructuralismo e Historia, Misc. Homenaje a André Martinet,* t. III, La Laguna, 1962, pp. 81-97; "La structure syllabique de l'espagnol mexicain", en *Festgabe für Hála, Zeit. für Phonetik,* XVII, 1964, pp. 251-255; "Juncture and Syllable Division", en *In Honor of Daniel Jones,* Londres, 1964, pp. 116-119 (reimpreso en *Phonétique Générale et Romane,* pp. 128-130); "Stability and Instability of Syllabic Structures", en *Proceedings of the 5th International Congress of Phonetic Sciences, Münster, 1964,* Basel, Nueva York, 1965, pp. 403-408; Oliver T. Myers, en *RPh,* XXIV, 1970-1971, pp. 176-181 (reseña al libro de G. de

esta problemática nace de los diferentes criterios elegidos para definir y analizar esta unidad: articulatorios, acústicos y funcionales [29]; sin olvidar otro tipo de problemas, también

---

Granda); Tomás NAVARRO TOMÁS, "Historia de algunas opiniones sobre la cantidad silábica española", en *RFE,* VIII, 1921, pp. 30-57; "La cantidad silábica en unos versos de Rubén Darío", en *RFE,* IX, 1922, pp. 1-29; "Notas fonológicas sobre Lope de Vega", en *AO,* IV, 1954, *Misc. filológica en memoria de Amado Alonso,* pp. 45-49, especialmente pp. 48-49; *Fonología Española,* Nueva York, Syracuse University Press, 1946, especialmente pp. 46-53; L'udovit NOVÁK, "Caràctere périphérique des consonnes dans le système phonologique et dans la structure syllabique", en *TLP,* II, 1966, pp. 127-132; J. D. O'CONNOR y J. L. M. TRIM, "Vowel Consonant, and Syllable: a Phonological Definition", en *Word,* IX, 1953, pp. 103-123; Richard L. PREDMORE, "Notes on Spanish Consonant Phonemes", en *HR,* XIV, 1946, pp. 169-172; Ernst PULGRAM, *Syllable, Word, Nexus, Cursus,* Janua Linguarum, Series Minor, n.° 81, La Haya-París, Mouton, 1970; A. ROSETTI, *Sur la théorie de la syllabe,* Janua Linguarum, Series Minor, n.° IX, La Haya, Mouton, 2.ª ed., 1963; Alena SKALICKOVÁ, "A Contribution to the Problem of the Syllable", en *Zeitschrift für Phonetik,* XI, 1958, pp. 160-165; A. SOMMERLEFT, "Sur l'importance générale de la syllabe", en *TCLP,* IV, 1931, pp. 156-160; Raymond HERBERT STETSON, "The Relation of the Phoneme and the Syllable", en *Proceedings of 2nd International Congress of Phonetic Sciences, London, 1935,* Cambridge, 1936, Cambridge University Press, pp. 245-252; *Motor Phonetics. A Study of Speech Movements in Action,* Amsterdam, North-Holland, 2.ª ed., 1951; A. M. STOWE, "Segmentation of Natural Speech into Syllables by Acoustic-phonetic Means", en *Proceedings of 9th International Congress of Linguists, Cambridge, Mass., 1962,* La Haya, Mouton, 1964, p. 899 (sólo conozco este resumen, donde se plantea el uso de computadores para separar las sílabas, teniendo en cuenta la amplitud de onda y la cantidad. Vid. en el mismo lugar la réplica de Enkvist); Pablo VALENCIA, "An Historical Study of Syllabic Structure in Spanish", tesis doctoral, University of Michigan, 1966; N. S. TRUBETZKOY, *Principes de Phonologie,* trad. J. Cantineau, París, Klincksieck, 2.ª ed., 1964, pp. 99 y 196.

29. Bertil MALMBERG, *La fonética,* Buenos Aires, Eudeba, 1964, p. 74 y ss., donde se encuentra un breve resumen de las teorías más importantes sobre la sílaba hasta la fecha de redacción. Resúmenes más extensos, incluso con un fuerte carácter polémico, se encuentran en las obras de B. Hála y A. Rosetti.

muy complejos, entre los cuales habría que destacar lo equívoco de ciertas características: *apertura, sonoridad, corriente de aire, audibilidad, perceptibilidad;* además de la imprescindible necesidad de separar el concepto de *sílaba fonética* del de *sílaba fonológica,* conceptos íntimamente relacionados, pero que no siempre coinciden, pues la sílaba fonológica supone necesariamente la sílaba fonética, pero no al revés, de donde se deduce la necesidad del estudio de las agrupaciones fonológicas de tipo silábico en cada lengua. Tampoco han faltado los investigadores que han negado la existencia de la sílaba fisiológica (Rousselot, Panconcelli-Calzia y Scripture), incluso las investigaciones realizadas en 1934 por Gemelli y Pastori, con ayuda del oscilógrafo, demuestran la imposibilidad de delimitar las sílabas de la cadena sonora, aunque posteriormente (1955) B. Malmberg encontró una característica acústica que sí permite delimitar las sílabas, como examinaremos con más detalle posteriormente. Otros autores, como Kohler, niegan la existencia de la sílaba fonológica como un universal lingüístico, a lo que han respondido desde distintas posiciones teóricas E. Pulgram y E. C. Fudge[30]. Aunque es importante observar que el hablante de una comunidad lingüística suele tener conciencia de las unidades silábicas, basta recordar la escritura silábica o la métrica de las canciones populares; esta conciencia, que según A. W. de Groot obedece a la tendencia psíquica a la agrupación, en modo alguno supone que en todos los casos todos los hablantes segmenten de igual manera todos los mensajes de una lengua. Esta conciencia ha sido utilizada

30. K. J. Kohler, "Is the Syllable a Phonological Universal?", en *Journal of Linguistics,* II, 1966, pp. 207-208; Ernst Pulgram, *Syllable, Word, Nexus, Cursus,* Janua Linguarum, Series minor, n.° 61, La Haya-París, Mouton, 1970, p. 11, y E. C. Fudge, "Syllables", en *Journal of Linguistics,* V, 1969, pp. 193-320.

por algunos investigadores, como Bowen y Stockwell, para la definición de la sílaba, pues basta que un hablante emita un mensaje aislando sus unidades "lo más despacio posible"[31]. F. de Saussure reconoció la importancia de estas agrupaciones y combinaciones, y pensó que los sonidos tendían a reunirse alrededor de una abertura máxima, "cuando se pronuncia el grupo *appa*, se percibe una diferencia entre las dos *pp*, de las cuales la primera corresponde a un cerramiento y la segunda a una abertura"; de aquí parte la denominación de *implosión*, sonidos *implosivos* que corresponden a la posición > de cerramiento; y de *explosión*, unidades que corresponden a la abertura <. De acuerdo con esta teoría, en la cadena existen una serie diversa de explosiones y de implosiones (<>, ><, <<, >>); entre una implosión y una explosión se encuentra la *frontera silábica* >|<, y el sonido que ocupa la primera posición implosiva se denomina *punto vocálico*[32]. Otto Jespersen y Daniel Jones atribuían la agrupación de sonidos en sílabas al criterio de *sonoridad* o de *audibilidad*, postura que ha criticado Malmberg y también Y. Lebrun[33], quien ha demostrado, después de una serie de experiencias llevadas a cabo con el oscilógrafo y con oyentes, la imposibilidad de aceptar la teoría de la sílaba

31. La sílaba "is a real unit, definable as the smallest segment of utterance wich an untrained native speaker can pronounce in isolation in response to the request, 'Say it as slowly as you can' ", en "The Phonemic Interpretation of Semivowels in Spanish", en *Lan,* XXXI, 1955, pp. 236-240 (cito por *RIL,* I, p. 401, n. 4).

32. Las primeras teorías de Saussure sobre la sílaba proceden de tres conferencias en los Cursos de Vacaciones (1897), vid. Robert Godel, *Les sources manuscrites du Cours de Linguistique Générale,* Ginebra-París, 1957, p. 26, n. 10; además, *Curso de Lingüística General,* trad. prólogo y notas de Amado Alonso, Buenos Aires, Losada, 1945, pp. 106-126.

33. Y. LEBRUN, "Sur la syllabe, sommet de sonorité", en *Phonetica,* XIV, 1966, pp. 1-15.

como cima de sonoridad, y ha insistido en la dificultad de encontrar un consenso general que aparezca a la hora de segmentar en sílabas un mensaje, ya sea en una lengua conocida o desconocida. Para M. Grammont y P. Fouché existe en toda sílaba una *tensión creciente* de los miembros del aparato fonatorio, seguida de una *tensión decreciente*, lo que confirmaría, a juicio de B. Malmberg, la tendencia a debilitarse que sufren los sonidos en posición implosiva, como ya fue señalado para el español por Amado Alonso. Coincide esta teoría con las experiencias de Stetson, quien fue el primero en poner en relación la acción de los músculos intercostales con la composición de la sílaba. Según el citado investigador, existe un correlato motor de la sílaba fonética: los "impulsos balísticos" determinan la existencia de tres fases fundamentales en la producción silábica: *arranque*, *culminación* y *detención* del impulso. El factor nuclear, en el que luego insistiremos, está formado por la *culminación*, mientras que el *arranque* y la *detención* tienen un aspecto marginal. Estos factores periféricos pueden realizarse ya sea por sonidos consonantes, que acompañan a la vocal, como por la acción de los músculos torácicos. Las investigaciones del lingüista soviético N. I. Žinkin demuestran que, fisiológicamente, en la producción silábica intervienen unas modulaciones del canal faríngeo. Žinkin llega a la conclusión de que la sílaba es el pilar fundamental donde se apoyan todos los rasgos distintivos y configurativos; la faringe aparece como un regulador automático de la división silábica[34]. Actualmente, después de las notas de Chlumsky, no se admite que la sílaba constituya una unidad espiratoria, pues en una espiración pueden aparecer diversas sílabas, además

34. N. I. Zinkin, *Mechanisms of Speech*, La Haya-París, Mouton, 1968, especialmente pp. 279-288.

de que, como observó Hockett, existen lenguas como el maidu donde las sílabas con aire inspirado se intercalan con las que se producen con aire espirado. B. Hála define la sílaba como "toda emisión separada de la voz, realizada por la acción de las cuerdas vocales y por el trabajo articulatorio de los órganos fonadores que tienden a dejar libre el pasaje supraglótico con vistas a dejar escapar la voz fuera de la boca y a hacerla perceptible a los oyentes" [35]. Cada sílaba, para el citado fonetista, se caracteriza por una estrechez en su inicio que tiende hacia una abertura. A. Rosetti opone una seria dificultad a esta definición de B. Hála al observar que las sílabas no aparecen aisladas, separadas, en la secuencia sonora, sino formando un conjunto, el grupo rítmico, y observa la ausencia de sonoridad en la voz cuchicheada y en ciertas onomatopeyas. Rosetti prefiere caracterizar la sílaba por la presencia de una corriente de aire, por un centro silábico en el que aparece una corriente de aire [36]. A esta caracterización de la sílaba hecha por el investigador rumano se ha opuesto que no existen elementos fónicos sin aire, que no posean una corriente de aire, pero hay que advertir que el punto de vista de Rosetti se refiere a la *vocal*, situada, además, dentro del grupo rítmico, y sólo a la sílaba en el caso de que esté aislada; en general este autor prefiere partir de un concepto estructural de la sílaba, como ha insistido en diversos lugares. En fonética acústica las investigaciones de Malmberg han sido las primeras que han permitido encontrar un factor capaz de funcionar como correlato físico de la división silábica, concretamente de la división entre consonantes ex-

35. Bohuslav HÁLA, *La sílaba. Su naturaleza, su origen y sus transformaciones,* Madrid, CSIC, 1966, p. 51.

36. A. ROSETTI, *Sur la théorie de la syllabe,* Janua Linguarum, Series Minor, n.º 9, La Haya-París, Mouton, 2.ª ed., 1963, p. 17.

plosivas e implosivas [37]. Este factor consistiría en la modificación que los formantes vocálicos sufren en combinación con las consonantes vecinas, como ha probado el fonetista sueco con la ayuda del sintetizador [38]. Estas modificaciones, en relación con el espacio temporal en la realización de los sonidos, pueden ser un factor responsable de la división silábica percibida subjetivamente, aunque, como reconoce el citado investigador, pueden existir otros factores no hallados hasta hoy. De acuerdo con estas experiencias espectrográficas y sintéticas, Malmberg define la sílaba como "una unidad acústica, cuyos límites están determinados por el grado de fusión y de influencias recíprocas entre vocales y consonantes" [39]. Este grado de fusión entre los elementos que componen la sílaba es, me parece, un criterio fundamental a la hora del análisis, pues, como ha notado Alena Skaličková, la conexión entre sonidos dentro de las sílabas tiene que ser más cerrada que la que se establece entre sonidos de las sílabas diferentes, por lo tanto la sílaba será la más cerrada unidad o conexión [40]. Estas investigaciones confirman, con el paso de los años, la teoría de Saussure según la cual las

37. Bertil MALMBERG, "The Phonetic Basis for the Syllable Division", en *Studia Linguistica,* IX, 1955, pp. 80-87 (cito por *Phonétique Générale et Romane,* La Haya-París, Mouton, 1971, pp. 114-121).

38. Vid. la diferente sintetización de *a* | *ga* ~ *ag* | *a,* en *loc. cit.,* p. 118, fig. 2, que aparece también en *Los nuevos caminos de la Lingüística,* México, Siglo XXI, p. 132, fig. 24.

39. Bertil MALMBERG, "Voyelle, consonne, syllabe, mot", en *Estructuralismo e Historia, Misc. Homenaje a André Martinet,* La Laguna, 1962, t. III, p. 82.

40. Alena SKALICKOVÁ, "A Contribution to the Problem of the Syllable", en *Zeitschrift für Phonetik,* XI, 1958, pp. 160-165; y las observaciones de MALMBERG, "Remarks on a Recent Contribution to the Problem of the Syllable", en *Studia Linguistica,* XV, 1961, pp. 1-9 (reimpreso en *Phonétique Générale et Romane,* pp. 122-127).

vocales dominan sobre las consonantes, que resultan ser elementos dominados[41].

Después de estas consideraciones de tipo muy general, se puede llegar a la conclusión de que hay unos factores de tipo articulatorio y otros de tipo acústico que determinan la existencia de la sílaba como fenómeno fonético, que se convierte en pieza fundamental dentro del sistema fonológico de cada lengua.

2.3.5.2. *Elementos constituyentes de la sílaba*

Normalmente se suelen distinguir dos tipos de elementos constituyentes de la sílaba: un elemento central o **núcleo**, **cima** silábica, y unos **márgenes** silábicos, de acuerdo con el siguiente esquema:

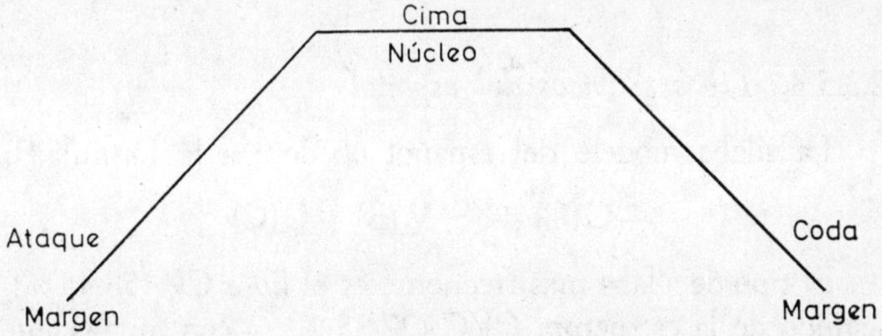

Solamente es imprescindible el elemento nuclear o cima, mientras que los márgenes, **ataque** y **coda**, pueden estar ausentes. La *cima* puede tener carácter **simple** o **compuesto**,

41. Bertil MALMBERG, "Ferdinand de Saussure et la phonétique moderne", en *CFS*, XII, 1959, pp. 9-28 (cito por *Phonétique Générale et Romane*, p. 275).

según que esté formada por un solo segmento o por varios; en el segundo caso hay un elemento central más perceptible y uno o varios elementos satélites (en el caso, por ejemplo, de diptongos y triptongos). También los elementos constituyentes *marginales* pueden presentar un carácter **simple** o **compuesto**; los segmentos que ocupan el margen de *ataque* están en **posición prenuclear** o **explosiva**, mientras que los que ocupan la *coda* están en **posición postnuclear** o **implosiva**. Se denominan sílabas **abiertas** las que reducen su coda a cero, frente a las que presentan este elemento silábico, que reciben el nombre de **cerradas** o **trabadas**. Cuando dos sonidos contiguos pertenecen a la misma sílaba son elementos **tautosilábicos**, si no pertenecen a la misma sílaba y entre ellos puede aparecer una juntura son **heterosilábicos**. Desde el punto de vista acústico, la cima está caracterizada generalmente por una mayor intensidad que los márgenes.

2.3.5.3. *Tipos silábicos del español*

La sílaba modelo del español obedece a la fórmula[42]:

$$\pm C(C) + (S)V(S) \pm C(C)$$

El tipo de sílaba más frecuente es el *libre CV* (58,45 %), seguido de la estructura *CVC* (27,35 %), y con mucha menor frecuencia sigue el tipo *V* (5,07 %), tipos que, según T. Navarro Tomás [*Fonología,* p. 47], constituyen más del 80 % de las estructuras silábicas que aparecen en el español. Gracias a un minucioso trabajo de Pierre Delattre y Carroll

42. Sol SAPORTA y Rita COHEN, "The Distribution and Relative Frequency of Spanish Dipthongs", en *RPh,* XI, 1957-1958, *Percival B. Fay Testimonial,* II parte, 1.2.

Olsen[43] conocemos nuevas estadísticas sobre la sílaba española, que no difieren en gran medida de las dadas por Navarro Tomás, pero que aparecen en relación con las correspondientes en inglés, francés y alemán. Los dos investigadores citados estudiaron 2.000 sílabas procedentes de textos narrativos y dramáticos, lo que permitió notar las diferencias que existen entre los dos tipos de estilo. *De* es la sílaba más frecuente en narrativa (38 por 1.000), seguida por *a* (28 por 1.000); en el género dramático también la sílaba *de* es la más frecuente (33 por 1.000), pero seguida muy de cerca por *te* y *no* (ambas con 28 por 1.000). La estructura silábica más frecuente es *CV* (55,6 %), seguida por *CVC* (19,8 %), *CCV* (10,2 %) y *VC* (3,1 %); estas cuatro estructuras básicas forman el 88,7 % del total de modelos silábicos del español.

Los cálculos realizados por Miguelina Guirao y Ana M. Borzone de Manrique ("Fonemas, sílabas y palabras del español de Buenos Aires", en *Fil,* XVI, 1972, pp. 135-165), arrojan unos porcentajes similares a los de P. Delattre y C. Olsen. El tipo *CV* es el más frecuente (55,94 %), seguido de *CVC* (20,16 %), *CVV* (6,34 %), *CVVC* (5,15 %) y *V* (4,53 %). Las sílabas más frecuentes fueron: *de* (3,06 %), *ke* (2,79 %), *no* (2,44 %), *se* (2,44 %), *te* (2,23 %) y *sa* (2,09 %), las restantes sílabas poseen un porcentaje inferior al 2 %. La sílaba compuesta por dos fonemas es la más frecuente (58,86 %), seguida por la de tres fonemas (30,37 %), las de cuatro y cinco arrojan cifras muy inferiores (6,33 %) y (0,21 %), respectivamente. Del total de 14.577 palabras examinadas, el 50 % tenían una sola sílaba, y el 25 % dos sílabas; las cuarenta y cinco sílabas más

43. "Syllabic Features and Phonic Impression in English, German, French and Spanish", en *Lingua,* XXII, 1969, pp. 160-175.

frecuentes suman el 50 % del total de sílabas que aparecen en la conversación; de manera coincidente el 50 % de las palabras más usadas están compuestas por las cuarenta y cinco sílabas.

Si el estudio se realiza sobre textos clásicos en verso [44], los resultados son un poco diferentes: *CV* (59,70 %), *CVC* (30,18 %), CCV (3,89 %), *V* (2,64 %), *VC* (1,77 %) y *CCVC* (1,50 %). Es muy interesante notar la ausencia de sílabas con coda compuesta de dos consonantes (tipo *inspirar*), ausencia que es fiel reflejo de la estructura silábica del español clásico antes de la reposición de los grupos cultos, situación similar a la que se produce en la lengua hablada actual con gran frecuencia, pues sabemos que la estabilidad de las estructuras silábicas disminuye conforme aumenta su complejidad, de aquí que se pueda explicar por una serie de causas concurrentes la cantidad de neutralizaciones consonánticas que aparecen en español en posición implosiva y las reducciones diacrónicas de ciertos grupos consonánticos. Como nota curiosa hay que observar que en español la estructura silábica que posee *S* en su cima compuesta es incompatible con la aparición de codas complejas tipo *CC* [45].

Un aspecto importante es la relación estadística que se establece entre el número de sílabas de una palabra, su frecuencia de uso y el origen histórico, según que sea voz patrimonial, préstamo o palabra creada con los procedimientos sistemáticos de la lengua. Sabemos que las palabras patrimoniales suelen ser más breves, desde el punto de vista silábico, que los préstamos y las palabras de nueva creación (2,27 frente a 3,11 y 3,51). Entre las primeras, el

44. Tomás Navarro Tomás, "Notas fonológicas sobre Lope de Vega", en *AO*, IV, 1954, *Miscelánea filológica en memoria de Amado Alonso,* pp. 45-49.

45. *RPh,* XI, 1957-1958, p. 376.

mayor porcentaje corresponde a las palabras de tipo bisílabo (62,16 %), seguidas de las trisílabas (26,62 %) y las monosílabas (7,48 %), aunque haya variación en cuanto a su frecuencia de uso, pues los monosílabos son más frecuentes (68,06 %), seguidos de los bisílabos (28,41 %); entre los préstamos, el mayor número de componentes de la lengua pertenecen a las estructuras trisilábicas (50,27 %), seguidas a gran distancia por tetrasílabos y bisílabos (23,75 % y 20,94 %, respectivamente), con un mayor uso también de los trisílabos (52,27 %), a los que siguen las palabras de tipo bisílabo (27,30 %). Entre las palabras de nueva creación, se registra una huida del monosílabo (0,67 %) y de las palabras de seis, siete y ocho sílabas (2,15 %, 0,34 % y 0,17 %). Como es natural, estas palabras que presentan tan extensa agrupación silábica poseen un escasísimo uso 1,08 %, 0,14 % y 0,04 %). En las formaciones nuevas se da una curva creciente hacia tetrasílabos y trisílabos (33,90 % y 38,77 %, respectivamente), aunque el uso se centra en trisílabos, bisílabos y tetrasílabos (37,74 %, 31,89 % y 21,68 %)[46].

2.3.5.4. *Sílabas posibles e imposibles* *

Al producirse la crisis del concepto teórico de *palabra* como unidad de análisis, por la gran dificultad para encontrar una definición científica satisfactoria, los lingüistas se

46. Los datos proceden del estudio de W. T. PATTERSON, "On the Genealogical Structure of the Spanish Vocabulary", en *Word,* XXIV, 1968, *Linguistic Studies Presented to André Martinet,* pp. 309-339.

* Además de la bibliografía contenida en 2.3.4.4., es frecuente encontrar en autores de muy diversa formación teórica el tratamiento de este problema. Para el planteamiento general, vid. L. HJELMSLEV, *Le langage,* Les Éditions de Minuit, París, 1966, especialmente pp. 55-95; E. FISCHER-JØRGENSEN, "On the Definition of Phoneme Categories on a Distributional Basis", en *Acta Linguistica,* VII, 1952, pp. 8-39 (ci-

han inclinado por utilizar la sílaba como unidad de descripción de las relaciones en las secuencias de segmentos, ya que el morfema presenta problemas mucho más complejos, y que las restricciones en las posibilidades combinatorias se dan generalmente dentro de la estructura silábica y con mucha menor frecuencia entre fronteras silábicas. Dado que cada lengua posee sus propias reglas para agrupar los fonemas en sílabas[47], esta realidad permite describir el número de sílabas posibles en cada lengua y describir también la estructura de las imposibles e inaceptables; a su vez, las sílabas posibles se agruparán de acuerdo con determinadas reglas para formar todas las posibles secuencias de elementos dotadas de significación en una lengua determinada. Existirán, pues, combinaciones *posibles* de sílabas y que *realmente* la lengua utiliza en su léxico, y combinaciones *posibles,* pero que la lengua no utiliza, aunque puede utilizar cuando llegue su momento: serán secuencias silábicas admitidas como posibles por cualquier oyente, pero que carecen de existencia real, pues hay que aceptar como un universal que ninguna lengua utiliza todas las secuencias posibles y aceptables en su sistema. Por ejemplo, en español

---

tado por *RIL,* II, pp. 299-321), vid. p. 317 y la bibliografía contenida en la nota 61; J. LYONS, *Introducción,* especialmente 3.3.7.; Hans VOGT, "Phoneme Classes and Phoneme Classification", en *Word,* X, 1954, p. 29. El problema de la no utilización de morfemas posibles aparece tratado por H. A. GLEASON, Jr., *Introducción a la lingüística descriptiva,* Madrid, Gredos, 1970, p. 531; desde el ángulo generativo, vid. Rudolf P. BOTHA, *Methodological Aspects of Transformational Generative Phonology,* Janua Linguarum, Series Minor, n.º 112, La Haya-París, Mouton, 1971, p. 44. Para el español, vid. ALARCOS, *Fonología,* 59-62; *SFR,* 54, *Esbozo,* 1.3.1d.; Sol SAPORTA y Heles CONTRERAS, *A Phonological Grammar of Spanish,* Seattle, University of Washington Press, 1962, especialmente pp. 15 y 20.

47. Bertil MALMBERG, *La Fonética,* Buenos Aires, Eudeba, 1964, p. 75 (vid. además 2.3.5.1.).

existe la palabra *bola* o la palabra *bula*, sin que exista la palabra *bila*, que sería posible, aunque en este momento no posea un significado concreto. Como es lógico, toda esta problemática es fundamental a la hora de analizar la estructura de las "palabras" tradicionales en una lengua determinada. Más adelante (v. 2.6) nos ocuparemos de las limitaciones que ocurren en la distribución en la estructura de la sílaba y en las restricciones que suceden entre segmentos en contacto a través de las fronteras silábicas. Es verdad que por circunstancias especiales pueden aparecer secuencias de fonemas no admitidas, como ocurre con algunas onomatopeyas, interjecciones y transcripciones ideofónicas o fonosimbólicas (v. 6.1).

2.3.5.5. *Principio de delimitación silábica*

Se advierte en español una fuerte tendencia a unir la consonante final de una sílaba trabada con la vocal siguiente, fenómeno que se produce denuro de la palabra aislada y también en el encadenamiento de los elementos segmentales. Este fenómeno fue denominado por S. Fernández Ramírez *principio de delimitación silábica*, y es enunciado de la siguiente manera: "Toda sílaba trabada supone comienzo consonántico de la sílaba siguiente. La enunciación recíproca es falsa"; por ejemplo: *los hombres* → [lo-sóm-bres] [SFR, 19 y 36]. De este principio se puede deducir que "toda sílaba con sonido vocálico inicial supone sílaba anterior abierta". De este principio, fundamental a la hora de analizar secuencias sonoras del español, pueden huir excepciones del tipo: *des-huesar*, que serán estudiadas más adelante; también puede suceder que en los casos de énfasis articulatorio se anule este principio en una búsqueda de un especial tipo de relieve (v. 2.3.5.7); vid. *Pron.*, 153.

2.3.5.6. *La cantidad silábica**

La cantidad silábica de la palabra aislada está condicionada por la naturaleza de las consonantes que componen sus sílabas, el número de los sonidos y la proximidad o presencia de un acento etimológico o rítmico, mientras que estos hechos quedan modificados en la secuencia entre pausas o grupos fónicos. Las experiencias realizadas por S. Gili Gaya en un texto (prólogo a la *Historia crítica de la Literatura Española,* de J. Amador de los Ríos), con ayuda de un quimógrafo, dieron el siguiente resultado en centésimas de segundo:

La	crí	ti	ca |[2]	le	jos	de	sér	po
18,5	23,2	15,5	30	21	21	13,5	21	21
res	tas	ra	zó	nes	sa	lu	da	ble
21	18	21,5	22,5	28	20,5	12,5	23	18,5
pa	ra	los	bué	no	ses	tu	dios |[3]	le
16,5	8	18	20	12,5	17,5	23	28,5	17,5
jos	dea	pa	re	ce	ran	te	nues	tra
18	11,5	15,5	10,2	22	17,5	8	9	19

* María Josefa CANELLADA, "Notas de Métrica. Ritmo en unos versos de romance", en *NRFH,* VII, 1953, *Homenaje a Amado Alonso,* pp. 88-94; Samuel GILI GAYA, "Influencia del acento y de las consonantes en las curvas de entonación", en *RFE,* XI, 1924, pp. 154-177; "La cantidad silábica de la frase", en *CastV,* I, fasc. II, 1940-1941, pp. 287-298; Tomás NAVARRO TOMÁS, "Cantidad de las vocales acentuadas", en *RFE,* III, 1916, pp. 387-407; "Cantidad de las vocales inacentuadas", en *RFE,* IV, 1917, pp. 371-388; "Diferencias de duración entre las consonantes españolas", en *RFE,* V, 1918, pp. 367-393; "Historia de algunas opiniones sobre la cantidad silábica española", en *RFE,* VIII, 1921, pp. 30-57; "La cantidad silábica en unos versos de Rubén Darío", en *RFE,* IX, 1922, pp. 1-29 y además *Fonología,* 61-66.

vis	ta $|^4$	os	ten	tán	doen	su	diés	tra
26	27,5	12	20,5	23,5	26	17,5	25,5	12,5
laan	tór	cha	de	la	fi	lo	so	fía $|^5$...[48]
27	29	19,5	8,5	10	16,2	9	13	43

Las conclusiones del autor se centran en el hecho de que las ramas iniciales y finales de grupo fónico (hasta el primer acento y a partir del último), se rigen por las mismas leyes que la palabra aislada, aunque al fin el alargamiento suele ser mayor que en la unidad léxica aislada. En la rama intermedia del grupo fónico disminuyen las diferencias y se tiende hacia un isosilabismo, al debilitarse las diferencias cuantitativas, tendencia que aumenta en proporción directa al número de sílabas situadas entre la rama inicial y la final[49]. Como es natural, el énfasis puede modificar todos estos datos.

2.3.5.7. *Fórmulas de relieve*

En determinadas circunstancias, como un recurso prosódico para la expresión de gradación, se puede llegar a silabear con enorme detención el segmento afectado, en el que el hablante vuelca una fuerte emotividad o se recrea simplemente en la palabra o palabras que constituyen el centro de su atención (v. 3.5.0.2.).

> ¡Sí, porque me engañas tú a mí!... A buena parte vienes... Sé más de lo que te crees. Yo me acuerdo muy bien de algunas cosas que vi y oí. Tu mamá estaba muy disgustada, porque te nos habías hecho muy chu... la ... pito; eso es. (Pérez Galdós, *Fortunata y Jacinta*, OC, ed. Aguilar, t. V, p. 49); ¿Es que la *masa* "comprende" a Velázquez,

48. Samuel Gili Gaya, "La cantidad silábica de la frase", en *CastV*, I, fasc. 1, 1940-1941, pp. 291-292.
49. *CastV*, I, fasc. 1, 1940-1941, p. 298.

al Greco, a Garcilaso, a Lope, a Shakespeare, a Goethe? ¡Que no fastidie! Los han comprendido *siempre* los in-te-li-gen-tes. Y conste que no me refiero a ricos o pobres, poderosos o débiles. No, los in-te-li-gen-tes (que no es superioridad sino una clase) (Max Aub, *La calle de Valverde, Novelas Escogidas,* México, Aguilar, 1970, p. 377).

En los casos de esquemas melódicos que remedan un cierto aire de coro, se añade al recurso anterior la posibilidad de dotar de acento de intensidad a todas las sílabas que componen el mensaje, como en el siguiente ejemplo:

Ahora Loli y Fernando y Mariyayo y la otra chica que venía, armaban mucho alboroto y hacían rabiar a Lucas, golpeando con puños y vasos la madera de la mesa; repetían:

—¡¡Mú-sí-cá!!, ¡¡mú-sí-cá!!, ¡¡mú-sí-cá!!, ¡¡mú-sí-cá!!

El otro se tapaba los oídos.

—Vais listos —les decía— si os figuráis que con esa murga lo vais a conseguir. Ahora ya por cabezonería.

—¡¡Mú-sí-cá!!, ¡¡mú-sí-cá!!, ¡¡mú-sí-cá!!... (R. Sánchez Ferlosio, *El Jarama,* 4.ª ed., p. 239).

Algunos investigadores han observado en el habla madrileña una gran tensión articulatoria en la pronunciación de las sílabas, tensión que hace que las consonantes oclusivas posean una mayor duración que de ordinario; para A. Quilis no hay geminación consonántica [50], pero A. Zamora Vicente encuentra "un cierto aire de geminación" en ejemplos del tipo: *pperombbre* (pero, hombre) [51]. Esta ten-

50. Antonio Quilis, "Description phonétique du parler madrilène actuel", en *Phon,* XII, 1965, pp. 23-24.

51. Alonso Zamora Vicente, "Una mirada al hablar madrileño", recogido en *Lengua, literatura, intimidad,* Madrid, Taurus, 1966, p. 66.

sión puede llegar a convertir las variantes fricativas de las oclusivas sonoras en oclusivas [52].

2.3.6. VOCALES Y CONSONANTES *

De acuerdo con la problemática que plantea la sílaba como unidad fonética y estructural, como "esquema mínimo de combinación de fonemas que posee una unidad vocálica

52. A. QUILIS, *art. cit.*, transcribe el siguiente ejemplo:

[p:éro b:wéno / k:é t:a d:áo ésa].

* ALARCOS, *Fonología,* 30 y 91; W. Sidney ALLEN, "On One-vowel Systems", en *Lingua,* XIII, 1965, pp. 111-124; J. G. BLOM y J. Z. UYS, "Some Notes on the Existence of a 'Universal Concept' of Vowels", en *Phon,* XV, 1966, pp. 65-85; E. FISCHER-JØRGENSEN, "On the Definition of Phoneme Categories on a Distributional Basis", en *Acta Linguistica,* VII, 1952, pp. 8-30 (cito por *RIL,* II, pp. 299-321), especialmente p. 309 y ss. P. S. GREEN, "Consonant-Vowel Transitions. A Spectrographic Study", en *Studia Linguistica,* XII, 1958, pp. 57-105; A. W. DE GROOT, "Voyelle, consonne et syllabe", en *ANPhE,* XVII, 1951, pp. 21-41; Aert H. KUIPERS, *Phoneme and Morpheme in Kabardian,* Janua Linguarum, Series Minor, n.º VIII, La Haya, Mouton, 1960 (vid. más adelante la discusión con B. Schebeck); André MARTINET, *La lingüística sincrónica,* Madrid, Gredos, 1968, p. 92 y ss.; Bertil MALMBERG, "Le problème du classement des sons du langage", en *Studia Linguistica,* X, 1956, pp. 1-44 (reimpreso en *Phonétique Générale et Romane,* pp. 67-108); "Voyelle, consonne, syllabe et mot", en *Estructuralismo e Historia, Misc. Hom. a André Martinet,* t. III, La Laguna, 1962, pp. 81-97 (reimpreso en *Phonétique Générale et Romane,* pp. 131-140); L'udovít NOVÁK, "Caractère périphérique des consonnes dans le système phonologique et dans la structure syllabique", en *TLP,* II, 1966, pp. 127-132, especialmente pp. 128 y 131; E. W. ROBERTS, "Consonant and Vowel: a Re-examination", en *Lingua,* XXX, 1972, pp. 141-202; Morris HALLE, "Is Kabardian a Vowel-less Language?", en *FL,* VI, 1, 1970, pp. 95-103; Bernhard SCHEBECK, "The Structure of Kabardian", en *La Linguistique,* I, 1965, pp. 113-119 (y la contestación de Aert H. KUIPERS, "Remarks on the Structure of Kabardian", en *La Linguistique,* II, 1966, pp. 133-136); Georges STRAKA, "La classification du sons du langage en voyelles et consonnes peut-elle être justifiée?", en *TLLS,* I, 1963, pp. 17-99. Vid. además la bibliografía referente a este tema contenida en 2.3.5.1.

como núcleo, precedida o seguida por una unidad consonántica o una combinación consonántica permitida", según la definición dada por O'Connor y Trim[53], parece evidente la existencia de los dos tipos de segmentos en contraste, *vocales y consonantes,* que poseen características articulatorias, de distribución y funcionales completamente diferentes, aunque en determinadas descripciones pueden aparecer clasificaciones en que este contraste se neutralice [Alarcos, *Fonología,* p. 183]. Se suele aceptar esta dicotomía como universal[54], aunque en cada lengua existen problemas muy diferentes, y los sonidos pueden ser clasificados de manera diversa en cada sistema lingüístico. Hay que advertir que las tradicionales definiciones de vocal como segmento capaz de formar, solo o combinado con otros de su clase, palabras o emisiones, carece de validez universal, puesto que existen

53. *Word,* IX, 1953, p. 122.

54. Para el debatido problema de la existencia de la oposición *vocal-consonante* como universal, vid. R. Jakobson, C. Gunnar M. Fant y Morris Halle, *Preliminaries,* p. 20; Charles F. Hockett, "The Problem of Universals of Language", en Joseph H. Greenberg, *Universals of Language,* The MIT Press, Cambridge, Mass., 2.ª ed., 1966, p. 27; Joseph H. Greenberg, "Is the Vowel-Consonant Dichotomy Universal?", en *Word,* XVIII, 1962, pp. 73-81, donde plantea un método de análisis para vocales y consonantes en el caso del Bella Coola, y llega a la conclusión de que existe esta diferenciación en dicha lengua; para ejemplos contrarios en la misma lengua, E. W. Roberts, "Consonant and Vowel: a Re-examination", en *Lingua,* XXX, 1972, p. 147 y n. 14. Sobre el abaza, W. S. Allen, en *Lingua,* XIII, 1965, pp. 111-124; es abundante la discusión sobre el cabardo, vid. las obras de A. Kuipers, Schebeck y Halle citadas en 2.3.6. Sobre la existencia de un sistema de una sola vocal en indoeuropeo, André Martinet, "Réflexion sur le vocalisme de l'indo-européen commun", en *Homenaje a Antonio Tovar,* Madrid, Gredos, 1972, pp. 301-304. Es curioso observar cómo lingüistas de posición teórica tan diferente como M. Halle, *FL,* VI, 1970, p. 95, o Martinet, *op. cit.,* p. 302, admiten que el problema de las lenguas sin vocales afecta, como es natural, a la estructura fonológica, pero no a la estructura fonética.

sistemas donde no es posible la estructura silábica *V* [55], aunque hay que notar que esta definición es válida en español. Además de las características articulatorias y acústicas (2.2.5 y ss., 2.2.5.6.1.1 y ss., y 2.4 y ss.), aceptamos que las vocales españolas son fonemas que solos o combinados entre sí pueden formar emisiones, que poseen la característica privativa de ser soportes del acento de intensidad y que ocupan siempre en su distribución la cima silábica, mientras que las consonantes carecen de estos rasgos peculiares, y en la distribución silábica se especializan en ocupar los márgenes silábicos. En algún caso se ha hablado en español de la existencia de consonantes silábicas [56].

55. E. Fischer-Jørgensen, en *RIL,* II, p. 303.

56. Aurelio M. Espinosa, en *BDH,* I, p. 167; vid. la opinión contraria de Amado Alonso, en *BDH,* I, pp. 431-439. A. Quilis, en *Phon,* XII, p. 23, califica las realizaciones fonéticas tipo [n̩dá] (¡*anda*!) como un rasgo muy madrileño.

2.4. VOCALES ESPAÑOLAS *

2.4.1. Clasificación de las vocales españolas

El español presenta un sistema vocálico de tipo triangular, caracterizado por dos rasgos: la **abertura** y la **localización**. En este sistema aparece una vocal central, **a**, de máxi-

* **Bibliografía general:** P. C. Delattre, A. M. Liberman, F. S. Cooper y L. J. Gerstman, "An Experimental Study of the Acoustic Determinants of Vowel Color: Observations on One- and Two-Formant Vowels Synthesized from Spectrographic Patterns", en *Word,* VIII, 1952, pp. 195-210; M. Durand, *Voyelles longues et voyelles brèves,* París, 1946; E. Haugen, "On Diagramming Vowel-Systems", en *PICPS,* 4, pp. 648-654; Peter Ladefoged, "The Classification of Vowels", en *Lingua,* V, 1955, pp. 113-127; H. Mol, *Fundamentals of Phonetics,* t. II, *Acoustical Models Generating the Formants of the Vowel Phonemes,* Janua Linguarum, Series Minor, n.° XXVI, 2, La Haya, Mouton, 1970; G. E. Peterson, "The Phonetic Value of Vowel", en *Lan,* XXVII, 1951, pp. 541-553; G. O. Russell, *The Vowel. Its Physiological Mechanism as Shown by X-Ray,* Columbus, Ohio State University, 1928.

Algunos estudios sobre vocales en lenguas particulares: Ramón Cerdá Massó, *El timbre vocálico en catalán,* Madrid, CSIC, 1972; Lawrence G. Jones, "Contextual Variants of the Russian Vowels", apéndice I al libro de Morris Halle, *The Sound Pattern of Russian. A Linguistic and Acoustical Investigation,* La Haya, Mouton, 2.ª ed., 1971, pp. 157-183; Jana Ondrácková, *The Physiological Activity of the Speech*

ma abertura, dos vocales de abertura media, **e** y **o**, y dos de mínima abertura, **i**, **u**; las vocales **e**, **i**, pertenecen al orden palatal o anterior, mientras que **o**, **u** son posteriores o velares.

Las vocales anteriores o palatales se articulan con el *predorso* de la lengua, frente a las posteriores o velares que son de articulación *postdorsal*. Modernamente se han utilizado otros criterios clasificatorios que se basan: (a) en la posición de la lengua, y (b) en las características acústicas de estos sonidos[57].

Organs. An Analysis of the Speech-Organs During the Phonation of Sung, Spoken and Whispered Czech Vowels on the Basis of X-Ray Methods, La Haya-París, Mouton, 1972.

Bibliografía básica sobre las vocales españolas: E. ALARCOS, *Fonología,* 91-95; Tomás NAVARRO TOMÁS, *Pron,* 33-55; A. QUILIS y Joseph A. FERNÁNDEZ, *Curso de fonética y de fonología españolas,* Madrid, CSIC, 5.ª ed., 1971, 5.1.-5.7. (para los espectrogramas de las vocales españolas, vid. A. QUILIS, *Album de fonética acústica,* Madrid, CSIC, 1973). Vid. además, Daniel N. CÁRDENAS, "Acoustic Vowel Loops of Two Spanish Idiolects", en *Phon,* V, 1960, pp. 9-34; Armando DE LA CERDA y M.ª Josefa CANELLADA, *Comportamientos tonales vocálicos en español y portugués, RFE,* anejo XXXII, Madrid, CSIC, 1945; Joseph A. FERNÁNDEZ, "La anticipación vocálica en español", en *RFE,* XLVI, 1963, pp. 437-444; Joseph H. MATLUCK, "La *é* trabada en la ciudad de México: Estudio experimental", en *ALM,* III, 1963, pp. 5-34; Tomás NAVARRO TOMÁS, "Siete vocales españolas", en *RFE,* III, 1916, pp. 51-62; "Cantidad de las vocales acentuadas", en *RFE,* III, 1916, pp. 387-408; "Cantidad de las vocales inacentuadas", en *RFE,* IV, 1917, pp. 371-388; "Rasgos esenciales de las vocales españolas", en *PhQ,* XXI, 1942, pp. 8-16 (este artículo aparece refundido en Tomás NAVARRO TOMÁS, *Fonología,* pp. 31-45); "Muestra del ALPI", en *NRFH,* XVI, 1962, pp. 1-15; C. E. PARMENTER y S. N. TREVIÑO, "An X-Ray Study of Spanish Vowels", en *H,* XV, 1932, pp. 483-496.

57. Vid. Charles F. HOCKETT, *A Manual of Phonology,* Indiana University Publications in Anthropology and Linguistics, Memoir 11, Baltimore, 1955, 244. El mismo autor en su obra *A Course in Modern Linguistics,* Nueva York, MacMillan, 12.ª ed., 1967, 9.1. mantiene estos términos, mientras que Emma GREGORES y Jorge A. SUÁREZ, tra-

(a) Por la posición de la lengua, se distinguen tres tipos fundamentales: vocales **altas** (*i*, *u*), **medias** (*e*, *o*), y **baja** (*a*). Las vocales *u*, o, se caracterizan por la presencia de redondeamiento o labialización, por el contrario, *a*, *i*, *e*, son vocales no redondeadas o no labializadas. En casos excepcionales puede existir una variante labializada de *e* [ë] [58].

(b) Desde el punto de vista acústico, son sonidos con presencia de *densidad a*, *e*, *o*, y *difusos*, *i*, *u*; son *agudos i*, *e*, y *graves*, *u*, *o*.

Cada uno de los fonemas vocálicos puede tener distintas variantes de realización o alófonos, que dependen de la estructura silábica, de la posición del sonido en la sílaba y

---

ductores y adaptadores del libro al español (Buenos Aires, Eudeba, 1971) han utilizado los términos de *abiertas, cerradas* e *intermedias,* clasificadas, a su vez, en *altas* y *bajas,* vid. p. 83 y ss. A. QUILIS y Joseph A. FERNÁNDEZ, *Curso de fonética y fonología españolas,* Madrid, CSIC, 5.ª ed., 1971, pp. 51-52, observan que esta distinción es necesaria en lenguas como el francés o el inglés, que poseen series más nutridas de vocales. También ha sido utilizada esta clasificación por Salvador FERNÁNDEZ RAMÍREZ, en *BRAE,* XLVIII, 1968, p. 442 y ss. y en *Esbozo de una nueva gramática de la lengua española,* REAL ACADEMIA ESPAÑOLA, Madrid, Espasa-Calpe, 1973, 1.2.3., que también prefiere utilizar los términos de vocales *altas, semialtas, medias, semimedias* y *bajas.*

58. En ciertas zonas aparecen variantes labializadas del fonema */e/* cuando se combina en el diptongo *we*; aparece en el español de N. Méjico, vid. *BDH,* I, p. 15; vid. p. 56, n. 1, de Amado ALONSO y Ángel ROSENBLAT, donde se resume el problema hasta 1930; además, vid. E. KANY, "Rounded Vowel *e* in the Spanish Dipthong *UE*", en *UCPL,* XXI, 1940, pp. 257-276. Tomás NAVARRO TOMÁS, en *RFE,* X, 1923, p. 35, rectificaba la opinión de Colton sobre la extensión de [ë] en la Península, limitada a una procedencia madrileña, y anotaba que "en la conversación culta no se oye la [ë] sino en casos especiales de énfasis o en tal o cual sujeto propenso a dichas labializaciones por hábito o costumbre meramente personal". Años más tarde, A. QUILIS, en *Phon,* XII, 1965, p. 20, insistía en la existencia de esta variante labializada en hablantes madrileños, sobre todo en las expresiones hechas con cierta energía.

		Anteriores o palatales	Central	Posteriores o velares	
		No labializadas		Labializadas	
		Agudos	Neutra	Graves	
Mínima abertura ↓	Altas	/i/		/u/	Difusos
	Medias	/e/		/o/	Densos
Máxima abertura ↑	Bajas		/a/		

de la naturaleza articulatoria de los sonidos contiguos, pertenezcan o no a la misma sílaba [59]. En líneas generales, salvo la vocal *a* y algunas excepciones de *e*, puede afirmarse que las vocales en sílaba libre tienden a cerrarse, se hacen más altas, y —por el contrario— muestran una gran tendencia a la abertura en sílaba cerrada, y en contacto con la consonante [r̄] y ante [x].

Estas variantes pueden dividirse en dos grupos diferentes, según sea su posición dentro de la estructura silábica: variantes vocálicas que ocupan la posición central de la sílaba, *vocales silábicas,* y variantes que no pueden ocupar esta posición: *vocales no silábicas.*

2.4.1.1. *Alófonos vocálicos de tipo silábico*

[i]	vocal alta anterior
[i̥]	vocal semialta anterior
[e]	vocal media anterior
[ę]	vocal semimedia anterior

[u]	vocal alta posterior labializada
[u̥]	vocal semialta posterior labializada
[o]	vocal media posterior labializada
[ǫ]	vocal semimedia posterior labializada

[a]	vocal baja no labializada
[ạ]	vocal baja velar no labializada

59. Joseph H. Matluck, en *ALM,* III, 1963, p. 5.

	Anteriores o palatales	Central		Posteriores o velares
	No labializadas			Labializadas
Altas	[i]			[u]
Semialtas	[į]			[ų]
Medias	[e]			[o]
Semimedias	[ę]			[ǫ]
Bajas		[a]	[ạ]	

2.4.1.2. *Alófonos vocálicos de tipo no silábico*

[j] alta anterior, en articulación de abertura
[w] alta posterior labializada, en articulación de abertura
[i̯] alta anterior, en articulación de cierre
[u̯] alta posterior labializada, en articulación de cierre

En general las vocales españolas no suelen presentar características muy diferentes de este esquema general, aunque dialectalmente puedan producirse casos muy interesantes, como pueden ser el desdoblamiento del sistema en el andaluz oriental (v. 2.4.8.), su posible influjo sobre el vocalismo antillano; el timbre cerrado característico del Ecuador, Perú, Bolivia y N. de Chile, que parece depender de sustrato quechua, según Canfield, quien también apunta la posibilidad de que la cerrazón característica de [-o] y [-e] finales

	Anterior	Posterior
	No labializada	Labializada
Con articulación de abertura	[j]	[w]
Con articulación de cierre	[i̯]	[u̯]

(sobre todo en regiones de Colombia y frontera mejicana en Yucatán, donde [-o] puede llegar a [-u]), se deba a influencia occidental española[60].

60. D. L. Canfield, *La pronunciación del español en América,* pp. 93-95; deben consultarse las sugeridoras notas de T. Navarro Tomás en el prólogo de esta obra, pp. 9 y 15-16. Un fenómeno importante del vocalismo en las regiones del occidente peninsular es la cerrazón de *-o* > *-u* y de *-e* > *-i,* que sucede en Asturias, Santander, León, zonas de Salamanca, Cáceres, y en el judeoespañol, vid. V. García de Diego, *Manual,* pp. 147, 173, 175, y A. Zamora, *Dialectología,* p. 111 y ss. y 354, además, *Fil,* II, 1950, pp. 126-131. En el caso del dominio lingüístico leonés esta problemática es muy compleja, con interesantes problemas como la metafonía y el neutro de materia. J. Martínez ha observado experimentalmente que el campo de dispersión de los fonemas vocálicos del bable de la parroquia de San Claudio, bable central, no coincide exactamente con el de los fonemas castellanos, a pesar de la igualdad de sistemas, estas diferencias se acentúan en el subsistema átono, vid. *AO,* XVII, 1967, p. 23 y ss.; vid. Yakov Malkiel, *RPh,* XXVII, 1974, pp. 516-518, donde se expone el estado crítico del problema de la metafonía y del neutro de materia.

D. N. Cárdenas ha estudiado las características acústicas de las vocales en dos idiolectos (*Phon,* V, 1960, pp. 9-34) y ha notado la extraor-

2.4.2. Vocales palatales

2.4.2.1. El fonema /i/ puede adquirir los siguientes valores de realización:

---

dinaria amplitud de los márgenes entre los que oscilan las variantes de cada vocal, con diferencias de timbre que, en apariencia, no concuerdan con los del *Manual de Pronunciación* de Navarro Tomás, quien se ha mostrado sorprendido de que esta variedad no parezca responder a ninguna regla, pues vocales en circunstancias idénticas resultan diferentes, y en distintas circunstancias coinciden en sus realizaciones; T. Navarro ha observado una cierta concordancia de fondo en las vocales tónicas, vid. *NRFH,* XIV, 1960, pp. 342-345.

En las vocales del español, en posición átona, pueden producirse vacilaciones de timbre vocálico, como es tradicional en diacronía, fenómeno que aparece tanto en América como en la Península: *josticia, escrebir,* vid. A. Zamora, en *ACILR,* X, pp. 1328-1329. Más adelante, v. 2.6.5.1., se tratarán otros casos de variación del timbre vocálico que suceden en la reducción de los hiatos a diptongos, o simplemente en el interior del diptongo. Íntimamente unida con el problema de la inconsistencia del vocalismo átono, se encuentra la batallona cuestión del efecto que produce la consonante nasal trabante para aumentar o disminuir el grado de abertura de la vocal cerrada, sobre todo en palabras semicultas polisílabas. A. Alonso, en *BDH,* I, pp. 383-394, demostró que vacilaciones del tipo *cimenterio, lintejas,* tienen que situarse dentro del marco anterior, aunque en algún caso se trate de una clara alternancia de prefijos; el fenómeno es muy frecuente en las sílabas iniciales *an-, en-, in-,* en las que la consonante nasal constituye la mayor cantidad de la sílaba y en las que existe una escasa consistencia de la imagen acústica de la vocal precedente; también se muestra de acuerdo con esta hipótesis A. Zamora, en *Fil,* II, 1950, p. 122.

Existen otros rasgos muy característicos en el vocalismo: la fijeza menor del vocalismo argentino frente al español normativo, vid. A. M. Barrenechea, en *Fil,* III, 1951, p. 141; el alargamiento expresivo de las vocales tónicas en este mismo país, vid. el estado de la cuestión en G. de Granda, *La estructura silábica,* p. 21 y ss.; la tendencia madrileña a la abertura de *i, e, o,* apuntada por A. Quilis, en *Phon,* XII, 1965, p. 20; la diferencia que se establece entre las mujeres de la isla de La Graciosa, Canarias, que pronuncian -o [-u], y los hombres que sólo cierran la vocal -o [-o]; en el caso de -e, la solución es [-e], pero más cerrada en el habla femenina que en la masculina, vid. M. Alvar, en *RFE,* XLVIII, 1965, pp. 296-299; para la consonantización de [u̯], vid. nota 71.

2.4.2.1.1. [i] *cerrada,* en sílaba libre, sobre todo tónica[61]:

[bíđa] (vida); [líƀre] (libre)

2.4.2.1.2. [į] *abierta,* en sílaba trabada, en contacto con [r̄] y ante [x]:

[fį́n] (fin), [prįn̪θipál] (principal), [į́xo] (hijo)

2.4.2.1.3. [i̯] *semivocal,* en los diptongos [ai̯], [ęi̯] y [ǫi̯]:

[ái̯re] (aire), [pę́i̯ne] (peine), [ǫ́i̯go] (oigo)

2.4.2.1.4. [j] *semiconsonante,* en posición inicial de diptongo o triptongo[62]:

[bjén] (bien), [silén̪θjo] (silencio)

61. T. Navarro Tomás, en *RFE,* III, 1916, pp. 51-62. En algún caso excepcional, como sucede en Colombia con la forma *sí* afirmativa, la vocal se abre hasta el grado de la [e], como notó L. Flórez, *La pronunciación del español en Bogotá,* p. 35 y n. 6.

62. Para la realización fonética [j] la "disposición general de los órganos es intermedia entre la articulación de la vocal [i] y la de la consonante [y]" (T. Navarro, en *Pron,* 49). Como ha insistido el mismo investigador, en contra de la opinión de Colton (en *RFE,* X, 1923, pp. 41-42), las semiconsonantes [j], [w] y las semivocales [i̯], [u̯] no pueden ser consideradas simples formas explosivas e implosivas de un mismo sonido, ya que hay diferencias notables de timbre y de articulación. Tanto [j], como [w] son más cerradas, más consonánticas y más fricativas que [i̯], [u̯]; en los palatogramas, [j] es menos abierta que [i̯], que a su vez presenta un punto de articulación más interior que el de [j]; [j] coincide con [i] cerrada en cuanto a su abertura horizontal, pero considerada verticalmente es menos abierta que la realización cerrada [i]. Por influjo ortográfico pueden aparecer articulaciones tipo [jélo] (hielo), [jéđra] (*hiedra*), en los casos de grafías que comienzan por *hi-*; en estas realizaciones la fuerza visual arrastra al hablante a distinciones con articulaciones tipo [yélmo], [yéska], vid. T. Navarro, *Pron,* 49. Para la adscripción de [j], [i̯] al fonema /i/ aceptamos los razonamientos de Alarcos, *Fonología,* 98.

2.4.2.2. El fonema /e/ presenta las siguientes variantes combinatorias:

2.4.2.2.1. [e] *cerrada,* en sílaba libre[63], y en sílaba trabada por las consonantes *m, n, s, d, θ*:

[déđo] (dedo), [balentía] (valentía)

2.4.2.2.2. [ę] *abierta,* en sílaba trabada por las restantes consonantes, en contacto con [r̄], ante [x] y en el diptongo [ęi̯][64]:

[gęr̄ęro] (guerrero), [mę i̯ŋklíno] (me inclino...)

63. Conocemos muy bien la extensión de las articulaciones de [e] en sílaba libre, gracias al trabajo de Tomás Navarro Tomás, "Muestra del *ALPI*", en *NRFH,* XVI, 1962, pp. 1-15, en el que estudió los porcentajes y la distribución geográfica de [e] en el mapa correspondiente a la palabra *cepa.* La articulación más frecuente, 66 %, es la vocal [e] de tipo medio, que se extiende por toda la península; le siguen: [e] de tendencia a la abertura (Badajoz, Huelva, Cádiz, Málaga, Granada y Jaén), con un 20 %, y sólo con el 8 % aparece la [ę] (en Cataluña). Además, para [e] en [akéĭa], vid. T. Navarro Tomás, "Siete vocales españolas", en *RFE,* III, 1916, pp. 51-62.

64. T. Navarro Tomás, *loc. cit.,* donde estudia la [e] trabada en [tenęɪ]. En las variantes de [e] trataba aparecen mayores divergencias a las reglas generales que en las variantes que ocurren en sílaba libre. La descripción que dio Navarro Tomás se ajusta a la norma culta universitaria madrileña, pero no siempre ocurre esto en todos los países de habla española. Hoy disponemos del excelente estudio espectrográfico realizado por Joseph H. Matluck, "La *é* trabada en la ciudad de México: estudio experimental", en *ALM,* III, 1963, pp. 5-34, en el que se analizan cuidadosamente los factores que contribuyen a la diferencia de timbre: estructura de la sílaba, características articulatorias de la consonante anterior o posterior, posición de la sílaba en la estructura de la palabra, y la relación con el acento de intensidad, entre otros factores. Observó Matluck una tendencia hacia la cerrazón de [e] trabada por [m, n, s, d], y otra hacia la abertura muy marcada en contacto con otras consonantes. En el caso de formar núcleo silábico con el margen prenuclear [r̄] y posnuclear [m, n, s, d], al contrario que en la Península, [ę] es marcadamente abierta. No se produce ante [x], fenómeno que tiene que ser explicado por la articulación en Méjico de [x] como postpa-

2.4.3. Vocal central

2.4.3.1. El fonema /a/ puede adquirir las siguientes variantes[65]:

---

latal e, incluso, mediopalatal. En sílaba libre la variante más frecuente es la media. Sobre estas articulaciones en otras zonas del español atlántico, vid. Matluck, *loc. cit.*, pp. 9-10.

65. Para el estudio de la vocal [á] en sílaba inicial, [páđre], vid. T. Navarro Tomás, "Siete vocales españolas", en *RFE*, III, 1916, pp. 51-62. En los casos de [a-] en posición inicial y [-a] en posición final de palabra, vid. T. Navarro Tomás, "Geografía peninsular de la palabra *aguja*", en *RPh*, XVII, 1963, *María Rosa Lida de Malkiel Memorial*, II parte, pp. 285-300. A. Quilis, en *Phon*, XII, 1965, p. 20, ha advertido que en el habla madrileña la vocal *a* de tipo central muestra una tendencia a realizarse más posterior, pero sin ser plenamente [a] velar. Como ejemplos de la riqueza de matices de /a/ en zonas dialectales, vid G. Salvador, en *RFE*, XLI, 1957, 5, las láminas de transcripción del *ALEA*, donde se recogen diez tipos de realizaciones de esta vocal, y el *ALPI*, que registra veintitrés variantes.

Existen en Andalucía diversos tipos de soluciones fonéticas para /a/ en posición final por pérdida de /-l/, /-r/ (vid. *ALEA*, VI, lám. 1.577, mapas 1.699 y 1.700): se encuentra una vocal [a] media, más o menos larga, sobre todo en Andalucía Occidental. Andalucía Oriental tiene preferencia por las variantes abiertas y largas, con mayor o menor alargamiento y abertura, que aparecen combinadas con las velares abiertas y largas; en esta misma zona se localizan variantes palatales abiertas, normales o largas, que no se encuentran en Andalucía Occidental. En la ciudad de Granada, entre personas incultas, hay una fuerte tendencia a la semidiptongación en una [a] larga más una [*e*] relajada. En 1956, D. Alonso publicaba su trabajo *En la Andalucía de la E. Dialectología pintoresca* (reimpresión en *Obras Completas*, I, pp. 607-625), en el que se ponía de manifiesto la existencia de una zona (Puente Genil, Alameda y Lucena) en la que se pronuncia arranqu[ę́] (*arrancar*), zona en la que toda [á] se convertía en [ę́] ante los sonidos consonánticos que corresponden a los castellanos [l, r, s, θ]. Muy poco después, M. Alvar, "El cambio -al, -ar > -ę en andaluz", en *RFE*, XLIII, 1958-59, pp. 279-282, daba nuevos datos sobre la lengua de esta región. Alvar separa dos grupos distintos en el problema genético de convergencia en [ę́]: ***a***) *-al, -ar > ę́*, específico de esta región (Co. 607 Lucena, Co. 608 Jauja y Ma. 200

2.4.3.1.1. [a] *media*, que suele ser el valor más frecuente:

[sánto] (santo), [θárθa] (zarza)

2.4.3.1.2. [a̩] *velar*, en el diptongo [a̩u̯], ante [o], en sílaba trabada por [l] y ante [x][66]:

[flá̩u̯ta] (flauta), [el pátjo se á̩la̩ oskúro] (el patio se halla oscuro), [sá̩l] (sal), [ta̩xáɪ] (tajar)

Alameda, además de San Martín de Ballesteros, donde aparece una *e* doblemente abierta), fenómeno frecuente sobre todo entre las mujeres y los hablantes incultos; y el caso ***b***) *-as, -a*θ > ę́, que hay que situar dentro del fenómeno más general del tipo *-as* > ä, con la palatalización intensa que convierte [ą̈] en [ę́], que es característico de casi toda la mitad oriental de Andalucía (vid. 2.4.8.). En el caso ***a***), Alvar piensa que es fenómeno reciente, y para explicarlo es necesario partir de la neutralización en posición implosiva de -l'y -ɪ en el archifonema L; pero la existencia de una articulación de tipo cacuminal de *l* en posición implosiva seguida de velar o dental, que en ciertas zonas puede llegar a la vocalización [ai̯to] (*alto*), hace suponer que la terminación [-aL] sufrió un proceso de palatalización que repercutió sobre la vocal: [kanę́] (*canal*); vid. además, P. Aebischer, "Le pluriel *-ās* de la première déclinaison latine et ses resultats dans les langues romanes", en *ZRPh,* LXXXVII, 1971, pp. 74-98.

También en las encuestas del *ALEA,* vid. mapa 1.701, han aparecido algunos puntos de conversión de la [-a] final átona en [ä]; el fenómeno suele ser de tipo esporádico en algunos casos, y en otros se limita a problemas de lexicalización. En una zona concreta (Jaén, Granada, Almería), se encuentran algunos puntos en que este fenómeno aparece cuando la vocal final está precedida de consonante palatal; en Diezma (Granada) se registra de una manera regular, tanto precedida de consonante palatal como de cacuminal. En la ciudad de Almería la palatalización de la vocal precedida de consonante palatal es frecuente entre mujeres y pescadores. Como ya advirtió A. Llorente, en *RFE,* XLV, 1962, p. 233, en la localidad de El Padul, valle de Lecín (Granada), las mujeres y las niñas pronuncian una *-e,* que llega a ser de tipo semisordo, mientras que los hombres se limitan a la palatalización [ä].

66. Dialectalmente puede aparecer una [a] de tipo velar, con la persistencia de la aspiración procedente de -s, en Canarias, vid. para su estudio, M. Alvar, "La -A de los plurales", en *Estudios Canarios,* Las Palmas, 1968, pp. 59-63.

2.4.4. Vocales velares

2.4.4.1. El fonema /o/ aparece con los siguientes alófonos:

2.4.4.1.1. [o] *cerrada*, en sílaba libre tónica [67]:

[lóko] (loco), [kómo] (como)

2.4.4.1.2. [ǫ] *abierta*, en sílaba trabada [68], en contacto con [r̄], ante [x], en el diptongo [ǫi̯] y en posición acentuada en el esquema fónico a + ó + {l, r}:

[tǫ́n̢to] (tonto), [kǫ́r̄o] (corro), [ǫ́xo] (ojo), [a̦ǫ́ra] (ahora)

2.4.4.2. El fonema /u/ puede presentar las variantes siguientes:

2.4.4.2.1. [u] *cerrada*, en sílaba libre tónica [69]:

[lúnes] (lunes), [túƀo] (tubo)

67. T. Navarro Tomás, "Muestra del *ALPI*", en *NRFH*, XVI, 1962, pp. 1-15, ha estudiado las variantes de realización de /o/ en sílaba abierta, en la palabra *boca*, y su distribución en la Península Ibérica. Los resultados del mapa n.º 26 del *ALPI* no reflejan una pronunciación uniforme: los porcentajes más altos, 41 %, corresponden a [o] de tipo medio, que suele aparecer en todas las zonas; le sigue en importancia la realización [o] con tendencia a la abertura, 29 % (Occidente de Castilla, parte de Extremadura y Andalucía), y [o] con tendencia a la cerrazón, 16 % (Portugal, Alto Aragón y Cataluña). En general, observa Navarro Tomás que las áreas de realización fonética suelen coincidir con los límites de las provincias, vid. p. 4. Además, vid. "Siete vocales españolas", en *RFE*, III, 1916, pp. 51-62, donde estudia [o] en [ó̯la]. En una zona limitada de Andalucía Oriental aparece una realización [ö] palatalizada con cierta insistencia en los plurales que corresponden a singulares en *-o*; ante este fenómeno, M. Alvar piensa que tal vez se trata de un proceso de cristalización de la oposición fonológica /o/:/ö/, singular-plural, para los temas en *-o*, que se correspondería con la oposición /a/:/ä/ de los temas en *a-*, vid. A. Llorente, en *RFE*, XLV, 1962, p. 237 y 2.4.8.

68. Para el estudio de la vocal [ǫ] en [olǫ́ɪ]), vid. *RFE*, III, 1916, pp. 51-62.

69. La vocal *u* en sílaba abierta, en el monosílabo *tú*, ha sido estu-

2.4.4.2.2. [ų] *abierta,* en sílaba trabada, en contacto con [r̄] y ante [x]:

[lų́θ] (luz), [rų́b̄ja] (rubia)

2.4.4.2.3. [w] *semiconsonante,* en posición inicial de diptongo:

[fwénte] (fuente), [kwaņdo] (cuando)

En posición inicial absoluta, después de pausa o ante nasal, puede adquirir en pronunciación descuidada y popular una consonante [ǥ] o [g], e incluso puede llegar a [b̄] impregnada de velarización[70].

---

diada por NAVARRO TOMÁS, en *RFE,* III, 1916, pp. 51-62; vid. además, el trabajo del mismo investigador, "Geografía peninsular de la palabra *aguja*", en *RPh,* XVII, 1963-1964, *María Rosa Lida de Malkiel Memorial,* II parte, pp. 285-300.

70. Vid. Tomás NAVARRO TOMÁS, *Pron,* 65; Amado ALONSO, *BDH,* t. I, pp. 440-469; Emilio ALARCOS, *Fonología,* 4.ª ed., p. 163 y ss.; Bertil MALMBERG, "Sobre la existencia de fonemas labiovelares en español", en *Estudios de Fonética Hispánica,* Madrid, CSIC, 1965, pp. 67-77.

Se trata de un fenómeno general de la lengua española, tanto en el español peninsular como en América (Colombia, Puerto Rico, Cuba, Costa Rica, Ecuador y Argentina), y además en ciertas zonas del judeo-español. M. Alvar opina que las soluciones aragonesas con g- desarrollada, "antiguas y numerosas, indican períodos en la consonantización de *w,* mucho más adelantada, cronológicamente hablando, en Aragón que en Castilla", vid. *El habla del campo de Jaca,* Salamanca, 1948, pp. 57-58. El fenómeno es general en posición inicial, pero también puede aparecer en sílaba interior (*cirgüela*). Germán DE GRANDA, en su trabajo *La estructura silábica y su influencia en la evolución del dominio ibero-romance, RFE,* anejo LXXXI, Madrid, CSIC, 1966, pp. 59-72, lo explica como un refuerzo que aparece cuando la semiconsonante ocupa posición explosiva; en el caso de sílaba interna, en contra de la opinión de A. Alonso, cree que la cerrazón en *gw* se produce después de cambiar la estructura silábica de la palabra: *cir - ue - la* → *cir - we - la* → *cir - gwe - la.*

En la Argentina el fenómeno es general: *güerfano, güevo,* vid. Berta Elena VIDAL DE BATTINI, *El habla rural de San Luis,* I parte, *BDH,* t. VII, Buenos Aires, 1949, pp. 51-52. Para la extensión del problema en

2.4.4.2.4. [u̯] *semivocal*, en posición final de diptongo[71]: [kađa̯ ú̯no] (cada uno), [la̯ u̯nifikaθjǫ́n] (la unificación)

2.4.5. Vocales relajadas

En posición intertónica o final de palabra ante pausa, y en pronunciación familiar, las vocales tienden a relajarse[72]:

---

el andaluz, vid. J. Mondéjar, *El verbo andaluz. Formas y estructuras, RFE,* anejo XC, Madrid, CSIC, 1970, pp. 83-84.

En Canarias ya notó Alvar el desarrollo de un sonido velar. Diego Catalán en su contribución al *PFLE,* "El español en Canarias", t. I, pp. 275-276, observa que estos pasos de *w-* (y *bw-*) a *gw-* son muy frecuentes, incluso en las formas *-rw- -rgw-*, que son propios del "habla vulgar de las regiones varias del archipiélago", con formas como *sirgüela* y *birgüela*. Me parece indudable que hay que aceptar los razonamientos de E. Alarcos, *Fonología,* 99 y 103, para adscribir [w], [u̯] como alófonos de /u/.

71. A. Alonso apuntó que el proceso de consonantización de [u̯] ante *l* y *r* denunciaba un fenómeno fonético de actividad reciente, ya que se incluían en este resultado voces con [u̯] de aparición moderna: *jabla* < *jaula, Abrelio* < *Aurelio.* Para la geografía del fenómeno en Hispanoamérica y la descripción de algunas realizaciones similares en Navarra, vid. *BDH,* I, pp. 401-404. L. Flórez, *La pronunciación del español en Bogotá,* pp. 85-86, sitúa el fenómeno de la consonantización de [u̯] en el dipongo [au̯] entre los hablantes incultos. También existe el fenómeno de dirección contraria, conversión de [b] en [u̯], vid. Bertil Malmberg, *Estudios,* p. 60, y A. Rabanales, en *RJ,* XI, 1960, p. 321 y ss.

72. Sobre el fenómeno de relajación y pérdida de las vocales átonas, vid. T. Navarro Tomás, "Cantidad de las vocales inacentuadas", en *RFE,* IV, 1917, pp. 371-388; Dámaso Alonso, *II Congreso de Academias de la Lengua Española,* Madrid, 1956, p. 38; Emilio Alarcos, "Algunas cuestiones fonológicas del español de hoy", en *PFLE,* t. II, p. 152. La curiosa situación mejicana ha sido muy estudiada, vid. Peter Boyd-Bowman, "La pérdida de las vocales átonas en la altiplanicie mexicana", en *NRFH,* VI, 1952, pp. 138-140; Alonso Zamora Vicente y María Josefa Canellada, "En torno a las vocales caducas del español

[tímịđo] (tímido), [kọṇθəđẹ́ɪ] (conceder), [léŋgwɐ] (lengua)

2.4.6. Vocales nasalizadas

En algunos casos la consonante nasal impregna de nasalidad a la vocal anterior[73]:

---

mexicano", en *NRFH,* XIV, 1960, pp. 221-241, y Juan M. Lope Blanch, "En torno a las vocales caedizas del español mexicano", en *NRFH,* XVII, 1963-1964, pp. 1-19; Bertil Malmberg, "La estructura fonética del español mejicano", en *Estudios de fonética hispánica,* Madrid, CSIC, 1965, pp. 85-92; Raúl Ávila, "Fonemas vocálicos en el español de Tamazunchale", en *ALM,* VI, 1966-1967, pp. 61-80. Aunque es fenómeno característico del español de Méjico, existe también en El Salvador, Perú, Bolivia, Ecuador, Argentina y Colombia, lo que permite aceptar la negación de un posible sustrato nahua, como ha escrito Lope Blanch, en *RFE,* L, 1967, pp. 153-156. Para el análisis espectrográfico de [i], [o] relajadas en español peninsular, vid. A. Quilis, "El método espectrográfico", en *RFE,* XLIII, 1960, p. 422. Aparece un menor ennegrecimiento, sobre todo del segundo formante, acompañado de una mayor separación de las líneas verticales que indican las vibraciones de las cuerdas vocales.

73. En las hablas meridionales puede perderse la nasal en posición implosiva [-n] y resultar una oposición de tipo *vocal nasal / vocal oral.* "La oposición a/ã, e/ẽ sólo se da, como es lógico, en posición final y en la flexión verbal", como han apuntado M. Alvar, "Las hablas meridionales de España y su interés para la lingüística comparada", en *RFE,* XXXIX, 1955, pp. 284-313, *Las encuestas del ALA,* p. 14, y J. Mondéjar, *El verbo andaluz. Formas y estructuras, RFE,* anejo XC, Madrid, CSIC, 1970, p. 64 y ss.

Acerca del estudio de la nasalidad vocálica desde el punto de vista experimental, vid. H. M. Mol, *Fundamentals of Phonetics,* t. II, *Acoustical Models the Formants of the Vowel Phonemes,* Janua Linguarum, Series minor, n.º XXVI, 2, La Haya-París, Mouton, 1970, p. 118. Sobre el tratamiento generativo del fenómeno de pérdida de la consonante nasal en la secuencia *VN,* y posterior nasalización de la vocal, debe consultarse el trabajo de Theodore M. Lightner, "Remarks on Universals in Phonology", en *The Formal Analysis of Natural Languages.* Proceedings of the First International Conference, compilado por M. Gross, M. Halle y Marcel-Paul Schützenberger, La Haya-París, Mouton, 1973, pp. 13-50.

— En posición inicial absoluta: [ő̃ṇθe ƀéθes] (once veces).

— Vocal situada entre consonantes nasales: [níṋo] (niño).

2.4.7. La cantidad vocálica *

Los límites de duración de la vocal *tónica*, en una palabra aislada, están situados entre 6,5 c.s., como mínimo, y 20 c.s., como máximo, con un valor medio de 13,5 c.s.[74]. En igualdad de circunstancias, la duración de la vocal tónica depende de su posición en la estructura de la palabra: alcanzan mayor duración las vocales de las palabras agudas (15,2 c.s.), seguidas por las vocales tónicas en palabras llanas (11,9 c.s.), mientras que las vocales tónicas de palabras esdrújulas sólo tienen una duración media de 8,6 c.s. Según las investigaciones de Navarro Tomás, la diferente naturaleza de la consonante siguiente puede ser un factor importante a la hora de examinar el problema de la cantidad vocálica. La escala de duración de las vocales tónicas españolas, de acuerdo con los valores medios, es la siguiente: *a, o, e, u, i.*

La cantidad de las vocales *átonas* parece condicionada por factores muy diversos: número de sílabas de la palabra, posición de la vocal con respecto a la sílaba tónica, naturaleza articulatoria de la consonante siguiente y diferentes tipos de estructura silábica (la vocal átona en sílaba cerrada suele ser un poco más corta en su duración que la situada en sílaba abierta). La cantidad de la vocal inicial átona oscila entre

* Tomás Navarro Tomás, "Cantidad de las vocales acentuadas", en *RFE,* III, 1916, pp. 387-408, y "Cantidad de las vocales inacentuadas", en *RFE,* IV, 1917, pp. 371-388.

74. T. Navarro Tomás, en *RFE,* III, 1916, p. 397.

valores un poco superiores a la mitad de la tónica, en las palabras llanas trisílabas, hasta los valores en las palabras agudas o esdrújulas en las que varía en relación inversa a las modificaciones de la vocal tónica. Como ha advertido Navarro Tomás, la duración de la vocal inicial átona depende de la proximidad del acento y su cantidad "se reduce sensiblemente a medida que se aleja del lugar del acento" [75]. La vocal *protónica* suele tener una duración, en valores medios, de la mitad de la tónica, frente a la *postónica,* que suele poseer unos dos tercios de la cantidad de la tónica en las palabras esdrújulas. La vocal *final átona* es la que presenta características más interesantes: en palabras aisladas suele ser relajada y de tono especialmente grave; en general, es la de duración más larga de todas las vocales átonas. En palabras llanas, del tipo *pasa, tapa,* las dos vocales presentan una duración muy similar (en algún caso, como en *pasa,* las dos vocales tienen idéntica duración: 10,8 c.s.) [76], incluso puede suceder que la aparición de una consonante oclusiva sorda antes de la vocal final (*pata*) determine que la cantidad de la vocal átona supere a la de la tónica. En ciertas regiones, como ocurre en Aragón, las finales átonas son perceptiblemente más largas que en castellano, lo que constituye uno de los rasgos típicos del acento de los naturales de esta región. En otras zonas, por el contrario, lo característico puede ser el alargamiento de las vocales tónicas [77].

75. *RFE,* IV, 1917, p. 374.
76. *RFE,* IV, 1917, p. 382.
77. Se advierte una extraordinaria duración de la vocal tónica andaluza, sobre todo trabada por *s* + consonante, vid. D. ALONSO, A. ZAMORA y M.ª Josefa CANELLADA DE ZAMORA, "Vocales andaluzas. Contribución al estudio de la fonología peninsular", en *NRFH,* IV, 1950, p. 219, n. 3; G. SALVADOR, en *RFE,* XLI, 1957, 10, ha observado el fenómeno de mayor duración sobre todo en los plurales y palabras de estructura fonética similar, en los que la vocal final abierta muestra un

En los pregones y gritos, la vocal átona adquiere una extraordinaria duración, como cuando se oye *¡Faltaaa!* en un campo de fútbol; hay que advertir que en estos casos concretos no sólo varía la cantidad, sino también la intensidad y el tono de la vocal[78].

2.4.8. Desdoblamiento del sistema vocálico *

El sistema vocálico del español está caracterizado por una gran simplicidad, aunque en determinadas zonas dialectales, como las hablas meridionales de España y algunas

---

visible alargamiento, superior incluso al de la vocal tónica. También aparece en Argentina, en el papamiento de Curaçao, en ciertos dialectos cubanos y en Méjico. El resumen del estado de la cuestión se encuentra en G. de Granda, *La estructura silábica, RFE,* anejo LXXXI, Madrid, 1966, p. 21 y ss.; sobre Méjico, vid. M. Alvar, en *Ibero-romania,* I, 1969, p. 163.

78. Para un análisis detenido de las vocales españolas comparadas con las portuguesas, en relación con las distintas modalidades expresivas, tanto desde la apreciación subjetiva como objetiva, debe consultarse el completo estudio de A. de Lacerda y M.ª Josefa Canellada, *Comportamientos tonales vocálicos en español y portugués, RFE,* anejo XXXII, Madrid, 1945; acerca de la duración, vid. p. 269.

* Tomás Navarro Tomás, "Dédoublement de phonémes dans le dialecte andalou", en *TCLP,* VIII, 1939, pp. 184-186, y "Desdoblamiento de fonemas vocálicos", en *RFH,* I, 1939, pp. 165-167; L. Rodríguez-Castellano y Adela Palacio, "Contribución al estudio del dialecto andaluz: El habla de Cabra", en *RDTP,* IV, 1948, pp. 387-418, 570-599; Dámaso Alonso, A. Zamora Vicente y M.ª Josefa Canellada, "Vocales andaluzas. Contribución al estudio de la fonología peninsular", en *NRFH,* IV, 1950, pp. 209-230; M. Alvar, *Las encuestas del Atlas Lingüístico de Andalucía,* Granada, 1955, pp. 6-14, y "Las hablas meridionales de España y su interés para la lingüística comparada", en *RFE,* XXXIX, 1955, pp. 284-313; *Notas de asedio al habla de Málaga,* Málaga, 1973; Gregorio Salvador, "El habla de Cúllar-Baza", en *RFE,* XLI, 1957, pp. 181-187; E. Alarcos Llorach, "Fonética y fonología (a propósito de las vocales andaluzas)", en *AO,* VIII, 1958, pp. 191-203, y *Fonología Española,* Madrid, Gredos, 4.ª ed. aumentada y

zonas americanas, ha ocurrido un fenómeno de fonologización de las variantes abiertas y cerradas de las vocales anteriores y posteriores, pues parece que la aspiración correspondiente a [-s] castellana, llevaba consigo la abertura de la vocal anterior, como piensa G. Salvador (*RFE*, XLI, 1957, p. 182), y al desaparecer la aspiración, se fonologizó el grado de abertura, que se convirtió en rasgo distintivo, tanto de la oposición nominal singular/plural como de la distinción entre la segunda y la tercera persona verbales en el singular[79]; en el caso de la vocal *a*, como ha explicado Alvar, el problema es más complejo[80], pues, además de la abertura, suele darse la palatalización, resultado del cambio *-as* > *-ah* > *ä* (vid. nota 65), incluso la posibilidad de que la palatalización se convierta en el único rasgo distintivo, como más adelante examinaremos:

[nóĉe : nóĉę] (noche ~ noches)
[kámpo : kámpǫ] (campo ~ campos)
[kóme : kómę] (come ~ comes)

además de otros matices semánticos, como notó Emilio

---

revisada, 1971, pp. 149-150, 280-281; A. LLORENTE MALDONADO DE GUEVARA, "Fonética y fonología andaluzas", en *RFE,* XLV, 1962, pp. 227-240; Antonio QUILIS, "Morfología del número en el sintagma nominal español", en *TLLS,* VI, 1968, pp. 131-140, especialmente 137-140.

79. Es evidente que se trata de una fonologización y no de "la conciencia de la pérdida de la *s* enseñada por la escritura y pronunciación del castellano normal", como pensaba T. NAVARRO TOMÁS, en *RFH,* I, 1939, p. 166.

80. "La *-A* de los plurales", *Estudios Canarios,* Las Palmas de Gran Canaria, 1967, pp. 59-63. El problema de la diferenciación de las formas verbales es todavía más complejo en las zonas andaluzas que pierden la *-n* final. Vid. M. ALVAR, *en* RFE, XXXIX, 1955, p. 130 y ss., y J. MONDÉJAR, *El verbo andaluz. Formas y estructuras, RFE,* anejo XC, Madrid, CSIC, 1970, especialmente p. 141 y ss.

Alarcos. En el caso de la vocal *a*, Navarro Tomás la interpretó como velar

[bláŋka : bláŋkạ] (blanca ~ blancas)
[díga : dígạ] (diga ~ digas)

frente a Dámaso Alonso, A. Zamora Vicente y M.ª Josefa Canellada que la identifican como una vocal palatal [ä̧] de efecto acústico muy cercano al de la *e*[81]. Este interesante proceso va acompañado, como observó Navarro Tomás, por dos rasgos peculiares: (a) un influjo metafónico sobre la vocal anterior, que posteriormente se ha descubierto que queda un poco libremente a la voluntad del hablante[82], y (b) por una mayor duración de la vocal final[83], supeditada, como nota Emilio Alarcos, a la posición ante la pausa final, pues ante consonante no se produce este segundo fenómeno, pero sí una geminación de la consonante siguiente[84].

El fenómeno aparece también en Murcia; en Uruguay, donde W. Vásquez encontró la oposición de cantidad en /a/ : /ā/ y de timbre en *o* y *e*; mientras que en Puerto Rico la oposición es /a/ : /ä̧/[85]. La extensión andaluza del fenómeno se descubre en los mapas trazados por J. Mondéjar

81. *NRFH*, IV, 1950, p. 211.
82. T. Navarro Tomás, en *TCLP*, VIII, 1939, p. 185.
83. "Respecto al andaluz —observa Navarro Tomás—, es necesario advertir que dicha diferenciación se funda exclusivamente en el timbre de las vocales. La vocal afectada por la aspiración desaparecida no sólo resulta más abierta sino también más larga que la vocal ordinaria", en *RFH*, I, 1939, p. 166.
84. *AO*, VIII, 1958, p. 198.
85. E. García Cotorruelo, *Estudios sobre el habla de Cartagena y su comarca*, *BRAE*, anejo III, Madrid, 1959, p. 35 y ss., aunque en las transcripciones aparece siempre una aspiración débil. W. Vásquez, "El fonema /s/ en el español de Uruguay", en *Revista de la Facultad de Humanidades y Ciencias* (Montevideo), X, 1953, pp. 87-94, y Joseph H. Matluck, en *NRFH*, XV, 1961, *Homenaje a Alfonso Reyes*, p. 333.

para el verbo andaluz, mapas 1 y 3, y en *ALEA,* VI, 1696; según este último, los puntos más occidentales del fenómeno son Belmez (Córdoba) y las localidades sevillanas de La Puebla de los Infantes, Marinaleda y Casariche, en esta localidad en alternancia con la igualación. Aparecen varias poblaciones en Andalucía oriental de oposición con metafonía sistemática o casi sistemática, que abundan en Córdoba y Jaén, pero que son muy escasas en Málaga, al norte de la provincia, y en Granada. Se encuentran lugares de metafonía esporádica y, también, de oposición con ausencia de metafonía. En determinadas localidades se puede combinar la oposición de abertura con el alargamiento, sin metafonía o con metafonía esporádica, y también la abertura con la aspiración, con metafonía más o menos sistemática; incluso pueden aparecer oposiciones que combinen la abertura, el alargamiento y la aspiración esporádica. El caso de las soluciones palatales o palatalizadas de *-as* se encuentra registrado en el mapa resumen 1697, *ALEA,* VI: la realización palatalizada, con o sin alargamiento, aparece en la frontera entre la distinción de abertura y la no distinción, pero también en tres puntos de Huelva y en Almería. La solución más frecuente en la zona oriental es una [ä] abierta o doblemente abierta, seguida de alargamiento doble o sencillo. Muchísimo más escasas son las soluciones semidiptongadas, la realización [e] doblemente abierta, normal o larga, [e], [a] palatalizadas y seguidas de aspiración relajada, incluso, también se registra [ä] normal o larga, seguida de [-s] más o menos débil.

2.5. CONSONANTES ESPAÑOLAS

2.5.0. INTRODUCCIÓN

El sistema consonántico del castellano consta de diecinueve fonemas consonánticos, repartidos de acuerdo con el esquema de la página siguiente.

Este cuadro puede ser reducido, dentro del binarismo, a un sistema cuadrado, como ha realizado E. Alarcos [*Fonología,* 108]. En amplias zonas de las hablas hispánicas algunas oposiciones son inexistentes, a causa de fenómenos como el seseo o el yeísmo, con lo que los fonemas consonánticos quedan reducidos a diecisiete (como modelos dialectales, vid. para Oaxaca, Méjico, el cuadro trazado por M. Alvar, *NRFH*, XVIII, 1965-1966, p. 373, y para Canarias, R. Trujillo, *Resultado de dos encuestas dialectales en Masca* (*Tenerife*), La Laguna, 1970, p. 35). Las realizaciones de estos fonemas varían en función de su posición dentro de la sílaba, dentro de la palabra y del grupo fónico: en posición de ataque silábico, sobre todo iniciales de palabra después de pausa, son muy raras las neutralizaciones, que abundan frecuentemente en posición de coda silábica, que en algunos casos extremos llega a reducir el consonantismo en posición final absoluta a dos elementos [l], [ŋ], y en posición final de sílaba tres: /s/, realizado

		Labiales	Labio-dentales	Inter-dentales	Dentales	Alveolares	Palatales	Velares
Oclusivas	Sordas	/p/			/t/			/k/
	Sonoras	/b/			/d/			/g/
Africadas	Sordas						/ĉ/	
Fricativas	Sordas		/f/	/θ/		/s/		/x/
	Sonoras						/y/	
Nasales	Sonoras	/m/				/n/	/n̮/	
Laterales	Sonoras					/l/	/l̮/	
Vibrantes	Simple					/r/		
	Múltiple					/r̄/		

como [h], /n/, sólo en la nasalización de la vocal anterior y el resultado de la neutralización *l/r,* como sucede en Puerto Rico (vid. Joseph H. Matluck, *NRFH,* XV, 1961, p. 336 y ss.). Son neutralizables en posición implosiva las oposiciones nasales, las laterales y las vibrantes, incluso en las hablas vulgares se neutralizan los archifonemas *R/L*; también pueden neutralizarse las oposiciones sorda-sonora, y con ella la oposición oclusiva-fricativa; hay que advertir que ciertos fonemas /f/, /ĉ/, /y/, /x/ no aparecen nunca en posición implosiva, pues presentan distribución defectiva, salvo en palabras de tipo exótico. Todos estos problemas se encuentran ampliamente desarrollados en Alarcos, *Fonología,* 115-119.

2.5.1. El fonema /p/

2.5.1.1. [p] *bilabial oclusiva sorda:*

[pjéđra] (piedra), [pún̦to] (punto)

Cuando ocupa la posición ante [t] puede reducirse hasta llegar a desaparecer, como sucede también en el grupo culto inicial *ps-* y en el grupo interior *-pk-* [86].

86. Para el estudio de la descripción articulatoria de [p], vid. T. Navarro Tomás, *Pron,* 79. A. Quilis, en su trabajo "Datos fisiológico-acústicos para el estudio de las oclusivas españolas y de sus correspondientes alófonos fricativos", *Homenajes. Estudios de Filología Española,* I, 1964, pp. 35-42, ha analizado, con la ayuda de la cinemarradiografía, dos articulaciones de este sonido en dos contextos diferentes (*empeñados* y *aparato,* figs. 1 y 2); se advierte que la lengua adopta "ya desde el momento de la tensión, por regla general, una posición muy próxima a la de la articulación siguiente", como también sucede con el correlato sonoro [b]. Sobre este fenómeno en general, vid. Joseph A. Fernández, "La anticipación vocálica en el español" en *RFE,* XLVI, 1963, pp. 437-440; acerca de este caso concreto, vid. p. 438.

Acústicamente, las oclusivas se caracterizan por la ausencia de turbulencias y por la característica barra de oclusión; en las oclusivas sordas

Como apuntó Navarro Tomás (*Pron,* 79 y 80), en determinadas posiciones se modifica la articulación de *p,* que puede llegar a convertirse en [ƀ], [ᵇ̥], [u̯] y Ø: [ađọƀθjọ́n], [ađọᵇ̥θjọ́n] (*adopción*); [kápsula], [kábsula], [káᵇ̥sula], [kaú̯sula] [Navarro Tomás, *Pron,* 79], y [kásula]. También [p] puede ser el resultado de una pronunciación afectada del grupo [*b* + *t*] o [*b* + *s*]: [apsú̯rđo] (*absurdo*). Todas estas neutralizaciones se sitúan dentro del marco general de la pérdida de tensión que sufren las consonantes en posición implosiva silábica, v. 2.3.5.1., a la que dio formulación teórica Amado Alonso: "Todas las consonantes españolas correlativas abandonan en la distensión silábica algún carácter que en la tensión es constitutivo sin que la consonante pierda por eso su identidad", vid. "Una ley fonológica del español. Variabilidad de las consonantes en la

---

se advierte también la falta de barra de sonoridad, v. 2.2.3.2.1. Las diferentes oclusivas se distinguen por las transiciones que sufren los formantes vocálicos adyacentes; en el caso de las consonantes labiales, la transición de F_2 comienza a una frecuencia muy baja, vid. A. Quilis, *loc. cit.,* p. 41 y figs. 18, 19 y 20.

La duración de la explosión de las articulaciones que componen la serie oclusiva sorda es diferente en cada consonante: [p] presenta una duración intermedia entre [k] y [t]; la misma serie se configura con la escala [t], [p], [k] con respecto a la mayor fuerza espiratoria, según S. Gili Gaya, "Algunas observaciones sobre la explosión de las oclusivas sordas", en *RFE,* V, 1918, pp. 45-49, especialmente pp. 46-47, y T. Navarro Tomás, "Diferencias de duración entre las consonantes españolas", en *RFE,* V, 1918, pp. 367-372.

A. Quilis ha observado la existencia en español de una variante de realización fricativa, con una estrechez labial semejante a la de [ƀ], vid. *Phon,* XII, 1965, p. 22, y "La ciencia fonética española", en *Problemas y principios del estructuralismo lingüístico,* Madrid, 1967, p. 36. En Canarias se ha registrado la presencia de una [p] intervocálica sonorizada, vid. M. Alvar, *Niveles socio-culturales en el habla de Las Palmas de Gran Canaria,* 23.0. y espectrogramas 1 y 2. En Baena, Córdoba, se produce una variante aspirada en los casos [pʰ jé...], vid. *ALEA,* VI, 1714.

tensión y distensión de la sílaba", *HR*, XIII, 1945, p. 93, reimpreso en *Estudios Lingüísticos. Temas Españoles,* Madrid, Gredos, 1951, p. 292. Para la relación de las diferentes preferencias de pronunciación actuales con la situación medieval, debe consultarse el libro de A. Alonso, *De la pronunciación medieval a la moderna,* vol. II, Madrid, Gredos, 1969, p. 164.

Bertil Malmberg en su curiosa nota "*Obtativo* y *sujuntivo.* A propósito de dos grafías", *RFE,* XLVIII, 1965, pp. 185-187, sigue la teoría de Amado Alonso sobre la neutralización de la oposición sorda ~ sonora en posición implosiva y afirma: "Por consiguiente, todas las unidades fonéticas posibles entre los dos extremos constituidos por una [p] oclusiva sorda y una [u̯] semivocálica (pasando por [b], [ƀ], [w], etc.), no serán, en la consciencia lingüística de un hispanohablante, más que variantes de una misma unidad fonemática labial, posiblemente opuesta tan sólo a una palatal, que es el resultado del sincretismo de varias unidades agudas", vid. *op. cit.,* p. 183. Sobre la neutralización /p/-/b/ en posición inicial, vid. M. Alvar, *Niveles socio-culturales en el habla de Las Palmas de Gran Canaria,* Las Palmas de Gran Canaria, 1972, 23.2.

2.5.2. El fonema /b/

2.5.2.1. [b] *bilabial oclusiva sonora.* Aparece en posición inicial después de pausa y también precedida por una consonante nasal[87]:

[bjáxe] (viaje), [kostúmbre] (costumbre)

87. La descripción de [b] desde el doble punto de vista de la articulación y de la acústica se encuentra en el ya citado trabajo de Quilis, *Homenajes,* I, 1964, p. 37, figs. 3 y 4, y espectrogramas de las

2.5.2.2. *Problemas en la distribución de* [b] *y* [ƀ]. La serie de oclusivas sonoras /b/, /d/, /g/ suele presentar un conjunto de alófonos en distribución complementaria: [b], [ƀ]; [d], [đ]; [g], [ǥ]; para la interpretación de estas variantes *fuertes* y *débiles* pueden consultarse los trabajos de Bertil Malmberg, "Oclusión y fricación en el sistema consonántico español", *Estudios,* pp. 51-65, y "Sobre la existencia de variantes labiovelares en español", *Estudios,* pp. 67-77; la descripción generativa de este fenómeno, teniendo en cuenta los distintos ritmos de pronunciación, se encuentra en la obra de James W. Harris, *Spanish Phonology,* 2.5.1. En *Pron,* 81, Navarro Tomás ya apuntaba la posibilidad de conversión de [ƀ] inicial en sílaba interior en [b] "en exclamaciones y en casos de pronunciación especialmente enfática", pero sin ser rasgo característico de una zona geográfica determinada, aunque se encuentran las oclusivas sonoras después de /l/, /r/, /s/, /y/, /u/, rara vez como alófonos libres, en Nicaragua, El Salvador, Honduras y Colombia, incluso pueden darse como alófonos libres en Guatemala, Costa Rica y Bolivia, según describió D. L. Canfield, *La pronunciación del español en América,* pp. 77-78 y mapa I, donde se recoge la bibliografía referente a este punto concreto, y se localiza la existencia del fenómeno ante /s/ en Bolivia y en la Sierra Ecuatoriana, juntamente con la tendencia que presenta la serie sonora

---

figs. 18 y 19; vid. además, T. Navarro Tomás, *Pron,* 80; la distribución aparece estudiada en el *Esbozo* académico, 1.2.2. La duración de las tres oclusivas sonoras [b], [d], [g], es muy similar; las tres presentan una mayor duración en posición acentuada inicial, vid. *RFE,* V, 1918, pp. 374-376. Sobre el problema del mantenimiento del alófono oclusivo en contacto con nasal anterior, vid. Bertil Malmberg, *Estudios,* p. 64 y 2.5.3.2. Los casos de consonantización de [u̯] en [b], [ƀ] y de vocalización de [b] en [u̯] han sido tratados en n. 71.

hacia la vocalización en las secuencias segmentales más [l] y [r]. El caso de Colombia es bastante complejo, pues estos alófonos oclusivos aparecen después de cualquier consonante de una manera regular, y después de [j], [w], de una manera esporádica, incluso en el habla culta, vid. D. L. Canfield, "Observaciones sobre la pronunciación del castellano en Colombia", *H,* XLV, 1962, p. 247, y L. Flórez, *Thesaurus, BICC,* XVIII, 1963, p. 268; en las costas colombianas existe una tendencia hacia la fricación en el habla rápida, mientras que en Nariño no es oclusiva después de /l/, /r/, /s/, como ha registrado Hugo R. Albor, *Thesaurus, BICC,* XXVI, 1971, p. 529. Según la descripción de D. L. Canfield, la distribución geográfica de este fenómeno coincide con el alejamiento de los núcleos de los antiguos virreinatos, aunque existen algunas excepciones a esta formulación general, incluso con fenómenos de polimorfismo, en Méjico, en Santo Tomás Ajusco, donde "algunos informantes alternaban la oclusiva con la fricativa [yábe ~ yábe]", según M. Alvar, *ALM*, VI, 1966-1967, p. 17; también aparecen en Oaxaca, y con carácter completamente generalizado en la península de Yucatán, vid. *Ibero-romania,* I, 1969, pp. 164-165, y *NRFH*, XVIII, 1965-1966, páginas 358-359; [b] oclusiva puede aparecer, de una manera regular, como resultado de neutralizaciones consonánticas en posición implosiva [ábto - ábto] (*apto*), vid. A. Alonso, *Estudios Ling. Temas Españoles,* p. 300, y los casos descritos en 2.5.1.1.

2.5.2.3. *Los trueques* b-g. Los dialectos del español conocen una aceleración del cambio *b* > *g,* que va en aumento desde la lengua clásica; este cambio es mucho más frecuente en las secuencias con [w], aunque también se produce en contacto con vocales velares [o], [u], y con mucha menor frecuencia ante [i] (Méjico), [r] (Colombia y Chile), [l] (Chile); para Andalucía, vid. *RFE,* V, 1918, p. 197 y *BDH,* I, pp. 457-458. La extensión geográfica del fenómeno es muy amplia, prácticamente se registran casos en todos los estudios peninsulares y americanos, pero es necesario observar que se trata de un fenómeno típico del habla rural y descuidada, tanto en su dirección *b* > g, como en el de tipo *g* > *b*, mucho menos frecuente (vid. las precisiones introducidas por Navarro Tomás, *RFE,* X, 1923, p. 30, y en *RPh,* XVII, 1963-1964, p. 299). Son muchas las monografías sobre hablas peninsulares que registran el fenómeno del trueque *b* > g (un resumen aparece en *Thesaurus, BICC,* XXIV, 1969, pp. 451-453); se encuentra en Cespedosa, Mérida, Cabra, Cúllar-Baza, Cartagena, Madrid (*Phon,* XII, 1965, p. 22), vid. además, V. García de Diego, *RFE,* III, 1916, p. 309, y A. Zamora Vicente, *Fil,* II, 1951, pp. 152-153. El análisis del mapa 28 del *ALPI, buey,* nos muestra que las formas con [b] dominan el Centro peninsular, Extremadura y Álava, mientras que el Sur de la Península tiene una general preferencia por las formas con [g ~ ǥ]. El mapa n.º 8 del *ALPI, abuelo,* da como resultados generales las formas con [g ~ ǥ], aunque existen algunos enclaves con [ƀ]: en Aragón, Torla, en los Pirineos, alterna esta forma con la aféresis de la vocal; también se encuentra en dos localidades de Navarra (Orisoaín y Arguedas). En la parte Sur de la Península, sólo Albacete registró una fuerte intensidad de variantes con [ƀ] más o menos relajada. Se encuentra una fuerte densidad en la zona Oeste de Zamora, que continúa hasta León. En Castilla aparece un grupo de variantes [ƀ] en el norte de la provincia de Madrid, en Segovia, Valladolid y Palencia, y muy al norte de la provincia de Burgos, en Castroberto. El cambio *-gu-* > *-bu-* (*aguja* > *abuja*) aparece comentado por T. Navarro Tomás, *RPh,* XVII, 1963-1964, p. 297, según los datos contenidos en el *ALPI.* El autor ha puesto en contacto este caso con la divulgación del sonido [x] en la época clásica, que debió ser causa disimilativa "que decidió la suerte de la [g] en el habla popular de la parte de la Península ocupada por la [x]".

En América los trueques *b* > *g* son mucho más abundantes que en la Península (vid. el estado de la cuestión en *Thesaurus, BICC,* XXIV, 1969, pp. 430-436). El cambio [bwe...] > [gwe...] es frecuente en Nuevo Méjico, Méjico, El Salvador, Puerto Rico, Ecuador, Colombia, Venezuela, Perú, Argentina y Chile; [bo...] > [go...], [bu...] > [gu...] y [-bu-] > [-gu-] aparecen en Nuevo Méjico, Puerto Rico, Colombia, Venezuela, Perú y Chile, mientras que el cambio [bi] > [gi] sólo aparece en Méjico. El cambio *g* > *b* se da con mucha menos intensidad y en muchos lugares de Hispanoamérica no está registrado.

A. Alonso, partiendo de las experiencias realizadas por A. Castro y Navarro Tomás, *RFE,* V, 1918, p. 197, incluyó este tipo de fenómenos dentro de la clase más general de *equivalencia acústica, BDH,* I, pp. 440-469. Observaba A. Alonso que dentro del español hay una mayor proximidad acústica entre [ƀ—ǥ] que entre [b—g], por el carácter de mayor diferenciación impuesto por la articulación oclusiva sobre la fricativa, pero todavía existe una mayor proximidad entre [ƀw—ǥw], lo que justificaría la mayor frecuencia estadística de este cambio. Es posible, como se señalará más adelante, que en este tipo de trueques se velarice la articulación en busca de una anticipación articulatoria; M. Gay Doman ha observado que la frecuencia mayor ante [w] que ante [o], [u], puede residir en que la articulación vocálica es menos tensa que la de la semiconsonante y la fuerza asimiladora de la vocal es menor. La misma investigadora ha insistido en que las oposiciones /f/:/x/ y /b/:/g/ se neutralizan en un archifonema de tipo labiovelar, sordo o sonoro, que en el acto del habla se realiza con predominio del elemento labial o velar (vid. *Thesaurus, BICC,* XXIV 1969, p. 451). A. Quilis, *Homenajes,* I, 1964, p. 39, al examinar la radiografía articulatoria de [ƀ] en [bóƀo], ha observado que si, por un debilitamiento articulatorio, los labios se separasen algo más, predominaría la fricación velar sobre la labial, "originándose una consonante velolabial. Entre estos dos extremos se encuentra la causa de los cambios /b/ por /g/ y viceversa, conocidos bajo el epígrafe de *equivalencia acústica*: se ha tenido en cuenta el efecto y no la causa". Es evidente que en estos trueques existen factores muy diversos, y no tan contradictorios como a primera vista parecen. Me parece que lo que se ha calificado de *equivalencia acústica,* un modo de cambio, ha sido planteado desde un punto de vista muy verosímil por Roman Jakobson, "The Correct Presentation of Phonemic Problems", *Selected Writings,* I, pp. 437-438, precisamente con el ejemplo de los cambios entre consonantes velares y labiales que suceden en muchas lenguas, sin que haya que olvidar las palabras de A. Alonso: "Los trueques sólo son posibles en circunstancias favorables de equivalencia acústica".

Creo que la hipótesis formulada por A. Alonso sobre la extensión y generalización de este modo de cambio sigue teniendo completa validez, aunque el planteamiento de Jakobson solucione el problema inicial.

Tampoco hay que olvidar que cierto tipo de trueques *b* > *g* obedecen a razones de estructura y relaciones del léxico tal vez más que a planteamientos fonéticos, como sucede en el caso de *guardilla* (*buhardilla*), donde parece claro el influjo de *guardar*, vid. *BDH*, I, p. 462.

El cambio [bwe...] > [gwe...] no se propagó hasta

después del siglo XVII, cuando *b-* perdió su carácter oclusivo como inicial de palabra, que sólo será mantenido como inicial de grupo fónico, y después que [w] se hubiera consonantizado sensiblemente, vid. *BDH,* I, p. 467 y n. 2. Parece que hay que aceptar una cronología del tipo: siglo XIV, *uevo*; siglo XVI, *güevo,* y siglo XIX, *güeno*. El cambio [w] > [gw] está documentado en los siglos XVI y XVII, vid. G. de Granda, *La estructura silábica,* p. 63, y además nota 70 de nuestro texto. Para los cambios [gw] > [w] y [bw] > [w], vid. G. de Granda, *op. cit.,* p. 69.

2.5.2.4. *El problema de la* v

2.5.2.4.1. *Extensión de* [v] *en la Península y en América.* En las hablas hispánicas existen algunas zonas periféricas en que se registra la existencia de [v] labiodental fricativa sonora, vid. V. García de Diego, *Manual de Dialectología,* p. 35, A. Zamora Vicente, *Dialectología,* p. 144 y ss., y Dámaso Alonso, *La fragmentación fonética peninsular,* pp. 156-157. A. M. Espinosa (hijo), *Arcaísmos dialectales, RFE,* Anejo XIX, Madrid, 1935, p. 4, n. 3, denunciaba el fenómeno en los dialectos de Serradilla y Garrovillas, donde aparece la distinción entre [v] labiodental y [b] oclusiva; también se encuentra en la zona de Enguera y Anna, donde /b/ es siempre [b] y /v/ labiodental fricativa sonora, vid. M. Sanchis Guarner, *ACILR,* XI, p. 2044. En Andalucía se había hablado de la existencia de [v] en posición intervocálica, en la zona granadina, vid. D. Alonso, M.ª Josefa Canellada y A. Zamora Vicente, *NRFH,* IV, 1950, pp. 226-228; aunque ya en 1957, G. Salvador, al examinar el habla de Cúllar-Baza, *RFE,* XLI, p. 203, notaba que sólo aparecía como el resultado de la combinación entre *-s* aspirada y *b,* "y nunca en lugar de una *b* o *v* en otra posición como se ha dicho del habla granadina". Al analizar los datos del *ALEA,* A. Llorente resumía el problema con las siguientes palabras: "Sólo se presenta en fonética sintáctica como solución del grupo *s* + *b*. Muy esporádicamente aparece en posición intermedia, en contacto con líquida, nunca en posición inicial ni intervocálica" (vid. *RFE,* XLV, 1962, pp. 235-236). G. Salvador ha insistido sobre este punto, *AFA,* XII-XIII, 1961-1962, pp. 399-400, en un intento de explicar las articulaciones descritas en el trabajo de los autores citados, y cree que la solución se basa en la conversión de una articulación bilabial en labiodental muy posible cuando el sujeto se ríe o se sonríe abiertamente, articulación favorecida por el contacto de vocales palatales, como indicaban los investigadores de las vocales andaluzas; Salvador asegura: "*he visto* esta *v* (e incluso *emes* y *pes* labiodentales) en hablantes risueños de muy variada procedencia geográfica".

En Hispanoamérica se registran pronunciaciones [v] en el sur de Arizona y norte de Méjico, vid. D. L. Canfield, *La pronunciación del español en América,* p. 69 y mapa VIII. En América es frecuente, como también sucede en la Península, la aparición de una [v] en hablantes semicultos, que intentan articular con una fonética visual; en Colombia aparece en inicial de palabra y cuando sigue a consonante nasal, vid. L. Flórez, *La pronunciación del español en Bogotá,* pp. 143-144, *Thesaurus, BICC,* XVIII, 1963, p. 270, y Cuervo, *Apunt.* 4; también aparece este tipo de realizaciones en Asunción, Argentina y Santo Domingo (vid. Bertil Malmberg, "Notas sobre la fonética del español en el Paraguay", en *Phonétique Générale et Romane,* p. 448). Sobre esta articulación [v] "de los dómines y la pedantería" ha escrito unas luminosas páginas D. Alonso, en *La fragmentación fonética peninsular,* pp. 202-204.

El judeoespañol de Bucarest conoce la existencia de [v], que es general en el habla de la ciudad, y de [b] oclusiva que aparece en todas las posiciones, incluso en posición final, vid. Marius Sala, *Phonétique et phonologie du judéo-espagnol de Bucarest,* La Haya, París, Mouton, 1971, 11. y 21.1. a 21.2.3. También aparece esta realización oriental entre los sefarditas de Nueva York de origen esmirniano.

2.5.2.4.2. *El problema de la confluencia* b-v *en el castellano.* La confluencia de *b* y *v* en el castellano en /b/ realizado como [b] ~ [ƀ] es muy complejo y presenta bastantes aspectos que hoy todavía no han sido suficientemente aclarados. Este fenómeno consiste a grandes rasgos en la confluencia de *b-* y *v-* iniciales etimológicas y de *-b-* (<-p- lat.) y *-v-* (< -b-, -u-, -f- latinas). La confluencia cubre una amplia zona del sudoeste románico en la que hay que incluir, además del castellano, todo el gallego y el portugués del Norte, el leonés, el aragonés y gran parte del catalán, el gascón y una zona lingüística del Mediodía francés; la extensión de este territorio aparece resumida en la obra de Friedrick H. Jungemann, *La teoría del sustrato y los dialectos hispano-romances,* Madrid, Gredos, 1955, pp. 337-341, y en D. Alonso, *La fragmentación fonética peninsular,* pp. 154-157. La historia de la confusión desde el punto de vista de las descripciones en los gramáticos clásicos fue redactada por A. Alonso, *De la pronunciación medieval a la moderna en español,* I, Madrid, Gredos, 1955, pp. 25-48. Según las noticias examinadas, "Hasta después de 1550, la confusión *b-v* era propia del Norte de España; de Burgos dicen la mayor parte de los testimonios", *op. cit.,* p. 25; testimonios a los que habría que añadir la región leonesa según un texto de Torquemada. La confluencia existiría ya a fines del siglo xv, aunque —como advierte Lapesa— el uso general distinguiría los dos fonemas. Para Amado Alonso el fenómeno no es primitivo, y habría que situarlo en Castilla la Vieja; también sabemos que los moriscos aragoneses tendían a la confusión, vid. *op. cit.*, p. 45, n. 32, datos a los que hay que unir la advertencia de Lapesa sobre el *Cancionero de Palacio,* compilado en Aragón hacia 1460-1470, donde hay confusiones, y la observación de A. Galmés, *ACILR,* X, p. 530. El examen de las confusiones gráficas realizado por D. Alonso arroja una nueva luz sobre este difícil problema: los testimonios ortográficos de la Edad Media afectan sobre todo a las *b-* y *v-* etimológicas iniciales, y son muy escasos, en la primera época, para las grafías *-b-* (< lat. -p-) y *v* (< -b-, -u-, -f-). "Es evidente —escribe D. Alonso— que hay una norma: *v-* o *b-*, según fuera en latín; pero con una aparente disimilación del tipo *u — u*> *b — u* (*bivo* en vez de *vivo*), y con una tendencia a *b-* ante *o, ue,* etc. (*boz, buelta*). A esta norma se aproximan, sobre todo, desde mediados del siglo XIII, muchos documentos notariales y algunos manuscritos literarios" (*La fragmentación fonética peninsular*, pp. 162-163). El análisis de D. Alonso prueba la existencia de transgresiones muy frecuentes: *Fuero de Madrid, Poema del Cid,* Ms. *S* del *Buen Amor,* y que además la confusión no existía sólo en Castilla, puesto que las transgresiones se producen durante los siglos X, XI, XII y comienzos del XIII, en todo el Norte peninsular (vid. *op. cit.,* p. 167).

Para las formas interiores aparecen en los textos medievales los grafemas *-u-* (< -b-, -u-, -f-) y *-b-* (< -p-). Esta regularidad nos mueve a suponer con bastante certeza la existencia de una oposición fonética; estos grafemas aparecen con regularidad en los primeros impresos, aunque hay algún caso de transgresiones, pero hacia 1586 se rompe la tradición medieval y es sustituida por un abundante desorden.

Las rimas de los poetas norteños muestran confusiones a partir del siglo xv; D. Alonso supone que hacia 1450-1470 se habían confundido los dos fonemas en uno, aunque hubiera focos de distinción (Sevilla, posiblemente Badajoz), con continuidad en algunos poetas de fuerte tradición, como Herrera. La confusión es, pues, un fenómeno norteño, que debe tener una explicación para toda la zona románica, y esta explicación puede residir en la existencia de un sustrato carente de labiodentales, pues es indudable que estructuralmente este fenómeno tiene que estar en contacto con el cambio f- > h-, y también con el inicio de variación contextual de b ~ ƀ, d ~ đ, g ~ ǥ. El problema estriba no sólo en la fecha del inicio de la confusión, sino también en el proceso de progresión geográfica que tuvo a lo largo de la Edad Media. Para A. Alonso no era un fenómeno primitivo, pero D. Alonso aporta datos suficientes para que podamos afirmar que se trata de un fenómeno muy antiguo y bastante general en el Norte de la Península; lamentablemente ignoramos la proporción de zonas distinguidoras, las realizaciones fonéticas que se oponían y también el nivel socio-cultural de los hablantes confundidores.

Unido íntimamente con el problema de la confusión está el de la articulación de *b* y *v*. A. Alonso ha examinado, *op. cit.*, pp. 49-71, las descripciones de los gramáticos, desde Nebrija hasta Correas; Villalón, 1558, daba ya *b* como [b] y *v* [ƀ], pero para Villalón no había diferencias, "porque en la pronunçiaçión ningún puro castellano sabe hazer differençia"; mientras que A. del Corro, sevillano, h. 1560, distingue, de acuerdo con la tradición, *b* [b] y *v* [v], como W. Stepney, 1591, Cristóbal de Morales y todavía en 1626 el maestro Correas. Apoyándose en estos datos cree A. Alonso que la [v] era una "labiodental *sui generis*, no montando los dientes sobre el labio, ni produciendo, al parecer, el rehilamiento propio de la *v* francesa o de la valenciana, sino arrimando la cara externa de los dientes de arriba a la cara interna del labio de abajo", *op. cit.*, p. 24. D. Alonso piensa que en el norte de la Península, salvo algunas zonas de labiodental, la oposición consistía en [b] y [ƀ], que era lo que expresaban las grafías *b* y *u*, como también piensa A. Galmés, *ACILR*, X, p. 530; hacia mediados del XV estos sonidos confluirían en [ƀ], pues es necesario observar, con D. Alonso, que suelen coexistir [b] y [v], pero raramente [ƀ] y [v]. En cambio, cree D. Alonso en la existencia de [v] en el Sur, extensión que sufriría una fuerte reducción territorial en el siglo XV, aunque seguiría manteniéndose en áreas de las zonas laterales, cuyos restos conservamos hoy. La explicación estructural de E. Alarcos (*Fon*), 154, 157) se basa en la especial situación del fonema /f/ en la fracción más antigua de Castilla la Vieja, situación que "dejó relativamente aislado al fonema /v/", que hasta el siglo XVI fue en la mayor parte de la Península labiodental, aunque en la zona que nació el castellano Alarcos cree "muy posible" que mantuviese una oposición /b/-/ƀ/ en la misma zona donde se originó el proceso de variación b-ƀ, d-đ, g-ǥ. Al producirse esta variación, /v/ y /b/ intervocálicas confluirían en [b], con lo que se iniciaría el proceso de confusión que se irá extendiendo desde el Norte. Otra cuestión importante es investigar el rendimiento funcional de esta oposición, Alarcos (*Fon,* 157) ha aportado algunos casos, tipo [uebos] (lat. opus) frente a [uevos] (lat. ovos), oposición que en el sistema alfonsí estaría basada en la presencia o ausencia de oclusividad.

2.5.2.4.3. *Evolución de las normas académicas sobre la pronunciación del grafema* v. T. Navarro Tomás en su trabajo "Lecciones de pronunciación española. Comentarios a la Prosodia de la Real Academia. I. Pronunciación de las consonantes *b, v*", *H,* IV, 1921, pp. 1-5, estudió las distintas posturas que la Real Academia mantuvo durante los siglos XVIII y XIX con respecto a la diferenciación de *b* y *v* desde el punto de vista fonético. En la 2.ª ed. de la *Ortografía,* 1754, se lee: "El sonido de la *b* se forma arrojando el aliento al tiempo de abrir o desunir los labios, el de la *v* hiriendo en los dientes de arriba el labio de abaxo, acompañado de la lengua, al modo en que se pronuncia la *f*"; es necesario advertir que el interés académico era puramente histórico y no tenía carácter normativo; el aspecto normativo no aparece hasta la 8.ª ed. de 1815: "El confundir el sonido de la *b* y de la *v*, como sucede comúnmente, es más negligencia o ignorancia de los maestros y preceptores y culpa de la mala costumbre adquirida en los vicios y resabios de la educación doméstica y de las primeras escuelas, que naturaleza de sus voces, las conocen y distinguen perfectamente los estrangeros, que las pronuncian bien, y entre nosotros los valencianos, catalanes, mallorquines y algunos castellanos cultos que procuran hablar con propiedad su lengua nativa corrigiendo los vicios vulgares o de la mala educación. Para conseguirlo es necesario conocer que la diferencia en la pronunciación de ambas letras consiste en que para la *b* se han de juntar los labios por la parte exterior de la boca, y para la *v* los dientes altos con el labio inferior". Ya en la 10.ª ed. del *Diccionario* se reconocía que se pronuncia la *v* "comúnmente" lo mismo que la *b*; aunque la *Gramática* de 1870 se lamente: "en la mayor parte de España es igual, aunque no lo debiera, la pronunciación de la *b* y la *v*", ya la *Gramática* de 1911 aceptaba que "en la mayor parte de España es igual la pronunciación de la *b* y de la *v*" (vid. A. Rosenblat, "El fetichismo de la letra", en *Nuestra lengua en ambos mundos,* Barcelona, Salvat-Alianza, 1971, pp. 58-65).

2.5.2.5. [ƀ] *bilabial fricativa sonora.* Presenta una distribución complementaria con el alófono anterior: siempre que no sea inicial absoluta después de pausa o no vaya precedida por una consonante nasal anterior[88]:

[laz ƀe̹rđáđes] (las verdades), [naƀío] (navío)

88. T. Navarro Tomás, *Pron,* 81, notó que no poseían la misma abertura labial las realizaciones de [ƀ], pues se distingue una articulación más estrecha, en posición de ataque silábico, precedida de otra articulación consonántica, que en posición intervocálica o implosiva. En contacto con consonante sorda, cuando la articulación toma un carácter enfático, fácilmente puede llegar a convertirse en oclusiva [b], incluso en oclusiva sorda [p], pasando, como es lógico, por variantes intermedias tipo [b̥], v. 2.5.1.1. También puede suceder que [p] en posición implosiva, en contacto con [θ] o [s], se asimile al caso anterior. Los alófonos fricativos de /b/ en contacto con vocales velares tienen una realización labiovelar muy cercana en la posición del postdorso de la lengua y del velo del paladar a [g̫], vid. A. Quilis, *Homenajes,* I, 1964, p. 39, y las radiografías contenidas en este trabajo.

En general, la duración de todas las fricativas sonoras varía en función de la estrechez articulatoria, según el énfasis y la relajación con que se realizan; oscilan desde una realización cercana a la vocálica hasta otra próxima a la oclusiva, que se alcanza pocas veces. Al acercarse a la realización oclusiva, aumenta la estrechez del canal bucal, se pronuncia con más fuerza o lentitud, y en estos casos se registra una mayor duración; sobre las diferencias de duración con respecto a la posición del acento, y para todo el problema tratado, vid. T. Navarro Tomás, en *RFE,* V, 1918, pp. 380-382. En los casos de neutralizaciones de la oposición /p/:/b/ en posición implosiva, tipo *opción,* realizados con [ƀ], ésta es muy poco perceptible, *loc. cit.,* p. 372; en *inepcia* y *eclipse,* la duración ha sido de 7 c. s.

La realización [ƀ] en posición intervocálica puede perderse en Andalucía y Murcia, vid. A. Zamora Vicente, *Dialectología,* pp. 317 y 340-341. Esta pérdida también sucede en el habla rústica y vulgar de Colombia, sobre todo precedida de *á*: *sentao* (centavo); la posición más favorable a la pérdida es el caso de la secuencia segmental $a + b + a$, vid. L. Flórez, *La pronunciación del español en Bogotá,* p. 139.

La observación por los gramáticos de variantes fricativas contextuales se

2.5.3. El fonema /m/

2.5.3.1. [m] *bilabial nasal sonora*. Aparece en todas las posiciones, salvo en posición final absoluta, en la que se convierte en [-n]. Es necesario advertir que todas las consonantes nasales ante labial se neutralizan en [M][89]:

[kómo] (como), [ál̥b̄u̯n] (álbum), [kọmbeni̯ɪ] (convenir)

2.5.3.2. *Neutralizaciones nasales*. Es sobradamente conocido el fenómeno de neutralización de las consonantes nasales implosivas en español: en posición de ataque silábico el punto o zona de articulación siempre es diferen-

---

encuentra ya a fines del siglo XVI; el primer caso es el del caballero inglés Richard Percivall en su *Bibliotheca Hispanica*, Londres, 1591, como observó D. Alonso, "Una distinción temprana de *B* y *D* fricativas", en *RFE*, XVIII, 1931, pp. 15-23 (reimpreso en *Obras Completas*, I, Madrid, Gredos, 1972, pp. 631-639); vid., además, las notas de A. Alonso, *De la pronunciación medieval a la moderna*, I, Madrid, Gredos, 1955, pp. 59-60.

89. La realización articulatoria [m] sólo se diferencia de la de [b] por la adición del resonador nasal [T. Navarro Tomás, *Pron*, 85]. Sobre este problema concreto de la clasificación en *oclusivas orales y nasales*, debe consultarse el trabajo de A. Quilis, *Homenajes*, I, 1964, p. 36, n. 8; para la discusión sobre este punto de E. Pulgram acerca de la teoría de Straka, vid. *ZRPh*, LXXXIII, 1967, p. 327, y la contestación de Straka, pp. 359-360. La cantidad de la realización [m] varía en función de su distribución contextual; ante consonante oclusiva sonora existe una fuerte tendencia a prolongar su duración a expensas de la consonante siguiente, "la cual no llega de ordinario a conseguir una oclusión completa sino muy poco antes de producirse la vocal inmediata", según Navarro Tomás, en *RFE*, V, 1918, p. 375; para el estudio de estas diferentes cantidades consonánticas nasales, vid. "La metafonía vocálica y otras teorías del Sr. Colton", en *RFE*, X, 1923, p. 43. En posición inicial absoluta, [m] presenta como característica más acusada una gran parte de su articulación sin vibración de las cuerdas vocales, que comienzan a vibrar "muy poco antes de la explosión" [T. Navarro Tomás, *Pron.*, 85].

ciador: [m-], [n-], [n̪-], tiene valor fonológico, mientras que en posición de coda silábica suelen adoptar la zona articulatoria de la consonante siguiente y sólo queda como relevante "la resonancia nasal del soplo sonoro", como certeramente indicó A. Alonso, *Estudios Lingüísticos. Temas Españoles,* Madrid, Gredos, 1951, p. 294. El mismo autor, *BDH*, I, pp. 371-394, planteó cuidadosamente el problema de la consonante nasal ante labial, y demostró que normalmente aparecen articulaciones [m] ante labial en secuencia segmental, pues se trata de casos en los que la fonética experimental demuestra la existencia de una nasal "plenamente oclusiva y no una mera nasalización de la vocal", *loc. cit.*, p. 375; sólo se produce un debilitamiento de la consonante nasal implosiva ante consonante fricativa, lo que justifica el tratamiento de los grupos *ns* y *nf* tanto en diacronía como en sincronía. Se produce una lucha asimilatoria entre la consonante nasal implosiva ante consonante oclusiva, en la que la nasal es *dominante,* como la calificó A. Alonso, o ante fricativa, en la que es *dominada.* En este caso hay que llegar a la conclusión de que la consonante nasal "está importantemente condicionada por la consonante siguiente, no sólo en cuanto al punto, sino también en cuanto al modo de articulación. Es de contacto incompleto ante fricativa y de contacto pleno ante oclusiva" (*BDH*, I, pp. 381-382). Las diferentes asimilaciones nasales, según el tipo de ritmo de pronunciación, han sido estudiadas desde el ángulo de la fonología generativa por James W. Harris, *Spanish Phonology,* 2.2.; vid. L. M. Lipsky, "Nasal assimilation in Spanish", en *LBer,* 22, 1972, pp. 23-31.

El grafema *-m* final en voces cultas tiende a realizarse fonéticamente ante pausa como [-n], aunque a veces pueda existir una reacción cultista producida por influjo visual, lo que produce las alternancias [-m], [-n] en voces tipo *máximum, álbum,* como indica el *Esbozo* académico, pp. 24-25. Para la importancia en diacronía de este fenómeno, debe consultarse la reseña de A[mérico] C[astro] y T[omás] N[avarro] T[omás] al trabajo de Espinosa sobre el español de Nuevo Méjico, en *RFE,* V, 1918, p. 196. En ciertas zonas de Colombia, concretamente en el Chocó, pueden aparecer en esta misma distribución realizaciones [-m] alternando con [-ŋ]: Juá[m], según L. Flórez, *La pronunciación del español en Bogotá,* pp. 264-268. Este mismo fenómeno sucede de una manera regular en el español de Yucatán (vid. *Ibero-romania,* I, 1969, 18, 3).

Un problema ya tratado (n. 60) es el posible doble influjo de la consonante nasal trabante sobre la vocal átona anterior, influjo que se ha querido ver reflejado en formas como *lintejas, ceminterio.* Se trata del conocido problema de la inconsistencia del vocalismo átono, favorecida por el influjo nasal, cuando no de características dialectales o de alternancias de prefijos. El ya citado *Esbozo* académico, p. 25, apunta la posibilidad de desaparición, en articulación rápida, de la consonante nasal y nasalización de la vocal, pero todos sus ejemplos están basados en la secuencia *n* + *f,* lo que confirma la hipótesis ya apuntada por A. Alonso.

En el contacto en frontera silábica de *b* | *m* normalmente se hace fricativa la consonante [b] > [ƀ], o puede llegar a asimilarse [*m* | *m*]; en los grupos tipo *n* | *m,* la oclusiva nasal domina la realización fonética, aunque en pronunciación cuidada aparecen claramente delimitadas ambas consonantes [T. Navarro Tomás, *Pron,* 110]. Para las articulaciones labiodentales [m̪], v. 2.5.9.2. y 2.5.4.1. Como es natural, las combinaciones gráficas *n* | *v* tienen el mismo tratamiento ya indicado anteriormente [m | b].

2.5.4. El fonema /f/

2.5.4.1. [f] *labiodental fricativa sorda:*

[faƀoreθẹɪ] (favorecer), [fan̦tázma] (fantasma)

Atrae a su punto de articulación a [n] inmediata y la convierte en una labiodental nasal sonora, por ejemplo: [ẽm̑-fẹrmo] (enfermo).

2.5.4.2. *Otras realizaciones de* /f/. De una manera general se acepta la existencia en español normativo de [f] labiodental, aunque esta articulación convive con una realización [φ] bilabial fricativa sorda, que en determinados casos puede ir acompañada de una aspiración [φʰ], y que acústicamente resulta muy similar a [f]. La articulación [φ] es abundante en la Península y mucho más en América (vid. *BDH,* I, 137-138, y Bertil Malmberg, *Estudios,* p. 70, n. 5). Ciertas zonas peninsulares y americanas conservan la aspiración [h], resultado inicial de f- latina, que tiende a realizarse uniformemente con identificación fonética con el sonido local de [x] castellana, v. 2.5.19.2.1. y n. 118. Además de este notable arcaísmo, muy extendido en las hablas hispánicas, existe un proceso de neutralización /f/ - /x/ ante *w* y vocales velares, fundamentalmente, pero que esporádicamente puede aparecer ante otras vocales, neutralización que adquiere realizaciones fonéticas varias, ya sea con predominio del elemento labial o del velar. Ambos fenómenos no se corresponden geográficamente, ni tienen el mismo valor social.

Dentro de las hablas que aspiran *-s* implosiva, el grupo *s + b* puede llegar a convertirse en *s + f*. En determinadas zonas del centro peninsular, en las hablas muy populares, puede llegarse a la sustitución de [f-] por [θ-]: *θelipe* por *Felipe*, por ejemplo.

2.5.4.3. *Extensión de la realización bilabial* [φ] *en las hablas hispánicas.* La extensión peninsular de [φ] no nos es exactamente conocida, salvo en el caso de Andalucía[90]; hay casos en Extremadura, Sierra de Gata y Navarra. La extensión americana de este fenómeno ha sido resumida por A. Zamora Vicente, *Dialectología*, p. 413, y por Mary Gay Doman, *Thesaurus, BICC*, XXIV, 1969, pp. 430-436. En Nuevo Méjico aparece [φ^h], vid. *BDH*, I, 100; en Méjico puede aparecer la realización bilabial o bilabio-labiodental en posición intervocálica; es muy frecuente en Guatemala entre las clases populares, incluso con la existencia de articulaciones de tipo mixto [φf], según Richard L. Predmore, "Pronunciación de varias consonantes en el español de Guatemala", *RFH*, VII, 1945, pp. 278-280; en El Salvador es también frecuente la articulación bilabial y también entre las clases populares de Puerto Rico, donde, como en el caso de Guatemala, es mixta entre la gente culta, sin que se encuentren restos de [f]. L. Flórez, *La pronunciación del español en Bogotá*, p. 170, n. 1, observa que normalmente en Bogotá, y en localidades del Tolima, del Chocó, de Antioquia y de la costa atlántica colombiana, es también bilabial *suave* y *poco tensa,* aunque en el lenguaje culto "sobre todo por

90. De acuerdo con los datos que proporciona el mapa 1.543 del *ALEA*, *farol*, alternan en casi todo el territorio las realizaciones [f-] y [φ] en una proporción muy cercana al 50 %; hay zonas muy concretas caracterizadas por la presencia de una determinada articulación: [f-] en el sur de la provincia de Cádiz, por ejemplo, provincia que registra una mayor proporción de labiodentales, como sucede en Córdoba y en Jaén. Diseminadas por la geografía andaluza se encuentran algunas variantes intermedias; también existen lugares que presentan tanto la realización labiodental como la bilabial, vid. *ZRPh*, LXXXVIII, 1972, p. 471 y ss.

repetición y énfasis, se advierte una ligera intervención de los incisivos superiores", realización fonética que no aparece en el lenguaje corriente; en Colombia también se descubre una realización bilabial con ligera aspiración [φ^h] en la prov. de Santader (vid. *ALM,* IV, 1964, p. 84). En Ecuador es normal la articulación estudiada, pero presenta además un abocinamiento labial; en Lima, los hablantes vacilan entre [φ] y [f], mientras que en Chile aparecen tanto [φ] como [φ^h]; en la Argentina, [φ] es una realización típica de las clases populares, pues la gente culta pronuncia [f] labiodental. La aspiración de *f-* ante [w] y ante vocales velares se estudia en 2.5.19.2.3.

2.5.5. El fonema /θ/

2.5.5.1. [θ] *interdental fricativa sorda*[91]:

[θǫr̄o] (zorro), [kaθáɪ] (cazar)

91. T. Navarro Tomás, en *RFE,* V, 1918, pp. 387-380, ha estudiado la duración de [θ] en las diferentes posiciones en la secuencia sonora, aunque ha advertido la dificultad de analizar los resultados quimográficos en los casos de inicial y final absolutas. La duración es muy variable en función de su posición y de su relación con el acento de intensidad. Como en las restantes fricativas sordas, si se prescinde de las posiciones iniciales y finales absolutas, son más largas las que se encuentran entre la posición acentuada y la final (*pereza,* 12,2 c. s.). La consonante [θ] puede aumentar su propia duración a costa de la [s] anterior, que queda muy reducida; en estos casos, tipo *escena,* puede llegar a tener 11 c. s., vid. *loc. cit.,* p. 380.

En la Rioja, Salamanca, Zamora, Valladolid, y en el habla vulgar de Madrid, el grupo consonántico [kt] puede llegar a convertirse en [θt]; esta solución aparece en las comarcas de Salamanca y Valladolid en personas incluso cultas en la conversación familiar o descuidada, vid. A. Llorente, *Estudio sobre el habla de la Ribera,* Salamanca, 1947, pp. 109-110 (vid., además, 2.5.17.2).

En posición implosiva, interior de palabra o final, se neutraliza la oposición /d/:/θ/ en el habla de ciertas zonas peninsulares [Alarcos,

2.5.5.2. [z̧] *interdental fricativa sonora.* Variante que aparece en contacto con una consonante sonora [92]:

[mayoráz̧go] (mayorazgo)

2.5.5.3. *Asimilaciones articulatorias de* n *y* l *a* [θ]. La interdental fricativa sorda [θ] atrae a su punto de articulación a *n* y *l* en posición inmediatamente anterior y las convierte en [n̥] y [l̥] (v. 2.5.9.4. y 2.5.10.1.).

Fon, 109, 119]; el resultado suele ser una realización [θ] relajada [T. Navarro Tomás, *Pron,* 102] o de tensión variable, según A. Llorente, en *ACILR,* XI, 1986. Esta neutralización cubre la zona occidental y central de la Península: Asturias, Salamanca, Zamora, Extremadura, Castilla la Vieja, vid. A. Alonso, *Estudios Lingüísticos. Temas españoles,* Madrid, Gredos, 1951, p. 298; para Madrid, vid. A. Quilis, *Phon,* XII, 1965, p. 22; A. Llorente ha extendido su territorio en posición final de palabra hasta las tierras de la Rioja Alta y Arcos del Jalón, vid. *ACILR,* XI, pp. 1986-1987, y *RFE,* XLVIII, 1965, p. 328. En bastantes lugares esta realización alterna con *ɸ*, como sucede en Cespedosa de Tormes, vid. *RFE,* XV, 1928, p. 151. La realización [đ] reaparece en los plurales. Ante consonante sonora se convierte, en la zona señalada, en [z̧], v. n. 92.

En el pueblo de Villarino, comarca de La Ribera, toda [θ] final romance o procedente de /d/ se convierte en *r* en boca de generaciones viejas y en los incultos y rústicos de más de cuarenta años: *salur, crur, par,* vid. A. Llorente, *Estudio sobre el habla de la Ribera,* p. 110. (Para el problema del ceceo y las diferentes articulaciones, v. 2.5.8.9., especialmente 2.5.8.9.5. y 2.5.8.9.6.). El ciceo completo se debió generalizar en castellano hacia la mitad del siglo xviii, según la opinión de A. Alonso, "Formación del timbre ciceante de la *c, z* españolas", en *NRFH,* V, 1951, pp. 121-182 y 263-312.

92. Vid. T. Navarro Tomás, *Pron,* 94; para el análisis del carácter rehilante de [z̧] debe consultarse el trabajo del mismo investigador, "Rehilamiento", en *RFE,* XXI, 1934, pp. 274-276.

2.5.6. El fonema /t/

2.5.6.1. [t] *dental oclusiva sorda*[93]:

[téŋgo] (tengo), [láta] (lata)

93. La descripción articulatoria de [t] aparece en T. Navarro Tomás, *Pron,* 98; la imagen radiográfica de la articulación [t] en *toldo* ha sido realizada por A. Quilis, *Homenajes,* I, 1964, fig. 5; en este mismo trabajo se analizan las características acústicas de esta consonante; vid., además, S. Gili Gaya, "Algunas observaciones sobre la explosión de las oclusivas sordas", en *RFE,* V, 1918, pp. 45-49, donde se demuestra experimentalmente que [t] es la oclusiva sorda cuya realización emplea mayor energía espiratoria; la duración de esta articulación ha sido estudiada por T. Navarro Tomás, en *RFE,* V, 1918, pp. 367-373. En contacto con una realización [θ] precedente, la articulación de *t* es interdental [t̪] (T. Navarro Tomás, *Pron,* 97).

Como ya advirtieron Navarro Tomás, *Pron,* 98; A. Alonso, *Estudios Lingüísticos. Temas Españoles,* Madrid, Gredos, 1951, p. 300, y E. Alarcos, *Fon,* 119, se produce una neutralización de la oposición /t/:/d/ en posición implosiva ante consonante: [áđlas], [ađxetíƀo] (*átlas, adjetivo*), con variantes [atkiríɪ], [atxetíƀo] en algún caso de ultracorrección o de énfasis especial. En los análisis realizados por Navarro Tomás, *RFE,* V, 1918, p. 373, corrientemente *etnología, atlas, ritmo* se pronunciaban con [đ]; "*ritmo,* dicho con cierto énfasis ha dado, sin embargo, una *t* oclusiva con 8 c. s.". En las zonas ya señaladas en nota 91, este tipo de neutralizaciones producen resultados como [aθláṇtíko] (*Atlántico*) vid. A. Quilis, en *Phon,* XII, 1965, p. 23. Las preferencias individuales sobre la silabación del grupo consonántico [tl] en *atlas, atleta,* se inclinan por la solución *at-las* como más frecuente, según Navarro Tomás, en *RFE,* IX, 1922, p. 5.

En las hablas hispánicas pueden aparecer diferentes tipos de realizaciones del fonema /t/. En la Rioja Baja, y en la localidad de Albelda, zona de transición con la Rioja Alta, la *t* en cualquier posición, incluso cuando es intervocálica, presenta una localización muy posterior, postalveolar, por lo menos, cree A. Llorente, muy semejante a la guipuzcoana, y es además chicheante y ligeramente africada, vid. "Algunas características lingüísticas de la Rioja en el marco de las hablas del Valle del Ebro y de las comarcas vecinas de Castilla y Vasconia", en *RFE,* XLVIII, 1965, p. 331; este tipo de articulación explicaría, a juicio del citado investigador, la suerte que ha corrido en esta zona el grupo /tr/ (para los problemas de este grupo en las hablas hispánicas, v. 2.5.12.4.).

2.5.7. El fonema /d/

2.5.7.1. [d] *dental oclusiva sonora.* Aparece en posición inicial absoluta y en contacto con [l] o [n] precedentes[94]:

[déθimo] (décimo), [tú̯n̪da] (tunda), [tó̯l̪do] (toldo)

2.5.7.2. [đ] *dental fricativa sonora.* Es variante complementaria de la anterior, y se encuentra en las restantes posiciones, salvo en los casos apuntados a continuación[95]:

[déđo] (dedo), [kwáđro] (cuadro), [ađƀe̹rtí̯ɪ] (advertir)

En Andalucía, según los datos resumidos en *ALEA,* VI, 1714, existen dos localidades de aspiración de [t] ante yod [tʰjé...], Cañete la Real (Málaga) y Baena (Córdoba); también en Andalucía se producen realizaciones cacuminales de /t/, vid. A. Llorente, en *RFE,* XLV, 1962, p. 239. Un espectrograma de [t] sonorizada en posición intervocálica (*botas*) se encuentra en la obra de M. Alvar, *Niveles socio-culturales en el habla de Las Palmas de Gran Canaria,* Las Palmas de Gran Canaria, 1972, fig. 2.

94. La realización [d] ha sido estudiada por A. Quilis desde el punto de vista articulatorio y acústico, vid. *Homenajes,* I, 1964, pp. 33-42. En contra de la opinión de Colton, que creía oír en los grupos *-nd-, -ld-,* en el habla madrileña, una articulación fricativa, asegura Navarro Tomás que es siempre oclusiva, vid. *RFE,* X, 1923, p. 373. En estas combinaciones, tienen ambas realizaciones el mismo punto de articulación, aunque en el caso de [l̪d] se produzca el cambio de la articulación de tipo lateral a la oclusiva, mientras que en [n̪d] sólo varíe el velo del paladar, *loc. cit.,* pp. 374-375. En estos casos [l̪] y [n̪] prolongan su duración a expensas de la oclusiva que sólo alcanza su oclusión completa muy poco antes de la realización de la vocal inmediata (*loc. cit.,* p. 375). En Andalucía se ha registrado una articulación cacuminal de *d,* vid. A. Llorente, en *RFE,* XLV, 1962, p. 229. El grupo *-dr-* puede vocalizar su consonante oclusiva y convertirse en *-ir-*: *padre* > *paire,* vid. R. Lenz, en *BDH,* VI, pp. 109-110 y Bertil Malmberg, *Estudios,* p. 58. Para la equivalencia acústica *ladrar* = *lagrar,* vid. *BDH,* I, p. 440 y 2.5.12.4.

95. La descripción articulatoria fue realizada por Navarro Tomás, *Pron,* 100; la realización [đ] puede adquirir distintos puntos de articu-

En la conversación familiar predomina la realización fricativa, aunque en algunos casos puede llegarse a la articulación oclusiva en una dicción esmerada o enfática, pero lo frecuente es la fricativa, salvo en los casos descritos en 2.5.2.2. para el español de América. La realización [đ] suele ser la preferida en el lenguaje coloquial para la neutralización *-t/-d,* salvo en los casos de pronunciación esmerada que puede llegar a ser una oclusiva sorda, v. n. 93, y en la zona peninsular en la que existe la neutralización *-d/ /-θ,* v. n. 91. La pérdida de *-d-* en las hablas hispánicas puede llevar a diferentes soluciones fonéticas en función de los diversos segmentos fónicos que entren en contacto: soluciones del tipo *-áda > -á,* al encontrarse vocales iguales: *entrá, bofetá (entrada, bofetada),* o los casos de reducción del hiato en diptongo: *pedazo > piazo / piaso* (vid. A. Zamora Vicente, *ACILR,* X, p. 1329 y 1331-2). Según los datos diacrónicos parece claro que en la lengua medieval castellana se hacía la distinción entre /d/ (< -t- lat.) y /đ/ (< -d- lat.), al extenderse la variación contextual de la serie oclusiva sonora ~ fricativa sonora, desaparecen las diferencias etimológicas y queda fricativa en posición intervocálica y más blanda e inestable en posición final de sílaba; abundan los testimonios de los gramáticos clásicos con la distinción entre la pronunciación fricativa de *-d-* y *-d* y las restantes posiciones (vid. A. Alonso, *De la pronunciación medieval*

---

lación en función de la vocal siguiente, vid. los esquemas radiológicos de A. Quilis, *Homenajes,* I, 1964, figs. 16 y 17, con las realizaciones en [đel] y [káđa], donde se advierte el apreciable ascenso de la lengua que lleva consigo la anticipación vocálica. Ya apuntó Navarro Tomás que la realización [đ] es la fricativa sonora que mayor actividad lingual requiere, pero, en cambio, es la que muestra más tendencia a la relajación; como en las restantes fricativas sonoras, su duración aumenta conforme se va acercando a la realización oclusiva, vid. *RFE,* V, 1918, pp. 380-381.

a la moderna, I, Madrid, Gredos, pp. 73-91 y D. Alonso, *RFE,* XVIII, 1931, pp. 15-23).

La pérdida de *-d-* es un fenómeno muy general en las hablas hispánicas en el lenguaje descuidado o vulgar (vid. *RFE,* X, 1923, p. 30). La pérdida en la palabra *cazador,* mapa 39 del *ALPI,* ocupa prácticamente la mitad sur de la Península: los primeros datos aparecen en las provincias de Salamanca, Ávila y Cuenca, progresa en la zona de Albacete y es total en Ciudad Real, Andalucía, Murcia, Extremadura y Toledo; muy al norte se encuentran dos localidades con esta pérdida: Yanguas (Soria) y Cimiano (Oviedo). El mapa 1.588 del *ALEA, polvareda,* muestra la pérdida como general en Andalucía, excepto algún lugar muy al norte de la provincia de Jaén. En Gran Canaria también se pierde la *-d-* en este mismo vocablo, vid. *Niveles socio-culturales en el habla de Las Palmas de Gran Canaria,* mapa 26. Un caso diferente es la pérdida de *-d-* en la palabra *desnudo, ALPI,* 66, que se registra en el sur y occidente peninsular: parte sur de Salamanca, Extremadura, y muy frecuentemente también en Andalucía y Murcia. En el caso de *nudo, ALEA,* 1.559, la pérdida es frecuente en Sevilla, Cádiz, Málaga, sur de Córdoba y de Jaén, y casi toda la zona sur de la provincia de Granada. En el caso de *paredes, ALEA,* VI, 1.691, se mantiene [-đ-] en algunos puntos, y también aparecen metátesis: [pađe:re]; en una localidad cordobesa, Villanueva del Duque y en la capital se registra una variante oclusiva [d]. Un interesante problema plantean las soluciones andaluzas para el plural *redes, ALEA,* VI, 1.693: sing. [r̄é] pl. [r̄ę́:^{đ}e]; [r̄ę́:]-[r̄ę́đe^{h}]; aunque son más frecuentes otro tipo de soluciones: uso de la misma forma para singular y plural; oposición de aspiración: [r̄ę́]-[r̄ę́^{h}]; abertura y alargamiento: [r̄ę́]-[r̄ę́:]; las restantes soluciones se basan en la reconstrucción de la forma plural con otra consonante: [r̄ę] - [r̄ęle] o con las variantes procedentes del seseo o del ceceo: : [r̄ę] - [r̄ęs̄e], [r̄ę] - [r̄ęθę].

También es un fenómeno muy frecuente en el español americano (vid. *BDH,* I, 180, y A. Zamora Vicente, *Dialectología,* pp. 412-413, además de *ACILR,* X, pp. 1329 y 1331-2); Menéndez Pidal, "Sevilla frente a Madrid", *Estructuralismo e historia. Misc. Homenaje a A. Martinet,* III, p. 141, ha situado esta relajación en dependencia con los fenómenos peninsulares; para el mantenimiento en Centroamérica, vid. *loc. cit.,* p. 149. En Chile la pérdida afecta hasta las clases más cultas, mientras que en Argentina parece que ha habido una reposición. No se pierde en *-ido, -ida,* en El Salvador; en Santander alternan las formas con pérdida y con [ᵈ] en *-ido, -udo,* en otros contornos es frecuente la pérdida sobre todo ante *e* (vid. *ALM,* IV, 1964, pp. 82-83). En el habla inculta del Chocó *-d-,* y también *d-,* se articulan con un timbre similar al de [ɹ] fricativa: *rueño, el mercado de Mereyin (sueño, el mercado de Medellín),* vid. L. Flórez, *Thesaurus, BICC,* XVIII, 1963, p. 273. Como sucede con el habla popular peninsular, se producen en el español americano apariciones de *-d-* por ultracorrección: *bacalado,* vid. *ACILR,* XI, p. 1329 y 1332, y "Sevilla frente a Madrid", p. 154.

2.5.7.3.1. *La realización fricativa débil* [ᵈ]. En los participios en *-ado* es normal en la conversación familiar la aparición de un débil sonido fricativo, que puede perderse con facilidad[96].

[laƀráđo] → [laƀráᵈo] → [laƀráo]

96. En la pronunciación vulgar, la vocal [á] se alarga y alcanza un timbre velar; vid. T. Navarro Tomás, *Pron,* 101, y A. Quilis, en *Phon,* XII, 1965, p. 22.

2.5.7.3.2. *La pronunciación de* -d- *en las palabras terminadas en* -ado. T. Navarro Tomás, *Pron,* 101, y *RFE,* X, 1923, pp. 35-37, ha advertido la reducción o la pérdida de *-d-* en las terminaciones en *-ado* en la conversación familiar, aunque en pronunciación esmerada o enfática aparezcan las formas plenas con [đ]. En muchos casos es un problema de polimorfismo, pues el mismo hablante puede presentar casos intermedios de relajación. También es variada la consideración social del fenómeno; en Madrid, notó Dámaso Alonso, se admite [-áo], pero se considera vulgar [-ạ́o], mientras que en Buenos Aires y en otras zonas de América esta pérdida se considera un vulgarismo (vid. "Unidad y defensa del idioma", *Memorias del Segundo Congreso de Academias de la Lengua Española,* Madrid, 1956, p. 38). Estructuralmente el problema de esta pérdida tiene que ser considerado como un caso de latencia [E. Alarcos, *Fon,* 113].

El fenómeno de la pérdida de *-d-* en participios y palabras terminadas en *-ado* es muy general en las hablas hispánicas. El mapa 65 del *ALPI* registra una pérdida general de *-d-* en *-ado*; la única variación notable aparece en el tratamiento de la vocal final; sólo dos localidades zamoranas, Padornelo y Hermesinde, registran [đ], aunque ambas están en contacto con las formas occidentales (vid. T. Navarro Tomás, *RFE,* X, 1923, p. 36, n. 1). En Madrid, la pérdida está muy generalizada, incluso entre personas cultivadas, mientras que las pérdidas en las palabras en *-ido* y *-ada* son muy vulgares, a juicio de A. Quilis, *Phon.,* XII, 1965, p. 22. En Andalucía, la pérdida es prácticamente total, sólo un pueblo, Alcalá la Real (Jaén), ha mantenido la forma plena [nuƀláđo] en la encuesta reflejada en *ALEA,* VI, 1865. En Tenerife es bastante general la conservación de *-d-*, incluso en *-ado,* aunque hay casos de pérdida, pero mucho menos que en las hablas meridionales (vid. M. Alvar, *El español hablado en Tenerife,* 12.2.a.; vid., además, la obra del mismo autor *Niveles socio-culturales en el habla de Las Palmas de Gran Canaria,* Las Palmas, 1972, 34.6. y 34.6.1.).

En América, la forma plena [-áđo] tiene alguna vitalidad y extensión: Méjico, Colombia, Ecuador, Perú, Bolivia, según el mapa establecido por D. L. Canfield, *La pronunciación del español en América,* Mapa, I; y *BDH,* I, p. 111, n. 1. En el Valle de Méjico aparece la forma oclusiva, vid. J. Matluck, *La pronunciación del español en el Valle de México,* México, D. F., 1951, pp. 54-55; esta oclusiva recuerda, a juicio de Zamora, *Dialectología,* p. 412, la de algunas zonas del judeoespañol; M. Alvar, *ALM,* VI, 1966-1967, p. 18, ha encontrado en Santo Tomás Ajusco una forma [ju^{z}ga:do], aunque en esta localidad es general la forma plena en los participios. En la lengua de las costas colombianas es frecuente la pérdida de [-đ-] aunque el mantenimiento como plena sea general en los Andes nariñenses, vid. L. Flórez, *La pronunciación del español en Bogotá,* p. 146, y *Thesaurus, BICC,* XVIII, 1963, p. 269. En Barranquilla es signo de afeminamiento, incluso las mujeres tampoco la pronuncian, vid. *Thesaurus, BICC,* XXVI, 1971, pp. 528-529.

La pérdida de *-d-* en los participios en *-ado* puede ser de fecha temprana, según A. Alonso, *De la pronunciación medieval a la moderna en español,* I, Madrid, Gredos, 1955, p. 77. Parece indudable que se omitía ya de una manera general a fines del siglo XVII; el francés Maunory, 1701, documenta formas como *matao, desterrao,* pero no en los sustantivos *soldado* y *cuidado.* Conforme avanza el siglo XVIII, advierte R. Lapesa, *loc. cit.,* 90-91, aumentan los testimonios, vid., además, A. Alonso, *EDMP,* II, p. 54.

2.5.7.3.3. *La realización fricativa débil ensordecida* [đ̥]. En posición final absoluta este sonido se realiza muy débilmente, incluso puede llegar a perderse en algunas formas nominales[97]:

[bo̞n̪dáđ̥] (bondad), [liƀe̞rtađ̥] (libertad)

2.5.7.3.4. *Realizaciones fonéticas de* /d/ *en posición final.* Es necesario distinguir entre *-d* final de palabra, en interior de grupo, y en contacto con un segmento siguiente, que se realiza como [đ], de la posición final absoluta, en la que se realiza muy débil y relajada, con una articulación casi sorda [đ̥], vid. T. Navarro, *Pron,* 102; esta realización alterna en la pronunciación culta con [ᵈ] y [đ]; en algunas zonas, por ultracorrección, puede llegar a [d] o [t], como en Bogotá o en Buenos Aires; en la zona de neutralización -d/-θ (vid. n. 91), la realización es [θ] relajada. En formas nominales, *voluntad, senectud,* etc., la alternancia puede producirse con ø, solución que es normal, incluso en el habla de las personas cultas. Este elemento latente reaparece en las formas plurales, o incluso cuando el hablante adopta una lengua con ribetes ceremoniosos. T. Navarro, *loc. cit.,* ha establecido unos niveles léxicos de pérdida de *-d*: en palabras como *Madrid, usted,* fuera de un len-

97. Los escribas medievales utilizaron para representar la consonante *-d* final de palabra otras grafías: ***-t,*** hasta comienzos del siglo XVI, ***-th*** y ***-z,*** esta última también se usó hasta el siglo XVI pero solamente para representar el lenguaje rústico. Para A. Alonso, estas grafías, ***-z*** y ***-th,*** en las que se advierte una moda ultrapirenaica, representaban un carácter fricativo para la articulación de *-d* final. Cuando el fonema /z/, en posición final, se hizo fricativo, se cumplió una identificación parcial entre *-d/-z,* que se encuentra hoy en soluciones tipo *juzgar;* vid. A. ALONSO, *De la pronunciación medieval a la moderna en español,* I, Madrid, Gredos, 1955, pp. 73-91. Las características experimentales del sonido actual fueron establecidas por T. NAVARRO TOMÁS, en *RFE,* X, 1923, p. 382.

guaje muy culto, se elimina siempre, mientras que en palabras como *red, huésped, césped, áspid,* y en los imperativos, *hallad, traed,* etc., las personas cultas conservan [đ]. Creo que hay que estar de acuerdo con el *Esbozo* de la RAE, p. 21, n. 16, en la opinión de que parece más probable que el trueque *-d, -r* del imperativo popular, *callar,* p. ej., se deba a un cambio del infinitivo por el imperativo.

En la palabra *pared, ALEA,* VI, 1.690, es totalmente general la pérdida de *-d;* la vocal final tiende a abrirse, aunque hay algunos casos de cerrazón; la solución abierta puede combinarse con un alargamiento, incluso con una aspiración [parę:^{h}], en la ciudad de Granada y en La Puebla de Guzmán (Huelva). En el caso de *red, ALEA,* VI, 1.692, las soluciones son muy similares, aunque en este caso la tendencia a la abertura es general por el contacto con la vibrante múltiple; la aspiración final sólo aparece en Aracena (Huelva), y se registra un único caso de [đ] en Sevilla capital. La ausencia de *-d* final motiva diferentes soluciones para el plural (vid. 2.5.7.2); sobre este mismo problema en Las Palmas, vid. *Niveles socio-culturales en el habla de Las Palmas de Gran Canaria,* 34.6.2. En la Extremadura baja se mantiene esta tendencia a la pérdida de *-d* final de palabra, vid. A. Zamora, *El habla de Mérida y sus cercanías,* 30, y *Fil,* II, 1950, pp. 145-146; el norte de Extremadura, en cambio, se aproxima a las soluciones de tipo salmantino que llegan hasta La Rioja.

En América la pérdida es prácticamente general; A. Zamora, *Dialectología,* pp. 412-413, cita el caso de Borges, que se limita a escribir fonéticamente *verdá,* frente a realizaciones que llegan al ensordecimiento [-t]; un fenómeno similar sucede en Bogotá, donde la reacción contra la pérdida lleva a articulaciones oclusivas [-d], vid. L. Flórez, *La pronunciación del español en Bogotá,* p. 147; el mismo investigador ha registrado la existencia de una *-e* paragógica después de *-d* en la provincia colombiana de Santander (vid. *ALM,* IV, 1964, p. 76). En Nariño se produce una diferencia entre el habla masculina, que tiende a perder la *-d* final, y el habla femenina, que pronuncia una realización acústicamente similar a una *s* sorda y ciceada, que es también la realización que aparece en bocas masculinas en los casos de mantenimiento (vid. H. R. Albor, *Thesaurus, BICC,* XXVI, 1971, p. 529). En América no se da el fenómeno tan peculiar de ciertas zonas peninsulares de conversión de *-d* en [-θ], vid. A. Zamora Vicente, *ACILR,* X, p. 1332. A. Alonso documentaba tempranamente la pérdida de *-d* final en palabras terminadas en *-dad*: *navidá, beldá,* en Gil Vicente y Lucas Fernández (*De la pronunciación medieval a la moderna,* I, p. 77); el fenómeno se registra ya en un documento asturiano de 1496, donde se escribe *mi volunta, propieda corporal,* con la solución que hoy es general en la zona (vid. E. Alarcos, *AO,* XII, 1962, *Homenaje a Uría,* p. 333). En el siglo XVI la debilitación tenía que estar ya muy generalizada y contendería con la pérdida. A. Alonso cita el testimonio de A. de Torquemada, hacia 1560, quien afirma que "la D postrera parece que apenas se siente"; ya Quevedo rima *Madrí* con *aquí.* Las grafías medievales tipo *-z* y *-th* parecen indicar, a juicio de A. Alonso, un tipo de pronunciación fricativa para el siglo XIII; posteriormente esta reducción de tensión se contagiaría a la posición intervocálica.

La pérdida de *-d* en los imperativos en el español clásico es la norma general: *olé, desampará* (*oled, desamparad*), etcétera, A. Alonso cita la *Gramática* de César Oudin, 1610, donde se advierte que la pérdida era general en el habla llana, excepto en el caso de *oíd*; los restos de este tipo de imperativos se mantienen en las formas actuales como *marchaos,* y quedan como restos fósiles en Salamanca y en Córdoba, y son generales en las zonas americanas de voseo (vid. *Esbozo,* p. 143, n. 47 y n. 48, y 2.14.7b., y R. Lapesa, "Personas gramaticales y tratamientos en español", *RUM,* XIX, 1970, *Homenaje a Menéndez Pidal,* IV, pp. 141-167, esp. p. 155). Sobre el problema del imperativo con pérdida de *-d* en el español clásico debe consultarse H. Keniston, *The Syntax of Castilian Prose. The Sixteenth Century,* Chicago, The University of Chicago Press, 1937, 30.41.; J. de Valdés, *Diálogo de la lengua,* ed. de J. F. Montesinos, pp. 72-73; Garcilaso de la Vega, *Poesías,* ed. de T. Navarro Tomás, soneto XXIX, n. 14, y los abundantes ejemplos que aparecen reunidos en la ed. de M. Romera Navarro, *El Criticón,* University of Pennsylvania Press, 1940, III, p. 476.

2.5.7.4. *Asimilaciones a la zona de articulación dental de las consonantes* n *y* l. Las consonantes *n, l,* en contacto con la dental siguiente, quedan atraídas a este punto de articulación y se convierten en [n̪], [l̪].

2.5.8. El fonema /s/

2.5.8.1. [s] *alveolar fricativa sorda.* En todas las posiciones, excepto en contacto con una consonante sonora siguiente, y en el grupo *-sr-,* en el que se convierte en [ɹ] [i̯ɹr̄aelíta][98]:

[sáƀjo] (sabio), [kosẹ́ɹ] (coser), [lọs ái̯tọz đẹl kamíno] (los altos del camino)

98. La asimilación de *s* ante *r* aparece ya tratada por autores del siglo xv, como don Enrique de Villena en su *Arte de Trobar,* y posteriormente, en 1578, por Juan López de Velasco, vid. A. Alonso, *De la pronunciación medieval a la moderna,* II, Madrid, Gredos, 1969, pp. 247-249, y *Estudios Lingüísticos. Temas Españoles,* p. 298 (v. 2.5.12.2.).

2.5.8.2. [z] *alveolar fricativa sonora.* Aparece con esta realización toda *s* final de sílaba ante consonante sonora siguiente:

[r̄ẹzƀála] (resbala), [laz ƀímọs ayẹ̌ɪ] (las vimos ayer)

2.5.8.3. *Tipos de* [s] *en la Península*

En el dominio hispánico existen diversos tipos de [s]: una realización *ápicoalveolar fricativa sorda* [ṡ], que puede presentar diferentes matices; en Castilla la Nueva es un poco más avanzada y menos cóncava que en el norte; en el norte de España (Navarra, Rioja) se refuerza el carácter palatal, vid. T. Navarro Tomás, *Pronunciación*, 109, y en *RFE*, XX, 1933, p. 274. Para la [s] navarra, vid. el palatograma realizado por A. Alonso, *Estudios Lingüísticos. Temas Hispanoamericanos*, Madrid, Gredos, 2.ª ed., 1961, p. 147 y n. 39. A. Alonso observa haber oído este tipo de [s], que califica de plana, en boca de viajeros de Colombia. En el sur de España aparecen tres tipos fundamentales, que sirvieron para establecer los límites territoriales del andaluz, vid. T. Navarro Tomás, A. M. Espinosa (hijo) y L. Rodríguez-Castellano, "La frontera del andaluz", en *RFE*, XX, 1933, pp. 225-227. Los tres tipos son: [ṡ] apical cóncava, [s̄] coronal convexa y [ş] predorsal convexa. A. Llorente, en su trabajo "Fonética y fonología andaluzas", en *RFE*, XLV, 1962, pp. 227-240, al analizar los datos del *ALEA*, encuentra que coincide el territorio de [ṡ] con los datos de *ALPI*, manejados por los tres investigadores citados, pero no sucede lo mismo con las extensiones actuales de [ş] predorsal y [s̄] coronal.

[ṡ] *apical cóncava* se extiende por el norte de Huelva, la sierra de Córdoba, nordeste de Jaén, Granada y la provincia de Almería en sus límites con Albacete y Murcia. Esta realización no aparece en Andalucía más que en zonas que distinguen [s] - [θ]. A. Galmés de Fuentes, *Las sibilantes en la Romania*, Madrid, Gredos, 1962, supone que en todo el territorio iberorománico existió una [ṡ] de tipo apical, que sería continuación de la latina; contra esta teoría vid. L. Michelena, *Actas del XI Congreso Internacional de Lingüística Románica,* Madrid, 1968, pp. 473-489 [99].

[ş] *predorsal* aparece en la zona más meridional de Andalucía (s. de la provincia de Sevilla, Cádiz y Málaga). Coincide con el territorio del ceceo, según los datos de T. Navarro Tomás, A. M. Espinosa y L. Rodríguez-Castellano, pero, según los datos del *ALEA* (unos veinte años después), ha avanzado el territorio de [ş] predorsal hasta cubrir gran parte de las zonas de seseo y de la distinción de las provincias de Huelva, Sevilla, Jaén, Granada y Almería. Se ha convertido en la "típicamente andaluza, de tal manera que va ganando terreno hacia el norte y el este", vid. *RFE,* XLV, 1962, p. 238 [100].

[s̄] *coronal plana,* con una tendencia más o menos marcada a la convexidad, es la que aparecía como "forma corriente y general" en la mayor parte de Andalucía (*RFE,* XX, 1933, p. 268). Cubría zonas de la distinción [s]-[θ] y zonas de seseo (Córdoba y Sevilla). En los datos del *ALEA* (*RFE,* XLV, 1962, p. 238), esta realización fonética ha perdido terreno y ha quedado reducida a una franja cada vez más estrecha que sólo presenta fortaleza en la provincia de Córdoba.

A. Llorente, con su experiencia como encuestador y con los datos de *ALEA,* describe tres tipos más de [s], que en muchos casos presentan un matiz intermedio entre las tres realizaciones anteriormente expuestas: [ṡ̱] apico-coronal plano-cóncava, [ş̱] coronopredorsal plano convexa, y una [s] coronal, especial de Lucena, palatalizada, semejante a la norteña, con un canal articulatorio extremadamente amplio, que origina una

99. "Lat. S: el testimonio vasco", en *ACILR,* XI, pp. 473-489. Michelena concluye: "En resumen, el testimonio vasco es, en mi modesta opinión, poco favorable a la hipótesis que atribuye una realización apical a lat. *S*", p. 486.

100. La articulación predorsoalveolar de /s/ puede encontrarse en zonas al norte de Andalucía, como en Madrid, vid. A. Quilis, en *Phon,* XII, 1965, p. 22. El problema de la distribución territorial de las variantes de /s/ en Andalucía aparece resuelto en *ALEA,* VI, 1708.

leve aspiración. Piensa Llorente que estos matices intermedios tal vez sean reliquias de los avances y retrocesos de los tipos básicos (*loc. cit.*, p. 238).

En algunas zonas pueden aparecer realizaciones sonoras de /s/ > [z] (vid. A. Alonso, *De la pronunciación medieval a la moderna en español,* t. II, Madrid, Gredos, 1969, p. 239); en Canarias, "en retirados pagos de La Gomera y de La Palma" aparece una realización [z], no etimológica necesariamente, [pezetas], que puede ser ciceada con articulación [đ], [káđa] (casa), vid. D. Catalán, *PFLE,* t. I, pp. 240 y 250-251; muy similar al fenómeno que se da en el dialecto chinato en Malpartida de Plasencia, Cáceres, donde las antiguas -ŝ- y -s- se han convertido en θ ápicointerdental, mientras que -ẑ- y -z- han dado đ (no hay que olvidar que ha desaparecido -d-<-t- y -d- latinas), vid. Diego Catalán, "Concepto lingüístico del dialecto 'chinato' en una chinato-hablante", *RDTP,* X, 1954, pp. 10-28. Para el fenómeno del mantenimiento de las antiguas distinciones, que se extiende por las provincias de Cáceres y Salamanca, hay que consultar el cuidadoso estudio de A. M. Espinosa, *Arcaísmos dialectales. La conservación de "s" y "z" sonoras en Cáceres y Salamanca, RFE,* anejo XIX, Madrid, 1935 [101].

101. También quedan restos de las antiguas sibilantes en el Bajo Aragón, se encuentra z con valor fonemático en Anna, Chella, Enguera y Fanzara, de acuerdo con los descubrimientos de J. Gulsoy, en *ACILR,* XI, p. 1.735; tiene bastante vitalidad en Anna y Chella, pero casi no sobrevive en Enguera y Fanzara; para el problema de la distribución de las antiguas sibilantes en el habla actual, vid. M. Sanchis Guarner, "Noticia del habla de Enguera y de la Canal de Navarrés (provincia de Valencia)", en *ACILR,* XI, pp. 2.039-2.045.

En posición intervocálica, en interior de palabra o en fonética sintáctica, aparecen muestras de s sonorizada en zonas muy diversas del dominio hispánico. A. Llorente ha encontrado esta realización, incluso esporádicamente en posición final, en la lengua salmantina ribereña del Duero, en Villarino, vid. *Estudio sobre el habla de La Ribera,* Salamanca, 1947, p. 111; y también Gregorio Salvador ha registrado este mismo fenómeno, en posición final de palabra, pero intervocálica por fonética sintáctica, entre los habitantes de Vertientes y Tarifa, aunque

2.5.8.4. *Tipos de* [s] *en Canarias*

En Canarias existe una [ş] predorsal convexa sorda; para Tenerife, vid. M. Alvar, *El español hablado en Tenerife,* páginas 26-27, muy similar en el palatograma recogido por Alvar a la [s] de Río Piedras (Puerto Rico). La [s] de Hierro es predorsoalveolar muy dentalizada, con resonancias en sus frecuencias de tipo mate; con la particularidad que puede desarrollar una -e paragógica: [tósə] (tos), vid. M. Alvar, "La articulación de la *s* herreña (Canarias Occidentales)", *Phonétique et Linguistique Romane. Mélanges offerts à M. Georges Straka,* Lyon-Estrasburgo, 1970, t. I, pp. 105-114.

2.5.8.5. *La consonante* [s] *en el español de América*

En general, la [s] de los hablantes hispanoamericanos es dorsoalveolar convexa (Las Antillas, ciertas zonas de Méjico, Paraguay, Ecuador, Colombia, Argentina, Uruguay y Chile); aparecen realizaciones ápicodentales, calificadas por Canfield de "redondeadas", en el norte de Méjico, sierra del Ecuador, sierra ecuatoriana y norte de La Argentina; entre otras variantes, también aparece [s] ápicoalveolar en Antioquia (Colombia), y en zonas restringidas de Puerto Rico y de Santo Domingo, vid. D. L. Canfield, *La pronunciación del español en América,* mapa II; para la estadística de tipos de *s* en Bogotá, vid. L. Flórez, *La pronunciación del español en Bogotá,* p. 183.

---

de una manera esporádica, vid. "El habla de Cúllar-Baza", en *RFE,* XLI, 1957, p. 199; aparece además en Baena (Córdoba), en Alcalá la Real y Noalejo (Jaén), vid. *ALEA,* VI, 1707. En América el fenómeno puede ocurrir incluso entre personas cultas: en Colombia, en cualquier posición, ya sea antevocálica o intervocálica, vid. L. Flórez, *Thesaurus, BICC,* XVIII, 1963, p. 268; también aparece en el norte de La Argentina, vid. *BDH,* VII, p. 41. H. Toscano advirtió la presencia en la sierra del Ecuador de una [z] con valor de juntura abierta, vid. *El español en el Ecuador, RFE,* anejo LXI, Madrid, 1953, p. 79, y D. L. Canfield, *La pronunciación del español en América,* p. 81.

2.5.8.6. *La realización* [s] *tensa en ciertas zonas de Méjico*

Según Joseph H. Matluck, "La pronunciación del español en el Valle de México", *NRFH*, VI, 1952, p. 117, tanto en la ciudad como en el Valle de Méjico aparece una [s] realizada como un sonido "predorso álveodental convexo fricativo sordo", de tensión media, de timbre muy agudo y de muy larga duración; también existen realizaciones predorsales convexas en Nuevo Méjico y en Santo Domingo. Esta *s* característica de esta zona se conserva en cualquier posición, pero en posición final absoluta es generalmente más alargada y presenta una duración mucho mayor [*jueves* :]. Esta misma realización, muy tensa en algún caso, se encuentra también en Santo Tomás Ajusco (*ALM*, VI, 1966-1967, p. 24), Oaxaca (*NRFH*, XVIII, 1965-1966, p. 365) y en Yucatán (*Ibero-romania*, I, 1969, p. 169). P. Henríquez Ureña y A. Alonso pensaron que probablemente la tensión de esta [s] podía deberse a influjo del náhuatl, a esta hipótesis se sumó también B. Malmberg, pero J. M. Lope Blanch, *RFE*, L, 1967 [1970], p. 156 y ss., ha indicado que el náhuatl clásico sí poseía una [s], posiblemente predorsal fricativa sorda, aunque no una de tipo ápicoalveolar, pero no hay noticias de que se tratase de una articulación especialmente tensa.

En la mayoría de los indigenismos que poseen el fonema /š/ en Méjico, esta realización —nota Lope Blanch— "parece funcionar como una simple variante alofónica del fonema /s/" (*loc. cit.*, p. 146 y ss.). Lo mismo sucede con el fonema /ŝ/, que en muchos casos adquiere la realización fonética [s]: *Tepotzotlán* [teposotlán].

2.5.8.7. *El problema de los alófonos dentales de /s/*

Navarro Tomás, *Pronunciación*, 105, observaba que la [-s] final de sílaba en contacto con [t] sufría un proceso de asimilación al punto de articulación de la consonante siguiente, "formándose con la punta de la lengua contra la cara interior de los incisivos superiores, y no contra los alvéolos de estos mismos dientes, como ocurre en los demás casos". Un proceso similar describía en el sonido [-s] ante [θ], en el que "la *s* es atraída hacia los bordes de los dientes, un poco más que ante la consonante *t*". Ambos procesos asimilatorios producían dos sonidos que el insigne investigador transcribía como [ş], a los que había que sumar la variante sonora de *s* ante [d] o [đ], transcrita como [z̧]. Antonio Quilis en un trabajo de fonética experimental, "Sobre los alófonos dentales de /s/", en *RFE*, XLIX, 1966, pp. 335-343, ha demostrado que las frecuencias de resonancias del sonido de fricación de [s] y [ş], registradas por el sonógrafo, eran aproximadamente las mismas. Con la ayuda de la cinerradiografía se observa que la lengua presenta una tendencia a ocupar el lugar de articulación de la dental siguiente, sobre todo en la fase de la distensión articulatoria, pero manteniéndose en la fase de tensión como alveolar y no como dental (*loc. cit.*, p. 340).

2.5.8.8. *La palatalización afectiva de /s/*

Berta Elena Vidal de Battini, en *BDH*, VII, p. 42, ha observado un fenómeno de palatalización afectiva de *s* > [ĉ], que sucede en el habla rural de San Luis, en la Argentina: *cheñora, chí* (señora, sí). Piensa que tiene un origen indígena, al igual que notó Lenz para Chile. Habría que poner en duda el caso de *chí*, que se da también en el habla infantil peninsular. De la existencia de este fenómeno en la lengua madrileña de la segunda mitad del siglo XIX, nos ha dejado un excelente testimonio Galdós:

> No le causaba vergüenza el oírle al otro que le idolatraba, así, así, clarito..., al pan pan y al vino vino..., ni preguntarle a cada momento si era verdad que él también estaba hecho un idólatra, y que lo estaría hasta el día del Juicio Final. Y a la tal pregunta, que había venido a ser tan frecuente como el pestañear, el que estaba de turno contestaba *Chí*, dando a esta sílaba un tonillo de pronunciación infantil. El *chí* se lo había enseñado Juanito aquella noche, lo mismo que el decir, también en estilo mimoso,

> *¿Me quieles?* y otras tonterías y chiquilladas empalagosas, dichas de la manera más grave del mundo (*Fortunata y Jacinta, OC,* Madrid, Aguilar, 1961, t. V, pp. 47-48).

Peter Boyd-Bowman ha dado una larga lista de ejemplos "que abundan en América y aun en España" (*NRFH,* IX, 1955, pp. 348-350), pues parece que en la fonética infantil de los hipocorísticos se convierte en [ĉ] toda *s* que no llega a perderse en final de sílaba: *Narciso*→*Chicho*; a propósito de la nota de B. Elena Vidal de Battini, Boyd-Bowman cree que se trata de una coincidencia entre un fenómeno indígena y otro hispánico, "ya que la sustitución es normal en el lenguaje cariñoso de países tan alejados de toda influencia araucana como México, Guatemala y Colombia" (*loc. cit.,* p. 350). Incluso supone que hasta principios del siglo XVII la palatalización de la *s* se identificó con /š/, pero al dejar de ser palatal /š/, el fonema más cercano a la /š/ infantil resultó ser [ĉ].

2.5.8.9. *El seseo y el ceceo*

2.5.8.9.1. *Origen del seseo y del ceceo.* El seseo y el ceceo actuales son fenómenos que tienen su común origen en un complejo proceso iniciado en Sevilla "como una variedad lingüística del castellano" (vid. R. Lapesa, "Sobre el ceceo y el seseo andaluces", *Estructuralismo e Historia, Misc. Homenaje a A Martinet,* La Laguna, 1957, t. I, pp. 67-94). El proceso contiene tres etapas fundamentales: 1) pérdida de la oclusión en las africadas /ŝ/ y /ẑ/ (grafías *c, ç/z*), a las que hay que atribuir un carácter dorsodental (Martinet, Catalán, Alarcos, Galmés); con la pérdida de la oclusión, las africadas se convierten en fricativas. Esta transformación es más antigua en el fonema sonoro que en el sordo (vid. A. Alonso, *De la pronunciación medieval a la moderna en español,* t. I, Madrid, Gredos, 1955, p. 375, y D. Catalán, "The End of the Phoneme /z/ in Spanish", en *Word,* XIII, 1957, pp. 283-322); 2 confluencia de la oposición fonológica de los fonemas apicales fricativos /ṡ/-/ż/ (grafías *s-,*

-ss-/-s-) con las fricativas dorsodentales /ş/ y /z̧/ (</ŝ/ y /ẑ/), con lo que las dos oposiciones habían quedado reducidas a una sola; 3) desaparición de la oposición de sonoridad en el sistema de sibilantes, lo que redujo esta oposición a un fonema único /ş/, que poseía diferentes variantes de realización o alófonos, como luego estudiaremos detenidamente. Todos estos cambios en el sistema fonológico aparecen documentados por abundantes trueques gráficos: *-s* por *-z* (1419), *ç* por *s* (*Cancionero de Baena,* 1445) (vid. R. Lapesa, *op. cit.*, p. 72; Diego Catalán, "El çeçeo-zezeo al comenzar la expansión atlántica de Castilla", en *BdF,* XVI, 1956-1957, [1958], pp. 306-334, y R. Menéndez Pidal, "Sevilla frente a Madrid. Algunas precisiones sobre el español de América", *Estructuralismo e Historia, Misc. Homenaje a A. Martinet,* t. III, 1962, pp. 99-165). El proceso tuvo que iniciarse muy pronto (finales del xiv y principios del xv) entre las clases más populares de Sevilla, y fue avanzando a lo largo del siglo xv ganando terreno en los sectores más cultivados; D. Catalán (*BdF,* XVI, p. 327) piensa que ni a finales del siglo xv existían en Sevilla otras articulaciones que las realizaciones fricativas de los antiguos fonemas /ŝ/ y /ẑ/. Lapesa supone una serie de variantes de realización distintas, a raíz de hacerse fricativos los antiguos fonemas africados; estas variantes de realización serían corono-dentales, predorso-interdentales, corono-dento-interdentales o predorso-dento-interdentales, sordas y sonoras, según el tipo de africadas al que correspondiesen. Siempre estas variantes de realización serían sentidas como realizaciones de /ŝ/ y /ẑ/, distinguiéndolas de las realizaciones fricativas de tipo apical [ṡ] y [ż] (< /s/, /z/). Estas realizaciones, a las que hay que suponer similares a las que han encontrado en nuestro siglo T. Navarro Tomás, A. M. Espinosa (hijo) y L. Rodríguez-Castellano, y que, con mayor abundancia de realizaciones intermedias, aparecen también en el *ALEA*, incluso con fenómenos de polimorfismo, no hacen más que confirmar la hipótesis del origen del fenómeno. Existen una serie de matices que van desde el siseo puro con [s̄] coronal o [ş]

predorsal hasta un ciceo similar acústicamente al de la [θ] castellana. Ya advirtió T. Navarro Tomás, *Pronunciación,* 108, que el ceceo podía presentar diferentes matices, que iban desde la realización apical, similar a la [θ] normal española, hasta otras de tipo dorsal, pasando por articulaciones intermedias. En Andalucía, el ceceo es generalmente de carácter coronal "sin que el ápice de la lengua se sitúe entre los dientes y sin que la fricación ocurra exactamente en el filo de los incisivos superiores. La corona lingual se entreabre contra la parte más baja de la cara de dichos incisivos, elevándose en forma más o menos convexa, de la cual participa también el predorso, y el ápice, entre tanto, forma contacto con los dientes superiores" (*RFE,* XX, 1933, p. 270). Ya observaron los autores de "La frontera del andaluz" la escasa diferencia entre esta articulación y la de la s predorsal o coronopredorsal, pues con la misma disposición de los órganos, "y sin otra modificación que la de dar a la estrechez linguodental una forma más o menos acanalada o alargada, el sonido pasa casi insensiblemente del timbre siseante al ciceante, y viceversa". Estas vacilaciones de realización son muy frecuentes, y en determinadas zonas fue muy difícil para T. Navarro Tomás, A. M. Espinosa (hijo) y L. Rodríguez-Castellano establecer si se trataba de seseo o de ceceo (Antequera, Osuna, Écija y Cartagena, vid. *RFE,* XX, 1933, p. 270). A. Llorente, *RFE,* XLV, 1962, pp. 230-231, ha notado la anarquía de realizaciones que se encontraban en las encuestas del *ALEA* en las zonas de ceceo y en las que distinguen, pero que sólo conocen [ş] predorsal, zonas en las que se pronuncia indistintamente [s] y [θ] relajadas, y articulaciones tipo [ş] predorsal, [θ] dento-interdental fricativa sorda y [$ş^θ$] predorsal interdental fricativa sorda.

El ceceo andaluz, advierte Lapesa, consiste en "variedades muy tensas de la [$\bar{s}$] coronal o de la [ş] predorsal: la mayor tensión, adelantando la lengua convexa, hace que la fricación se produzca con más estrechez que en la [$\bar{s}$] coronal o [ş] predorsal limpias, y contra el filo de los dientes superiores o contra éstos y los inferiores, por lo que toma matiz interdental.

La lengua no se aplana tanto como en la [θ], pero el canal longitudinal propio de la [s̄] o de la [ş] se hace menos profundo que en éstas: en consecuencia, el timbre deja de ser siseante y se hace ciceante. La transcripción adecuada para este matiz intermedio no es propiamente [θ]; mejor sería [ᶿs]" (*loc. cit.*, p. 89). Históricamente, al confluir /ṡ/ en /ş/ y /ż/ en /z̧/ se originan las variedades denominadas *çeçeo* (realización del desaparecido /ṡ/ con cualquiera de las variantes de /ş/), y *zezeo* (realización del desaparecido /ż/ con cualquiera de los alófonos de /z̧/), conservándose la distinción entre sorda y sonora, pero siendo irrelevante que estas variantes tuviesen timbre siseante o ciceante. Al generalizarse el sistema basado en el ensordecimiento de las sibilantes sonoras, quedó como único fonema /ş/, que podía ser realizado con alófonos predorsales o coronales, siseantes o ciceantes. Este sistema, antes del ensordecimiento, seguiría luchando contra los últimos reductos cultos, continuadores de la anterior /ṡ/, que parece totalmente desaparecida hacia 1560-1570. Mientras tanto en castellano se había impuesto una nueva norma, basada en la confluencia de /ŝ/-/ẑ/, convertidas en fricativas y de /ṡ/-/ż/, por lo que los resultados estaban muy próximos; lentamente se fue imponiendo una pronunciación ciceante del fonema resultante de la ya desaparecida oposición de africadas dorsodentales, ciceo en progreso en el siglo XVII y totalmente generalizado hacia la mitad del siglo XVIII (vid. A. Alonso, "Formación del timbre ciceante de la *c, z* españolas", *NRFH,* V, 1951, p. 311). El castellano había resuelto las oposiciones anteriores en /θ/ : /s/, caracterizada por la presencia o ausencia de timbre ciceante. Existirían hablantes andaluces, nota Lapesa, que intentarían seguir distinguiendo la diferencia entre *c* y *s*, y reservarían para *s* el timbre siseante y para *c* el ciceante, con lo que se produciría el curioso fenómeno de la interpretación de [s̄] coronal o [ş] predorsal como variantes de /s/. Sabemos también que el çeçeo seseante es anterior al ceceante, lo que se comprueba por la distribución geográfica, y, además, que las variantes seseantes gozan hoy de un mayor prestigio social (vid. R. Menéndez Pidal, "Sevilla frente a Madrid", en *op. cit.*, pp. 121-122).

Es muy importante observar que en el concepto de *seseo* y *ceceo* que existe actualmente ha desempeñado un papel fundamental la visión que de la fonética de las zonas que poseen el fenómeno han tenido los habitantes del resto de España, desde el punto de vista de sus propias realizaciones [s] y [θ].

En resumen: lo que hoy llamamos *seseo* y *ceceo* son variedades que resultan de un complejo conjunto de cambios sistemáticos ocurridos en los siglos XV y XVI, irradiados desde Sevilla al resto de Andalucía, Canarias e Hispanoamérica. Para la descripción fonológica de estas variedades hispánicas es imprescindible partir de un único fonema /ș/, que puede adquirir múltiples variantes de realización articulatoria.

2.5.8.9.2. *Distribución geográfica del fenómeno.* La distribución geográfica del seseo y del ceceo tiene una explicación en las diferentes condiciones con que el fenómeno se propagó (vid. *RFE*, XX, 1933, pp. 266-267, R. Lapesa, "Sobre el ceceo y el seseo andaluces", en *op. cit.*, pp. 92-93, R. Menéndez Pidal, "Sevilla frente a Madrid", en *op. cit.*, p. 122 y ss.), aunque no siempre los investigadores están de acuerdo en los problemas de zonas concretas.

En el sur de España existe una zona que distingue perfectamente entre [s] y [θ]: norte de Badajoz, límites con Cáceres y gran parte de la provincia; parte norte de la provincia de Huelva; zona de Sierra Morena en Sevilla; serranía de Córdoba; casi toda la provincia de Jaén; parte oriental de la provincia de Granada y casi toda la provincia de Almería; vid. *ALEA*, VI, 1.705, para toda la problemática andaluza de la distinción, y n.º 1.706, para los diferentes tipos de θ.

2.5.8.9.3. *Área del seseo peninsular.* El seseo peninsular abarca: la parte más occidental de Badajoz y Fuente del Mestre en el interior; la zona occidental del sur de Huelva; pueblos muy al norte de la provincia de Sevilla, y la zona de la capital; parte sur de la provincia de Córdoba; algunos pocos lugares de Jaén; islotes en la provincia de Granada; norte de la provincia de Málaga, con un núcleo en la provincia de Murcia (Cartagena y La Unión), y la parte sur de la provincia de Alicante.

2.5.8.9.4. *Seseo vasco, catalán y gallego.* Además del seseo vasco y catalán, de tipo muy rural [T. Navarro Tomás, *Pronunciación*, 93], existe el seseo gallego, cuya extensión entra dentro del territorio de la geada, aunque es mucho más limitada (provincias de La Coruña, Pontevedra y una pequeña zona en Orense), que en las zonas urbanas donde es más leve (vid. A. Zamora Vicente, "Geografía del seseo gallego", en *Fil*, III, 1951, pp. 84-95). Se realiza con [ş] predorsal convexa, de timbre agudo, aunque hay [s̄] de tipo coronal, y a veces puede oírse un cierto timbre ceceante postdental. En Cangas de Morrazo y alrededores de Redondela, la [-s] puede palatalizarse fuertemente [š] (A. Zamora, *loc. cit.*, p. 92). En realidad, como ha observado D. Catalán (*BdF*, XVI, 1956-1957, p. 309, n. 5), se trata de un şeşeo, pues la [ş] predorsal procede de [ç] y no de [ss]; este mismo criterio habría que aplicar a la zona de Olivenza, en Badajoz, que perteneció a Portugal hasta 1801 (vid. además, *RPh*, X, 1956-1957, p. 76, n. 10).

2.5.8.9.5. *Territorio del ceceo peninsular.* El territorio del ceceo peninsular se extiende por la parte sur de la provincia de Huelva; la mayor parte de Sevilla (excepto el norte y zona de la capital), toda la provincia de Cádiz, pequeños islotes en el sur de Córdoba, un pueblo en el centro de Jaén, oeste de la provincia de Granada y la capital; sur y centro de la provincia de Málaga y sudoeste de Almería, con un pequeño enclave en la provincia de Cáceres, en Malpartida de Plasencia (para este caso concreto, vid. *RDTP*, X, 1954, pp. 12-13, pues es zona del dialecto "chinato" y la realización es ápicointerdental).

2.5.8.9.6. *Seseo y ceceo en Canarias.* En Canarias es general el seseo, pero M. Alvar, *El español hablado en Tenerife*, p. 34, encontró una articulación [θ] de tipo post-interdental descrita con espectrogramas en *ZRPh*, LXXXII, 1966, p. 519 y ss., y en *Estudios Canarios*, t. I, pp. 65-70. D. Catalán observó que esta articulación ciceante de /s/ es un "ruralismo decadente" (vid. *PFLE*, t. I, p. 242). Al mismo investigador (*loc. cit.*, p. 252) se debe el curioso dato de que en Taganana la pronunciación ciceante es característica del habla de los hombres, mientras que las mujeres no cicean.

2.5.8.9.7. *Extensión del fenómeno en América.* A pesar de que se suele caracterizar al español de América como seseante, existen islotes de tipo ciceante en una parte de Puerto Rico. El Salvador, Honduras, Nicaragua, zonas de Colombia y de Venezuela, y Argentina (vid. D. L. Canfield, *La pronunciación del español en América. Ensayo histórico-descriptivo*, Bogotá, ICC, 1962, pp. 79-80; R. Lapesa, *Historia de la Lengua Española*, Madrid, 7.ª ed., 1965, p. 353; A. Zamora Vicente, *Dialectología Española*, Madrid, Gredos, 2.ª ed., 1966, pp. 417-418). M. Alvar, en su trabajo "Polimorfismo y otros aspectos fonéticos en el habla de Santo Tomás Ajusco, México", *ALM*, VI, 1966-1967, p. 26 y n. 44, ha encontrado este fenómeno en la localidad citada, en Orizaba, y añade datos de grabaciones en la Sierra Guatemalteca; también parece, según el mismo investigador, en Oaxaca (*NRFH*, XVIII, 1965-1966, p. 363), mientras que es muy escaso en el Yucatán (*Ibero-romania*, I, 1969, p. 169). En 1962 A. Rosenblat creía que estos islotes de timbre ciceante en Hispanoamérica son de desarrollo moderno, por un proceso de descenso en el punto de articulación de *s* (vid. *El castellano de España y el castellano de América. Unidad y diferenciación*, Caracas, 1962, p. 39; para la discusión de Alvar, vid. *Estudios Canarios*, t. I, Las Palmas de Gran Canaria, 1968, p. 69). Me parece evidente que el hallazgo de realizaciones siseantes y ciceantes, incluso en la misma zona y, a veces, en el mismo sujeto, no hace más que confirmar la exactitud de las teorías de Lapesa, D. Catalán, Menéndez Pidal y Galmés. Queda por anotar el curioso fenómeno de la existencia de realizaciones ciceantes en algunas palabras del Alto Perú, que comentó A. Alonso (*De la pronunciación medieval a la moderna en español,* t. I, Madrid, 1955, p. 122, n. 35), con referencia concreta a los numerales *doce* y *trece.* El ilustre filólogo apunta la posibilidad de distinción con *dos* y *tres,* que luego se extendería, por analogía, a los otros numerales de la serie, en un proceso muy similar al que ocurre en el valenciano y en ciertas palabras del judeoespañol.

2.5.8.9.8. *La situación en judeoespañol.* En judeoespañol existe una s de tipo dorsal, sorda, más estable que la andaluza, en Marruecos (vid. P. Bénichou, *RFH,* VII, 1945, p. 214), y una z sonora (*loc. cit.*, p. 216), que han venido a recoger las antiguas sibilantes africadas y las fricativas ápicoalveolares. En Oriente, la distinción es general, según M. L. Wagner, *Caracteres generales del judeo-español de Oriente, RFE,* anejo XII, Madrid, 1930, p. 16. En el judeoespañol de Salónica se ha hablado de una [ṡ] ápicoalveolar, que en Bucarest no aparece (vid. M. Sala, *Phonétique et phonologie du judéo-espagnol de Bucarest,* La Haya-París, Mouton, 1971, pp. 67-71). Para la interpretación de la conservación de la sonoridad, vid. D. Alonso, *La fragmentación fonética peninsular, ELH,* t. I, suplemento, Madrid, CSIC, 1962, pp. 100-101.

2.5.8.10.1. *Diferentes tratamientos de* s: *aspiración y pérdida.* Uno de los fenómenos más importantes de la fonética española consiste en los distintos tratamientos que, en amplias zonas del idioma, ha sufrido la consonante /s/, especialmente cuando ocupa posición implosiva; estas modificaciones se centran en la aspiración de *s,* su reducción a cero, y en muchos casos en las modificaciones de realización que sufre la consonante siguiente. Por tratarse *-s* en posición implosiva de un fonema de extraordinario rendimiento funcional en el español, como demostró B. Pottier, su pérdida altera de manera fundamental la estructura del nombre y del verbo. A estas alteraciones, ya muy importantes, hay que añadir la confluencia en esta aspiración de la procedente de *f-* inicial latina, que suele extenderse a la eliminación del sonido [x] y su sustitución por la aspiración [h].

2.5.8.10.2. *Fecha de la aspiración de* s. A. Alonso creía que la aspiración de *-s* era un fenómeno producido "en el siglo XIX (quizá empezara en el siglo XVIII en alguna parte, pero no tenemos denuncia alguna) en una gran zona peninsular y otra americana mucho mayor" (*RFH*, I, 1939, p. 323). Existe un precioso dato de aspiración y pérdida de *-s*, con modificación de la consonante siguiente, que nos lleva a finales del siglo XV y principios del XVI, dentro de la zona sevillana: se trata de la apostilla de Fernando Colón en un ejemplar de las *Vidas paralelas* de Plutarco, en la traducción de A. de Palencia (Sevilla, 1491), donde aparece el nombre clásico *Sophonisba* transcrito como *Sofonifa*, grafía que representa no sólo la desaparición de *-s* final de sílaba, sino también la transformación sufrida por la consonante *b*, como examinó cuidadosamente D. Ramón Menéndez Pidal. Hacia 1575, según ha demostrado R. Lapesa en *PFLE*, t. II, p. 180, aparece en un cartapacio manuscrito de un músico toledano el ejemplo: "muetrale justador" (por *muéstrale*). Estos datos antiguos, unidos con la distribución geográfica que el fenómeno presenta en América, nos hace suponer que se trata de un tratamiento antiguo, que tiene su origen en la zona sur de la Península. Con todas las cautelas posibles, M. Alvar (*RFE*, XXXIX, 1955, p. 293) ha notado que en Sevilla y Málaga hacia el siglo II, y en Sevilla en el siglo VII, se ha documentado una pérdida de *-s*, de carácter vulgar. Parece necesario situar el fenómeno dentro de la lingüística romance, como han hecho M. Alvar, "Las hablas meridionales de España y su interés para la lingüística comparada", *RFE*, XXXIX, 1955, pp. 284-313, y D. Alonso, *La fragmentación fonética peninsular, ELH*, t. I, suplemento, Madrid, CSIC, 1962, pp. 48-53.

2.5.8.10.3. *Aspiración y pérdida de* s *en posición final absoluta.* En las hablas meridionales de España se presentan tanto la aspiración de *-s* como la pérdida total; ambos fenómenos pueden convivir incluso en una misma localidad, con diferencias basadas en generaciones o en el sexo de las hablantes, como anotó Alvar, *RFE*, XXXIX, 1955, pp. 288-289. La pérdida total se produce en murciano y en el español de América, y es más rara en judeoespañol y en canario. La aspiración cubre el área de la pérdida de *-s* final, y se extiende por Extremadura, Salamanca y Albacete hasta llegar a ciertos niveles sociales de Madrid y zona centro de la Península[102]. La pérdida total de *-s* final origina la fonologización de las variantes vocálicas (v. 2.4.8.) en Andalucía oriental, Murcia, Puerto Rico y Uruguay. Como ha observado J. Mondéjar, *El verbo andaluz. Formas y estructuras, RFE,* anejo XC, Madrid, 1970, pp. 36 y ss., la desaparición de la aspiración en Andalucía occidental ha desarrollado el uso prodigado de los pronombres personales, mientras que en Andalucía oriental se produce el hecho reciente de la fonologización de las vocales (vid. J. Mondéjar, *op. cit.*, mapas 1 y 3). Es curioso observar que en determinadas localidades, Vertientes y Tarifa (norte de la provincia de Granada), el habla de las mujeres presenta abundantes casos de *-s*, mientras que los hombres y las mujeres más jóvenes han sido ganados por la fonética de tipo oriental; sin olvidar tampoco que este fenómeno va unido a características más conservadoras en el habla femenina (distinción de *ll/y* y no confusión de *-r/-l*), vid. Gregorio Salvador, "Fonética masculina y fonética femenina en el habla de Vertientes y Tarifa (Granada)", *Orbis,* I, 1952, pp. 19-24. Unas características similares en cuanto a la diferencia de la lengua de hombres y mujeres presenta Puebla de Don Fadrique, también en la provincia de Granada,

102. D. ALONSO, "Sobre la *-s* final de sílaba en el mundo hispánico", en *ELH,* Suplemento, t. I, pp. 47-53. Los datos de Salamanca aparecen en el libro de A. LLORENTE, *Estudio sobre el habla de la Ribera,* Salamanca, 1947, 64 a.; del mismo autor, "Importancia para la historia del español de la aspiración y otros rasgos fonéticos del salmantino occidental", en *RFE,* XLIII, 1958-1959, pp. 151-165. También LLORENTE ha recogido los datos sobre la aspiración y pérdida de *-s* en la Rioja Baja, vid. *RFE,* XLVIII, 1965, p. 330. Para la situación general en el andaluz, vid. Alfred ALTHER, *Beiträge zur Lautlehre südspanicher Mundarten,* Aarau, 1935, pp. 87-95; el excelente resumen de J. MONDÉJAR, en su ya citada obra *El verbo andaluz,* pp. 33-45, y actualmente el magnífico conjunto de datos recogidos en *ALEA,* VI.

en donde las mujeres conservan *-s* y los hombres la aspiran, frente a un tratamiento más innovador por parte femenina de los grupos *-s* + *cons. bilabial,* que tiende en las mujeres a *f* [dó fótɐs] (dos botas), mientras que en los hombres se conserva como [b̄], vid. M. Alvar, "Diferencias en el habla de Puebla de Don Fadrique", *RFE,* XL, 1956, pp. 1-32, y *PALA,* t. I, n.° 3, Granada, 1957.

Según los datos recogidos en el *ALEA,* VI, 1.718, sólo hay un punto que conserve de una manera sistemática en hombres y mujeres la *-s* final absoluta; se trata de Aldeaquemada, lugar localizado muy al norte de la provincia de Jaén. Las mujeres la conservan sistemáticamente en Villacarrillo (Jaén) y en el ya citado Puebla de Don Fadrique, mientras que no es frecuente en el habla masculina. Conservan frecuentemente, pero no de una forma sistemática, los habitantes de Sabiote (Jaén) y los de unas pocas localidades al este de Almería. Se dan casos muy aislados de conservación sólo en la conjugación o en otras localidades la excepción se hace con la conjugación. Hay algún intento de reposición culta, p. ej. en Cumbres de San Bartolomé (Huelva) conservan los niños sólo, por influjo del maestro; en otros casos, sólo conservan las generaciones mayores.

2.5.8.10.4. *Aspiración y asimilación de* s + *consonante.* La aspiración o la asimilación de *-s* y *-z* ante cualquier consonante es frecuente en La Mancha, Toledo, Extremadura, Murcia y Canarias, y en Madrid se inicia ante consonante velar (R. Lapesa, *Historia de la Lengua Española,* Madrid, 7.ª ed., 1965, p. 322). Parece indudable el progreso de este fenómeno desde las zonas meridionales, y es tal vez el rasgo que se impone con ritmo más veloz; Gregorio Salvador ha notado cómo Baroja, en los discos del Archivo de la Palabra, pronuncia un par de plurales sin *-s* y con abertura vocálica (vid. *PFLE,* t. II, p. 187); Salvador la halló también en la Maragatería (*AO,* XV, 1965, p. 205). Para la situación general en la Península del fenómeno *-s* + *p,* vid. *ALPI,* n.° 19, *avispa.* Son muy diversos los cambios que la aspiración puede crear en la consonante siguiente; me limitaré a transcribir los que suceden en las hablas meridionales de España, según Alvar, *RFE*, XXXIX, 1955, p. 290 y ss.

-s + *p*, *t*, *k*: puede ofrecer tres tratamientos, que van desde la simple aspiración [loh pieh] hasta la pérdida [lo pieh], pasando por estadios de reduplicación de la consonante [lo^{hp} pieh] o [lo^{p} pieh].

-s + *b*: [la^{h} brujah] (las brujas), [lab bragah] (las bragas), [lav viñah] (las viñas), [muncho fohqueh] (muchos bosques).

-s + *d*: [loh dienteh] (los dientes), [buenođ đía] (buenos días), [uno θeoh] (unos dedos).

-s + *g*: [lah gatah] (las gatas), [loj jaƀilane] (los gavilanes).

-s + *m*: [lohm mueble] (los muebles), [lam mohca] (las moscas). El tratamiento completo de estas combinaciones segmentales en Andalucía se encuentra en *ALEA*, VI, 1.725-32.

2.5.8.10.5. *La situación de* s *en posición interior de palabra.* En posición interior de palabra pueden ocurrir tres casos fundamentales, dentro de las hablas meridionales: (a) aspiración de la *-s* (con acción o sin ella sobre la vocal anterior), (b) asimilación de la aspirada con la consonante siguiente, y (c) alteraciones de tipo secundario (vid. M. Alvar, *loc. cit.*, p. 300 y ss.).

Ocasionalmente puede producirse en la provincia de Santander una aspiración de *-s*, sobre todo en posición final de palabra y cuando la palabra siguiente empieza por vocal, como ha observado L. Rodríguez-Castellano, "Estado actual de la *h* aspirada en la provincia de Santander", *AO*, IV, 1954, *Misc. filológica en memoria de Amado Alonso*, pp. 456-457.

El mantenimiento de *-s* y *-θ* en posición interior de palabra es muy raro en Andalucía, vid. *ALEA*, VI, 1.717. Se encuentra en la ciudad de Sevilla, pero sólo en hablantes cultos; aparece en Aldeaquemada, donde también se conserva *-s* final absoluta, pero la conservación es muy esporádica, y sólo aparece ante *p* y *t*; en Félix (Almería) conservan también esporádicamente, como en Santiago de la Espada, mientras que en Villacarrillo (Jaén) es fenómeno típicamente femenino. Por fonética sintáctica los casos son más complejos, vid. el mapa resumen en *ALEA*,

VI, 1.707. Se encuentran casos de reaparición de *s* como sorda en casi todo el territorio andaluz, excepto en la provincia de Cádiz; el fenómeno de sonorización aparece en Baena y en dos localidades de Jaén, Alcalá la Real y Noalejo (vid. n. 101); en las zonas de ceceo aparecen las realizaciones tipo θ; también se registran aspiraciones sordas y sonoras. En Andalucía oriental existe una pausa muy marcada entre la vocal final y la inicial, y además esta última se realiza con ataque duro. Principalmente en la provincia de Almería ambas vocales forman hiato, y muy rarísimamente se ha encontrado la sinalefa.

2.5.8.10.6. *Tratamiento de* -s *final en Canarias.* En Canarias suele existir la aspiración de *-s* final absoluta en Tenerife, según M. Alvar, *El español hablado en Tenerife,* pp. 27-34; en el mismo lugar, *-s + labial* produce una aspiración y pérdida, pero sin alterar la consonante siguiente, lo mismo sucede con las dentales en esta posición. En Gran Canaria llega como máximo al ensordecimiento de *b* [b̥]: [la̦ʰ b̥ótėʰ] (las bot̂as). Para la extensión de la pérdida en Las Palmas, vid. D. Catalán, *PFLE,* t. I, pp. 245 y 261; sobre el problema desde el punto de vista sociológico, vid. M. Alvar, *Niveles socio-culturales en el habla de Las Palmas de Gran Canaria,* pp. 92-113; acerca del carácter significativo que adquieren ciertos cambios consonánticos a consecuencia de la pérdida de *-s,* puede consultarse la obra citada de Alvar, pp. 152-155. Diego Catalán, *loc. cit.*, p. 241, ha notado el carácter arcaizante de ciertas hablas, Hierro y La Gomera, donde se mantiene la *-s* implosiva sin aspiración.

2.5.8.10.7. *Relajación de* -s *en América.* La extensión americana del fenómeno debe situarse, según el excelente estudio de Menéndez Pidal, "Sevilla frente a Madrid", junto con la confusión de *-l/-r* y el yeísmo, dentro del marco general de la existencia de unas áreas en contacto con las tierras meridionales de la Península, tierras "marítimas" o "de la flota", frente a las tierras interiores. La relajación de *-s* ocupa un amplio territorio: Nuevo Méjico, Costa de Veracruz, Tabasco y Yucatán, Cuba,

Santo Domingo, Puerto Rico, litoral de Venezuela, Panamá, costa atlántica de Colombia, costa de Ecuador, Chile, zonas de Cuyo y San Luis en Argentina y toda la región del Río de la Plata (este de Argentina, Uruguay y Paraguay). En estas comarcas del español americano, la *-s* aspirada, de tipo perfectamente sordo, es típica de las clases populares, mientras que las personas cultas intentan restituir el sonido (vid. A. Zamora, *Dialectología Española,* p. 72, D. L. Canfield, *La pronunciación del español en América,* mapa IV, en el caso de Argentina, vid. el mapa realizado por B. E. Vidal de Battini, "El español de la Argentina", *PFLE,* I).

R. Lenz había supuesto una influencia araucana para el cambio *-s* > *-h,* apoyándose en la ausencia de este sonido en dicha lengua, pero ya observó Amado Alonso, *RFH,* I, 1939, pp. 322-323, que se trataba de un fenómeno general y que las observaciones que hacía Lenz para Chile coincidían exactamente con los sonidos que Fink había descrito en la Sierra de Gata peninsular [103].

103. Para Uruguay, vid. W. Vásquez, "El fonema /s/ en el español de Uruguay", en *Revista de la Facultad de Humanidades y Ciencias* (Montevideo), X, 1953, pp. 87-94; Julio Ricci, *Un problema de interpretación fonológica en el español del Uruguay,* Montevideo, 1963. Un buen resumen de este problema se encuentra en Erica García, "Hispanic Phonology", *CTL,* IV, *Ibero-American and Caribbean Linguistics,* La Haya-París, Mouton, 1968, pp. 71-73. La zona de Buenos Aires posee abundante bibliografía sobre este tema, vid. Richard Beym, "Porteño /s/ and [h], [^{h}], [s], [x], [ϕ] as Variants", en *Lingua,* XII, 1963, pp. 199-204, y María Beatriz Fontanella, "La *s* postapical en la región bonaerense", en *Thesaurus, BICC,* XXII, 1967, pp. 394-400. La misma investigadora ha descubierto la existencia de una diferencia entre la lengua femenina y la masculina con respecto a la pronunciación de *-s* final de macrosegmento, diferencia basada en un superior mantenimiento por parte de las mujeres, vid. "Comportamiento ante *-s* de hablantes femeninos y masculinos del español bonaerense", en *RPh, XXVII,* 1973, pp. 50-58. H. López Morales en su trabajo "Neutralizaciones fonológicas en el consonantismo final del español de Cuba", en *ALM,* V, 1965, pp. 183-190, se plantea la neutralización de la oposición *r/s,* ante /l/ y /n/, que se resuelve a base de una variante aspirada. Para

La zona del mantenimiento de *-s* en América coincide, en cambio, con las tierras interiores que estaban en escaso contacto con la flota: zona de Ciudad de Méjico, América Central (antigua Audiencia de Guatemala), zonas centrales de Colombia (Bogotá), tierras andinas venezolanas (Mérida, Táchira y Trujillo), región interior de Ecuador (Quito, Riobamba), Perú, Bolivia y noroeste de Argentina.

2.5.8.10.8. *Conversión de* s- *y* -s- *en* [h]. En Santader, Extremadura, Murcia, Andalucía, Canarias, Hispanoamérica (Nuevo Méjico, Colombia, El Salvador, Chile) se propaga la aspiración a la posición *-s-* intervocálica, incluso en alguno de estos lugares puede llegar a la pérdida total (vid. Alvar, *RFE*, XXXIX, 1955, p. 296); y también puede ocurrir en posición inicial. En América existe una zona, el Río de la Plata, donde sólo se produce en la palabra [nohotroh] (nosotros), como también en la provincia de Santander (vid. *AO*, IV, 1954, p. 457). En 1935 A. M. Espinosa, *Arcaísmos dialectales,* p. 237, se planteaba el problema de la aparición de una aspirada o de una fricativa palatal o velar en lugar de *s-* inicial o *-s-* intervocálica, en la zona de Cáceres y Salamanca, como un fenómeno que no sólo podía obedecer a un proceso de palatalización, sino también como el resultado de una relajación directa de *s*.

Diego Catalán, *ZRPh,* LXXXII, 1966, p. 474 y n. 30, ha observado la existencia en el español canario de una variante [h]: "A caha María", "peheta", "senhilla", "heñorita".

2.5.9. El fonema /n/

2.5.9.1. [n] *alveolar nasal sonora.* En posición inicial absoluta, intervocálica, final absoluta y en contacto con otra consonante de articulación alveolar; en posición final existe

---

la descripción del fenómeno, el investigador recurre a acuñar el término *archialófono,* que se utilizaría en los casos en que para la neutralización se eligen los rasgos de una variante y no los de las realizaciones normales del fonema.

una neutralización entre *-m y -n*, que da un resultado [N] (vid. 2.5.3.1):

[nẽ́ne] (nene), [kómẽn] (comen)

Como ya se ha advertido, toda *n* en contacto con una consonante labial se neutraliza en [M]:

[estáƀa kọm pepíta] (estaba con Pepita)

2.5.9.2. En contacto con una consonante labiodental, produce una articulación [m̪] (vid. 2.5.4.1):

[ẽ́m̪fẹ́rmo] (enfermo)

2.5.9.3. [n̪] En contacto con una consonante de articulación dental, *n* toma este punto de articulación (vid. 2.5.7.4):

[án̪da] (anda), [kan̪táɹ] (cantar)

2.5.9.4. [n̟] Si la consonante *n* aparece seguida por una consonante de articulación interdental, se asimila a este punto de articulación (vid. 2.5.5.3):

[ọ́n̟θa] (onza), [kọn̟θesjọ́n] (concesión)

2.5.9.5.1. [ŋ] *velar nasal sonora.* Se produce por asimilación de la consonante *n* al punto de articulación de las consonantes velares siguientes [g] y [k], rara vez ante [x] y [w] (vid. 2.5.18.1)[104]:

[kwéŋka] (Cuenca, [tjénẽŋ gráθja] (tienen gracia)

104. Para la descripción articulatoria de [ŋ], vid. T. NAVARRO TOMÁS, *Pron*, 130. Ya se ha apuntado, n. 89, que en los grupos de nasal + consonante oclusiva sonora, la articulación nasal aumenta su duración a expensas de la consonante oclusiva inmediata; en el caso concreto de *n* + g, las cantidades respectivas son: [ŋ], 9 c. s., y [g] 6 c. s., según T. NAVARRO TOMÁS, en *RFE*, X, 1923, p. 43. En contra de la teoría expuesta por Colton, NAVARRO TOMÁS, *loc. cit.*, p. 40, apuntó que "la [-n] final absoluta es en muchos individuos [-ŋ] no especialmente en la pronunciación enfática, sino en la conversación ordinaria; otros individuos hacen normalmente [-n]".

2.5.9.5.2. *La velarización* [ŋ] *en la Península y en Canarias.* El fenómeno de la velarización de la nasal en posición final cubre extensas zonas del norte, oeste y sur de la Península (vid. A. Zamora Vicente, *Manual de Dialectología,* pp. 319 y 323, y E. Alarcos, *Fonología,* p. 182, n. 5); incluso llega a encontrarse en el habla madrileña (vid. A. Quilis, *Phon,* XII, 1965, p. 25). Para examinar la extensión peninsular he utilizado los mapas del *ALPI* números 11 y 53 (*aguijón* y *crin*), aunque reconozco que la estructura de esta última palabra tal vez no haga muy adecuada la comparación. El mapa 11 (*aguijón*) presenta el fenómeno como típico del occidente y sur de la Península: los primeros datos norteños se encuentran en el oeste de Santander, se extiende por Oviedo y Galicia, cubre el noroeste de León y Zamora, con un solo punto en la provincia de Ávila, Santa Cruz del Valle, avanza por Extremadura (todo Cáceres, pero sólo dos puntos en Badajoz), cubre prácticamente la Andalucía occidental y casi toda la provincia de Córdoba, incluso con el ascenso hasta Fuencaliente (Ciudad Real); abunda en Jaén, mientras que se nota una disminución rápida hacia el este: Granada posee dos puntos y ninguno Almería. En el caso del mapa 53, *crin,* ha habido resultados diferentes: aparece [-ŋ] en la zona oeste de Santander (no aparece en Oviedo, pues se trata de una forma diferente), norte de León, centro de Zamora, un sólo pueblo de Cáceres, Aliseda, y zona sudoeste de Badajoz. Cubre grandes zonas de Andalucía occidental, aunque en el caso de Málaga se prefiera la pérdida de *-n,* sustituida por alargamiento, abertura o nasalización de la vocal; se extiende por casi toda la provincia de Córdoba, y como en el caso anterior, cubre el punto Cr. 479, Fuencaliente. Esta localidad pertenece lingüísticamente a Córdoba (vid. *RFE,* XXIII, 1936, p. 243); aparece en el sudoeste de Jaén, con sólo un lugar en la provincia de Granada, Melegís, de muy débil nasalización. El *ALPI* denuncia también la existencia del fenómeno en Rascafría, al norte de la provincia de Madrid, con carácter muy débil; en este mismo punto la palabra *aguijón* ya había sido registrada con una *o* seminasalizada.

La comparación de este último mapa con el n.º 1.611 del *ALEA* (*las cerdas que cuelgan del cuello de los caballos*) muestra una mayor intensidad en toda Andalucía oriental, que no había sido registrada por el *ALPI*, y que tiene que deberse a una propagación fonética de las últimas décadas. El análisis de los mapas del *ALEA*, n.ºs 1.550, *el hollín*, 1.609, *el pan*, y 1.610, *el tren*, es muy interesante. Tanto en el caso de *el hollín*, como en el de *el tren*, se registra una mayor difusión en la zona andaluza oriental que en *crin*, 1.611, pero la generalidad casi absoluta de soluciones [-ŋ] aparece en el mapa 1.609, *el pan*. La comparación de realizaciones en alguna localidad, por ejemplo, Villaharta (Córdoba), proporciona los siguientes resultados fonéticos: [hoyĩ́ŋ], [klĩ́], [páŋ] y [trẽ́]. Puede examinarse un palatograma de [ŋ] en [páŋ], en la zona de Cúllar-Baza (Granada), obtenido por G. Salvador, *RFE*, XLI, 1957, p. 199; para la alternancia entre [-ŋ] y [-n], vid. p. 200. Aparece también en Canarias (vid. los palatogramas n.ºs 15 y 16 de la lámina VII contenidos en M. Alvar, *El español hablado en Tenerife*, *RFE*, Anejo, LXIX, Madrid, CSIC, 1959, vid. además p. 42).

2.5.9.5.3. *La velarización* [ŋ] *en América*. Es uno de los rasgos más sobresalientes del español americano, y ya fue registrado por Henríquez Ureña (*RFE*, VIII, 1920, p. 371); cubre una amplia zona: Guatemala, Puebla y Ciudad de Méjico, Puerto Rico, Ecuador, Nicaragua, Costa

Rica, Panamá, Colombia, Perú, Venezuela y la región porteña de la Argentina; de una manera general, su distribución parece corresponder con el territorio de la aspiración de *-s* final de sílaba, con las excepciones de Perú y Ecuador (vid. D. L. Canfield, *La pronunciación del español en América,* pp. 70-71). En amplias zonas americanas aparece en posición final de palabra ante pausa y en contacto con una vocal siguiente; es, pues, un indicador de juntura abierta, una señal demarcativa de fin de palabra antes de pausa para realizar la distinción entre [-n-] intervocálica y [-n] final de palabra. Para todos los problemas relacionados con este interesante fenómeno, debe consultarse el trabajo de Ruth L. Hyman, "[ŋ] as a Allophone Denoting Open Juncture in Several Spanish-American Dialects", *H,* XXXIX, 1956, pp. 293-299; Robert P. Stockwell, J. Donald Bowen, I. Silva-Fuenzalida, "Spanish Juncture and Intonation", *Lan,* XXXII, 1956, pp. 641-665, cito por *RIL,* I, p. 407 y ss.; Bertil Malmberg, "Fenómenos de juntura en castellano", en *Lengua, literatura, folklore,* Universidad de Chile, Santiago de Chile, 1967, pp. 285-289, cito por *Phonétique Générale et Romane,* pp. 475-478, para este fenómeno, vid. p. 476; A. Quilis ha planteado dudas sobre este problema en su trabajo "La juntura en español: un problema de fonología", *PFLE,* II, pp. 163-171, esp. p. 164 y ss.; en contra de la tesis de Quilis se ha manifestado C. P. Otero *IJAL,* XXXII, 1966, p. 302, n. 1. Para el estudio de casos concretos de la realización [-ŋ] en español americano, vid. Peter Boyd-Bowman, *NRFH,* VII, 1953, pp. 221-223; T. Navarro Tomás, *El español en Puerto Rico. Contribución a la geografía lingüística peninsular,* Río Piedras, 1948, p. 101; Joseph H. Matluck, *NRFH,* XV, 1961, *Homenaje a Alfonso Reyes,* p. 335; sobre Colombia, poseemos los datos apuntados por L. Flórez, *Thesaurus, BICC,* XVIII, 1963,

p. 232, para las costas del Atlántico y del Pacífico; en la Península aparece con el mismo valor de juntura en la Maragatería, según registró G. Salvador en su trabajo "Encuesta en Andiñuela", en *AO,* XV, 1965, p. 206.

El fenómeno de la existencia de [-ŋ] final ha sido atribuido a influjo andaluz, aunque hay que advertir la posible influencia de un sustrato quechua en las zonas del Perú y Ecuador, pues en esta lengua toda [-n] final se realiza como [-ŋ], según las grabaciones efectuadas por D. L. Canfield, *op. cit.,* p. 85, n. 8. La incertidumbre rodea la problemática de la fecha de propagación de este fenómeno en el español americano, vid. T. Navarro Tomás, prólogo a la obra de D. L. Canfield, *La pronunciación del español en América,* p. 15. E. Alarcos, "Algunas cuestiones fonológicas del español de hoy", *PFLE,* II, p. 58, ha supuesto que estas variantes velares peninsulares y americanas representan un proceso de debilitación de *-n* en posición final; un segundo estadio de este proceso "sería el limitar los movimientos articulatorios al descenso del velo del paladar sin que llegase a tocar el dorso de la lengua y simultáneamente con la articulación de la vocal precedente", y el último paso —supone certeramente Alarcos— consiste en que la nasalidad de la vocal se elimina, como sucede en ciertas zonas andaluzas (v. n. 73).

2.5.10. El fonema /l/

2.5.10.1. [l] *alveolar fricativa lateral sonora.* Se encuentra en posición inicial absoluta, intervocálica y final absoluta, además en contacto con consonantes que no sean dentales, interdentales o palatales, pues ante estas articulaciones se convierte en [l̩], [ḷ] y [l̮][105].

105. T. Navarro Tomás describió con gran cuidado la articu-

[laƀáƀo] (lavabo), [kolǫɪ] (color), [sa̧l] (sal) [klamáɪ] (clamar), [a̧ltúra] (altura), [ká̧̧lθa] (calza), [kǫ́lĉa] (colcha).

2.5.11. El fonema /r/

2.5.11.1. [r] *alveolar vibrante simple.* Aparece en posición intervocálica, y en contacto con cualquier consonante que no sea [n], [l] o [s][106]:

[péra] (pera), [kára] (cara), [laƀráɪ] (labrar), [kǫ́mpra] (compra), [pregǫ́n] (pregón).

---

lación de [l] tomando como base una radiografía en la palabra *ala,* vid. "Sobre la articulación de la *l* castellana", en *Estudis fonètics,* I, 1917, pp. 265-275. Suele ser normal la salida unilateral del aire, salvo en los casos de articulación fuerte; la tendencia más frecuente en la articulación castellana parece ser la salida del aire por el lado derecho de la lengua. Es posible en algunos casos apreciar una realización [l] ligeramente cóncava, hueca, que no llega a los extremos del catalán o del inglés, como sucede precisamente en la radiografía estudiada por Navarro Tomás. En posición implosiva, la articulación de [l] aparece muy relajada, muy semejante, por timbre y articulación, a la de [r], lo que hace posible que en ciertas zonas de las hablas hispánicas se confundan ambas articulaciones, v. 2.5.12.3. En articulaciones tipo [muhę́l] (*mujer*) o [bǫ́rsa] (*bolsa*) "la parte de la lengua alcanza aún los alvéolos, pero sólo rozándolos ligeramente y sin formar con ellos el contacto completo; éste ha podido ser el punto de partida de los frecuentes casos de permutación entre *r* y *l*", según Navarro Tomás. Vid., además, el trabajo de A. Alonso y R. Lida, "Observaciones sobre *rr, r* y *l*", en *BDH,* VI, apéndice III, pp. 293-297. Las asimilaciones laterales han sido estudiadas por A. Alonso, *Estudios Lingüísticos. Temas Españoles,* pp. 295-298, y desde el punto de vista generativo, por James W. Harris, *Spanish Phonology,* 2.3. La articulación cacuminal de /l/ en Andalucía fue denunciada por M. Alvar, en *RFE,* XLII, 1958-1959, pp. 281-282, y A. Llorente, *RFE,* XLV, 1962, p. 239; actualmente contamos con el mapa resumen de estas articulaciones, *ALEA,* VI, 1711.

106. El problema de las líquidas o laterales, *r* y *r̄,* ha sido tratado desde la gramática generativa por James W. Harris, *Spanish Pho-*

2.5.11.2. [ɹ] *variante fricativa.* Suele aparecer en posición final ante pausa, aunque también puede encontrarse en posición intervocálica y en contacto con las consonantes que no sean [l], [n], [s][107]:

[kaņtáɹ] (cantar), [apareθéɹ] (aparecer)

---

nology, 2.6. Un curioso trabajo de M. Monnot y M. Freeman, "A Comparison of Spanish Single-Tap /r/ with American /t/ and /d/ in post-stress Intervocalic Position", en *Papers in Linguistics and Phonetics to the Memory of Pierre Delattre,* La Haya-París, Mouton, 1972, pp. 409-416, plantea cómo, desde el análisis experimental, sólo se pueden encontrar diferencias menores entre [r] española y la típica [r] americana en la posición indicada.

107. "La pronunciación familiar, aun entre personas ilustradas, presenta una constante a la relajación de la *r,* cualquiera que sea su posición en la palabra; esta relajación convierte a la *r* vibrante en *r* fricativa" (T. Navarro Tomás, *Pron,* 114). Este caso es un excelente ejemplo de conmutación libre en español, vid. E. Alarcos, *Fonología,* 101, y también *Esbozo,* p. 24 y 1.3.1c. Hay zonas del español con gran tendencia a hacer muy fricativa esta articulación, como Madrid y todo el campo que le rodea, incluso entre hablantes cultos, según A. Quilis, en *Phon,* XII, 1965, p. 25; y también sucede lo mismo en Bogotá, de acuerdo con los datos de L. Flórez, *La pronunciación del español en Bogotá,* p. 200, quien registra esta tendencia en N. Méjico, Méjico, Puerto Rico, Santo Domingo, Chile y Argentina. La gran similitud articulatoria entre [ɹ] y [l] relajada es la causa de la abundancia de trueques que se producen en las hablas hispánicas, vid. n. 105 y 2.5.12.3; el carácter relajado de esta fricativa es el primer paso hacia su pérdida, muy frecuente en el infinitivo, incluso en tierras norteñas, como la Rioja Alta, vid. A. Llorente, en *ACILR,* X, p. 1987, y también en posición intervocálica, sobre todo en los verbos *haber, ser, querer,* ante los diptongos *ie, ue,* y también en los verbos *parecer* y *mirar,* vid. A. Zamora Vicente, *Dialectología,* p. 318. En el habla inculta del Chocó (Colombia), la realización [ɹ] se cambia por una articulación oscura, próxima a *d*: *dinedo* (*dinero*), según L. Flórez, *Thesaurus, BICC,* XVIII, 1963, p. 274 (v. 2.5.7.2.).

2.5.12. El fonema /r̄/

2.5.12.1. [r̄] *alveolar vibrante múltiple sonora.* Se encuentra en posición inicial, intervocálica y precedida de [n], [l] y [s][108]:

[r̄ǫ́ka] (roca), [kǫ́r̄o] (corro), [enr̄ḯke] (Enrique), [kǫn r̄ḯko ar̄ǫ́θ] (con rico arroz), [ẹl r̄ío ébro] (el río Ebro).

2.5.12.2. *Características generales de las vibrantes españolas.* Según S. Gili Gaya, *Elementos de fonética general*, Madrid, Gredos, 5.ª ed., 1966, pp. 149-151, en las vibrantes españolas hay que distinguir entre *simples* y *múltiples*, según el número de vibraciones; *alveolares* y *velares*, según el punto de articulación; y por último, la posibilidad de la introducción de fricativas y relajadas, en las que la lengua roza débilmente el punto de articulación, sin interrumpir la corriente espiratoria.

Generalmente [r], [r̄] y [ɹ] presentan en los palatogramas una articulación de carácter alveolar, aunque en estas articulaciones puede influir la naturaleza de las vocales vecinas (vid. Joseph A. Fernández, "La anticipación vocálica en español", en *RFE*, XLVI, 1963, pp. 439-440). Según el detenido estudio de

108. Vid. T. Navarro Tomás, *Pron*, 116, y las notas en *RFE*, IX, 1922, pp. 4-5; además, A. Alonso y R. Lida, "Observaciones sobre *rr, r* y *l*", en *BDH*, VI, apéndice III, pp. 293-298. Creo que E. Alarcos está en el camino cierto al negar el carácter doble de /r̄/ como /r + r/, en contra de Bowen, Stockwell y Fuenzalida, vid. *Fonología*, p. 163, n. 2. Hay excepciones notables a las reglas de distribución de /r/ en el español; en los casos de palabras formadas por prefijos terminados en *-b, -d* (*ad, ab, ob, sub*) no se producen los clásicos grupos *br, dr,* sino que la frontera silábica queda entre ambas consonantes, y aparece [r̄] como inicial de sílaba, con escasas excepciones, como *a|brupto;* lo mismo sucede en las palabras compuestas como *hazmerreír,* vid. la excelente descripción de estos problemas en S. Fernández, *Gramática,* p. 55; vid. 2.5.12.2. y ss.

S. Gili Gaya, "La *r* simple en la pronunciación española", en *RFE,* VIII, 1921, pp. 271-280, la realización [r] simple es siempre sonora, incluso en las realizaciones andaluzas perdidas no hay rastro de una fricación sorda; en algunos casos [r] puede adquirir dos vibraciones, e incluso convertirse en [r̄] (p. 274), con una tendencia muy marcada ante *l, n, s* (vid. R. Cerdá, "Algunas observaciones en torno a la definición de *r* española", en *BFE,* XXVI-XXVII, 1968, pp. 19-24).

La [r̄] múltiple suele tener de tres a cuatro vibraciones (en el 78 % de los casos examinados por T. Navarro Tomás, "Las vibraciones de la RR española", *RFE,* III, 1916, pp. 166-168), aunque en el número de vibraciones suele influir la proximidad del acento de intensidad; en los esdrújulos, tipo *tórrido,* suele tener tres vibraciones; en posición intervocálica es más alto el número de vibraciones que en posición inicial absoluta, mientras que en el conocido problema de la agrupación -sr-, se compensa la pérdida de [s] con el alargamiento de [r̄], que puede alcanzar cuatro o cinco vibraciones.

En las agrupaciones consonánticas en posición de ataque silábico */pr-, br-, tr-, dr-, kr-, gr-, fr-/* se desarrolla en la realización fonética una vocal parásita interna, que ya fue advertida por Lenz, Navarro Tomás, Gili Gaya, Amado Alonso y B. Malmberg, que puede aparecer también en posición final absoluta después de [-r] y ante pausa (vid. Samuel Gili Gaya, *RFE,* VIII, 1921, p. 274 y Germán de Granda, *La estructura silábica y su influencia en la evolución fonética del dominio ibero-románico, RFE,* anejo LXXXI, Madrid, CSIC, 1966, p. 136 y ss). A. Quilis, en su trabajo "El elemento esvarabático en los grupos [PR, BR, TR...]", *Phonétique et Linguistique Romanes, Mélanges offerts à M. Georges Straka,* Lyon-Estrasburgo, 1970, t. I, pp. 99-104, ha estudiado desde el punto de vista experimental este elemento parásito, que suele presentar una duración muy variable (entre 0,8 c.s. y 5,6 c.s., *loc. cit.* p. 100). Presenta una estructura en el espectrograma similar a la de la vocal siguiente; sigue en sus configuraciones de formantes a los de la vocal que forma el núcleo silábico, y en los casos de pleno desarrollo se trata de una vocal similar a la que constituye el núcleo silábico. El fenómeno es fácilmente perceptible, incluso ha sido utilizado para caracterizar el habla rústica de algún personaje novelesco; Pérez de Ayala, en *Tigre Juan,* presenta un campesino que dice: "A mí no se me encoge el ombligo por un *tiguere* homicida ni por la fiera corrupia" (*Obras Completas,* t. IV, p. 609). Vid. Ramón Menéndez Pidal, *Orígenes del español,* Madrid, 4.ª ed., 1956, pp. 195-198.

2.5.12.3. *La confusión* -r/-l *en las hablas hispánicas.* Es frecuente que en muchas hablas hispánicas *-r/-l* no se opongan en posición implosiva: [tolpe] (torpe) y [farta] (falta). Amado Alonso y Raimundo Lida estudiaron profundamente este fenómeno en su trabajo "Geografía fonética: -L y -R implosivas en español", *RFH,* VII, 1945, pp. 313-345 (reimpreso en *Estudios Lingüísticos. Temas hispanoamericanos,* Madrid, Gredos, 2.ª ed., 1961, pp. 213-267). Conocemos hoy, gracias a ese minucioso trabajo, la distribución territorial de este curioso fenómeno, que abarca Aragón (Valle del Ebro), Navarra, Rioja, huerta de Murcia, Andalucía, zonas de Extremadura y territorio canario (vid. M. Alvar, *El español hablado en Tenerife, RFE,* anejo LXIX, Madrid, CSIC, 1959, pp. 37-39, y Diego Catalán, *PFLE,* t. I, pp. 242-243 y 262 y ss.).

En la posición final absoluta la neutralización puede ser estudiada en el mapa 20 del *ALPI, ayer;* tiene alguna extensión en la zona cercana al Ebro, en los límites de las provincias de Soria, Logroño y Zaragoza; bastante vitalidad en Murcia, y en las provincias andaluzas de Almería, Granada y Jaén, pero menos en Córdoba y prácticamente está ausente en Andalucía Occidental; también se registran casos en Cáceres y sur de Salamanca. Según el mapa resumen de *ALEA,* VI, 1.721, aparece conservada la distinción en el habla enfática de Jódar (Jaén), y en Carboneras (Almería) hay tendencia a conservar la oposición. La solución más frecuente y general es la pérdida de la consonante final. En Huelva, norte de Córdoba y en toda la zona oriental abunda la solución [l] más o menos tensa, siendo menos frecuentes las soluciones [r] y [ɹ]; también muy raramente el resultado de la neutralización puede ser una aspirada faríngea [h]. Como en otros fenómenos fonéticos, es posible encontrar diversas soluciones en la misma localidad; vid. *ALEA*, VI, 1.722.

La situación en posición interior de palabra o en combinación de grupo por fonética sintáctica es un poco diferente. En el mapa 17 del *ALPI*, *árboles*, se registra la neutralización bastante general en Andalucía y Murcia; aparecen algunos casos en Toledo, Ciudad Real y Badajoz. Al norte se encuentran casos muy aislados en Ávila y Valladolid, además de la conocida zona entre Soria y Zaragoza. La situación andaluza está resumida en los mapas 1.719-20, *ALEA*, VI: la realización [ɹ] como resultado de la neutralización es la más frecuente; [r] tiene alguna vitalidad en el norte de Huelva, serranía de Córdoba y norte de Jaén, y una fuerte intensidad en el sur de la provincia de Córdoba y en la de Málaga; la solución [l], más o menos tensa, está distribuida por todo el territorio andaluz, pero con bastante más intensidad en la zona oriental. Son muy escasas las soluciones fonéticas [h], [i̯] o [l] cacuminal.

Un caso especial es el que forman la combinación de segmentos *-r* + *l*, que proceden de la *-r* final del infinitivo más *l-* del pronombre enclítico. El mapa 62 del *ALPI*, *decirlo*, da como solución más generalizada [deθílo] en Aragón, Logroño, parte de Soria; esta misma solución predomina en Badajoz, Cáceres, Salamanca, Santander y Ciudad Real, en el centro peninsular se encuentran soluciones tipo [ɹl] o [rl], y Murcia se inclina claramente por la solución [ll]. En Andalucía (vid. *ALEA*, VI, 1.723-24), en muchas localidades se dan varias soluciones; la reduplicación de [l] semisonora, más o menos tensa, es la solución más extendida en Andalucía occidental, norte de Granada y en casi toda la provincia de Almería. La solución [l] aparece con vitalidad en Huelva, zonas de Sevilla, Cádiz y costa de Málaga, pero alcanza fuerte densidad en Jaén, sur de la provincia de Córdoba y centro y sur de la provincia de Granada, donde es la solución más frecuente. Aparecen escasísimas combinaciones de la aspiración débil + [l] o vibrante débil + [l], además de [y] o [ŷ].

En América se encuentra la neutralización *-r/-l* implosiva y final absoluta en Santo Domingo, Puerto Rico, Panamá, costa colombiana y del Ecuador, zona central de Chile, y en el habla vulgar de Venezuela (vid. D. L. Canfield, *La pronunciación del español en América,* mapa VI). En Cuba la neutralización en posición interior de palabra se encuentra sólo en zonas muy rurales (vid. *ALM,* V, 1965, p. 186), y sólo aparece en posición final (*loc. cit.*, p. 189).

Amado Alonso y Raimundo Lida creían que la confusión *-r/-l* era de fecha reciente, tal vez de mediados del siglo XVIII, pero las investigaciones de R. Lapesa, "El andaluz y el español de América", *PFLE,* t. II, pp. 180-181, demuestran sin lugar a dudas, aparte de los precedentes mozárabes en textos madrileños y toledanos de los siglos XII y XIII, que aparece en textos andaluces desde finales del siglo XIV. Este fenómeno pasó a América muy pronto, Lapesa registra *ervañil* (albañil) en 1511, en Puerto Rico (*loc. cit.*, p. 181). En la altiplanicie mejicana es hoy fenómeno desconocido, pero el famoso manuscrito antológico *Flores de varia poesía* (Biblioteca Nacional de Madrid), copiado en Méjico (1577), transcribe *albol* (árbol). Tanto en Andalucía como en Nuevo Méjico y en Panamá, *-l/-r* pueden ser sustituidos por una aspiración (vid. S. L. Robe, "-L y -R implosivas en el español de Panamá", en *NRFH,* II, 1948, pág. 272). En Santo Domingo, Puerto Rico, y zonas del Ecuador y Colombia, al igual que en Canarias, y un poco en Andalucía puede producirse la vocalización de *-l/-r;* en Cuba carece de existencia regular desde fines del siglo XIX, y en Puerto Rico no aparecía en 1927 (vid. H. López Morales, "El supuesto 'africanismo' del español de Cuba", *AO,* XIV, 1964, p. 209 y *ALM,* V, 1965, p. 186). En el judeoespañol de Marruecos se registra el cambio *r-l* > *l-l*: *bur-la* > *bul-la,* mientras que en el de Bucarest la confusión *-r/-l* es muy rara (vid. Marius Sala, *Phonétique et phonologie du judéo-espagnol de Bucarest,* La Haya-París, Mouton, 1971, p. 71). Un fenómeno muy frecuente (Andalucía, Panamá, Nuevo Méjico y Venezuela) es la pérdida de la *-r* en los infinitivos verbales (vid. J. Mondéjar, *El verbo andaluz. Formas y estructuras, RFE,* anejo XC, Madrid, 1970, pp. 49-52 y 144-145). En algunas zonas, en pronunciación descuidada, suele caer la -r- intervocálica: [para] > [pa], [pareθe] > [paeθe], incluso [paiθe] (vid. T. Navarro, *Pronunciación,* 115, y Berta E. Vidal de Battini, *BDH,* t. VII, p. 46).

En el sur de la provincia de Córdoba y en la zona sudeste de Sevilla se produce la igualación *l/r* en posición intervocálica: *vara/vala, angariya/angaliya* (vid. A. Llorente, *RFE,* XLV, 1962, p. 240). También se han registrado casos aislados [seléƀro] (*cerebro*) en el español de Cuba (vid. H. López Morales, *ALM,* V, 1965, p. 185); esta solución no es rara en bocas extremeñas.

Además pueden producirse cambios *l* > *r* en los grupos *pl, bl, fl, kl, gl*; conocemos gracias al mapa 25 del *ALPI, blanco,* la distribución geográfica de las formas *br;* se encuentran muy al norte en la zona occidental de Oviedo, cubren con intensidad la zona fronteriza con Portugal en León, Zamora, Salamanca y Cáceres (este cambio es característico del leonés, vid. la bibliografía recogida sobre este tema en *Fil,* II, 1950, pp. 144-145); y son más frecuentes en Andalucía oriental que en la occidental, el *ALPI* registra un solo caso en la provincia de Huelva. El mapa de *ALEA,* VI, 1.712, resume los datos para Andalucía de este cambio; aparece con carácter sistemático en la localidad malagueña de Antequera, y también en varios pueblos de Granada. Dispersos por la geografía andaluza quedan restos de lexicalizaciones limitadas a los grupos *kl* y *bl*. El cambio *kr* > *kl* en la palabra *crin* es general en toda la Península, excepto en algunos puntos occidentales de Salamanca, Zamora y León, vid. *ALPI,* n.º 53.

2.5.12.4. *La asibilación y el rehilamiento de las vibrantes.* T. Navarro Tomás, *Pronunciación,* 112 y ss., advierte que en algún caso se pueden producir fenómenos de asibilación (desarrollo de un elemento fricativo tras oclusiva), "más o menos desarrollada, de la *r* interior de sílaba en formas como *tropa, ministro, apretar, escribir...*". El tipo de *r* que se utiliza como base para esta articulación es la realización fricativa [ɹ]. La *r* que sigue a *p, t, k,* además de asibilarse, puede ensordecerse en parte. La fricación de la [ɹ] puede contaminarse de [z] o [s], e incluso presentar diversos matices palatales [ž] o [š] [*Pronunciación,* 115]. El fenómeno de la asibilación ha sido cuidadosamente estudiado por A. Alonso, "El grupo *tr* en España y América", *HMP,* t. II, 1925, pp. 167-191, y "La pronunciación de RR y TR en España y América", *Estudios Lingüísticos. Temas Hispanoamericanos,* Madrid, Gredos, 2.ª ed., 1961, pp. 122-158. En España (Navarra, Rioja, Aragón), *tr* tiene dos matices, que dependen de la cultura del hablante; un primer sonido, que A. Alonso ha denominado *semiculto,* ápicoalveolar semiexplosivo; y otro *rústico*: apical, alveolar o prepalatal africado. El fenómeno es complejo y supone, de acuerdo con el ilustre filólogo: (1) la *r* fuerte se asibila, con reducción de sonoridad; (2) *r-* simple agrupada sufre también una reducción de sonoridad; (3) las oclusivas sordas ante un elemento consonántico (*l, r*) ensordecen su explosión; (4) la *r-* agrupada, de sonoridad reducida, se contamina de esta naturaleza articulatoria, y (5) las oclusivas *t, d, k,* se dejan atraer más o menos al punto de articulación de la *r,* por la propensión dialectal a formar la *r* durante la articulación anterior ("La pronunciación...", p. 157); para Amado Alonso la clave del problema residía en el grupo -str-, cuyas asimilaciones ya fueron frecuentes a lo largo de la historia de la lengua. Para la explicación de reajustes silábicos con estos procesos, vid. Bertil Malmberg, "Los grupos de consonantes en español", en *Estudios de Fonética Hispánica,* Madrid, CSIC, 1965, pp. 34-39.

En América este fenómeno presenta una gran extensión (vid. Daniel N. Cárdenas, "The Geographic Distribution of the Assibilated *r, rr* in Spanish America", *Orbis,* VII, 1958, pp.

407-414): California, Nuevo Méjico, Puerto Rico, Guatemala, Cuba, Costa Rica, Bolivia, Ecuador, Paraguay, Colombia y Perú, excepto Santo Domingo y Venezuela. En Argentina se distingue una zona de pronunciación de *rr* múltiple, Buenos Aires y su zona de influencia, y el resto del territorio del interior que posee una variante fuertemente rehilada; en la franja fronteriza con Chile coexisten ambas realizaciones fonéticas, vid. Berta Elena Vidal de Battini, *BDH*, t. VII, pp. 45-46; sobre la exacta distribución del fenómeno en Argentina, existe un trabajo de la misma autora, "Extensión de la RR múltiple en Argentina", *Fil,* III, 1955, pp. 181-184, especialmente mapa de la p. 184. Para la situación de /r̄/ > [ž] en Corrientes, vid. Adriana Gandolfo, "Spanish, *ll*, *y* and *rr* in Buenos Aires y Corrientes", *Proceedings of the Ninth International Congress of Linguists,* Londres-La Haya-París, Mouton, 1964, pp. 212-215. En algunas zonas de Hispanoamérica, como Méjico, es fenómeno muy reciente y muy reducido a las hablas femeninas (vid. J. M. Lope Blanch, *BICC,* XXII, 1967, p. 15), lo que confirmaría la tesis de D. L. Canfield, *La pronunciación del español en América,* Bogotá, 1962, p. 88; vid. para la extensión, mapa VII; A. Quilis y R. Carril han investigado experimentalmente la asibilación en América (*RFE,* LIV, 1971, pp. 271-316); sobre Ciudad de Méjico, vid. G. Perisinotto, en *NRFH,* XXI, 1972, pp. 71-79.

2.5.12.5. *La consonante* -ɾ *final en el español de Méjico.* Algunos investigadores (Espinosa, Matluck, Malmberg) advirtieron una pronunciación de [-ɾ] final mejicana como [-r̄] con cuatro o cinco vibraciones. B. Malmberg, "Tradición hispánica e influencia indígena en la fonética hispanoamericana", *Estudios de Fonética Hispánica,* Madrid, CSIC, 1965, pp. 99-126, apuntó la posibilidad de que esta pronunciación se derivara de un hecho de sustrato nahua, hipótesis que ha sido desterrada por las observaciones de J. M. Lope Blanch, "La *-r* final del español mexicano y el sustrato nahua", *Thesaurus, BICC,* XXII, 1967, pp. 1-20. Lope Blanch sólo encuentra esta [-r̄] en tres informantes, de un total de doce (con una proporción total del 12%, frente al 13% de las variantes asibiladas, y al 75% de [-r] simple, vibrante o fricativa, sonora o ensordecida). Es imposible este influjo, además, porque en náhuatl no existen ni /r/ ni /r̄/. Unas proporciones similares ha encontrado M. Alvar, "Polimorfismo y otros aspectos fonéticos en el habla de Santo Tomás Ajusco" (*ALM*, VI, 1966-1967, pp. 29-30).

2.5.12.6. *La velarización de /r̄/.* En Puerto Rico existen varias variantes del fonema /r̄/: *alveolar, mixta* (alveolo-velar) y *velar* (vid. T. Navarro Tomás, *El español en Puerto Rico. Contribución a la geografía lingüística hispanoamericana,* Río Piedras, 1948, p. 88 y ss). De acuerdo con las investigaciones de Germán de Granada, "La velarización de la RR en el español de Puerto Rico", *RFE,* XLIX, 1966, pp. 181-277, parece que las variantes de tipo alveolar y mixta quedan reservadas al habla culta, frente a la realización velar sorda fricativa, que avanza cada vez más (*loc. cit.,* pp. 186-187). La articulación de la [r̄] puede llegar a convertirse en una aspiración; la primera vibración de [r̄] es, en Puerto Rico, una aspirada sorda, como en zonas de Venezuela y de Colombia. Este fenómeno se ha intentado explicar por influjo taíno y negroide, aunque Granda cree que se trata de un reajuste estructural producido en unas determinadas circunstancias socioculturales. Joseph H. Matluck ("Fonemas finales en el consonantismo puertorriqueño", *NRFH,* XV, 1961, *Homenaje a Alfonso Reyes,* p. 335) registra equivalencias [r̄] = [x], como [éh‿uŋ‿áxo] (es un ajo) y [éh‿uŋ háxo] (es un jarro). J. L. Dillard, *NRFH,* XVI, 1962 p. 423, apunta, con algunas rectificaciones al artículo anterior, que la *r-* inicial tiene una pronunciación similar a la *h* inglesa. El fenómeno se encuentra también en Cuba, Santo Domingo, costas de Colombia y de Venezuela (vid. D. L. Canfield, *La pronunciación del español en América,* p. 91 y mapa VIII; v. nota 109).

2.5.12.7. *Algunas zonas de inexistencia de la oposición /r/:/r̄/.* Como ha estudiado G. de Granda, "La desfonologización de /r/-/r̄/ en el dominio lingüístico hispánico", *Thesaurus, BICC*, XXIV, 1969, pp. 1-11, existen tres zonas geográficas, aisladas entre sí, en las que no se mantiene esta oposición: (a) hablas judeoespañolas de los Balcanes y de Turquía; (b) dialectos de la zona antillana, y (c) habla "criolla" de base hispánica de las Filipinas. El resultado de esta confluencia suele ser /r/ simple, aunque en algunas zonas es /l/. Granda piensa que las causas de la inexistencia de esta oposición pueden ser de dos tipos: *internas* (escaso rendimiento de la oposición /r/-/r̄/ y su dificultad de integración en el sistema), y *socioculturales* (condiciones especiales de estas zonas y existencia de sistemas lingüísticos en contacto). Las causas de tipo estructural son suficientes para explicar que en determinadas zonas de Hispanoamérica (Ecuador y Valle de Méjico) y en Madrid (vid. A. Quilis, *Phonetica,* XIV, 1966, p. 23) aparezca una tendencia a debilitar esta oposición cuantitativa, vid. Granda, *loc. cit.*, pp. 10-11 [109].

2.5.13. El fonema /ĉ/

2.5.13.1. [ĉ] *palatal africada sorda.* Puede aparecer en posición inicial, intervocálica y en contacto con consonante [110]:

[ĉíno] (chino), [bi̯θkóĉo] (bizcocho), [kón̯ĉa] (Concha).

109. Para la pérdida de la oposición *r/r̄* en el judeoespañol de Sarajevo, Monastir, Rustšuk, Sofía, Vidine y Bucarest, vid. I. S. Révah, en *ACILR,* X, p. 1.368. En contra de Germán de Granda, H. López Morales, en *RFE,* LIV, 1971, p. 324, notó que en Puerto Rico nunca se neutraliza la oposición *r/r̄*.

110. Sobre la descripción articulatoria, vid. T. Navarro Tomás, *Pron,* 118; [ĉ] se diferencia de [ŷ] por ocupar una zona más estrecha del paladar; aunque ambas se forman con el predorso, [ŷ] es un poco más interior y la fricación resultante es más suave que la de [ĉ]; para el análisis detenido de estas diferencias, vid. T. Navarro Tomás, *Pron,* 119, y Salvador Fernández, *Gramática,* 12. En cuanto a su distribución, A. Alonso había advertido que no se utiliza más que en principio de sílaba, vid. *Estudios Lingüísticos. Temas Españoles,* p. 239, n. 1; una

distribución precisa se encuentra en el *Esbozo* académico, p. 23, pero Emma Gregores y Jorge Alberto Suárez en su excelente adaptación del libro de Hockett, *Curso de Lingüística Moderna,* Buenos Aires, 1971, p. 29, admiten la existencia en posición final de palabra en caso de apellidos eslavos como *Mihanovich,* de origen alemán como *Rauch* o en los catalanes como *Poch* o *Lusich,* con evidente influjo visual. Confieso que me resisto a admitir estos casos, pues evidentemente no corresponden a la estructura fonológica del castellano.

Las primeras notas experimentales sobre la duración de [ĉ] se deben a T. Navarro Tomás, en *RFE,* V, 1918, pp. 376-377, quien observó que en posición inicial absoluta sólo era perceptible la parte fricativa, cuya cantidad oscilaba entre 3 c. s. y 4 c. s.; en interior de grupo, se podían distinguir claramente los dos elementos, y en la pronunciación del investigador el elemento fricativo venía a ser de un tercio de la cantidad total, pero notaba Navarro Tomás que esta "proporción varía en la pronunciación de otras personas, siendo la causa principal, entre otras circunstancias, de las muchas diferencias que la ĉ presenta en nuestra lengua"; anotaba también la relación de la cantidad consonántica con el acento de intensidad, y opinaba que la pronunciación enfática tiende a realzar el elemento oclusivo, mientras que en la articulación relajada se favorece la duración de la fricación. Según los experimentos de S. Gili Gaya, "Observaciones sobre la ĉ", en *RFE,* X, 1923, pp. 179-182, el elemento fricativo oscila en su duración entre un tercio y la mitad de la consonante, vid. p. 181. En un trabajo titulado "La nature des consonnes mi-occlusives mise en lumière au moyen des procédés expérimentaux modernes", en *ACILR,* X, pp. 887-899, el investigador checo Bohuslav Hála ha demostrado que la debilitación de la oclusión no se efectúa de una manera súbita, sino paso a paso, de una manera casi imperceptible, y ha notado la existencia al fin del elemento fricativo de una nueva explosión. Los datos de Navarro Tomás y Gili Gaya han sido confirmados posteriormente por A. Quilis, "Datos para el estudio de las africadas españolas", en *Mélanges de Linguistique et de Philologie Romanes offerts à Monseigneur Pierre Gardette,* Estrasburgo, 1966, pp. 403-412; según estos datos, el sonido de la consonante [ĉ] peninsular presenta una duración del momento oclusivo altamente mayor (9,25 c. s.) que la del momento fricativo (7,36 c. s.), aunque también pueden encontrarse en las hablas hispánicas otros tipos de realización de esta consonante. En el Sur de la Península, ya lo había advertido Gili Gaya, puede desaparecer la oclusión, lo mismo que en ciertas zonas americanas (N. Méjico, Cuba y Santo Domingo), vid. A. Zamora, *Dialectología,* p. 413, y *BDH,* I, 105; en estos casos se cumple la posibilidad general dada por B. Hála, según la cual las africadas pasan a debilitarse y se convierten en fricativas, vid. *op. cit.,* p. 897. Gracias a los datos de *ALEA,* VI, 1709-1710, sabemos que en Andalucía puede llegar a presentar "infinitas realizaciones fonéticas", según ha escrito A. Llorente Maldonado de Guevara, "Fonética y fonología andaluzas", en *RFE,* XLV, 1962, p. 236. En esta zona aparecen desde articulaciones más tensas a las más relajadas, existen igualmente realizaciones momentáneas como de larga duración; por su punto articulatorio, se encuentran realizaciones interdentales, dentales y palatales. Con las informaciones del *ALEA* y su experiencia como encuestador, A. Llorente establece como área de la articulación fricativa adelantada sin labialización: la ciudad y la vega de Granada, S. de Sevilla, casi toda la costa de Cádiz, la zona occidental de Málaga y la costa de Almería que rodea a la capital, donde también se encuentra entre las clases populares. La zona de la articulación africada tensa, con diferentes grados de adelantamiento y de oclusión, cubre casi toda la provincia de Huelva, centro y S. de Sevilla, centro y N. de Málaga, casi todo Jaén, zonas de Granada y gran parte de Almería, excepto la zona ya citada anteriormente. Como ha advertido el mismo investigador, la presencia de *l* de tipo cacuminal produce variantes cacuminales de t, d y š (ch) en una pequeña franja que cruza el centro de la provincia malagueña en dirección norte-sur, *op. cit.,* p. 239. En ciertas zonas de Andalucía [ĉ] se articula como [š], pero sólo en el habla masculina y no en la femenina, vid. la descripción de M. Alvar, en *RFE,* XLIII, 1958-59, p. 279. A. Zamora, *Dialectología,* pp. 312-313, observa que los fenómenos de relajación en la tensión de [ĉ] > [š] hay que ponerlos en relación con el yeísmo y nota cómo este tipo de cambios, unidos al seseo y al ceceo, permite reducir el sistema, al crear una oposición entre [š] (fricativa prepalatal no labializada) y su correlato sonoro [ž], que procede del rehilamiento de [y]. La articulación murciana de [ĉ] es muy tensa y de gran mojamiento, pues alcanza los incisivos superiores, y resulta típica del *panocho,* vid. A. Zamora, *Dialectología,* p. 413 y n. 5.

La denominada [ĉ] *adherente* de Canarias y Puerto Rico, que también aparece en otras zonas americanas, está caracterizada por la extraordinaria duración de la oclusión, mientras que el momento fricativo queda reducido a una duración mínima, vid. M. Alvar, *El español hablado en Tenerife, RFE,* anejo LXIX, Madrid, 1959, pp. 39-40; M. Alvar y A. Quilis, "Datos acústicos y geográficos sobre la *CH* adherente de Canarias", en *AEAtl,* XII, 1966, pp. 337-343; M. Alvar, *Estudios Canarios,* I, Las Palmas, 1968, pp. 71-85, y *Niveles socio-culturales en el habla de Las Palmas de Gran Canaria,* Las Palmas, 1972, pp. 125-128. Sobre la situación actual de este problema en S. Juan de Puerto Rico, vid. A. Quilis y M. Vaquero, "Realizaciones de /ĉ/ en el área metropolitana de San Juan de Puerto Rico", en *RFE,* LVI, 1973 [1974], pp. 1-52.

2.5.14. El fonema /y/ *

2.5.14.1. [ŷ] *palatal africada sonora.* Se encuentra a veces en posición inicial después de pausa, y después de las consonantes *l* y *n*:

[ŷá é đîĉo ƀárjaz ƀéθes...] (Ya he dicho varias veces...), [kǫ̗n̪ŷuxe] (cónyuge).

2.5.14.2. [y] *palatal fricativa sonora.* Puede aparecer en posición inicial absoluta, en posición intervocálica y en contacto con cualquier consonante que no sea *n* o *l*:

[póyo] (poyo), [áyo] (ayo), [la yẹ́rƀa] (la hierba)

2.5.14.3. *El yeísmo.* Es frecuente que en determinadas zonas del español desaparezca la oposición /l̮/:/y/ y confluya en único fonema /y/, que adquiere diferentes variantes de realización: [y], [ŷ], [ž], [ẑ], incluso [ž̥] o [š]. Este fenómeno general se conoce con el nombre de *yeísmo* (un buen resumen del problema se encuentra en A. Zamora Vicente, *Dialectología Española,* Madrid, Gredos, 2.ª ed., 1967, pp. 74-83). El sonido [ž] es dorsopalatal fricativo sonoro, provisto de rehilamiento; [ẑ] es dorsopa-

---

En ciertas zonas americanas puede aparecer una [ĉ] de realización casi apical, vid. D. L. Canfield, *La pronunciación del español en América,* Bogotá, 1962, p. 92. En la zona de Yucatán, Canfield, *loc. cit.,* p. 94, advertía una articulación glotal típica de las consonantes oclusivas y africadas del maya; según M. Alvar, "Nuevas notas sobre el español de Yucatán", en *Ibero-romania,* I, 1969, p. 167, se trata de una articulación más palatal que la castellana, pero sin alargamiento fricativo.

* Para las realizaciones peninsulares y su distribución, vid. *ALPI,* mapas 20 y 21, *ayer, ayunar.* Las realizaciones diferentes de /y/ en Andalucía están estudiadas en *ALEA,* VI, 1704; El rehilamiento extremeño en A. Zamora Vicente, *Dialectología,* p. 334, y en *El habla de Mérida y sus cercanías, RFE,* anejo XXIX, Madrid, CSIC, 1943, pp. 24-25.

latal africada sonora, también rehilada; [ž̥] es variante ensordecida de [ž], y [š] es dorsopalatal sorda. El término *rehilamiento* fue introducido por A. Alonso (1925) para indicar el zumbido característico de estas consonantes en su punto de articulación, caracterizado articulatoriamente "por la fricción enérgica de una corriente de aire y la vibración de las mucosas situadas en el punto de articulación, con una vibración concomitante a la de las cuerdas vocales; para ello es necesario una articulación tensa o la actuación de los dientes o ambos factores y un aumento de la presión del aire espirado", según la definición de Gabriel G. Bès, "Examen del concepto de rehilamiento", *Thesaurus, BICC*, XIX, 1964, p. 29; vid. además, T. Navarro Tomás, "Rehilamiento", *RFE*, XXI, 1934, pp. 274-279.

2.5.14.4. *Fecha del yeísmo.* Tanto Amado Alonso como Navarro Tomás piensan que las variantes articulatorias de /y/ son anteriores a la época, en que, por ablandamiento del contacto dorsopalatal de [l̮], nació el yeísmo, frente a la opinión de G. L. Guitarte, *RFE*, XXXIX, 1955, p. 281 y ss., que cree que en primer lugar se produjo la igualación /l̮/ = /y/, y posteriormente nacieron las oposiciones /ĉ/:/ž/ y /ĉ/:/š/.

A. Alonso creía que era un fenómeno relativamente moderno: últimas décadas del siglo XVIII en el andaluz, y un siglo antes para el yeísmo americano (vid. *EDMP*, II, p. 76). Por el contrario, J. Corominas, "Para la fecha del yeísmo y del lleísmo", *NRFH*, VII, 1953, *Homenaje a Amado Alonso*, pp. 81-87, encuentra un brote de yeísmo en Aragón y zonas vecinas en los últimos años de la Edad Media, tendencia que no llegó a generalizarse. También Álvaro Galmés, "Lle-yeísmo y otras cuestiones fonéticas en un relato morisco del siglo XVII", *EDMP*, VII, pp. 273-307, encuentra en un texto morisco una constante confusión entre [l̮] e [y]. Datos que Rafael Lapesa, en su estudio "El andaluz y el español de América", *PFLE*, t. II, p. 178 y ss., relaciona con un chiste de Covarrubias (1611) y los testimonios aportados por Dámaso Alonso y Menéndez Pidal, para suponer una probable pronunciación mozárabe yeísta desde el siglo X para [l̮-] inicial, y segura ya desde el siglo XVI; y para la [-l̮-] desde comienzos del siglo XVII.

2.5.14.5. *Extensión del yeísmo peninsular.* La extensión del yeísmo en la Península nos es bastante conocida (A. Alonso y A. Rosenblat, *BDH,* t. I, pp. 195-198, y A. Alonso, *EDMP,* II, pp. 57-59). Tomás Navarro Tomás ha estudiado los mapas del *ALPI* referentes a las palabras *caballo, castillo* y *cuchillo* (vid. "Nuevos datos sobre el yeísmo en España", *Thesaurus, BICC,* XIX, 1964, pp. 1-19). Existe un territorio de conservación de [l̮], que comprende: Cataluña, Valencia, Aragón, Navarra, parte castellanizada de Vasconia, y las provincias de Burgos, Palencia, Valladolid, Zamora, Salamanca, Logroño, Soria, Segovia, Guadalajara y Cuenca (es necesario observar que se trata de encuestas rurales, y la situación en capitales de provincia puede ser completamente contraria). No siempre, advierte Navarro Tomás (p. 4), la articulación dorsopalatal lateral sonora está claramente definida, pues aparecen articulaciones de tensión débil y con un reducido contacto entre la lengua y el paladar, incluso —como sucede en la zona leonesa—, pueden darse articulaciones intermedias entre [y] y [l̮]. Hay una amplia zona de pleno yeísmo: Cádiz, Málaga, Granada, Jaén y Almería, con predominio de la variante dorsopalatal fricativa sonora [58 %]; pero además aparece una extensión bastante grande en la que existe una lucha entre [y] y [l̮] (provincias de Madrid, Toledo, Ciudad Real, Cáceres, Badajoz y Huelva), que Navarro Tomás califica de territorio de yeísmo inicial. Unas provincias españolas inician sus primeros pasos de "adhesión yeísta" (Ávila, Albacete, Murcia), frente a otras, que se mantienen en los últimos estadios de "fidelidad" a [l̮] (Sevilla, Córdoba). A través del *ALEA,* se han podido descubrir extensas zonas de Andalucía que distinguen perfectamente (Serranía de Ronda, Campo de Gibraltar y comarcas sevillanas del Guadalquivir), vid. Gregorio Salvador, "La fonética andaluza y su propagación social y geográfica", *PFLE,* t. II, pp. 184-185. Es necesario advertir que en el sector noroeste de la Península (Asturias y León) quedan variantes del antiguo yeísmo dialectal, que ofrecen una resistencia tanto a la [l̮] como al yeísmo moderno[111]. En la Península se pueden distinguir tres focos distintos de yeísmo, con carácter absolutamente independiente: antiguos, asturiano-leonés y catalán-balear; y el andaluz, que es relativamente moderno. En la comarca de La Ribera (Salamanca), A. Llorente, *RFE*, XLII, 1958-1959, p. 165, ha registrado algunos casos de antiyeísmo, del tipo [al̮ę́r], [l̮éso] y [l̮égwa] (por *ayer, yeso* y *yegua*).

2.5.14.6. *El yeísmo en Canarias.* En Canarias, ya notó M. Alvar, *El español hablado en Tenerife*, *RFE*, anejo LXIX, Madrid, CSIC, 1959, p. 40 y ss., que el yeísmo era fenómeno urbano; en Las Palmas, por ejemplo, Alvar reconoce no haber

111. R. Lapesa, *Historia de la lengua española*, Madrid, 7.ª ed., 1968, p. 374, cree que la situación expuesta por el ilustre fonetista representa con fidelidad el estado del problema en ambientes rústicos en los años treinta, pero desde entonces el fenómeno ha progresado notablemente, sobre todo en las generaciones jóvenes. Para la situación en Madrid, vid. *Phon*, XII, 1965, p. 23. En Andalucía, las áreas de yeísmo y de distinción fonológica /l̮/:/y/ aparecen estudiadas en *ALEA*, VI, mapa 1.703. Puede afirmarse que en Andalucía es general el yeísmo, aunque la oposición fonológica se mantenga en una veintena de puntos encuestados, con mucha mayor frecuencia de aparición en Andalucía Occidental, frente a la zona Oriental (J. 400, Gr. 200, Gr. 600, Al. 201); en Al. 300, Alcontar, ya sólo distinguen las mujeres viejas. Los enclaves andaluces de [l̮] aparecen reunidos por A. Llorente, en *RFE*, XLV, 1962, pp. 234-235, según los datos de M. Alvar, Las *encuestas del Atlas Lingüístico de Andalucía*, *PALA*, t. I, n.º 1, Granada, 1955, pp. 14-16 y mapa 4. Hay algunos casos de polimorfismo basado en la lexicalización, por ejemplo en Se. 600, La Puebla de Cazalla; en otros casos son las generaciones viejas las que mantienen la distinción, mientras las jóvenes la pierden, como sucede en Mairena (Granada); en Topares (Almería), distinguen los mayores de 45 años, mientras que los menores practican el polimorfismo. En casos muy concretos, los hombres no pronuncian nunca [l̮], vid. G. Salvador, *Orbis*, I, 1952, p. 22; mientras que en otros, son las mujeres, como sucede en Puebla de Don Fadrique (Granada), frente a los hombres que practican un yeísmo creciente, con restos de [l̮], vid. sobre este punto, M. Alvar, *Diferencias en el habla de Puebla de Don Fadrique (Granada)*, *PALA*, t. I, n.º 3, Granada, 1957, pp. 10-12.

encontrado ni una sola [l̥], vid. *Niveles socio-culturales en el habla de Gran Canarias,* Las Palmas de Gran Canaria, 1972, p. 124 y ss.; también advirtió que la [y] canaria tiene una articulación más estrecha que la castellana. Para Diego Catalán, *PFLE,* t. I, p. 243, es el neologismo más típico de las hablas ciudadanas, está poco extendido y debe ser fenómeno reciente (vid. *ZRPh,* LXXXII, 1966, p. 474). Frente a la opinión de Catalán, cree Alvar que se puede dar un fenómeno de polimorfismo, de existencia de diferentes variantes en un mismo sujeto (vid. *ZRPh,* LXXXII, 1966, p. 522 y ss.).

2.5.14.7. *El yeísmo en el judeoespañol.* El judeoespañol suele ser yeísta; en Marruecos, P. Bénichou no encuentra ni vestigios de [l̥] (vid. "Observaciones sobre el judeoespañol de Marruecos", *RFH,* VII, 1945, p. 213), con una tendencia generalizada a perderse la consonante intervocálica en las terminaciones *-illo, -illa, -illito, -illita*: *castío* (por *castillo*), *vía* (por *villa*), *anío* (por *anillo*); no es infrecuente esta pérdida ante *í* en los Balcanes, León, Nuevo Méjico, Méjico, Nicaragua, Ecuador y Argentina (vid. A. Alonso, *EDMP,* t. II, pp. 71-75). En el judeoespañol de Bucarest, el yeísmo es general, pero utiliza el sonido [i̯], [kavái̯u] (caballo), vid. M. Sala, *Phonétique et phonologie du judéo-espagnol de Bucarest,* La Haya-París, Mouton, 1971, páginas 156-157.

2.5.14.8. *Áreas del yeísmo en América.* La extensión del yeísmo americano se empezó a conocer gracias al resumen realizado por A. Alonso, "La *ll* y sus alteraciones en España y América", *EDMP,* II, 1950, p. 65 y ss. A pesar de la existencia de una amplia zona que distingue, es yeísta gran parte de la Argentina, Uruguay, gran parte de Chile, la provincia de Tarija en Bolivia, Lima, el litoral de Ecuador, zona de Antioquia y costa colombiana, Venezuela, Méjico, Nuevo Méjico y las Antillas; concluye A. Alonso con la creencia de que en América hay dos focos yeístas: el Río de la Plata y el Caribe. La configuración territorial de esta neutralización y la extensión de la realización fonética [ž] son dos de los criterios utilizados por J. P. Rona, "El problema de la división del español americano en zonas dialectales", *PFLE*, I, pp. 215-226, para la división y clasificación del español de América. Encuentra J. P. Rona cuatro tipos de zonas, partiendo del criterio de presencia o ausencia de estos dos rasgos: (a) zonas yeístas y žeístas, (b) zonas yeístas y no žeístas, (c) zonas no yeístas y žeístas, (d) zonas que carecen de ambos rasgos (p. 221). Estos mapas modifican el concepto que hasta entonces se tenía de la distribución geográfica de estos rasgos; según Rona, son yeístas: Méjico (excepto los estados de Chiapas, Tabasco, Yucatán y Quintana Roo), las Antillas, las costas de Venezuela y Colombia, la mitad oriental de Panamá, América Central, zonas costeras del Ecuador y del Perú, centro de Chile, las provincias "gauchescas" de la Argentina (Buenos Aires, Entre Ríos, Santa Fe, La Pampa, Río Negro y Chubut) y gran parte del Uruguay. Son zonas caracterizadas por una pronunciación žeísta: la mitad occidental del Panamá, los estados citados de Méjico, zona costera y serrana del Ecuador, gran parte del Paraguay, las provincias "gauchescas" de la Argentina y gran parte del Uruguay[112].

112. Vid. D. Lincoln Canfield, *La pronunciación del español en América,* mapa V; según este autor, *loc. cit.*, p. 86, el lleísmo se encuentra en la Cordillera Oriental de los Andes Colombianos; en las provincias de Loja, Azuay y Cañar en el Ecuador; en casi todo el Perú (menos Lima y el litoral); Bolivia, menos Tarija; el Paraguay; el norte y sur de Chile, y en una zona de la Argentina. El lleísmo en esta zona citada de Colombia aparece estudiado por L. Flórez, *Thesaurus, BICC,* XVIII, 1963, p. 271; para la zona colombiana de Nariño, vid. Hugo R. Albor, *Thesaurus, BICC,* XXVI, 1971, pp. 527-528. D. Ramón Menéndez Pidal, al examinar la extensión del yeísmo en América y observar su mayor arraigo en las zonas marítimas de mayor comercio, pensó en la necesidad de admitir un persistente influjo andaluz, vid. "Sevilla frente a Madrid. Algunas precisiones sobre el español de América", en *Estructuralismo e historia. Misc. Homenaje a André Martinet,* III, Universidad de La Laguna, 1962, p. 139. En el caso de Méjico, Menéndez Pidal nota que el yeísmo, junto con el tuteo, son neologismos urbanos, que fueron acogidos muy pronto por la capital,

Las zonas del žeísmo argentino fueron descritas por Tiscornia, *BDH*, III, pp. 39-42 y Berta Elena Vidal de Battini, *BDH*, VII, pp. 47-48, que encuentra su ausencia en San Luis, mientras que el mantenimiento de la distinción *ll/y* se hace en "sectores limitados y periféricos" (p. 48), con el caso especial de Corrientes, que mantiene [ḽ] y utiliza [ž] para /r̄/, vid. Adriana Gandolfo, "Spanish *ll, y* and *rr* in Buenos Aires y Corrientes", *Proceedings of the Ninth International Congress of Linguists*, Londres-La Haya-París, Mouton, 1964, pp. 212-215. Una gran polémica se desencadenó en 1949 cuando A. Zamora Vicente publicó su trabajo "Rehilamiento porteño", *Fil*, I, 1949, pp. 5-22, en el que observaba que el rehilamiento porteño era más débil de tensión y de zumbido que el de algunas regiones españolas, y apuntaba, en contra de todo lo expuesto hasta entonces, la existencia de tres tipos de variantes: [ž], [š] que le parecía el más numeroso, y que estaba unido a sectores de menos cultura y nivel social (p. 11), y un tercer tipo, basado en la mezcla de los dos sonidos citados. Concluía Zamora Vicente afirmando que "el rehilamiento porteño, parece, pues, que presenta una decidida inclinación a convertirse en una variante sorda". Malmberg pareció inclinarse por la tesis de Zamora, mientras que Amado Alonso, P. Boyd-Bowman, Corominas, Ana M.ª Barrenechea [113]

---

que los extendió ampliamente por el Virreinato, a lo que hay que añadir que la propagación sería ayudada por la ausencia de la articulación [ḽ] en las lenguas indígenas, vid. *loc. cit.*, p. 160.

113. Ana María Barrenechea, en su importante reseña al libro de B. Malmberg sobre el español de la Argentina, en *Fil*, III, 1951, pp. 139-144, cree que el fenómeno del ensordecimiento sólo ha adquirido difusión en "estos últimos años", *loc. cit.*, p. 143, aunque reconoce que la variante [š] está muy difundida en la actualidad, mientras hace unos años sólo aparecía esporádicamente, años en los que el habla vulgar se caracterizaba por un rehilamiento más intenso que el de las clases cultas. Piensa la autora que la variante sorda parece estar más extendida entre las mujeres que entre los hombres, y que cuando aparece de una manera constante, se da más en las generaciones jóvenes, pero no tiene la seguridad de que el progreso de esta variante parta de las hablas vulgares para extenderse a las hablas semicultas y cultas. En una

negaban la tesis expuesta por Zamora Vicente. G. L. Guitarte, "El ensordecimiento del žeísmo porteño. Fonética y fonología", *RFE*, XXXIX, 1955, pp. 261-283, realizó unas encuestas (de 150 sujetos, 77 se inclinaban por la variante [ž], 50 por [ž]/[ž̥], [š], y sólo 23 hablantes pronunciaban la variante plenamente sorda [š]). Llega Guitarte a la conclusión de que el ensordecimiento de [ž̥] es un fenómeno "ampliamente extendido que se muestra en la pronunciación débilmente sonora o semisorda de muchos hablantes, que utilizan a menudo variantes ensordecidas"; por los datos, le parece un fenómeno más extendido entre las mujeres que entre los hombres, y tendría su centro de expansión en la burguesía media. Existen, además, abundantes trabajos de B. Malmberg donde se estudia este problema o se hace referencia a él, vid. *Études sur la phonétique de l'espagnol parlé en Argentine, Études Romanes*, X, Lund, 1950, pp. 104-112; "La [ʒ] argentina", en *Estudios de Fonética Hispánica*, Madrid, CSIC, 1965, pp. 93-97; "Oclusión y fricación en el sistema consonántico español", en *Estudios*, pp. 51-65; "Tradición hispánica e influencia indígena en la fonética hispanoamericana", en *Estudios*, p. 109; sobre la antigüedad del fenómeno (h. 1780-1795), vid. María Beatriz Fontanella de Weinberg, "El rehilamiento bonaerense a fines del siglo XVIII", en *Thesaurus, BICC*, XXVIII, 1973, pp. 338-343.

Tanto para el caso de Corrientes como para la perfecta realización de [l̮] en el Paraguay, Malmberg ha sugerido la hipótesis de un excesivo conservadurismo del español de estas regiones,

---

encuesta realizada por la investigadora argentina en una escuela industrial de Barracas, zona fabril, los cuarenta alumnos de una clase poseían la realización sonora, mientras que en la Escuela Normal de Lenguas Vivas, "uno de los establecimientos de clase social más ilustrada", de veinte alumnas, siete poseían [ž]; cinco pronunciaban [š], y cinco alternaban, aunque con predominio marcado de [š]. C. WOLFF y E. GIMÉNEZ, en "El ž̥eísmo en Buenos Aires" (*Jornadas de Lingüística*, 1973), demuestran que el ensordecimiento es total en la generación más joven (vid. B. R. LAVANDERA, *Lang. Soc.*, II, 1974, p. 261).

pues el español, por razones sociolingüísticas, sólo se utiliza en la vida oficial, mientras que en la vida particular se habla guaraní (vid. "Notas sobre la fonética del español en el Paraguay", en *Phonétique Générale et Romane,* pp. 439-449). Sobre la realización [ŷ] en Paraguay, incluso entre vocales [máŷo], debe consultarse el libro de D. Lincoln Canfield, *La pronunciación del español en América,* pp. 94-95.

Desde 1910 se afirmaba que en Méjico sobrevivía un islote de [l̬] en la zona de Atotonilco el Grande, en el estado de Hidalgo, las investigaciones de P. Boyd-Bowman, "Sobre restos de lleísmo en México", *NRFH,* VI, 1952, pp. 69-74, demostraron que no existía en 1952 ninguna persona que tuviera la realización [l̬]. Posteriormente, J. M. Lope Blanch investigó las zonas de rehilamiento mejicano (vid. "Sobre el rehilamiento de *ll/y* en México", *ALM,* VI, 1966-1967). Parece que la zona en la que con más fuerza se produce el rehilamiento es en Oaxaca, mientras que en Puebla es más característico de gentes de edad avanzada. Para Oaxaca, vid. M. Alvar, "Algunas cuestiones fonéticas del español hablado en Oaxaca", *NRFH,* XVIII, 1965-1966, p. 360 y ss., y sobre el problema en general, los trabajos del mismo autor, "Polimorfismo y otros aspectos fonéticos en el habla de Santo Tomás Ajusco, México", *ALM,* VI, 1966-1967, pp. 18-21, y "Nuevas notas para el español de Yucatán", *Iberoromania,* I, 1969, pp .165-167. Parece que en Bogotá existe una tendencia bastante fuerte hacia la desaparición de [l̬], según las encuestas que resume J. J. Montes Giraldo, "¿Desaparece la LL en la pronunciación bogotana?", *Thesaurus, BICC,* XXIV, 1969, pp. 102-104. El mapa provisional del *ALEC,* publicado por L. Flórez, *Thesaurus, BICC,* 1963, p. 306, presenta la situación de [l̬] de tipo castellano en Colombia.

En el momento de la redacción de estas líneas, no me fue accesible el trabajo de Guillermo L. Guitarte, "Notas para la historia del yeísmo", en *Sprache und Geschichte. Festschrift für Harri Meier zum 65. Geburtstag,* Munich, 1971, pp. 179-198.

2.5.15. El fonema [ŋ̮]

2.5.15.1. [ŋ̮] *palatal nasal sonora.* Aparece en posición inicial de sílaba, en posición intervocálica:

[péŋ̮a] (peña), [kúŋ̮a] (cuña), [máŋ̮ĉa] (mancha), [kọŋ̮ĉa] (concha).

2.5.16. El fonema /l̮/

2.5.16.1. [l̮] *palatal lateral sonora.* Se encuentra en posición inicial de sílaba, tanto en posición inicial de palabra como en posición intervocálica, pero nunca en posición final. La consonante *l* en contacto con esta consonante palatal se asimila a esta realización fonética[114]:

[l̮áƀe] (llave), [kál̮e] (calle), [la l̮áma] (la llama), [ẹl̮ l̮aƀéro] (el llavero).

2.5.17. El fonema /k/

2.5.17.1. [k] *velar oclusiva sorda.* Aparece en posición inicial de sílaba, en posición final en ciertos grupos cultos *-ct-* (grafía) y en posición final de palabra en algunos préstamos léxicos[115]:

114. Para los casos de neutralización entre /l/ e /y/, y sus diferentes realizaciones fonéticas v. 2.5.14.3. En el habla rural y urbana inculta de Nariño (Colombia) se produce la palatalización de [l] seguida de semivocal [j]; el fenómeno ha sido observado por Hugo R. Albor, *Thesaurus, BICC,* XXVI, 1971, p. 528 en casos como [famíl̮a] (*familia*) y [kal̮éŋ̮te] (*caliente*).

115. De la serie de oclusivas sordas, [k] es la de mayor duración en la explosión, según los registros quimográficos estudiados por Gili Gaya, "Algunas observaciones sobre la explosión de las oclusivas sordas", en *RFE,* V, 1918, pp. 46-47, pero también es la que presenta menor ener-

[kemaθǫ́n] (quemazón), [ká̧lma] (calma), [kjéro] (quiero), [kwéŋka] (Cuenca), [kḭ́n̪θe] (quince), [koɲák] (coñac).

El grupo *kt* puede vacilar entre las realizaciones [dǫktǫ́ɪ], [dǫ^{k}tǫ́ɪ], [dǫgtóɪ], incluso aparecer en combinaciones como [dǫg^{k}tǫ́ɪ].

2.5.17.2. *Neutralizaciones de la oposición* /g/ : /k/. En posición de distensión silábica, ya sea [-k] final, como en contacto con las consonantes *t, n, θ* y *s* (en este último caso, v. 2.5.20), se produce una neutralización *k-g,* vid.

---

gía en el momento de la explosión. Desde el punto de vista de la sonoridad de la explosión, es la consonante sorda que presenta en algunos sujetos mayor cantidad de sordez. Frente a la implosión de [p] y [t] la de [k] es variable y no posee la misma uniformidad que la que caracteriza a las otras dos oclusivas castellanas, sobre todo detrás de vocal acentuada, como demostró NAVARRO TOMÁS, "Duración de las consonantes españolas", en *RFE,* V, 1918, p. 368. Las experiencias cinemarradiográficas realizadas por A. QUILIS, *Homenajes,* I, 1964, demuestran cómo se produce, por anticipación vocálica, una diferencia muy notable de lugar de articulación de [k] en función de la naturaleza articulatoria de la vocal en contacto (*loc. cit.,* figs. 7-10); en contacto con [a] (ej.: *acaba*) se abre más el ángulo maxilar que en los restantes contornos; también hay que observar la fuerte tendencia a la palatalización que aparece en casos como *aquí* o *quien*; en este mismo trabajo se analizan las características acústicas de este sonido.

En Andalucía, según los datos de *ALEA,* VI, mapa, 1.714, se produce la aspiración de [k] sobre todo ante yod [k^{h}já, k^{h}jé, k^{h}jó...], que cubre, fundamentalmente, las provincias de Sevilla, Málaga, Córdoba, el Oeste de Jaén y S. y O. de la provincia de Granada, con casos aislados en Huelva y Cádiz, con ausencia total del fenómeno en la provincia de Almería. La aspiración de [k-] ante [a] se produce en Albuñol (Granada) y en Arjonilla (Jaén), en esta misma localidad se registra también la aspiración ante [e]; ante [o] se produce en Pilas (Sevilla) y Jimena de la Frontera (Cádiz); ante [w] en Baena, núcleo de un intenso grupo de aspiraciones, y en Iznájar; toda [k] intervocálica se aspira en Cañete la Real (Málaga) y en el ya citado Baena. Para el problema de *k* herida por influjo maya, *vid.* M. ALVAR, en *Ibero-Romania,* I, 1969, p. 18.

A. Alonso, *Est. Ling. Temas Españoles,* Madrid, ed. Gredos, 1951, p. 300, que se manifiesta, como apunta Alarcos [*Fon,* 119], con diferentes grados de realización por preferencias individuales o sociales [k, g, ɡ], con tendencia al ensordecimiento mayor o menor; en ciertos casos también puede producirse un fenómeno de vocalización. Desde el punto de vista estadístico, estos casos son muy poco frecuentes en el español; de acuerdo con los datos de Navarro Tomás, *Fonología Española,* p. 22, el fonema /k/ posee una proporción con respecto a la totalidad de 4,23 %, proporción en la que la posición final sílaba sólo ocupa el 0,13 % (v. 3.3.1.2.).

En la combinación concreta [kt], la primera consonante se articula sin explosión perceptible, vid. Navarro Tomás [*Pron,* 126], por lo tanto resulta fricativa gran parte de su realización; para los datos experimentales con formas como *tacto, doctorado* (vid. *RFE,* V, 1918, p. 372), donde advierte Navarro Tomás que la articulación de [ɡ] se va cerrando gradualmente hasta convertirse en una breve [k], tal vez pasando por la articulación oclusiva [g]. Esta realización [-k] final es más marcada según sea el énfasis del hablante y, como nota el ilustre fonetista, sirve para aplicar el carácter oclusivo a toda la articulación. En la conversación normal, en determinados casos de énfasis, puede llegarse a la articulación [θt] en zonas de La Rioja, Salamanca, Valladolid, Zamora y Madrid, como ha señalado A. Llorente, "Algunas características del habla de La Rioja Alta", *ACILR,* XI, p. 1986; en el caso de la lengua madrileña es fenómeno más intenso en las nuevas generaciones, pues, a juicio de A. Quilis (*Phon,* XII, 1965, p. 23), las personas de setenta a ochenta años no lo poseen. Tanto en la Península como en Hispanoamérica hay una tendencia vulgar a la vocalización de [k] agrupada, como es casi general en todos los grupos consonánticos cultos, ya señalada por Navarro Tomás [*Pron*, 126, n. 1] y extensamente por A. Zamora, *ACILR*, X, pp. 1329-1331. L. Flórez, *La pronunciación del español en Bogotá,* Bogotá, 1951, p. 163, ha advertido que en Colombia *doutor* es el tratamiento más común, aunque también pueden aparecer formas como *dotor, dobtor, doptor* y *dortor*; sobre Cuba, vid. H. López Morales, *ALM*, V, 1965, p. 185. En los casos de [-k] final de palabra, en préstamos extranjeros como *coñac, vivac,* la lengua tiende a la realización [g] con mayor o menor ensordecimiento, incluso en casos de lenguaje descuidado es muy frecuente la reducción a cero.

Es importante señalar, a propósito de la neutralización *k*/*g* en posición de coda silábica, que esta misma neutralización puede suceder también en posición de ataque silábico, sobre todo en el comienzo de palabra. Ya R. L. Predmore, en un intento de modificar la ley fonológica enunciada por A. Alonso, había argüido que esta oposición puede desaparecer en zonas dialectales en casos como *carraspera-garraspera,* a los que ponía en contacto con formas como *piedra-piegra,* y con otros, a los que indudablemente hay que situar en los típicos de equivalencia acústica *b-g*: *bofetón-gofetón* (vid. "Notes on Spanish Consonant Phonemes", *HR*, XIV, 1946, pp. 169-172, para los ejemplos p. 171). A. Alonso replicó en su "Nota sobre una ley fonológica del español", *HR*, XV, 1947, pp. 306-307 (reimpreso en *Est. Ling. Temas españoles,* pp. 304-307), en donde intenta precisar el alcance de las observaciones anteriores; distingue la pronunciación de los hablantes dialectales de la de los que hablan español general, y observa que en cada hablante es vivo el sentimiento lingüístico de un fonema afianzado tradicionalmente en el habla respectiva: "Solamente en posición inicial —escribe A. Alonso—, hay cambios o trueques de consonantes (*cogote-gogote, bizque-guizque,* etc.); una se pone por otra; en final de sílaba no hay una consonante por otra, sino fonológicamente siempre una y la misma, por ejemplo *un paso, un chico, un río,* aunque la materia cambie según la articulación siguiente" (vid., *HR,* XV, 1947, p. 307). Me parece evidente que los hechos fonéticos denunciados por Predmore, como él observaba, son de carácter dialectal, y que evidentemente no alcanzan el nivel de generalización que caracteriza a la ley de A. Alonso, pero el descubrimiento de nuevos datos fonéticos nos obliga a rectificar, al menos en parte, las ideas de A. Alonso, pues se han descubierto casos de polimorfismo y de variantes intermedias que invalidan la creencia de nuestro eminente lingüista a propósito del sentimiento vivo en cada hablante de un fonema afianzado en el habla respectiva.

La extensión de este fenómeno en la Península es bastante grande, aunque existen sorprendentes diferencias de extensión e intensidad en palabras que se encuentran situadas en el mismo campo semántico. El mapa 57 del *ALPI, cuchara,* nos muestra cómo las formas [g]*uchara* cubren la zona oriental de la Península, desde Alloza (Teruel), una localidad de Castellón (Teresa de Begís), Tuéjar, en la provincia de Valencia, Dolores, al sur de Alicante, para entrar en una zona de mayor densidad en las provincias de Murcia (seis localidades), Almería (cinco) y dos en la provincia de Granada. Frente a las escasas formas de [g]*uchara,* el mapa 58 del *ALPI, cuchillo,* registra formas [g]*uchillo* con mayor intensidad y extensión que en el caso anterior; aparecen muy al norte de la provincia de Zaragoza, extendiéndose por las zonas fronterizas de Logroño y de Soria, además de Guadalajara, Cuenca, Ciudad Real y Albacete; sorprende su extraordinaria extensión en Valencia (ocho localidades), Almería, Murcia, Granada y Jaén, donde prácticamente cubre todos los puntos encuestados. En las provincias de Murcia y Almería los investigadores han encontrado un componente fricativo en la realización de la velar sonora. Hay que advertir la aparición de la forma [b]*uchillo* en tres localidades (provincias de Murcia, Guadalajara y Ciudad Real). El fenómeno es frecuente en América (vid. los datos recogidos por Tiscornia, *BDH*, III, p. 52). L. Flórez, *La pronunciación del español en Bogotá*, p. 161, denuncia casos del tipo *curvo* > *gurvio*, a los que añade los datos de Navarro Tomás sobre Puerto Rico y los de B. E. Vidal de Battini, *BDH*, VII, p. 53, aunque los datos citados por la investigadora argentina pertenecen al tipo *nk*→*ng*, como los que se producen en asturiano. El caso de *cocote-cogote*, aducido por Flórez, *op. cit.*, p. 159, creo que debe ser alejado definitivamente de este problema, pues es evidente que se trata de una alternancia que se produce desde los orígenes de la palabra (para más detalles, vid. *RFE*, VII, 1920, p. 386; *BDH*, I, pp. 161-162; Corominas, *AILC*, I, 1946, p. 137, y sobre todo *DCELC*, s. v. *cogote*; Malkiel, *HR*, XVI, 1948, p. 82, y Salvador, *RFE*, XLI, 1957, p. 215).

La forma ya citada *garraspera*, en unión de *gayao*, *guchara*, *guchillo*, cita G. Salvador, "El habla de Cúllar-Baza", *RFE*, XLI, 1957, p. 247, quien señala, además, las formas contrarias: *cangrena* y *carrucha*. Este investigador ha profundizado posteriormente este problema, "Neutralización de G-/K- en español", *ACILR*, XI, pp. 1739-1752, con el hallazgo de variantes intermedias [g^k] y [k^g] que dependen del mayor grado de sonorización y también presentan casos de polimorfismo. El fenómeno aparece con extraordinaria fuerza en la zona sur de Huelva y con menor vitalidad en la zona nordeste de Sevilla; esta neutralización puede aparecer en posición interior *al*[ǥ]*achofa* o intervocálica *pi*[g]*otazo* o *pi*[k^g]*otazo*; vid. *ALEA*, VI, 1.565. El examen de los mapas del *ALEA* indicados por Salvador proporciona sugestivos detalles. El mapa 562, *cuchillo de matar*, es muy útil para la comparación con respecto al 58 del *ALPI*. Aparece muy abundante la variante [g-] en las provincias de Almería, Granada y Jaén, mientras que en Córdoba sólo se registran dos casos y ninguno en Sevilla, Huelva, Cádiz y Málaga. Los casos de variantes intermedias, eliminadas en la confección definitiva del *ALPI*, se encuentran en Andalucía occidental (Huelva y Sevilla), con tres casos en Málaga, dos en Córdoba y Almería, y uno sólo en Granada. Más del 65 % de los casos son de realización [k^g], y mucho más raros son [g^k] y [k^g], este último con el segundo elemento fricativo. Es importante señalar la fuerte concentración de variantes intermedias en zonas que no registran la forma [g-]. La comparación de este mapa con el n.º 563, *instrumento para raspar la piel del cebón*, registra alguna diferencia (por ejemplo en el mapa 562, el punto Al. 405, Gafarillos, registra [k^g] para el cuchillo de matar y [k-] para el instrumento de raspar la piel del cebón, en el 563; lo mismo sucede en Ma. 101 y Ma. 102, Teba y Cañete la Real). En el caso del mapa 398 del *ALEA*, *culebra*, se alcanza una mayor regularidad en las formas con [k-], que llenan las provincias de Cádiz, Jaén y Almería; sólo existen dos formas con [g-] H. 600 y Gr. 407, pero son muy abundantes las formas intermedias [k^g] (90 %), en Córdoba, un enclave fronterizo entre Sevilla y Málaga, y una presencia muy intensa en la provincia de Granada (cinco localidades). El mapa 323 del *ALEA*, *alcachofa*, nos proporciona casos de neutralización en posición interior de palabra: existen dos casos de [g] Ca. 600 y Gr. 512, [ǥ] aparece sobre todo en el oeste de Huelva, y varios casos de variantes intermedias [g^k] y [k^g]. El fenómeno de la neutralización en posición inicial aparece también en Canarias, vid. M. Alvar, *Niveles socioculturales en el habla de Las Palmas de Gran Canaria,* 62.1. y mapa n.º 23; se encuentra una cierta tendencia en la isla de La Graciosa (*RFE,* XLVIII, 1965, p. 301), y en Yucatán (*Iberoromania,* I, 1969, p. 164, n. 23).

Para Salvador, el fenómeno de la neutralización en posición inicial es más occidental que oriental, él mismo ha encontrado polimorfismo en Andiñuela, en la Maragatería Alta (vid. *loc. cit.,* p. 1749); mientras que F. González Ollé, "La sonorización de las consonantes sordas iniciales en vascuence y en romance y la neutralización de K-/G- en español", *AO,* XXII, 1972, pp. 253-274, ha añadido abundante documentación en la zona oriental (p. 254); ambos investigadores han puesto estos datos en relación con las sonorizaciones en posición inicial aducidas por Menéndez Pidal, *Orígenes,* 59, 2-3. Para Salvador se trata de una neutralización de la oposición continua/interrupta, mientras que González Ollé intenta una ambiciosa explicación de tipo diacrónico poniendo en contacto este fenómeno con la sonorización típica del vascuence y suponiendo un área protorromance con sonorización en posición inicial, que posteriormente sufriría una regresión.

2.5.18. El fonema /g/

2.5.18.1. [g] *velar oclusiva sonora.* Se encuentra en posición inicial absoluta, y tras consonante de tipo nasal, que —a su vez— queda impregnada de velarización [ŋ] (v. 2.5.9.5.)[116]:

116. La descripción articulatoria y acústica de [g] se encuentra en el trabajo de A. Quilis, *Homenajes,* I, 1964, pp. 33-42. La aparición de alófonos oclusivos en otras posiciones en el español americano ha sido tratada en 2.5.2.2.; los trueques *b*-*g* en 2.5.2.3., y las neutralizaciones *g*/*k* en 2.5.17.2.

[ganáɹ] (ganar), [gisáɹ] (guisar), [léŋgwa] (lengua), [ko̧n̪téŋga] (contenga).

2.5.18.2. [ǥ] *velar fricativa sonora.* Esta realización tiene una distribución complementaria con respecto a la variante oclusiva; aparece en todos los casos que no sea consonante inicial absoluta o esté precedida de [n][117]:

[laǥúna] (laguna), [la ǥóma đe maskáɹ] (la goma de mascar).

2.5.19. El fonema /x/

2.5.19.1. [x] *velar fricativa sorda*: Aparece en posición inicial de sílaba, pero en posición final de palabra tiende a desaparecer o a sonar muy débilmente[118]:

[xeróna] (Gerona), [tȩ́xa] (teja), [karká̧ˣ] (carcaj), [r̄ȩló] (reloj).

117. La descripción articulatoria se encuentra en T. Navarro Tomás, *Pron,* 127; para el análisis experimental, vid. A. Quilis, *Homenajes,* I, 1964, pp. 33-42. Las realizaciones peninsulares de [-ǥ-] han sido analizadas por T. Navarro Tomás, "Geografía peninsular de la palabra *aguja*", en *RPh,* XVII, 1963-1964, *María Rosa Lida de Malkiel Memorial,* II parte, pp. 285-300.

118. En el habla madrileña puede adquirir un lugar de articulación más posterior, vid. A. Quilis, en *Phon,* XII, 1965, p. 22. En determinadas zonas del español se produce la sustitución de la realización [x] por una aspiración sorda o sonora. Este fenómeno coincide en La Ribera (Salamanca), Extremadura, Andalucía, parte de Asturias y Santander, y zonas de Hispanoamérica (Caribe, América Central, Colombia y Venezuela, según Canfield), con la conservación de [h-] procedente de *f-* latina. A. Llorente ha supuesto que el actual grado de aspiración en las hablas meridionales y occidentales no era un fenómeno regresivo, sino un grado intermedio de evolución hacia la fricativa "por el que pasó el castellano, y en el que han quedado estancados los dialectos que ofrecen la aspiración como una de sus más conocidas características", vid. *RFE,* XLII, 1958-1959, p. 159, y R. Lapesa, en *PFLE,* II, p. 181. Las diferentes realizaciones peninsulares y su extensión han sido estudiadas por T. Na-

2.5.19.2.1. *La aspiración procedente de* f- *inicial latina.* Se mantiene actualmente en su zona originaria [*Orígenes del español,* 41], en Santander, vid. L. Rodríguez-Castellano, *AO,* IV, 1954, pp. 435-457 y mapa p. 446.

---

varro Tomás, en *RPh,* XVII, 1963-1964, pp. 285-300. La distribución andaluza del fenómeno aparece en el mapa 1.716, *ALEA,* VI; es casi general la realización [h] aspirada faríngea sorda en las provincias de Huelva, Sevilla, Cádiz, Málaga, Córdoba y sur de Granada, en alternancia con la variante sonora, incluso en la misma localidad. En Jaén, norte de Granada y Almería es mucho más abundante la variante [x]; existen, además, realizaciones intermedias entre [x] y [h], con predominio de [x] en este mismo territorio, aunque también aparezca en dos puntos fronterizos de Córdoba en la provincia de Jaén (Venta del Charco y Cañete de las Torres). En Santa Olalla del Cala, al norte de la provincia de Huelva, coexiste esta realización con [h] y con el sonido intermedio entre [h] y [x], pero con predominio de la primera. En la zona de Ronda (Málaga) se ha registrado una variante [g̶]; en otros puntos de esta misma provincia, Yunquera y Riogordo, ha desaparecido el sonido en posición intervocálica, como también sucede en Colombia. Según las transcripciones del *ALEC,* la realización es una velar suave "que a veces llega a desaparecer totalmente": [la énte] (*la gente*), según los datos recogidos por J. J. Montes, en *Thesaurus, BICC,* XXI, 1966, pp. 341-342. En Canarias pueden aparecer variantes sordas y sonoras, vid. Diego Catalán, en *ZRPh,* LXXXII, 1966, pp. 475-476. La distribución social de las variantes en Las Palmas ha sido analizada por M. Alvar, *Niveles socio-culturales en el habla de Las Palmas de Gran Canaria,* Las Palmas, 1972, pp. 132-136. La distribución geográfica de las variantes en el español de América está resumida en el mapa III de la obra de D. L. Canfield, *La pronunciación del español en América,* Bogotá, 1962. En Oaxaca, Méjico, las mujeres encuestadas tuvieron [h] y los hombres [x], postpalatal ante *e, i,* uvular en los demás; en todos estos casos masculinos, el sonido [x] iba acompañado de una cierta vibración, vid. M. Alvar, en *NRFH,* XVIII, 1965-1966, pp. 368-369.

Los primeros datos del paso de [š] > [x] aparecen hacia 1560 en el *Manual de escribientes* de A. de Torquemada, vid. María Josefa Canellada, "Una nota para la historia de la fonética", en *Studia Hispanica in honorem R. Lapesa,* I, pp. 181-182. Hacia 1608 encuentra Galmés un indudable sonido [x] en un texto morisco, en *ACILR,* X, p. 529; vid. el ya clásico artículo de R. Spaulding, y B. Patt, "Data for the Chronology of 'theta' and 'jota'", en *HR,* XVI, 1948, pp. 50-60.

Para los límites norteños del fenómeno debe consultarse el trabajo del ya citado Rodríguez-Castellano, *La aspiración de la H en el Oriente de Asturias,* Oviedo, 1946, y D. Catalán y A. Galmés, "Un límite lingüístico", *RDTP,* II, 1946, pp. 196-239. Además de Santander y el oriente de Asturias, el fenómeno se extiende por el nordeste de León, ribera del Duero, Béjar, Ciudad Rodrigo, Cáceres, Toledo en su gran zona fronteriza con Cáceres, Badajoz, Córdoba, sur y oeste de Granada, Málaga, Cádiz y Huelva; la extensión territorial, desde Salamanca hasta Almería, fue estudiada por A. M. Espinosa (hijo) y L. Rodríguez-Castellano, "La aspiración de la *h* en el Sur y Oeste de España", *RFE,* XXIII, 1936, pp. 225-254 y 337-378. Sobre el dominio andaluz poseemos actualmente el precioso mapa 1.715 del *ALEA* en el que se señalan las peculiaridades de este fenómeno, que serán analizadas más adelante.

El uso rústico americano, advierte Lapesa (*PFLE,* II, p. 181), de la realización [h] procedente de *f-* latina es un arcaísmo, pues era la norma lingüística cortesana de Toledo en el siglo XVI, norma que fue sustituida por la reducción ϕ de tipo norteño que avanzó hacia los reinos de Jaén, Murcia y parte bastante extensa del de Granada (vid., además, *RFE,* XXIII, 1936, p. 374 y ss.). Donde se conservó [h] < f- latina, el resultado de los antiguos fonemas palatales /š/ y /ž/ > /x/ confluyó en [h], confusión que aparece ya en 1588 para Sevilla y que será característica de la lengua del hampa sevillana a principios del siglo XVII; vid., además, A. Llorente, *RFE,* XLII, 1958-1959, p. 159 y nota 118 de nuestro texto. La extensión americana del fenómeno de la aspiración procedente de *f-* latina ha sido señalada por A. Zamora, *Dialectología,* p. 413, y por D. L. Canfield, *La pronunciación del español en América,* p. 73; se extiende por Puerto Rico, Costa Rica, Nuevo Méjico, Méjico, Ecuador, Argentina y Chile. En Puerto Rico (T. Navarro Tomás, "The Old Aspirated *H* in Spain and in the Spanish of América", *Word,* V, 1949, pp. 166-169), se encuentra con mucha frecuencia la aspiración, pero, como ya advirtió para el norte de España Rodríguez-Castellano, no aparece con la misma frecuencia en todas las palabras: hay palabras como *halar, hartar, haragán* en las que es fenómeno general (100 %); *huir, hincar, hundir* (80 %); *hormiga, hierro* (61 %); *humo, hambre* (50 %); *hebilla, hacer, harina* (40 %); *horno, hablar* (22 %), no aparece lógicamente en *hijo* o en *hoja.* Estas diferencias de tratamiento según las palabras y las localidades han aparecido en tierras de Salamanca (vid. A. Llorente, "Importancia para la historia del español de la aspiración y otros rasgos fonéticos del salmantino occidental", *RFE,* XLIII, 1958-1959, p. 156 y ss.).

2.5.19.2.2. *Tipos de realizaciones fonéticas en la aspiración.* En Santander las variantes de realización no suelen hallarse en áreas perfectamente delimitadas, conviven con varios grados dentro de una misma localidad, condicionadas en muchos casos por la edad y por la cultura de los hablantes, ya que los jóvenes muestran una acusada tendencia a acercarse a la realización [x] del castellano moderno (vid. *AO,* IV, 1954, p. 449). No existen aspiraciones sonoras ni nasales, se trata de articulaciones postvelares y en ocasiones realizadas en la parte superior de la faringe; existe una articulación [x^h] intermedia entre la aspirada y una fricativa velar con gran abertura del canal articulatorio, como también sucede en el oriente de Asturias. La aspirada es sorda en tierras de Salamanca, aunque existen articulaciones sonoras en la ribera del Duero (vid. A. Llorente, *RFE,* XLII, 1958-1959, p. 156 y ss.); aparecen realizaciones aspiradas nasales en Cáceres, y en

Mérida es "fundamentalmente sonora", como ha indicado A. Zamora Vicente, *El habla de Mérida y sus cercanías,* Madrid, *RFE,* Anejo XXIX, 1943, 6.1., 6.2. y 20. "A *h-* ortográfica castellana, advierte el *ALEA* en su mapa 1.715, corresponden distintos sonidos aspirados y fricativos velares que van desde la fricativa sorda [x] hasta la aspiración relajada sonora, e incluso hasta la oclusión laríngea (ataque duro)". Las variantes aspiradas sordas o sonoras, tensas o relajadas, cubren la extensión andaluza ya citada anteriormente, v. 2.5.19.2.1., aunque es necesario advertir la presencia de aspiraciones, incluso de [x], en algunas palabras en las provincias de Almería por un fenómeno de lexicalización. En las capitales, Córdoba, Cádiz, Málaga y Granada, sólo aspiran las personas incultas. La alternancia entre la aspiración y la no aspiración se produce en puntos de Huelva, Cádiz, incluso en la capital, en el noroeste de Sevilla, al norte de Córdoba, en dos localidades de la provincia de Jaén, Noalejo y Alcalá la Real, casi en la frontera con Granada; ya dentro de esta provincia, en Orgiva, localidad muy cercana a las anteriores, además de en Monachil y en Montejícar. En muy escasos lugares se encuentra la alternancia entre la aspirada sorda y la fricativa velar sorda, con predominio del elemento aspirado [h^x], que aparece al norte de Huelva, en Castilblanco de los Arroyos, en la provincia de Sevilla, en Málaga capital, como típica de la gente inculta, en Baena (Córdoba), pero sólo ante vocales palatales, y en varias localidades del centro y sur de la provincia de Granada. La alternancia entre [h^x] y ø se encuentra en El Real de la Jara, provincia de Sevilla. Una oclusiva laríngea (ataque duro) aparece en El Padul, Granada, en alternancia con la aspiración. Para Canarias, vid. M. Alvar, *Estudios Canarios,* Las Palmas, 1968, pp. 87-90 y *Niveles socioculturales en el habla de Las Palmas,* 50.1, 53.1. y 62.2.

En América la tendencia es a la realización más suavc que la peninsular, y también puede presentar en zonas determinadas presencia de sonoridad.

2.5.19.2.3. *Velarización de* f- *ante* [w] *y vocales velares en la Península y en América.* En las hablas hispánicas, peninsulares y americanas, como ya se ha indivado, v. 2.5.4.2,. existe un proceso muy complejo de velarización de *f-* ante [w] y vocales velares, que algunas veces se cumple también ante *e, i,* proceso que consiste en una neutralización entre /f/ - /x/, y cuyo resultado fonético suele presentar un componente velar o labial. Ya Rodríguez-Castellano había advertido que este proceso aparecía en tierras norteñas de mantenimiento de *f-* latina, por lo que no puede ser relacionado genéticamente con el cambio *f-* > *h-* característico de los primeros tiempos del castellano; lo mismo había notado Mary Gay Doman citando zonas de Maragatería y Astorga. La articulación no es estable como la de [h], ni cubre los mismos campos léxicos, pues afecta a las palabras que en la lengua normativa se escriben o realizan con *f*. El examen del mapa 1.545 del *ALEA*, *fuente*, nos revela que la zona de mayor frecuencia en la solución aspirada parece ser el sur de la provincia de Córdoba, que contiene tantas realizaciones aspiradas como todo el occidente andaluz; muy próximamente le sigue la provincia de Granada, mientras que las de Cádiz y Almería son las de intensidad más débil, en esta última sólo aparece una realización bilabiodental fricativa sorda aspirada. La variante más frecuente en Andalucía es la sorda, 15 casos, seguida por la sonora, 7 casos. Se encuentran tambiën articulaciones intermedias, ya sea con predominio del elemento velar $[x^h]$ o de la aspiración $[h^x]$, además de la ya citada $[\varphi^h]$. En el caso de *fue*, el examen del mapa de fenómenos generales n.º 1.713 del *ALEA* nos indica como zona de las realizaciones aspiradas sordas el territorio central de Andalucía, Córdoba, Málaga y Granada, con la presencia de una única realización en Huelva y Sevilla. La realización aspirada sonora cubre este mismo territorio, aunque con bastante menos intensidad, y avanza en dos localidades de la provincia de Cádiz y se encuentra en Noalejo, provincia de Jaén. Las variantes [φ^h] y su correspondiente sonora cubren el territorio ya señalado, pero con mayor intensidad en la provincia de Granada, mientras que las realizaciones intermedias [h^x] y [x^h] son muy escasas, sólo siete puntos en toda la geografía andaluza. Un solo caso de [x] se ha registrado en una localidad al nordeste de la provincia de Jaén, Villarrodrigo.

La velarización de [fw] es muy frecuente en Méjico, incluso entre gente culta; ante *u,* alternan la pronunciación labiodental y la velar; en los estados mejicanos del sur es corriente la velarización ante cualquier vocal, y en Tabasco aparece un sonido fuertemente labializado. La velarización de [fw] en Guatemala es menos frecuente que la aparición de una realización mixta [φf]; aunque existe un fenómeno de lexicalización en ciertas palabras: *jogón, junción y dijunto.* Santo Domingo ha limitado la velarización a los pretéritos de *ser* e *ir.* En Puerto Rico, donde es abundante la aspiración de *f-,* con las limitaciones ya apuntadas, es muy rara la velarización y sólo afecta a [fw], mientras que en Venezuela es fenómeno de tipo normal. En Colombia es normal en todo el país la velarización de [fw] y en el habla vulgar el fenómeno se extiende a toda *f*: *feliz* > *jeliz,* según Flórez, *La pronunciación del español en Bogotá,* pp. 177-181; para las articulaciones claramente labializadas, vid. Flórez, *op. cit.,* pp. 182-183. El fenómeno de velarización es frecuente en Ecuador y en Perú; en Chile es frecuente la identificación de *f-* con la velar ante [w] y [u], con predominio, según Lenz, de la fricación bilabial o de la postpalatal. En la Argentina, lo normal en el habla popular es el cambio [fw] > [xw], mientras que en el habla culta se advierten, según Bertil Malmberg, diversos grados.

Como ha analizado Mary Gay Doman (*Thesaurus, BICC,* XXIV, 1969, pp. 441-442), los casos de velarización ante [w] se deben a una asimilación de la consonante a la vocal labiovelar siguiente; en los casos de formas como *ajirmar,* por la articulación misma de la consonante que ha adquirido un elemento aspirado o velar, que no tenía en la pronunciación corriente. La autora citada encuentra un estrecho paralelo en los cambios /b/ - /g/, /f/ - /x/, como ya había apuntado Amado Alonso, *BDH,* I, pp. 440-469, paralelismo mayor en América, por la gran abundancia de articulaciones [φ]; de aquí que "la menor correspondencia entre la alternancia /f/ - /x/ y la de /b/ - /g/ se encuentra en las regiones donde *f* es labiodental" (*BICC,* XXIV, pp. 446-447). R. J. Penny ha intentado una sugestiva explicación tanto para *f-* lat. > *h-* como para las cuestiones tratadas en este capítulo. Parte Penny de /φ/, que cubriría todo el N. peninsular (con alófonos complementarios [φ], [h], [hφ], y /f/ sería una "restauración" por influjo francés y provenzal, vid. "The re-emergence of /f/ as phoneme of Castilian", en *ZRPh,* LXXXVIII, 1972, pp. 463-482.

2.5.20. El grafema X

Históricamente [Navarro Tomás, *Pronunciación,* 129] la *X* equivale al grupo [ks], "pero su pronunciación sólo se ajusta al valor literal que este grupo representa en casos muy marcados de dicción culta y enfática". En la pronunciación normal, el grafema *X* tiende a pronunciarse como [s] ante consonante:

[esplikáɪ] (explicar), [estendéɪ] (extender)

En posición intervocálica puede realizarse como [gs], con un primer elemento muy débil, que puede llegar a ensordecerse en parte: [tágsi] (taxi), aunque también en la Península está muy extendida su realización como [s] [tási]. En las zonas de aspiración de *-s* (v. 2.5.8.10.1. y ss.), el grafema *X* ante consonante se realiza como una aspiración [119]. E. Alarcos observa que en los escasos vocablos cultos en que *X* aparece en posición inicial: *xilófono, xilógrafo, xenofobia,* en la pronunciación corriente desaparece el primer elemento del grupo *KS*, que fonéticamente se reduce a [s-] [120].

A. Rosenblat ha estudiado cuidadosamente la historia del problema y cómo se produjo en el siglo XIX una reacción académica en el *Prontuario ortográfico* de 1844, y posteriormente en la *Gramática* de la Real Academia de 1864, frente a *S*, que servía entonces para estas grafías: "Ya con mejor acuerdo ha creído [la Academia] que debe mantenerse el uso de la *X* en los casos dichos por tres razones: primera, por no apartarse, sin utilidad notable, de su etimología; segunda, por juzgar que so color de suavizar la pronunciación castellana de aquellas sílabas se desvirtúa y afemina; tercera, porque con dicha sustitución se confunden palabras de distinto significado, como los verbos *expiar* y *espiar*, que significan cosas muy diversas" [121].

119. Tomás NAVARRO TOMÁS, en *H*, XXXV, 1952, p. 330. Sobre todas las posibles realizaciones y transcripciones, Cf. *Cuestionario para el estudio coordinado de la norma lingüística culta. I. Fonética y fonología,* Madrid, PILEI-CSIC, 1973, 1.2.5.5.1. a 1.2.5.5.4.

120. Emilio ALARCOS, *Fonología,* 4.ª ed., p. 189, n. 6.

121. Ángel ROSENBLAT, "El fetichismo de la letra", en *Nuestra lengua en ambos mundos,* Barcelona, Salvat-Alianza, 1971, p. 51.

A pesar de los esfuerzos realizados por la Academia para restituir un elemento de tipo latinizante, la *s* ante consonante se siguió utilizando en la ortografía chilena hasta 1927[122], y en las obras del poeta español Juan Ramón Jiménez.

El triunfo de las pronunciaciones tipo [ks], como el de otros grupos de la lengua restituidos por presión académica y escrita, se produce en las minorías cultas por la importancia que en este tipo de personas tiene el carácter *visual* de los elementos lingüísticos[123].

Cree Rosenblat que en América tiene más prestigio la pronunciación de la *X*, que se intenta imponer escolarmente

122. Para el concepto que Bello tenía de la *X* como sonido en evolución, y, en general, para todos los problemas relacionados con la historia de la ortografía hispánica, vid. el excelente prólogo de Ángel ROSENBLAT a *Estudios gramaticales, Obras Completas de Andrés Bello,* t. V, Caracas, 1951, pp. IX-CXXXVIII.

123. Dwight L. BOLINGER, "Visual Morphemes", en *Lan,* XXII, 1946, pp. 333-340. Sobre este problema concreto en español, vid. Diego CATALÁN, en *RPh,* XVIII, 1964-1965, pp. 186-187.

En 1947 se desencadenó en la revista norteamericana *Hispania* una fuerte polémica acerca de la pronunciación de la *X* en español: Frances C. SCHULTE y Lorrine J. TORREZ, "Two Rules in Need of Revision: I X Before Another Consonant. II Syllabication", en *H,* XXX, 1947, pp. 209-210; Richard PREDMORE, "The Pronunciation of *X* Before Another Consonant", en *H,* XXXI, 1948, pp. 196-197. (Ya el mismo autor había publicado un trabajo en el que trataba parcialmente este problema, "Pronunciación de varias consonantes en el español de Guatemala", en *RFH,* VII, 1945, pp. 277 y ss.). Dwight L. BOLINGER, "That *X* Again", en *H,* XXXI, 1948, pp. 448-450; Richard L. PREDMORE, "One More Look at the Pronunciation of *X* Before a Consonant", en *H,* XXXII, 1949, pp. 344-345; Dwight L. BOLINGER, "Evidence on *X*", en *H,* XXXV, 1952, pp. 49-63, que consistía en enviar 219 cuestionarios a diez países para averiguar el tipo de pronunciación y la correspondiente norma social. Este trabajo, por su metodología, provocó una seria reacción por parte de T. NAVARRO TOMÁS, "La pronunciación de la *X* y la investigación fonética", en *H,* XXXV, 1952, pp. 330-331; Dwight L. BOLINGER, "The Pronunciation of X and Puristic Anti-Purism", en *H,* XXXV, 1952, pp. 442-444.

bajo la realización [ks]. Este grupo consonántico, como otros, se ve favorecido en determinadas zonas americanas por la existencia de las mismas combinaciones consonánticas en lenguas indígenas, sobre todo en las tierras altas de Méjico, Ecuador o Perú [124]. La confusión existe también en Colombia [Cuervo, *Apunt.* 848], donde aparece alguna vez la forma *eccena* (por *escena*) y grafías del tipo *expontáneo*, tipo de ortografía, incluso de pronunciación, que no es rara en el español peninsular [125]. En Argentina se produce un fenómeno de vocalización de la velar inicial agrupada en *i*, tipo *refleisión* (reflexión) [126]. También Pedro Henríquez Ureña encuentra que en Santo Domingo, "como en toda América", las combinaciones *-xce-*, *-xci-*, se pronuncian como [ks], frente a las realizaciones peninsulares, mientras que *x-* ante consonante se realiza como [s] [127].

124. Á. Rosenblat, *Nuestra lengua en ambos mundos,* p. 53.

125. R. Lenz, *El español en Chile, BDH,* VI, Buenos Aires, 1940, p. 150, donde califica la reforma ortográfica de "uno de los mayores disparates de los académicos españoles... Por suerte, en América y especialmente en Chile, domina una razonable ortografía fonética [1893], e impresiona como afectado el pronunciar *eksposición, ekstranjero,* mientras que *s* por *x* entre vocales (*esistir, esamen*) se considera vulgarismo".

126. Berta Elena Vidal de Battini, *El habla rural de San Luis, Parte I,* en *BDH,* VII, Buenos Aires, 1949, pp. 55-56.

127. Pedro Henríquez Ureña, *El español de Santo Domingo,* en *BDH,* V, Buenos Aires, 1940, p. 140.

2.6. COMBINACIONES DE FONEMAS

2.6.0. Introducción *

Todos los sonidos que figuran en el interior de un grupo fónico en español sufren un proceso de encadenamiento sonoro, por el que aparecen en la pronunciación "tan íntima y estrechamente enlazados entre sí como los que componen una misma palabra" [NT, *Pron.*, 133]. Teniendo en cuenta este principio fundamental, a lo largo de este capítulo se estudiarán las estructuras de los márgenes silábicos, ataque y coda, en el marco de su distribución teórica, las reglas de la delimitación silábica, los grupos consonánticos intervocálicos, las combinaciones de vocales dentro de la palabra y del grupo fónico, y las diferentes posturas teóricas a la hora de enfrentarse con los diptongos y con la clasificación de sus elementos.

2.6.1. El ataque silábico **

De acuerdo con los principios estructurales básicos expuestos en 2.3.5.3., la posición de ataque silábico inicial de

* T. Navarro Tomás, *Pron.*, 133-156; S. Fernández Ramírez, *Gramática*, 15 y ss.; E. Alarcos, *Fonología,* 120-126 bis; *Esbozo,* 1.4. y 1.6.

** *Esbozo,* 1.4.3.; Ch. F. Hockett, *Curso de Lingüística Moderna,* cuadro 2.1., y p. 25 y ss.

palabra puede ser ocupada por uno o dos fonemas; todos los fonemas consonánticos, excepto /r/ (v. 2.3.4.4.), pueden ocupar esta posición, y como advirtió E. Alarcos [*Fonología,* 121], nunca aparecen /l/ o /y/ ante /i/. También pueden ocupar esta posición combinaciones de dos fonemas; en estas secuencias, el primer elemento es una consonante oclusiva labial o velar, sorda o sonora, o la fricativa /f/, seguidas necesariamente por una líquida, lateral o vibrante, además de la combinación de una dental oclusiva más /r/ [128], con lo que resultan los doce grupos siguientes: /pr, pl, br, bl, tr, dr, kr, kl, gr, gl, fr, fl/ [129]. En posición interior de palabra aparecen todos los segmentos consonánticos, incluso /r/, en posición intervocálica. Algunas combinaciones binarias vacilan en su distribución (v. *Esbozo,* 1.4.5.*b*.).

2.6.2. La coda silábica *

En posición interior de palabra, la coda silábica puede ser simple o compuesta; la coda simple puede estar formada por /p, b, t, d, k, g, f, θ, s, r, l, n, m/; como ya se ha apuntado en varios lugares (v. 2.5.1.1.), se neutraliza la correlación

128. El *DRAE,* 1970, registra los indigenismos *tlaco, tlacote, tlacuache, tlascalteca, tlazol*; sobre *tl-*, vid. E. Alarcos, *Fonología,* 122, y *Esbozo,* 1.4.3.

129. El ya citado *DRAE,* 1970, registra algunos grupos consonánticos cultos en posición de ataque silábico: *cn-, cz-, gn-, mn-, ps-, pt-* y la grafía *x* [ks-]. Estos grupos cultos tienden a simplificarse (vid. *Esbozo,* 1.4.3.*b*.); todos ellos aparecen en voces cultas o en préstamos extranjeros, en alguno de los cuales se admite la doble grafía (*czar, czarina*). Algunos grupos poseen ejemplos muy limitados: *cn-* aparece, en un único caso, la voz *cneoráceo;* hay cuatro casos de *mn-*, y el grupo más abundante es *ps-*, con unos treinta ejemplos, casos en los que, además, se admite la reducción gráfica; para el grafema *x,* vid. 2.5.20.

* S. Fernández Ramírez, *Gramática,* 35; *Esbozo,* 1.4.2., y Ch. F. Hockett, *Curso de Lingüística Moderna,* cuadro 2.2., y p. 28 y ss.

oclusiva sorda-sonora, y también la correlación oclusiva-fricativa, las consonantes nasales, las laterales y las vibrantes, con lo que resultan los archifonemas *B, D, G, N, R, L* (en algunas hablas se neutralizan D/θ y R/L, además de fenómenos como la aspiración de -s) [Alarcos, *Fonología,* 119]. Si se utiliza como criterio la distribución, hay que advertir la escasísima frecuencia de /f/ en esta posición, *naftalina,* por ejemplo [130]. La coda compuesta está formada por dos consonantes, que en la realización fonética se reducen a una, cuyo resultado fonético es [s]: *-bs, -ds, -ns, -rs, -ls,* por ejemplo.

En posición final de palabra se reduce todavía más el inventario de fonemas en coda silábica simple: /d, *θ*, s, n, l, r, x/, inventario que en algunas hablas hispánicas es todavía menor, como sucede en Puerto Rico [131] o en Cuba [132]. En esta posición /x/ presenta muy baja frecuencia, y en la realización fonética suele estar latente. En palabras de origen extranjero pueden aparecer /b, t, k, f, g/: *club, cénit, coñac, rosbif* [133]. El plural de estas palabras presenta dos tipos de soluciones: (a) mantener invariable la palabra [134]: *una mujer chic / dos mujeres chic; los Caravelle, los stand* (grafías); (b) combinar la consonante final del singular con *-s*: *soviets, slogans,* incluso con la posibilidad de que aparezcan grupos gráficos de tres consonantes: *-rds, -ngs, -nds, -sts, -rts,* que son

130. Aparecen más ejemplos en E. Alarcos, *Fonología,* 123.
131. *NRFH,* XV, 1961, p. 336 y ss.
132. *ALM,* V, 1965, pp. 184-185.
133. S. Saporta y D. Olson, en *Lan,* XXXIV, 1958, p. 266.
134. E. Lorenzo, *El español de hoy, lengua en ebullición,* Madrid, Gredos, 1966, p. 29; vid., además, en *EDMP,* VI, pp. 65-74 (reimpreso en *El español de hoy,* pp. 48-58, con una larga lista de ejemplos en las pp. 51-52); A. Rosenblat, en *BDH,* II, 120; S. Fernández Ramírez, *Gramática,* 93; R. Lapesa, "La lengua desde hace cuarenta años", en *RdO,* I, n.°s 8 y 9, 1963, p. 163; E. Alarcos, *Fonología,* p. 188, n. 5, y *Esbozo,* 1.4.2.c.

totalmente ajenos al sistema fonológico del castellano y que se realizan fonéticamente como [-s], salvo en algunos casos de rara pronunciación afectada. Parece ser que la tendencia más vigorosa en los años anteriores a 1966 era la de las grafías, incluso de las pronunciaciones, de estos plurales extranjeros con *consonante* + *s*, tendencia que ha quedado superada por los plurales sin signo morfológico[135], que alternan con la asimilación en [-s] (v. también 3.3.1.2.). Dentro de grupo fónico, la coda final simple, en contacto con palabra con vocal inicial, cumple en la realización fonética el principio de delimitación silábica expuesto en 2.3.5.5.

2.6.3. CONDICIONES Y PARTICULARIDADES DE LA DELIMITACIÓN SILÁBICA *

En el grupo fónico formado por una sola palabra, las combinaciones posibles en frontera silábica se reducen a tres modelos: ***vocal / vocal*** (v. 2.6.5.2.2.) *fi-ar, le-í-a*; ***consonante / consonante:*** *dominan-te, sig-no;* ***vocal / consonante:*** *lu-cha, co-mer*; ya hemos advertido en 2.3.5.5. que la combinación *consonante / vocal* es escasísima en español, salvo en unos raros casos.

Cuando aparece una sola consonante intervocálica, forma ataque silábico con el núcleo vocálico siguiente: *ga-to, hi-jo;* cuando hay dos consonantes, la primera forma coda silábica con el núcleo anterior, y la segunda ataque con el siguiente: *pac-to, dig-no,* salvo en los grupos consonánticos ya citados, v. 2.6.1., en los que se agrupan en ataque silábico compuesto con el núcleo siguiente: *lo-grar, vi-brar* (todas estas combina-

135. E. LORENZO, *El español de hoy,* pp. 14-15.

* T. NAVARRO TOMÁS, *Pron.,* 153 y 156; *Esbozo,* 1.4.4. y ss.; Ch. F. HOCKETT, *Curso de Lingüística Moderna,* pp. 59-63.

ciones han sido establecidas y estudiadas por E. Alarcos [*Fonología,* 124-125]); cuando hay tres consonantes, las dos primeras forman coda silábica compuesta y la tercera ataque silábico simple: *abs-tenerse, cons-pirar,* se exceptúan las combinaciones ya apuntadas, que se combinan en grupo fijo con ataque compuesto: *com-probar, des-plumar.* En los casos muy poco frecuentes de secuencias de cuatro consonantes intervocálicas, las dos primeras forman coda compuesta seguidas por cualquiera de los doce grupos apuntados: *trans-cripción,* por ejemplo. En general, en español hay una tendencia muy fuerte a resolver los grupos de consonantes tipo *-t/n-, -k/n-, -t/l-, -k/t-, -g/n-, -b/x-,* que fueron introducidos por presión cultista, en los que el debilitamiento de la consonante implosiva, en sus diversas realizaciones fonéticas, puede llegar a reducirlos a una sola consonante, como en la época clásica: *dino, setiembre* [136].

136. Estos grupos de consonantes han sido analizados experimentalmente por B. Malmberg, "Los grupos de consonantes en español", en *Estudios,* p. 43 y ss. La tendencia a la simplificación es muy fuerte en el habla inculta tanto en la Península como en América; vid. A. Zamora Vicente, en *ACILR,* X, *pp.* 1.328-1.330; L. Flórez, en *Thesaurus, BICC,* XVIII, 1963, p. 270. D. L. Canfield, *La pronunciación del español en América,* pp. 95-96, ha advertido que por toda América se extiende el gusto por todo tipo de ultracorrecciones: [piksína] (*piscina*), [séktima] (séptima); América Central, Colombia y Venezuela gustan de usar en estas combinaciones [k] y [ŋ]; los grupos *ps, pt, bt, bn, bs,* se convierten en [k] + [t] o [s], mientras que *gn, gm, mn, nn, nm,* se convierten en [ŋn]; la secuencia inicial *aut-* se convierte fonéticamente en [ạu̯kt-] en El Salvador, Honduras, Nicaragua, y en algunas zonas de Venezuela: [ạu̯ktomóƀi̯l] (*aùtomóvil*). Puede consultarse una historia del problema en las notas dejadas por R. J. Cuervo, *Castellano popular y castellano literario,* en *Obras Completas,* t. I, Bogotá, Instituto Caro y Cuervo, 1954, pp. 1.455-1.482.

2.6.4.1. Los grupos consonánticos formados por dos consonantes iguales *

En interior de palabra, pueden aparecer consonantes geminadas a ambos lados de una frontera silábica: *in-novar, in-noble, sub-vertir*. Se trata de palabras bastante cultas, en las que pesa sobre la conciencia del hablante la existencia de una consonante geminada, lo que conduce a realizaciones fonéticas de mayor duración que la simple[137], y en las que varía, además, el efecto acústico (v. *Esbozo,* 1.4.5.*c*.), aunque en una realización normal puede aparecer una sola consonante, tanto en los casos de consonantes geminadas interiores de palabra como en los interiores de grupo: *luz cenital, el ladrón, las salidas*[138]. En los casos de posible ambigüedad: *sin uves - sin nubes, el loro - el oro, las subas - la subas - las uvas,* cuando el contexto no es suficiente para deshacer la ambigüedad, se actualiza el alargamiento, hecho que siempre sucede en pronunciación esmerada. Dialectalmente, como consecuencia de la aspiración de *-s,* pueden producirse sonidos consonánticos dobles, muy tensos[139].

* E. Lorenzo, "Vocales y consonantes geminadas", en *Studia Hispanica in honorem Rafael Lapesa,* t. I, Madrid, Gredos, 1972, pp. 401-412, especialmente pp. 408-412; vid. T. Navarro Tomás, *Pron.*, 155, y "Diferencias de duración entre las consonantes españolas", en *RFE,* V, 1918, p. 390 y ss.; *Esbozo,* 1.4.5.c. y 1.6.3.*d*.

137. *RFE,* V, 1918, p. 390.

138. B. Malmberg, "La estructura silábica del español", en *Estudios,* pp. 21-22; los ejemplos proceden de E. Lorenzo.

139. A. Llorente, en *RFE,* XLV, 1962, p. 239.

2.6.4.2. Análisis de los grupos consonánticos intervocálicos *

En español no sucede como en otras lenguas en las que los grupos consonánticos intervocálicos pueden ser interpretados como la suma de una secuencia final y una inicial (*/-nt-/* podría ser interpretado y resuelto: /-n/ de *pan* y /t-/ de *tostado,* pero este tipo de soluciones no son válidos para */-rsp-/*); tampoco sucede el razonamiento inverso: que todas las sumas teóricamente posibles de consonantes finales e iniciales aparezcan como grupos consonánticos intervocálicos; puede suceder /-x + d-/ *(reloj de torre),* que nunca aparece como grupo intervocálico[140]. De acuerdo con las investigaciones de S. Saporta y D. Olson, la ya citada relación entre secuencias consonánticas intervocálicas y posiciones finales e iniciales puede ser descrita en dos términos: (a) porcentaje de grupos que pueden ser resueltos en *coda* + *ataque,* y (b) porcentaje de combinaciones potenciales de *coda* + *ataque* que aparecen realmente como grupos consonánticos intervocálicos. Todo grupo consonántico intervocálico que pueda ser reducido a una combinación de *coda* + *ataque* estará formado por una cualquiera de las consonantes que pueden ocupar la posición de coda (v. 2.6.2.), más una cualquiera de las dieciocho consonantes que pueden ser ataque silábico simple en posición inicial de palabra (v. 2.6.1), además de los doce grupos de oclusiva o fricativa más líquida, lo que dará un total de 138 combinaciones[141]. El

* T. Navarro Tomás, *Pron.,* 156.

140. Sol Saporta y Donald Olson, "Classification of Intervocalic Clusters", en *Lan,* XXXIV, 1958, pp. 261-266, especialmente p. 261 para este problema.

141. Nuestros resultados difieren al no considerar /w-/ en posición inicial como consonante.

análisis de todos los posibles grupos -**CC**- da un total de 400 unidades, de las cuales, el 54 % está formado por secuencias inadmisibles en español; el 22,25 % por combinaciones que suceden realmente, y que pueden resolverse en la combinación *coda* + *ataque;* 9,75 % es el porcentaje correspondiente a los grupos que suceden realmente y que no pueden ser resueltos por el criterio señalado, más un 14 % formado por grupos *virtuales,* de acuerdo con la denominación de Saporta y Olson, grupos que no ocurren, pero que pueden ser considerados como integrados por la combinación *coda* + *ataque.* Los grupos de tres consonantes consisten en una de las siete consonantes que ocupan posición final de palabra más uno de los doce grupos, lo que origina un total de 84; de éstos, 30 ocurren en la realidad, a los que sumaremos 25 que no pueden ser resueltos[142]. Los grupos consonánticos -**CCCC**- son sólo doce en español.

Los recuentos realizados por los investigadores citados sobre un total de 21.670 fonemas muestran que las combinaciones más frecuentes son las formadas por el tipo de grupo que puede ser resuelto en *coda* + *ataque,* mientras que los de carácter *marginal,* que no pueden ser resueltos, poseen una frecuencia mucho más baja; en el primer caso, los grupos más frecuentes son *-nt-, -nd-, -st-, -tr-, -rt-, -rg-;* y en el segundo, *-mp-, -mb-, -kt-, -ks-.*

142. Ralph Steele Boggs, "Survival of Three Consonants Groups in Spanish", en *HR,* V, 1937, pp. 268-269, ha explicado cómo existe una estrecha relación entre audibilidad y estructura silábica, lo que ha permitido la supervivencia en español de grupos latinos de tres consonantes, cuando poseen una estructura de audibilidad o perceptibilidad *alta-baja-alta,* como en los casos de *-str-, -spl-, -skr-, -rtr-, -mbr-.*

2.6.4.3. Frecuencia de los grupos binarios intervocálicos

En las secuencias de elementos consonantes intervocálicos existe una relación estrecha entre la naturaleza de los dos elementos, relación que fue analizada por Sol Saporta [143]. En la comunicación lingüística se produce un compromiso entre el receptor y el emisor, de manera que los grupos en los que la diferencia entre las dos consonantes es menor son más cómodos para el hablante, pero más difíciles para el oyente, a causa de la mínima diferencia entre los elementos; en el caso contrario, los grupos óptimos para el oyente son los de máxima diferencia entre sus miembros, y los que plantean las mayores dificultades al hablante. En ambos tipos la frecuencia es muy baja, pues el compromiso entre el hablante y el oyente aparece reflejado en la mayor frecuencia de grupos consonánticos que presentan una diferencia media desde ambos puntos de vista. Saporta empleó como criterio objetivo la clasificación binaria en rasgos distintivos, lo que permitió establecer unos porcentajes de frecuencia relativa muy ilustrativos. Son más frecuentes en español los grupos de consonantes que difieren en *cuatro* rasgos distintivos (8,6), los de *cinco* (7,8) y los de *tres* (6,7); la zona de bajas frecuencias está ocupada por los grupos que difieren en seis y siete rasgos (2,6 y 2,5, respectivamente), siguen los sonidos geminados (0,7) y los de dos rasgos presentan una insignificante frecuencia (0,1); como es natural, no hay casos de

143. Sol Saporta, "Frequency of Consonant Clusters", en *Lan,* XXXI, 1955, pp. 25-30. Este interesante trabajo pone en contraste los resultados del inglés y del español, aunque en este último no se han tenido en cuenta las combinaciones con /r/ y /l/ por los particulares problemas que plantean.

un rasgo, mínima diferencia, ni de ocho, máxima diferencia. El porcentaje se ha obtenido al dividir el número total de combinaciones de cada clase por el total de grupos posibles teóricamente por cada grado de diferencia. Los datos obtenidos por Saporta, permiten construir el gráfico siguiente:

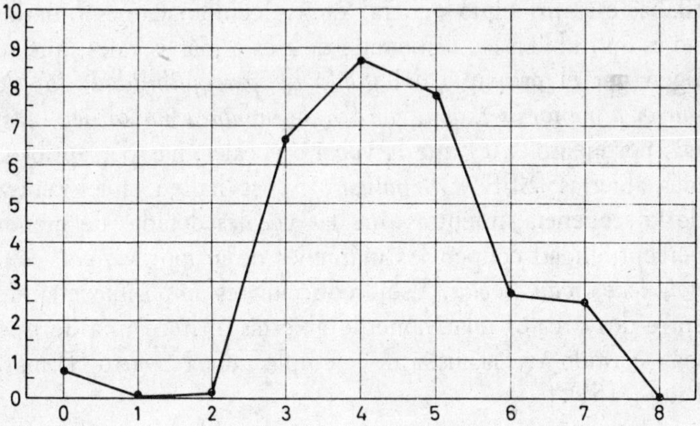

2.6.5.0. Combinaciones de vocales. Generalidades *

La lengua tiende a reducir todo conjunto de vocales a una sola sílaba. Estas reducciones alcanzan una mayor frecuencia en el lenguaje rápido; como es natural, la reducción se ve favorecida cuando las vocales que constituyen la se-

* T. Navarro Tomás, *Pron.*, 135-136; *Esbozo,* 1.4.6.; J. D. Bowen, "Sequences of Vowels in Spanish", en *BFUCh,* IX, 1956-1957, pp. 5-14; J. Silva-Fuenzalida, "Syntactical Juncture in Colloquial Chilean Spanish. The Actor-action Phrase", en *Lan,* XXVII, 1951, pp. 34-37, y "Estudio fonológico del español de Chile", en *BFUCh,* VII, 1952-1953, pp. 153-176.

cuencia presentan carácter átono. Ya apuntó Navarro Tomás [*Pron*, 135] la inutilidad de pretender señalar unas reglas fijas para las combinaciones vocálicas y sus delimitaciones, sólo se pueden indicar las formas más frecuentes dentro de las normas de la pronunciación correcta.

Desde el punto de vista de la realización fonética, dos vocales son siempre susceptibles de reducirse a una sola sílaba; este principio general en las combinaciones binarias no es aplicable a las secuencias de tres o más vocales, que se rigen por el principio del *grado de perceptibilidad*: (a) *de mayor a menor: aei, aeu, aoi;* (b) *de menor a mayor: iea, uea, iaa,* por ejemplo; (c) que la vocal o vocales más perceptibles, más abiertas [SFR, *Gramática*, 15], se hallen en el centro de la secuencia, mientras que las vocales dotadas de menor perceptibilidad ocupen los márgenes de grupo: *iao eai, eau, uoi, ioae, ioau, ioeau*. Esta reducción es imposible cuando entre dos vocales relativamente abiertas aparece una de tipo más cerrado (v. la lista de ejemplos en Navarro Tomás, *Pron.*, 151).

Cuando se encuentran dos vocales diferentes que quedan unidas por enlace de palabras puede ocurrir una elisión de la primera vocal, sobre todo cuando se trata de *-a* final seguida de cualquier otra vocal inicial de palabra, lo mismo sucede en las secuencias [-e + i-] y [-o + u-]: *l'escuela, l'iglesia, ¿qué s'hizo?, m'hijo* [144].

144. L. Flórez, *La pronunciación del español en Bogotá*, p. 325. La elisión es rara, y sólo sucede dialectalmente, vid. A. M. Espinosa, "Synalepha and Syneresis in Modern Spanish", en *H*, VII, 1924, p. 299.

2.6.5.1. *Combinaciones de vocales iguales* *

Todas las vocales pueden aparecer combinadas con otras idénticas, salvo en el caso de /u/ (v. *Esbozo,* 1.4.12.). Las combinaciones de vocales iguales átonas dentro de la palabra o en el interior de grupo fónico tienden a reducirse a una sola en la pronunciación normal. En pronunciación cuidada, se siguen manteniendo las dos vocales de las formas tipo *creerán* o *leerán* por la fuerte presión analógica del infinitivo. Cuando una de las vocales es tónica, en el interior de palabra, suele aparecer una frontera silábica cuando la expresión es cuidadosa: *loó, azahar.* En determinadas formas, la norma rechaza sistemáticamente la reducción, por ejemplo, en *loor, moho*; en otros casos, como *leer, creé,* Navarro Tomás explicó cómo esta reducción está en función de la posición de la palabra dentro del grupo: siempre es bisílaba en posición final, pero en interior de grupo el lenguaje coloquial tiende a la sinéresis [*Pron.,* 139].

Si el encuentro entre una vocal tónica y otra átona idénticas se realiza entre palabras, la lengua culta en su expresión cuidada tiende al mantenimiento, pero la lengua familiar a la reducción. En el caso de que sea acentuada la segunda, alguna vez puede aparecer la frontera silábica, sobre todo en el grupo /*e*|*é*/ (v. *Esbozo,* 1.6.5.*e*.). En el habla culta informal colombiana, y en otras zonas de América, es frecuente la reducción de *ée, eé* > *ié*: "no pelié tanto" (*no peleé tanto*)[145].

* T. Navarro Tomás, *Pron.,* 137-139; S. Fernández Ramírez, *Gramática,* 43; *Esbozo,* 1.4.12. y 1.6.5.*e;* E. Lorenzo, "Vocales y consonantes geminadas", en *Studia Hispanica in honorem Rafael Lapesa,* t. I, Madrid, Gredos, 1972, pp. 401-412.

145. L. Flórez, en *Thesaurus, BICC,* XVIII, 1963, p. 269; la diptongación del pretérito en la zona de Nariño ha sido estudiada en

En los casos de posible ambigüedad: *no os sirve - nos sirve - no sirve,* puede aparecer la cantidad vocálica como rasgo pertinente, como han estudiado A. Quilis y E. Lorenzo; por ejemplo, en el caso de *léelo - lelo,* E. Lorenzo opina que la primera *e* es dos o tres veces más larga. Fernández Ramírez [*Gramática,* 30] ya había observado que en los casos del tipo *creer, poseer,* frente a *ser* o *ver,* no sólo hay una diferencia de cantidad, sino también "una estructura bisilábica, condicionada, entre otras cosas, de una manera fundamental, por la inflexión melódica ascendente que llevamos a cabo al pasar de la primera a la segunda vocal".

2.6.5.2. *Combinaciones de vocales diferentes*

2.6.5.2.1. *Diptongos y triptongos.** Se denomina ***diptongo*** toda combinación de dos vocales dentro de una misma palabra en situación de transición abierta (v. 2.3.5.0.); está formado por los fonemas /i/, /u/, más una vocal cualquiera; si los fonemas ya citados /i/, /u/ ocupan posición prenuclear, su realización es [j], [w] [146]; si ocupan posición postnuclear [i̯], [u̯]. En el primer caso, se trata de *diptongos crecientes;* y en el segundo, son *diptongos decrecientes*; esta denominación se basa en la transición de la cerrazón a la abertura, y viceversa. Existen en español seis diptongos

---

Thesaurus, BICC, XXVI, 1971, pp. 523-524; frente a este fenómeno, existe en América la tendencia contraria, como ha observado A. RABANALES, en *RJ,* XI, 1960, p. 320.

* En *Esbozo* 1.4.6. y ss. aparece una excelente descripción de estas combinaciones; vid. T. NAVARRO TOMÁS, *Pron.,* 66-67, S. FERNÁNDEZ RAMÍREZ, *Gramática,* 20 y ss., y 2.6.5.2.5.

146. Es necesario tener en cuenta las realizaciones en posición inicial de los diptongos, en los casos de ausencia de ataque silábico, que han sido estudiadas en las notas 62 y 70; lo mismo que las realizaciones en límite de morfemas en casos como *deshuesar.*

decrecientes formados por las secuencias vocálicas de /a, e, o/ más /i/, /u/: [ai̯], [au̯], [ei̯], [eu̯], [oi̯], [ou̯] [147]; el inventario de los diptongos crecientes es un poco más amplio, pues está integrado por ocho combinaciones; estas secuencias están formadas por una de las realizaciones fonéticas de /i/, /u/ más las tres vocales ya citadas /a, e, o/: [ja], [je], [jo], [wa], [we], [wo], más las dos posibles combinaciones /i + u/, [ju], y /u + i/ [wi], en las que predomina siempre como núcleo la segunda vocal [NT, *Pron.*, 66].

El mapa 1.535 de *ALEA* proporciona los datos de la palabra *viudo*; predomina [biúđo], los casos de [bjúđo] abundan en Andalucía oriental, sobre todo en Almería.

Tradicionalmente se denominan ***triptongos*** las combinaciones de tres vocales en una misma sílaba fonética en situación de transición continua. Los triptongos españoles están formados por un elemento central /a/, /e/, rodeado por dos elementos, semiconsonántico y semivocálico, que son realización fonética de /i/, /u/: [jai̯], [jei̯], [wai̯], [wei̯], [jau̯]: [bwéi̯], [ab̶erigwái̯s].

La diptongación en español puede proceder de la vocalización de las consonantes [b̶, đ, ǥ] y de las oclusivas sordas [p, k], que sufren un proceso previo de sonorización [148].

Los diptongos españoles se reducen por una serie de causas muy específicas [149]: (*a*) reducción de los diptongos extraños al sistema de la lengua: *uo* > *o*: *individuo* > [en̦dib̶ío], *continuo* > [kon̦tíno]; *eu* > *u* en los nombres propios como *Eugenio, Eulogio,* [uxénjo], [ulóxjo]; (*b*) por su posición

147. En este caso concreto, E. Alarcos ha propuesto que podría ser eliminado del inventario, vid. *Fonología,* p. 151, n. 5.

148. A. Rabanales, en *RJ,* XI, 1960, p. 321 y ss.; vid. nota 71.

149. *RJ,* XI, 1960, pp. 325-327. Para la situación peninsular, vid. A. Zamora Vicente, en *Fil,* II, 1950, pp. 116-119.

dentro de la palabra en contacto con otro diptongo, se tiende a eliminar el primero, si el segundo posee una yod: *dieciséis* > [disiséi̯] en Chile, pero es fenómeno que también aparece en hablas peninsulares, y (*c*) para procurar la máxima proximidad entre elementos del sistema: *maniobrar* se reduce en Chile a [manoƀrál] por influjo de *mano*; fenómeno contrario al de la diptongación analógica: *dientista*[150].

En todo el habla vulgar de España y América se tiende a convertir el diptongo [ẹi̯] en [ai̯]: [aθái̯te][151].

2.6.5.2.2. *Hiato.** Por tradición gramatical existen en español secuencias vocálicas separadas por una juntura. (El caso de las vocales iguales ha sido tratado en 2.6.5.1.) De acuerdo con A. Rabanales[152], podemos establecer tres reglas que rigen el hiato: (a) dos vocales abiertas, cualquiera que sea la posición del acento; (b) dos vocales cerradas iguales, si es átona la primera, y (c) vocal abierta átona más vocal cerrada tónica en cualquier orden que se presente la secuencia. En español existe una tendencia muy fuerte a reducir los hiatos a diptongos, ya sean crecientes o decrecientes, para lo que se utiliza el recurso de que una de las dos vocales pase a semivocal o a semiconsonante, incluso con dislocación acentual, para que el acento recaiga en la vocal más abierta; la sinéresis es muy frecuente, pero también lo es la

150. A. Zamora Vicente, en *ACILR*, X, pp. 1.329 y 1.332-1.333; y A. Rabanales, en *RJ*, XI, 320.

151. T. Navarro Tomás, en *RFE*, X, 1923, p. 30; A. Zamora Vicente, en *ACILR*, X, pp. 1.329-1.330, y A. Llorente, en *ACILR*, XI, p. 1.984.

* T. Navarro Tomás, *Pron.*, 68, 136 y ss.; S. Fernández Ramírez, *Gramática*, 27-28; Ambrosio Rabanales, "Hiato y antihiato en el español vulgar de Chile", en *BFUCh*, XII, 1960, pp. 197-223, y "Diptongación y monoptongación en el español vulgar de Chile", en *RJ*, XI, 1960, pp. 319-327.

152. *BFUCh*, XII, 1960, p. 202.

sinalefa[153]: los verbos terminados en *-ear* > [jár]; *golpear* > [golpjár]; o el tan citado caso, *baúl* > [báu̯l]; la extensión del fenómeno *-ea* > [ja] es muy grande: Nuevo Méjico, Méjico, Guatemala, Nicaragua, Costa Rica, Puerto Rico, Venezuela, Ecuador, Chile, Argentina, Uruguay, en el español americano; también aparece en Murcia, leonés oriental, Asturias, Vizcaya, Santander, Aragón, La Rioja, La Cabrera Alta, y en algunas zonas de Andalucía, Extremadura y Zamora[154]. Existen en la lengua española, con respecto al hiato, dos tendencias: (a) el hablante tiende a eludir el hiato, y (b) se crean nuevos hiatos por pérdida de algunas consonantes[155]. Como ha explicado A. Rabanales, hiatismo y antihiatismo dependen del nivel cultural del hablante; el antihiatismo es más popular en el nivel inculto y también puede aparecer en el habla culta de tipo familiar, mientras que la creación del hiato por síncopa es más frecuente en el nivel inculto (los datos de Rabanales se refieren a Chile).

Los recursos antihiáticos más importantes son[156]: (a) modificación de una de las vocales en contacto, en un proceso de semiconsonantización o semivocalización, que puede ir acompañado de un dislocamiento acentual; los infinitivos en *-i-ar-* > [-iar], en las formas de estos verbos y en las de los verbos en *e-ír;* ejemplos como [a̯lmwáđa] (*almohada*), [pwéta] (*poeta*), [kai̯ré] (*caeré*), [mái̯θ] (*maíz*), [le̯íđo] (*leído*), [báu̯l] (*baúl*) son muy frecuentes en las hablas hispánicas; (b) reducción de dos vocales a una; en Chile aparece

153. A. Rabanales, en *RJ,* X, 1960, p. 319; A. Llorente, en *ACILR,* XI, p. 1.985.

154. L. Flórez, *La pronunciación del español en Bogotá,* pp. 118-119; J. Mondéjar, *El verbo andaluz,* p. 50, y A. Zamora Vicente, en *ACILR,* X, p. 1.328.

155. *BFUCh,* XII, 1960, p. 198.

156. *Ibid.,* pp. 202-216.

[trel] por *traer*; (c) epéntesis de una consonante antihiática, que suele ser /d/, pero también /g, y/: [tráye] (*trae*), [bakaláđo], (*bacalao*), [kayíste] (*caíste*), [ríyes] (*ríes*), este último ejemplo es muy abundante tanto en América como en España[157].

Aparece el hiato en el habla inculta de tipo informal, de acuerdo con la denominación de Rabanales[158], por pérdida de las consonantes intervocálicas [ƀ, đ, ǥ]; en el caso de [ƀ, đ] no importa el tipo de vocales que constituyan el entorno, en el de [ǥ], la vocal siguiente es preferentemente de tipo velar. Estos hiatos de tipo secundario puede ocurrir que se resuelvan con cualesquiera de los procedimientos ya citados.

2.6.5.2.3. *Sinalefa.** Ya se ha indicado cómo se enlazan en encadenamiento sonoro las palabras que constituyen el grupo fónico; la sinalefa es más frecuente que la reducción de grupos vocálicos dentro de la palabra [NT, *Pron.*, 135], incluso permite la posibilidad de formar grupos con cinco o seis segmentos vocálicos, situación que es imposible dentro de la estructura de la palabra. Existen unos principios generales que favorecen el hiato, como pueden ser el habla enfática o simplemente cuidada, el deseo de marcar ciertas palabras semánticamente importantes dentro del grupo y también la situación de presencia del acento final de grupo fónico, situación que en muchos ejemplos del español coloquial no impide la sinalefa[159]; el ejemplo dado

157. J. MONDÉJAR, *El verbo andaluz*, p. 176.
158. *BFUCh*, XII, 1960, pp. 216-220.
* T. NAVARRO TOMÁS, *Pron.*, 69, 136-143; S. FERNÁNDEZ RAMÍREZ, *Gramática*, 36-38; *Esbozo*, 1.6.4. y ss.; A. M. ESPINOSA, "Synalepha and Syneresis in Modern Spanish", en *H*, VII, 1924, pp. 299-309.
159. T. NAVARRO TOMÁS, *Pron.*, 151; A. M. ESPINOSA, en *H*, VII, 1924, p. 302.

por Espinosa [me-gús-ta-más-la-ó-tra] puede ser realizado perfectamente con la presencia de la sinalefa final. Son más frecuentes las sinalefas de dos vocales que todas las restantes combinaciones (v. *Esbozo,* 1.6.5.), y se ven favorecidas siempre que las vocales presenten carácter átono y que sean idénticas, vid. 2.6.5.1. En el caso de vocales diferentes átonas, cuando se produce la sinalefa, en la realización fonética tienden a relajarse y a reducir su cantidad en función de la longitud de la combinación vocálica; en el caso de la presencia de un acento, su intensidad se extiende a todo el conjunto de vocales, mientras que cuando coinciden dos acentos, se reducen a uno que recae siempre sobre la vocal más abierta [*Pron.*, 142]. La vocal *e* de los monosílabos *de, le, me, se, te, que, el, en,* presenta en español un carácter esencialmente débil. Desde el punto de vista estadístico, la sinalefa es mucho más frecuente que la presencia de una frontera silábica; según los cálculos realizados por A. M. Espinosa [160], en el poema de Rubén Darío, *Canción de otoño en primavera,* aparecen cuarenta sinalefas y sólo tres hiatos, proporción que aumenta a 93/1 en el poema a Margarita Debayle. Para las combinaciones vocálicas imposibles en una sola sílaba, v. 2.6.5.0.

2.6.5.2.4. *Problemas de clasificación de los diptongos y de sus elementos.* Dos son los problemas más importantes que se plantean acerca de los diptongos: (a) Su valor monofonemático; (b) Integración de sus elementos dentro del sistema fonológico de la lengua. En 1946, T. Navarro Tomás se inclinó por la naturaleza monofonemática del diptongo [161]; aunque fonéticamente sus elementos puedan ser clasificados

160. A. M. ESPINOSA, *loc. cit.*, pp. 308-309.
161. Tomás NAVARRO TOMÁS, *Estudios de fonología española,* Nueva York, 1946, p. 13.

dentro de las clases de vocales, semivocales o semiconsonantes, fonológicamente desempeñan igual función que los fonemas simples. Para el ilustre fonetista, la diferencia entre *vente* - *veinte* no reside en la ausencia o presencia de *i*, sino en el contraste total entre las vocales aisladas y los diptongos; y añade "El sentimiento de la unidad del diptongo se certifica con la correspondencia de palabras como *puerta-portero, tiene-tenía*". En 1971 realizó una pequeña encuesta entre dos hablantes de diferente grado cultural [162]; la persona culta, ante la pregunta sobre la diferencia entre *cielo-celo,* se inclinó por responder que la presencia de *i* constituía la base diferencial; un campesino analfabeto respondió que en la primera parte de *cielo* se oye algo que no aparece en *celo,* pero dudó ante la identificación de esta *i* con la *i* de *vino,* y afirmó que era un solo sonido, y no dos, lo que le parecía que existía en *ie*. Cree Navarro Tomás que se trata de un influjo visual en las personas letradas, y que, desde el punto de vista fonético, el primer elemento "es un brevísimo sonido que, partiendo de una posición próxima a la de la fricativa palatal *y*, se abre gradualmente, dentro de su brevedad, hasta la articulación de la *e*. Puede decirse que en ningún punto de su rápido proceso se identifica tal sonido con el propio carácter de la vocal *i*. Articulatoria y acústicamente la semiconsonante no es sino el elemento inicial ascendente con que se realiza la unidad fonémica que culmina en la abertura de la *e*" [163]. Añade razones de tipo métrico: rima *celo-cielo* y ausencia de diéresis en *cielo, piedra* o *viento,* además de las causas de tipo diacrónico.

Es curioso notar, como veremos más adelante, una serie de coincidencias entre el razonamiento y la metodología de

162. *Thesaurus, BICC,* XXVI, 1971, pp. 1-12.
163. *Thesaurus, BICC,* XXVI, 1971, p. 5.

Navarro Tomás y los utilizados por la gramática generativa al enfrentarse con este mismo problema: en primer lugar, la insistencia en el sentimiento lingüístico del hablante[164], en segundo término, el aspecto más importante, la necesidad de relacionar las formas de tipo *puerta-portero,* que creo que en esta discusión, aunque bajo presupuestos teóricos diferentes, era la primera vez que se hacía; y por último, distinguir claramente entre la clasificación fonética del diptongo y su clasificación fonológica.

Emilio Alarcos, por el contrario, es partidario del valor bifonemático del diptongo. Parte de los criterios de identificación de fonemas que dio Trubetzkoy para clasificar sonidos sucesivos, y llega a la conclusión de que se trata de dos fonemas distintos: las cinco vocales con otro elemento [j, i̯, w, u̯][165].

En este momento aparece el segundo problema; si se concede que los diptongos son combinaciones de valor bifonemático, es necesario integrar estos elementos dentro del sistema fonológico general de la lengua. Sobre esta integración hay dos teorías fundamentales: unos investigadores (Alarcos, Sol Saporta) se inclinan por considerar que [j, i̯, w, u̯] son alófonos o variantes combinatorias de /i/ y /u/, mientras que otros (Bowen, Stockwell) piensan que existen dos fonemas consonánticos /y/ y /w/ de los que estos elementos son alófonos; incluso cabe una tercera posibilidad,

164. En este problema se debe distinguir cuidadosamente entre el concepto de intuición lingüística en el hablante en Tomás Navarro Tomás y el concepto que recibe esta misma denominación dentro de la teoría generativa, vid. Noam CHOMSKY, *Aspectos de la teoría de la sintaxis,* Introducción, versión, notas y apéndice de C. P. Otero, Madrid, Aguilar, 1970, p. 20 y ss.

165. *AO,* XI, 1959, pp. 179-188 y *Fonología española,* a partir de la 3.ª edición.

que fue apuntada por Diego Catalán[166], que consistiría en agrupar [y-ŷ], [j] e [i̯] bajo un fonema único /i/, que sería una *semivocal,* ya que funciona como núcleo y margen silábico, y lo mismo se podría hacer con los alófonos de la serie velar.

Bowen y Stockwell creen que [j], [i̯], y [w], [u̯] tienen que ser asignados a los fonemas /y/ y /w/; se basan en criterios de similaridad fonética, de estructuras morfofonemáticas tipo *comieron-leyeron* y en la armonía estructural[167]. Saporta negó estos argumentos y estableció la distribución de /y/-/i/: /y/-/i/ contrastan entre vocales, y sólo /i/ aparece antes de consonante o después de pausa[168]. Alarcos [*Fonología,* 96-100] se inclina por asignar [j, i̯, w, u̯] como alófonos de /i/ y /u/ basándose en los criterios de delimitación de unidades de Trubetzkoy y también en la diferente distribución dentro de la estructura silábica: [j], [w] son elementos prenucleares, mientras que [i̯], [u̯] postnucleares, frente a los elementos constituyentes del núcleo: [i], [u]. También el criterio de función dentro de la estructura silábica le sirve para distinguir /i/ de /y/ como fonemas que

166. Diego Catalán, "Nuevos enfoques de la fonología española", en *RPh,* XVIII, 1964-1965, pp. 184-185, n.30.

167. J. Donald Bowen y Robert P. Stockwell, "The Phonemic Interpretation of Semivowels in Spanish", en *Lan,* XXXI, 1955, pp. 236-240 (reimpreso en M. Joos, *RIL,* I, pp. 400-402).

168. Sol Saporta, "A Note on Spanish Semivowels", en *Lan,* XXXII, 1956, pp. 287-290 (*RIL,* I, pp. 403-404). A este artículo replicaron Bowen y Stockwell en su trabajo "A Further Note on Spanish Semivowels", en *Lan,* XXXII, 1956, pp. 290-292 (*RIL,* I, p. 405). Vid. Robert P. Stockwell, J. Donald Bowen, I. Silva-Fuenzalida, "Spanish Juncture and Intonation", en *Lan,* XXXII, 1956, pp. 641-665 (*RIL,* t. I, pp. 406-418). Desde un punto de vista generativo, vid. Sol Saporta y Heles Contreras, *A Phonological Grammar of Spanish,* Seattle, University of Washington Press, 1962, pp. 28-29, donde las reglas de contrastes adicionales se han formulado partiendo del criterio anterior de Saporta, en *Lan,* XXXII, 1956, pp. 287-290.

cumplen función de vocal o de consonante. Llega a la afirmación, tras muy complejos y detallados razonamientos, de que las semivocales y las semiconsonantes son alófonos de /i/, /u/, respectivamente.

Bertil Malmberg, a lo largo de varios trabajos destinados a estudiar la fonética del español [169], ya había apuntado la idea de que se creaba un refuerzo inicial de tipo consonántico en los diptongos, dentro del fenómeno más general de la tendencia que el español tiene hacia la sílaba abierta *CV*, y muy cerca también están las conclusiones de Germán de Granda [170]. El investigador sueco adopta un punto de vista diferente en un trabajo publicado en 1972 [171], en el que separa el problema de la descripción de estos elementos y su integración en un sistema fonológico en dos posibilidades: (a) en el lenguaje madrileño culto, con una posición similar a la de Saporta y Alarcos, advirtiendo que estos elementos en posición inicial de sílaba tienen una articulación más consonántica "en el sentido de que, por la estrechez del pasaje del aire, contienen un ruido perceptible o, en posición fuerte, una verdadera oclusión"; (b) realización en ciertos dialectos, como en el del Río de la Plata, en que la articulación es fricativa o africada según la posición, y recuerda la cita de Cuervo [*Apunt.*, 288] de un hablante que decía *iyendo* por *yendo,* para demostrar cómo el sujeto se resistía a representar por una consonante el verbo *ir* con su *i* radical. Este segundo problema le lleva a la necesidad

169. Bertil MALMBERG, *Estudios de Fonética Hispánica,* Madrid, CSIC, 1965.

170. Germán DE GRANDA, *La estructura silábica y su influencia en la evolución fonética del dominio ibero-románico, RFE,* anejo LXXXI, Madrid, CSIC, 1966.

171. "Descripción y clasificación. A propósito de las semivocales castellana", en *Studia Hispanica in honorem R. Lapesa,* I, Madrid, 1972, pp. 413-415.

de plantear la cuestión desde un ángulo morfonológico. Nota también que en la frontera entre morfemas en el español de Buenos Aires la palatal semivocálica no se modifica; *uno y otro* se pronuncia con [i̯] o con [j]. Como ha observado en otro lugar[172], existen diferencias de pronunciación muy notables en el español de Buenos Aires entre *está ya hecho,* que sufre el rehilamiento característico y *Pedro está y ha salido Juan,* donde no se produce esta articulación. Lo importante, a mi parecer, del trabajo de Malmberg reside en su afirmación de que no es tan básico el asignar estos sonidos a unos determinados fonemas, sino estudiar y conocer perfectamente cómo unos rasgos distintivos funcionan dentro de la comunicación de las hablas hispánicas.

Al partir de presupuestos teóricos totalmente diferentes, la fonología generativa intenta resolver el problema desde otros ángulos y con métodos totalmente distintos. Sol Saporta y Heles Contreras no introducen entre los fonemas básicos del español a *y,* pues el contraste *y-i* está limitado al entorno C-V, y entonces es posible simplificar la descripción eliminando *y* e introduciendo el signo (-) para indicar frontera silábica, con lo que se establece la diferencia entre *a-biérto* y *ab-iékto,* y lo mismo resuelven para *u* y *w*[173]. Ja-

172. "Fenómenos de juntura en castellano", en *Lengua, literatura, folklore,* Santiago, Universidad de Chile, 1967, pp. 285-289; cito por *Phonétique Générale et Romane,* La Haya-París, Mouton, 1971, p. 478.

173. Sol Saporta y Heles Contreras, *A Phonological Grammar of Spanish,* pp. 28-29. No hay que olvidar que, para los lingüistas de orientación generativista, el fonema y los rasgos distintivos no tienen el mismo valor que para los estructuralistas; las notaciones de tipo *y* o *i* son elementos simbólicos que contienen las instrucciones correspondientes para convertir /ab-iékto/ en un conjunto de sonidos. Toda gramática tiene que estar dotada de un "diccionario" donde figuren todos los morfemas de la lengua con sus instrucciones fonológicas correspondientes. Vid. Morris Halle, "La fonología en una gramática generativa", cito por H. Contreras, *Los fundamentos de una gramática transforma-*

mes W. Harris ha vuelto a plantear desde un ángulo generativo el problema de estas unidades en español[174]. Se apoya teóricamente en el principio de que idénticas representaciones fonéticas no implican necesariamente idénticas representaciones básicas de tipo fonológico[175]; observa las alternancias tipo *p*[*ie*]*nso* ~ *p*[*e*]*nsar*, *p*[*ue*]*rta* ~ *p*[*o*]*rtero*, [*e*]*rrar* ~ [*ye*]*rro*, frente a *d*[*e*]*ber* ~ *d*[*e*]*bo*, *p*[*o*]*dar* ~ *p*[*o*]do, lo que le obliga a suponer dos tipos de elementos básicos:

E / O e / o

Los elementos representados por las letras mayúsculas son los que, bajo el acento, entran en la alternancia [e]-[je] / [ye]; [o]-[we], frente a *e* y *o* que no sufren esta alternancia por efectos acentuales. Tampoco se puede olvidar la importancia de "juntura de palabra", pues

É ⟶ jé / C —— (después de consonante)

É ⟶ yé / # —— (después de "juntura de palabra" #)[176]

---

cional, México, Siglo XXI, 1971, p. 139, n. 2, y James W. HARRIS, "Aspectos del consonantismo español", en H. CONTRERAS, *op. cit.*, página 173.

174. James W. HARRIS, *loc. cit.*, pp. 164-185; y además su *Spanish Phonology*, MIT Press, Research Monograph, n.° 54, 1969.

175. "Aspectos del consonantismo español", p. 168, n. 9.

176. Este esquema simboliza que el primer elemento de la izquierda É tiene que ser "reescrito" *jé* en el contorno fonético / después de consonante. Espero que los generativistas ortodoxos sepan perdonarme las libertades que me he tomado al no ordenar las reglas, y, en general, en toda la exposición del completo artículo de Harris. También he modificado ligeramente los signos fonéticos utilizados por este investigador.

Esta circunstancia obligaría a introducir una regla de consonantización

$$j \longrightarrow y \ / \ \# \_\_\_$$

Ordenando las reglas obtiene el siguiente resultado:

# def/E/nde #	# /E/rra #	# /j/ema #	
É	É	é	Acentuación
jé	jé		Diptongación
	y	y	Consonantización
def[*jé*]*nde*	[*yé*]*rra*	[*y*]*ema*	

Si unificamos las "especificaciones mínimas" [177] de *É* y *Ó*, se obtendría el resultado

$$\begin{bmatrix} -\text{ alto} \\ -\text{ bajo} \\ +\text{ acento} \\ +\ R. \end{bmatrix}$$

Son vocales medias, por lo tanto presentan los rasgos negativos —*alto,* —*bajo,* poseen acento y, además, son positivos ante el rasgo *R.*, que es el símbolo en el que Harris deposita la capacidad de diptongación.

Se podría llegar a la formulación:

$$\underset{1}{\begin{bmatrix} -\text{ alto} \\ -\text{ bajo} \\ +\text{ acento} \\ +\ R. \end{bmatrix}} \quad \underset{2}{\emptyset} \quad \longrightarrow \quad \underset{1}{[-\text{vocálico}]} \quad \underset{2}{\text{é}}$$

177. Por "especificaciones mínimas" hay que entender el conjunto de rasgos no redundantes que bastan para distinguir *É* y *Ó* de las restantes vocales españolas, vid. "Aspectos del consonantismo español", en H. CONTRERAS (comp.), *Los fundamentos...*, p. 174.

Es necesaria la introducción del elemento Ø (elemento nulo) para especificar con claridad la regla de diptongación. La exposición queda de esta manera: todo elemento [—*alto,* —*bajo,* +*acento,* +*R.*] (E/O) se "reescribe" en dos elementos: [—vocálico] +*é.*

Ahora es necesario especificar las reglas que afectan al primer elemento [—vocálico]:

$$\text{j} \quad \begin{bmatrix} -\text{vocálico} \\ -\text{consonántico} \end{bmatrix}$$

$$\begin{matrix}\text{y} \\ \text{g}^{\text{w}}\end{matrix} \quad \begin{bmatrix} +\text{consonántico} \end{bmatrix}$$

Habría pues que establecer la regla

$$[-\text{vocálico}] \longrightarrow [+\text{consonántico}] \ / \ \# \ \_\_\_$$

De este modo Harris puede llegar a establecer cómo se generan las representaciones fonéticas [gwápo] y [wéle] (*huele*) en cuanto al primer elemento:

# /gw/apo #	# /O/le #	
á	Ó	Acentuación
	wé	Diptongación
g^w	g^w	Consonantización.
[g^w]ápo	[g^wé] le	

Quedaría únicamente el problema de la supresión de *g-* inicial en los casos de pronunciación esmerada, que obedecería a la regla siguiente

$$g \longrightarrow \emptyset \ / \ \_\_\_ w \quad (\text{g se suprime ante } w)$$

Me he detenido en este problema porque pienso que es un admirable ejemplo de cómo una realidad lingüística puede ser analizada desde distintos puntos de vista teóricos y metodológicos, y en este aspecto todos los trabajos examinados y resumidos son excelentes representantes de las escuelas respectivas. Sólo queda en el aire la duda de saber hasta qué punto los resultados obtenidos están condicionados por la postura teórica del investigador. Además de que la integración de las semivocales y semiconsonantes en unos fonemas u otros es algo que afecta a la descripción general del español, me parece que tanto este problema concreto, como el más general de la evaluación de unos resultados ante el hecho de la multiplicidad de soluciones a la hora de reducir un sistema fonético en un sistema fonológico, son dos interesantísimos aspectos que no pueden ser desconocidos [178].

2.6.5.2.5. *Frecuencia de diptongos en español.** Los diptongos más frecuentes en español son los de tipo *creciente,* que aparecen en una proporción 10/1 frente a los *decrecientes* (de un total de 1.596 examinados por Saporta y Cohen, 1.442/154, con resultados muy similares a los de S. Fernández Ramírez, en posición interior, 334/34); son también más frecuentes los diptongos tónicos, en una proporción de 3/2, y presentan una tendencia a ser crecientes

178. El problema es muy antiguo, vid. el excelente artículo de YUEN-REN CHAO, "The Non-uniqueness of Phonemic Solutions of Phonetic Systems", en *Bulletin of the Institute of History and Philology, Academia Sinica,* IV, parte 4, 1934, pp. 363-397 (*RIL,* t. I, pp. 38-54).

* T. NAVARRO TOMÁS, *Fonología,* 23-25; S. FERNÁNDEZ RAMÍREZ, *Gramática,* 20-21; Sol SAPORTA y Rita COHEN, "The Distribution and Relative Frequency of Spanish Dipthongs", en *RPh,* XI, 1957-1958, *Percival B. Fay Testimonial,* parte II, pp. 371-377; Miguelina GUIRAO y Ana M. BORZONE DE MANRIQUE, "Fonemas, sílabas y palabras del español de Buenos Aires", en *Fil,* XVI, 1972, pp. 135-165; para el estudio de la frecuencia de diptongos en el español clásico, vid. T. NAVARRO TOMÁS, "Notas fonológicas sobre Lope de Vega", en *AO,* IV, 1954, *Miscelánea filológica en memoria de Amado Alonso,* pp. 46-47.

y a ocurrir en sílaba trabada; ya se ha advertido que no hay casos en español de diptongos seguidos por dos consonantes como coda silábica (v. 2.3.5.3.). En posición inicial de palabra son muy raros los diptongos decrecientes (SFR, *Gramática,* 21). Los datos estadísticos sobre textos concretos varían en los diferentes investigadores:

	T. Navarro Tomás	*Zipf y Rogers*
ie	0,86 %	1,06 %
ue	0,54 %	1,26 %
ia	0,54 %	0,54 %
io	0,32 %	0,32 %

Los cálculos de Borzone y Guirao para el español de Buenos Aires[179] están realizados sobre el conjunto total de los diptongos, aunque no se ha tenido en cuenta ni la estructura silábica ni la posición del acento:

	Borzone-Guirao
ie	19,52 %
io	11,78 %
ea	10,24 %
ia	10,08 %
ue	9,41 %

Los debatidos diptongos *iu* y *ui* presentan un porcentaje muy bajo 0,93 % y 1,64 %, respectivamente; el diptongo menos frecuente es *uo,* con una frecuencia de 0,13 %.

179. *Fil,* XVI, 1972, p. 162, tabla V.

2.7. Frecuencia de fonemas en español *

Un problema íntimamente unido con la distribución de los fonemas en la cadena sonora y sus limitaciones es el de la frecuencia de aparición, tales rasgos, en unión de los matices peculiares de los sonidos y el tiempo más o menos rápido de la elocución, sirven para caracterizar el *acento* de una lengua[180].

Poseemos varios estudios sobre la frecuencia de fonemas

* G. Dewey, *Relative Frequency of English Speech Sounds,* Cambridge, Mass., Harvard University Press, 1923; J. Herman, "Statisque et diachronie: Essai sur l'évolution du vocalisme dans la latinité tardive", en *Word,* XXIV, 1968, *Linguistic Studies Presented to André Martinet,* pp. 242-251; A. Hood Roberts, *A Statistical Linguistic Analysis of American English,* La Haya-Londres-París, Mouton, 1965; Charles H. Voelker, "Technique for a Phonetic Frequency Distribution Count in Formal American Speech", en *ANPhE,* 1935, pp. 69-72; G. K. Zipf, *Selected Studies on the Principle of Relative Frequency in Language,* Cambridge, Mass., 1932; *The Psycho-Biology of Language. A Introduction to Dynamic Philology,* 1.ª ed., 1935 (existe reimpresión: Cambridge, Mass., The MIT Press, 1965); vid. las notas 34 y 35 de D. Catalán, en *RPh,* XVIII, p. 186.

Para el español: E. Alarcos, *Fonología,* 127-130; M. Guirao y A. M. Borzone de Manrique, "Fonemas, sílabas y palabras del español de Buenos Aires", en *Fil,* XVI, 1972, pp. 135-165; T. Navarro Tomás, *Pron.,* 74-75; *Fonología,* 15-30; *El acento castellano,* Discurso de ingreso en la RAE, Madrid, 1935; "Notas fonológicas sobre Lope de Vega", en *AO,* IV, 1954, *Miscelánea filológica en memoria de Amado Alonso,* pp. 45-49; G. K. Zipf y F. M. Rogers, "Phonemes and Variphones in Four Present-day Romance Languages and Classical Latin from the Viewpoint of Dynamic Philology", en *ANPhE,* XV, 1939, pp. 111-147; el trabajo de J. M. Tato, F. Llorente Sanjurjo, J. Bello y J. M. Tato (hijo), "Características acústicas de nuestro idioma", en *Revista Otolaringológica* (Buenos Aires), I, 1949, pp. 17-34, no me es accesible y conozco sus resultados a través del artículo de M. Guirao y A. M. Borzone ya citado.

180. T. Navarro Tomás, *El acento castellano,* Madrid, 1935, pp. 11-12.

en español, cuyos resultados analizaremos en este capítulo, aunque en gran medida sus diferentes datos se deben a las distintas posiciones teóricas; en el caso del trabajo de Guirao y Borzone, en el que se han manejado la mayor cantidad de elementos (62.980 fonemas), las cifras hacen referencia a la peculiaridad lingüística de Buenos Aires, pero pueden ser válidos para gran cantidad de hablas hispánicas.

Las vocales y consonantes se reparten casi en igual proporción, a pesar de la diferencia numérica existente entre sus elementos.

	Navarro Tomás	Zipf-Rogers	Alarcos Llorach	Guirao-Borzone	Tato-Bello-Llorente
Vocales	43,49	45,00	47,30	47,16	47,02
Consonantes	56,51	55,00	52,70	52,84	52,98

Las vocales arrojan un resultado cercano al 47 %, y las consonantes en su total están próximas al 53 %; las diferencias en el caso de Navarro Tomás se basan en la consideración monofonemática de los diptongos. En los cálculos sobre textos peninsulares, la vocal /a/ es la más frecuente, aunque en Buenos Aires los resultados difieren, pues la más frecuente es /e/ con un 14,31 % del total. Un resultado similar en cuanto a la mayor frecuencia de /e/ fue obtenido por Navarro Tomás al analizar el español clásico en cuatro comedias de Lope de Vega, en este caso /e/ alcanzó un 13,52 %, pero también los diptongos fueron sumados aparte[181].

181. T. Navarro Tomás, en *AO*, IV, 1954, p. 45.

	Navarro Tomás	Zipf-Rogers	Alarcos Llorach	Guirao-Borzone
A	13,00	14,06	13,70	12,45
E	11,75	12,20	12,60	14,51
O	8,90	9,32	10,30	9,85
I	4,76	4,20	8,60	7,27
U	1,92	1,76	2,10	3,08

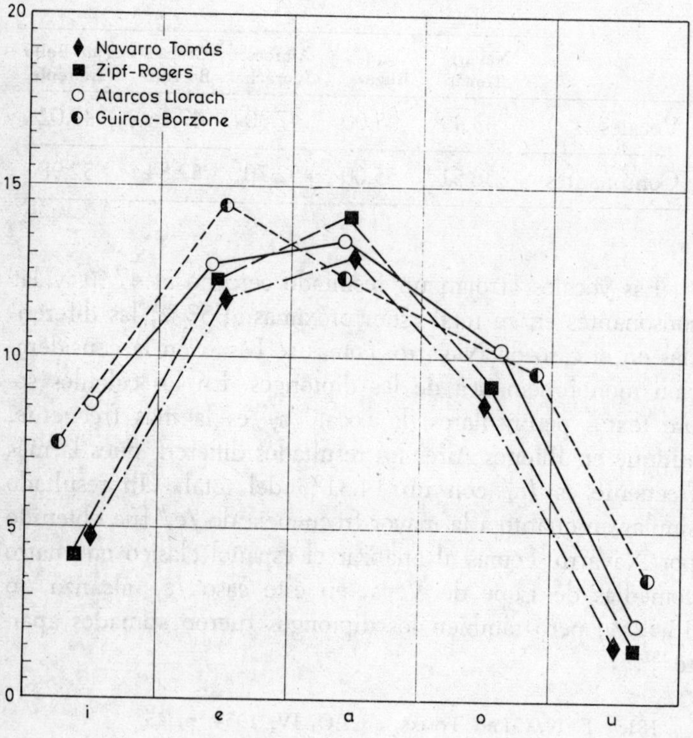

Todos los cálculos realizados dan /s/ como el fonema consonántico más frecuente, resultado al que no es ajena la estructura morfofonológica del español y el extraordinario rendimiento funcional de este fonema; como ya había calculado Navarro Tomás[182], en zonas seseantes aumenta todavía más la frecuencia, lo que hace subir a /s/ al tercer lugar de la escala total. Un caso similar aparece en zonas de yeísmo (en este caso, de žeísmo), aunque el porcentaje aumenta en menor cantidad con respecto a las zonas que mantienen la oposición. Los resultados de E. Alarcos no son comparables con los de restantes investigadores, pues al partir teóricamente del concepto de archifonema y de neutralización, varían en muchos casos los cálculos, y sólo se puede establecer una comparación desglosando los diferentes resultados totales en las distintas distribuciones, como ha hecho el propio investigador.

182. *Fonología,* p. 19.

	Navarro Tomás	Zipf-Rogers	Alarcos Llorach	Guirao-Borzone
/s/	8,50	8,12	8,00	9,72
/m/	3,09	2,98	2,50	3,04
/n/	6,94	5,94	2,70	7,67
/n̪/	0,36	0,36	0,20	0,28
/N/	—	—	3,70	—
/l̪/	0,60	0,60	0,50	—
/l/	5,46	5,20	4,70	4,25
/L/	—	—		—
/r/	5,91	5,90	2,50	5,58
/r̄/	0,80	1,04	0,60	0,50
/R/	—	—	4,50	—
/t/	4,82	4,46	4,60	4,92
/d/	5,00	5,06	4,00	4,16
/D/	—	—	0,25	—
/k/	4,23	3,84	3,80	4,37
/b/	2,54	3,26	2,50	2,45
/p/	3,06	2,92	2,10	2,76
/B/	—	—	0,10	—
/θ/	2,23	1,74	1,70	—
/f/	0,72	0,72	1,00	0,67
/g/	1,04	1,02	1,00	0,94
/G/	—	—	0,25	—
/x/	0,51	0,58	0,70	0,65
/y/	0,40	2,40	0,40	0,55
/ĉ/	0,30	0,30	0,40	0,33

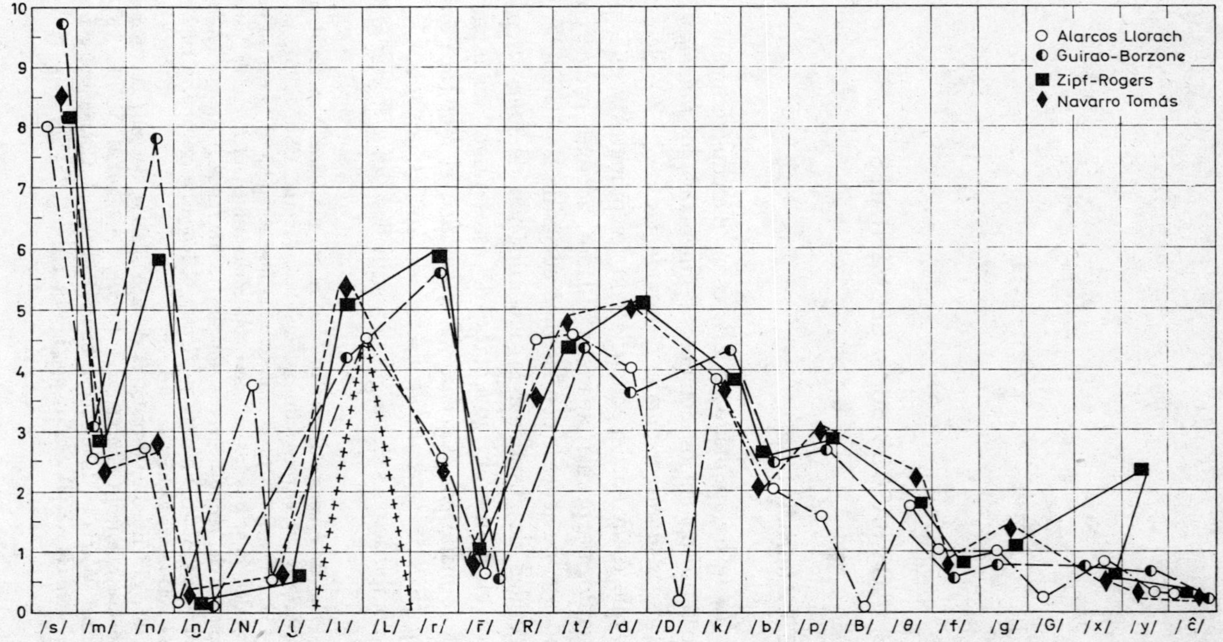

Alarcos Llorach
Guirao-Borzone
Zipf-Rogers
Navarro Tomás
10
9
8
7
6
5
4
3
2
1
0
/s/ /m/ /n/ /ŋ/ /N/ /ḽ/ /l/ /L/ /r/ /r̄/ /R/ /t/ /d/ /D/ /k/ /b/ /p/ /B/ /θ/ /f/ /g/ /G/ /x/ /y/ /ĉ/

2.8. LOS RASGOS SUPRASEGMENTALES

2.8.0. Introducción

Ya se ha apuntado en 2.3. cómo metodológicamente es necesario separar los elementos segmentales, los *fonemas,* de los *rasgos suprasegmentales* o *prosodemas* (v. 2.3.2.), elementos que están en dependencia con los primeros y que, por lo tanto, no pueden aparecer aislados; además, parece conveniente, de acuerdo con las sugerencias de E. Alarcos [183], la necesidad de abandonar la denominación de *fonemas* para estos elementos. El inventario de estos rasgos en español está formado por *el acento de intensidad, el tono, la transición final* [184], *la cantidad,* ya tratada en 2.3.5.6, y 2.4.7., y las combinaciones de rasgos denominadas *ritmo* [185] y *entona-*

183. E. Alarcos Llorach, "Los rasgos prosódicos", en *Problemas y principios del estructuralismo lingüístico,* Madrid, CSIC, 1967, p. 8.

184. *Transición final* es el término que se aplica al ascenso o descenso del tono, o a su ausencia, inmediatamente anterior a la pausa; adoptamos la terminología de Joseph H. Matluck, "Entonación hispánica", en *ALM,* V, 1965, p. 7, para el fenómeno general, y también *terminación* para indicar la dirección.

185. El ritmo en español es de tipo silábico, depende del número de sílabas que tenga el grupo; vid. *Esbozo,* 1.5.2.; *ALM,* V, 1965, p. 8, y Ethel Wallis, "Intonational Stress Patterns of Contemporary Spanish", en *H,* XXXIV, 1951, pp. 143-147.

ción. Algunas descripciones estructurales introducen además la *juntura,* término que se suele utilizar para denominar fenómenos fonéticos que funcionalmente indican divisiones entre unidades mayores que el fonema, según la definición de B. Malmberg[186].

186. "Fenómenos de juntura en castellano", en *Lengua, literatura, folklore,* Santiago, Universidad de Chile, 1967, pp. 285-289 (cito por *Phonétique Générale et Romane,* pp. 475-478). No todos los investigadores han aceptado la existencia de este tipo de unidades, pero parece indudable que la descripción de determinados problemas puede ganar en claridad con la adopción de este elemento. Hemos utilizado el término en 2.3.5.0., aunque su utiliza con un valor absolutamente distinto, y sin posibilidad de confusión, en 3.0.1. Sobre el problema de la *juntura,* puede consultarse la bibliografía siguiente: E. ALARCOS LLORACH, "Algunas cuestiones fonológicas del español de hoy", en *PFLE,* II, Madrid, 1964, pp. 151-161; N. A. CHOMSKY, M. HALLE y F. LUKKOF, "On Accent and Juncture in English", en *For Roman Jakobson,* pp. 65-80; Charles F. HOCKETT, *A Manual of Phonology,* 22, 222 y 324; *Curso de Lingüística Moderna,* trad. y adaptación de Emma Gregores y J. Alberto Suárez, Buenos Aires, Eudeba, 1971, pp. 59-65; Ruth L. HYMAN, "[ŋ] as a Allophone Denoting Open Juncture in Several Spanish-American Dialects", en *H,* XXXIX, 1956, pp. 293-299; D. JONES, "The Hyphen as a Phonetic Sign", en *Zeitschrift für Phonetik,* IX, 1956, pp. 99-107; Henry R. KAHANE y Richard BEYM, "Synctactical Juncture in Colloquial Mexican Spanish", en *Lan,* XXIV, 1948, pp. 388-396; Ofelia KOVACCI, "La oración en español y la definición de sujeto y predicado", en *Fil,* IX, 1963, pp. 103-117; Ilse LEHISTE, *An Acoustic Phonetic Study of Internal Open Juncture,* suplemento al vol. V de *Phonetica,* 1960; Eusebia Herminia MARTÍN, "Valores gramaticales de la juntura en español", en *Fil,* XV, 1971, pp. 167-182; Bertil MALMBERG, "Juncture and Syllable Division", en *In Honor of Daniel Jones,* Londres, 1964, pp. 116-119 (reimpresión en *Phonétique Générale et Romane,* pp. 128-130); Joseph H. MATLUCK, "Entonación hispánica", en *ALM,* V, 1965, pp. 5-32; Antonio QUILIS, "La juntura en español: un problema de fonología", en *PFLE,* II, Madrid, 1964, pp. 163-171; Sol SAPORTA, "A Note on Spanish Semivowels", en *Lan,* XXXII, 1956, pp. 287-290 (reimpreso en *RIL,* I, pp. 403-404, especialmente p. 404, n. 8); vid. sobre este problema, contra Saporta, la tesis de BOWEN y STOCKWELL, en *RIL,* I, p. 405; Ismael SILVA-FUENZALIDA, "Syntactical Juncture in Colloquial Chilean Spanish", en *Lan,* XXVII, 1951, pp. 34-37; R. STOCKWELL,

El *acento de intensidad* depende de la amplitud de las ondas sonoras, mientras que el *tono* o *altura musical* está en función de la frecuencia de las ondas; en español, *tono* y *acento de intensidad* aparecen íntimamente ligados, pues en la palabra aislada el acento de intensidad supone siempre una elevación de tono, como observó S. Gili Gaya[187]; el mismo investigador notó que, en la frase, suele hacerse más agudo el tono en las sílabas acentuadas comprendidas en la rama intermedia de la curva. Sin embargo, esta relación íntima de *tono* y *acento* puede romperse cuando, por una circunstancia cualquiera, el hablante fija su atención sobre una palabra y eleva el tono, sin que necesariamente sea palabra sobre la que recaiga el acento de grupo, o al revés. H. Contreras demostró cómo lo que nuestro oído interpreta como acento de intensidad se puede conseguir gracias a un quiebro de la línea tonal hacia arriba o hacia abajo, por ejemplo; cuando hay ausencia de claves tonales, el acento es marcado perceptivamente por la duración y la intensidad, pero cuando estos factores entran en conflicto, parece predominar la cantidad[188]. Fonéticamente se pueden distinguir cinco o seis alturas tonales distintas, aunque es tradición en los estudios descriptivos del español aceptar sólo tres grados como fonológicamente pertinentes: /1/, /2/, /3/.

D. J. Bowen, I. Silva-Fuenzalida, "Spanish Juncture and Intonation", en *Lan,* XXXII, 1956, pp. 641-665; G. L. Trager, "Some Thoughts on Juncture", en *SiL,* XVI, 1962, pp. 11-22.

187. "Influencia del acento y de las consonantes en las curvas de entonación", en *RFE,* XI, 1924, p. 167, y S. Fernández Ramírez, *Gramática Española,* 4.

188. Heles Contreras, "Sobre el acento en español", en *BFUCh,* XV, 1963, pp. 223-237.

2.8.1.1. El acento en español *

El español es una lengua de *acento libre,* pues el acento puede ocupar una cualquiera de las tres sílabas finales de la palabra, salvo en el caso de palabras dotadas de doble acento

* T. Navarro Tomás, *Pron.,* 157-173; E. Alarcos Llorach, *Fonología,* 131-133; A. Quilis y Joseph A. Fernández, *Curso,* 14.1.-14.11., *Esbozo,* 1.5. Vid., E. Alarcos Llorach, "Los rasgos prosódicos", en *Problemas y principios del estructuralismo lingüístico,* Madrid, CSIC, 1967, pp. 1-8; H. H. Arnold, "Notes on the Accentuation of *aquel que*", en *H,* XIV, 1931, pp. 449-456; J. Balaguer, "Palabras con dos acentos rítmicos", en *BICC,* II, 1946, pp. 277-278; Dwight L. Bolinger, "English Prosodic Stress and Spanish Sentence Order", en *H,* XXVII, 1954, pp. 152-156; "Stress on Normally Unstressed Elements", en *H,* XXXIX, 1956, pp. 105-106; "Acento melódico. Acento de intensidad", en *BFUCh,* XIII, 1961, pp. 33-48; "Binomials and Pitch Accent", en *Lingua,* XI, 1962, *Studia De Groot,* pp. 34-44 (hace referencia al trabajo de Yakov Malkiel, "Studies in Irreversible Binomials", en *Lingua,* VIII, 1959, pp. 113-160); "*Secondary Stress* in Spanish", en *RPh,* XV, 1961-1962, *Henry and Renée Kahane Testimonial,* pp. 273-279; J. Cary Davis, "Rhythmic Stress in Spanish", en *H,* XXXVII, 1954, pp. 460-465; Heles Contreras, "Sobre el acento en español", en *BFUCh,* XV, 1963, pp. 223-237; P. Garde, *L'accent,* París, PUF, 1968; S. Gili Gaya, "Influencia del acento y de las consonantes en las curvas de entonación", en *RFE,* XI, 1924, pp. 154-177; E. C. Hills, "The Pronunciation and Spelling of *huído* and Similar Words", en *H,* IV, 1921, pp. 301-304; Ilse Lehiste, *Suprasegmentals,* Cambridge, Mass., The MIT Press, 1970; H. Keniston, "More on the Ending *—uído*", en *H,* V, 1922, pp. 162-169; Bertil Malmberg, "Analyse instrumentale et structurale des faits d'accents", en *Proceedings of the Fourth International Congress of Phonetic Sciences, Helsinki, 1961,* La Haya, Mouton, 1962, pp. 456-475 (reimpreso en *Phonétique Générale et Romane,* pp. 211-221); "Analyse des faits prosodiques. Problèmes et methodes", en *Cahiers de Linguistique Théorique et Appliquée,* III, 1966, pp. 99-107 (reimpreso en *Phonétique Générale,* pp. 222-230); André Martinet, "Acento y tonos", en *La Lingüística Sincrónica,* Madrid, Gredos, 1968, pp. 141-160; S. G. Morley, "The Accentuation of the Past Participles in *—uido*", en *H,* IV, 1921, pp. 187-191; S. G. Morley y A. L. Gregory, "Modern *aun* and *aún*", en *MLJ,* X, 1926 pp. 323-336; T. Navarro Tomás, "Palabras sin acento", en *RFE,* XII, 1925, pp. 335-375; A. Qui-

de intensidad (v. 2.8.1.4.) y sin olvidar que esta libertad está condicionada por la tradición histórica. Los diferentes esquemas acentuales — — $\overset{/}{—}$, — $\overset{/}{—}$ —, $\overset{/}{—}$ — — (agudos, graves, esdrújulos) tienen carácter significativo, ya que pueden distinguir secuencias idénticas de fonemas:

$\overset{\times}{\text{ca}}\text{ntara}$ $\quad$ $\text{cant}\overset{\times}{\text{a}}\text{ra}$ $\quad$ $\text{cantar}\overset{\times}{\text{a}}$

$\text{te p}\overset{\times}{\text{i}}\text{de}$ $\quad$ $\text{t}\overset{\times}{\text{e}}\text{ p}\overset{\times}{\text{i}}\text{de}$

Las observaciones experimentales realizadas por T. Navarro Tomás sobre estas grabaciones demuestran que indudablemente presentan curvas melódicas distintas [189]; se trata de grabaciones en que estos elementos aparecen en situación aislada, pues dentro de la estructura del grupo siguen las reglas generales, con las excepciones debidas a la intención del hablante, pues las palabras varían de grado de intensidad dentro del grupo fónico.

Según el grado relativo de intensidad, se distinguen sílabas *fuertes* y *débiles,* que entran en contraste dentro de la cadena sonora. El acento, pues, tiene carácter distintivo y como tal puede utilizarse para diferencias morfológicas /piso/ - /$\text{pis}\overset{\times}{\text{o}}$/ [190], y en algunos casos, muy pocos, se produce un cambio en el esquema acentual con referencia a

---

lis, "Caracterización fonética del acento español", *TLLS,* IX, 1971, pp. 53-72; Ethel Wallis y William E. Bull, "Spanish Adjective Position: Phonetic Stress and Emphasis", en *H,* XXXIII, 1950, pp. 221-229; Ethel Wallis, "Intonational Stress Patterns of Contemporary Spanish", en *H,* XXXIV, 1951, pp. 143-147; M. Brame, "The Cycle in Phonology: Stress in Palestinian, Maltese, and Spanish", *LI,* V, 1974, pp. 39-60.

189. *RFE,* XII, 1925, pp. 337-338 y 340-341.

190. Vid. la larga lista de ejemplos que aparece en James W. Harris, *Spanish Phonology,* p. 120.

la oposición singular/plural: *régimen - regímenes* (v. 3.3.1.), y también en la adición de determinados morfemas derivativos. En las abreviaciones se producen dislocaciones acentuales que no impiden el reconocimiento de la palabra, ya que se trata de una de las características formales de este tipo de recurso lingüístico: *hacer el ridículo* se transforma en *hacer el ridi,* por ejemplo[191].

2.8.1.2. Palabras acentuadas e inacentuadas *

En español existe un conjunto de palabras que son siempre acentuadas, sea cual fuere la posición que ocupen en el grupo; existen otras palabras que son habitualmente inacentuadas; mientras que una tercera clase vacila entre ambos apartados, según la función gramatical que desempeñan, el énfasis o la carga afectiva del hablante, incluso con variaciones debidas a preferencias regionales. Como observó Navarro Tomás[192], parece existir una relación estrecha entre la importancia de la función sintáctica y la aparición del acento, aunque hay que advertir que este principio general puede no ser válido en ocasiones en que palabras que habitualmente están dotadas de acento pueden aparecer como inacentuadas cuando desempeñan en la oración un papel sintáctico que las debilita, o que palabras normalmente pronunciadas como inacentuadas pasan a ser acentuadas en cir-

191. Z. Biaggi y F. Sánchez Escribano, "Manifestación moderna y nueva de la apócope en algunas voces", en *HR,* V, 1937, p. 55.

* S. Fernández, *Gramática,* 39-40; A. Quilis y Joseph A. Fernández, *Curso,* 1.4.7.1. y 1.4.7.2.; *Esbozo,* 1.5.3.-1.5.5.; T. Navarro Tomás, *Pron.,* 165-170, y "Palabras sin acento", en *RFE,* XII, 1925, pp. 335-375. Nuestra exposición se basa fundamentalmente en este último trabajo del ilustre fonetista.

192. *RFE,* XII, 1925, p. 375.

cunstancias muy concretas en las que el hablante intenta destacarlas. Las palabras acentuadas, advierte el *Esbozo* académico (1.5.3.*b*.), se diferencian de las inacentuadas porque casi todas ellas, de manera independiente, pueden constituir un enunciado.

En la secuencia sonora son palabras permanentemente acentuadas los verbos, incluso los auxiliares, los sustantivos, los adjetivos, los adverbios, los pronombres personales en función de sujeto y término de preposición, los demostrativos (v.4.3.), los determinativos, exclamativos, interrogativos, además de los indefinidos, aunque se trate de formas apocopadas, y *según, mil* y *muy*.

Son palabras habitualmente desprovistas de acento los pronombres relativos (v. 4.8.), los posesivos del tipo *mi, tu, su,* etc., el artículo (v. 3.4.0.), las conjunciones y preposiciones (v. 3.0.5.), salvo en el caso en que la lengua familiar las usa como preguntas elípticas. Con vacilaciones que dependen del énfasis, incluso de preferencias individuales, carecen de acento las formas conjuntivas y prepositivas *excepto, salvo, respecto a, puesto que, supuesto que, junto a, mediante* y *durante* (v. 6.2.1.).

Vacila entre ambos apartados, en función de diversas circunstancias, una amplia serie de palabras: las fórmulas de tratamiento usadas en expresiones de tipo vocativo (*don, doña, fray, señor, señora, señorito, señorita, padre, madre, cabo, capitán...*) suelen ser inacentuadas, aunque se acentúen en uso no vocativo o cuando la invocación toma un determinado énfasis, sobre todo en posición inicial de grupo. En las invocaciones, en locuciones breves de carácter vocativo, en expresiones de cariño o reproche, piropos o insultos populares, los elementos nominales que los inician están desprovistos de acento de manera habitual, mientras que en las exclamaciones de desprecio, elogio, sorpresa o admiración, se tiende a mantener el acento de la palabra inicial, incluso con un refuerzo perceptible. En las locuciones *casa de, cara a, boca arriba, boca abajo,* son inacentuadas las palabras *casa, cara, boca,* como sucede con *calle, cuesta, río,* en combinación con *arriba* o *abajo* en las locuciones adverbiales *cuesta arriba, río abajo,* aunque se advierten diferencias de tratamiento, pues la pronunciación inacentuada es más general en *boca* y *cuesta,* no tan frecuente en *calle* y menos todavía en *río.* En las combinaciones de nombre compuesto *Luis Alberto, María Luisa, Sierra Morena,* es frecuente también la pérdida del acento en el primer elemento [NT, *Pron.,* 167 *c*]. Luis Flórez ha registrado también este fenómeno en los nombres compuestos de persona en las costas colombianas y en Antioquia, Gregorio Salvador lo notó en Tarifa y Vertientes (Granada), pero referido al nombre más el primer apellido, con una pausa perceptible antes del segundo apellido, con una frecuencia más alta de aparición en el habla femenina.

Los adjetivos *mal, buen, pobre, gran,* en construcciones donde se combina un adjetivo más un sustantivo, y que están muy próximos a formar un compuesto, *mal hombre, pobre mujer,* pierden su acento en muchos casos, sin embargo no todos los hablantes tienen la misma conciencia acerca de su unidad, lo que determina las vacilaciones en la realización fonética del adjetivo. Mucho más adelantado está el fenómeno de la pérdida de la acentuación en las combinaciones de numerales compuestos, donde sólo se acentúa normalmente el último elemento: *cuarenta y siete, setenta y ocho* (v. 4.6.1.); en el caso de *cien, ciento,* sólo se pierde el acento delante de *mil;* los ordinales muestran mayor resistencia a la desacentuación que los cardinales. En las combinaciones nominales tipo *siete casas, diez caballos,* los numerales simples son siempre acentuados, y lo mismo sucede con las formas apocopadas *cien, primer, tercer* y *postrer.* En el caso de *recién* predomina el uso con acento, aunque también puede encontrarse sin él; en el lenguaje de una misma persona, *casi* puede vacilar entre la acentuación y la desacentuación, lo mismo ocurre con *cerca.* Suelen ser inacentuadas las formas *unos, unas,* en las combinaciones en que se utilizan para indicar la cantidad aproximada: *unas veinte chicas* (v. 4.6.6.). El uso aislado de *pues* le proporciona un determinado carácter enfático, lo mismo sucede cuando va pospuesto. Cuando *y* encabeza frase interrogativa se acentúa. Ciertas preposiciones y conjunciones se destacan del nivel medio de la frase en el caso de que el hablante quiera dar un especial relieve a las palabras que siguen, incluso puede suceder que aparezca una pausa después de la preposición o conjunción.

En algún caso, las diferentes realizaciones fonéticas dependen de valores funcionales o de orden dentro del grupo. Cuando los pronombres átonos, *me, te, nos,* etc., aparecen en posición enclítica como última sílaba de una estructura de tipo *esdrújulo* o *sobresdrújulo,* sobre todo en unión del imperativo, por razones fonéticas y psicológicas, puede recibir un acento que lo sitúa a la altura de las sílabas fuertes: *cuéntaselo*[193]. *Luego* y *aun* se realizan fonéticamente con acento cuando funcionan como adverbios, y sin él, cuando desempeñan la función de conjunciones[194] (v. 4.9.4. y 8.5.3.).

193. *Ibid.,* pp. 358-360, *Esbozo,* 1.5.4.*b.*

194. *Ibid.,* pp. 369-370. Ya advirtió Navarro Tomás que *aun* tiene la posibilidad de pronunciarse como monosílabo o bisílabo en cualquier posición, excepto al final de frase que es siempre bisílabo, vid. *Pron.,* 147, *Esbozo,* 1.6.9.*b.*2.º

Mientras es acentuado si funciona como forma pronominal pospuesta al verbo, e inacentuado como "elemento relativo delante del verbo a que se refiere"[195]. *Medio* posee acento cuando desempeña función adjetiva, *medio libro*, y aparece sin acento como adverbio, *medio llorando* (v. 4.9.5.); *más* pierde su acento en la locución conjuntiva *mas que*, con el valor de *sino*.

En los tratamientos prosódicos de algunas palabras puede haber diferencias basadas en la procedencia geográfica de los hablantes: los demostrativos son inacentuados en Navarra y Rioja[196]; los posesivos *mi, tu, su,* etc., son acentuados con frecuencia en Asturias, León y Castilla la Vieja (v. 4.2.), e inacentuados en el resto de las hablas hispánicas; también los habitantes de Castilla la Vieja, Asturias y Navarra suelen pronunciar *cada* sin acento, mientras que en los hispanohablantes del sur peninsular y de América predomina la realización acentuada[197].

2.8.1.3. Grupos de intensidad

Ya se ha advertido en 2.3.5.0. que toda secuencia sonora entre pausas, el grupo fónico, puede ser dividida en unidades rítmicas menores, los *grupos acentuales* o *grupos de intensidad*, que están presididos por la presencia de un

195. *RFE,* XII, 1925, p. 370.

196. En el habla vulgar y familiar, *esta* suele ser átono en las locuciones de carácter adverbial *esta mañana, esta tarde,* vid. *Pron.*, p. 190, n. 1, y *RFE,* XII, 1925, p. 364.

197. *RFE,* XII, 1925, p. 374. Amado Alonso comunicaba a Navarro Tomás que en Lerín (Navarra) son átonos los pronombres personales *nosotros, vosotros,* ante numeral, *loc. cit.*, p. 368, n. 1, y también tiene en la misma localidad un tratamiento átono *solo* cuando desempeña función conjuntiva, vid. *loc. cit.*, p. 371, n. 2.

acento. En el ejemplo de Valle-Inclán, "*Los hijos permanecieron silenciosos*" (*Los Cruzados de la Causa,* 19), el análisis en unidades menores sería el siguiente:

(a) /Los hijos permanecieron silenciosos ↓/

(b) /Los hijos/ - /permanecieron/ - /silenciosos/

En el segundo análisis (b) aparecen tres unidades /Los hijos/, /permanecieron/, /silenciosos/, unidades rítmicas, jerárquicamente inferiores al grupo fónico; estas unidades están constituidas por un morfema o varios, dominados por un acento de intensidad; en el caso analizado se advierte que no hay unidades rítmicas formadas por un único morfema. Desde el punto de vista sintáctico, estas unidades serán denominadas *constituyentes* de la oración (v. 7.1.).

Las palabras que habitualmente se pronuncian como inacentuadas, que ya han sido examinados en 2.8.1.2., entran a formar grupo de intensidad con otras acentuadas, ya sea por enclisis o por proclisis: /los hijos/, por ejemplo.

No siempre la delimitación de los grupos de intensidad es tan clara como en los ejemplos examinados [NT, *Fonología,* 73 y SFR, 3 y 41]; en otras ocasiones pueden existir dentro de un mismo grupo dos acentos de intensidad, uno de los cuales domina el grupo; este acento suele recibir el nombre de *acento principal,* como en el ejemplo analizado por S. Fernández Ramírez, "*¡Madre! Qué grito del bandolero*" (Valle-Inclán), donde aparece el grupo /*qué grito*/, donde el primer acento es el principal. El mismo investigador ha planteado el problema de la subdivisión en grupos en el ejemplo de García Lorca *Pero yo ya no soy yo,* caso extremo de acumulación de acentos, en el que la división más normal parece ser /*Pero yo*/ - /*ya no soy yo*/.

No poseemos un estudio detenido sobre el interesante problema de la composición y cálculo estadístico del grupo de intensidad, aunque sabemos, gracias a Navarro Tomás [198], que los tipos más repetidos de grupos de intensidad son los de tres, cuatro y cinco sílabas, pero también puede aparecer el monosílabo y las estructuras de siete u ocho sílabas; parece que hay autores y tipos de texto en los que "se aprecia una cierta inclinación hacia las combinaciones largas: *Cuando me lo dijo, por lo que se refiere, contra lo que se esperaba*" [NT, *Fonología*, p. 74]. La combinación más repetida es la del tipo *preposición* + *artículo* + *sustantivo*, seguida de *artículo* + *sustantivo*, con frecuencias más bajas aparecen las combinaciones *pronombre* + *verbo*, *preposición* + *verbo*, *conjunción* + *sustantivo*, *conjunción* + *verbo* [NT, *Fonología*, pp. 74-75].

2.8.1.4. Palabras con dos acentos

Sólo existen en español unas palabras dotadas de doble acento de intensidad, se trata de los adverbios en *-mente*, que mantienen, por evidentes razones históricas, los dos acentos: *maravillosamente*; por su estructura de composición también conserva el doble acento *asimismo*, pero vid. *Esbozo*, p. 141, y a veces puede aparecer en *todavía* [*Pron.*, 165]. Es necesario advertir que el llamado *acento secundario* no tiene pertinencia fonológica en español.

198. *Fonología*, pp. 73-76.

2.8.1.5. Cambios de acento *

Es frecuente encontrar en la lengua española una serie de palabras que se realizan prosódicamente con varios esquemas acentuales. A lo largo de la historia de la lengua se han producido metatonías: *treinta, reina, médula,* que hoy están firmemente establecidas, pero existen otros casos de existencia de esquemas diferentes de los que aprueba la norma correcta, y que se usan en ámbitos sociales y geográficos bastante bien determinados.

Después de la investigación realizada por A. Alonso, quien amplió y sistematizó muchos datos recogidos por Cuervo [*Apunt.,* 47 y ss.], sabemos que estos esquemas diferentes pueden ser agrupados en tres apartados claramente definidos: (1) Cambios que se realizan entre vocales concurrentes; (2) Formas verbales tipo *váyamos, váyais,* de claro origen analógico, y (3) Formas léxicas como *méndigo, pápiro, telégrama*[199].

El primer fenómeno obedece fundamentalmente a la tendencia a la diptongación de las vocales en hiato: *cáido, bául*[200], *máiz* (v. 2.6.5.2.2.); aparece con bastante extensión en Hispanoamérica, pero no se produce, según los datos de A. Alonso, en Andalucía ni en Murcia. De estos datos se desprende que este fenómeno no era general en la época de la colonización, y que se ha producido en tierras americanas. Este vulgarismo tuvo bastante penetración en el español

* R. J. Cuervo, *Apuntaciones,* 47 y ss.; A. Alonso, "Cambios acentuales", en *BDH,* I, pp. 317-370; J. Neira, "Cambios de acentos", en *AO,* XVI, 1966, pp. 19-33. Para el estudio de las acentuaciones anómalas, vid. *Esbozo,* 1.5.7.

199. Amado Alonso, en *BDH,* I, pp. 317-370.

200. Vid. *ALPI,* mapa 24, y A. Zamora Vicente, en *Fil,* II, 1950, pp. 131-132, y en *ACILR,* X, pp. 1.329 y 1.333-1.334.

peninsular, pero la reacción cultista redujo fuertemente su extensión.

El cambio de tipo *váyamos, váyais* tiene bastante extensión en Hispanoamérica [*BDH*, I, p. 349], aunque no corresponda su territorio geográfico con el del fenómeno anterior; aparece en Andalucía[201], Canarias[202] y Galicia, falta en Aragón, Navarra y Vizcaya; también se da en Castilla, donde parece que gozó de tanta penetración social en el siglo XIX como en América en el siglo XX [*BDH*, I, p. 349].

El tercer tipo de diferentes esquemas acentuales es de carácter léxico: *méndigo, Damáso, síncero,* tipo de cambio que aparece en la lengua vulgar y, con frecuencia, en la de las personas seminstruidas, lo que lo diferencia, entre otras particularidades, de los cambios anteriormente tratados. Es fenómeno general en América, y en la Península ha tenido un alcance mayor que en los tiempos actuales; el caso de la pronunciación aragonesa, con su típica repugnancia a las formas esdrújulas, no puede incluirse dentro de este grupo[203].

Las causas de estos cambios en los esquemas acentuales

201. Para la distribución andaluza del fenómeno, vid. J. MONDÉJAR, *El verbo andaluz. Formas y estructuras, RFE,* anejo XC, Madrid, CSIC, 1970, pp. 57-62, y mapas 4, 5 y 7, y además, *ALEA,* VI; este investigador apunta la posibilidad de que la ausencia casi total de proparoxítonos verbales en Andalucía oriental se deba a influjo aragonés, vid. *op. cit.*, pp. 59-60.

202. M. ALVAR, *El español hablado en Tenerife, RFE,* anejo LXIX, Madrid, CSIC, 1959, 4.4.1.; en 4.4.2. se registra el arcaísmo [básja].

203. M. ALVAR, *El habla del campo de Jaca,* Salamanca, CSIC, 1948, 2.3., observa que el fenómeno se da en ambas vertientes pirenaicas, vid., además, 48; Fernando LÁZARO, *El habla de Magallón. Notas para el estudio del aragonés vulgar,* Zaragoza, 1945, p. 4, y Félix MONGE, *El habla de La Puebla de Híjar,* en *RDTP,* VII, 1951, pp. 192 y 207.

de tipo léxico parece que son de tipo muy vario, incluso, como apuntan todos los investigadores que han tratado estos problemas, hay que pensar que en cada cambio concreto han podido influir elementos muy heterogéneos. En el paso del esquema llano al esdrújulo es evidente que hay que conceder bastante importancia a la atracción que la estructura de tipo esdrújulo ejerce sobre el hablante[204]. En una visión general de estos cambios de esquemas hay que recurrir al deseo de evitar homofonías parciales, sobre todo con determinados sufijos [*BDH*, I, p. 357 y ss.] y también con formas iniciales, sean o no prefijos, a la inserción de una palabra en un determinado campo semántico, donde predomina un determinado esquema *périto* (← *médico, físico, químico*)[205], y a otras causas que suelen estar inmersas en el complejo problema del campo asociativo, que sabemos desde H. Paul y Saussure que tanta importancia tiene[206].

De acuerdo con las conclusiones de A. Alonso, podemos asegurar que los tres tipos de proceso sólo se han desarrollado en Castilla y en algunas zonas de América, pero con bastantes diferencias relativas a su penetración social y a su frecuencia, y sobre todo en cuanto a la reacción que las capas cultas de la sociedad han ofrecido frente a este tipo de cambios.

Dialectalmente puede suceder que se haya producido

204. Un excelente modelo de razonamiento lingüístico ante este problema, en el caso de *picáro* > *pícaro*, se encuentra en el minucioso trabajo de Yakov MALKIEL, "El núcleo del problema etimológico de *pícaro* ~ *picardía*. En torno al proceso del préstamo doble", en *Studia Hispanica in honorem Rafael Lapesa*, II, Madrid, Gredos, 1974, páginas 329-330.

205. J. NEIRA, "Cambios de acento", en *AO*, XVI, 1966, pp. 26-27.

206. Eugenio DE BUSTOS TOVAR, "Anotaciones sobre el campo asociativo de la palabra", en *Problemas y principios del estructuralismo lingüístico*, Madrid, CSIC, 1967, pp. 149-170.

una diferencia semántica entre dos esquemas acentuales, como sucede con *áina-aína;* la forma diptongada tiene el valor de 'por poco, mientras', en tanto que la normalmente aceptada como correcta ha mantenido su valor semántico de 'prisa'[207].

2.8.1.6. Tipos léxicos con referencia al acento

Según los recuentos realizados por T. Navarro Tomás [*Fonología,* pp. 54-56], las palabras acentuadas tienen un porcentaje de aparición más alto (60 % aproximadamente) que las palabras inacentuadas (40 % aproximadamente); sin embargo son los monosílabos inacentuados los que ocupan el primer lugar entre todos los tipos léxicos que aparecen en los textos examinados (38,43 %); un segundo grupo está formado por las palabras que oscilan entre el 20 % y el 10 %: bisílabos llanos (17,53 %) y trisílabos también llanos (14,93 %); estos tres tipos forman el 72,89 % del total del léxico usado en los textos. Sigue a continuación un tercer grupo, cuyos porcentajes de uso oscilan entre el 10 % y el 1 %; este tercer apartado se inicia con los monosílabos acentuados (7, 54 %), seguidos por los bisílabos agudos (5,69 %), los tetrasílabos llanos (5,45 %), los trisílabos agudos (3,79 %) y, por último, los bisílabos carentes de acento (2,61 %); el resto de los tipos tiene un porcentaje inferior al 1 %. Ante estos recuentos se confirma la escasez de aparición del tipo léxico esdrújulo (los más frecuentes son los trisílabos, 0,95 %), una de las causas de su prestigio, y también se advierte la rareza de palabras con más de cuatro sílabas en el conjunto del léxico utilizado.

207. A. Zamora Vicente, "Voces dialectales de la región albaceteña", en *RPh,* II, 1949, p. 314, y G. Salvador, "El habla de Cúllar-Baza", en *RFE,* XLI, 1957, p. 168, n. 2.

2.8.2.0. La entonación *

La línea melódica con que se pronuncia un mensaje recibe el nombre de *entonación*. Como ya se advirtió en

* E. Alarcos Llorach, "Esquemas fonológicos de la frase", en *Lengua y enseñanza: perspectivas,* Madrid, Ministerio de Educación Nacional, 1960, pp. 47-52; "Los rasgos prosódicos", en *Problemas y principios del estructuralismo lingüístico,* Madrid, CSIC, 1967, pp. 1-8; A. Alonso, "Español *como que* y *cómo que*", en *RFE,* XII, 1925, pp. 133-156; Ann Anthony, "A Structural Approach to the Analysis of Spanish Intonation", en *Language Learning,* I, 1948, pp. 24-31; H. H. Arnold, "Notes on the Accentuation of *aquel que*", en *H,* XIV, 1931, pp. 449-456; Dwight L. Bolinger, "Intonation and Analysis", en *Word,* V, 1949, pp. 248-254; D. L. Bolinger, ed., *Intonation,* Penguin Modern Linguistics Readings, 1972; "Intonation as a Universal", en *Proceedings of 9th. International Congress of Linguists, Cambridge, 1962,* La Haya, Mouton, 1964, pp. 833-844; J. D. Bowen, "A Comparison of the Intonation Patterns of English and Spanish", en *H,* XXXIV, 1956, pp. 30-35; J. W. Bresnan, "Sentence Stress and Syntactic Transformations", en *Lan,* XLVII, 1971, pp. 257-281 (y XLVIII, pp. 285-342); María Josefa Canellada, "Notas de entonación extremeña", en *RFE,* XXV, 1941, pp. 79-91; "Sobre el ritmo en la prosa enunciativa de Azorín", en *BRAE,* LII, 1972, pp. 45-77; Daniel N. Cárdenas, *Introducción a una comparación fonológica del español y del inglés,* Washington, D. C., 1960; A. Cohen y J.' T. Hart, "On the Anatomy of Intonation", en *Lingua,* XIX, 1967, pp. 177-192; David Crystal y Randolph Quirk, *Systems of Prosodic and Paralinguistic Features in English,* La Haya, Mouton, 1964; František Daneš, "Function of Sentence Intonation", en *Word,* XVI, 1960, pp. 34-54; Pierre Delattre, Carroll Olsen y Elmer Poenack, "A Comparative Study of Declarative Intonation in American English and Spanish", en *H,* XLV, 1962, pp. 233-241; S. Fernández Ramírez, "Oraciones interrogativas españolas", en *BRAE,* XXXIX, 1959, pp. 243-276; María Beatriz Fontanella de Weinberg, "Comparación de dos entonaciones regionales argentinas", en *Thesaurus, BICC,* XXI, 1966, pp. 17-29; "La entonación del español de Córdoba (Argentina)", en *Thesaurus, BICC,* XXVI, 1971, pp. 11-21; D. B. Fry, "Prosodic phenomena", en B. Malmberg, *Manual of Phonetics,* 1974[3], pp. 365-410; A. W. de Groot, "L'intonation de la phrase néerlandaise et allemande considerée du point de vue de la linguistique structurale", en *CFS,* V, 1945, pp. 17-31; V. García de Diego, "La unificación rítmica en las oraciones condicionales", en *EDMP,*

2.8.0., la entonación es un rasgo suprasegmental; desde el punto de vista de su realización fonética, está formada, fundamentalmente, por el acento de intensidad, el tono y la

---

III, 1952, pp. 95-107; S. GILI GAYA, "Influencia del acento y de las consonantes en las curvas de entonación", en *RFE,* XI, 1924, pp. 154-177; "La entonación en el ritmo del verso", en *RFE,* XIII, 1926, pp. 129-138; "Fonología del período asindético", en *EDMP,* I, 1950, pp. 55-67; "¿Es que...? Estructura de la pregunta general", en *HDA,* II, 1960, pp. 91-98; M.A.K. HALLIDAY, *Intonation and Grammar in British English,* La Haya, Mouton, 1967; S. KARCEVSKIJ, "Sur la phonologie de la phrase", en *TCLP,* IV, 1931, pp. 188-227 (reimpreso en *A Prague School Reader,* pp. 206-251); Ofelia KOVACCI, "La oración en español y la definición de sujeto y predicado", en *Fil,* IX, 1963, pp. 103-117; A. DE LACERDA y M.ª Josefa CANELLADA, *Comportamientos tonales vocálicos en español y portugués, RFE,* anejo XXXII, Madrid, CSIC, 1945; Ilse LEHISTE, *Suprasegmentals,* Cambridge, Mass., The MIT Press, 1970; P. LIEBERMAN, "On the Acoustic Basis of the Perception of Intonation by Linguists", en *Word,* XXI, 1965, pp. 40-54; P. LIEBERMAN, *Intonation, Perception, and Language,* Cambridge, Mass., The MIT Press, 1967; Bertil MALMBERG, "Analyse des faits prosodiques: problemes et méthodes", en *Cahiers de Linguistique Théorique et Appliquée,* III, 1966, pp. 99-107 (reimpreso en *Phonétique Générale et Romane,* pp. 222-230); Joseph H. MATLUCK, "Entonación hispánica", en *ALM,* V, 1965, pp. 5-32; "Entonación: lo fonético y lo fonológico", en *El Simposio de México,* 1968, pp. 124-134; T. NAVARRO TOMÁS, "El grupo fónico como unidad melódica", en *RFH,* I, 1939, pp. 3-19; *Manual de entonación española,* Nueva York, Hispanic Institute, 1944 (2.ª ed., 1948; 3.ª, México, Colección Málaga, 1966); R. NAVAS, "Pausa, base verbal y grado cero", en *RFE,* XLV, 1962, pp. 274-284; C. E. PARMENTER y S. N. TREVIÑO, "A Technique for the Analysis of Pitch in Connected Discourse", en *ANPhE,* VII, 1932, pp. 1-29; K. L. PIKE, *The Intonation of American English,* Ann Arbor, 1960; A. QUILIS, *Estructura del encabalgamiento en la métrica española. Contribución a su estudio experimental, RFE,* anejo LXXVII, Madrid, CSIC, 1964; A. RIGAULT, "Réflexions sur le statut phonologique de l'intonation", en *Proceedings of Ninth International Congress of Linguists, Cambridge, 1962,* La Haya, Mouton, 1964, pp. 848-856; S. M. SAPON, "Étude instrumentale de quelques contours mélodiques fondamentaux dans les langues romanes", en *RFE,* XLII, 1958-1959, pp. 167-177; Ismael SILVA-FUENZALIDA, "Syntactical Juncture in Colloquial Chilean Spanish (The Actor-Action Phrase)", en *Lan,* XXVII, 1951, pp. 34-37; "La entonación en

transición final, aunque también contribuyen a la entonación, la cantidad y el ritmo[208].

El análisis de la entonación es bastante más complejo que el de los restantes elementos estudiados, dada la importancia del contexto y de la situación, además del carácter relativamente motivado de algunos componentes que aparecen como universales lingüísticos; por ejemplo, la elevación o descenso del tono suponen un intento por atraer la atención del oyente [Alarcos, *Fonología,* 70]. Otro problema básico es la distinción entre los elementos sistemáticos, fonológicos, que sirven para construir los esquemas melódicos y las variantes de realización que estos elementos abstractos pueden tener.

Como se observará a lo largo de esta exposición, es fundamental distinguir la descripción de la entonación dentro del habla culta, esmerada, descripción minuciosamente realizada por Navarro Tomás, y las diferentes realizaciones en diversos niveles lingüísticos, sin olvidar las peculiaridades dialectales, tan características en muchos casos, como la ausencia del tonema de cadencia en Tucumán (Argentina) o el *canto* peculiar de los habitantes de Córdoba (Argentina) dentro de la lengua una zona geográfica concreta[209].

---

español y su morfología", en *BFUCh,* IX, 1956-1957, pp. 177-187; R. P. STOCKWELL, J. Donald BOWEN, I. SILVA-FUENZALIDA, "Spanish Juncture and Intonation", en *Lan,* XXXII, 1956, pp. 641-665; R. P. STOCKWELL, "The Role of Intonation: Reconsiderations and other Considerations", en D. BOLINGER, ed., *Intonation,* pp. 82-109 (vid. la bibliografía en 7.0.).

208. Joseph H. MATLUCK, en *ALM,* V, 1965, p. 9.

209. Vid. los trabajos de María Beatriz FONTANELLA, "Comparación de dos entonaciones regionales argentinas", en *Thesaurus, BICC,* XXI, 1966, pp. 17-29, especialmente p. 29, y "La entonación del español de Córdoba (Argentina)", en *Thesaurus, BICC,* XXVI, 1971, pp. 11-21.

2.8.2.1. *La unidad melódica*

Como unidad de análisis para la entonación hispánica se acostumbra a utilizar la *unidad melódica,* que es "la porción mínima del discurso con forma musical determinada, siendo al propio tiempo una parte por sí misma significativa dentro del sentido total de la oración", según la definición de Navarro Tomás[210]. Las fronteras de la unidad melódica en español coinciden con las del grupo fónico (v. 2.3.5.0.)[211].

La extensión del grupo fónico en español oscila entre las unidades melódicas compuestas por un monosílabo hasta las de quince sílabas, no muy frecuentes en el habla esmerada, donde existe la tendencia a dividirlas en dos grupos. Sin embargo, las unidades más frecuentes están situadas entre las cinco y las diez sílabas, grupo que suma en total el 67,60 %, según los cálculos de Navarro Tomás; de estas unidades, las más frecuentes son las formadas por grupos de siete u ocho sílabas (26,32 %)[212]. Dentro de la unidad

210. *Entonación,* 13; *RFH,* I, 1939, p. 3.

211. NAVARRO TOMÁS ha observado que "las divisiones entre estos grupos o unidades no siempre van marcadas por verdaderas pausas. Con frecuencia el paso de una unidad a otra se manifiesta por la depresión de la intensidad, por el retardamiento de la articulación y por el cambio más o menos brusco de la altura musical, sin que ocurra real y efectiva interrupción de las vibraciones vocálicas", vid. *Entonación,* p. 41.

212. *RFH,* I, 1939, pp. 7-8. Este predominio explica la tendencia de la poesía popular hacia el octosílabo; vid. T. NAVARRO TOMÁS, "El octosílabo y sus modalidades", en *Estudios Hispánicos, Homenaje a Archer M. Huntington,* Wellesley, Mass., 1952, pp. 435-455 (reimpreso en *Los poetas en sus versos: desde Jorge Manrique a García Lorca,* Barcelona, Ariel, 1973, pp. 37-66). Los recuentos realizados por María Josefa CANELLADA en la obra *Castilla* de Azorín han dado como resultado que un porcentaje del 71 % de las frases compuestas por una sola unidad melódica corresponden a medidas de siete a nueve sílabas; los grupos de ocho sílabas alcanzan el 28 %, vid. "El ritmo en la prosa enunciativa de Azorín", en *BRAE,* LII, 1972, p. 46. BOWEN, STOCKWELL y MATLUCK

melódica se producen diversas realizaciones fonéticas de los fonemas, realizaciones debidas a su posición dentro del grupo fónico, ya sea por ocupar posición inicial absoluta o en posición final antes de pausa.

2.8.2.2. *La división en unidades melódicas*

No todos los hablantes se muestran de acuerdo a la hora de dividir un texto en unidades melódicas, sin embargo se producen unos puntos coincidentes en los que la casi totalidad suele hacer las mismas divisiones. Para las diferentes divisiones confluyen causas de tipo muy diverso: puede tratarse de elementos de tipo psicológico o emocional; otros son de carácter lógico; en algunas ocasiones, el hablante puede intentar realzar determinados elementos de significación dentro del mensaje, lo que suele producir un aumento de unidades; en otros momentos, depende del énfasis o del cuidado que se ponga en la dicción; incluso pueden existir causas de tipo estructural: las medidas de los grupos anteriores llevan al hablante a mantener un ritmo de tipo bastante uniforme.

Ante el siguiente texto narrativo de Azorín, una lectura normal produce los siguientes grupos:

[1] El cielo se ha ido entenebreciendo; | a lo lejos, | por la carretera, | esfumados en la penumbra del crepúsculo, | marchan los coches venerables, | los coches fatigados. | Cruzan por las calles mujeres enlutadas; | suena una campana con largas vibraciones (Azorín, *La Ruta de Don Quijote*).

---

creen que en el lenguaje familiar culto se tiende hacia unidades de mayor extensión, con promedio más elevado para las unidades de diez a quince sílabas, vid. *ALM,* V, 1965, p. 7, n. 4.

Una lectura esmerada podría llegar a aumentar el número de las unidades[213]:

[1.1] El cielo | se ha ido entenebreciendo; | a lo lejos, | por la carretera, | esfumados en la penumbra del crepúsculo, | marchan los coches venerables, | los coches fatigados. | Cruzan por las calles | viejas enlutadas; | suena una campana | con largas vibraciones.

En algún caso, la división en unidades melódicas puede cambiar totalmente el sentido del texto, incluso desvirtuar un excelente logro poético, como sucede con los versos siguientes del poema *Perfección* de Jorge Guillén si son leídos como en [2.1]:

[2] Queda curvo el firmamento, |
Compacto azul, | sobre el día.

[2.1] Queda curvo el firmamento, |
Compacto | azul, | sobre el día.

Hay casos en que se produce la fragmentación en unidades de una manera *obligatoria*: la división entre los elementos subordinado y subordinante en una oración, los miembros de una enumeración, determinadas estructuras coordinadas y dependientes, y la aposición predicativa; mientras que presentan carácter *opcional* la anteposición del sujeto y la del complemento circunstancial [*Entonación*, 16].

213. La anteposición del sujeto produce con bastante frecuencia este problema de división de unidades, fenómeno que ya fue reconocido por Navarro Tomás, *Entonación*, 16; vid., además, los ejemplos de este tipo examinados por M.ª Josefa Canellada, en *BRAE*, LII, 1972,
1 2
pp. 48-49. Matluck da como ejemplo de *entonación normal*: / La casa
1 1
de Pedro es muy grande ↓/, y como ejemplo de *entonación deliberada*
1 2 2 2 1 2 1 1
/ La casa de Pedro → / es muy grande ↓ /, vid. *ALM*, V, 1965, p. 26 y n. 40.

2.8.2.3. *Elementos componentes de la unidad melódica*

En la unidad melódica se pueden distinguir unos puntos relevantes de carácter tonal y la *terminación* (vid. n. 184). Dado el texto siguiente:

> El viajero toma por el Paseo del Prado. En los soportales de Correos, la cochambre de la golfería duerme a pierna suelta sobre la dura piedra (C. J. Cela, *Viaje a la Alcarria*).

puede ser analizado en los grupos siguientes:

[3] El viajero toma por el Paseo del Prado. | En los soportales de Correos, | la cochambre de la golfería | duerme a pierna suelta | sobre la dura piedra.

En el grupo melódico */el viajero toma por el Paseo del Prado/* hay que distinguir tres apartados fundamentales:

(a) La *rama inicial* de la curva, formada por las sílabas átonas que llegan hasta el primer acento fuerte:

[4] **el via**jero toma por el Paseo del Prado.

(b) El *cuerpo* de la unidad melódica está formado por el conjunto de sílabas que comprenden la sílaba fuerte inicial hasta la sílaba inmediatamente anterior al último acento fuerte:

[5] el via**jero toma por el Paseo del** Prado.

(c) Y, por último, la *rama final*, que está integrada por la última sílaba fuerte y las siguientes débiles, en el caso de que las haya:

[6] el viajero toma por el Paseo del **Prado**.

Dada la habitual coincidencia que se produce entre acento de intensidad y tono, esta unidad melódica presenta las siguientes alturas tonales (v. 2.8.0):

1 1 2 2 2 2 2 2 2 22 2 1 1
[7] /el viajero toma por el Paseo del Prado/

Se observa un tono grave en la rama inicial, hasta el primer acento fuerte *(viajéro)*; dentro del cuerpo de la unidad melódica se mantiene, en la entonación enunciativa, un tono relativamente uniforme, que, a partir del último, acento, se convierte en un tono grave con una dirección final de descenso /↓/. Dado que teóricamente existen cuatro puntos tonales fundamentales (a) 1.ª sílaba débil, (b) 1.ª sílaba fuerte (c) última sílaba fuerte, y (d) última sílaba débil, y que cada sílaba no marcada posee habitualmente el tono fonológico de la sílaba marcada anterior, esta unidad melódica puede reducirse a la transcripción:

1 2 1 1
[8] /el viajero toma por el Paseo del Prado↓/

La flecha indica la dirección, la terminación descendente, que será examinada más adelante.

Como consecuencia de este último análisis, aparece el esquema fonológico más utilizado en la entonación española /1 2 1 1↓/; en muchos casos sólo es pertinente la última parte del esquema, la que corresponde a la transición final, y otras veces, además, puede faltar uno de los elementos iniciales, con lo que se podrá reducir a /(1 2) 1 1↓/. Este conjunto recibe el nombre *sintonema*.

Si sucede que el grupo melódico se inicia por sílaba fuerte, como es lógico, desaparece la notación correspondiente a la primera sílaba débil:

Tú no serás nunca nada (P. Baroja, *Juventud, Egolatría*)

[9] /Tú^{2} no serás nunca na^{1}da^{1}↓/

La unidad melódica puede acabar en sílaba tónica; en este caso, la última sílaba posee siempre dos tonos, lo mismo ocurre cuando se trata de un monosílabo:

Se asomó al balcón (L. Alas, *La Regenta*)

[10] /Se^{1} asomó^{2} al balcón^{11}↓/

El monosílabo *no* pronunciado con la entonación que corresponde a la respuesta de una pregunta normal, suele presentar la entonación siguiente:

[11] /No^{21}↓/

Si en el ejemplo [8] sustituimos la terminación descendente /↓/ por la terminación de dirección ascendente/↑/, inmediatamente varía el sentido de la unidad melódica, ya que pasa de la entonación enunciativa a la interrogativa (vid. *ALM*, V, 1965, pp. 14-15 y notas 17 y 25):

[12] /el^{1} via^{2}jero toma por el Paseo del Pra^{1}do^{1}↑/

2.8.2.4. *Combinaciones de unidades melódicas*

Las unidades melódicas simples se combinan en construcciones superiores llamadas *enunciados* (v. 7.0.). Estas unidades jerárquicamente superiores al grupo fónico, pueden estar formadas por *dos* unidades melódicas:

[13] En aquel momento | se descolgó de la parra el tío Lucas (P. A. de Alarcón, *El Sombrero de Tres Picos*).

Por *tres* grupos fónicos:

[14] Asimismo | era interior | el despacho de Don Baldomero (Galdós, *Fortunata y Jacinta*).

Por *cuatro* grupos fónicos:

[15] El gato, | arqueándose sobre las rodillas del gachupín, | posaba el terciopelo de sus patas | en dos simétricos remiendos de tela nueva (Valle-Inclán, *Tirano Banderas*).

Tampoco son raros, sobre todo en determinado tipo de textos, las combinaciones de *cinco* o *seis* grupos:

[16] Los terrenos grisáceos, | rojizos, | amarillentos, | se descubren, | iguales todos, | con una monotonía desesperante (Azorín, *La Ruta de Don Quijote*).

Incluso pueden existir combinaciones de carácter superior:

[17] La verdad, | lo real, | el universo, | la vida | —como queráis llamarlo—, | se quiebra en facetas innumerables, | en vertientes sin cuento, | cada una de las cuales | da hacia un individuo (Ortega y Gasset, *El Espectador*).

En algunos casos, en textos deliberadamente literarios, pueden aparecer combinaciones que son inusitadas en el lenguaje coloquial:

[18] En los baúles profundos de nuestras casas, peludos y claveteados como un Arca de Noé forrada con la piel del camello y la camella que entraron, vivieron y se salvaron dentro del Arca, estaba la historia de los felices veinte y de los inquietos y germinales años treinta, revistas de la época, Crónica, Estampa, Blanco y Negro, cosas que habían coleccionado nuestras madres entre sus pamelas del último sarao y de la última visita del rey a la ciudad (F. Umbral, *Memorias de un Niño de derechas*).

Las oraciones de tipo enunciativo compuestas por dos o más grupos fónicos suelen estar formadas por dos partes: la *rama tensiva* (***prótasis***) y la *rama distensiva* (***apódosis***). La *rama tensiva* "estimula y reclama la atención, y la segunda, [...] completa el pensamiento respondiendo al interés suscitado", según la definición de Navarro Tomás[214]. Habitualmente la rama tensiva posee una altura de niveles tonales muy superior a la distensiva. Ante una combinación de dos grupos fónicos, como

Cuando Virginia va a la ciudad, || las gentes sonríen (Azorín, *Don Juan*).

[19] Cuando Virginia va a la ciudad, || las gentes sonríen.

rama tensiva *rama distensiva*

En otras ocasiones no son sólo dos los grupos fónicos, sino que, como ya hemos examinado, pueden presentar varias unidades repartidas en diversos grupos en cada rama:

[20] Suele ser pesado || el hombre de un negocio | y el de un verbo (B. Gracián, *Oráculo Manual,* 105).

[21] Los molinos de viento eran, | precisamente cuando vivía Don Quijote, || una novedad estupenda (Azorín, *La Ruta de Don Quijote*).

En las combinaciones de cuatro miembros puede aparecer la división entre dos ramas simétricas, aunque tampoco es raro que se den otras divisiones. A partir de los cuatro miembros, las combinaciones son más complejas; sin embargo, parece existir en español una tendencia, en las frases etxensas, a hacer la *prótasis* más breve que la *apódosis* [NT, *Entonación,* p. 58, y SFR, 44].

2.8.2.5. *La transición final*

La transición final corresponde a la rama que es fin de la unidad melódica (v. 2.8.2.3.), y está integrada por las dos

214. *Entonación,* 17.

alturas tonales y la dirección que toma la *terminación* (v. n. 184): / 11↓/, / 21↓/, / 22↑/, etc.

Navarro Tomás da el nombre de *tonema* a los tonos que "cierran la línea de las unidades enunciativas" (*Entonación*, 21); Matluck, en su exégesis del texto de Navarro, cree que se refiere el ilustre fonetista a lo que en su terminología se conoce con el nombre de *terminación*[215].

Navarro Tomás distingue cinco tipos diferentes de tonemas para la *entonación enunciativa*: ***cadencia***, ***anticadencia***, ***semicadencia***, ***semianticadencia*** y ***suspensión***. Las definiciones de estos tonemas se hacen sobre la línea tonal del cuerpo de la unidad melódica:

semitonos

6
5
← .... *anticadencia* [↑]
4
3
← .... *semianticadencia* [⊤]
2
1
\- - - - - - - - - - - ← .... *suspensión* [→]
línea tonal del cuerpo de la unidad 1
2
3
← .... *semicadencia* [⊥]
4
5
6
7
8
← .... *cadencia* [↓]

215. *ALM*, V, 1965, p. 17, n. 20.

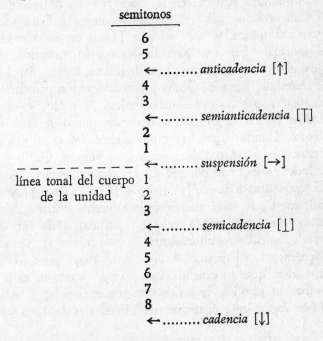

La *cadencia* y la *anticadencia* son los tonemas de contraste máximo, marcan la oposición entre las dos ramas:

[Cuando llegamos a casa ↑ te vi salir ↓]

mientras que la *semicadencia* y la *semianticadencia* son tonemas de contraste menor y no suelen utilizarse al fin de las ramas. La *semicadencia* se utiliza para los conceptos que aparecen en serie semántica y para la afirmación insegura; la *semianticadencia* realiza contrastes de carácter secundario e indica un sentido continuativo en unidades interiores de rama; la *semicadencia* suele aparecer en la rama tensiva, antes de la anticadencia, mientras que la *semianticadencia* acostumbra a aparecer en la apódosis antes de la cadencia. La *suspensión* indica el sentido incompleto. Éstos son los tonemas utilizados por Navarro Tomás en su *Manual de Entonación Española* para la descripción minuciosa de la lengua culta y esmerada. Otros lingüistas, Bowen, Stockwell, Fuenzalida, Kovacci, Quilis y Fernández, son partidarios de reducir a tres las inflexiones finales: /↑/, /↓/, /→/, que serían las únicas existentes desde un punto de vista fonológico. Donde ya no hay tanto acuerdo es en el modo de reducir estas cinco direcciones a tres; Kovacci, Quilis y Fernández se inclinan por reducir los elementos ascendentes y descendentes a uno /↑/ <([⊤] y [↑]), /↓/ <([⊥] y [↓]), aunque O. Kovacci manifiesta la diferente distribución; Bowen, Stockwell y Matluck son partidarios de introducir *semicadencia, semianticadencia* y *suspensión* en un único elemento fonológicamente pertinente /→/, pues Matluck considera que, en muchos casos, lo significante no es la terminación, sino los niveles de tono precedentes[216]. E. Alarcos [*Fonología,* 134] distingue tres direcciones del tono (*ascen-*

216. *Ibid.,* p. 11, n. 7.

dente, descendente y *horizontal*) y dos amplitudes de contraste tonal (*mayor-menor*), lo que produce dos tipos de inflexión ascendente y descendente. En realidad, las divergencias entre la descripción de Navarro Tomás y la de Matluck, quizá las dos más opuestas, no son muy grandes y en parte se deben a planteamiento teórico: distinción de *tono* y *dirección,* diferentes niveles lingüísticos examinados y también a que Navarro Tomás ha distinguido cuidadosamente entre entonación enunciativa e interrogativa, mientras que las descripciones estrictamente fonológicas tratan de resolver una posible unificación[217]. Nuestra exposición se basará en la descripción de Navarro Tomás, pero se incluirán unos modelos o patrones según la teoría de Matluck.

2.8.2.6. *Tipos de entonación enunciativa*

2.8.2.6.1. *Afirmación habitual.* La aseveración de tipo normal se caracteriza por la aparición de la cadencia cuando existe una sola unidad melódica:

España es grande (Azorín, *Una Hora de España*).

[22] [España es grande↓]

Según Navarro Tomás, cuando la aseveración consta de dos grupos, aparece la combinación de *anticadencia // cadencia:*

Cuando pasaba ante alguna iglesia, se santiguaba (Valle-Inclán, *Tirano Banderas*).

[23] [Cuando pasaba ante alguna iglesia↑ se santiguaba↓]

En los casos de combinaciones de tres miembros, la es-

217. *Entonación,* 57, y *Thesaurus, BICC,* XXVI, 1971, p. 7.

tructura más frecuente es *anticadencia* // *semianticadencia-cadencia:*

> La mujer desconfiada, no es mujer ni es nada (R. Pérez de Ayala, *Los Trabajos de Urbano y Simona*).

[24] [La mujer desconfiada ↑ // no es mujer ⊤ / ni es nada ↓]

2.8.2.6.2. *Enumeración.* Todos los grupos de la enumeración poseen el tonema de semicadencia, excepto los dos últimos; la forma de estos dos últimos grupos depende de la posición de la enumeración dentro del enunciado, ya que puede ser interior o final, y además, si se trata de este último caso, depende de la estructura de la enumeración, que puede ser abierta o cerrada por una conjunción.

La enumeración independiente y la cerrada final de frase se caracterizan por la sucesión de *semicadencias,* más una *semianticadencia* seguida por la *cadencia* final característica:

> Estoy hecho un salvaje, un verdadero hombre primitivo, un troglodita sin cuevas y un anacoreta sin cilicio (Galdós, *Tormento*).

[25] [Estoy hecho un salvaje, ⊥ un verdadero hombre primitivo, ⊥ un troglodita sin cuevas ⊤ y un anacoreta sin cilicio ↓]

Cuando se trata de una enumeración incompleta final de frase, los dos últimos grupos acaban con la misma inflexión de los anteriores; se trata de una sucesión de *semicadencias:*

> Llenan de verdura laderas y castillo helechos, cardos, ortigas, heno, grama, malvas, zarzales (Azorín, *Una Hora de España*).

[26] [...helechos, ⊥ cardos, ⊥ ortigas, ⊥ heno, ⊥ grama, ⊥ malvas, ⊥ zarzales ⊥]

La enumeración interior puede estar situada en cualquiera de las dos ramas, aunque hay una mayor tendencia a situarla en la rama distensiva, pero también puede aparecer en la tensiva, como en el siguiente ejemplo de Valle-Inclán; su estructura se basa en la repetición de *semicadencias* que culminan en una *anticadencia*:

> Los bailes, las músicas, las cuerdas de los farolillos, tenían una exasperación absurda, un enrabiamiento de quimera alucinante (Valle-Inclán, *Tirano Banderas*).

[27] [Los bailes, ⊥ las músicas, ⊥ las cuerdas de los farolillos, ↑ // tenían una exasperación absurda, ⊥ un enrabiamiento de quimera alucinante ↓]

2.8.2.6.3. *Entonación del complemento circunstancial.* No siempre el complemento circunstancial adquiere categoría e independencia de unidad melódica; este rango depende de varios factores, como pueden ser su extensión, su posición dentro de la frase y, sobre todo, la independencia que el elemento alcance dentro de la mente del hablante. Cuando se trata de enunciados compuestos por dos ramas, se acomodan a la estructura de *anticadencia-cadencia:*

> En aquel momento se descolgó de la parra el tío Lucas (P. A. de Alarcón, *El Sombrero de Tres Picos*).

[28] [En aquel momento ↑ se descolgó de la parra el tío Lucas ↓]

Cuando se trata de complementos iniciales, se da con mucha frecuencia la posibilidad de que la rama tensiva tenga por único miembro este elemento sintáctico:

> En los soportales de Correos, la cochambre de la golfería duerme a pierna suelta sobre la dura piedra (C. J. Cela, *Viaje a la Alcarria*).

[29] [En los soportales de Correos, ↑ // la cochambre de la golfería ⊤ duerme a pierna suelta ⊤ sobre la dura piedra ↓]

Habitualmente el complemento como unidad melódica en posición interior tiende a ir situado en la rama tensiva, con referencia a la unidad anterior; en estos casos la estructura de la frase es: *suspensión-anticadencia // cadencia:*

> [...] escudriñó con pena, en horas de lucidez, el profundo trastorno de su carácter (R. León, *Alcalá de los Zegríes*).

[30] [escudriñó con pena, → en horas de lucidez, ↑ // el profundo trastorno de su carácter ↓]

No siempre, advierte Navarro Tomás, se produce en este caso el tonema de *suspensión,* sino que puede alternar con la *semicadencia.* Para todo el complejo problema de la entonación de los complementos en posición interior, vid. *Entonación,* 44.

2.8.2.6.4. *Aposición predicativa.* El rasgo distintivo de la aposición es el tonema de semicadencia:

> El Dragón era, como he dicho, una urca, una urca coquetona y elegante (P. Baroja, *Las Inquietudes de Shanti Andía,* 198).

[31] [El Dragón era, → como he dicho, ⊥ una urca, ⊥ una urca coquetona y elegante ↓]

2.8.2.6.5. *El vocativo.* La entonación del vocativo depende de varios factores: el énfasis del hablante o su intento de atraer la atención del oyente y la posición dentro del enunciado. Al inicio de enunciado suele constituir grupo independiente; en su realización enfática tiende a la anticadencia, pero lo habitual es su realización con semicadencia. En posición interior no suele tener independencia como grupo melódico, excepto en los casos de auténtico énfasis. En posición final está limitado por la semicadencia anterior y el tonema de cadencia:

Señorita, no se puede (P. Galdós, *Fortunata y Jacinta*).

[32] [Señorita, ⊥ no se puede ↓]

No llorés, Babs, todo esto no es verdad (J. Cortázar, *Rayuela,* 12).

[33] [No llorés Babs ↑ // todo esto no es verdad ↓]

Decís bien, señora Polichinela (J. Benavente, *Los intereses creados*).

[34] [Decís bien, ⊥ señora Polichinela ↓]

2.8.2.6.6. *Paréntesis.* La línea melódica del paréntesis adquiere unos niveles tonales siempre más bajos que los del resto de la frase [*Entonación,* 49]. Si el paréntesis se encuentra en posición final de enunciado, la unidad anterior acaba en semicadencia; cuando es interior, depende de la posición que ocupe en las ramas: cuando se encuentra en la apódosis, la unidad anterior es una semianticadencia; si está situado en la prótasis, la unidad anterior oscila entre la semicadencia y la suspensión.

2.8.2.6.7. *Coordinación.* En las estructuras de tipo coordinado, Navarro Tomás distingue dos tipos de entonación: la coordinación en que sus miembros están íntimamente unidos, coordinación de primer grado, que abarca generalmente a copulativas y disyuntivas; y la coordinación de proposiciones que mantienen un cierto sentido de independencia, coordinación de segundo grado (habitualmente, adversativas y consecutivas). En el primer caso, la línea melódica de la oración adopta la estructura clásica en dos ramas, *anticadencia-cadencia,* mientras que en el segundo puede aparecer una anticadencia en cada miembro coordinado, y su unión se realiza por medio de la *semicadencia:*

> [...] bajaba desde el sol una lluvia de ámbar y se encendía la esmeralda de un prado (Pérez de Ayala, *El Ombligo del Mundo,* 109).

[34] [bajaba desde el sol una lluvia de ámbar ↑ y se encendía la esmeralda de un prado ↓]

> Este pueblo necesita diversiones, pero no espectáculos (G. M. de Jovellanos, *Memoria*).

[35] [Este pueblo necesita diversiones, ⊥ pero no espectáculos ↓]

[36.1] [Tengo prisa ⊥ pero no puedo ir ↓] (v. 9.4.1.)

En muchos casos estas diferencias no son tan claras, pues dependen de causas de tipo muy diverso; algunos nexos se inclinan por un tipo u otro: *sino* tiene tendencia por el primer tipo, *aunque* y *porque* muestran también su preferencia por el primero [*Entonación,* 51]. Otras veces influyen causas de tipo significativo; por ejemplo, en el caso del enunciado [36.1] se puede aumentar la importancia de la segunda proposición, adoptando la estructura de primer tipo:

[36.2] [Tengo prisa ↑ pero no puedo ir ↓].

2.8.2.6.8. *Subordinación.* Toda estructura oracional en relación de subordinación, aunque se trate de un enunciado muy breve, adopta la estructura de oposición *anticadencia-cadencia;* si posee varios miembros en cada rama, los grupos no finales de los apódosis suelen tender al tonema de *semianticadencia,* y los de la prótasis, al de *semicadencia:*

> Cuando Virginia va a la ciudad, las gentes sonríen (Azorín, *Don Juan*).

[37.1] [Cuando Virginia va a la ciudad, ↑ las gentes sonríen ↓]

Si se varía el orden, no cambia el tipo de disposición de los tonemas:

[37.2] [Las gentes sonríen ↑ cuando Virginia va a la ciudad ↓]

2.8.2.6.9. *Patrones fonológicos de la entonación enunciativa.* En la descripción del español existen algunos intentos de establecer los patrones o modelos fonológicos de la entonación; habitualmente se aceptan algunos criterios básicos para el establecimiento de estas estructuras: existencia de tres niveles tonales fonológicos y tres terminaciones /↑/, /↓/, /→/. El problema mayor es la necesidad de englobar enunciación e interrogación, lo que lleva necesariamente a excluir /↑/ de la entonación enunciativa; los contrastes menores [⊤] y [⊥] aparecen como variantes de /→/. El sistema presenta la ventaja de su gran claridad al distinguir entre alturas tonales y terminación, además de su evidente facilidad tipográfica. De acuerdo con las investigaciones de Joseph H. Matluck[218], los modelos fundamentales son:

(a) /1211↓/

—*Afirmación simple.*

Don Lorenzo entra en su alcoba (Azorín, *España*).

1 2 1 1
/ Don Lorenzo entra en su alcoba ↓/

(b) /1222→1211↓/

—*Afirmación compuesta por dos miembros.*

1 2 2 2 1 2
/ En aquel momento → se descolgó de la parra el tío

1 1
Lucas ↓/

218. "Entonación hispánica", en *ALM*, V, 1965, pp. 5-32.

Matluck ha observado la diferencia entre esta transcripción y la de Navarro Tomás; concede que pueden existir variantes como [1 2 3 3→...], mientras que la variante de realización [1 2 3 3↑] sólo aparece en el habla culta y esmerada, sin excluir las dos anteriores[219].

(c) /1 2 3 1↓/

—*Afirmación enfática.*

1 2 3 1
/ Él libro es muy aburrido↓/

(d) /1 2 2 2→1 2 1 1↓/

—*Afirmación deliberada.* Este modelo registra el problema, ya apuntado, de la distinción que supone la diferente división:

entonación normal / Don Lorenzo entra en la alcoba↓/ (1 2 1 1)

entonación deliberada / Don Lorenzo→entra en la alcoba↓/ (1 2 2 2 1 1)

(e) /1 2 3 3→/

—*Grupo suspensivo mayor.* Marca el fin de la rama tensiva; de una manera general, se utiliza en el grupo interior que recibe el más importante apoyo mental y psicológico por parte del hablante[220]:

1 2 2 2 1 2
/ Los molinos de viento eran → precisamente cuando

3 3 2 1 1
vivía Don Quijote→una novedad estupenda↓/

(f) 1 2 2 2→.../

—*Grupo suspensivo menor.* Este modelo incluye todos

219. *Ibid.*, p. 15, n. 8.
220. *Ibid.*, p. 23.

los demás grupos, con las variantes [1 2 2 2⊥], [1 2 2 2 ⊤] y [1 2 2 2→]:

Yo nací libre, y para poder vivir libre escogí la soledad de los campos (Cervantes, *Quijote*, I, 14).

2 2 2 1 2 3 3 1 2
/Yo nací libre→y para poder vivir libre→escogí la

1 1
soledad de los campos↓/

(g) ./... 1 1 1 1↓/

—*Vocativo final de enunciado.*

1 2 1 1 1 1 1 1
/Decís bien→señora Polichinela↓/

2.8.2.7.0. *Entonación interrogativa. Unidades* *

En los apartados anteriores se han examinado las características generales de la entonación enunciativa, sus tonemas y las combinaciones de unidades con relación a diferentes criterios; la entonación interrogativa, aunque tiene puntos de contacto con la enunciativa, supone un diferente planteamiento. Navarro Tomás ha advertido que la aparente semejanza que pueda aparecer entre la prótasis y la pregunta no pasa de un lejano parecido, pues en la rama tensiva hay unos rasgos característicos que indican sentido inacabado, rasgos inexistentes en la entonación interrogativa[221].

* T. NAVARRO TOMÁS, *Entonación*, 57-72; S. FERNÁNDEZ RAMÍREZ, *Gramática*, 48; *Esbozo*, 1.7.4; Alberto DÍAZ TEJERA, "La frase interrogativa como modalidad", en *REL*, III, 1, 1973, pp. 95-116; S. FERNÁNDEZ RAMÍREZ, "Oraciones interrogativas españolas", en *BRAE*, XXXIX, 1959, pp. 243-276; S. GILI GAYA, "¿Es qué...? Estructura de la pregunta general", en *HDA*, II, 1960, pp. 91-98; Bernard PY, *La interrogación en el español hablado de Madrid*, Bruselas, 1971; Phyllis TURNBULL, "La frase interrogativa en la poesía contemporánea (Miguel de Unamuno, Juan Ramón Jiménez, Antonio Machado, Jorge Guillén)", en *BRAE*, XLIII, 1963, pp. 473-605.

221. "Las diferencias que se advierten en el español entre la enun-

En la entonación interrogativa, como en la enunciativa, Navarro Tomás considera que la unidad melódica se divide en tres zonas, pero con fundamentales diferencias. Lo peculiar en la zona inicial de la unidad melódica interrogativa es su movimiento ascendente, con un punto de partida de altura tonal generalmente superior al de la entonación enunciativa. El cuerpo de la unidad se caracteriza, en general, por un descenso de la altura tonal. La zona final de la unidad interrogativa tiene la posibilidad de presentar dirección *ascendente, descendente* o *circunfleja.* De acuerdo con las diferentes alturas tonales en el cuerpo de la unidad y la dirección del movimiento final, Navarro Tomás ha definido cinco unidades melódicas de tipo básico en la entonación interrogativa, que se corresponden con usos funcionales bastante precisos [*Entonación,* 58].

2.8.2.7.1. *Pregunta absoluta.* Cuando la interrogación afecta a todo el contenido del enunciado; el hablante no tiene hecha ninguna suposición sobre el carácter de la respuesta. Utiliza el esquema de la interrogación absoluta[222]:

[38] ¿Vive con vosotros? (G. Miró, *Las Cerezas del Cementerio*).

2.8.2.7.2. *Pregunta relativa.* El hablante cree tener una idea sobre la posible contestación, incluso únicamente puede tratar de obtener una simple confirmación. Adopta la estructura de la interrogación relativa[223]:

---

ciación y la pregunta por lo que se refiere a la dirección y nivel del tono de la voz en el cuerpo de la unidad hacen necesario considerar como series independientes los grupos melódicos que a cada uno de dichos campos corresponden", en *Entonación,* p. 137.

222. La interrogación absoluta con *no* ha sido tratada por S. Fernández Ramírez, en *BRAE,* XXXIX, 1959, p. 244 y ss.

223. Vid. S. Fernández Ramírez, *art. cit.,* pp. 251-254. En la zona de Badajoz no hay diferencia entre pregunta absoluta y pregunta

Unidad de Interrogación	*Altura tonal en el cuerpo de la unidad*	*Terminación*	*Empleo*
ABSOLUTA	descendente	ascendente	Pregunta absoluta (v. 2.8.2.7.1.)
RELATIVA	relativamente alto y sostenido	circunfleja	Pregunta relativa (v. 2.8.2.7.2.)
ASEVERATIVA	descendente	descenso más marcado que en el cuerpo	Pregunta aseverativa; pregunta imperativa (v. 2.8.2.7.4.) Pregunta pronominal (v. 2.8.2.7.5.)
INTENSIFICATIVA	ascendente	aguda	Pregunta reiterativa (v. 2.8.2.7.6.)
CONTINUATIVA	descendente	circunfleja, pero más baja que en la relativa	Se usa en las unidades interiores de las preguntas compuestas (v. 2.8.2.7.8.)

[39] ¿Conque al instante has conocido?... (L. F. Moratín, *El Sí de las Niñas*).

2.8.2.7.3. *Pregunta restrictiva.* Sólo afecta a un elemento del enunciado. Se eleva la línea tónica en el elemento que es objeto de la pregunta, elemento que aparece con una línea melódica circunfleja; en la palabra en cuestión coincide la cima de la línea circunfleja con el acento. El movimiento descendente final desde una altura tonal relativamente alta es suficiente para dar al enunciado el valor semántico de pregunta. Puede aparecer como variante de la pregunta relativa; también puede combinar el hablante la interrogación relativa y restrictiva en un mismo enunciado.

[40] Oiga usted, don Joaquín: ¿no es un poco **redicha** esa señorita? (Azorín, *Old Spain*).

2.8.2.7.4. *Pregunta aseverativa.* La pregunta se encuentra muy próxima a la certeza por parte del hablante. Se caracteriza por un descenso en la terminación del enunciado. Corresponde también a la pregunta imperativa. Suele adoptar la unidad de interrogación aseverativa:

[41] Aquí lo que más llama la atención es la autarquía, ¿verdad usted? (C. J. Cela, *El Gallego y su Cuadrilla*).

2.8.2.7.5. *Pregunta pronominal.* Se caracteriza por la presencia de un elemento interrogativo, pronombre o adverbio, en el inicio del enunciado (v. 4.8.1.2.). La línea meló-

---

relativa; según María Josefa Canellada, "Desde la última sílaba acentuada, la línea del tono se alarga horizontalmente, con suave dejo tendido, igual, sin subida ni descenso de la línea en la pregunta castellana, absoluta o relativa", en "Notas de entonación extremeña", *RFE,* XXV, 1941, p. 82.

dica de la pregunta pronominal se encuentra muy cercana a la pregunta imperativa, de la que sólo le separa un pequeño ascenso tonal; para dar matiz de cortesía, se tiende a disminuir la fuerza espiratoria y a sustituir la terminación descendente por la ascendente. En algunas hablas hispánicas, en las combinaciones iniciales como *¿Para qué...?* suele ser débil el pronombre y fuerte la preposición; este fenómeno ha sido señalado en Cespedosa (Sánchez Sevilla) y también en Magallón (Lázaro Carreter).

[42] —¿Qué le parece a usted esto? —le dijo.
—Estamos perdidos (P. Baroja, *El Árbol de la Ciencia*).

2.8.2.7.6. *Pregunta reiterativa.* Cuando se producen errores en la comunicación, o el hablante quiere cerciorarse de algún aspecto que cree que no ha entendido y también en los casos en que se trata de realzar algún aspecto del mensaje (*Entonación,* 64). La línea adoptada es la de la unidad de interrogación intensificativa[224]:

[43] ¿Cómo has dicho? ¿Morfonologia?

2.8.2.7.7. *Pregunta alternativa.* Son las preguntas en las que se ofrece una serie de posibilidades alternativas y se supone que uno de los elementos será confirmado por el oyente. Cada uno de los grupos constituye una unidad melódica: el último termina con un descenso y los anteriores con elevación[225]:

[44] ¿Vives en Madrid o en Zaragoza?

2.8.2.7.8. *Pregunta compuesta por varios grupos.* Las varias unidades melódicas que componen la pregunta com-

224. Vid. Ph. Turnbull, en *BRAE,* XLIII, 1963, pp. 489-511.
225. S. Fernández Ramírez, en *BRAE,* XXXIX, 1959, p. 255 y ss.; Ph. Turnbull, en *BRAE,* XLIII, 1963, pp. 481-488.

puesta adoptan la línea de entonación continuativa, excepto el último grupo que toma la línea melódica que corresponde al significado de la pregunta. En algunas ocasiones puede sustituirse la línea de entonación continuativa por una simple terminación descendente:

[45] Vamos a cuentas: ¿no ha sido usted el que no una sino varias veces ha dicho que Don Quijote y Sancho son no ya tan reales, sino más reales que Cervantes? (Unamuno, *Niebla*).

2.8.2.7.9. *Modelos fonológicos de la interrogación hispánica.* Adoptamos los esquemas propuestos por Joseph H. Matluck para la entonación interrogativa; en estos modelos se tienen en cuenta algunos elementos de carácter emocional que pueden variar la línea melódica.

(a) /1 2 2 2↑/

—*Pregunta absoluta.*

 2 2 2
/Vive con vosotros↑/

(b) /1 2 3 1→/

—*Pregunta relativa.*

 1 2 3 1
/Conque al instante has conocido→/

(c) /1 2 3 1↓/

—*Pregunta reiterativa.*

 2 3 1
/Vive con vosotros↓/

(d) /1 2 3 3↑/

—*Pregunta reiterativa intensificada.*

 2 3 3
/Vive con vosotros↑/

(e) /1 2 1 1↓/

—*Pregunta pronominal simple.* También puede realizarse con el esquema /1 2 1 1↑/ típico de la cortesía.

$$/\overset{2}{\text{Qu}}\text{é hora }\overset{11}{\text{es}}\downarrow/$$

$$/\overset{2}{\text{Qu}}\text{é hora }\overset{11}{\text{es}}\uparrow/$$

(f) /1 2 3 1↓/

—*Pregunta pronominal enfática.*

$$/\overset{2}{\text{Qu}}\text{é hora }\overset{31}{\text{es}}\downarrow/$$

(g) /1 2 2 2↑/

—*Pregunta pronominal con impaciencia.*

$$/\overset{2}{\text{Qu}}\text{é hora }\overset{22}{\text{es}}\uparrow/$$

(h) /2 3 2 1↓/

—*Pregunta pronominal con sorpresa o interés especial.*

$$/\overset{2}{\text{Por }}\overset{3}{\text{qu}}\text{é lo }\overset{2}{\text{pregunt}}\overset{1}{\text{as}}\downarrow/$$

(i) /2 3 1 1↓/

—*Pregunta pronominal con matiz de molestia.*

$$/\overset{2}{\text{Por }}\overset{3}{\text{qu}}\text{é me }\overset{1}{\text{fastid}}\overset{1}{\text{ias}}\downarrow/$$

(j) /1 1 2 2↑ 2 1 1 1↓/

—*Pregunta alternativa*[226].

$$/\overset{1}{\text{Quieres }}\overset{22}{\text{leer}}\uparrow\overset{2}{\text{ o }}\overset{1}{\text{prefieres}}\text{ ir al }\overset{11}{\text{cine}}\downarrow/$$

2.8.2.8.0. *Entonación volitiva*

La línea melódica que es expresión de un deseo refuerza los elementos morfológicos que la lengua dispone (imperativo, subjuntivo); en frases como ¡*A la calle!,* basta la línea de entonación para expresar la voluntad del hablante. Esta línea melódica es de definición más imprecisa que la enunciativa o la interrogativa, pues hay una intervención muy superior de elementos subjetivos. En general, la entonación

226. Cf. *Esbozo,* 1.7.4.c.

de deseo se mueve entre dos extremos: *mandato* y *súplica*, aunque quepan variantes de cada tipo (*invitación, recomendación; petición, ruego*). Como recursos expresivos la entonación de mandato utiliza un mayor esfuerzo articulatorio, frente a la línea melódica de súplica, que tiende a emplear una menor energía [*Entonación*, 74].

2.8.2.8.1. *Entonación de mandato y ruego.* La entonación de mandato posee los tonos más agudos y graves; las sílabas fuertes refuerzan su intensidad, aumentan su tensión y, sobre todo, no aumenta su cantidad, incluso se reduce perceptiblemente. El tonema desiderativo, en cambio, se caracteriza por la desaparición del aumento de los elementos característicos del mandato; además, aparece una inflexión típica consistente en una elevación de la voz desde unos dos semitonos por encima del tono normal para ir descendiendo suavemente [*Entonación*, 82]. Esta inflexión se sitúa sobre las sílabas fuertes de las palabras en que recae la entonación, según la intensidad del deseo aumenta o disminuye la altura tonal y la extensión de la curva.

(a) *Mandato normal:* /$\overset{2}{\text{Ca}}\overset{1}{\text{lle}}$↓/

(b) *Mandato enérgico:* /$\overset{3}{\text{Ca}}\overset{1}{\text{lle}}$↓/

(c) *Mandato moderado:* /$\overset{1}{\text{Me}}$ $\text{gusta}\overset{2}{\text{rí}}\text{a}$ que $\text{cal}\overset{2}{\text{la}}\overset{1}{\text{se}}$↓/

2.8.2.9.0. *Entonación emocional* *

Bajo este apartado, se ha intentado estructurar un conjunto de elementos que varían la línea melódica de las tres entonaciones anteriores examinadas; estos elementos fonéticos dependen totalmente del estado afectivo del hablante y,

* Vid. *Entonación*, 87-103.

por su carácter esencialmente motivado, son de muy difícil sistematización. La emoción del hablante se manifiesta a través de las modulaciones tonales, la duración de los sonidos, y la tensión, pues no existen unidades típicas de esta entonación afectiva, sino que sólo se varían las unidades ya descritas. La pasión y la alegría tienden a tonos altos, a la rapidez elocutiva y a inflexiones ricas en variaciones; la tristeza y el abatimiento se manifiestan, por el contrario, en tonos graves. La línea tonal tiende a utilizar como elemento básico la *inflexión circunfleja,* que suele ocupar el lugar de las unidades de contraste menor (semicadencia y semianticadencia) en las expresiones dominadas por una emoción delicada y leve; cuando la emoción aumenta en su intensidad, la inflexión circunfleja se hace más abundante y ocupa el lugar de las unidades de contraste máximo (anticadencia, cadencia); incluso, puede existir la posibilidad de combinar dos inflexiones circunflejas, una por cada rama del enunciado, que es la forma utilizada por el reproche cariñoso. El tipo de inflexión circunfleja "desempeña papel importante en la expresión del énfasis" [*Entonación,* 92], que puede residir en una elevación de las alturas tonales, de la fuerza articulatoria de los sonidos o en un refuerzo del acento de intensidad. Estos elementos pueden combinarse o, en muchos casos, predominar un elemento sobre todos los demás. En otras ocasiones se trata del fenómeno contrario, existe un *énfasis de gravedad,* basado en un descenso de la altura tonal y un retardamiento articulatorio que afectan a todo el enunciado (v. 2.3.5.7.).

2.8.2.9.1. *La exclamación.* La línea melódica exclamativa puede adoptar tres tipos fundamentales de disposición, tipos que están íntimamente relacionados con estados espirituales del hablante.

(a) *Exclamación ascendente.* La línea tonal parte de un tono semigrave en la sílaba inicial para llegar a una altura semiaguda en la última sílaba del cuerpo de la unidad; en la zona final, desciende al comienzo de la sílaba fuerte y vuelve a ascender hasta el nivel semiagudo. Corresponde a las exclamaciones caracterizadas por la sorpresa o la extrañeza y que contienen elementos de protesta.

(b) *Exclamación descendente.* La exclamación descendente posee una línea tonal que alcanza su máximo nivel en la primera sílaba fuerte con un descenso hasta el fin de la unidad, que adquiere un tono grave. Existen dos tipos fundamentales de esta clase de línea melódica: en el primer tipo, el contraste entre la elevación del tono y el descenso no es muy marcado; el segundo tipo refuerza este contraste. En el primer caso, la línea melódica se adopta para expresiones de resignación y reproche; el segundo tipo se emplea para estados emocionales de mayor intensidad.

(c) *Exclamación ondulada.* La línea melódica presenta una elevación en las sílabas fuertes y un descenso en las débiles en las palabras sobre las que cae el interés o la pasión del hablante, estas sílabas aumentan, además, su intensidad y cantidad. Se utiliza cuando el estado de ánimo del hablante está dominado por la pasión, la alegría, la pena o la admiración, y en general, para todas las expresiones de gran intensidad afectiva.

3. LAS PALABRAS

INTRODUCCIÓN

3.0. LAS PARTES DE LA ORACIÓN*

Para la Gramática tradicional que entiende la lengua como expresión del pensamiento y toma la palabra —"ex-

* G. Barth, *Recherches sur la fréquence et la valeur des parties du discours en français, en anglais et en espagnol,* París, 1961; Ana M. Barrenechea, *Las clases de palabras en español como clases funcionales,* Buenos Aires, Serv. Documental, Colecc. Gramática, n.° 1, 1963; Antonio Catinelli, "Esquema formal de las partes de la oración", en *EAc,* n.° 13, 1969, pp. 1-2; Constantino García, *Contribución a la historia de los conceptos gramaticales. La aportación del Brocense,* Madrid, CSIC, 1958; J. Kurylowicz, "Contribution à la théorie des parties du discours: dérivation lexicale et dérivation syntaxique", en *Esquisses Linguistiques,* 1960, pp. 41-50; J. Kurylowicz, "L'évolution des catégories grammaticales", en *Diogène,* n.° 51, 1965, pp. 54-71; R. Magnusson, *Studies in the theory of the parts of speech,* Copenhague, 1954; José Roca Pons, "El problema de las partes de la oración", en *EAc,* n.° 5, 1965, pp. 1-2; S. Mariner Bigorra, "Criterios morfológicos para la categorización gramatical", en *EAc,* diciembre 1971, pp. 1-11; Jan W. Mulder, "Linguistic sign, word and grammateme", en *La Linguistique,* VII, 1971:I, pp. 93-102; R. H. Robins, "The development of the word class system of the european grammatical tradition", en *Diversions of Bloomsbury,* Amsterdam, North-Holland Publishing C., 1970; J. P. Rona, "Las partes del discurso como nivel jerárquico del lenguaje", en *Litterae Hispaniae et Lusitaniae,* Festschrift zum fünfzigjährigen Bestehen des ibero-amerikanischen Forschung instituts der Universität, Hamburgo-Munich, Max Hueber, 1968, pp. 433-453; Wolfgang P. Schmid, *Skizse einer allgemeinen Theorie der Wortarten,* Main, Akademie der Wissenschaften und der Literatur, 1970; Varios, *Word-Classes,* Amsterdam, North-Holland Publishing C., 1967 (reproduce los artículos publicados en *Lingua,* XVII, 1966, pp. 1-261).

presión de una idea"— como unidad de análisis, es fundamental una clasificación de todas las palabras del léxico en grupos que se han de definir según el tipo de realidad que representan. Aquí coinciden los intereses de la Filosofía del lenguaje y la Gramática tradicional. El análisis de la realidad que ofrecen los predicables o categorías de Aristóteles —sustancia, cualidad, género, acción, tiempo, etc.— han servido a la Gramática así concebida para delimitar las posibilidades de significación de las palabras y, por tanto, cada una de las clases o partes de la oración o del discurso.

A lo largo de la historia de la Gramática tradicional, conceptos como *sustantivo*, *adjetivo*, *verbo* y, de alguna manera, *adverbio*, han gozado de cierta fijeza y hoy mismo resulta incómodo prescindir de tales términos. Han sido, en cambio, constantes los titubeos y divergencias de unos gramáticos a otros, al hablar de *pronombre*, *artículo*, *preposición*, *conjunción* e *interjección*. Algunos gramáticos agrupan artículo, preposición y conjunción bajo el término de *palabras gramaticales o instrumentales*. Otros agrupan preposiciones y conjunciones como *palabras de relación*. No existe un acuerdo absoluto ni sobre el criterio de clasificación ni sobre la inclusión o exclusión de un buen número de palabras en cada uno de los grupos cuyas denominaciones se conservan.

Estas clasificaciones están llenas de inconsecuencias y contradicciones. A un planteamiento esencialmente filosófico, las exigencias prácticas que el análisis de la lengua les imponía fundamentalmente para la traducción, añadieron criterios formales sintácticos y morfológicos que se aplicaron en unos casos y en otros no. Pueden considerarse ejemplos significativos de estas inconsecuencias los siguientes: (a) Se ha definido el adjetivo como la palabra que expresa la cualidad. Palabras como *bueno* y *bondad* nombran efectivamente cualidades. Una elemental observación de la realidad de la lengua ha permitido distinguir el adjetivo (*bueno*) en cuanto es la cualidad que se da en un sustantivo y el sustantivo (*bondad*) como simple denominación de la cualidad. (b) Se suelen considerar como nombres abstractos los que designan acción. Palabras como *saltar* y *salto* son nombres de acción. Ha habido que recurrir al hecho sintáctico de que *saltar* permite complementos del mismo tipo que los verbos (*saltaba-los/saltar-los*), para situar cada una de estas palabras en clases distintas. (c) Se ha entendido el pronombre como sustituto del nombre. Sin embargo, palabras como *yo* y *tú* evidentemente no sustituyen nunca en la cadena sonora al nombre de la persona que habla o al de la que escucha. Por otra parte, las formas neutras como *lo* aluden a oraciones o adjetivos (*no lo haré*; *lo es*). (d) Una misma palabra suele ser incluida en la clase de los adjetivos y de los pronombres. Así ocurre con posesivos, demostrativos, cuantitativos, etc. (e) Se incluían como adverbios relativos palabras como *donde,* aunque concurriesen con pronombres relativos y coincidiesen con ellos en la naturaleza nominal de su antecedente: *la casa en que vivo; la casa donde vivo.*

De hecho, se imponía una contradicción en la base misma de la clasificación cuando categorías como género, tiempo, etc. eran incorporadas en la Gramática tradicional como "accidentes gramaticales". Si por una parte las palabras expresaban una idea, al mismo tiempo se admitía de manera implícita que podían expresar otra idea de índole distinta.

Un intento de clasificación realizado con criterios tan variados, contradictorios con frecuencia, siempre inconsecuentes en algún aspecto, tenía que abrir largas, interminables discusiones eternizadas sin fruto alguno. Problemas como los del aspecto, el caso y la voz pasiva, llegan todavía hasta nuestros días en su aplicación a las lenguas románicas.

3.0.1. La teoría de los rangos *

La definición de las partes de la oración tuvo que aceptar la inclusión de criterios formales —partes variables e invariables de la oración— o funcionales —adjetivo como expresión de cualidad dicha de un sustantivo; adverbio como palabra invariable referida al verbo, al adverbio o al adjetivo; la preposición y la conjunción como palabras de enlace o relación, etc.—, mientras mantenía la concepción de sustantivo y verbo por su significado de sustancia o acción.

Gramáticos como nuestro Bello trataron de dar una mayor coherencia a los presupuestos tradicionales. Para Bello el sustantivo era ya "la palabra esencial y primaria del sujeto". El intento más importante para perfeccionar la exposición tradicional lo constituye, sin duda, la teoría de los rangos del danés Otto Jespersen que Hjelmslev, representante de una de las escuelas estructuralistas más importantes, reelaboró en su primera época.

La teoría de los rangos se aplica a las palabras de base lexemática con exclusión de las demás y toma en cuenta (a) desde un punto de vista semántico, la forma de ser pensada por el hablante la realidad que trata de expresar, y (b) desde el punto de vista sintáctico, la forma en que se presenta la palabra en la comunicación.

Jespersen distingue dos tipos de enunciado: (1) la **jun-**

* Otto Jespersen, *The Philosophy of Grammar*, Londres, Georg Allen and Unwin Ltd., 1951 [1.ª ed., 1924], cap. IV; O. Jespersen, *A Modern English Grammar*, vol. II, Copenhague-Londres, Munksgaard-Allen, 1949, párrafos 8 y 9. Posteriormente vuelve a utilizar la misma idea de los rangos L. Hjelmslev, *Principes de Grammaire générale* Copenhague, 1928, cap. V que dedica a la "Fondation de la théorie des catégories fonctionnelles".

tura, que por sí misma no forma comunicación sino parte de una comunicación: *el perro más ladrador*, y (2) el **nexo**, enunciado que tiene validez por sí mismo: *el perro ladra más*. Semánticamente, las unidades con significado que se pueden distinguir en estos dos enunciados reflejan tres tipos de realidad en cuanto son pensadas de tres maneras distintas: (a) /*el perro*/ representa una realidad con existencia por sí misma que no necesita apoyarse en otra para ser pensada; (b) /*ladrador*/ y /*ladra*/ representan un tipo de realidad que ha de ser pensada necesariamente de alguien o algo que gramaticalmente se expresa, a su vez, por palabras del tipo (a); (c) /*más*/ representa un tipo de realidad pensada de palabras del tipo (b). Gramaticalmente —morfológica y sintácticamente— estas mismas unidades con significado traducen sus particularidades semánticas —los tres tipos de ser pensadas— de la siguiente manera: Las palabras de tipo (a) imponen con su número y persona o con su género y número la concordancia con las palabras de tipo (b). Por su parte, las palabras de tipo (c) sólo se combinan con palabras de tipo (b) o de su mismo tipo (c). Jespersen llama **rangos** a cada uno de estos tipos que ordena como rango primario (a), rango secundario (b) y rango terciario (c), cuaternario, etc. Coinciden con las clases tradicionales de sustantivo (a) adjetivo y verbo (b) y adverbio (c).

Adjetivo y verbo se distinguirán morfológicamente y semánticamente por su selección de determinados morfemas flexivos —género y número en el adjetivo; número, persona, tiempo, etc. en el verbo— y por la expresión de tiempo que se da en el verbo y no se da en el adjetivo. La equiparación de estos dos tipos de predicación permite entender el esquema atributivo con el verbo *ser* como un mero temporalizador del adjetivo. La juntura /*el niño bueno*/ se convierte en nexo mediante el verbo *ser*, que aporta la información de tiempo que el adjetivo no tiene: */el niño es bueno/*.

Son evidentes los fallos de esta teoría. Su validez se debe no a su solidez en cuanto análisis del pensamiento, sino en cuanto a la claridad con que describe la distribución y posibilidades combinatorias de las palabras de base lexemática.

3.0.2. Interpretación estructural

El estructuralismo, según hemos visto, ha representado un cambio en el punto de vista desde el que se observa la lengua y un cambio en el concepto de lo que es la unidad básica de análisis de la lengua. Antes, las unidades se justificaban por la naturaleza de lo que expresaban; ahora, las unidades valen como medio para hacer posible un análisis más coherente y objetivo. El concepto de palabra pasa de ser entendido como expresión de una idea a representar una secuencia de sonidos formada por uno o más morfemas y puede ser aislada por conmutación. Mientras en un nivel abstracto los morfemas se estructuran en clases según estrictos criterios formales —morfológicos y funcionales—, en otro nivel más próximo a la realización del texto/discurso, sigue siendo de gran comodidad entender la palabra como la realización en la cadena sonora de un morfema o una determinada secuencia de morfemas.

Un determinado morfema lexemático tal como */am-/*, directamente o incrementado por morfemas derivativos, se puede realizar en cuatro tipos de palabras: (a) *am-or/am-or-es*; (b) *am-or-os-o/am-or-os-a//am-or-os-os/am-or-os-as*; (c) *am-o/am-as/am-a/.../am-a-ba/am-a-ba-n/*, etc.; (d) *am-or-os-a-mente*. Estos cuatro tipos representan cuatro clases de palabras de base lexemática, que coinciden con las tradicionales de sustantivo (a), adjetivo (b), verbo (c) y adverbio (d), caracterizadas por la presencia de determinados morfemas flexivos y derivativos o su neutralización.

El estructuralismo da más relieve que al significado, a las posibilidades combinatorias y distribucionales de los elementos morfémicos que constituyen la palabra. El que las palabras expresen sustancia, cualidad, etc. es hecho que escapa a los límites que se impone el gramático y entra en el campo de estudio del filósofo del lenguaje. Al poner de relieve como unidad el morfema, subraya el carácter de sistema que la lengua tiene y destaca el paso de la lengua (paradigma) al hecho de habla (sintagma) en que las unidades de la lengua se actualizan. A una primera clasificación de morfemas sucede una segunda clasificación de palabras, especialmente cómoda cuando se trata de agrupaciones con morfemas lexemáticos.

3.0.3. Los categorizadores

Los morfemas flexivos se llaman también **categorizadores** por su capacidad de convertir en palabras de una determinada clase los morfemas lexemáticos simples o incrementados con derivativos, o compuestos. Los categorizadores están constituidos por las clases de morfemas que llamamos género, número nominal, persona, número verbal, tiempo, modo, aspecto y, para algunos, voz. A estos bien definidos morfemas categorizadores hay que añadir el artículo que, en algunas lenguas como el rumano, se pospone al nombre y en nuestra lengua se antepone y, en algunos casos, puede entenderse con valor pronominal. Son morfemas libres que se realizan como palabras mediante morfemas de género y número.

Realización de los morfemas (M) en el discurso (D)

MORFEMA LEXEMÁTICO	+	MORFEMA(S) CATEGORIZADOR(ES)	=	CLASES DE PALABRAS	
SINSEMÁNTICOS con significado identificable en el D por sí mismo	+	género-número-artículo-gradación	=	NOMBRE	SUSTANTIVO / ADJETIVO
	+	número-persona-modo-tiempo-aspecto	=	VERBO	
	+	neutralización de categorizadores	=	ADVERBIO	
PRONOMINALES con significado identificable en el D por alusión	+	género-número-artículo-gradación	=	NOMBRE	SUSTANTIVO / ADJETIVO
	+	neutralización de categorizadores	=	ADVERBIO	

3.0.4. Los pronombres o sustitutos

Un problema no resuelto satisfactoriamente afecta a los llamados tradicionalmente pronombres y a otras palabras como *aquí, ahí,* etc. clasificadas entre los adverbios. Frente a las palabras de base lexemática, se caracterizan todas ellas por formar series cerradas. Rara vez son base de realizaciones sustantivas, adjetivas o verbales: *mismidad, yoísmo, otridad, tutear,* etc. Sin embargo, se agrupan con categorizadores de género y número y funcionan en la frase como sustantivos, adjetivos, etc.

Semánticamente, no comportan un significado constante. Mientras sustantivos o adjetivos expresan con leves diferencias de matiz, connotación, etc. lo mismo de una realización a otra, todas estas palabras cambian su contenido, actuando por alusión a algo ya nombrado o implícito en el mensaje o en el contexto, que les confiere significación. Palabras como *aquí, suyo, él, que, delante, más* sólo significan en relación con su contexto. Separadas de él sólo mantienen una base de significado genérico y una capacidad de aludir dentro de una línea de acercamiento al significado concreto.

De hecho, forman como una superclase de características formales bien determinadas (morfemas de base sin significado determinado, morfemas categorizadores en función nominal y neutralización en función adverbial) que se realizan funcionalmente como las fundamentales clases de base lexemática. Todo esto parece recomendar su estudio en una clase única a la que no conviene propiamente ni el nombre de pronombre ni el de sustituto que se ha propuesto. Provisionalmente, se utilizará en la presente exposición el de pronombre por su arraigo en los estudios gramaticales.

3.0.5. Las preposiciones y conjunciones

El mismo carácter marcativo de los morfemas categorizadores lo tienen las unidades incluidas tradicionalmente en las clases de preposiciones y conjunciones. Casi todas ellas son palabras átonas que no pueden separarse del contexto y que por sí mismas no forman enunciado. Dentro de él desempeñan función auxiliar para indicar, en el caso de las preposiciones, la subordinación de lo que les sigue a otro elemento del enunciado o para indicar, en el caso de las conjunciones, la coordinación de lo que les sigue a lo que les precede. Más adelante se discutirá con mayor detalle la formación de inventarios y los diferentes valores marcativos que tales morfemas aportan a la comunicación.

3.0.6. Las interjecciones

Por último, se constituye una última clase con una serie de unidades heterogéneas a las que se llama interjecciones. Estas unidades pueden ser palabras que únicamente se emplean en esta función —así, *¡ay!*, *¡eh!*, *¡oh!*, etc.— en las que a veces se dan agrupaciones fonemáticas inhabituales en la lengua, onomatopeyas o palabras de diversas clases significativas por sí mismas que mediante la entonación se fijan y habilitan como interjecciones tal como ocurre con *¡ánimo!*, *¡hombre!*, *¡venga!*, etc.

Corresponden a un plano esencialmente afectivo de la comunicación, pueden constituir por sí mismas enunciado y, en cuanto a su intención significativa, expresan de manera espontánea e irreprimible estados psíquicos o físicos del hablante —dolor, alegría, entusiasmo etc.—.

LAS PALABRAS: I

EL NOMBRE

3.1. EL NOMBRE

El **nombre** es concebido como categoría gramatical en la Antigüedad, desde que Aristóteles lo opuso al verbo en cuanto éste significa con determinación de tiempo y el nombre no. La distinción entre nombres sustantivos y adjetivos como categorías independientes iniciada en la Edad Media, se abre paso desde el siglo XVIII. La *Gram. Acad.* incorpora tal discriminación desde su 12.ª edición (1870) y así se mantiene hasta hoy en las Gramáticas escolares en general. Los términos *nombre, nombre sustantivo* y *sustantivo* se emplean indistintamente para designar la función primaria de esta clase de palabras y el término *adjetivo* o, rara vez, *nombre adjetivo*, para designar la función secundaria. Dentro de la subclase del adjetivo se incluyen tradicionalmente los pronombres en función secundaria, de los que aquí se prescindirá por el momento.

Las palabras incluidas en la clase nombre admiten los categorizadores que se denominan género, número y artículo (o uno de ellos por lo menos) en su realización en el mensaje. Nombres de tipo (a), tales como *España, Azorín, Pedro*, no admiten artículo; otros de tipo (b), tales como *caos, cenit, pleamar*, no admiten número plural; otros de tipo (c), tales como *vino, plata, arroz*, matizan el significado al pasar de singular a plural en la relación de materia a clase de dicha materia: *Hay aceite en Andalucía*; *Los aceites andaluces son famosos.*

Por otra parte, nombres de tipo (d), tales como *francés, verde, sabio,* o de tipo (e), como *filósofo, físico, viajero,* pueden aparecer en el discurso como términos primarios o términos secundarios (*un sabio francés/un francés sabio*; *un árbol verde/un verde fuerte*; *un viejo filósofo/un filósofo viejo*; *un fenómeno físico/un físico eminente*; *un viajero distraído/el caracol viajero*) con o sin variación de significado. Otros nombres se organizan en secuencia con unidad significativa en función primaria (*el capitán García*; *el pastor poeta*; *el río Ebro*; *Juan Antonio*; *Villanueva del Fresno*; *María del Pilar*; *ojo de buey*).

Mientras nombres como los tipificados en (d) y en parte de (e) admiten gradación (*muy francés*; *muy verde*; *muy sabio*, etc.) frente a los restantes (**muy España*; **muy plata*; **muy arroz*), nombres semejantes a *jubilado, asesinado* y otros no admiten la gradación. En cambio, nombres como *hombre, niño, mujer, torero, señor, rufián, ladrón* y otros admiten en función predicativa la gradación *muy hombre, muy niño*, etc.

Otro criterio formal nos lo pueden ofrecer las posibilidades de formación de adverbios en *-mente* como ocurre en algunos, pero no en todos los nombres de tipo (d) —*sabiamente*, pero no con *verde* ni con *francés*— o locuciones adverbiales del tipo de *a la francesa, a lo torero.*

Todo ello nos permite concluir: (1) hay una clase de palabras llamada nombre que comprende todas las realizaciones que admiten los categorizadores nominales de género, número y artículo; (2) que, si bien la mayor parte de nombres pueden distribuirse en dos subclases en las que los de una de ellas se realizan en función primaria sistemáticamente y los de la otra en función secundaria, queda un residuo de gran índice de frecuencia en el que las dos funciones son posibles; (3) que en esta situación, en la intersección de ambas subclases, intervienen razones lexicográficas (*médico* y *análisis médico* frente a *electricista* y *aparato eléctrico*) y de significado.

3.1.1. El referente y el nombre y su significado

En los estudios de Filosofía del lenguaje ocupa un lugar central la investigación de las relaciones entre nombre, significado y referente*. Por la vinculación tradicional del estudio filosófico del lenguaje con el estudio gramatical, se acostumbra introducir una clasificación de los nombres en casi todas las Gramáticas. En ellas se distinguen nombres colectivos e individuales, comunes y propios, concretos y abstractos, términos útiles en cuanto se ponen en relación con la formación léxica y con su comportamiento sintáctico.

En coincidencia con lo observado en el parágrafo anterior, al estudiar el significado se nota una extraordinaria fluidez que hace que un mismo nombre cambie o matice su significado en relación con el contexto en que aparece. Un nombre concreto e individual como *melón* nombra a cada uno de los individuos de la clase (*tengo tres melones*), a la clase (*el melón es una cucurbitácea*), a la materia o masa (*dame más melón*), o toma carácter predicativo (*este muchacho es un melón*). Un nombre propio como *Mecenas* (*Mecenas fue el protector de Virgilio*) puede ser genérico en otro contexto (*no hay mecenas en nuestros tiempos*).

Quizás haya que tener presente que el referente, esto es, el sujeto del cual es verdad el nombre que se estudia, se entiende como (a) un todo con forma definida o sin ella,

* Vid. W. V. Orman Quine, *Palabra y Objeto*, Barcelona, Labor, 1968. Con abundante bibliografía.

concreto y tangible o puramente mental o fantástico, individual o colectivo, único o múltiple, seriable o no, natural o artificial, o (b) como atributo caracterizador, entendiendo por atributo la cualidad o cualidades de color, origen, naturaleza, relación o estado, potencialidades, etc.

Una vez subrayado este hecho, se ha de notar que el nombre, como clase de palabra, podrá en consecuencia adoptar una función semántica puramente **denominativa** o por el contrario **predicativa**, dicha de algo. Por otra parte, como ha sido notado por muchos, salvo el nombre propio —y no siempre—, todos los demás tienen una fuerza connotativa en virtud de los atributos que constituyen la conceptualización de todo referente. La función sustantiva o adjetiva que corresponde a la doble función denominativa y predicativa del significado respectivamente, atenúa su especificidad cuando su referente es el hombre, y se mantiene adecuadamente delimitada cuando su referente son los animales o las cosas en general.

3.1.2. El referente múltiple

Cuando el referente que representa el nombre es múltiple, los nombres pueden ser aplicados con verdad y en el mismo sentido a una cualquiera de un número indefinido de cosas. Cada aparición de la realidad evocada por el nombre y del nombre mismo significa una individuación particular que se identifica como igual a la conocida. Gramaticalmente, en este caso, el plural es la suma de unidades individuadas; la realidad puede seriarse y numerarse: *gato/gatos*, *sabio/sabios*, *piedra/piedras*, *árbol/árboles*, etc.

Los nombres de referente múltiple se asocian entre sí en una jerarquía según la comprensión o número de clases que comprende el término y la extensión o número de sujetos de los cuales es verdad el término. La serie *animal-vertebrado-mamífero-homínido-hombre* disminuye en extensión del primero al último, al paso que aumenta en comprensión. En otros campos léxicos la asociación se establece por la relación de las partes al todo: *fusil* = *culata*, *caja*, *cañón*, *percutor*, *alza*, etc. En otros, por último, el nombre es relativo y su verdad depende de su relación con otro referente: *padre*, *hermano*, *semejante*, *superior*.

El sustantivo realiza la mención, como señala Bello [100], "significando su naturaleza o las cualidades de que gozan". Stuart Mill * dice del nombre que "denota los sujetos e implica, comprende, indica, o [...] *connota* los atributos". Cada nombre implicita un número de cualidades y aptitudes que acompañan la denominación.

Así ocurre con los nombres de ocupaciones y de cualidades inherentes al sujeto cuando éste es el hombre. Las posibilidades semánticas del nombre de referente múltiple, de funcionar denominativa y predicativamente, aumentan cuando no hay duplicidad de nombres que especifiquen una u otra función. Mientras el ser que tenga *sabiduría* es designado con el nombre *sabio* (*hombre sabio*, *perro sabio*, *el sabio*), todo lo que tiene relación con la *electricidad* se discrimina con los nombres *electricista* (profesional que se ocupa de la electricidad) y *eléctrico* (*sistema eléctrico*, *fenómeno eléctrico*) que no conoce más que la función predicativa.

3.1.3. El nombre propio **

Frente a la fuerza connotativa de la mayor parte de los nombres de la lengua, el nombre propio particulariza un

* *Sistema de Lógica*, Madrid, Daniel Jorro, 1917, p. 40.

** **Sobre el nombre propio**: Henry N. Bershas, *Puns on Proper Names in Spanish*, Detroit 2, Mich: Wayne State Univ. Press,

determinado y concreto referente sin connotarlo. Tiene función denominativa. Mientras nombres como *perro*, *mujer*, *diosa*, *yegua* por sí mismos informan al hablante de unas determinadas cualidades y atributos que se dan en los sujetos que se ha convenido en llamar así, el nombre *Diana* —que se puede emplear para particularizar a una diosa, una mujer, una perra o una yegua— no connota de antemano y por sí mismo ninguna cualidad particular.

Los nombres propios son, pues, por sí mismos, nombres sin significación propia, nacidos por la necesidad de particularizar las diferentes versiones de una misma clase, especie o género de realidad. Esto es así, independientemente de las motivaciones que justifiquen el nacimiento del nombre propio. Los llamados nombres de pila los reciben las personas por decisión de sus padres en atención a que dicho nombre lo llevaban sus antepasados o a que corresponde al santo del día del nacimiento o a unas particulares preferencias. Nadie ignora que los llamados apellidos, de otra parte, pueden tener una significación en coincidencia muchas veces con los nombres apelativos (*Sastre*, *Pino*, *Conejos*, *Rojo*, etc.) o formaciones sobre nombres de pila como *Rodríguez*, *Ibáñez*, etc. Don Quijote crea el nombre "músico y significativo" de

---

1961; A. GARDINER, *The Theory of Proper Names. A controversial Essay*, Oxford, Clarendon Press, 1940; J. KURYŁOWICZ, "La position linguistique du nom propre", en *Esquisses linguistiques*, 1960, pp. 182-192; B. MIGLIORINI, *Dal nome proprio al nome comune*, Florencia, Olschki, 1968 [ed. fotográfica de la de 1927]. **Sobre otras cuestiones en relación con el nombre**: Serge KARCEVSKIJ, "Sur la structure du substantif russe", en *A Prague School Reader in Linguistics*, 1964, pp. 335-346; E. KOHLER, "Fr. Luis de León et la théorie du nom", en *BHi*, L, 1948, pp. 421-428; M. MONNOT, "Examen comparatif des tendences de syllabation dans les mots abrégés de l'anglais et du français", en *Le Français Moderne*, XXXIX, 1971, pp. 191-206; Siegfried HEINIMANN, *Das Abstraktum in der französischen Literatursprache des Mittelalters*, Berna, Románica Helvética, LXXIII, 1963.

Dulcinea. Las gentes con los apodos y el artista al rebautizarse eligiendo su seudónimo elevan otras palabras del sistema léxico a la categoría de nombre propio: *el Bizco, Azorín, la Fornarina, Pasoslargos* buscan, sin embargo, destacar una particular significación.

En cada uno de los casos, se da un cierto grado de creación de la denominación, ya se tome del sistema específico de la lengua para particularizar cada individuo de la especie o se creen formaciones enteramente originales o nombres con significado (*bizco, pasos largos,* etc.). Mientras cualquier otro nombre nos es dado con su significado, el nombre propio no hace más que particularizar el individuo para que después, inevitablemente, se llene con frecuencia de significado cualificador y distintivo para un grupo restringido de hablantes.

Por este proceso que va de la creación particularizadora sin connotaciones al enriquecimiento particular, el nombre propio puede transformarse en apelativo. Nombres como *Mecenas, don Juan, Sosias, Quijote, Magdalena, Jeremías* y otros han salido del campo estricto y reducido en el que el nombre propio funciona por su carga connotativa, y se emplean como apelativos.

El nombre propio de persona permite curiosas y arbitrarias transformaciones en el ámbito familiar de su realización. Las formas a que da lugar se llaman **hipocorísticos.** Influyen en su constitución hechos relacionados con la historia de la palabra como en *José = Pepe*; *Pedro = Perico*, diminutivo de *Pero*; *Concepción = Concha*; abreviaciones como en *Ceferino = Cefe; Cristina = Cris, Cristi*; *Susana = Susi*; *Teresa = Tere*; *Saturnino = Satur*; *Remigio = Remi*; *Remedios = Reme*; *Patrocinio = Patro*; *Nuria = Nuri; Mercedes = Merche; Isabel = Isa; Montserrat = Montse*; *Pilar = Pili*; *Bartolomé = Bartolo*; *Casimi-*

ro = *Casi*; *Teófilo* = *Teo*; *Emilia* = *Emi*; o reducciones que salvan el final de la palabra como en *Agustina*, *Clementina*, *Justina* = *Tina*; *Adelina* = *Lina*; *Angelita* = *Lita*; *Consuelo* = *Chelo*; *Guadalupe* = *Lupe*; *Rosario* = *Charo*; *Antonio* = *Tono*, *Toni*; *Catalina* = *Lina*; *Eulalia* = *Lali*; *Ignacio* = *Nacho*; *Ramón* = *Moncho*, etc. Otros casos modifican la forma primitiva como en *Dolores* = *Lola; María* = *Maruja*; *Francisco* = *Paco*, *Pancho*, *Cisco*; *María Teresa* = *Maite*. Todos estos hipocorísticos están expresivamente relacionados con nivel social, área geográfica, lenguas próximas.

En los nombres propios de animales domésticos —gatos, perros, caballos y otros— hay mayor libertad de creación, lo mismo que en los animales que intervienen en espectáculos como son los toros de lidia o los caballos de carreras: *Lucero*, *Malacara*, *Estrella*, *Princesa*, *Botines*, *Bailaor*, *Rintintín*, *Lulú* y otros.

Un grupo especial de nombres propios lo constituyen los que particularizan lugares —continentes, naciones, regiones, departamentos, ciudades, villas, pueblos, aldeas, lugares— de comportamiento morfosintáctico semejante a los nombres de persona, y los que particularizan accidentes geográficos —montañas, cabos, golfos, sierras, cordilleras— o hechos históricos, entidades o agrupaciones políticas o comerciales y deportivas que, generalmente, se emplean con artículo o agrupados como complemento del nombre de clase al que acompañan (*Madrid*/*la villa de Madrid*, *el Barcelona C. de F.*, *los Andes*, *la RENFE*, *la ONU*, *el Índico*, *el Atlántico*, *el Finisterre*, *Lepanto*/*la batalla de Lepanto*).

3.1.4. Los nombres compuestos

La mención del referente puede hacerse por medio de más de una palabra. Mientras en los nombres apelativos no es fácil fijar un límite entre la unidad de sentido de un grupo de palabras y la palabra única que alude al referente (*bomba de mano, ojo de buey, molino de viento*), en los nombres propios contribuye a la función particularizadora la agrupación de nombres. Frente a *Juan* y a *José*, *Juan-José* se particulariza como nombre propio distinto a cada uno de los dos anteriores. Un nombre como puede ser José Ortega y Gasset evoca una sola realidad. De la misma manera ocurre con *Pascua de Pentecostés, Semana Santa, Año Nuevo, Real Sociedad de San Sebastián*, etc.

3.1.5. Nombres colectivos

Cuando el referente no es el individuo sino el grupo de individuos de una bien determinada realidad, el nombre se llama **colectivo**. Gran parte de los sustantivos colectivos, por la aportación del morfema lexemático o por la de determinados morfemas derivativos, evoca un conjunto de sujetos como unidad: *ejército, regimiento, recua, enjambre*; *robledo, pinar, alameda, encinar, naranjal*. Son por tanto seriables y admiten plural como suma de conjuntos. Un caso aparte lo constituye el nombre *humanidad*, por su carácter de nombre de ente único, que no admite plural, y los nombres *gente, público* y *auditorio*. En los dos primeros, los respectivos plurales introducen la idea de género de una clase.

3.1.6. Referente disperso

Frente al referente múltiple e individuado, recurrente, el nombre puede también representar la parte de un continuum sin límites precisos. El nombre *sonido* representa una realidad que aparece íntegramente cada vez que se necesita evocarla mediante la palabra. Los nombres *bondad, pena, color, visibilidad* identifican un referente que no se puede individualizar sino recurriendo a realidades distintas al referente, como el sujeto en que se da, la causa que lo produce.

Tienen este carácter los nombres **de materia** como *agua, aceite, mármol, hierro, arroz* que toman carácter clasificador en plural; los nombres **de color** como *rojo, verde, naranja* que podemos emplear sin artículo (*No le pongas más verde al cuadro*); los nombres **de estados o fenómenos psíquicos y físicos** como *salto, ahogo, aburrimiento, melancolía, visibilidad* cuyos plurales expresan reiteración o cosas distintas o, simplemente, enfatización; los nombres **de cualidad** como *acritud, fuerza, maldad*; los nombres **de acción** en su doble forma de nombre sustantivo como en *salto* (*tu salto de la barrera*) o en la forma de nombre verbal (*al saltar tú la barrera*).

3.1.6.1. *Los nombres abstractos*

Suele la Gramática tradicional introducir una compleja clase de nombres **abstractos**, por oposición a nombres **concretos**. Así se suelen incluir nombres como *día, noche, temporada* [Sweet, 168], nombres de cultura como *estructura, trayectoria, coyuntura* y semejantes. Amado Alonso [A-H, II, 45] discutió de manera precisa esta cuestión para llegar a la conclusión de que "es imposible trazar la división exacta entre los nombres concretos y abstractos".

Con gran sentido gramatical, Bello [103] limitó el valor de esta clase de nombres a los que designan cualidades o atributos de los objetos, separadas del objeto u objetos en que pueden aparecer. La noción de cualidad o atributo de un objeto se expresa por medio de predicaciones temporalizadas o no —verbos o adjetivos—. El nombre que denomina tal cualidad caracterizadora es el nombre abstracto, e. d., separado.

Así dice Bello: "Esta independencia no está más que en las palabras ni consiste en otra cosa que en representarnos, por medio de sustantivos, lo mismo que originalmente nos hemos representado, ya por nombres significativos de objetos reales, como *verde, redondo*, ya por verbos como *temo, admiro*". La homogeneidad formal de los nombres abstractos así entendidos se pone de relieve por el empleo de muy característicos derivativos como *-era, -ura, -ez, -ad, -ancia, -anza, -encia, -ida, -ada, -ción, -sión, -xión.*

3.1.7. El nombre adjetivo

El apartado que tradicionalmente se dedica a los adjetivos comprende nombres que por su significado expresan cualidad inherente al sujeto (tamaño, forma, color, capacidad, extensión, materia, o bien cualidad moral, valoración de conducta, etc.), o bien la relación del sujeto con respecto al origen; situación social, cultural, religiosa, política, técnica; ciencia; pertenencia o filiación, o por último el estado producido por una acción. Son nombres como *bueno, grande, redondo, verde, férreo, francés, cristiano, comunista, docto, eléctrico, científico, histórico, deportivo, encantado.*

Una buena parte de estas palabras pueden actuar como sustantivos o como adjetivos: *No me gustan las películas de buenos y malos; Había mucho amarillo en aquel cuadro;*

Conoció en la reunión a varios franceses y a un andaluz; Habló de cristianos martirizados, de perseguidos y de crímenes horrorosos.

Influye en su uso dominante de adjetivos la existencia de una palabra de su mismo lexema especializada en el uso sustantivo y, por otra parte, el carácter de determinados derivativos como *-ano, -ico, -eño, -ino, -ista, -ero, -dor, -ado, -ido, -edo, -áceo, -al, -oso, -ble, -eño, -és* y otros: *Murcia → murciano, fantasía → fantástico, trigo → trigueño, cansar → cansino, alquimia → alquimista, verdad → verdadero, encanto → encantador, abrasar → abrasado, oscurecer → oscurecido, rosa → rosáceo, término → terminal, horror → horroroso, amor → amable, Madrid → madrileño, León → leonés.*

Entre estas palabras figuran bastantes procedentes de verbos en su forma participial. Cuando el verbo tiene dos participios, uno regular y otro irregular, ocurre (a) que cada uno de ellos expresa un matiz distinto de la atribución en su función adjetiva: *contuso* (de *contundir*), *fijo* (de *fijar*), *harto* (de *hartar*), *incluso* (de *incluir*), *incurso* (de *incurrir*), *infuso* (de *infundir*), *injerto* (de *injertar*), *inverso* (de *invertir*), *junto* (de *juntar*), *maldito* (de *maldecir*), *manifiesto* (de *manifestar*), *nato* (de *nacer*); (b) que marcan distinto nivel de lengua: *circunciso* (de *circuncidar*), *concluso* (de *concluir*), *corrupto* (de *corromper*), *electo* (de *elegir*), *excluso* (de *excluir*), *expreso* (de *expresar*).

3.1.7.1. *Adjetivo antepuesto y adjetivo pospuesto* *

En un corto número de nombres en función adjetiva ocurre que su significado toma diferente intencionalidad o, incluso, llega a cobrar acepción distinta, según su situación

* Vid. la bibliografía recogida en la nota al párrafo 7.9.

con respecto al sustantivo con el que se agrupa, delante o detrás de él. He aquí los casos más frecuentes:

Antiguo criado	Criado antiguo
Cierto hecho	Hecho cierto
Buena mujer	Mujer buena
Bonita escena	Escena bonita
Extraña persona	Persona extraña
Falso acuerdo	Acuerdo falso
Mala sortija	Sortija mala
Gran cariño	Cariño grande
Medio hombre	Hombre medio
Viejos amigos	Amigos viejos
Pobre mujer	Mujer pobre
Propia decisión	Decisión propia
Pequeño soldado	Soldado pequeño
Pura ilusión	Ilusión pura
Simple camarada	Camarada simple
Triste mujer	Mujer triste
Verdadera tragedia	Tragedia verdadera
Única ocasión	Ocasión única
Nuevo libro	Libro nuevo

Los gramáticos han tratado de explicar esta variación de significado. Los adjetivos antepuestos expresan una cualificación más vaga e inmaterial, y pospuestos, más concreta y precisa. Se ha notado que los adjetivos antepuestos "no significan una cualidad del objeto mentado por el sustantivo, sino que indican una nota extrínseca a ese objeto" [Sobej., 141].

De una manera general, para Gröber [Grund., 273], el adjetivo pospuesto determina o distingue intelectualmente; el adjetivo antepuesto atribuye al sustantivo una cualidad con valor subjetivo. Hanssen [472] concluye: "podemos decir que el adjetivo pospuesto tiene carácter objetivo y el adjetivo antepuesto tiene carácter subjetivo: *un hombre grande, un gran emperador*".

3.1.7.2. *Especificativos y explicativos*

Los adjetivos, como palabras que expresan la cualidad en un sustantivo, pueden tener intención expresiva según sea la relación de permanencia o accidentalidad de la cualidad en el significado del sustantivo. En unos casos, la cualidad destacada del sustantivo lo distingue e individualiza al subrayar una modalidad del referente que se opone o diferencia de otras modalidades posibles: *casa alta* opone tal referente a los que no tienen su misma cualidad de altura. Ya desde antiguo se decía que el adjetivo modificaba el sentido del sustantivo al restringir y precisar su capacidad de significar. La cualidad destacada por el adjetivo se opone dentro del significado mismo del sustantivo en un sistema de posibilidades:

	Posibilidades	*Cualidad expresa*
casa	{ *alta* *baja*	*casa* **alta**

En otros casos, en cambio, la cualidad destacada del sustantivo no distingue ni individualiza, porque dicha cualidad no se opone a ninguna otra ya que es esencial, o es tenida por esencial, de la realidad misma evocada por el sustantivo:

	Posibilidades	*Cualidad expresa*
rascacielos	{ *alto* *cero*	**alto** *rascacielos*

En el primer caso, en que se hace una positiva distinción y particularización del nombre, se dice que hay especificación (*casa alta*) y el adjetivo se llama **especificativo**. En el segundo caso, en que no se añade ningún rasgo individualizador y simplemente se subraya redundantemente una cualidad implícita en el concepto de la realidad que se evoca, se dice que hay explicación (*alto rascacielos*) y el adjetivo se llama **explicativo**.

El límite para fijar la esencialidad de la cualidad destacada no siempre es preciso. Cuervo [*Not.*, 9] subraya que el adjetivo explicativo llama la atención "hacia alguna cualidad que siempre o de ordinario le acompaña". El tópico, la apreciación convenida generalmente, será tenida desde este punto de vista como cualidad explicativa. Las *mansas ovejas* —aunque pueda haber ovejas que no lo sean—, el *bizarro general* —aunque haya generales que no sean bizarros— o la *alegre primavera* —aunque haya primaveras sangrientas y trágicas— serán adjetivos explicativos.

3.2. LOS CATEGORIZADORES NOMINALES

Tres clases de morfemas gramaticales —el género, el número y el artículo— son seleccionados por los morfemas lexemáticos para realizarse en el discurso como nombres sustantivos o adjetivos. Además de esta función categorizadora, marcan la relación entre palabras dentro del grupo nominal encabezado por un nombre (*la casa amarilla*) y dentro de la oración entre el sujeto y el predicado (*el árbol crece*). A esta relación se le llama **concordancia** y se produce por la reiteración de los mismos morfemas de género y número en el primer caso y de número en el segundo. Las unidades que intervienen en la misma concordancia se llaman concordadas.

A esta doble función básica de categorización y concordancia se añaden diversas funciones semánticas, en gran parte debidas al significado del morfema lexemático y, en todo caso, implicadas por la organización lexicográfica de la lengua. El género y el número son clases de morfemas trabados. El artículo, en cambio, es un morfema exento que, en determinados casos, toma valor pronominal. Constitutivamente, el artículo está organizado por un morfema base que sirve de soporte de los morfemas de género y número de manera semejante a la de los nombres e idéntica a la de algunos pronombres.

3.2.1. El género*

El género es una clase de morfemas que sirve (a) para actualizar un determinado morfema lexemático como nombre sustantivo o adjetivo, (b) para, juntamente con el número y el artículo, marcar la concordancia, y (c) para, en algunas

* James M. ANDERSON, "The Morphophonemics of Gender in Spanish Nouns", en *Lingua*, X, 1961, pp. 285-296; A. M. BADÍA MARGARIT, "Aspectos formales en el nombre en español", en *Problemas y principios del estructuralismo lingüístico*, Madrid, CSIC, 1967, pp. 50-70; A. BERRO GARCÍA, "Formación del femenino en los nombres de profesiones, oficios y actividades ejercidos por las mujeres", en *Boletín de Filología* (Montevideo), VII, 1952, pp. 510-514; E. COTARELO, "Sobre las voces *concejala* y *edila*", en *BRAE*, XI, 1924, pp. 459-460; E. COTARELO, "Un pasaje de Lope de Vega sobre la formación de algunos femeninos castellanos", en *BRAE*, XV, 1928, pp. 567-568; R. de DARDEL, *Recherches sur le genre roman des substantifs de la troisième déclinaison*, Ginebra, Droz, 1965; A. M. ECHAIDE, "El género del sustantivo en español: Evolución y estructura", en *IR*, I, 1969, pp. 89-124; B. FERNÁNDEZ, "Voces de género dudoso, ambiguo, epiceno y común de dos", en *Monitor de la Educación Común* (Buenos Aires), LXI, 1942, pp. 27-55; Erica C. GARCÍA, "Gender Switch in Spanish Derivation (with special reference to *-a → -ero, -o → -era, -a → -n, -ón*)", en *RPh*, XXIV, 1970, pp. 39-54; F. C. HAYES, "Wanted: an endowed unabridged Spanish Dictionary", en *H*, XXXIX, 1956, pp. 84-88; E. LORENZO, "Nombres femeninos en *-o*", en *El español de hoy*, Madrid, Gredos, 1966, pp. 58-61; O. K. LUNDEBERG, "On the gender of *mar*: precept and practice", en *HR*, I, 1933, pp. 309-318; C. F. MAC HALE, "Las actividades femeninas en el Diccionario oficial", en *BACh*, VII, 1940, pp. 34-47; H. M. MARTIN, "Termination of qualifying words before feminine nouns and adjectives in the plays of Lope de Vega", en *MLN*, XXXVII, 1922, pp. 398-407; B. MIGLIORINI, "I nomi maschili in *-a*", en *Studi Romanzi*, Roma, 1934; J. MONEVA PUYOL, "Los oficios de mujer", en *BRAE*, III, 1916, pp. 535-540; O. I. MOK, *Contribution à l'étude des catégories morphologiques du genre et du nombre dans le français parlé actuel*, La Haya, Mouton, 1968; J. ROCA PONS, "*Arquitecto* y *arquitecta* — *planear* y *planificar*", en *H*, XLVI, 1963, pp. 373-375; Esteban RODRÍGUEZ HERRERA, *Observaciones acerca del género de los nombres*, 2. vols., La Habana, Ed. Lex, 1947; A. MEILLET,

realizaciones, aportar información sobre el sexo y otros aspectos de la realidad que representa el lexema mediante la oposición de los morfos del sistema.

El sistema constituido por las unidades del morfema de género está formado por la oposición tradicionalmente lla-

---

"Le genre grammatical et l'élimination de la flexion", en *Linguistique historique et linguistique générale*, I, 1926, pp. 199-210; A. Meillet, "La catégorie du genre et les conceptions indo-européennes", en *Linguistique historique et linguistique générale*, I, 1926, pp. 211-229; Norbert Pastor, *Étude morphologique de l'espagnol, I. Les formants catégorisateurs*, Nancy, Cahier du CRAL, n.º 7, 1969; Antonio Roldán, "Notas para el estudio del sustantivo", en *Problemas y principios del estructuralismo lingüístico*, 1967, pp. 71-88; A. Rosenblat, "Vacilaciones y cambios de género motivados por el artículo", en *BICC*, V, 1949, pp. 21-32; A. Rosenblat, "Cultismos masculinos con *-a* antietimológica", en *Fil*, V, 1959, pp. 35-46; A. Rosenblat, "El género de los compuestos", en *NRFH*, VII, 1953, pp. 95-113; A. Rosenblat, "Vacilaciones de género en los monosílabos", *BAV*, XVIII, 1950, pp. 183-204; A. Rosenblat, "Género de los sustantivos en *-e* y en consonante", en *EDMP*, III, 1952, p. 159; A. Rosenblat, "Morfología del género en español: Comportamiento de las terminaciones *-o, -a*", en *NRFH*, XVI, 1962, pp. 31-80; M. Sandmann, "Zur Frage des Neutralen Femeninums im Spanischen", en *VR*, XV, 1956, pp. 54-62; Sol Saporta, "On the Expression of Gender in Spanish", en *RPh*, XV, 1961-1962, pp. 279-284; M. Sarmiento, "Temas gramaticales del español", en *Investigaciones Lingüísticas*, I, 1933, pp. 102-104; M. Schneider, "El colectivo en latín y las formas en *-a* con valor aumentativo en español", en *BAAL*, II, 1935, pp. 25-92; M. Schneider, "Evolución del género gramatical", en *Azul*, n.º 8, 1931, pp. 127-151; L. Spitzer, "La feminización del neutro", *RFH*, III, 1941, pp. 339-371; L. Spitzer, "Die epizönen Nomina auf *-a(s)* in den iberischen Sprachen", en *Beiträge zur romanischen Wortbildungslehre* de E. Gamillscheg und L. Spitzer, Bibl. del Archivum Romanicum, Ginebra, 1921, pp. 82-182; W. v. Wartburg, "Substantifs féminins avec valeur augmentative", en *BDC*, IX, 1921, pp. 51-55; H. y R. Kahane, "The augmentative feminine in the Romance language", en *RPh*, II, 1948-1949, pp. 135-175; Solomon Marcus, "Le genre grammatical et son modèle logique", en *Cahiers de Ling. théorique et appliquée*, I, 1962, pp. 103-122; B. Pottier, "Peut-on parler d'un genre *neutre* dans le structure de l'espagnol?", en *Bulletin de la Société de Linguistique de Paris*, VII-VIII, 1959.

Nombres por el género

DOS CONCORDANCIAS	HETERÓNOMOS		*hombre/mujer*
	MOCIÓN	Informa sobre el sexo	*hijo/hija*
			monje/monja
			autor/autora
		Otras informaciones	*costurero/costurera*
			cerezo/cereza
			farol/farola
	MOCIÓN DEL ARTÍCULO		*el cónyuge/la cónyuge*
			el lente/la lente
			el trompeta/la trompeta
AMBIGUOS			*el mar/la mar*
UNA CONCORDANCIA		Sexuados	*el camaleón*
			la serpiente
		No sexuados	*el cajón*
			la mesa

mada *masculino/femenino*. El masculino se realiza mediante los alomorfos {-**o**, -**e**, -Ø} y el femenino por el morfo {-**a**}: *gat*-**o**/*gat*-**a**, *monj*-**e**/*monj*-**a**, *león*-Ø/*leon*-**a**, *cas*-**a**, *mano*-Ø, *sillón*-Ø.

Las palabras se organizan en el sistema léxico o por oposición alternativa en la que una palabra exige la concordancia masculina y la otra la concordancia femenina manteniendo una misma base léxica, o por unidades aisladas. La segmentación de los morfos plantea especiales problemas en los casos de formas aisladas. Las formas con morfema diminutivo mantienen la concordancia de la forma originaria, como *día* (*diita*). En los casos que admitan diminutivo, este hecho permite la identificación: *libr*-**o** → *libr-it*-**o**, *velón*-Ø → *velon-cit*-**o**, *coche*-Ø → *coche-cit*-**o**.

La fuerza de la tradición escolar y el sentido de la lengua del hablante dan primacía al aspecto (c) señalado al principio de este parágrafo, en cuanto a la información de sexo. Así la *Gram. Acad.* [10 *a*] define el género como "el accidente gramatical que sirve para indicar el sexo de las personas y de los animales y el que se atribuye a las cosas, o bien para indicar que no se le atribuye ninguno". Bello, que advirtió que una definición basada en este aporte significativo sólo sería válida para un reducido número de nombres de persona y de animales, cuya sexuación interesa señalar como atributo caracterizador del objeto, definió el género como "la clase a que pertenece el sustantivo según la terminación del adjetivo con que se construye, cuando éste tiene dos en cada número" [54]. Manteniendo este aspecto, se suele distinguir un género **motivado** cuando el cambio de concordancia está en correlación con la información sobre el sexo u otro aspecto de contenido, y género **inmotivado** o **arbitrario** cuando no existe tal correlación entre concordancia y significado.

La distribución de todos los nombres en las dos concordancias masculina y femenina tiene una justificación histórica y etimológica. Algunos nombres, sin embargo, son empleados en uno u otro género por razones particulares en relación con la época, la geografía o el nivel cultural. Estos nombres se llaman **ambiguos** [*Gram. Acad.*, 10 *f*].

3.2.2. Concordancia alternativa

Un conjunto de nombres, en su mayor parte de persona y de animales y unos pocos más, distinguen mediante palabras distintas (*heteronimia*) o mediante morfos distintos, los géneros masculino y femenino. En los nombres de persona y de animales informan sobre el sexo. He aquí los recursos de que se vale la lengua:

3.2.2.1. *Por heteronimia*

Dos palabras de distinta base lexemática se oponen en pareja para nombrar al varón o animal macho frente a la mujer o animal hembra: *hombre/mujer*, *padre/madre*, *papi/mami*, *papuchi/mamuchi*, *yerno/nuera*, *padrino/madrina*, *macho/hembra*, *caballo/yegua*, *toro/vaca*, *carnero/oveja*.

La inconexión formal entre los miembros de estas parejas de sustantivos lleva, en el caso de *oveja*, a la formación *ovejo* en ámbito dialectal [Cuervo, *Apunt.*, 212]. El sustantivo *varón*, que se opone modernamente a *hembra*, conoció en la lengua clásica la formación *varona*.

3.2.2.2. *Por moción*

El masculino utiliza los alomorfos -**o**, -**e**, -**Ø** frente al femenino con -**a**. En consecuencia se dan las oposiciones -**o**/-**a**, -**e**/-**a**, -**Ø**/-**a**. A estos casos hay que añadir un grupo organizado con derivativos especiales por influjo culto.

(a) *Tipo "hij-***o***/hij-***a***"*: *abuelo/abuela, nieto/nieta, hermano/hermana, cocinero/cocinera, criado/criada, vecino/vecina, parroquiano/parroquiana, huérfano/a, viudo/a, cuñado/a, sobrino/a, suegro/a, tío/a, primo/a, soltero/a, novio/a, muchacho/a, niño/a, tendero/a, zapatero/a, brujo/a, hado/ /a, mago/a, mozo/a, pasajero/a, portero/a, obrero/a, peluquero/a, camarero/a, maestro/a, pastelero/a, hornero/a,* etc.; *cerdo/a, lagarto/a, borrego/a, pavo/a, palomo/a, canario/a, perro/a, cordero/a, conejo/a, mono/a.*

La existencia de moción en los nombres de animales se justifica por el interés de hacer la distinción de sexo. En algunos casos, como en *lagarta, zorra,* el femenino toma valores peyorativos como designación de ciertas mujeres. Esta tendencia a formar parejas que distingan el animal macho de la hembra, según intereses locales, lleva a la habilitación de formaciones particulares como *rano* de *rana* y *pata* de *pato.*

(b) *Tipo "monj-***e***/monj-***a***"*: El grupo más importante está constituido por participios de presente en *-ante, -ente, -iente,* invariables como tales, habilitados como sustantivos o adjetivos. La promoción constante de la mujer a cargos que hasta ahora eran privativos del hombre, autoriza y justifica formaciones en *-a* de que antes no tenía necesidad la lengua. En el uso actual, hay por parte de los hablantes cultos cierta reserva en el uso de estos femeninos. Sin embargo, tal tipo de formación está dentro de los usos de la lengua como atestigua este ejemplo cervantino citado por Selva [*Guía*, 27]:

"*No te pregunto nada, dijo la preguntanta*" (Cervantes, *Quijote*, II, 62):

farsante/a, gigante/a, intendente/a, almirante/a, cliente/a, pariente/a, sastre/a, elefante/a, tigre/a, comediante/a, regente/a, acompañante/a, asistente/a, congregante/a, danzante/a, figurante/a, mendigante/a, principiante/a, sirviente/a, infante/a.

Participios de presente que por su significación no pueden aplicarse a hombres, como ocurre con *parturiente*, han impuesto en su lugar la forma en *-a*, *parturienta*. La formación de femeninos en *-a* se abre paso en casos como *estudiante/a, dependiente/a, gobernante/a, intrigante/a, negociante/a*. Caso representativo de estas modificaciones a través del tiempo lo ofrece la palabra *infante*, invariable todavía en el siglo XVII:

> Yo, señor, soy vuestra esposa/y debéis considerarme/reina ya de Portugal/si fui de Navarra infante (Vélez de Guevara, *Reinar después de morir*, Ed. Zamora Vicente, I, 425).

La forma *tigra* aparece en el *Libro de Alexandre* y en la traducción del *Aminta* de Tasso [Cuervo, *Apunt.*, 214]. Como americanismo y con el significado de *jaguar* se registra en el *DRAE* (18.ª ed.): "*He rendido a una tigre y fiera brava*" (Cervantes, *Quijote*, II, 44).

(c) *Tipo "autor-Ø/autor-***a***"*: El masculino da el morfema lexemático puro y termina en las consonantes finales tradicionales *-d, -l, -n, -r, -s, -z*. En este grupo domina el sufijo de agente *-tor*:

huésped/a, doctor/a, profesor/a, marqués/a, rapaz/a, cantor/a, colegial/a, conductor/a, comadrón/a, bailarín/a, patrón/a, zagal/a, león/a.

(d) *Femeninos cultos*: Un reducido número de sustantivos forman el femenino con la terminación *-is-***a**, *-es-***a**, *-in-***a** y -**triz.** Estas unidades se añaden al masculino si termina en consonante o sustituyen la vocal última:

Ø/-esa: *abad/abadesa, barón/baronesa, juglar/juglaresa*; **-e/-esa**: *alcalde/alcaldesa, conde/condesa, duque/duquesa, tigre/tigresa, almirante/almirantesa, sastre/sastresa;* **-o/-esa**: *vampiro/vampiresa, ogro/ogresa, prínci(pe)/princesa*; **-a/ /-esa**: *guarda/guardesa*; **-a/-isa**: *poeta/poetisa, profeta/profetisa, papa/papisa*; **-e/-isa**: *sacerdote/sacerdotisa*; **-o/-isa**: *diácono/diaconisa*; **-Ø/-isa**: *histrión/histrionisa*; **-i/-ina**: *jabalí/jabalina, rey/reina, héroe/heroína*; **-o/-ina**: *gallo/gallina*; **-nte/-triz**: *cantante/cantatriz*; **-tor/-triz**: *actor/actriz, emperador/emperatriz, saltador/saltatriz.*

(e) *Nombres con doble femenino*: Los nombres de oficio y profesión han tenido tradicionalmente como significado propio del femenino el de mujer del profesional. Así en los pueblos españoles, *la médica, la boticaria, la alcaldesa, la maestra, la carpintera, la zapatera, la sargenta*, etc. designaban a la esposa del médico, del boticario, etc. En el estado actual de la lengua, mientras se mantiene la privatividad del varón en el ejercicio profesional, el femenino sigue teniendo tal valor. Así en *la sargenta, la tenienta, la coronela, la generala*, o *la carpintera, la zapatera*, etc.

Cuando se da el caso de que la mujer haya llegado a ocupar y desempeñar el cargo o profesión que antes era privativo del hombre, ha surgido la necesidad de la designación y, al lado del significado anterior —esposa del profesional—, se ha formado un segundo significado para designar a la mujer que desempeña la profesión: *la abogada, la médica, la farmacéutica*, etc. La coexistencia cada vez más generalizada de estos dos significados lleva a vacilaciones, sobre todo en la lengua culta, entre la formación por moción de doble significado y la alternancia entre la forma con moción para designar a la esposa del profesional y la formación sobre el masculino de un femenino con cambio de artículo: *el médico/la médica* y **la** *médico*. Es especialmente frecuente cuando el femenino mocionado se siente como poco eufónico o tiene connotaciones peyorativas como en *la arquitecta, la jefa, la socia,* o por el simple prestigio de lo masculino.

Por otra parte, se da la coexistencia de dos formas para el femenino con el mismo significado en los nombres que admiten formación culta. Puede haber una cierta matización y, en general, corresponden a diversos niveles de habla: *clavario/clavariesa* y *clavaria, actor/actriz* y *actora, poeta//poetisa* y *poeta, sastre/sastresa* y *sastra, emperador/emperatriz* y *emperadora, almirante/almirantesa* y *almiranta.*

3.2.3. Por moción del artículo

Un cierto número de nombres adjetivos y sustantivos que designan profesión u ocupación todavía privativas del hombre, terminados en *-a* y en *-ista,* más un reducido número en *-o, -e* y consonante, dejan invariable la palabra y marcan el sexo cambiando la concordancia por medio del cambio del artículo:

cajista, linotipista, planchista, oculista, electricista, telegrafista, idiota, corista, alpinista, coleccionista, dentista, víctima, granuja, comparsa, pelma, altruista, pacifista, racista, ascensorista, telefonista, reo, testigo, cónyuge, consorte, huésped, mártir, etc.

El nombre *modista* que designa con artículo masculino al varón, se hizo femenino apoyado en su terminación con artículo femenino —*la modista*— y creó un masculino en

-o: *el modisto*. Por parte de los mismos profesionales hay una marcada tendencia a restablecer la forma *el modista*. Los nombres *testigo, reo* y *crío* han desarrollado formas en *-a* con diverso éxito. Mientras *cría* es familiar, revelan descuido *testiga* y *rea* atestiguadas por Cuervo [*Apunt*., 218] y Selva [*Guía*, 49].

3.2.4. Otros significados de la alternancia

El léxico de la lengua nos da un sinfín de parejas con concordancia masculina/femenina alternante. Estas parejas son homófonos que comportan lexemas de significado distinto (*velo/vela, tallo/talla, potro/potra, ojo/hoja, libro/libra, coso/cosa*, etc.) o bien, de significado afín cuya matización es difícil sistematizar:

grito/grita, vocerío/vocería, griterío/gritería, leño/leña, gorro/gorra, ramo/rama, suelo/suela, hueso/huesa, brazo/braza, nevero/nevera, zanco/zanca, cuadro/cuadra, manto/manta, punto/punta, ruedo/rueda, etc.

En otros casos, la diferenciación morfemática no entraña cambio de significado y su uso está en relación con determinados hábitos dialectales y familiares:

azucarero/azucarera, carrasco/carrasca, birlo/birla, etc.

En otros casos hay una bastante clara alternancia en relación con lo que se pretende expresar:

3.2.4.1. *Tipo "el trompeta/la trompeta"*

El masculino de determinados nombres en *-a* por medio del artículo designa al hombre que utiliza el instrumento que designa el femenino, tiene la cualidad que caracteriza al femenino o bien es individuo o ejecutante de lo que expresa el femenino, generalmente nombre abstracto:

el trompeta/la trompeta, el espada/la espada, el barba/la barba, el máscara/la máscara, el guitarra/la guitarra, el batería/la batería; el policía/la policía, el guarda/la guarda, el centinela/la centinela, el vista/la vista, el cura/la cura, el guardia/la guardia, el recluta/la recluta, el imaginaria/la imaginaria, el guía/la guía, el vigía/la vigía, el ordenanza//la ordenanza; el veleta/la veleta, el águila/el águila (fem.), *el bestia/la bestia, el calavera/la calavera, el gallina/la gallina, el rata/la rata, el chinche/la chinche, el viruta/la viruta*, etc.

3.2.4.2. *Tipo "el costurero/la costurera"*

Por moción, una de las dos formas designa o al hombre o a la mujer ocupada en un determinado trabajo y su opuesto, el lugar o la máquina en relación con tal trabajo u ocupación:

costurero/costurera, verdulero/verdulera, cochero/cochera, planchador/planchadora, ençuadernador/encuadernadora, segador/segadora.

3.2.4.3. *Tipo "el cerezo/la cereza"*

Por moción, el masculino designa el árbol y el femenino el fruto de dicho árbol:

cerezo/cereza, almendro/almendra, naranjo/naranja, algarrobo/algarroba, avellano/avellana, ciruelo/ciruela, castaño//castaña, manzano/manzana, granado/granada, etc.

3.2.4.4. *Tipo "el farol/la farola"*

Igualmente, por moción, el nombre masculino representa una diferencia de tamaño del objeto aludido por el femenino. El femenino suele ser dominantemente el objeto mayor, aunque no siempre es así:

farol/farola, banco/banca, huerto/huerta, saco/saca, caldero/caldera, bolso/bolsa, guitarro/guitarra, jarro/jarra, peine/peina, cayado/cayada, anillo/anilla, hoyo/hoya, río/ría, barranco/barranca, madero/madera, barreno/barrena, perol/perola, caracol/caracola, barco/barca, cuchillo/cuchilla, etcétera.

3.2.4.5. *Tipo "el lente/la lente"*

Una serie de nombres de forma única distinguen con dos concordancias distintas, marcadas por medio del artículo, dos significados distintos. He aquí los más frecuentes:

el canal/la canal, el cólera/la cólera, el corte/la corte, el dote/la dote, el lente/la lente, el orden/la orden, el pez/la pez, el capital/la capital, el cometa/la cometa, el frente/la frente, el margen/la margen, el parte/la parte, el radio/la radio, el clave/la clave, el doblez/la doblez, el Génesis/la génesis, el moral/la moral, el pendiente/la pendiente, el crisma/la crisma, el tema/la tema.

3.2.4.6. *Ambiguos y de concordancia vacilante*

Por último, hay otros nombres, de forma única también, que se emplean indistintamente con artículo masculino y femenino, o bien una de las concordancias es preferida a la otra por razones de uso culto y la descartada por la norma sólo vive en el uso popular. La *Gram. Acad.* llama **género ambiguo** a la forma de doble concordancia indistinta. Suele, sin embargo, en la mayor parte de casos, predominar, por una u otra razón, una de las concordancias sobre la otra:

aguafuerte, análisis, anatema, apóstrofe, arte, azúcar, azumbre, crisma, énfasis, esperma, hojaldre, mar, neuma, prez, radio, reuma o *reúma, testuz, tilde.*

Una serie de nombres son considerados de un determinado género por el *DRAE* (19.ª ed.) y se oyen o se leen, a veces, escritos con la concordancia contraria:

Son femeninos: *apendicitis, apócope, dínamo, chinche, foto, hipérbole, mugre, ónice, ónix, señal, tequila, vodka,* No está incluido en el *DRAE, magneto.*

Son masculinos: *aguarrás, calor, color, emblema, fantasma, frescor, miasma, pijama, tranvía, testudo.*

3.2.4.7. *Formación irónica*

Un último caso lo constituye la formación emparejada de masculino y femenino de un mismo nombre, por moción del morfema de género, en determinadas fórmulas para conseguir una intensificación en el asombro o desaprobación de lo que se dice:

> A mí no me vengas a asustar con concilios ni concilias (E. Pardo Bazán, *Novelas y Cuentos,* I, 188 *b*).

3.2.5. Nombres de forma única con una sola concordancia

Muchos de los nombres, aparte los estudiados hasta aquí y los nombres adjetivos de que se hablará a continuación, tienen una concordancia marcada por medio del artículo y la selección de la terminación *-a* u *-o* del adjetivo que les acompaña.

3.2.5.1. *Nombres de realidades sexuadas*

Un cortísimo número de nombres de persona —*gente, persona, bebé, multitud, gentío*—, y la mayor parte de los nombres de animales que la *Gram. Acad.* distinguía innecesariamente como constituyendo el **género epiceno.** Cuando la mayor precisión exige la distinción del sexo del animal se emplean con su concordancia seguidos de los nombres *macho* o *hembra*: *araña macho/araña hembra.* En este caso, aunque la solución dominante es la de concordar el adjetivo con el género marcado por el artículo, se suele ver la concordancia del artículo marcada por el sentido. Esta solución es, sin embargo, forzada y totalmente artificial [Bello, 140].

3.2.5.2. *Nombres de realidades no sexuadas*

Los nombres de objetos, cosas, ideas, etc., que constituyen la mayor parte, con mucho, del vocabulario de la lengua.

3.2.6. El género de los nombres adjetivos

Cuando el nombre es adjetivo, por su manera de presentar el contenido referido a un sustantivo expreso, no tiene valor la interpretación significativa del género. La mayor parte de los adjetivos admiten la moción según las mismas oposiciones conocidas *avar-o/avar-a, bribón/bribon-a.* Son los terminados en *-o* (*profundo, vasto, magno*) los terminados en *-dor, -tor, -ser, -ón, -in* (excepto *ruin*) y *-an,* y los gentilicios (*leonés, español*).

Tienen una sola terminación los comparativos (*mayor*, *menor*, etc.), los terminados en *-a* (*homicida*), *-i* (*cursi*) y la mayor parte de los terminados en *-e* (*matritense*) o en consonante (*fenomenal, feliz, audaz*, etc.).

3.2.7. Género de los nombres propios

En los nombres propios de persona la condición de la persona nombrada impone la concordancia del nombre independientemente de cualquier otra razón. Algunos nombres tienen moción semejante a los apelativos: *Lorenzo/Lorenza, Felipe/Felipa, Juan/Juana.* En otros patronímicos y en los apellidos no hay variación alguna: *don Trinidad/doña Trinidad.*

Los nombres de mujer —como *Rosario, Consuelo, Socorro, Amparo,* y otros— forman el diminutivo atendiendo a la terminación: *Rosarito, Consuelito, Socorrito, Amparito,* etc.

Mayores problemas plantea el género de los nombres propios de inanimados que de una manera general subentienden el nombre apelativo que particularizan.

3.2.7.1. *Nombres de ciudades, villas o aldeas*

Los nombres de ciudades, villas o aldeas son femeninos ordinariamente, independientemente de la terminación, según Bello [165]. La *Gram. Acad.* [13 *f*] considera más general el influjo de la terminación. Sin embargo, los nombres de *Corinto, Sagunto* y ciudades antiguas son femeninos siguiendo la tradición latina. Por otra parte, los nombres propios concluidos en consonante vacilan con gran frecuencia.

Bilbao continuaba impávido (Galdós, *Zumalacárregui*, 27); [...] bombas y granadas cayendo sobre la infeliz Bilbao (*id.*, 256). Pero, Niza estará espléndido (Baroja, *César o Nada*, 24).

Los adjetivos *un* y *medio* como masculinos pueden acompañar a cualquier nombre propio de los que tratamos. El adjetivo *todo* vacila. Se ha supuesto influjo del nombre *pueblo* enfrentando expresiones como "*Destruyeron medio Berlín*" a "*Destruyeron media Rusia*". Se dice en masculino comúnmente "*Le recibió todo Sevilla/todo Barcelona*", aunque no falta "*Toda Barcelona salió a recibirle*". Semejante comportamiento se nota para la agrupación con *mismo* [Bello, 850-851].

3.2.7.2. *Nombres propios de accidentes geográficos*

Los nombres de montes, sierras, volcanes, ríos y lagos, como los de mares y océanos, son, salvo muy particulares excepciones, masculinos: *el Ebro, los Pirineos, los Alpes, el Índico, el Mediterráneo,* etc. Están en clara relación con el género del apelativo, generalmente.

3.2.7.3. *Nombres propios de sociedades y organizaciones*

Los nombres propios de sociedades, agrupaciones, organizaciones, empresas... parecen emplearse comúnmente como masculinos por influjo de los apelativos que particularizan: *el Sepu, el Málaga.* Por la misma razón, subentendiendo *empresa* u *organización*, son femeninos *la Seat, la Renfe, la Otán.*

3.2.8. El género de los nombres compuestos

Cuando en su composición interviene un nombre, de ordinario se sigue el género del sustantivo. En los demás casos los compuestos son masculinos como ocurre, incluso, en el compuesto de verbo + sustantivo: *vaivén, correveidile, sacacorchos, abrelatas.*

Entre los compuestos por prefijación, no siguen el género del sustantivo los nombres *antifaz* y *trasluz*, aunque este último vacila en el uso.

En la agrupación sustantivo + adjetivo, son femeninos *altamar, pleamar* y *bajamar*. No siguen el género del sustantivo, entre otros, *altavoz, aguardiente, aguachirle, aguarrás* y *aguafuerte*.

En el compuesto de dos sustantivos de género distinto, domina el del sustantivo con que termina la palabra. Son excepción *capicúa* y los del mismo género *aguamanos* y *viacrucis*, actualmente masculinos ambos.

Los compuestos de adverbios, exclamaciones, pronombres, conjunciones o locuciones verbales toman la concordancia masculina. Hay, sin embargo, algunas excepciones como *la cantimplora, la duermevela, la cortapisa, la alarma, la solfa.*

3.3.0. El número nominal *

El número es una clase de morfemas que sirve (a) para actualizar un determinado morfema lexemático como nom-

* E. Coseriu, "El Plural de los nombres propios", en *Teoría del lenguaje y Lingüística general,* Madrid, Gredos, 1962, pp. 261-281; James E. Iannucci, *Lexical number in Spanish nouns, with reference to their English equivalents,* Filadelfia, Univ. of Pennsylvania, 1952; A. Quilis, "Morfología del número en el sintagma nominal español", *TLLS,* VI, 1968, pp. 131-140; Luis López de Mesa, "El singular y lo singular de los apellidos", en *BICC,* XIII, 1958, pp. 94-111; E. Lorenzo, "Un nuevo esquema de plural", en *El español de hoy,* 1966, pp. 48-58; Margherita Morreale, "Aspectos gramaticales y estilísticos del número", en *BRAE,* LI, 1971, pp. 83-138, LIII, 1973, pp. 90-205; Leo Spitzer, "El dual en català i en castellà", en *BDC,* IX, 1921, pp. 83-84.

bre sustantivo o adjetivo, (b) para, juntamente con el género y el artículo, marcar la concordancia, y (c) para aportar, en la mayor parte de casos de nombre en función semántica sustantiva, una información de aumento sobre el contenido del lexema. Este valor significativo desaparece en la función adjetiva donde el número es mero marcativo de concordancia.

Los números son dos: *singular* y *plural*. El plural se marca mediante los alomorfos {-**s**, -**es**}, frente al singular que lleva marca Ø. Con esto, un nombre sustantivo podrá tener dos actualizaciones en el discurso: *padre*-Ø-/*padre*-**s**; *tonel*-Ø-/*tonel*-**es**.

Si tiene moción de género el nombre, se dará en cuatro formas, de las que dos serán singulares y dos plurales: *león*-Ø-Ø, *leon*-**a**-Ø/*leon*-Ø-**es**, *leon*-**a**-**s**; *gat*-**o**-Ø, *gat*-**a**-Ø /*gat*-**o**-**s**, *gat*-**a**-**s**. De la misma manera los adjetivos podrán tener dos terminaciones distintas o cuatro terminaciones distintas: *verde*-Ø/*verde*-**s**; *buen*-**o**, *buen*-**a**/*buen*-**o**-**s**, *buen*-**a**-**s**.

3.3.0.1. Significado del número

Cuando aporta información en el nombre sustantivo, el número matiza el aumento en cantidad sobre la que aporta el lexema. Esta idea de aumento representa en los lexemas de significado seriable, más de uno, y en los colectivos, si son numerales, la multiplicación por dos y, si no expresan cantidad determinada, más de uno:

Singular	*Plural*
casa	**casa-s**
(una)	(más de una)
docena	**docena-s**
(doce)	(dos o más por doce)
caserío	**caserío-s**
(un conjunto de casas)	(dos o más conjuntos de casas)

El hecho de que el valor significativo del número se establezca por el enfrentamiento de una base que expresa por sí misma extensión y cantidad, con una forma derivada de ésta que representa una cantidad aumentada, explica las interesantes particularidades semánticas que ofrece el número en castellano.

3.3.0.2. Plural de clase

Frente a los nombres de realidades sensibles en que el singular se opone al plural por su indicación de cantidad —uno frente a más de uno— con los nombres de materia, sustancia, verbales de acción, estado psíquico, cualidad, etc., el plural toma valor clasificador en tipos o clases representativas de la materia, sustancia, cualidad, etc. que el singular evoca. Así, frente a *soldado*, el plural *soldados* opone uno a más de uno; pero *vino* —que en singular designa materia y es por tanto no seriable— tiene en su plural *vinos* (*los vinos andaluces*) la distinción del singular en diversos tipos o clases.

3.3.0.3. Nombres de entes únicos

Los nombres que designen entes únicos, en consecuencia, no aceptarán plural en su rigurosa significación. Esto ocurre con palabras como los nombres de virtudes, cualidades, etc. —tales como *fe, esperanza, caridad, bondad, avaricia, pereza*—, los nombres de institutos militares, corrientes ideológicas, épocas históricas, materias de estudio —tales como *artillería, caballería, cristianismo, Renacimiento, Geografía*—. Lo mismo ocurre con *caos, cariz, cenit, canícula, este, oeste, norte, grima, salud, sed, tez, zodíaco, ecuador,* etc.

Cuando estas palabras son empleadas en plural toman

un sentido concreto y material (*las fes de vida*; *cinco geografías*) o un sentido semejante al de los plurales de clase (*los Renacimientos europeos*) o en algunos casos el plural no es significativo (*ha perdido las esperanzas*).

3.3.0.4. Plural no informativo

Con frecuencia el plural no añade información y deviene o una acuñación léxica o mero recurso estilístico, aunque no siempre sea fácil fijar el límite que los separa de los plurales de cantidad o de clase.

(a) Esto ocurre con los nombres colectivos que aluden a conjuntos de personas sin cuantificación sémica aproximada, como *gentío, auditorio, público, gente, turba, muchedumbre, canalla*, que desconocen el plural como en *gentío* o *canalla*, o toman un valor intermedio entre el plural no informativo y el plural de clase, tal como ocurre en *públicos, auditorios, gentes*. En *turbas, muchedumbres* parece haber un uso enfático. En algunos de ellos hay un sentido despectivo implícito que el plural subraya.

(b) En casos en los que el nombre evoca "realidades extensas o compuestas, de tal manera que el concepto vacila entre la unidad y la multiplicidad" [SFR, 96], el plural no tiene valor cuantificador y son equivalentes las formas singular y plural para representar la misma realidad. Este hecho ocurre incluso con nombres seriables. Así en *baba(s), boda(s), agua(s), cimiento(s), escalera(s), fiesta(s), mantel(es), muralla(s), sopa(s), tripa(s)*, etc.

(c) La misma ausencia de información cuantitativa se encuentra en el caso en que el morfema de plural ha servido para derivar de un adjetivo o de un adverbio un nuevo nombre sustantivo:

De un adjetivo: *larga→dar largas.*

De un adverbio: *bien→bienes, afuera→afueras, alrededor→alrededores, dentro→adentros, cerca→los cercas, lejos→los lejos.*

Este caso se relaciona estrechamente con el plural con que aparecen sustantivos, adjetivos y participios en construcciones autónomas de carácter adverbial o como incrementos verbales en locuciones y frases hechas. Son, en todos los casos, plurales expresivos de marcado carácter estilístico, acuñados y aceptados por la lengua [SFR, 97]. Sólo en un reducido número de casos hay vacilación y alternan con el singular:

sus adentros, las andadas, a sus anchas, a los alcances, a las buenas, de buenas a primeras, de bruces, en sus cabales, en cueros, con creces, a las claras, a ciegas, a escondidas, a gatas, a medias, de mentiras, de oídas, a oscuras, tomar a pecho(s), a mujeriegas, posibles, de puntillas, a solas, a rastras, a tontas y a locas, a trancas y barrancas, a tientas, hacer trizas, en las últimas, a horcajadas, en volandas, de veras, etc.

En muchas de estas formaciones no existe la forma singular en el léxico. En *pechos* y *tiempos* pueden intervenir razones de tipo histórico (lat. *tempus, pectus*). Hay casos de concordancia incongruente como en *a ojos vistas, a pies juntillas*, facilitadas por el uso lexicalizado.

(d) Hay un cierto número de palabras cuya forma en plural toma un nuevo significado. Estos plurales expresan la nueva significación en la que el plural es arbitrario y el plural del significado originario. En algunos casos, se trata de dos palabras homófonas:

celo/celos, corte/cortes, esposa/esposas, gafa/gafas, grillo/ /grillos, honra/honras, honor/honores, hora/Horas (canóni-

cas), lar/lares, letra/letras, lente/lentes, paria/parias, parte/partes (cualidades), prez/preces, etc.

(e) Toda una serie de acuñaciones léxicas tienden a inmovilizarse en plural por cierto vago carácter de pluralidad de cosas o por razones expresivas, sin tener forma singular a que oponerse:

albricias, andurriales, anales, alrededores, afueras, aledaños, bodas, comestibles, calendas, entendederas, exequias, enseres, funeral(es), gárgaras, hablillas, hilas, mientes, modales, resultas, tinieblas, trizas, víveres, vituallas; los nombres de los oficios divinos: *completas, nonas, maitines, vísperas, laudes, horas,* etc.

(f) Relacionables con éstos son los sustantivos que aluden a realidades que constan de dos o más partes o elementos. Muchos de ellos no tienen singular. Estos plurales comportan un doble significado: unidad y más de uno:

alicates, angarillas, andas, alforjas, barba(s), bigote(s), calzones, calzoncillos, brida(s), bofes, esposas, espaldas, gafas, fauces, grillos, impertinentes, intestinos, lentes, medias, nariz(es), pulmón(es), pinza(s), prismáticos, pantalón(es), tijera(s), tenazas, trébedes, vinajeras, zaragüelles.

(g) En el habla se producen inmovilizaciones en plural expresivas, en los saludos y expresiones de buen deseo —*buenos días, buenas tardes, buenas noches, buenas Navidades, buenas Pascuas,* etc.— o en las expresiones de tiempo aproximado: *a comienzos de, en los primeros días, a fines de,* etcétera.

3.3.0.5. Singular con valor de plural

Aparte las formaciones de nombres colectivos, el habla tiene recursos sintácticos para expresar pluralidad por medio del singular:

(a) La sinécdoque por la que un nombre singular significa a todos los individuos de su clase: *Cayó en poder del turco.*

(b) Nombres seriables acompañados de *tanto, mucho*: *No he visto tanto tiburón en mi vida.*

Tipos de plural

Indica cantidad	
Indica clase	
No informativo	*la gente del pueblo/las gentes del pueblo* *el agua del río/las aguas del río* *las fauces*
Diferencia de significado	*el celo/los celos*

3.3.1. Formación de plurales

Las reglas de la *Gram. Acad.* [30] son terminantes: utilizan *-s* las palabras terminadas en vocal no acentuada (*carta-s, llave-s, pañuelo-s*) y *-es* las que acaban en vocal tónica o en consonante (*bajá-es, carmesí-es, tisú-es, atril-es, cónon-es, mes-es, razón-es, verdad-es, troj-es*).

En el caso de vocales tónicas se introducen unas excepciones (*papás, mamás, chacós, rondós, maravedís*) y en el de la *-é* concretamente se señala: "Mas resistiéndose nuestra lengua a doblar las vocales, hoy las palabras agudas finalizadas en *e* toman sólo una *s* para el plural, como de *café, cafés*; de *canapé, canapés*; de *pie, pies*" [30 *d*]. Más adelante señala también que los nombres de origen extranjero acabados en una "consonante que nuestro idioma no usa ordinariamente como final", se producen anomalías de las que relaciona los casos de *álbum-álbumes, tárgum-tárgumes, ultimátum* como invariable, *frac-fraques, pailebot-pailebotes, paquebot-paquebotes, lord-lores, cinc* o *zinc-cines* o *zines.*

A estas observaciones generales que se desarrollarán a continuación hay que añadir que el acento del singular cambia de lugar en el plural en las palabras *carácter,* pl. *caracteres* y *régimen,* pl. *regímenes.*

3.3.1.1. *Nombres terminados en vocal*

Históricamente, las vocales finales del castellano son *-a, -e* y *-o* átonas. Estas terminaciones en correspondencia con el acusativo plural latino son *-as, -es, -os.* Por analogía, se formará el plural de las palabras terminadas en estas vocales por la adición de *-s.* Son extrañas al castellano tanto las palabras terminadas en *-i, -u,* como las terminadas en vocal tónica. Salvo en el caso de *-é* que por la duplicación de vocal tiende a aceptar la solución que la analogía presentaba (adición de *-s*) y en las vocales átonas que aceptan sin dificultad la tendencia general de la lengua, las restantes vocales, todas ellas tónicas, ofrecen dos soluciones frecuentemente en coexistencia: (1) adición de *-s,* (2) adición de *-es.*

(a) **En vocal átona**: Única solución mediante el morfema *-s*: *casa-casa-***s**, *calle-calle-***s**, *cursi-cursi-***s**, *caldo-caldo-***s**, *tribu-tribu-***s**.

(b) **En vocal é tónica**: Única solución mediante el morfema *-s*: *minué,-minué-***s**, *piolé-piolé-***s**, *fe-fe-***s**, *ce-ce-***s**.

(c) **En vocal -í tónica**: Los nombres terminados en *-í* constituyen el grupo más importante por su número entre los nombres terminados en vocal tónica. Entre ellos ocupan un lugar muy importante los gentilicios formados con el sufijo árabe *-í* (*pakistaní, ceutí*) y adjetivos (*alfonsí, aceituní*). El precepto académico recomienda el uso del morfema *-es*; sin embargo, la vacilación se da hasta en el propio *DRAE* (19.ª ed.) que define el término *esquiador* como "patinador que usa esquís". La mayor parte de nombres en *-í* son términos antiguos, sólo de uso en lengua de cultura y textos literarios. Algunos de ellos nos llegan con uso vacilante. Las nuevas adquisiciones y formaciones vacilan de la misma manera. El nivel de cultura del hablante frena la solución *-s* que es la dominante en la lengua popular:

alhelí-alhelíes, alfonsí-alfonsíes, borceguís-borceguíes, berbiquís-berbiquíes, baladís-baladíes, cequíes, carmesíes, huríes, gachís, gilís, jabalís-jabalíes, marroquís-marroquíes, maniquís-maniquíes, neblíes, rubís-rubíes, titís, zaquizamíes, alfaquíes, maravedís-maravedíes, esquís-esquíes, etc.

No le repugna a la lengua la formación en *-s* que es la que domina en la lengua popular y en la lengua descuidada salvo en *sí-síes, í-íes* y en palabras dominantemente de cultura.

(d) Nombres terminados **en diptongo con -y**: Como era de esperar, en las palabras de cultura se ha impuesto el morfema *-es* en *reyes, leyes, bueyes, ayes, estayes, convoyes, bocoyes, coyes, careyes* [Cuervo, *Not.*, 10] aunque hay vacilaciones que se han de atribuir a descuido en *convoys* (*convois*) y *carey*, palabra poco usual. Las vacilaciones que han existido por influjo dialectal reaparecen en palabras característicamente populares (*rentoys, guirigais*) y en extranjerismos como *jersey-jerseis* (a veces *jerseyes*) y *cowboy* [pronunciado cauboi], que hace el pl. *cow-boys.*

(e) **En -á y -ó**: La recomendación académica de la solución *-es* se mantiene en voces cultas y eruditas. Las excepciones que registra la *Gram. Acad.* son todas ellas de gran índice de frecuencia, o lo eran en su momento. Dentro del reducido grupo de nombres con esta terminación, alternan según nivel de cultura, las dos formaciones: *as-aes, os-oes,* como en *paletós-paletoes, yos-yoes, faralás-faralaes,* etc.; y es una, la forma *-s,* en *dominós, platós, relós* (frente a *relojes*).

(f) **En -ú**: Muy poco numeroso, se atiene a las mismas soluciones de los casos anteriores *qus-qúes, tabús-tabúes, tisús-tisúes, bambús-bambúes, canesús-canesúes.* Conocen solamente la solución *-s, interviús* y *picús*:

> Pues salta ella, en una de esas interviús que le hacen a los artistas (R. Sánchez Ferlosio, *El Jarama,* 126); Consultaron con la vista a Dolores sin decidirse a mangonear en el picú (J. Goytisolo, *Señas de Identidad,* 62).

(g) **Doble plural**: Un grupo de palabras de uso popular, concluidas en vocal, forman por una extraña ultracorrección sobre el popular plural en *-s,* tomado como base, un plural duplicado en *-es.* Se han señalado ejemplos de *maravedís-maravedises, jerseis-jerseises, rubis-rubises, cafés-cafeses, corsés-corseses, maniquís-maniquises, menús-menuses, vermús-vermuses, fes-feses, cuplés-cupleses.* Para los más de los casos, la documentación corresponde al habla madrileña vulgar. Rosenblat, sin embargo, señala el fenómeno como general en todas las regiones hispánicas [*BDH*, II, 119].

3.3.1.2. *Nombres terminados en consonante*

Los fonemas finales del castellano son efectivamente pocos: /*d*/ como en *abad,* /*θ*/ (*cruz*), /*s*/ (*cortés*), /*l*/ (*cár-*

cel), /r/ (*dolor*), /n/ (*pan, álbum*). En muy pocos casos se encuentra /x/ (*boj*) y /k/ (*coñac*), fonema este último que muchas veces no se realiza [Alarcos, *Fonolog.*, 121]. Por otra parte, no existen en el sistema fonológico español combinaciones de dos o más fonemas consonánticos a final de palabra.

Reproduciendo el acusativo plural de los temas en consonante latinos, o por formación analógica mediante el morfema castellano *-es*, son regulares las formaciones con *-es* tras los fonemas arriba señalados:

*virtud-virtud***es**, *cruz-cruc***es**, *árbol-árbol***es**, *saber-saber***es**, *pan-pan***es**.

(a) Los nombres en **-s**, por su coincidencia con el morfema de número, han sufrido un tratamiento particular. Salvo los monosílabos (*tos-toses*) y los polisílabos agudos (*feligrés-feligreses, ciprés-cipreses, revés-reveses*), los demás se mantienen invariables (*lunes, tesis, oasis, bilis, brindis*). Algún nombre como *chotis* ha formado en su pronunciación llana el plural *chotises*, frente a la pronunciación aguda —*chotís*— que se mantiene invariable. Los adjetivos en *-es* (*leonés, cortés*) fueron invariables en castellano medieval. El sustantivo culto *efemérides* ha formado el falso singular *efeméride*, gravemente censurado.

Por su realización fonética, la *-x* se asimila al fonema /s/ con lo que quedan invariables nombres como *ántrax, tórax, fénix* o *clímax*. Por influjo culto y durante la época clásica, se intentó formar un plural en *-es* que sustituyese la terminación *-is* de ciertos sustantivos: *metamorfosis-metamorfoses, tesis-teses* [Bello, 114] que se ha continuado muy aisladamente en textos científicos: *apófises, catacreses, antiteses* [cit. por SFR]. De la misma manera, para los nombres en *-x* se ha intentado un plural en *-es*: *fénix-fénices* [Bello, 114; Cuervo, *Not.*, 12].

(b) Las palabras terminadas en **-m** se realizan fonéticamente en *-n* para los castellanos. La *Gram. Acad.* fijó los plurales de *álbum* (*álbumes*) y *tárgum* (*tárgumes*), de los que el primero se ha generalizado, aunque se oiga alguna vez *álbums*. Para las palabras terminadas en *-um*, todas ellas de origen latino, la Academia ha optado por españolizarlas con la terminación *-o* (*estadio*, *simposio*, *memorando*, *linóleo*). Para otras ha optado por introducirlas con su terminación latina o no darles entrada por el momento. De cualquier manera, el problema continúa y los hispanohablantes han dado soluciones muy variadas.

Una solución culta afecta a un corto número de palabras (*curriculum*, *desideratum* y *quantum*). Salvo el segundo, de uso popular como fórmula de encarecimiento, los otros dos son términos de cultura para los que se ha defendido el plural latino: *curricula*, *desiderata*, *quanta*. El término físico de valor internacional (*quantum-quanta*) ha sido castellanizado en la forma *cuanto-cuantos*. Para *desiderata* hay el inconveniente de una distinción de significado. Por su parte *desiderata* se emplea como femenino. Los restantes vacilan entre formar el plural con *-s* o mantener la palabra invariable. Tal ocurre en *referéndum*, *máximum*, *ultimátum* incluidos así en el *DRAE* y todos los castellanizados en *-o* cuando se emplean en su forma original. Para todos ellos parece defendible la terminación *-o*.

Caso distinto parece ser el de los nombres *réquiem*, *tedéum*, *quorum*, *tándem* que figuran en el léxico académico y el término *item* para los que la solución generalmente adoptada es la de añadir *-s* o dejar la palabra invariable. En ningún caso se vuelve a la solución regularizadora de *álbumes*.

(c) Entre los extranjerismos que acaban en -**d**, aparte *lied* que por su naturaleza sólo se utiliza dentro de un mundo culto que suele utilizar el plural alemán *lieder*, el término *raid*, no recogido en el léxico oficial, se resuelve en el forzado *raids* o se mantiene invariable.

(d) De los terminados en -**n**, han sido españolizados *nylon* (frecuentemente pronunciado "nailon"), en la forma aguda *nilón* que queda en consonancia con *orlón*, *perlón* y *dralón*. Suele ser llana *claxon*, que en plural de clase, que no se emplea de ordinario, forma el plural regular, poco frecuente, *cláxones* y el sajón *claxons*. Otros extranjerismos como *slogan* y *slalom* utilizan la formación invariable o con *-s*. Las españolizaciones *eslogan* y *eslalon*, que permiten una formación regular, comienzan a emplearse. Un caso aparte lo forman *gentleman*, *cameraman* y *recordman* que conocen además la solución sajona por medio del plural *men* de *man* (*gentlemen*). El último, más popular y frecuente, conoce *recordmans*. Por último, el latinismo *specimen*, españolizado en *espécimen*, forma el plural con desplazamiento de acento, *especímenes*.

(e) Los en -**r** conocen la solución en *-s*, y para la mayor parte de ellos, entre los de mayor frecuencia, parece dominar la solución regular en *-es*. Esto es lo que ocurre con los españolizados oficialmente como *sweater* (*suéter*), *chauffeur* (*chófer* o *chofer*), *lider* (*líder*), *revolver* (*revólver*) y *reporter* (*reportero*). Cada vez es más rara la formación con -*s*, que es la única de *bóer*. La pronunciación aguda de *chofer*, común en América, cuando se da en España añade *-s*. Los que no han sido aceptados por la Academia conocen las dos soluciones —*s* y *-es*— con predominio creciente de la segunda: *water* y *sommier* (escrito a veces *somier*), y con predominio de la primera: *corner* y *gangster*. Desconocen la formación en *-es* y son frecuentemente invariables *polder, bunker, panzer*, y otros. Son invariables por razón de su uso los latinismos *senior* y *junior*.

(f) Aunque no figuraban como finales del castellano primitivo, se han asimilado al sistema fonológico del castellano los fonemas finales /*-x*/ y /*-k*/. El primero se emplea en un reducidísimo número de palabras —*boj, carcaj* y *reloj*— que aceptan la formación regular en *-es*. La última palabra, la más frecuente de las tres, se pronuncia dominantemente *reló* y genera la formación *relós* además de la prescrita *relojes*.

La terminación /*-k*/ conoce realizaciones en que se ha iniciado con diverso éxito un proceso de españolización añadiéndole una *-e*. Así de *frac* se ha formado *fraque, vivac-vivaque, clac-claque*, españolizaciones que no han hecho olvidar la forma en *-c* que forma su plural en *-s*. En otros casos, aceptada en el léxico oficial la palabra, como en *coñac*, o no aceptada como en *kodak, mujik* —con pronunciación llana o aguda— y *stock*, sólo conocen el plural en *-s*. Un caso aparte, por su tradición popular y alta frecuencia, lo constituye la palabra *beefsteak*, aceptada por el *DRAE* en la forma *bistec*, que ha dado lugar a las españolizaciones *bistec* y *bisté* junto a *biftec* y *bifstec*. Salvo la popular *bisté*, especialmente frecuente en el habla madrileña, las demás sólo conocen el plural en *s*.

3.3.1.3. *Otras consonantes y grupos consonánticos*

De las consonantes simples (*-b, -p, -f, -ñ, -g, -t*), las tres primeras se asimilan con cierta facilidad a nuestro sistema. Éste es el caso de *baobab, snob* —españolizado en *esnob* y *esnobismo*—, *club* —también españolizado—, *slip, clip,* *bluff*, todavía no admitidos. Todos ellos conocen el plural en *-s* casi absolutamente dominante, salvo *bluff* (pronunciado "bláf" y "blúf") que en América se ha españolizado en *blof* con un plural *blofes*.

Las terminaciones **-g** y **-ñ** se asimilan a /*-k*/ y /*-n*/. *Bulldog* (pronunciado "buldok") generalmente no conoce más que el plural en *-s*, y *zigzag* conoce *zigzagues* y *zigzags*. En cuanto a *champagne* ha sido españolizado en *champán* (con plural regular *champanes*) y *champaña*. Esta última forma se recomienda para el topónimo *Champagne*.

Las palabras que terminan en **-t** han tenido diversas soluciones en las que influye la vocal que le precede y el origen. En general tienden a eliminar la *-t*. La terminación *-at* la vemos representada en la pronunciación "buá(t)" de *boîte* que forma *buás* y el vulgar *boites* y *buates*. La terminación *-et*, con mucho la más numerosa, es la que mayor número de palabras ha españolizado eliminando la *-t*. En su forma original o en trance de españolización conoce el plural en *-s*. En la pronunciación, frecuentemente la *-t* queda muda. Forman parte del léxico oficial *bidé* (*bidet*), *cacahué*, *cacahuete*, *cacahuey*, *carné* (*carnet*), *corsé* (*corset*), *cuplé* (*couplet*), *chalé* y *chalet*, *chaqué* usado también *chaquet* (*jaqué*) y *parqué* (*parquet*) a veces pronunciado con acento llano. La asimilación de estas palabras facilitará la de *bouquet*, *gourmet*, *ballet* y *cabaret* que forman plural en *-s* con frecuente eliminación de la *-t* en la pronunciación. Quedan aparte *soviet* y *placet*, que además pueden ser invariables, fórmula quizá la más recomendable.

La terminación *-it* ofrece una corta serie de latinismos de gran uso en la lengua, que forman parte del léxico oficial. Aunque se ha señalado su invariabilidad, se oyen plurales con *-s* en semejantes condiciones a los casos anteriores. Tal es el caso de *accésit*, *déficit* y *superávit*.

De las terminadas en *-ot* han sido admitidas en las formas *boicot* y *boicoteo, complot, fagot, paquebot* y *paquebote, pailebot* y *pailebote*, y ha quedado fuera *argot*. Las terminadas en *-t* se pronuncian frecuentemente sin ella y no conocen más plural que el que añade *-s*, pronunciada en grupo con la *-t* o sin ella.

Terminadas en *-ut*: es antigua *acimut*, palabra técnica que conoce el plural escrito *acimutes* y la pronunciación "acimudes"; *vermouth,* aceptado en la forma *vermut,* con pronunciación "vermud", hace el plural en *-s,* eliminando la *-t*: *vermús,* o la más forzada *vermuts*. Queda fuera *debut,* a pesar de la riqueza de derivados (*debutar, debutante*). Emplea el plural en *-s.*

Los grupos consonánticos, en general, tienden al españolizarse a perder uno de los sonidos componentes del grupo; sin embargo, o por no estar sancionados oficialmente o por la fidelidad real o supuesta a la ortografía originaria siguen dominando en la lengua de los periódicos e incluso en TV y radiodifusión los plurales en *-s.* Son palabras antiguas *zinc* o *cinc* y *lord,* con plurales sancionados *cines* y *lores*. Del grupo *-rd* se han españolizado oficialmente *standard* (*estándar*) y *fiord* (*fiord* y *fiordo*); quedan sin sancionar *renard* y *record* con pronunciación llana. Estos últimos con plurales en *-es*: *renares* y *récores*. Dominan sin embargo los en *-s*.

Pueden admitir plural *-es,* las españolizaciones *gongo* (*gong*), *budín* (*pudding*), *travelín* (*traveling*), *esmoquin* (*smoking*) y *mitin* (*meeting*). Quedan sin sancionar *ring, boomerang* (pron. "bumerán"), *parking* y *building* (totalmente innecesario), que se pronuncian sin -g final. Igualmente *clon* (*clown*), *crocante* (*crocante*), *yogur* (*yoghourt*), todos ellos incluidos en el *DRAE*. *Restaurant,* que conoce la españolización popular *restorán,* ha sido españolizado como *res-*

taurante. Queda fuera *croissant* (pron. "cruasán") que también admite *-es*. De los terminados en *-rt*, *flirt* ha sido incluido en el *DRAE* como *flirteo*. Azorín propuso y usó sin éxito *conforte* para *confort* que sigue el camino de todos los extranjerismos.

Se oyen con plural en *-es*, aunque son más frecuentes las otras soluciones, *sandwich*, pronunciado "*sánwiĉ*", y *lunch*. Se han españolizado oficialmente con su misma grafía *iceberg* y con la adición de *-e*, *film*, muy arraigado en la lengua, que forma el plural *filmes*, mientras se usa poco el singular académico *filme*. Sin admitir oficialmente se mantienen intactos los extranjerismos *stand*, *golf*, *girl*, *test*, *trust* y otros muchos, salvo *golf*, claramente innecesarios.

Plural de los préstamos

Españolización	(chalet): *chalé* + *s*
Añaden *-s*	*soviet - soviets*
Sin variación	*los soviet*

3.3.2. Plural de los nombres propios

Los nombres propios de persona pueden tomar el plural según la norma de la lengua. Cuando designan grupo o familia, pueden dejar invariable el nombre y emplear el artículo plural: *los García*(*s*). La restricción a esta norma la ofrecen, como en los restantes nombres, los que acaban en *-s* o en *-z* (*los Cervantes, los Rodríguez*) y los esdrújulos concluidos en consonante.

En cuanto a los apellidos extranjeros, en general influye el grado de asimilación y popularidad que hayan alcanzado para hacer posible la formación de plural. En los casos en que se mantiene la forma originaria, quedan invariables si su terminación no coincide con las terminaciones castellanas (*los Nixon, los Churchill, los Roosevelt,* pero los *Kennedys*).

Belausteguigoitia creía que los Belausteguigoitias eran la flor de su pueblo de Vizcaya (Baroja, *OC*, III, 744); Pues yo no sé por qué las Elviras se enfurecen tanto de que las que no lo somos nos guste vernos a la luna, blancas y hermosas (G. Miró, *El Obispo leproso,* 124); [...] le habían ocultado su retórica y su filosofía, guardándolas para los Pericles y los Sócrates (J. Valera, *Genio y Figura,* 99); Los Garcías se llamaban así, en plural, siguiendo una costumbre muy añeja en el pueblo, como se dice los Osunas, y los Oñates, aludiendo más a la casta en general que a sus individuos en particular (Pereda, *Pedro Sánchez,* I, Clásicos Castellanos, 14); No quiero reñir con Paquita Larrea, que si ella recibe a los Valientes, Ostolazas, Tenreyros, a los Morros y Borrulles, yo tengo el gusto de que vayan a mi casa los Argüelles, Torenos y Quintanas (Galdós, *Cádiz,* 168); [...] y cátalas ya Elviras, Lauras y Beatrices (R. Pérez de Ayala, *Belarmino y Apolonio,* 66).

Entre los nombres geográficos, hay algunos de forma plural: *Buenos Aires, Estados Unidos, Ciempozuelos, Palos de Moguer, Hornachuelos,* etc. Especialmente frecuentes son como nombres de cordilleras y macizos montañosos, como en *los Alpes, los Pirineos,* y para nombrar archipiélagos, como en *Baleares, Canarias, las Bahamas.* Mientras cuando indican región, ciudad, villa, nación, la concordancia es singular, en los casos de montañas y archipiélagos se prefiere la concordancia plural.

3.3.3. El plural en los nombres compuestos

Influye en la formación del plural de los nombres compuestos el grado de cohesión alcanzado por los componentes.

Puede fijarse como norma general que (a) cuando los elementos tienen una gran cohesión, de admitir el plural, lo forman sobre el último componente y (b) cuando su cohesión no es completa lo forma el primer constituyente o ambos (*ricashembras*). La vacilación hace coexistir: *guardias civiles* y *guardiaciviles*.

Los compuestos por dos nombres, uno en función sustantiva y otro en función adjetiva, son los que más fácilmente se lexicalizan y forman el plural según el último miembro componente:

montepíos, bocamangas, salvoconductos, bocacalles, ferrocarriles, anteojeras, parabrisas, agridulces, patitiesos, boquirrubios, padrenuestros, vanaglorias, traspiés, cejijuntos, sobresaltos.

Entre los llamados compuestos imperfectos, cuya cohesión no se ha logrado todavía, los pronombres *cualquiera* y *quienquiera*, e *hijodalgo* forman el plural flexionando el primer componente: *ojos de buey, bombas de mano, ojos de pollo, cualesquiera, quienesquiera* e *hijosdalgo* (pero *hidalgos*).

Los formados por un verbo seguido de un sustantivo o forman el plural flexionando el sustantivo o quedan invariables para las dos concordancias si el sustantivo va en plural: Con dos formas: *guardarropa-s, guardainfante-s, quitasol-es, guardapelo-s,* etc. Forma única con dos concordancias: *cortaplumas, cortapapeles, guardamuebles, guardabarros, salvamanteles, sacacorchos, quitamanchas, guardapiés, guardagujas,* etc.

Los compuestos por verbos como último componente se mantienen invariables como *hazmerreír*, *quitaipón* y otros. *Dimes* y *diretes* son formas flexionadas sin singular.

3.4.0. El artículo*

Las unidades que se conocen como **artículo** forman un sistema cerrado, morfológicamente emparentado con los pronombres personales de tercera persona. Constan de una base

* **Sobre historia del artículo**: P. AEBISCHER, "Contribution à la protohistoire des articles *ille* et *ipse* dans les langues romanes", en *Cultura Neolatina,* VIII, 1948, pp. 182-203; Ernst GAMILLSCHEG, "Zum spanischen Artikel und personal Pronomen", en *RLiR*, XXX, 1966, pp. 250-256; R. LAPESA, "Del demostrativo al artículo", en *NRFH*, XV, 1961, pp. 23-44. **El artículo como categoría**: M. DESSAINTES, "La catégorie de l'article en français moderne", en *Les Études Classiques*, XXXII, 1964, pp. 22-36; A. GONZÁLEZ MARQUÉS, "Hacia la definición del artículo gramatical", en *Virtud y Letras*, Bogotá, n.° 51; G. GUILLAUME, *Le problème de l'article et sa solution dans la langue française*, París, 1939; Jiri KRAMSKY, *The Article and the concept of definiteness in Language*, La Haya, Mouton, 1972; R. VALIN, "Grammaire et logique: du nouveau sur l'article", en *TLLS*, V, 1967, pp. 61-79; Henri MITTERAND, "Observations sur les prédéterminants du nom", en *Études de Ling. appliquée,* Univ. de Besançon, II, 1963, pp. 126-134; R. E. SCHULZ, "Semitonic demonstrative pronouns", en *H*, XVII, 1934, pp. 59-66. **Sobre usos del artículo en español**: E. ALARCOS LLORACH, "El Artículo en español", en *To Honor Roman Jakobson*, t. I, La Haya, Mouton, 1967; Amado ALONSO, "Estilística y gramática del artículo en español", en *Estudios lingüísticos: temas españoles*, Madrid, Gredos, 1951, pp. 125-160; Dwight L. BOLINGER, "Articles in old familiar places", en *H*, XXXVII, 1954, pp. 79-81; Joan SOLÀ, "L'abstracció i la intensitat", en *Estudis de Sintaxi catalana/1*, 1972, pp. 75-100; Patrick CHARAUDEAU, "L' Article", en *Description sémantique de quelques systèmes grammaticaux de l'espagnol actuel*, París, *CDU*, 1970, pp. 22-27; S. D. GARCÍA BACCA, "La importancia de los artículos *el, la, lo* o sobre tolerancia y respeto", en *Revista Nacional de Cultura*, Caracas, 1964, pp. 23-30; J. de KOCK, "La omisión del artículo definido en el *Cancionero* de Unamuno", en *NRFH*, XVII, 1963-1964, pp. 360-372; Georg SPRANGER, *Syntaktische Studien über den Gebrauch des bestimmten Artikels im Spanischen*, Leipzig, 1933; L. TERRACCINI, *L'uso dell'articolo davanti al possessivo nel "Libro de Buen Amor"*, Turín, 1951; A. VARGAS-BARÓN, "The function of the definitive article in Spanish", en *H*, XXXV, 1952; A. ZAMORA VICENTE, "Nombres de río sin artículo", *RFE,* XXVI, 1942, pp. 90-91.

a la que se unen morfemas de género y número. En relación con estos marcativos, se aparta del comportamiento del nombre porque distingue género neutro en coincidencia con el comportamiento de los llamados pronombres personales de tercera persona. La existencia de esta única forma en género neutro (*lo*), homófona de una de las formas neutras del pronombre personal (*ello*, *lo*) y que no selecciona necesariamente concordancia masculina o femenina (*lo bueno/lo buena que eres*), fija la primera oposición entre **formas concordadas** (*el*, *la*, *los*, *las*) y la única **forma no concordada** (*lo*). Las formas concordadas se oponen por la doble concordancia que imponen el género y el número.

el-∅	**l**-*o*-*s*
l-*a*	**l**-*a*-*s*

En castellano, los artículos son morfemas libres, esto es, palabras átonas que se apoyan en el segmento que le sigue con el que forman unidad entonacional: *la casa*; *el viejo*; *lo bien que trabajas*; *el que inventó la pólvora*; *el que lleves prisa me preocupa*.

Este segmento que sigue al artículo puede ser un nombre sustantivo o adjetivo, un adverbio o una proposición. Cuando son otras clases de unidades, éstas toman el valor denominativo del nombre sustantivo: *el pagaré, el sí, el según que pronuncia, el pero, el adiós*.

3.4.0.1. *Interpretación tradicional*

Tradicionalmente, el artículo ha sido definido como parte de la oración en relación adjetiva con el nombre sustantivo. Así, la *Gram. Acad.* [77] lo caracteriza como palabra "que sirve principalmente para circunscribir la extensión en que ha de tomarse el nombre al cual se antepone, haciendo que éste, en vez de abarcar toda clase de objetos a que es aplicable, exprese tan sólo aquel objeto determinado ya y conocido del que habla y del que escucha. Además, el artículo se une a otras partes de la oración que se usan con valor de sustantivos, ora el mismo adjetivo [...] ora otras palabras". Más adelante opone a este tipo de palabra, a la que llama *artículo determinado,* el *artículo genérico, indefinido* o *indeterminado* que define como artículo que "designa un objeto no consabido de aquel a quien se dirige la palabra" [79].

Por su parte, Lenz, que mantiene la oposición entre artículo definido y artículo indefinido, considera a estas palabras "más bien un accidente gramatical de los sustantivos que una clase especial de palabras" [172]. Al pasar a definir cada una de las clases de artículo, subraya el carácter pronominal adjetivo y demostrativo de los derivados de *ille* y el carácter numeral de los derivados de *unus.* Los dos tipos de artículo, para Lenz, enfrentan idea de nombre consabido a indiferencia en la elección del ejemplar. Posteriormente, A. Alonso negó argumentadamente validez a tal oposición y, en consecuencia, el carácter de artículo al indefinido *uno.*

Efectivamente, los derivados de *unus* tienen una existencia independiente que es desconocida para los derivados de *ille* (*han venido unos*), su comportamiento delante de los nombres es igualmente coincidente tanto como con el artículo con los pronombres en función adjetiva, y, por último, la oposición conocido/no conocido es una de tantas oposiciones semánticas en las que interviene el artículo. De cualquier manera, hay que tomar en cuenta también el uso del nombre sin artículo: *compró lápices; compró los lápices; compró unos lápices.*

3.4.0.2. *La sustantivación y el artículo*

En relación con la definición tradicional, por cuanto "el artículo se une a otras partes de la oración que se usan ocasionalmente con valor de sustantivos", se suele destacar como esencial el valor marcativo de sustantivación del artículo. Según esta interpretación, el artículo marca que lo que le sigue funciona como un sustantivo, tal como ocurre en *el viejo, el de las gafas negras, el que vino ayer,* etc.

Hay sustantivación (a) cuando una unidad de una clase bien determinada y definida de palabras toma las mismas características formales del sustantivo y su función semántica denotativa. Así se podrá decir que hay sustantivación de un adverbio (*el sí*), de un infinitivo (*los andares*) o de una preposición (*el contra*). Hay igualmente sustantivación (b) cuando una palabra o secuencia de palabras toma la función sintáctica propia del sustantivo —función primaria— aunque no asimile sus características formales ni su función semántica denotativa. El primer tipo de sustantivación (a) se llama **formal** y el segundo (b) **funcional** o **sintáctica.** Por otra parte, la sustantivación puede incorporarse al léxico de la lengua y entonces la sustantivación se llama **lexicalizada** (*la capital de España*; *el impermeable*). En otros casos la sustantivación es **ocasional**.

Al hablar de la función sustantivadora del artículo se debe tomar en cuenta una serie de hechos: (a) la existencia de diferentes tipos de sustantivación (funcional y/o formal, lexicalizada u ocasional); (b) si tales sustantivaciones se producen con o sin la presencia del artículo; (c) para el caso concreto de la sustantivación del adjetivo, las dificultades de una caracterización formal y objetiva sin acudir al significado. De hecho, un mismo nombre puede aparecer en función adjetiva y en función sustantiva en contextos diferentes, según se ha visto (v. 3.1.).

(I) Palabras que no son nombres toman el valor denotativo del sustantivo y frecuentemente llegan a lexicalizarse. Hay que incluir la serie de nombres sustantivos formados por sustantivación de un enunciado: *pagaré, pésame, síes, seises, tanto, aquel, cualquiera, sábelotodo, no sé qué,* etc.

(II) Nombres que expresan cualidad atribuida han pasado a significar denotación. Se habla de *los exteriores* de una casa, de *los dulces, el blanco* (de la uña o al que se tira), *el largo* o *ancho* de una pieza, *el impermeable, el imperdible, el fuerte, el interior, el frío, el fresco, el nublado, el seguro, la recta, la curva, el grabado, el impreso, el peinado, los agrios, el absurdo, el físico de una persona, el natural, el parecido,* etc.

De la misma manera, se encuentran palabras semejantes sin artículo: *Compré segunda; La juventud tiene ideales todavía.* El contexto influye de alguna manera en el deslizamiento semántico desde la función predicativa a la función denotativa. En estos y otros muchos casos, el léxico delimita una realidad y asegura la estabilidad de la palabra. La transposición parece realizarse apoyada por la frecuencia de uso y afecta al sistema léxico de la lengua. Diacrónicamente, han pasado a ser sustantivos, adjetivos latinos como en *invierno, cerezo, cirio, estío,* etc.

(III) Los casos analizados hasta aquí se refieren a cosas. Cuando el referente es persona, la situación se produce con mayor frecuencia y resulta más difícil marcar el límite. Nombres como *amigo, vecino, viejo* se emplean indistintamente como término adjunto o primario. Los derivativos adjetivos *-al, -ar, -ano* (*intelectual, militar, aldeano, cortesano*),

-nte (*elegante*), *-ico* (*técnico, político*), *-ista, -ita, -ta* (*socialista*) y los gentilicios se realizan indistintamente.

Como en el caso anterior, el artículo facilita el cambio semántico, pero no se necesita la presencia del artículo para que se produzca la variación semántica. El contexto y diversos hechos sintácticos facilitan el deslizamiento semántico que puede desaparecer rápidamente.

(IV) Otra posibilidad se ofrece cuando el nombre no pierde su función predicativa y califica a un ejemplar segundo cuyo nombre denotativo (sustantivo) está expreso o claramente sobrentendido. Referidos a personas: *Tenía varios hijos.* **El** *listo no estudiaba.* Referidos a no personas: *Compró varios lápices.* **El** *rojo se lo regalaron.*

Tanto en un caso como en otro se ha producido el cambio de función sintáctica. Uno y otro actúan como elemento sustantivo; sin embargo, su función semántica mantiene el carácter predicativo que caracteriza al adjetivo. Por otra parte, el artículo mantiene el valor anafórico pronominal como signo que alude al antecedente sustantivo. Hay, sin duda, una sustantivación del grupo artículo + nombre adjetivo donde el artículo actúa como elemento primario que alude a un antecedente. El enunciado /*El rojo*/ fuera de todo contexto será ininteligible hasta que el oyente no sepa a quién se alude: una persona de determinadas ideas políticas, un determinado color, un objeto o una persona que tiene como una de sus características la de ser de pelo rojo. De hecho, el nombre, que puede desarrollar ambas funciones semánticas —denotativa y predicativa— en relación con el artículo, parece conferir a éste o disminuirle entidad pronominal según su significado.

En la medida que un nombre es denotativo, el artículo toma un marcado carácter adjetivo y funciona como soporte de género y número simplemente. En la medida que el nombre mantiene su función predicativa, el artículo subraya su función pronominal de aludir a una realidad del contexto o de fuera del contexto, lexicalizada, por medio de los artículos concordados, o no lexicalizada en el caso del neutro *lo*.

Artículo + Adjetivo

ARTÍCULO		NOMBRE	
Pronominal	Categorizador	Denotativo	Predicativo
—	+	+	—
+	—	—	+

(V) Otros casos los constituyen las proposiciones encabezadas por el pronombre relativo *que* cuando van precedidas de artículo. Como en los casos anteriores, cuando se refieren a persona el artículo toma un valor genérico de persona y cuando su antecedente es no-persona mantiene claramente el valor pronominal: *Al que madruga, Dios le ayuda*; *Tu padre y el que le acompañaba se sorprendieron*; *Me trajo el que le encargué*; *Me trajo lo que le encargué*. En ningún caso hay el deslizamiento semántico de predicativo a denotativo. Mantenido su carácter adjetivo funciona como sustantivo sintácticamente. Necesita el artículo, pero la misma función puede desempeñarla el demostrativo.

(VI) Por último, hay que considerar las posibilidades que ofrecen los siguientes ejemplos: (1) *La casa por la que pagué tanto dinero no tiene calefacción*; (2) *Me admiro de lo bien que vives*; (3) *Le desesperaba lo bueno/buena que era*; (4) *El que hayas llegado primero no te da derecho*.

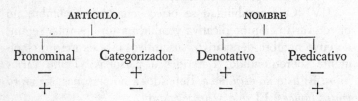

En ninguno de estos casos se puede sustituir el artículo por un demostrativo. En todos ellos lo que viene a continuación mantiene su carácter adjetivo (1), de enunciado (2-3), o de proposición sustantiva (4). En (1) el artículo aporta el número y género a una palabra —*que*— que no lleva tales marcas, de la misma manera que lo vemos comportarse con *cual*.

En (2) y (3) un enunciado exclamativo independiente se transforma en miembro oracional de función sustantiva (primaria). En el último caso (4), el artículo es optativo y parece atender al énfasis de la expresión.

3.4.0.3. *Tipos de sustantivación*

Los problemas planteados son dos: la sustantivación y el valor sustantivador del artículo. El primero implica la distinción como categorías diferentes a nivel de lengua de adjetivos y sustantivos. El segundo, por su parte, implica que no haya sustantivación sin artículo o que sea la capacidad sustantivadora de éste su rasgo dominante. He aquí el material estudiado:

(I) Hay *sustantivación lexicalizada*. Palabras que pertenecen a otras clases distintas al nombre toman los rasgos formales que corresponden al nombre (sus categorizadores) y entre ellos adquieren la facultad de combinarse con artículos, demostrativos, etc.

(II) Nombres adjetivos vivos en la lengua se han especializado para denotar una determinada realidad y se han lexicalizado como sustantivos. Este tipo de sustantivación viene a enriquecer las sustantivaciones históricas del tipo *estío, cirio*. No hay solamente un cambio de función semántica, sino una especialización: *el frío del invierno/hace frío*.

(III) Se podría hablar de una *sustantivación semántico-*

El artículo y la sustantivación

Sustantivación léxica	*el pagaré; el pésame; el sí* *Tengo frío v. Está frío*
Sustantivación semántico-funcional	*los avaros v. los hombres avaros*
Sustantivación funcional	*El lápiz negro y el rojo* *El que tiene prisa va despacio*
Otros valores	*El viejo con el que has discutido está enfermo* *El que tengas prisa no me importa* *¡Lo que hay que aguantar!*

funcional. Es difícil, frecuentemente, señalar el límite, supuesto que se realiza a nivel semántico. De cualquier manera, no se trata de un cambio de clase sino de contenido semántico. De hecho, corresponde al doble uso denominativo y predicativo del nombre. El artículo tiene un valor genérico y adjetivo.

(IV) Se trata de *sustantivación funcional* en la que no hay nunca deslizamiento semántico. El nombre adjetivo funciona semánticamente como tal referido a una realidad expresa en el contexto lingüístico o extralingüístico. El artículo, en algunos casos, no puede conmutarse por los demostrativos. Conserva un cierto sentido pronominal y algunos gramáticos lo consideran término primario del grupo. Cuando admite la sustitución por el demostrativo, éste tiene valor primario.

(V) Es homologable a los casos anteriores. Una unidad de función secundaria unida a un artículo que mantiene su valor pronominal, forma una unidad de función sustantiva.

(VI) En el caso (a) el artículo es mero morfema para establecer la concordancia del pronombre, en (b) conmutable por *qué*, signo marcativo y en (c) signo enfático. En ningún caso se puede hablar de sustantivación.

A la vista de todo esto, quizá se pueda caracterizar el artículo como una clase especial de morfemas libres de inventario limitado (a) que no pueden constituir por sí mismos comunicación; (b) que están constituidos por una base pronominal que le permite significar por alusión, y que admite los morfemas de género y número; (c) que tiene dos valores fundamentales: uno anafórico y otro como soporte de los morfemas de género y número. Estos valores se desarrollan según la naturaleza semántica del segmento que introducen que ha de ser secundario o primario. Cuando es secundario, el artículo desempeña una función sustantiva y pronominal; cuando es primario, el artículo desempeña una función adjetiva con diversos valores semánticos y de mero categorizador.

3.4.0.4. *El artículo "el" ante nombres femeninos*

En el *Poema del Cid* [Pidal, *Gram.*, 61. 1], es general el uso ante *á-* tónica o átona y, aunque con menor fijeza, ante *e-* con algunos casos constantes de *la* (*la eglesia*). Es raro, en cambio, el uso de *el* ante las restantes vocales. Para Nebrija, es obligatorio el uso de *el* ante nombres femeninos comenzados por *a-*, e indiferente el uso de *el* o *la* ante los comenzados por otra vocal.

De hecho, en el siglo XVI se fijó el uso de *el* ante *á-* tónica que pervive hasta hoy. Sin embargo existió entonces y sigue todavía ahora en formas vulgares *la alma.* El carácter aspirado de la hache en los nombres comenzados por *há-* tónica hace que se den según la pronunciación del autor las formas *el* y *la.* Ante nombres comenzados por *a-* átona y *au-* todavía en el siglo XVI se sigue empleando *el* [Kenist., 18. 123] o bien se recurre a la elipsis: *el ayuda, el aldea, el armada, l'armada.* En cambio, es ya raro el uso de *el* ante nombres comenzados por *e-.* Keniston sólo lo encuentra en textos anteriores a Lope de Rueda [Kenist., 18. 124].

Vicente Salvá, en 1837, todavía deja en libertad para decir *la alma atribulada, la aura blanda.* Sin embargo, desde comienzos del siglo XVIII es ya arcaísmo el uso de *el* con nombres femeninos comenzados por *a-* átona o por otra vocal [Salvá, *Gram.*, p. 144].

El uso de *la,* no obstante, se mantiene ante los nombres de las letras *a* y *hache* y ante los nombres propios de mujer comenzados por *á-* tónica: *la Águeda, la Ángela.* Igualmente se mantiene *la* ante adjetivos comenzados por *á-* tónica (*la alta torre*), y Cuervo [*Dicc.*, III, 76 *b*] cita sólo un par de ejemplos con *el*.

El uso del artículo femenino *el* se comienza a confundir con el masculino y se producen casos de doble concordancia. Actualmente, *arte*, que en plural restablece naturalmente la concordancia femenina, en singular sólo la mantiene en grupos muy caracterizados como *arte poética*, *arte cisoria*, etc. En los demás casos, vacila —*arte pictórica/arte pictórico*— o domina la concordancia masculina: *arte cinematográfico*. La concordancia femenina cuando aparece indica uso cultista.

3.4.0.5. *Amalgamas "al" y "del"*

El artículo castellano, como en las demás lenguas románicas, se une a preposiciones. En los comienzos del castellano, se fundía con toda preposición terminada en vocal. Actualmente esta práctica, que comienza a disminuir ya en el siglo XIII, se reduce a las preposiciones *de* y *a* cuando van seguidas de la forma *el* que se contraen sistemáticamente en *del* y *al*, salvo en los siguientes casos:

(a) Cuando el artículo forma parte del sustantivo en denominaciones geográficas, apellidos, sobrenombres, títulos de publicaciones, etc., en el escrito aunque la lectura y la lengua hablada hagan la sinalefa y resulte, por tanto, afectado el hiato [Bello, 272): *Voy a El Escorial*; *Una página de "El esclavo del demonio"*.

(b) Cuando en la expresión van seguidas dos agrupaciones de preposición y artículo, se hace hiato entre los primeros y se contraen los segundos (*de el - del*). Sin embargo, la práctica contraria (*del - de el*) se da en la época clásica

[Cuervo, *Not.*, 53]. El hiato de la segunda agrupación se marca al hablar para evitar la enojosa repetición. Bello [272 n.] recomienda la práctica de Maury no generalizada que separa la contracción *al* cuando precede a palabra que comienza por *al-*: *a el alma, a el alcance.*

3.4.1. Artículo con nombres propios

De una manera general, el comportamiento del artículo depende de la naturaleza de nombre de persona, geográfico, etc. del sustantivo.

3.4.1.1. *Nombres de persona*

Cuando es nombre de persona —patronímicos, apellidos, etc.— no suele llevar artículo:

> Sale Agustín; bajo los tilos están Ana María, doña Margarita, Pedro y Manuela (Martínez Sierra, *Tú eres la Paz,* 87); Él se hace llamar Orsi, pero yo sé que se llama sencillamente Ríos (Azorín, *Antonio Azorín,* 129).

Sin embargo, el artículo aparece en los casos siguientes:

(a) Cuando van precedidos de un nombre genérico que los fija dentro de una categoría o jerarquía de una clase determinada: familiar, social, militar, etc.

> El Rey Carlos III los expulsó de España (P. A. Alarcón, *El Escándalo,* 17); [...] el capitán don Agustín Montoria no está en su puesto (Galdós, *Zaragoza,* 264); Fue cuando escribió a la madre Isabel (Valle-Inclán, *Los Cruzados de la Causa,* 122); Lo escribí en Aldamar, en casa del secretario Barajas (Á. Ganivet, *Los Trabajos del infatigable creador Pío Cid,* 164); [...] yo no podía por menos de ver en el cardenal Belarmino algo así (R. Pérez de Ayala,

Belarmino y Apolonio, 151); El doctor Cornelius se encargó de ellos (P. Baroja, *Las Inquietudes de Shanti Andía,* 225).

No lo llevan, sin embargo, los nombres precedidos de títulos como *san, santo, santa, don, doña, fray, frey, sor, monsieur, monseñor, míster, madama, sir, milord, milady.* Con todo, se mantiene el artículo con *santo* cuando acompaña a los del Antiguo Testamento que no tienen rezo eclesiástico (*el santo Job*) y los títulos cuando acompañan al empleo (*el lord Canciller*) [Bello, 866].

[...] como hizo San Felipe de Neri con un novicio (Azorín, *Antonio Azorín,* 77); Echa, echa más veneno —murmuraba Sor Marcela con tranquilidad (Galdós, *Fortunata y Jacinta,* II, 257); Acuérdate mañana de ir a casa de Madama Armandina (Pardo Bazán, *Insolación,* 98).

(b) En el castellano clásico [Cuervo, *Dicc.,* III, 43 *a*], cuando se repetía el nombre propio de persona, podía ir precedido de artículo que actuaba con cierto valor demostrativo. Actualmente este uso no se mantiene salvo cuando el nombre va precedido —no seguido— del identificativo *mismo* o de los adjuntos *otro, dicho, tal.*

[...] contó a sus padres cómo ella era verdadera esposa de aquel Cardenio que he dicho. Supe más, que el Cardenio según decían, se halló presente a los desposorios (Cervantes, *Quijote,* I, 48).

El lenguaje forense actual mantiene tal uso demostrativo constreñido a la mención de los delincuentes y encartados en un proceso. Se extiende, con cierto matiz despectivo, ante nombres de personas de poca nota, o ante nombres de gente humilde, en la lengua familiar y coloquial.

¿No aseguran que su madre, la Pepa Rincón, fue mujer pública o poco menos? (Galdós, *Zaragoza,* 226); Una noche de sábado, [...], me encontré con la Pepa (P. Baroja, *Locuras de Carnaval,* 137).

(c) Se emplea igualmente el artículo con nombres propios de mujeres célebres por las artes o las letras (*la Guerrero, la Raquel Meller*) y los apellidos de poetas y pintores italianos célebres anteriores al XVI. Se dice *el Dante* o *el Petrarca* con artículo que disonaría ante *Manzoni* o *Pirandello* [Bello, 867].

(d) Con nombres de cualquier artista se designa la obra material de que es autor o bien se caracteriza como prototipo una especial manera de ser. Con cualquier nombre propio, la figura representada en la obra de un escritor, pintor, etc.:

Yo sabía que Jaime se parecía al San Jorge pintado en la tabla central del retablo de Jaime Huguet (C. Laforet, *Nada,* 141); Valerio bien me decía que soy el moderno Ovidio (R. Pérez de Ayala, *Belarmino y Apolonio,* 66).

(e) Con los apellidos como designación de familia se emplea el artículo en singular o plural con cierto valor demostrativo. El apellido puede ir yuxtapuesto al artículo o bien enlazado a él por medio de la preposición *de*:

Sus padres [...] habían sido el entronque de la casa única de los Ruiz de Bejos, de Tablanca, con la de los Gómez de Pomar, la más ilustre de las de Promisiones (Pereda, *Peñas Arriba,* 27); [...] hace el mismo efecto que la joya que le trajo de París su marido a la Torres-Nobles (Pardo Bazán, *Insolación,* 72).

3.4.1.2. *Con otros nombres propios*

Con nombres propios de continentes o países no se emplea el artículo, salvo cuando van acompañados de adjetivo (*Francia/la dulce Francia*). Los nombres de ciudades, villas, aldeas no lo emplean nunca, salvo en los casos en que el artículo forma parte del nombre. El castellano tiende de manera creciente a prescindir del artículo.

Son nombres que aceptan el artículo: *el Japón, el Brasil, la India, el Turquestán, el Perú, el Cairo, la Meca, el Ferrol, la Coruña, la Habana, el Senegal, el Cabo, la Gran Bretaña, el Toboso, la Guinea, la Rodesia, los Estados Unidos, la China*, etc.

(a) Igualmente llevan artículo los nombre que corresponden a archipiélagos frente a los que nombran a cada una de las islas: *las Canarias, las Baleares, las Filipinas*. Así también, los nombres de regiones naturales se emplean con artículo que concuerda con la terminación del nombre propio: *la Mancha, el Toboso, el Bierzo, la Rioja, la Bética*. Las divisiones administrativas se emplean sin artículo: *Barcelona, Cataluña, Andalucía*, etc.

Por último, llevan artículo los nombres de regiones, naciones, etc., que tienen forma plural: *las Españas, las Asturias, los Países Bajos, las Indias*, etc.

(b) Los nombres propios de océanos, mares, ríos, lagos, como los de montes, cordilleras, volcanes y otros accidentes geográficos —cabos, golfos, etc.— se emplean ordinariamente con artículo. El artículo marca la concordancia del nombre sobre la base del correspondiente al genérico que se subentiende, sin atender a su terminación: *el Aconcagua, el Atlántico, el Finisterrc, el Vesubio, el Niágara*, etc.

Los nombres de ríos españoles se emplearon sin artículo en la época clásica. De este uso queda constancia en el castellano actual en topónimos en que aparecen nombres de río como componentes: *Aranda de Duero, Miranda de Ebro.*

(c) Como ocurre con los nombres propios de persona, los nombres geográficos que no llevan artículo lo toman en cuanto llevan un adjetivo o cualquier otra determinación:

> Ante la España de Zuloaga, el extranjero piensa de nosotros mucho mejor que ante los cuadros de Fortuny, para citar algún nombre (J. Camba, *Desde el otro Mundo,* 59); En la América española se conservan costumbres que han sido abolidas ya de los rincones más ocultos de España (J. Camba, *id.,* 55).

(d) Los nombres propios de festividades, por lo general, se usan sin artículo, cuando se utilizan para señalar la época o tiempo. Así ocurre con *Navidad(es), Año Nuevo, Noche vieja, Nochebuena, Reyes, Carnaval, Cuaresma, Pascua,* etc. Emplean artículo, en cambio, que tiene un cierto carácter pronominal que alude a la *Virgen,* en *la Purísima* y además en *la Candelaria, la Ascención, la Asunción.*

Con nombres propios de barcos, sociedades, y otros casos se emplea artículo. No así con los nombre de batallas: *El "Fortuna"; La Transmediterránea; Lepanto.*

3.4.2. Usos determinativos del artículo

El artículo desarrolla en su función adjetiva diversos usos no bien sistematizados todavía en los que ejerce diversos tipos de determinación sobre el sustantivo al que acompaña. En muchos casos su uso es una elección frente al nombre sin artículo (artículo Ø para algunos gramáticos) o el uso de los indefinidos derivados de *unus*. El artículo no se combina más que con *todo* que le precede (*todos los días*). Es inactual su combinación con el posesivo que se mantiene en algunos rezos (*el tu nombre*).

3.4.2.1. *Valor identificador*

Parece muy característico del artículo el individualizar un determinado ejemplar de la clase que designa el nombre. Necesariamente se apoya en un campo de sentido basado en la relación y contigüidad natural de los objetos o la relación que la situación y su historia pueden crear. El hablante despliega la realidad que el oyente ve o presume y de ella destaca e individualiza los objetos que razonablemente el oyente puede suponer.

Característicamente, en el relato la presentación se suele hacer por medio del indefinido, como ocurre en el siguiente ejemplo:

> Andrés se acercó a un tartanero, le preguntó cuánto le cobraría por llevarle al pueblecito [...] Subió Andrés y la tartana cruzó varias calles de Valencia y tomó por una carretera. El carrito tenía por detrás una lona blanca [...] En una media hora la tartana embocaba la primera calle del pueblecito (P. Baroja, *El Árbol de la Ciencia*, 121).

Presentado el tartanero (*un tartanero*) y la situación, todo objeto que se refiera al campo de sentido suscitado, utilizará el artículo. El indefinido es resultado de una intención informativa de desconocimiento o indiferencia por parte del autor.

3.4.2.2. *Valor posesivo*

Estos nombres individualizados en el campo de sentido del nombre pueden tomar significado de cosa poseída y el artículo alternar con los posesivos. Esta relación se da en nombres de parentesco, "de partes del cuerpo humano, actos y facultades psíquicas, determinados actos psicofísicos expresivos e intencionales (voz, gesto, mirada, risa, llanto, etc.), prendas de vestir y de adorno y utensilios habituales y comunes del hombre" [SFR, p. 149]. En el esquema con nombre + adjetivo se ha señalado que el uso del artículo viene implicado por el carácter pasajero del adjetivo. El posesivo subrayará el carácter permanente y duradero de la cualidad [SFR, p. 293]:

> Sentado en el sillón, con los brazos apoyados en la mesa y extendidas las manos sobre un infolio abierto [...] estaba un clérigo de muy avanzada edad (Alarcón, *El Escándalo*, 19); Adolfito, instintivamente, volvió los ojos (Valle-Inclán, *Viva mi dueño,* 229).

Como complemento directo del verbo se opone el nombre con artículo al nombre sin él. La oposición significa individualización y concreción frente a generalización e incremento semántico del verbo: *tiene al niño/tiene niños*; *cultiva las flores/cultiva flores.*

3.4.3. Nombres de entes únicos

Se emplean con artículo. Alternan con el indefinido que, cuando aparece, toma valor ponderativo: *luce el sol/luce un sol magnífico.*

3.4.4. El artículo y las funciones nominales

3.4.4.1. *Como sujeto*

Es donde está más aferrado el uso del artículo entre todas las funciones nominales. Cuando va con sustantivo en singular confiere a éste el significado de todo el género o especie que designa:

> El hombre siempre, en cada instante, está viviendo según lo que es el mundo para él (Ortega y Gasset, *En torno a Galileo*, 31).

3.4.4.2. *Como atributo*

No suele emplear artículo [Hanssen, 534; M-L, III, 177] y cuando lo emplea, marca la tipificación del sujeto. El artículo es, según se ha dicho, una especie de artículo de notoriedad (*es médico/es el médico*).

3.4.4.3. *Como vocativo*

En exclamaciones, vocativos, aposiciones no suele llevar artículo, aunque el castellano clásico lo admitiese en el vocativo (*Dígasme tú el marinero*). El castellano actual lo admite en casos de frases imperativas con fuerte despersonalización o con intención despectiva o afectiva:

> Mire, la señorita, qué piernas y qué brazos (Martínez Sierra, *Tú eres la Paz*, 122).

3.4.4.4. *En las enumeraciones*

En las enumeraciones sin intención cuantificadora, el plural sin artículo hace inventario de las realidades representadas en la frase. El uso del artículo es expresivo para fijar cada una de esas realidades al instante mismo, una a una, de manera particular frente al carácter de conjunto descompuesto en sus componentes que toma en la enumeración sin artículo:

> Llegaban y salían los ganados, las diligencias, las recuas, las yuntas (G. Miró, *El Humo dormido*, 68); En el soñado y aborrecido Madrid, en el querido y odiado Madrid, luces, árboles, tejados, torres, campanarios, antenas, estatuas, fuentes, chimeneas, buhardillas destilan como algo espeso que a ratos podía parecer la miel de la dicha y a ratos el pus de una herida infectada (Castillo-Puche, *Paralelo 40*, 74).

3.4.5. El "lo" neutro

El *lo* neutro y átono que forma sistema con los artículos concordados, es homófono del *lo* pronominal, neutro y átono igualmente, que es integrado por el verbo y forma serie con los pronombres personales de tercera persona. El artículo *lo* forma características agrupaciones con nombres adjetivos, grupos nominales con *de*, proposiciones adjetivas y adverbios: *lo bueno, lo del otro día, lo que dijiste, lo bastante, lo bien que vives.* Los gramáticos vacilan entre adscribirlo a la categoría pronominal (Pottier) o al sistema de los artículos en que ha figurado tradicionalmente.

En la red de alusiones que en el discurso trazan los pronombres, le corresponde al *lo* la mención **inconceptual** [SFR, p. 112] en coincidencia con algunos demostrativos e indefinidos, y frente a *ello*, con el que tiene estrecho parentesco, la admisión de adjuntos (*lo bueno*) Por otra parte, en la serie de artículos con que cuenta la lengua, es característico de *lo* orientar semánticamente el adjunto que introduce, al tiempo que como transpositor de sustantivación lo marca funcionalmente.

En el sistema de neutros, los demostrativos realizan una mención mostrativa que gradúa y caracteriza en el texto, en la circunstancia o en el tiempo, la situación de lo aludido (*esto/eso/aquello*). *Ello* y el artículo *lo* realizan la mención pura aportando al discurso una o varias realidades que no han llegado a lexicalizarse en la lengua. El grupo *lo + adjunto* forma grupos ocasionales, en constante renovación. Como todos los neutros impone concordancia masculina: *Lo imposible es ambicionado por todos.*

3.4.5.1. *Orientación semántica del "lo"*.

El *lo* como elemento primario del grupo dirige, según se ha dicho, la atribución expresada por el adjetivo que le acompaña como adjunto hacia una realidad no lexicalizada. Dos valores se traban muy estrechamente y, con frecuencia, resulta difícil fijar sus límites:

(a) En primer lugar, por su carácter primario y pronominal, el artículo dirige la atribución a una parte de un todo. *Lo bueno* es aquello que es bueno dentro de un todo en el que se da lo que es bueno y lo que no lo es. Este carácter de mención relativa separa al grupo lo + adjunto de todo otro tipo de mención sustantiva que evoca por manera concreta y definida una realidad lexicalizada, individualizada en el léxico de la lengua. *La bondad de esta mujer* nombra una determinada cualidad que se da en *esta mujer*, atrae la atención de hablante y oyente hacia este aspecto que separa totalmente de otros aspectos que se puedan dar en la mujer. *Lo bueno de esta mujer* separa de todas las cualidades que podemos conocer en la mujer, unas cualidades determinadas frente a otras. A diferencia del ejemplo anterior, los aspectos de que se prescinde gravitan y pesan. En la conciencia de los miembros de la comunicación subyacen otras cualidades efectivas que no coinciden con la mentada.

(b) Una segunda posibilidad del neutro, sin duda por su mismo carácter de neutro, la constituye la alusión a conjunto colectivo al que conviene lo predicado por el adjetivo. *Lo bueno de esta mujer* está constituido por los aspectos de su personalidad de los que es verdad la predicación *bueno*.

Estos dos aspectos —selectivo y colectivo— están presentes en una buena parte de las construcciones conseguidas por medio del *lo* y un adjetivo.

3.4.5.2. *Valores de la sustantivación "lo" + adjetivo masculino singular*

Estas sustantivaciones realizan en la lengua los dos aspectos estudiados en el parágrafo anterior. Los tipos más representativos coinciden con tales aspectos alusivos del artículo:

(a) Se ha llamado **delimitativo** el grupo en que el artículo como término primario dirige la atención del oyente hacia una parte del todo en la que se da la cualidad expresada por el adjetivo enfrentada a la parte en que no se da. En algunos casos puede darse en coincidencia con nombres abstractos. Esto ocurre cuando el grupo no lleva complementación y está empleado en un sentido genérico o generalizador: *Lo perfecto* (la perfección) *es inalcanzable*. En relación con un complemento que circunscriba la sustantivación dentro de una determinada realidad, selecciona y opone. Nótese cómo *La profundidad del pozo* matiza y representa una realidad distinta a *Lo profundo del pozo*.

(b) Se llama **colectivo** el uso en que el adjetivo por su propia naturaleza lexemática exige su aplicación en diversos aspectos, zonas, partes, etc. de una o varias realidades. Aparece con adjetivos que por su significación exigen un soporte plural: *lo diferente, lo necesario, lo ajeno, lo igual, lo mismo,* etc. Aparece también cuando el complemento está en plural: *lo bueno de estas fiestas.*

3.4.5.3. *El "lo" intensivo*

Un tercer tipo de construcción con *lo* aparece en construcciones muy determinadas y definidas cuando va seguido de adjetivo masculino o femenino, singular o plural, o un adverbio de modo. En estas construcciones, necesariamente el grupo *lo* + adjetivo o adverbio es reproducido por un relativo (*que*) que introduce un verbo del que el adjetivo es atributo o predicativo y el adverbio complementación modal: *lo bueno/buena que es; lo bien que vive.* En ambos casos el enunciado encabezado por *lo* o es exclamativo o constituye un elemento de una oración compleja. Por otra parte, el artículo ha perdido su valor referencial y actúa en concurrencia con los exclamativos *cuán* y *qué*: *qué bueno/buena que es; qué bien que vive.*

La función sustantivadora se ejerce no sólo sobre el adjetivo o adverbio sino sobre la totalidad del enunciado. Mantiene un carácter *intensivo* observado por todos los gramáticos que se han ocupado de esta construcción (v. 8.1.2.1). Este uso se aparta ostensiblemente de los restantes valores de *lo.*

Puede aparecer en enunciados independientes de carácter exclamativo en concurrencia con las mismas construcciones sin *lo*: *¡Artista que es uno!/Lo artista que es uno.* Sin embargo, su uso dominante se encuentra tras verbos de percepción, intelección, lengua, etc. como complemento directo: *Pronto comprendí lo mucho que progresaría.*

3.4.5.4. *"Lo" + de + nombre*

Agrupado con un complemento determinativo con *de*, alude el artículo de manera indeterminada y vaga, en coincidencia con los demostrativos, frente a los casos anteriores, a hechos, acciones, conjunto de ideas, etc., en relación con lo que el complemento expresa: *lo de su fuga; lo del otro día/eso de su fuga; aquello del otro día.* La construcción, como en los demás casos, queda sustantivada. Carece de la posibilidad de tomar el valor intensivo estudiado más arriba.

3.5.0. GRADACIÓN DEL ADJETIVO *

Una determinada cualidad, al decirse o predicarse de un sujeto mediante el adjetivo, podrá darse en cantidad y proporción variables que irán (a) desde lo que significa el adjetivo hasta la atribución más intensa (*español/muy español*) o (b) en doble dirección desde la afirmación de la predicación a la intensificación máxima o a su total negación. Tanto en un caso como en otro son discernibles grados de la atribución.

La gradación puede ser **léxica** cuando la lengua ofrece palabras distintas para expresar cada uno o algunos de los grados de intensidad del adjetivo. Esto es lo que ocurre en las gradaciones *bueno/malo, caliente/tibio/frío*. Igualmente tienen carácter léxico las formaciones conseguidas sobre una misma base léxica por medio de prefijos negativos: *cómodo/incómodo, legible/ilegible*.

Sin embargo, la que nos interesa aquí es la gradación conseguida morfológica o sintácticamente por medio de deri-

* M. BASSOLS DE CLIMENT, "Los grados comparativos", en *Estudios Clásicos*, I, Barcelona, 1951; Alfred COESTER, "Again the Spanish Superlative", *H*, X, 1927, pp. 176-180; M. MORREALE, "El superlativo *-ísimo* y la versión castellana del *Còrtesano*", en *RFE*, XXXIX, 1955, pp. 46-60; E. F. PARKER, "The Spanish Superlative an Illusion", en *H*, IX, 1926, pp. 353-356; William F. RICE, "Is the Spanish Superlative an Illusion?", en *H*, X, 1927, p. 105; R. VALIN, *Esquisse d'une théorie des degrés de comparaison*, Québec, 1954.

vativos —*formación interna*— o por medio de una construcción —*formación perifrástica*—.

3.5.0.1. *Atribución adjetiva*

La atribución del significado que comporta el nombre adjetivo puede hacerse:

(a) Como **atribución puntual**, cuando se juega con los valores significativos que la base lexemática encierra en cuanto son poseídos en mayor o menor grado por el sustantivo al que se atribuye sin contrastarlo con ninguna realidad exterior a él. Salvo en los adjetivos que expresan estado o situación, la cualidad tiene siempre un valor relativo; pero esta relatividad está fijada en función de las posibilidades de la cualidad en la realidad en que se da. El adjetivo *alto* pensado de un *niño* tiene límites extremos de gradación distintos a los que convenimos en dar al mismo adjetivo dicho de la realidad *casa* u *hombre*. En la atribución puntual no se sale de las posibilidades idiomáticas y semánticas que el contenido del nombre adjetivo ofrece.

(b) Como **atribución relativa**, cuando la valoración de la cualidad toma como canon, explícita o implícitamente, un elemento nominal o una circunstancia cuyo valor se entiende como conocido.

3.5.0.2. *Recursos para la expresión de la gradación*

La lengua provee al hablante de varios y determinados recursos para expresar la gradación:

(a) Recursos **prosódicos,** con la utilización de acento afectivo o silabeo del segmento afectado y semejantes fórmulas de relieve: ¡*Magnífico*!; *Es mag-ní-fi-co*.

(b) Recursos **morfemáticos** internos, con utilización de marcas y derivativos que habilitan un determinado lexema en grados distintos: *bueno/bonísimo/archibueno.*

(c) Recursos **sintácticos**, cuando se acude a la asociación sintagmática con segmentos terciarios: *muy bueno*; *más bueno.*

3.5.1. Los antiguos grados de significación

La Gramática tradicional fija tres grados a los que ha llamado **positivo**, base léxica del adjetivo, **comparativo** y **superlativo**, ambos con doble formación interna y perifrástica. Ya Lenz [117] señaló como peligrosa la alineación creciente de estos tres grados y la inclusión dentro del comparativo: "no sólo *no había hombre más soberbio que él*, sino también *no había en el pueblo hombre tan acaudalado como él*". Igualmente en la exposición tradicional se incluían como variaciones del concepto superlativo, un **superlativo absoluto** (*muy alto*; *altísimo*), también llamado **elativo**, y un **superlativo relativo** (*el más alto*). De hecho, se mezclaban en esta exposición elementos heterogéneos que importa discriminar.

Dentro del proceso de atribución puntual, el sistema de la lengua reconoce una forma que expresa el valor lexical del adjetivo y una forma que expresa la intensificación de dicho contenido. Se corresponden así *positivo* y *superlativo* (superlativo absoluto).

Dentro de la atribución relativa se distinguen, más que grados, dos valoraciones: **valoración comparativa** en la que la intensidad que trata de comunicarse se expresa por contraste con un término conocido, y **valoración singularizadora** en la que la intensidad se da como distinta y excepcional con respecto a un conjunto de ejemplares que tienen la misma cualidad.

En estas dos valoraciones hay, pues, relación y contraste; pero mientras en la comparativa la intensidad se mide, en la singularizadora se destaca la excepcionalidad: *Pedro es el más alto/Pedro es tan alto como Vicente.*

3.5.2. Formación interna del superlativo absoluto

El castellano hereda la formación latina mediante derivativos que toman las formas **-ísim-** y **-érrim-**. Los derivativos se añaden directamente al positivo tomado íntegramente (*cordial/cordial-ísimo*) o bien, desprendido de sus morfemas categorizadores o de algún sonido (*alt-o/alt-ísimo; brev-e/ /brev-ísimo*).

Los adjetivos que terminan en consonante *-on* y *-or* añaden *-císimo* con una *-c-* infija que Cuervo [*Apunt.*, 248] explica pensando en el influjo de los diminutivos de los adjetivos de esta terminación que lo hacen en *-cito*. Así *bribón,* cuyo diminutivo es *briboncito,* formará el superlativo *briboncísimo*; *hablador* (*habladorcito*)/*habladorcísimo.* No son infrecuentes, sin embargo, las formaciones analógicas *bribonísimo, habladorísimo,* que revelan descuido.

3.5.2.1. *Alternancias lexemáticas*

En muchos casos el morfema lexemático tiene dos realizaciones distintas: una para el positivo y otra para el superlativo:

(a) Entre uno y otro morfema hay alternancia *o/ue, e/ie,* que se explican históricamente por el diferente tratamiento de las vocales *ŏ* y *ĕ* según estén en posición tónica o átona:

Gradación

Atribución			
PUNTUAL: grado	Positivo: *alto*		
	Superlativo	interno:	*altísimo*
		perifrástico:	*muy alto*
RELATIVA: valoración	Comparativa	igualdad:	*tan alto como*
		superioridad:	*más alto que*
		inferioridad:	*menos alto que*
	Singularizadora:	*El (muchacho)*	*más/menos alto de todos*

bueno/bonísimo, cierto/certísimo, ardiente/ardentísimo, luciente/lucentísimo, valiente/valentísimo, tierno/ternísimo, fuerte/fortísimo, nuevo/novísimo, luengo/longuísimo, grueso/grosísimo.

En muchos casos, sobre la forma cultista se emplean en la lengua familiar y descuidada las formas analógicas con el mismo diptongo del positivo: *buenísimo, tiernísimo,* etc. Los avances de estas formaciones llegan a la lengua literaria y son cada vez más firmes.

(b) Hay alternancia *-bl-/-bil-* en los adjetivos que proceden de los latinos en *-bilis.* No siguen esta formación *doble, feble* y *endeble:*

noble/nobilísimo, amable/amabilísimo, agradable/agradabilísimo, loable/loabilísimo, temible/temibilísimo, etc.

(c) Hay diferencias en su consonantismo. Ocurre en un corto número de adjetivos: *sagrado/sacratísimo, amigo/amicísimo, fiel/fidelísimo, antiguo/antiquísimo.*

(d) Es particular el caso de los adjetivos *benévolo, benéfico, magnífico* y *munífico* que forman los superlativos *benevolentísimo, beneficientísimo, magnificentísimo* y *munificientísimo.*

(e) Son simples modificaciones ortográficas las transformaciones *-z, -co* y *-go* en *-císimo, -quísimo* y *-guísimo* respectivamente: *veraz/veracísimo, poco/poquísimo, largo/larguísimo.*

(f) No suelen aceptar esta formación los adjetivos en *-io* (*sabio*). Los que la aceptan presentan el problema de dos íes en contacto (*i-í-simo*). Se conservan ambas íes cuando el positivo lleva acentuada su *-í* (*frío/friísimo*). En caso contrario, se reducen a una: *amplio/amplísimo.*

3.5.2.2. *Por prefijación*

Son formaciones características de la lengua popular. Ya desde el siglo XVI se documenta la formación con *re-* [Kenist., 26. 781, 39. 471]. Este prefijo se emplea no sólo con adjetivos y adverbios sino con sustantivos de tipo valorativo [Kenist., 3. 648]. A este prefijo se pueden añadir sus derivados *rete-* y *requete-* y además *sobre-*, *super-*, *extra-*, *per-*, con antecedente en latín, y *archi-*:

> **re-**: ¡Josú! ¡Y qué reguapa va a salir nuestra morena! (Blasco Ibáñez, *Sangre y Arena*, 282); [...] que algo y algos, y mucho y remucho hacen las oraciones (Galdós, *Zumalacárregui*, 74); **rete-**: ¿Y la has encontrado ahora más guapa? —Ya lo creo; reteguapísima (Matheu, *Un bonito Negocio*, 152); **archi-**: Nada menos que mi ilustre convecino y respetable amigo don Laureano de Castro y su bellísima, gentilísima y archirresimpatiquísima hija (Pérez Lugín, *La Casa de la Troya*, 161); **sobre-**: Yo conozco, y esto es un suponer, una chiquita trabajadora, callada, de muy buenos ojos, pelinegra por más señas, que es una cosa buena, pero sobrebuena (Matheu, *Un bonito Negocio*, 197).

3.5.2.3. *Superlativos en -rimo*

Toman el morfema *-rimo* los adjetivos latinos terminados en *-er*. Son muy pocos, todos ellos cultos y están en retroceso ante las formaciones en *-ísimo* o ante las formas perifrásticas:

acre/acérrimo, célebre/celebérrimo, íntegro/integérrimo, mísero/misérrimo, salubre/salubérrimo, pulcro/pulquérrimo, libre/libérrimo, pobre/paupérrimo, áspero/aspérrimo.

3.5.2.4. *Superlativos por moción interna reforzados*

Resulta redundante y los gramáticos rechazan como grave incorrección la agrupación del superlativo en *-ísimo* con el refuerzo *muy* (*muy altísimo*). Se suele emplear en la lengua vulgar con intención hiperbólica y encarecedora.

De manera más absoluta es rechazable el refuerzo con *más* y *menos* (*más altísimo que*). Igualmente se rechazan las agrupaciones de superlativo con *tan* y *cuán* (*tan guapísima como es*) que, sin embargo, son de gran eficacia en el encarecimiento y muy usadas en la lengua hablada.

3.5.2.5. *Formaciones analógicas*

Hay una tendencia general en la lengua a igualar por analogía todas las diferencias lexemáticas entre positivo y superlativo. La lengua hablada, e incluso la culta en muchos casos, siente afectados determinados superlativos cultos y prefiere la formación analógica o la forma perifrástica. Las formaciones analógicas son generalmente vulgares. Son adjetivos con dos superlativos *amigo/amicísimo* y *amiguísimo*; *pobre/paupérrimo* y *pobrísimo*; *pulcro/pulquérrimo* y *pulcrísimo*; *bueno/bonísimo* y *buenísimo*, etc.

3.5.2.6. *Adjetivos sin superlativo en -ísimo*

No admiten la formación en *-ísimo* muchos adjetivos por su propia significación de grado extremo de la cualidad, por su estructura fonética y algunos esdrújulos [Bello, 225]. Así ocurre con los numerales, con *inmenso*, *celeste*, *celestial*, *terrestre*, *terrenal*, *lunar*, *infernal*, *tremendo*, *absurdo*, y los que expresan estado o situación como *asesinado*, *jubilado*, etc.

Entre los esdrújulos, quedan sin superlativo los acabados

en *-eo, -imo, -ico, -fero, -gero, -voro* (*momentáneo, político, legítimo, fructífero, alígero, ignívoro*) y los agudos acabados en *-í* o en *-il* (*turquí, mujeril*). Sin embargo, se oyen *enormísimo, inmensísimo, tremendísimo* y otros en la lengua hablada y descuidada.

3.5.3. Superlativo perifrástico

Se consigue por medio de su agrupación con el adverbio *muy*. Esta forma es muy antigua [Pidal, *Gram*., 67. 2] y su uso es dominante sobre el superlativo interno hasta el siglo XVI en que es ostensible la influencia culta. Actualmente las formas en *-ísimo* son poco frecuentes en construcciones negativas y de tipo adversativo.

Además de la intensificación con *muy* se consigue el mismo efecto con adverbios en *-mente* con los que se enfatiza la expresión: *extraordinariamente, bárbaramente*, etc.

3.5.4. Comparativos de formación interna

No se puede hablar en castellano de formaciones morfemáticas como se ha hecho del superlativo, porque el morfema comparativo *-ior*, heredado del latín, queda reducido a unos pocos adjetivos de estructura fija —lexicalizados— y no tiene productividad alguna en la lengua. De los comparativos orgánicos latinos se conservan en nuestro léxico: *mejor, peor, mayor, menor, exterior, inferior, superior, posterior, interior, ulterior* y *prior*. El último de éstos se usa únicamente como sustantivo y la mayor parte de los restantes han perdido su valor comparativo. Sólo los cuatro primeros pueden considerarse por supletivismo comparativos de *bueno, malo, grande* y *pequeño*:

bueno/mejor, malo/peor, grande/mayor, pequeño/menor.

Sin relación con un positivo tienen cierto valor comparativo *inferior* y *superior*. Bello [1.012] les niega el carácter de comparativo porque construyen el término de relación con *a*. Construcción semejante con *a* la admiten los restantes, menos *interior* y *exterior* y el sustantivo *prior*. Desde el punto de vista semántico habrá que considerarlos situacionales y su construcción con un término de relación tiene valor significativo semejante al de los adverbios prepositivos.

Los adjetivos *inferior* y *superior* pueden tomar significado semejante a *mejor/peor*. Mientras como situacionales exigen el término introducido con *a*, como sinónimos de calidad pueden aceptar *que*: *Un piso superior al tuyo* (situación y calidad)/*Un piso superior que el tuyo* (calidad solamente).

3.5.5. La construcción comparativa

La construcción comparativa es una sobrestructura montada sobre el adjetivo mediante la cual se fija la intensidad con que se da el adjetivo por contraste con un término que se llama segundo término de la comparación.

Juan es *x* alto→Juan es más alto que Pedro.
Juan es *x* bueno→Juan es más bueno que listo.
Juan es *x* bueno→Juan es más bueno en casa que en la oficina.

El adjetivo constituye la **base** de la comparación y actúa de primer término de la comparación. Va acompañado de un **intensivo**, que es uno de los tres adverbios *más, menos* o *tan*, según que en la comparación se subraye la *superioridad*, *inferioridad* o *igualdad*.

El hecho de que el segundo término de la comparación sea sintácticamente un elemento geminado de la misma función que otro elemento del primer término, hace que éste tome todas las formas posibles para cumplir dicha homologación sintáctica: *Hoy se encuentra mejor que cuando llegó* (v. 8.1.3.1 y 8.2.1).

Cuando el término de comparación está constituido por una proposición introducida por *lo que,* Bello [1.010] considera preferible el uso de la preposición *de* como enlace para evitar la enojosa repetición del *que*: *Era mejor que lo que me habías dicho/Era mejor de lo que me habías dicho.* A esta solución la lengua añade la posibilidad de prescindir del segmento *de lo*: *Era mejor que me habías dicho.*

La construcción comparativa toma *valor ponderativo* cuando se suprime el segundo término de comparación: *Da pena ver región tan hermosa, tan espléndidamente dotada por Dios de suelo y de cielo, tan abandonada de los hombres* (Unamuno); *El olor de esta tienda tan humilde y concreto, es olor de mundo* (G. Miró).

3.5.6. Singularización del comparativo

Cuando con las construcciones de comparativo de superioridad o inferioridad aparece un segundo término introducido por *de* o un *que* relativo, se destaca la singularidad y extremosidad de la cualidad de un conjunto de realidades en que se da la misma cualidad. La Gramática tradicional llamaba a esta construcción *superlativo relativo* [Bello, 1.025: *superlativo partitivo*]: *Es el niño más alto de todos*; *Es el más alto de todos*; *Es lo más alto que puedas imaginar.*

Por su estructura formal, esta construcción consta de un comparativo de superioridad o inferioridad individualizado del conjunto por medio del artículo (*el niño más alto/el más alto*), lo cual constituye la base estructural del grupo. El segundo término introduce mediante la preposición *de* un elemento sustantivo. Otra posibilidad, que se produce cuando aparece el relativo *que*, es la de reproducir el adjetivo como miembro de una proposición: *Es la mejor que he conocido.*

Semánticamente, la fuerza intensiva de la expresión depende de la extensión significativa del segundo término. El adjetivo base de la construcción debe concordar en género con el sustantivo introducido por el segundo término [Bello, 1.038]: *El jazmín es la más olorosa de las flores.*

El segundo término puede quedar implícito siempre que quede claramente sobrentendido: *el más audaz.* Determinados superlativos cultos —latinismos— recobran así su sentido superlativo: *último, postrero.*

3.5.6.1. *Comparativo sustantivado*

Como se acaba de ver la singularidad de este comparativo se consigue mediante el artículo individualizador. Ocurre la simple sustantivación mediante los artículos concordantes. Interés particular tienen las construcciones en las que el artículo es el *lo* neutro que actúa como término primario que alude a un conjunto de objetos, acciones, etc.: *Hacer ejercicio es lo mejor de todo*; *Es lo más interesante que he encontrado*; *Es de lo más atractivo que puedas imaginar.*

Agrupado con *todo,* puede tomar un sentido de límite excepcional: *Es todo lo bueno que se puede pedir.* El mismo valor singularizador del artículo concordante lo puede realizar el posesivo: *Su más íntima amiga.*

3.5.7. Superlativo jerarquizador

Según se ha visto, algunos nombres que específicamente se realizan como sustantivos pueden admitir gradación (*Es más niño que*; *Es muy niño*). En este sentido toman los mismos valores semánticos y siguen las mismas construcciones que se han expuesto en este capítulo. Aparte de esto, se puede encarecer dentro de una jerarquía la entidad representada por un sustantivo añadiéndole un complemento con *de* que introduce el mismo nombre (*Rey de reyes*). Esta construcción se conoce también con el nombre de *superlativo hebreo*.

4. LAS PALABRAS: II

EL PRONOMBRE Y EL ADVERBIO

4.0. EL PRONOMBRE*

Se estudia en este capítulo, bajo el nombre convencional de *pronombres*, un conjunto de palabras que tienen las siguientes características: (a) forman una serie de sistemas morfológicos cerrados; (b) la mayor parte de ellas reciben morfemas de género y número como los nombres; algunas conocen el género neutro; (c) en determinados usos pueden neutralizar la oposición de género en singular; (d) funcionan en el discurso indistintamente de manera semejante a

* Ana M. BARRENECHEA, "El pronombre y su inclusión en un sistema de categorías semánticas", *Fil*, VIII, 1962, pp. 241-272 (reeditado en Buenos Aires, Serv. Documental. Colecc. Gramática, n.º 5, CEF y L, 1964); Vigo BRØNDAL, "Le concept de personne en Grammaire et la nature du pronom", en *Journal de Psychologie*, 1939, pp. 175-182 (reeditado en *Essais de Linguistique Générale*, Copenhague, Munksgaard, 1943, pp. 98-104); L. HJELMSLEV, "La nature du pronom", *Mélanges de linguistique et de philologie offerts à Jacques van Ginneken*, París, 1937 (reeditado en *Essais Linguistiques*, Copenhague, Nordisk Sprog- og Kulturforlag, 1959, pp. 192-198); S. MARINER BIGORRA, "Contribución al estudio funcional de los pronombres latinos", en *CEC*(3), 1968, pp. 131-144; H. MARQUANT, "La función sustitutiva del pronombre en la gramática española de los siglos XVI y XVII", en *Orbis*, XVI, 1967, pp. 202-224; L. MEYN, "Zur Syntax des Fürworts im Spanischen", en *Zeitschrift für Französischen und Englischen Unterricht*, XXVII, 1928, pp. 375-378; J. PINCHON, "La représentation pronominale", en *Le Français Moderne*, XXXIII, 1965, pp. 188-198; J. ROGGERO, "La Substitution en anglais", *La Linguistique*, III, 1968:2, pp. 61-92.

los sustantivos, adjetivos sustantivados, adjetivos o adverbios, en calidad de términos primarios, secundarios o terciarios; algunos de ellos, sin embargo, actúan específicamente en una sola determinada función; (e) semánticamente, su significado no es pleno hasta que no se les relaciona con el contexto lingüístico o extralingüístico en que son utilizados.

.Para algunas de estas palabras, la Gramática tradicional utilizó el término *pronombre* por cuanto "designa una persona o cosa sin nombrarla" [*Gram. Acad.*, 69 *a*]. Otras eran estudiadas como pronombres cuando desarrollaban función primaria y como adjetivos pronominales o adverbios pronominales en las otras funciones. Unos pronombres se consideraban ligados al concèpto de *persona gramatical,* otros, a los que llamaba *correlativos,* "atendiendo a la relación que entre sí guardan en el habla" [72 *a*]. Más adelante añadía: "La correlación que entre sí guardan estos pronombres se verifica entre sustancias o cualidades, ya consideradas en sí mismas, ya con respecto a la cantidad, intensidad, grado u otras circunstancias que en ellas concurran" [72 *b*].

Por otra parte, la misma *Gram. Acad.* comenta a propósito de ciertos adverbios de lugar y tiempo, que aquí serán estudiados como pronombres locativos, "que no son más que los pronombres demostrativos de los nombres que denotan dichas ideas" [258].

4.0.1. Significado ocasional

Ha llamado la atención de algunos gramáticos el comportamiento semántico (e) de este conjunto de palabras. Otras clases de palabras como el nombre sustantivo o adjetivo, el verbo o el adverbio (*casa, grande, canta, entonadamente*) significan por sí mismas un orden o clase de realidades. Las palabras que se estudian como pronombres tienen un *modo de significar* distinto. Un grupo bien trabado morfológica y funcionalmente actúa en relación con un campo de referencias convenido en la lengua, según veremos inmediatamente. *Yo, mío* o *éste* evocan realidades distintas según el contexto en que aparezcan y las realidades evocadas son concretadas por su relación con los diferentes puntos del campo referencial.

Otro grupo también muy coherente se desentiende del campo referencial que apoya el significado de los anteriores. Como ellos, aporta una categoría genérica —persona, cosa, lugar, modo, tiempo— que cobra sentido concreto no por la realidad que trata de representar sino por la palabra que nombra a dicha realidad, con la cual se relacionan. Palabras como *donde* o *cuando* se puede decir que evocan lugar o tiempo, pero sólo se podrá concretar ese lugar o tiempo cuando se conozca la palabra con la que se relacionan: *en la casa donde vivo...*; *ayer cuando saliste...*

Por último, un grupo variado de palabras —*muchos, todos*, etc.— aportan una categoría genérica de significado en relación con las nociones que determinan una realidad. En cualquier caso, su significado pleno se alcanza sólo en el discurso. Desde el punto de vista del significado, las palabras **sinsemánticas** —i.e., que significan por sí mismas— al actualizarse en el discurso, remiten a un referente, mientras las palabras **pronominales**, que aportan una base de significado, remiten a otra realización del léxico o del discurso, o, incluso, a conceptos no lexicalizados.

4.0.2. Campo referencial

El discurso es el producto del que habla. De una parte, el hablante mediante signos traslada la realidad, en sonidos que evocan dicha realidad. El hablante, por otra parte, se atiene a una organización de la realidad para la que toma como puntos de referencia las dos personas que intervienen en el diálogo: el que habla (emisor) y el que escucha (receptor). Según esta organización cada uno de los que intervienen en el diálogo ocupa un campo de referencia. Un tercer campo está constituido por lo que queda fuera de los dos campos que ocupan los interlocutores.

Estos tres campos de referencia serán: (a) el que habla y su campo; (b) el que escucha y su campo, y (c) el que ni habla ni escucha y su campo, trazado por oposición y exclusión de los dos anteriores. La Gramática tradicional hacía coincidir aproximadamente este mismo concepto con el de **persona gramatical** que dividía en primera, segunda y tercera, respectivamente. La existencia en la lengua de estos tres campos permitirá que un conjunto de palabras, que actúan como **indicio** en relación con cada uno de ellos y las realidades situadas dentro de sus límites, cobren significado muy determinado y concreto. Las cosas y personas como actuantes en el discurso, la realidad como objeto de posesión o pertenencia, la situación en relación con los tres campos, etc., son expresadas por medio de pronombres **indiciales de campo.**

Otro hecho igualmente importante que permite el gran dinamismo del discurso se da sustentado sobre la existencia de los tres campos de referencia: la posibilidad de construir el mensaje sobre tres ejes distintos que coinciden con los campos referenciales: (1) *Yo traeré las aceitunas*; (2) *Tú traerás el queso*; (3) *Ellos traerán lo demás*. El verbo, que según se verá, es el ordenador de la frase, marca mediante sus morfemas de persona la elección de campo.

Razones muy diversas permiten cambiar de eje una misma comunicación. Así, por razones de modestia, servidumbre, etc., una comunicación apoyada sobre el eje (1) pue-

CAMPOS DE REFERENCIA

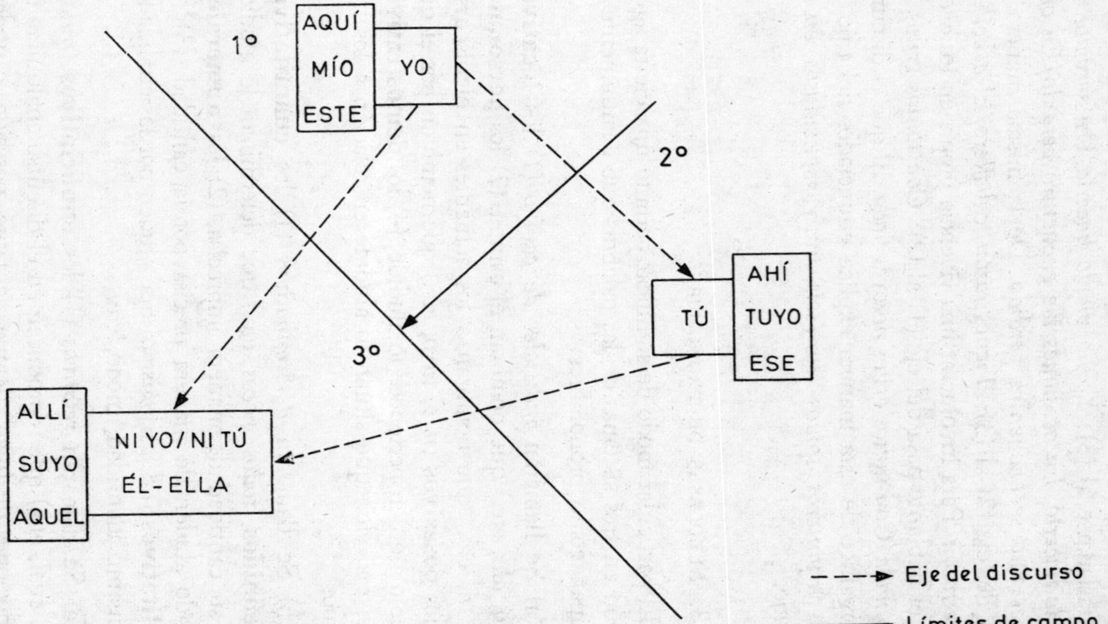

de trasladarse al (3): *Yo no puedo hacerlo/Un servidor no puede hacerlo; En ocasiones me encuentro perdido/En ocasiones uno se encuentra perdido.* De la misma manera se pasa del eje (2) al (3): *Tienes razón, caballero/El caballero tiene razón.* Para involucrar una vivencia propia en los oyentes, el hablante pasa del eje (1) al (2): *Con tantos gritos no oigo nada/Con tantos gritos no oyes nada.* El que el discurso se organice de esta manera explica enunciados del tipo de *Los carpinteros somos* (*son/sois*) *muy meticulosos en el trabajo.*

4.0.3. Subclases de pronombres

El particular modo de significar permite una cierta agrupación en tres sistemas de las palabras que comúnmente se agrupan como pronombres:

(a) Se llamarán *indiciales de campo* (1) los **locativos** (*aquí, ahí,* etc.) que nombran el campo, (2) los **personales** (*yo, tú,* etc.) que nombran a los actuantes en el discurso, (3) los **posesivos** (*mío, tuyo,* etc.) que nombran por el que posee o a quien pertenece lo aludido, (4) los **demostrativos** (*éste, ése,* etc.) que sitúan lo aludido en relación a los tres campos.

(b) Se llamarán *determinativos* (1) los **cuantitativos indefinidos** (*todos, pocos,* etc.) que determinan lo aludido por su cantidad de manera imprecisa, (2) los **numerales**, cuando aluden de manera precisa por la cantidad, (3) los **cualitativos** (*tal, así, mismo*) que aluden por las cualidades en cuanto identidad, modo, etc.

(c) Se llamarán *relativos* (1) los **enunciativos** (*quien, que, cual,* etc.) que reproducen en el discurso cualquiera de las nociones de lugar, tiempo, actuante, posesión, cantidad,

Pronombres

Indiciales de campo	Personales		*yo, mi, me, conmigo; tú, ti, te, contigo, etc.*
	Posesivos		*mío, tuyo, suyo, nuestro, vuestro, etc.*
	Demostrativos		*éste, ése, aquél, etc. y otro*
	Locativos	espaciales	*aquí, ahí, allí, acá, allá, etc.*
		temporales	*ahora, entonces; hoy, ayer, anteayer, mañana*
Determinativos	Cuantitativos	gradativos	*mucho, muy, poco, bastante, demasiado, harto, todo*
		existenciales	*alguien/nadie; alguno/ninguno; algo/nada*
		intensivos	*más, menos, tanto, tan*
	Numerales	cardinales	*uno, dos, diez, ciento, mil, etc.; colectivos: dúo, trío, etc.*
		ordinales	*primero, segundo, décimo, vigésimo, etc.*
		múltiplos	*doble, triple, etc.*
		partitivos	*medio, tercio, etc.*
		distributivos	*sendos y cada*
	Identificativos		*mismo, tal, así, si, también/no, tampoco*
Relativos	Enunciativos		*que, cual, quien, cuyo, cuanto, cuando, como, donde, do*
	Interrogativos		*qué, cuál, quién, cúyo, cuánto, cuándo, cómo, dónde, dó*
	Exclamativos		*qué, cuál, cuánto, cuán, cómo*

modo expresadas por los anteriores, (2) los **interrogativos** (*qué, cuál, quién*, etc.) que introducen en el discurso las mismas nociones que los enunciativos como desconocidas y (3) los **exclamativos** (*qué, cuán*).

(d) Una última subclase, los **temporales**, desarrolla la mención del tiempo a partir del momento del acto verbal (*hoy, mañana*, etc.).

4.1. Los personales*

Aluden, según se ha dicho, a los actuantes en el discurso por su adscripción a cada uno de los tres campos referenciales. Lo aludido puede pertenecer al campo sensible o a un

* **Sobre pronombres personales**: E. Alarcos Llorach, "Los pronombres personales en español", en *AO*, XI, 1961, pp. 5-16; J. Barker Davies, "Ajuste semantosintáctico en los pronombres *se, él* y *sí*", en *EAc*, n.º 8, 1966, pp. 4-7; M. del Carmen Bobes Naves, *Las personas gramaticales*, Santiago de Compostela, 1971; Gustav Brandt, "La concurrence entre *Soi* et *Lui, Eux, Elles*", *Études Romanes* de Lund, VIII, 1944; Viggo Brøndal, "Le concept de *personne* en grammaire", en *Essais de Linguistique générale*, 1943, pp. 98-104; R. J. Cuervo, "Los casos enclíticos y proclíticos del pronombre de tercera persona en castellano", *Ro*, XXIV, 1895, pp. 95-113, 219-263 (reproducido en *Disquisiciones sobre filología castellana*, Bogotá, ICC, 1950, pp. 175-242 y en *Obras*, t. II, Bogotá, 1954, pp. 167-234); J. C. Davis, "The *se me* construction: some comments", en *H*, L, 1967, pp. 322-323; E. Gessner, "Das spanische Personalpronomen", en *ZRPh*, XVII, 1893, pp. 1-54; S. Gili Gaya, "Nos-otros, vos-otros", en *RFE*, XXX, 1946, pp. 108-117; V. Gutu-Romalo, "Remarques sur le système du pronom personnel dans les langues romanes", en *Congr. IX Inter. de Ling. Romane*, 1959, pp. 75-86; P. Henríquez Ureña, "Ello", en *RFH*, I, 1939, pp. 209-229; Vidal Lamíquiz, "El pronombre personal en español. Estudio de su sistemática sincrónica actual", en *BFE*, VII, 1967, pp. 3-12; F. Marcos Marín, "El pronombre sujeto de primera persona en las jarchas", en *Homenaje universitario a Dámaso Alonso*, Madrid, Gredos, 1970, pp. 65-75; G. Moignet, *Le Pronom personnel français; essai de psycho-systématique historique*, París, C. Klincksieck, 1965;

nombre o segmento del discurso ya realizado (*anáfora*) o que se realizará después (*catáfora*). Tienen función sustantiva y

---

E. B. Place, "Some observations on the so-called *plural of majesty*, or plural of reverence", *University of Colorado Studies,* XXII, 1935, pp. 307-311; J. Pohl, "Animaux et Pronoms", *Le Français Moderne,* XXXVIII, 1970, pp. 97-104; Joan Solà, "Reflexions sobre els pronoms febles", en *Estudis de Sintaxi catalana/2,* 1973, pp. 9-56; Leo Spitzer, "Vosotros", en *RFE,* XXXI, 1947, pp. 170-175; L. Spitzer, "Paralelos catalanes y portugueses de *ello*", en *RFH,* III, 1941, p. 272; L. Schmidt, "Das Pleonastische Fürwort im Spanischen", en *NS,* XXXVI, 1928, pp. 283-294; P. Ambros Widmer, "Das Personalpronomen im Bündnerromanischen in phonologischer und morphonologischer Schau", en *Romanica Helvetica* (Berna), LXVII, 1959; E. Zierer, "Formalización del sistema de pronombres personales", en *Lenguaje y Ciencias* (Trujillo), 1967, pp. 16-24. **Sobre los demostrativos**: A. Badía Margarit, "Los demostrativos y los verbos de movimiento en iberorrománico", en *EDMP,* III, 1952, pp. 3-31; Mary E. Buffum, "The Post-positive Pronoun in Spanish", en *H,* X, 1927, p. 181; Patrick Charaudeu, "Les demonstratifs", en *Description sémantique de quelques systèmes grammaticaux de l'espagnol actuel,* París, CDU, 1970, pp. 47-55; Eleazar Huerta, "La mostración y lo consabido (Un alcance a Salvador Fernández)", en *Lengua-Literatura-Folklore. Estudios dedicados a Rodolfo Oroz,* Santiago de Chile, Fac. de Filosofía y Educación, 1967, pp. 227-231; Vidal Lamíquiz, "El demostrativo en español y en francés. Estudio comparativo y estructuración", en *RFE,* L, 1967, pp. 163-202; Maurice Molho, "Remarques sur le système des mots demonstratifs en espagnol et en français", en *Linguistique et Langage,* Burdeos, Ducros, 1969, pp. 103-137. **Sobre los posesivos**: Lydia I. Jansen-Beck, *Possesive Pronouns and Adjectives in "Garin le Loheren" and "Gerbert de Mez"*, Brooklyn, N. Y., 1961; Vidal Lamíquiz, "Los posesivos del español. Su morfosintaxis sincrónica actual", *EAc,* n.° 10, 1967, pp. 7-9; L. López de Mesa, "El posesivo de sujeto plural en castellano", *BACol,* VII, 1957; E. Gessner, "Das spanische Possesiv- und Demostrativpronomen", *ZRPh,* XVII, 1893, pp. 329-354; Germán de Granda, "La evolución del sistema de posesivos en el español atlántico (Estudio de morfología sincrónica), *BRAE,* XLVI, 1966, pp. 69-82. **Sobre los locativos**: A. M. Badía Margarit, *Los complementos pronominalo-adverbiales derivados de "ibi" e "inde" en la península ibérica,* Madrid, CSIC, 1947; H. Meier, "Lokaladverb und Personalpronomen", en *RF,* LXIII, 1951, pp. 169-173; Norman P. Sacks, "*Aquí, acá, allí,* and *allá*", en *H,* XXXVII, 1954, pp. 263-266; L. Spitzer, "Lokaladverb stat Personalpronomen", en *RF,* LXII, 1950, pp. 158-162.

Pronombres indiciales

MENCIÓN DIRECTA

Sujeto	Tónicas	Átona		Compañía	Posesivos	Demostrativos	Locativos
Yo *Nosotros/as*	prep. + *mí* prep. + *nosotros/as*	*me* *nos*	*me* *nos*	*conmigo* *con nosotros*	*mío/a; -os/as* *nuestro/a; -os/as*	*éste/a; -os/as* *esto*	*aquí, acá*
Tú *Vosotros/as*	prep. + *ti* prep. + *vosotros/as*	*te* *(v)os*	*te* *(v)os*	*contigo* *con vosotros*	*tuyo/a; -os/as* *vuestro/a; -os/as*	*ése/a; -os/as* *eso*	*ahí*

MENCIÓN INDIRECTA

Convergentes

×	prep. + *sí*	*se*	*se*	*consigo*	*suyo/a; -os/as* ↓		

Divergentes

Él *Ella* *Ello* *Usted* *Ell-os* *Ell-as* *Ustedes*	prep. + *él* prep. + *ella* prep. + *ello* prep. + *usted* prep. + *ellos* prep. + *ellas* prep. + *ustedes*	*lo/le* *la* *lo* *lo/le/la* *los* *las* *los/las*	*le(se)* *les*		↓	*aquél/lla;* *-llos/llas* *aquello*	*allí, allá*

forman un sistema coherente y bien desarrollado que cubre la **mención directa** —los dos campos enfrentados en el discurso: hablante/interlocutor— y la **mención indirecta** —tercer campo referencial—. Distinguen excepcionalmente la función sintáctica dentro de ciertos límites, lo cual justifica la riqueza de formas.

Entre los personales que distinguen la función complementaria cabe distinguir dos realizaciones tomando en cuenta su coincidencia o no coincidencia con la realidad representada por el sujeto. En el primer caso se llaman las formas **convergentes** o **reflexivas** (*Yo me lavo*; *Él se lava*), y en el segundo **divergentes** (*Yo le lavo*; *Él me lava*). En la mención directa las mismas formas pronominales pueden expresar la convergencia y la divergencia. En la mención indirecta, la convergencia se expresa por medio de morfemas estrechamente emparentados con los de la mención directa y serán estudiados conjuntamente con ellos.

4.1.1. Personales de mención directa

Aluden a las realidades presentes en el diálogo. Por ello no necesitan la distinción de género (*yo/tú*, *me/te*, *mí/ti*, *nos/os*). Ya avanzada la Edad Media, las formas plurales *nos/vos* tónicas se recompusieron en *nos-otros/otras*, *vos-otros/otras*.

Por su función sintáctica, se distinguen (a) *formas sujeto*, todas ellas tónicas: **yo/nosotros-as, tú/vosotros-as**; (b) *formas complementarias átonas*, que se usan afijas al verbo: **me/nos, te/os**; (c) *formas complementarias tónicas*: **mí/nosotros-as**, **ti/vosotros-as** y las formas de compañía: **conmigo** y **contigo**.

4.1.1.1. *Yo-tú*

Se emplean sólo como sujeto de oración y pueden llevar las preposiciones *entre* y *hasta,* con el sentido de *incluso,* y *según*: *Entre tú y yo lo conseguiremos*; *Hasta tú* (*yo*) *lo sabía*(*s*); *Según tú, no ha venido.*

Recibe como adjuntos *solo, mismo, todo* y, aunque rara vez, *propio*:

> ¡Tu boca y su dulce humedad, y toda tú, madrina! (G. Miró, *Las Cerezas del Cementerio,* 173); No sé yo misma lo que ha sido (Palacio Valdés, *Marta y María,* 186); Si no fuese que me haces reír, yo sola era capaz de llevarla (*id.,* 135); [...] he querido que tú propio oigas la explicación que voy a tener con Gabriela (P. A. Alarcón, *El Escándalo,* 134).

Cualquier aclaración al sentido de estos pronombres va tras pausa como aposición o como complementación explicativa:

> Te digo que yo, su padre, le doy una mano de azotes (R. Pérez de Ayala, *Troteras y Danzaderas,* 104).

4.1.1.2. *Nosotros/vosotros*

Son plurales de los anteriores y frente a ellos distinguen género por la oposición *-o/-a.* Tienen un área de mención más amplia que sus correspondientes singulares, y pueden sobrepasar el campo referencial aunque siempre tomando como base significativa al hablante (y otro u otros) o al interlocutor (y otro u otros). Admite los mismos adjuntos *solo, mismo, todo,* y mediante preposición cubre las diferentes funciones complementarias.

Como sujeto: ¡Nosotros no somos sicarios de nadie [...]! (P. A. Alarcón, *El Escándalo*, 86); Reflexionad vosotros ahora (*id.*, 90). **Como prepositivos**: Hay cuerpos que parecen hechos de permanencia, que están ahí sólidos, macizos, dispuestos a quedarse ante nosotros (E. Mallea); ¿Vive con vosotros? (G. Miró, *Las Cerezas del Cementerio*, 78); [...] y pasó con nosotros las dos horas de costumbre (P. A. Alarcón, *El Escándalo*, 88); Tú te estás burlando de nosotros (*id.*, 93); Mañana no podréis ni verme de veloz que pasaré entre vosotros (R. Gómez de la Serna, *El Incongruente*, 105); ¡No descansaré hasta que pueda ver todo este campo, de tantos recuerdos para vosotros (G. Miró, *Las Cerezas del Cementerio*, 108); ¡Si considerásemos lo que Nuestro Señor padeció por nosotros! (Valle-Inclán, *Sonata de Primavera*, 121).

4.1.1.3. *Mí/ti/sí*

Se emplean solamente como término de preposición y sólo admiten agrupación con *mismo* y *solo*. Admiten cualquier preposición menos *con*, uso para el que se reservan las formas *conmigo*, *contigo*, *consigo*. Son dialectales las formas *con mí*, *con ti*, *con tú*.

a: ¿A mí arrancarme él otra muela más? (Pereda, *La Puchera*, 203); [...] es como ver que te besas a ti misma (G. Miró, *Las Cerezas del Cementerio*, 173); Alguien me dijo una vez que en esta guerra se iban a encontrar los hombres a sí mismos y ha resultado verdad (R. Gallegos, *Pobre Negro*, 199); **ante**: [...] desde que nos hemos unido para siempre, ha desplegado ante mí todos los tesoros de su inteligencia (P. A. Alarcón, *El Escándalo*, 182); [...] se determinó a llevarla a cabo por sí y ante sí (Fernán Caballero, *La Gaviota*, 87); **contra**: Gregoria estaba ya en armas contra mí (P. A. Alarcón, *El Escándalo*,

180); **de**: Necesitaba saber de ti (Pardo Bazán, *Insolación*, 76); **en**: De repente noté que aquel valor tan deseado entraba en mí (Galdós, *Fortunata y Jacinta*, I, 210); Desde aquel día el hombre no cabía en sí (Galdós, *Torquemada en la Hoguera*, 19); **entre**: una especie de barandas que comunicaban entre sí las viviendas (Pardo Bazán, *Insolación*, 120); **para**: El día aquel fue día de prueba para mí (Galdós, *Fortunata y Jacinta*, I, 210); **por**: Por encima de todo esto está mi independencia y mi cariño por ti también (P. Baroja, *La Ciudad de la Niebla*, 110); Cada una por sí dice algo (R. Pérez de Ayala, *Los Trabajos de Urbano y Simona*, 83); **sobre**: [...] y luego, haciendo un esfuerzo sobre sí misma, se tranquilizó y corrió hacia su casa (P. Baroja, *La Ciudad de la Niebla*, 143); **tras**: Oía tras sí, las voces de los chiquillos (J. Goytisolo, *Duelo en el Paraíso*, 75); **con**: Ahora sueña con Berta y no conmigo (Unamuno, *Tres Novelas ejemplares*, 44); [...] pero a Jacinta la adoraba; teníala casi siempre consigo (Galdós, *Fortunata y Jacinta*, I, 107).

Es muy ostensible en la lengua hablada, e incluso escrita, el retroceso del pronombre *sí* que es sustituido casi sistemáticamente por los correspondientes de tercera persona. La debilitación de fuerza significativa del *sí* es observable en la expresión *volver en sí* que, inmovilizada como incremento de sentido del verbo, es incorporada censurablemente a todas las personas: *vuelves en sí* (*ti*), *vuelvo en sí* (*mí*).

4.1.1.4. *Me/te/se*

Frente a la multiplicidad de funciones de las formas tónicas, las átonas sólo pueden actuar como complemento directo o indirecto. Se emplean proclíticos o enclíticos y forman unidad acentual con el verbo sobre el que se apoyan.

En esta función, al ordenarse con el verbo y en relación

con el sujeto, pueden (a) pertenecer al mismo campo referencial y, en consecuencia, repetir la misma persona del verbo (*Yo*$_{1}$ *me*$_{1}$ *peino*$_{1}$), o (b) pertenecer a campos referenciales distintos, y en consecuencia, tener persona distinta al verbo (*Yo*$_{1}$ *te*$_{2}$ *peino*$_{1}$). La primera realización se llama tradicionalmente **reflexivo**.

Por otra parte, las formas tónicas complementarias pueden coincidir con las formas afijas aportando el mismo significado (*Yo me peino a mí*) o no admitir la forma tónica su convivencia con la afija. En este último caso, los significados del pronombre átono complementario son muy variados y están en relación con el contenido lexemático del verbo y con la construcción (v. 7.5.1). Es especialmente importante el comportamiento de la forma *se*: *Se encontró a sí mismo/ Se encontraron los lápices/Se vive bien.*

4.1.2. Personales de mención indirecta

Forman un subsistema muy importante emparentado con el artículo. Por su adscripción al tercer campo de referencia necesita una especialización de formas que no tienen los pronombres de mención directa. Distingue género, número y caso.

4.1.2.1. *Formas sujeto*

Las formas sujeto son cinco: **él**, **ella**, **ello/ellos**, **ellas**. Como en el artículo, las formas concordadas aluden a realidades para las que el léxico ha acuñado una determinada realización con cuyo género y número concuerdan. Pueden ir acompañadas de *mismo, solo* y *todo* y en tal función pueden llevar las preposiciones *entre*, *hasta* y *según*, de manera semejante a los de mención directa.

La forma neutra alude a los miembros de una enumeración como conjunto o a acciones y oraciones enteras: *Me pides que haga todo el trabajo en una semana.* **Ello** *es imposible.*

Las mismas formas sujeto se emplean como complementarias y admiten todas las preposiciones:

> **a**: A mamá y a ella, les gustan muy finas (Palacio Valdés, *Marta y María,* 137); **con**: [...] estáis resuelto a recobrar el anillo y cuanto ha recibido con él (Valle-Inclán, *Sonata de Primavera,* 156); **de**: Y salió de la habitación sin despedirse de él (P. A. Alarcón, *El Escándalo,* 88); **en**: Había un hondo silencio, y en él se derramaba una blanda llovizna (G. Miró, *Las Cerezas del Cementerio,* 89); **para**: ¿Pero no será molesto para él? (P. Baroja, *La Ciudad de la Niebla,* 149); **por**: Y con Juan se sentía arrastrado por ella a más dentro de la tierra (Unamuno, *Tres Novelas ejemplares,* 36); **sobre**: [...] llovían sobre él dolamas y alifafes (Azorín, *Castilla,* 101); **tras**: Jacinta fue tras él con la sombrilla levantada (Galdós, *Fortunata y Jacinta,* I, 108).

4.1.2.2. *Formas átonas*

Aparte las formas tónicas cubiertas por las formas sujeto, existen las formas átonas que constituyen unidad acentual con el verbo en uso *enclítico* o *proclítico.* Las formas del complemento directo (acusativo) son **lo/la/le**; **los/las** y las de complemento indirecto **le** con la variante combinatoria **se**, y **les**.

Los acusativos distinguen el género y el número del sustantivo aludido: **lo** es el más rico en posibilidades. Alude a nombres masculinos de cosa o persona indistintamente:

> El viaje de Atenas a Delfos no era cómodo en la época en que yo lo hice (Manuel Bueno).

Como neutro puede aludir con el verbo *ser* o *estar* a un adjetivo, participio o nombre masculino o femenino, singular o plural en función de atributo:

De diario eran tertulianos constantes el P. Anselmo y D. Andrés. Y lo era asimismo el médico (J. Valera); La abadía es rica, el abad también lo es (J. Valera).

Con cualquier otro verbo alude a toda una proposición o acciones en general:

Urbano recuerda que lleva consigo las pistolas de Paolo, una de ellas descargada. Tanto da. Los bandidos no lo saben (R. Pérez de Ayala).

la: Alude a nombres femeninos tanto de persona como de cosa sin competencia de ninguna otra forma:

Hay nubes redondas, henchidas de un blanco brillante [...] Las hay como cendales tenues (Azorín).

le: Alude sistemáticamente al nombre masculino o femenino en su función de complemento indirecto (*dativo*), función en la que dominan los nombres de persona:

Y siguió el camino hacia la ciudad [...] como si quisiera rendirle un amoroso desagravio (G. Miró).

En competencia con *lo* se ha introducido en la función acusativo de nombres masculinos de persona:

[...] ordenó a Plácido que le siguiera y le llevó a su celda (J. Valera).

los/las: Cubren la alusión en plural de nombres masculinos y femeninos respectivamente:

Los cartuchos con bala, toscamente preparados la noche anterior por ellos mismos, los llevaban en los bolsillos (Pereda); Es habitual en mi espíritu personificar las ciudades y amarlas o aborrecerlas como entes humanos (Galdós).

se: Variante combinatoria de *le/les* dativo cuando aparece agrupado con cualquier forma átona en acusativo comenzada por *l-*:

Entregó un libro a su amigo→Le entregó un libro/Lo entregó a su amigo→ * Le lo entregó/Se lo entregó.

4.1.3. Asimilación de funciones

El sistema actual de los pronombres átonos de tercera persona tiene gran fijeza. Sin embargo, desde antiguo se han producido con mayor o menor fuerza según variadas razones la asimilación por una determinada forma de funciones que no le correspondían históricamente. El caso de *le*, etimológicamente dativo que pasa a cubrir la función de *lo* acusativo de persona en género masculino, ha llegado a ser aceptada por el uso culto casi de una manera general. Estas asimilaciones son: (a) *le* dativo por *lo* acusativo de nombre masculino de cosa (**leísmo**), (b) *la* acusativo por *le* dativo de nombres femeninos (**laísmo**), (c) *lo* acusativo por el dativo *le* (**loísmo**). La norma académica condenó el laísmo en 1796, el loísmo en 1874 y ante el leísmo acepta con reservas el de persona y censura como vulgarismo el de cosa. Históricamente, mientras el leísmo aparece pronto y se generaliza para persona desde el siglo XIV, el laísmo no es anterior al mismo siglo XIV.

El fenómeno no tenía pleno desarrollo en tierras castellanas a mediados del siglo XIII cuando Fernando III conquistó Jaén, Córdoba y Sevilla, cuna del español atlántico. Actualmente parecen quedar libres Aragón, Andalucía, Canarias y América, salvo Ecuador, en parte, Paraguay y la

Guayana venezolana. Sin embargo, la lengua literaria, por el prestigio del habla de Madrid, no desconoce estas transgresiones incluso en autores de regiones en que no existen tales asimilaciones.

Con mucho, el fenómeno más importante es el *leísmo* que parece irradiar de Madrid y provincias circunvecinas. Se han señalado como causas la homonimia de *lo* masculino y *lo* neutro y la analogía con la distinción en el sujeto y en el demostrativo:

Masculino	*Femenino*	*Neutro*
el(l**e**)	ell-**a**	ell-**o**
est-**e**	est-**a**	est-**o**
es-**e**	es-**a**	es-**o**
aquel-Ø	aquell-**a**	aquell-**o**
l-**e**	l-**a**	l-**o**

Esto explica que se produzca sólo en masculino y con mayor intensidad en singular que en plural donde no hay la necesidad de distinguir el neutro. Se han señalado otras causas de tipo sintáctico que favorecen la asimilación. Entre ellas se ha señalado la abundante serie de verbos que admiten construcción con acusativo de persona y con acusativo de cosa: *Reñirles a los criados su descuido/Reñirles a los criados por su descuido.* Hay, además, muchos verbos transitivos que se usan como sinóminos de verbos de sentido genérico modificado por un acusativo correspondiente al sentido del primer verbo: *Fatigar a alguien*: *Causar fatiga a alguien* :: *Le fatiga*: *Le causa fatiga.*

El leísmo de cosa tiene menor desarrollo: En el siglo XV conoce un importante incremento. En los siglos clásicos son leístas Santa Teresa, P. Mariana, Cervantes, Lope, Tirso, Quevedo, Calderón, Solís. El influjo de la corte pesa, aunque no se impone, en autores de otras regiones. Se impone el leísmo en el *Dicc. de Autoridades,* aunque no se destierra el *lo* de cosa de Andalucía. El siglo XIX conoce una reacción antileísta y en el XX sólo vallisoletanos y madrileños mantienen el leísmo de cosa. Raros y excepcionales son los casos de leísmo en plural: *les* por *los* y *les* por *las.*

La invasión del *la* acusativo al dativo es posterior al leísmo. A lo largo del siglo XV se advierte mayor frecuencia y en el siguiente, sin sobrepasar proporciones minoritarias, progresa entre escritores del Norte y Centro de Castilla. En escritores madrileños posteriores a Lope y Cervantes, hay una fuerte intensificación. Quevedo es casi exclusivamente laísta y Calderón lo es predominantemente. La censura académica (1796) ha contribuido a restringir notablemente su uso literario.

Por otras razones y fuera del sistema, se produce el uso de *le* por *les* cuando el pronombre es catafórico. Este uso está muy extendido por América y Cuervo [*Apunt.*, 335] lo considera "genial de nuestra lengua". Accidental es también el uso de *le* por *la* y *les* por *las* debido a ultracorrección para huir del laísmo.

Vulgarismos que rara vez llegan al escrito, pero que no son totalmente extraños en el habla de personas de poca cultura por dialectalismo, son la confusión del complemento directo por el indirecto en cuanto al número en la agrupación con *se,* del tipo *se los dije* por *se lo dije,* y la adición de una *-n* de plural tras el pronombre enclítico de verbos con sujeto plural: *irsen* por *irse.*

4.1.4. Lexicalización de los pronombres átonos

El léxico se enriquece con formaciones verbales con pronombres átonos que o aluden vagamente a conceptos no expresados o quedan fosilizados con el verbo con el que forman unidad significativa. El fenómeno es particularmente frecuente en la lengua popular y familiar: *arreglárselas, componérselas, tenérselas con alguien, habérselas con alguien, emprenderla con, correrla, hacérsela a alguien, dormirla, pegársela a alguien* o *contra algo, pagárselas, pasarlo bien/mal, tomarla con, cargársela(s), guardársela, traérselas, guillárselas, envainársela,* etc.

4.1.5. Plurales ficticios

En el uso de los pronombres personales se producen muy característicos y fijos desajustes de forma y significado. De estos desajustes destaca el empleo del plural con valor de singular.

4.1.5.1. *Plural mayestático*

Se daba ya en el latín de la cancillería imperial romana y llega hasta hoy en los escritos de altas jerarquías civiles y eclesiásticas. La forma arcaica *nos* por *yo* se mantiene actualmente en determinados documentos eclesiásticos firmados por obispos, arzobispos y papas. Anteriormente, además, en escritos de reyes y emperadores. La concordancia con el verbo se hace en plural.

4.1.5.2. *Plural de modestia*

También de origen latino que se imita entre nosotros desde el siglo XV. El hablante trata de difuminar su propia personalidad en el anominato de la colectividad.

4.1.5.3. *Plural sociativo*

El hablante trata de hacer partícipe a su interloculor de sus mismas inquietudes e intereses. El castellano coloquial llega a dar sobre ese sentido de participación una cierta intención humorística, amigable en comentarios, saludos (*¿Qué hacemos?*, *¡Qué vida nos pegamos!*, *¡Sí que estamos bien!*)

4.1.5.4. *"Vos" pronombre de tratamiento*

La segunda persona del plural para marcar respeto al dirigirse a una sola persona ha sido registrada en los últimos tiempos del Imperio romano. En este sentido es empleado en el castellano medieval. En el clásico se ha extendido el uso del *vos* en el habla popular al paso que hacen su aparición nuevas formas de respeto (*vuestra merced*). Se emplea entonces como tratamiento entre iguales de mucha confianza o con inferiores y reparte su campo con el *tú*. El uso de *vos*, olvidando *merced*, es ofensivo para quien merece tratamiento de respeto. Por otra parte, el *vos* marca una confianza que el *tú* no muestra. Cuervo cita de una comedia de Tirso este expresivo fragmento en que hablan galán y criado:

> —¿Os haré? ¿Andad? ¿Ya es *vos* / lo que tú hasta agora fue? / Pues, vive Dios, que hubo día / aunque des en vosearme, / que de puro tutearme / me convertí en atutía. / —Gastón, tu estancia es abajo./Vete y despeja. —Eso sí, /tú por tú: *vete* de aquí,/y no *andad* con tono bajo,/ que esto de vos me da pena (*Celos con celos se curan*).

Actualmente, no se usa en la lengua peninsular. Puede encontrarse en textos literarios con intención arcaizante y como la primitiva fórmula de respeto:

Vos comprenderéis que este silencio lo impone un deber de mi estado religioso (Valle-Inclán, *Sonata de Primavera,* 154).

4.1.5.5. *El "voseo"*

En determinadas regiones de América Latina se usa el antiguo *vos* en lugar del *tú* con formas verbales de segunda persona del plural o del singular. La forma complementaria tónica *ti* es igualmente sustituida por *vos* (*vos tenés; vos te ves*). Desde antiguo se ha relacionado el fenómeno con la

* **Sobre el «voseo»**: R. LAPESA, "Las formas verbales de segunda persona y los orígenes del «voseo»", en *CH(3)*, 1970, pp, 519-531; José Pedro RONA, *Geografía y morfología del "voseo"*, Porto Alegre, 1967; J. P. RONA, "El uso del futuro en el *voseo* americano", en *Fil,* VII, 1961, pp. 121-144; Lawrence B. KIDDLE, "Some Social Implications of the *voseo*", en *Modern Language Forum,* XXXVII, 1953; Roberto de SOUZA, "Desinencias verbales correspondientes a la persona *vos/vosotros* en el Cancionero General (Valencia, 1511)", *Fil,* X, 1964, pp. 1-95; Francisco VILLEGAS, "The *voseo* in Costan Rican Spanish", en *H,* XLVI, 1963, pp. 612-617. **Sobre el tratamiento y sus pronombres**: Carlo BOSELLI, "Del *lei*, del *voi*, del *tu* in Italia, in Spagna e nell'America Latina", en *Italia e Spagna,* Florencia, 1941, pp. 348-368; L. FLÓREZ, "*Vos* y la segunda persona verbal en Antioquia", *BICC,* IX, 1953, pp. 280-286; George KROTKOFF, "A possible Arabic ingredient in the history of Spanish *usted*", en *RPh,* XVII, 1963, pp. 328-332; R. LAPESA, "Personas gramaticales y tratamientos en español", en *RUM,* XIX, 1970, pp. 141-168; Humberto LÓPEZ MORALES, "Nuevos datos sobre el *voseo* en Cuba", *EAc,* n.° 4, 1965; H. MEIER, "Die Syntax der Andrede im Portugiesischen", *RF,* LXIII, 1951, pp. 95-124; T. NAVARRO TOMÁS, "Vuesasted>usted", en *RFE,* X, 1923, pp. 310-311; A. NICOLESCU, "Notes sur la structure de l'expression pronominale de la politesse", en *Cahiers de Ling. théorique et appliquée,* I, 1962, pp. 172-183; José PLA CÁRCELES, "Vuestra merced > usted", *RFE,* X, 1923, pp. 402-403; J. PLA CÁRCELES, "La evolución del tratamiento *vuestra merced*", *RFE,* X, 1923, pp. 245-280; Paul PATRICK, "Pronouns of adress in the *Novelas Ejemplares* de Cervantes", *RR,* XV, 1924, pp. 105-120; José Pedro RONA, "El uso del futuro en el *voseo* americano", *Fil,* VII, 1961, pp. 121-144; A. ROSENBLAT, "Fórmulas de tratamiento" en *BDH,* II,

confusión peninsular del siglo XVI entre *tú* y *vos*. Para Cuervo, "como los conquistadores eran en su mayor parte de baja condición", el *vos* se generalizó en América. Actualmente, dos terceras partes lo mantienen con particularidades más o menos acusadas, mientras una tercera que coincide aproximadamente con los virreinatos de Perú y Nueva España (México), centros de expansión de la cultura peninsular, siguen la evolución general de España. Sociológicamente, domina de una manera absoluta en las zonas rústicas y del interior; sin embargo, hay otras zonas, como Argentina, en que se usa en todas las clases sociales.

El voseo es general en Argentina, Uruguay, gran parte del Paraguay, en regiones de América Central y en Chiapas y Tabasco en México. En conflicto con *tú* existe en Chile, sur del Perú, Bolivia, la mayor parte de Ecuador, Colombia, Venezuela, interior de Panamá y un pequeño sector oriental de Cuba. El concepto del *tú* como forma de prestigio se da en todas partes. El voseo ha sido fuertemente atacado por los puristas y desde la escuela. El uso diverso en cada repú-

---

1946, pp. 112-130; D. RESTREPO, "El *tú*, el *vos* y el *usted*", en *Revista Interamericana de Educación* (Bogotá), VII, 1948, pp. 20-35; F. SÁNCHEZ ESCRIBANO y R. K. SPAULDING, "El uso de *ustedes* como sujeto de la segunda persona del plural", *HR*, X, 1942, pp. 165-167; Arthur SAINT-CLAIR SLOAN, "The Pronouns of address in *Don Quijote*", *RR*, XIII, 1922, pp. 65-76; Y. R. SOLÉ, "Correlaciones socio-culturales del uso del *tú/vos* y *usted* en la Argentina, Perú y Puerto Rico", *BICC*, XXV, 1970, pp. 161-195; J. SOLOGUREN, "Fórmulas de tratamiento en el Perú", *NRFH*, VIII, 1954, pp. 241-267; J. SVENNUNG, *Anredeformen. Vergleichende Forschungen zur Anrede in der dritten Person und zum Norminativ für den Vokativ*, Uppsala, Harrassowitz, 1958; Frida WEBER, "Fórmulas de tratamiento en la lengua de Buenos Aires", en *RFH*, III, 1941, pp. 105-139; W. E. WILSON, "Some forms of derogatory address during the golden age", *H*, XXXII, 1949, pp. 297-299; W. E. WILSON, "Zorrilla's use of the familiar and polite forms of address in his *Don Juan Tenorio*", *H*, XII,1929, pp. 367-370; W. E. WILSON, "*El* and *ella* as pronouns of address", *H*, XXIII, 1940, pp. 336-340.

blica, con participaciones distintas de las diversas clases sociales y con localismos peculiares muchas veces, está fuertemente arraigado.

4.1.6. Objetivación del discurso en el tercer campo

Se ha expuesto delante (v. 4.0.2), cómo se emplea el desplazamiento del eje de expresión con diversos propósitos y cómo el paso del segundo eje al tercero sirve para despersonalizar el enfrentamiento directo del hablante con su interlocutor. Como este desplazamiento se producen otros, algunos de los cuales utilizan sustantivos abstractos o concretos de cierta fijeza para designar el actuante.

4.1.6.1. *Sustitutos nominales de "yo"*

Un nombre sustituye convencionalmente al pronombre *yo,* con verbo en tercera persona. Con ello el que habla se anula y objetiva en un campo ajeno al diálogo. Son términos que marcan subordinación, humildad, dependencia respecto al interlocutor como *siervo, servidor*; calificativos en el lenguaje epistolar y en el lenguaje administrativo y jurídico: en las despedidas de las cartas: *su afectísimo amigo, su siervo en el Señor*, etc., o *el que suscribe, el infrascrito,* etc.; en obras literarias y periodismo —el autor, el poeta, el periodista, el viajero, etc.—; expresiones coloquiales que pueden emplearse también para designar al interlocutor: *este cura, el hijo de mi padre, este fraile, mi menda, mi menda lerenda,* etc.

4.1.6.2 *Distanciamiento de la mención directa*

Es muy frecuente el paso al tercer campo de sentido para situar el discurso referido al interlocutor, generalmente para subrayar el respeto, consideración, marcando lingüísticamente un distanciamiento jerárquico. Es también recurso para mostrar desafecto o desprecio, o su contrario, cariño. Así al referirse a los niños, las madres emplean la tercera persona (*¡pobrecito él!*); en la lengua de criados y servidumbre *el señor, la señora, el señorito,* etc., en el de los clientes *el señor doctor, el señor abogado,* etc. Nombres como *Su Majestad, Su Eminencia, Su Ilustrísima,* etc., se han empleado y se emplean con concordancia de tercera persona.

4.1.6.3. "*Usted*"

En el momento en que el uso de *vos* comienza a declinar para confundirse con el *tú*, comienza a usarse este mismo recurso de objetivación con el tratamiento de *vuestra merced*. La doble forma *vuestra merced* y *vuesa merced* darán lugar a fórmulas como *vuesamerced*, *vuesarced*, *usarced*, *vuarced*, *voarced*, *vuced*, *uced*, *océ*, *vuesancé*, *usancé*, *vuested*, *vusted*, hasta llegar a la forma actual *usted*, con carácter de pronombre de respeto. Transformación semejante se producirá en *vuesa señoría* de donde provendrá la forma actual *usía*.

4.2. Los posesivos

La serie de pronombres indiciales de campo que expresan posesión se han reconocido desde antiguo como genitivos de los personales. SFR los llama personales adjetivos [119] por su característica realización como adjetivos frente a los personales que se realizan según hemos visto como sustantivos. Morfológicamente, están estrechamente vinculados a los personales y construidos sobre la misma base: **m**- *mi*; **t**- *tu*(*y*)-; **s**- *suy*-; **nosotr**- *nuestr*-; **vosotr**- *vuestr*-.

Campos inmediatos del discurso (mención directa)

	Antepuesto	*Pospuesto y sustantivado*	
Campo 1	*mi*	*mi-*	+ *-o/-a/-os/-as*
Campo 2	*tu*	*tuy-*	

La noción de posesión por hablante o interlocutor, que con las formas relacionadas morfológicamente con las singulares del pronombre personal expresan **un solo poseedor,** toman en las derivadas del plural la expresión de **varios poseedores**:

Campos inmediatos del discurso (mención directa)

	Antepuesto	*Pospuesto y sustantivado*
Campo 1	*nuestr-*	+ *-o/-a/-os/-as*
Campo 2	*vuestr-*	

Es rara la expresión de la posesión por medio de *de* + pronombre personal en lugar del posesivo, salvo cuando el pronombre personal va determinado por *mismo*: *de mí mismo, de ti mismo*, etc.

El castellano conserva un posesivo de tercera persona derivado del reflexivo, valor que se ha perdido. Frente a otras lenguas, el posesivo de tercera persona cubre la expresión de posesión por un solo poseedor o por varios poseedores y mantiene la misma distribución de formas que en las dos primeras personas:

Campo mediato del discurso (mención indirecta)

	Antepuesto	*Pospuesto y sustantivado*
Campo 3	*su*	*suy* + *-o/-a/-os/-as*

El sistema de los posesivos está constituido así por tres formas monosílabas que se usan siempre delante del nombre y cinco formas bisílabas que se usan pospuestas, sustantivadas por medio del artículo como cualquier adjetivo (*el mío, el tuyo,* etc.). Sólo dos de ellas pueden ir antepuestas (*nuestro* y *vuestro*). En su uso adjetivo, antepuestas al nombre no tienen acento y forman unidad acentual con el nombre, salvo en algunas regiones de Asturias, Santander y en general de León y Castilla la Vieja [Pidal, *Man.*, 95; NT, *Pron.*, 168 *b*].

Formas monosílabas: Está mi aldea a la otra parte del Hebrón (G. Miró, *Figuras de la Pasión,* 11); [...] y por eso tu frente está desrizada con piedad y con dulzura invariable (R. Gómez de la Serna, *El Incongruente,* 113); Don Baltasar encomendó a su hija la delicada tarea de hacer plato a los comensales (Pereda, *La Puchera,* 283); **Formas bisílabas antepuestas:** En la segunda se hallaba ya bien acomodada nuestra amiga (Palacio Valdés, *Marta y María,* 195); [...] acabará por quedarse hoy a comer acá, lo mismo que en los mejores tiempos de vuestros disimulados amores (P. A. Alarcón, *El Escándalo,* 140); **Formas pospuestas**: [...] a propuesta mía, y entre lágrimas y besos, Matilde y yo acordamos separarnos para siempre (P. A. Alarcón, *El Escándalo,* 132); Que la haiga hablao u que no, no es cuenta tuya (Pereda, *La Puchera,* 207); [Los almendros] exhalaban en el mismo contorno suyo un humo verde, fresco, inmóvil (G. Miró, *Años y Leguas,* 16).

4.2.1. Posesivos sustantivados

Los bisílabos posesivos aparecen agrupados con el artículo formando construcciones sustantivas. El artículo concordante es anafórico siempre y alude claramente al sustantivo al que el posesivo determina. El artículo neutro tiene sus habituales valores ya estudiados.

Su mirada se clavó en la mía (Valle-Inclán, *Sonata de Primavera*, 146); Pero al cabo de una semana encontré a Ortiz y me dijo que mi cadena le gustaba más que la suya (Azorín, *Antonio Azorín*, 67); Anteayer estuvimos en tu casa Gregoria, su madre y yo, acompañados de un tapicero a fin de que viese el comedor y procurase en lo posible arreglar el nuestro en la misma forma (P. A. Alarcón, *El Escándalo*, 178).

El artículo del posesivo sustantivado alude, en ciertas construcciones con *ser*, al predicado en que aparece la caracterización:

Mal de risa era el suyo (G. Miró, *Las Cerezas del Cementerio*, 186); ¡Qué moral tan extraña la suya! (Galdós, *Fortunata y Jacinta*, I, 131).

Como en el caso de los nombres adjetivos, puede producirse por la misma naturaleza de la construcción la sustantivación sintáctica del posesivo sin necesidad de artículo:

Nada de lo que poseemos en la tierra podemos llamarlo nuestro; lo disfrutamos con el riesgo constante de perderlo; y a estos bienes tan precarios, tan perecederos, es a lo que llamamos tuyo y mío (L. Fernández de Moratín, *Epistolario*, 292); Lo que tiene nuestro destino de nuestro y de distinto es lo que tiene de parecido con nuestro propio recuerdo (E. Mallea); ¡Yo obtuve de mí mismo abrir las puertas de la alegría de sentirme vuestro [...] (G. Miró, *Las Cerezas del Cementerio*, 78).

Algunas sustantivaciones con *lo* llegan a convertirse en complementaciones de significado con determinados verbos. Tal ocurre con *lo suyo* que toma en ocasiones valor intensivo agrupado con verbos como *dar*, *recibir*, *pegar*, *sacudir*, etc.:

Al dichoso Alejandrino le daré lo suyo, que no es poco (Galdós, *Cánovas*, 151).

4.2.2. Determinativos agrupados con el posesivo

El posesivo antepuesto no puede recibir más determinativo que *todo* (*todos mis libros*). Para Bello [878] el posesivo implica el artículo por lo que no lo admite. El castellano actual sólo lo conserva petrificado en algunas oraciones —*el tu reino, el tu nombre*—. Tal construcción, que conocen el italiano y el portugués y catalán, fue conocida por el castellano medieval y decrece notablemente en la segunda mitad del siglo XVI [Kenist., 19. 33]. Se da dominantemente en textos legales y citas bíblicas. En el castellano literario es uso arcaizante:

[...] y, en este trance de tan devoto acatamiento, reconoce en un familiar a un su antiguo camarada (G. Miró, *Las Cerezas del Cementerio*, 186).

El posesivo monosílabo antepuesto admite la interposición de un adjetivo entre él y el nombre (*tu querido amigo*). Caso particular de este tipo de agrupación lo constituye el adjetivo comparativo que con el posesivo toma valor de superlativo de singularidad (*su mejor amigo*; *su más devoto admirador*).

Cuando el posesivo va pospuesto puede aparecer el nombre sin determinativos o con cualquiera de ellos (*el libro tuyo, algunos libros tuyos*, etc.).

4.2.3. El posesivo en los tratamientos

Los nombres abstractos que sirven de tratamiento (*Majestad, Excelencia, Ilustrísima*, etc.) se emplean con posesivos frecuentemente entendidos como componentes del tratamiento. En enunciados objetivados de tercera persona la forma empleada es la de tercera persona:

> Los pajes de su ilustrísima y las autoridades se holgaban mucho (G. Miró, *Las Cerezas del Cementerio*, 186).

En el diálogo, aparece el plural ficticio *vuestro, vuestra* o rara vez el *tu*. De la misma manera afecta a todo lo referido a la persona designada por el tratamiento:

> ¡No lo dudéis, Reverendo Padre! Vuestras palabras me han hecho sentir algo semejante al terror (Valle-Inclán, *Sonata de Primavera*, 155).

De manera particular, con los grados del Ejército se emplea el posesivo *mi* tanto en la expresión de tercer campo como en los vocativos: *Mi general, mi sargento.*

4.2.4. El posesivo con adverbios prepositivos

El posesivo pospuesto alterna con los personales con *de* para determinar los sustantivos adverbializados con preposición:

> **en torno**: —Sé lo que digo —exclamó atrayendo en torno suyo mucha gente (Galdós, *Juan Martín, el Empecinado*, 140); **en contra**: Todo el protomedicato revoluciona en contra de mí (Valle-Inclán, *Viva mi dueño*, 210); Usted, señora, cree sin duda mucho de lo que por ahí se dice en contra nuestra (Á. Ganivet, *Los Trabajos del infatigable creador Pío Cid*, I, 243).

Tal posibilidad se propaga a los adverbios prepositivos algunos de los cuales son de formación nominal. Los gramáticos condenan dicha construcción; sin embargo, aparece muy generalizada en la lengua coloquial tanto en la península como en Latinoamérica. Con *encima, arriba* y otros adverbios terminados en *-a,* cuando el término de la relación es femenino admiten el posesivo en femenino (*encima mía, delante mía,* etc.), fórmulas que sólo se encuentran en el habla muy descuidada.

> **detrás**: Estaba justamente detrás tuyo (J. Goytisolo, *Duelo en el Paraíso,* 77).

4.2.5. Posesivo en las enumeraciones

En descripciones y enumeraciones de los componentes de un todo, el posesivo monosílabo puede resultar pleonástico. Se emplea entonces con intención expresiva muy variada en la lengua coloquial y literaria. Al recalcar la relación de los miembros enumerados con el todo a que pertenecen, se subrayan matices múltiples de ternura, ironía, etc. SFR ha caracterizado esta construcción como derivación del valor distributivo del pronombre.

> Paolo, amigo antiguo de la familia, con su melenita y bigotes a lo galo, canosos; con su cara tirante, aniñada, alegre; con sus ineludibles botas de montar (R. Pérez de Ayala, *Los Trabajos de Urbano y Simona,* 24); Dios te dé los ácidos gástricos que necesitas para tus pimientos en vinagre, tus sardinas, tus huevos duros, tus callos y tu tarángana frita (L. Fernández de Moratín, *Epistolario,* 242).

4.2.6. Otros valores del posesivo

Según se ha visto, el posesivo expresa la relación de posesión o pertenencia. No obstante, por sus coincidencias con los determinativos prepositivos con *de,* llega a expresar otros tipos de relaciones tales como valor subjetivo u objetivo (*su asesinato*) y otros, especialmente con nombres de acción.

4.3. Los demostrativos

Los demostrativos están constituidos por una serie muy trabada y funcionan como sustantivos con acento (*éste, ése, aquél*, etc.) o como adjetivos antepuestos o pospuestos al sustantivo al que determinan (*esa casa/la casa esa*). En función adjetiva son palabras tónicas que no forman habitualmente unidad acentual con el sustantivo con el que se agrupan (v. 2.8.1.2.). Tienen forma neutra en *-o* que impone concordancia masculina y singular (*eso es bueno*). Los demostrativos neutros son solamente sustantivos.

Sitúan, como sustantivos, el sustantivo al que aluden o, como adjetivos, al sustantivo que acompañan en relación con los tres campos referenciales como pertenecientes a la primera persona (**este**, etc.), a la segunda (**ese**, etc.), o a la tercera (**aquel**, etc.).

Demostrativos

		Masc. sing.	*Fem. sing.*	*Masc. pl.*	*Fem. pl.*	*Neutro*
Campo 1	*est-*	**-e**				
Campo 2	*es-*		**-a**	**-os**	**-as**	**-o**
Campo 3	*aquell-*	-Ø				

La gradación situacional de los demostrativos está fijada desde muy antiguo en castellano. Al esquema descriptivo básico de tres campos (I) se añade la posibilidad de varias reestructuraciones gracias a las cuales, con extraordinaria economía de medios, el castellano enriquece notablemente su repertorio señalativo. Se consigue expresar así la actitud mental ante lo aludido, el interés o desinterés con que se encara, etc.

El hablante en cualquier momento puede reducir el triple campo del discurso a dos solamente, fundiendo en uno los que corresponden a hablante e interlocutor. (II): Con los pronombres de primera persona se cubrirá el campo inmediato de la mención directa. Con ello quedan dos series de pronombres —de segunda y tercera— para señalar lo ajeno a los dos hablantes. El de segunda persona será empleado para dicho fin y el de tercera persona servirá para designar lo alejado más allá del momento actual de la palabra en el tiempo [Bello, 257].

> —Mire usted: *aquella* señora lleva un palmo de tacón en medio del pie.
>
> —¡Qué barbaridad!
>
> —De *esa* manera tienen que ir con el cuerpo inclinado hacia adelante y con *esa* alteración del centro de gravedad parece que las vísceras de *estas* damas se estropean (P. Baroja, *La Ciudad de la Niebla*, 92).

Los personajes barojianos pasean por Hyde Park haciendo comentarios sobre las gentes que ven. El hablante, Roche, ha podido elegir entre los tres demostrativos de que dispone para situar a la señora sobre quien quiere llevar la atención de su acompañante. La elección de *aquella* con su escueta fuerza demarcativa y situacional se justifica por la ordenación básica (I) en tres campos. La señora está situada fuera de la mención directa y próxima.

Su interlocutora se da por enterada en cuanto sabe a qué señora se refiere. Roche reordena la estructura de campos. Desde ahora sólo habrá el campo ocupado por los dialogantes y el campo de lo que queda fuera. De las dos series —esa/aquella— que puede utilizar echa mano de *esa*. Podemos imaginar que más adelante, pasado el tiempo, puedan recordar a esta extraña señora como "*aquella señora* de Hyde

Park". La señora como motivo de conversación se incorpora tan estrechamente al diálogo que pasa a formar parte del campo referencial de primera persona: las vísceras de *estas* damas se estropean.

Un tercer tipo de estructuración (III) se basa en el I cuando el campo referencial está constituido por el propio discurso. El hablante distribuye a su conveniencia los campos. Un campo inmediato será cubierto por *este/ese* y un campo mediato por *aquel* [Bello, 260]. En el diálogo las referencias al discurso del interlocutor se cubrirán por la serie de *ese*. En esta ordenación el neutro alude a un conjunto enumerativo o a toda una frase, o bien a una situación que se deduce del contexto.

> **Neutro**: Al decir esto se le quebraba la voz (Unamuno, *Tres Novelas ejemplares*, 37); [...] y se fueron a acostar. Esto mismo hicieron Jacinta y su marido (Galdós, *Fortunata y Jacinta*, I, 228); Aquello venía a demostrar más que nada que él era un incongruente (R. Gómez de la Serna, *El Incongruente*, 19); **Heteroanáfora**: Cuénteme usted eso (P. A. Alarcón, *El Escándalo*, 84); Estoy enterado, ¡perfectamente enterado de eso! (Pereda, *La Puchera*, 203); Ya te he dicho, Juan, que no hables de eso [...], que no vuelvas a hablar de eso (Unamuno, *Tres Novelas ejemplares*, 38).

El neutro *eso* de la heteroanáfora en su calidad de sustituto de una oración o un complejo expresivo de cierta extensión, facilita extraordinariamente la economía de la comunicación y llega con facilidad a clisés como *eso sí, eso no, eso sí que no, en esto, en eso, y eso, por eso*, etc.

> Hay que armarse a veces de mucho aguante, eso sí, [...] (Pereda, *Peñas Arriba*, 85); Buen amigo, buen cumplidor de sus deberes, eso sí, y muy docto en latines de todas

clases (*id.*, 79); ¡No; eso no! Iré de levita (Pérez Lugín, *La Casa de la Troya,* 50); En eso, el rumor de una carreta sacó a varios de su holganza (House, *El Último Perro,* 180); En esto entró Inés en la cocina (Pereda, *La Puchera,* 47); Ella es tremenda; sabe cómo se llaman las hermanas de Venancia, los hijos que tienen, con quién están emparentadas y eso [...] (Zunzunegui, *Ramón,* 158).

4.3.1. Demostrativo con otros determinativos

Como el posesivo, el demostrativo se desplaza detrás del nombre cuando éste lleva artículo [Bello, 878]. Se le posponen *mismo, solo* y *otro* y se le antepone *todo* que actúan con él de coadjuntos del nombre al que acompañan o como adjuntos del demostrativo sustantivo. Es arcaica su agrupación con el posesivo (*esta su casa*).

Y estos mismos penetrarán mañana en este riguroso y cristiano gineceo (G. Miró, *Las Cerezas del Cementerio,* 94); Pero esta otra es insoportable (P. Baroja, *César o Nada,* 240); A Simona, le interesaba y atraía todo aquello, por su novedad pintoresca (R. Pérez de Ayala, *Los Trabajos de Urbano y Simona,* 79).

4.3.2. El demostrativo y el artículo

El artículo, especialmente en función primaria, cubre necesidades muy semejantes a las del demostrativo y con frecuencia concurre con él. De hecho, la capacidad determinadora del artículo se apoya en la situación y en las circunstancias en que se produce el acto verbal. Orienta hacia un determinado tipo o clase de objeto; pero aun en el caso en que individualiza el objeto nombrado, carece de la fuerza discriminante y puntualizadora que el demostrativo tiene y desconoce la capacidad de situar en relación a los campos referenciales. El artículo parece preferirse cuando se dirige la atención hacia algo o alguien ya consabido; el demostrativo, se emplea, en cambio, cuando se necesita orientar al interlocutor hacia la identificación del objeto.

El demostrativo en construcciones clasificatorias añade siempre mayor número de matices, frente al artículo que simplemente sitúa dentro de la clase:

> Eran de estas de mantón pardo, delantal azul, buena bota y pañuelo a la cabeza (Galdós, *Fortunata y Jacinta*, I, 102); [...] era uno de esos tipos que se dan más que en ninguna parte en los países dominados por la democracia política (P. Baroja, *La Ciudad de la Niebla*, 117); [...] pero hay que quitar [...] para adquirir un modesto instrumental, uno de aquellos "surtidos" que venden en el bazar de Fiofío (Pérez Lugín, *La Casa de la Troya*, 181); Aquello de que Miguel hubiese pagado siendo él quien le invitara, parecíale el colmo de la humillación (Palacio Valdés, *Riverita*, 155); [...] aquello de las *porras* le salía de la boca sin que él mismo se diera cuenta de ello (Galdós, *Zaragoza*, 15); Eso de *La Época* y sus ecos de sociedad le viene del presidente del Consejo de Naviera Durango (Zunzunegui, *Ramón*, 158).

4.3.3. Otros valores de los demostrativos

Sobre el valor demostrativo de estos pronombres se dan claras matizaciones de sentido:

(a) La serie de primera persona subraya y aproxima el sustantivo al que alude o al sustantivo que acompaña en diversos tipos de frase:

> ¡Terrible invención, positivamente, ésta de la anestesia (J. Camba, *Sobre casi todo*, 119); ¿Y eran éstas las gentes

por quienes había suspirado tantos desesperados días en Santiago? (Pérez Lugín, *La Casa de la Troya,* 159); ¿Verdad que en este Madrid hace demasiado calor? (R. Pérez de Ayala, *Belarmino y Apolonio,* 18).

(b) Forzando retóricamente la mención catafórica se consigue dar relieve al discurso. De hecho el hablante anticipa con el demostrativo lo que puede introducir en la frase por medio de otro recurso.

Pues la solución es ésta. Yo me caso con la señora Rinaldi y nos vamos a América (P. Baroja, *La Ciudad de la Niebla,* 110); [...] pues su gran descubrimiento era ése: que el cinematógrafo padece una atrofia de lo azul [...] (R. Gómez de la Serna, *El Incongruente,* 193).

(c) Los demostrativos *este* y *ese* toman valor despectivo cuando van pospuestos al nombre como adjuntos:

No me vuelve a ver el pelo el señorito ese (Pardo Bazán, *Insolación,* 64).

(d) La serie de demostrativos de tercera persona, según se ha dicho, sirve para evocar el pasado en frases en pasado. Cuando va pospuesto se aproxima a la mostración de los adverbios y así en la evocación irónica coincide con la locución de origen árabe *de marras*:

Al llegar a Robacío, vi que me esperaba en la branuca contigua a la portalada de marras toda la familia de la casona aquella (Pereda, *Peñas Arriba,* 195); Marcones, desde el estallido de marras, era para Inés un escopetón cargado de metralla hasta la boca (Pereda, *La Puchera,* 329). ¿Se acuerda usted de aquel don Cleto, el viejecito? (P. Baroja, *El Árbol de la Ciencia,* 249); María Rosario, siempre ruborosa, repuso con aquella serena dulzura que era como un aroma [...] (Valle-Inclán, *Sonata de Primavera,* 99).

4.3.4. El demostrativo "otro"

Fuera del sistema referencial, la lengua dispone de otro demostrativo que sirve para diferenciar y separar el sustantivo al que acompaña en función adjetiva o al que alude, en función sustantiva, de otro u otros de su misma categoría y clase pero de diferente calidad. El enunciado "*Otro hombre no haría eso*", sugiere dos clases de hombres con cualidades y capacidades de conducta distintas.

Sobre la base *otr-*, que se encuentra también en los personales plurales de primera y segunda persona (*nos-otros, vos-otros*), forma las marcas de género y número como los adjetivos de cuatro terminaciones: género *-o/-a*, número *Ø/-s*. Como tantos pronombres, actúa en la frase como adjunto (*otro hombre*), como sustantivo aludiendo a un nombre y con o sin artículo (*vino otro*; *el otro*). Puede ir como adjunto del artículo neutro (*lo otro*) con los mismos valores alusivos ya conocidos del artículo neutro.

4.3.4.1. "*Otro*" *agrupado*

Otro se agrupa con demostrativos, cuantitativos y numerales. Cuando va pospuesto, construcción que admite con todos menos con los numerales, *más, cuanto* y *poco*, parece actuar como adjunto y, en algunos casos, llega a formar unidad de sentido: *algunos otros, ningún otro, este otro, ese otro, aquel otro, muchos otros, cualquier otro, tantos otros, tal otro, todo otro*. Como verdadero componente en unidad con el determinativo que le precede, parece aportar la idea de diferenciación y distinción cualitativa que le es propia. En la lengua clásica llegan a fundirse: *esotro, estotro,* etc.

Todavía es más problemática cualquier conclusión cuando va antepuesto. Se ha querido ver función primaria en *otro más, otro cualquiera, otros cuantos.* Son en definitiva adjuntos con los numerales (*otros dos*) y de difícil decisión *otro poco, otros muchos, otros tantos, otro tal.*

4.3.4.2. *"Otro" de sucesión y adición*

Supuesto el valor básico diferenciador del demostrativo "otro", desarrolla un muy característico sentido de sucesión o adición en enumeraciones en que se reitera la misma realidad. Desaparece el sentido de oposición y diferencia para marcar la aparición de un nuevo elemento de la misma categoría:

> Y suena una campanada larga, y después suena otra campanada breve, y después suena otra campanada larga (Azorín, *Antonio Azorín*, 147).

4.3.4.3. *Contraposición y distribución*

Aparece *otro* en frases distributivas coordinadas en grupos asociados por copulación o disyunción, en asociación sustitutiva con *sino*, etc. Se contrapone a *uno*(*s*) y a los demostrativos con los que puede formar serie (*estos...esos...aquellos...los otros*):

> **este/otro**: Otros podrán no ser simpáticos, pero éste lo es (Azorín, *Antonio Azorín*, 154); **algunos/otros**: En algunas casas no le dan nada [...] pero en otras sí que le dan algo (*íd.*, 154). **Ø/otro**: En aquel entonces era cuando estaban aquí los primeros franceses, no los del año 23, sino los otros (P. A. Alarcón, *Historietas Nacionales*, 79); **uno/otro**: Se hallaban dos viejos militares retirados, comandante el uno y coronel el otro (*íd.*, 87); Se están haciendo dos grandes edificios: uno es la Aduana y el otro, la Lonja (L. Fernández de Moratín, *Epistolario*, 21).

En la última contraposición, Bello [1.172] recomienda el uso con artículo (*el uno/el otro*) cuando se trata de dos miembros. En cambio, cuando se da una serie, domina el uso sin artículo que aparece necesariamente ante el último miembro (*uno/otro/otro/el otro*).

4.3.4.4. *Agrupación con "día"*

La agrupación de *otro* con *día* toma diversos sentidos según el artículo y las preposiciones con que se emplee. *Otro día* es "un día distinto del de hoy o del que se ha hablado". En el castellano clásico, sin embargo, con o sin preposición significa 'el día siguiente':

> En saliendo al camino real, se puso en busca del Toboso, y otro día llegó a la venta donde le había sucedido la desgracia de la manta (Cervantes, *Quijote*, I, 26).

El otro día y *desde el otro día*, es 'cierto día ya pasado':

> Escribióme el Duque mi señor el otro día dándome aviso que habían entrado en esta ínsula ciertas espías para matarme (Cervantes, *Quijote*, II, 51).

De manera semejante, *a*, *para* o *hasta el otro día* significan 'al día siguiente':

> Sois tan amigos de manjar blanco y de albondiguillas que, si nos sobran, las guardáis en el seno para el otro día (Cervantes, *Quijote*, II, 62).

4.4. Los locativos

Los tres campos referenciales aparecen nombrados en la lengua por una serie de palabras que sintácticamente funcionan como término terciario referidos a la totalidad del enunciado en que aparecen, semánticamente expresan circunstancia y formalmente no seleccionan morfemas concordantes.

A la gradación con la que se nombra cada uno de los campos referenciales, expresada fundamentalmente por la serie **aquí/acá**, **ahí**, **allí/allá**, cabe añadir la estructuración del campo temporal que sirve de apoyo de fondo de todas las menciones en que el discurso se sitúa en el tiempo. Los campos temporales se constituyen: (a) por una sucesión que toma como centro el momento de la palabra al que se oponen dos campos uno anterior y otro posterior. El centro corresponde al día de la acción —**hoy**—, las situaciones anteriores serán nombradas por **anteayer** y **ayer**, y las posteriores por **mañana** y **pasado mañana**; (b) se toma como centro e momento de la palabra, puntualmente, por medio del adverbio **ahora**, al que se opone el adverbio **entonces** como la situación que no corresponde al *ahora,* tanto en el pasado como en el futuro; (c) una última, y ya casi abandonada sistematización, opone **hogaño** a **antaño**, como el presente amplio al pasado remoto.

A la serie de locativos en el espacio hay que añadir *acullá,* que se contrapone a otros lugares ya mencionados extendiendo la serie fundamental [Bello, 381] y *aquende* (del lado de acá), *allende* (del lado de allá), prácticamente inusitados actualmente.

> **acá**: Pero ven acá, infame [...] (Á. Ganivet, *Los Trabajos del infatigable creador Pío Cid*, I, 67); Acá y allá, verdes y rojas, anchas sombrillas estivales para el sibaritismo de la tertulia (S. González Anaya, *Luna de plata*, 343); **aquí**: Me han dejado volver aquí (R. F. de la Reguera, *Héroes de Filipinas*, 207); **ahí**: [...] el papel, aunque era grande, se concluyó también al llegar ahí (Á. Ganivet, *Los Trabajos del infatigable creador Pío Cid,* I, 176); **allí**:

Mi tío, el viejo Isizar, fue el que me llevó allí (P. Baroja, *Las Inquietudes de Shanti Andía*, 151); **allá**: Allá iban, calle adelante, un hombre y un adolescente (R. Pérez de Ayala, *Luna de miel, Luna de hiel*, 104); **allende**: Fácil es imaginarse la estupefacción de Fabián al verse recibido en tal casa por aquel mancebo a quien suponía allende los mares (P. A. Alarcón, *El Escándalo*, 280); **anoche**: Anoche les dije a los centinelas que no les dispararan (R. F. de la Reguera, *Héroes de Filipinas*, 227); **antaño**: Por lo poco que se necesitó para que antaño me olvidaras (G. Martínez Sierra, *Tú eres la Paz*, 176); **anteayer**: Nos lo hemos fumado anteayer (Pérez Lugín, *La Casa de la Troya*, 51); **ayer**: [...] ayer parece que hubo una sangrienta batalla hacia Oventejo (Galdós, *Juan Martín, el Empecinado*, 127); **hogaño**: En aquel tiempo yo leía lo que Gracián escribiera para todos los tiempos, y aun mejor para los de hogaño (G. Miró, *El Humo dormido*, 39); **hoy**: La propiedad, [...], es la expresión de la fuerza que domina hoy con no menor suavidad que la de las armas (Á. Ganivet, *Los Trabajos del infatigable creador Pío Cid*, I, 169); **mañana**: Vive pues hoy sin reservarte para mañana, que tu valor te será recompensado (*id.*, 171); **ahora:** Sí, hace calor. Ahora es el verano (García Hortelano, *Nuevas Amistades*, 94); **entonces**: Entonces dio comienzo a una segunda jeremiada (Á. Ganivet, *Los Trabajos del infatigable creador Pío Cid*, I, 68).

4.4.1. Locativos como incremento del nombre

Todos los adverbios locativos vivos en la lengua, pueden utilizarse como complemento prepositivo con *de* de un sustantivo al que sitúan en el espacio o en el tiempo. Los adverbios *aquí* y *allá/allí* concurren o pueden concurrir con los demostrativos correspondientes: *La casa de allí* → *Aquella casa.*

Yo le aseguro que esta poesía de hoy, aunque tiene poco carácter español, es preferible a la primera (Á. Ganivet, *Los Trabajos del infatigable creador Pío Cid*, I, 227); [...] y tienes ancho campo para conspirar con los Riegos de hogaño por la Constitución del 12 (Galdós, *Mendizábal*, 282); [...] acordándose de su abatimiento de la pasada noche lo que de las nubes de antaño, bajó a la estancia de la Cruz (G. Miró, *Las Cerezas del Cementerio*, 180); [...] este alcalde de ahora no es bueno (Á. Ganivet, *Los Trabajos del infatigable creador Pío Cid*, I, 64); En la guerra, la crueldad de hoy es la clemencia de mañana (Valle-Inclán, *Los Cruzados de la Causa*, 25).

4.4.2. Otros usos prepositivos

Como elementos autónomos, admiten todas las preposiciones. En el caso del uso de *a* se suele sentir como fundida la preposición ante los adverbios que comienzan por *a-*. El uso, sin embargo, vacila y tiende a restablecerla según usos particulares:

a: [...] el antisemitismo le ha dado a la nariz humana una importancia que no había tenido jamás entre nosotros, desde los Reyes católicos a acá (J. Camba, *Sobre casi nada*, 30); **de**: [...] se largó de allá dando un portazo furibundo (Pereda, *La Puchera*, 429); **de por**: [...] estoy deseando saber cuándo vuelve del Nuevo Mundo a este viejo, trayéndonos las novedades de por allá (Unamuno, *San Manuel Bueno, mártir*, 61); **desde**: —Desde allí —decían los oficiales— nos acribillarán sin que podamos hacerles, prácticamente, ningún daño (R. F. de la Reguera, *Héroes de Filipinas*, 227); **hacia**: ¡Hacia allá —murmuré— parece que hay un espacio libre! (Pardo Bazán, *Insolación*, 55); **hasta**: Ruidos diversos llegaban hasta allí desde el centro de la tarde soleada (García Hortelano,

Nuevas Amistades, 101); **por**: ¿[...] se llamaba don Laureano Castro y tenía por allí un pozo? (Pérez Lugín, *La Casa de la Troya*, 165).

4.4.3. Locativos agrupados

El locativo puede ser puntualizado y modificado por otro adverbio o locución prepositiva con la que se expresa el sentido preciso con el que ha sido empleado. Así, *allá* puede utilizarse para expresar tiempo (*Allá en los tiempos de Maricastaña*). El adverbio *más* se utiliza para graduar la situación dentro del campo de referencia del locativo (*más allá*).

mismo: [...] allí mismo sobre la mesa extendió la partida de defunción del muerto (P. Baroja, *Las Inquietudes de Shanti Andía*, 182); **adverbios prepositivos**: [...] temen acaso que allí arriba le pidan cuenta de sus acciones de aquí abajo (P. A. Alarcón, *El Escándalo*, 27); Vivía en la finca de ahí enfrente, con una tía suya (J. Goytisolo, *Duelo en el Paraíso*, 33); Todos los alrededores de la Ópera [...] estaban impresionados y novelescos por el baile que se celebraba allí dentro (R. Gómez de la Serna, *El Incongruente*, 48); ¿Hay por aquí cerca alguna casa decente [...]? (Pérez Lugín, *La Casa de la Troya*, 165); Mañana por la mañana he de zarpar para Buenos Aires (P. Baroja, *Las Inquietudes de Shanti Andía*, 193); A ti te tocará esta tarde o mañana temprano (Galdós, *Juan Martín, el Empecinado*, 168); Bien, pues ya os estáis largando ahora mismo aprisa y corriendo (J. Goytisolo, *Señas de Identidad*, 136); Hoy por hoy, con la escasa guarnición que tenemos, no sería imposible ni mucho menos el sorprenderla (A. Palacio Valdés, *Marta y María*, 190); Los de Cures no seremos rebeldes y de hoy más caminaremos por la vuelta (Valle-Inclán, *Cara de Plata*, 48); De hoy más vuelvo a mi inflexible línea de conducta (E. Pardo Bazán, *Insolación,* 70); ¿Cuántos fracs podrían movilizarse hoy día en Madrid? (J. Camba, *Sobre casi nada,* 43); Ya ayer noche he estado oyendo tiros y más tiros (Juan Ramón Jiménez, *Platero y Yo,* 164).

4.4.4. Otros valores significativos de los locativos

Los adverbios *aquí* y *ahí* como el antiguo *ende,* pueden servir para expresar metafóricamente, en relación con el razonamiento, el argumento o hecho del que se puede deducir una consecuencia. *Ahí* se usa para la mención dentro del campo sintáctico producido por el interlocutor y *aquí* para la alusión al propio campo sintáctico producido por el hablante.

De aquí la conveniencia del silencio pitagórico (Á. Ganivet, *Los Trabajos del infatigable creador Pío Cid,* I, 174).

Por su parte, los adverbios *aquí* y *acá,* de la mención del primer campo, pueden emplearse en la lengua hablada para nombrar a la persona que ocupa el campo referencial del hablante, tanto para él mismo como para quien le acompaña o está en su proximidad. Para evitar anfibologías una aposición clarifica el sentido. Se emplea en la lengua hablada de cierto desgarro:

Y aquí, mi cuñada, le dirá a usted que no exagero (J. Benavente, *Señora Ama,* 102); —Resultó que estando aquí la señora... —La señora no ha estado aquí nunca. —Si aquí es azjetivo, cabayero. —Ah! —Estando, coma, aquí la señora, coma, con aquí el amigo y un servidor, en el café del Briyante [...] (Hermanos Álvarez Quintero, *Los Galeotes,* 256); Luego como el mes pasado perdió *aquí* (este aquí era don José) un billete de cuatrocientos reales, el encargado de las obras se lo va cobrando, descontándole de las primas que le tocan (Galdós, *Fortunata y Jacinta*, I, 295).

4.4.5. Fórmulas fijas

Son frecuentes las fórmulas casi lexicalizadas por su uso especialmente con locativos como *aquí*, *allá*, etc.:

de acá para allá: [...] vi que varios soldados marchaban de acá para allá (Galdós, *Juan Martín, el Empecinado*, 252); **allá** + *pronombre personal*: ¿Que no quieren ustedes lucirse por más tiempo? Allá ustedes (J. Camba, *Sobre casi todo*, 80); ¡Ay!, eso... allá tú (Pérez Lugín, *La Casa de la Troya*, 166); **ahí es nada**: ¡Ahí es nada! ¿Creerse que va a dejar pasar eso de inmiscuirse? (Galdós, *Fortunata y Jacinta*, I, 34).

4.5. Los cuantitativos *

Aparte los tradicionalmente llamados **numerales** que determinan la realidad evocada por referencia al concepto de número, en el sistema léxico de la lengua existe un repertorio cerrado de palabras que pueden aparecer en el discurso

* M. Arrive, "Encore les indéfinis (À propos d'un article récent)", *Le Français Moderne*, XXXIII, 1965, pp. 97-108 [sobre Greimas]; Dwight L. Bolinger, "Neuter *todo*, substantive", *H*, XXVIII, 1945, pp. 78-80; Ch. B. Brown, "The disappearance of the indefinite *hombre* from spanish", *Can*, VII, 1931, pp. 265-277; Willy Etzrodt, *Die Syntex der unbestimmten Fürtwörter "personne" and "même"*, Gotinga, 1909; H. Frei, *Interrogatif et Indéfini*, París, P. Geuthner, 1940; E. Gessner, "Das spanische indefinite Pronomen", en *ZRPh*, XIX, 1895, pp. 153-169; A. J. Greimas, "Analyse du contenu. Comment définir les indéfinis (Essai de description sémantique)", en *Études de linguistique appliquée*, 1963, pp. 110-125; J. Wallach, "*Alguno*, a disguised negative", *H*, XXXII, 1949, pp. 330-331.

en función sustantiva (primaria), adjetiva (secundaria) o adverbial (terciaria) aludiendo a una realidad (*Bastantes lo vieron*), referidos a un sustantivo (*Bastantes hombres lo vieron*) o referidos a un adjetivo, un verbo o un adverbio (*Bastante bueno*; *Bastante bien*; *Trabaja bastante*) que expresan cantidad (*Mucho pan*), número (*Muchos panes*) o intensidad (*Trabaja mucho*) de manera imprecisa e inconcreta.

Este triple aspecto de determinación de la realidad tiene como centro semántico el concepto que expresa la palabra *todo* de la que parten los **gradativos** *mucho, poco, bastante, demasiado, harto* y los **existenciales** *alguien, nadie, alguno, ninguno, algo, nada*. Un último grupo lo constituyen los **intensivos** *más, menos* y *tan*(*to*).

Morfológicamente, están constituidos todos ellos por una base léxica que acepta morfemas categorizadores de género y número (*mucho, mucha, muchos, muchas*; *bastante, bastantes*), morfemas que pueden neutralizar, en su función adverbial sus categorizadores en masculino singular, salvo *más, menos, algo* y *nada*.

4.5.1. Los gradativos

Expresan, como se ha dicho, la gradación de cantidad, número o intensidad con que se toma una determinada realidad. (a) Como término primario o sustantivo —llamados pronombres indefinidos tradicionalmente— actúan en plural aludiendo a realidades seriables, y entonces expresan número, o a realidades no seriables, y entonces expresan cantidad; (b) como adjetivos o términos secundarios de un sustantivo solos o agrupados expresan, igualmente, número o cantidad; (c) como términos terciarios o adverbios referidos a un verbo, un adjetivo u otro adverbio inmovilizando su terminación en masculino y singular expresan intensidad. Todos ellos tienen cuatro terminaciones que marcan las cuatro concordancias con los mismos morfemas de género y número de los nombres, salvo *bastante* que conoce las dos concordancias masculina y femenina y se presenta en dos formas, singular y plural. *Mucho* en su función adverbial conoce la variante combinatoria *muy*.

mucho: Da paseos él por el campo y está muchos ratos leyendo (Azorín, *El Licenciado Vidriera*, 47); Pero lo esencial es que Leopoldo vale mucho (García Hortelano, *Nuevas Amistades*, 67); ¿Vienes mucho por aquí? (C. Laforet, *Nada*, 157); Se levantó mucho antes de que llegara la pareja de la guardia civil (A. Carranque de Ríos, *Uno*, 94); **poco**: Ya sabes que yo me contento con poco (Á. Ganivet, *Los Trabajos del infatigable creador Pío Cid*, 265); Ésta era lista y avispada como pocas (P. Baroja, *Zalacaín, el Aventurero*, 150); Hoy ha entrado bastante tropa y no pocos heridos (Galdós, *Juan Martín, el Empecinado*, 127); Importaba poco que me hablara de algo divertido o triste: él se reía sin cesar (R. F. de la Reguera, *Héroes de Filipinas*, 204); A los ocho días le devolvieron su trabajo rechazándolo con el pretexto de encontrarlo poco esmerado (P. Baroja, *La Ciudad de la Niebla*, 134); Poco después de media noche la nieve comenzó a cesar (P. Baroja, *Zalacaín, el Aventurero*, 104); **bastante**: [...] le contó llorando sus desdichas, que serían bastantes a quebrantar las peñas (Galdós, *Misericordia*, 246); [...] mis bravos franceses tomaron soleta con precipitación. Bastantes, sin embargo, quedaron tendidos (Galdós, *Zaragoza*, 43); Después de dejarse allí bastante dinero, tiraron para otro lado (Galdós, *Fortunata y Jacinta*, I, 398); [...] yo he trabajado bastante en mi vida (Á. Ganivet, *Los Trabajos del infatigable creador Pío Cid*, 169); **demasiado**: Sí, para nosotros tres será demasiado amplia (M. Andújar, *Vísperas*, 429); Aquel flirteo demasiado cercano y tan cómico daba miedo cómo podría acabar (R. Gómez de la Serna, *El Incongruente*, 97); Casi siempre andaba demasiado (P. Baroja, *César o Nada*, 243); **harto**: Estaba ya harto de las conversaciones de don Calixto y de su señora (P. Baroja, *César o Nada*, 243); Harto sabía él que lo de la fiebre o delirio de la *carnerada* no era fábula (J. Valera, *Genio y Figura*, 126); Mi cabeza es demasiado grande y harto pesada para uno solo (Galdós, *Juan Martín, el Empecinado*, 193).

En el castellano actual, salvo por influjo dialectal en algunas zonas, se usa sistemáticamente *muy* en lugar de *mucho* ante adjetivos, adverbios y expresiones de tipo circunstancial. En cuanto la expresión desplaza el modificativo de delante de la palabra modificada recupera su forma íntegra [Bello, 378]. Se emplea *muy*, además, delante de los posesivos (*muy mío*), el demostrativo indefinido (*muy otro*) y delante de nombres con valor predicativo (*muy hombre*). Por otra parte, se emplea *mucho* como modificativo de los comparativos de adjetivos y adverbios (*mucho mejor*, *mucho más*, *mucho más trabajador*) [Bello, 1.023]. Ante *mayor* puede aparecer *muy* cuando toma valor sustantivo para designar persona de edad. Se mantiene ante *inferior* y *superior*.

Cuando estas palabras tienen valor sustantivo y van en singular, aluden como el neutro a acciones, enumeraciones anteriormente expresadas, etc. Como tal sustantivo pueden ser antecedentes de un relativo:

Mas los dioses asiáticos tienen muy poco que ver con los de Occidente (Ortega y Gasset, *En torno a Galileo*, 139); [...] tengo ciertos planes en el magín que me dan mucho que hacer (Pereda, *Peñas Arriba*, 26); —No lo tema, madre —contesté—, pues tengo harto que hacer aquí (Unamuno, *San Manuel Bueno, mártir*, 64).

Muchos en función sustantiva puede agruparse con *otros* (*muchos otros*). Los demás y el mismo *muchos* se agrupan con un complemento con *de* que designa el todo (*muchos de ellos*; *bastantes de ellos*). Frente a todos los del grupo, *poco* admite mayor número de agrupaciones. Conoce la determinación mediante demostrativos (*este poco, ese poco, otro poco*), con los exclamativos *qué* y *cuán* (*cuán poco, qué poco*) y con el indefinido *un* (*un poco*).

Esta última agrupación es muy característica y sirve para singularizar y separar una parte ínfima de un todo. Si el hablante quiere señalar la intensidad de una acción, *un poco* le sirve en función adverbial para expresar intensidad insuficiente frente a *mucho*. En otro caso, de manera absoluta, expresa el tiempo dedicado a tal acción. Frente al uso de *poco* que se reduce a expresar lo que no es suficiente por su cantidad, intensidad o número, se emplea *un poco* como cuantificación absoluta del número, cantidad o intensidad. "De una manera general, puede decirse que *poco* es un concepto contrario a *mucho*, *un poco* (= algo) lo es de *nada*" [SFR, p. 448]. Así en función adverbial se dice de alguien que "come poco" porque no come todo lo que se considera suficiente para su conservación; en cambio, se dice que "come un poco" cuando se cuantifica su comer sin atender a si lo comido es o no suficiente.

> Mari Cruz y Eulalia traen un poco de aplaciente y sosegada diversión a su tiempo (Zunzunegui, *Ramón*, 156); Los soldados oscilaban un poco (R. F. de la Reguera, *Héroes de Filipinas*, 217); Deme usted un poco de vino (P. Baroja, *César o Nada*, 238).

En función sustantiva puede concordar con su antecedente, aunque hay una marcada tendencia a inmovilizar el género y el número en masculino y singular:

Como ahora ya sé a lo que sabe la carne de buey, volveré esta noche para tomarme una poca (J. Camba, *La Casa de Lúculo,* 77).

Todos ellos conocen la sustantivación por medio de *lo* neutro. La sustantivación de *bastante* puede funcionar con valor adverbial además:

[...] de la desgracia pude sacar lo bastante para que se realice lo que ella me pidió (M. Andújar, *Vísperas,* 429); [...] conmigo intimó lo bastante para darme consejos y orientarme en la vida de Londres (P. Baroja, *La Ciudad de la Niebla,* 23); [...] el intelecto cristiano no había podido hacerse por sí mismo lo bastante vigoroso para poder luchar con la maravilla de la mejor inteligencia de Grecia (Ortega y Gasset, *En torno a Galileo,* 127); [...] ganaba poco y lo poco y cobrado con retraso, se lo tenía que gastar en trajes (Á. Ganivet, *Los Trabajos del infatigable creador Pío Cid,* 264).

4.5.2. "Todo"

Constituye la clave del subsistema doble de los cuantitativos indefinidos. Conoce las cuatro formas concordadas que marca con los morfemas nominales de género y número (*todo, toda, todos, todas*) y una forma inmovilizada en masculino singular con valor neutro (*todo*). Sintácticamente se presenta como sustantivo —tradicionalmente llamado pronombre indefinido de cantidad— en las formas concordadas y la forma neutra y como adjetivo agrupado con artículo o posesivo a los que precede o sin ningún otro determinativo, delante o detrás del sustantivo al que se refiere. No conoce el uso adverbial que aparece como resultado del influjo de otras lenguas y no es enteramente raro, aunque sí excepcional, en el uso descuidado de la lengua coloquial.

En su función adjetiva expresa cantidad (*todo el aceite*) o número (*todos los libros*) y su uso con artículo es dominante sobre el uso sin él. Sin artículo puede expresar en singular generalización con nombres de clase, especie, o género (*toda argumentación es inútil*). Esta generalización tiene un sentido clasificador y distributivo y puede, en determinados contextos que habría que fijar, marcar la igualdad de oportunidades de cada uno de estos tipos posibles de sustancia. Concurre con *cualquiera* y con la construcción *todo tipo* (*especie, clase,* etc.) *de*. En algunos casos, con verbos que expresan renuncia y separación [SFR, p. 437, n. 1], expresa la extensión mínima, límite mínimo o ejemplar mínimo (*aborrezco todo grito*).

función sustantiva de los concordados: Todos, sumisos o a regañadientes, le secundaron (M. Andújar, *Vísperas*, 398); **adjetivo clasificador**: Toda moneda acuñada por el Estado, [...], es buena (J. Camba, *Sobre casi todo*, 77); [...] en el primer acto había sentido que, en el misterio de un alma, todo hombre es justo y bueno (R. Pérez de Ayala, *Troteras y Danzaderas*, 108); [...] cuando pasemos del *Ventorrillo*, donde se acaba todo miedo de ladrones, nos adelantaremos un poco (P. A. Alarcón, *El Niño de la Bola*, 31); La Ignacia y Martín, por consejo del médico, obligaron al viejo a que suprimiese toda bebida, fuese vino o licor (P. Baroja, *Zalacaín, el Aventurero*, 68); **adjetivo con nombre sin artículo**: [...] había cundido por todo Pilares la voz de que se correría la gran juerga el día del estreno (R. Pérez de Ayala, *Belarmino y Apolonio*, 114); **adjetivo con posesivo**: [...] se esfuerzan en lucir todas sus habilidades de centauros (R. Gallegos, *Doña Bárbara*, 179); **adjetivo con artículo**: Haremos todo lo posible (Zunzunegui, *Ramón*, 159); [...] todo el mundo iba al teatro y a los toros tan tranquilo (P. Baroja, *El Árbol de la Ciencia*, 231); Despi-

> dióse de ellas el futuro modelo con toda la urbanidad que en él era posible (Galdós, *Fortunata y Jacinta,* I, 387); **sustantivo neutro**: La cuestión es que todo vaya como hasta ahora (García Hortelano, *Nuevas Amistades,* 109); Ya me casaré, yo creo que hay tiempo para todo (C. J. Cela, *La Colmena,* 135); A todo dijo Martín que sí (P. Baroja, *Zalacaín, el Aventurero,* 70); [...] la ciencia marcha adelante arrollándolo todo (P. Baroja, *El Árbol de la Ciencia,* 158); En los animados corrillos, todo era risas, chacota, correr de aquí para allá (Galdós, *Misericordia,* 238).

El determinativo *todo* no se suele agrupar con numerales en función primaria. Como adjunto, sin embargo, se agrupa con los pronombres personales y demostrativos (*todos ellos, todos éstos*) y como coadjunto con adjetivos demostrativos y posesivos (*todos estos libros*; *todos mis libros*). Con sustantivaciones con artículo, *todo* actúa como adjunto del artículo que toma valor primario (*todo lo bueno*; *todos los otros*). El relativo que puede aparecer tendrá como antecedente al artículo (*todo lo que*). Igualmente puede agruparse con el relativo *cuanto.*

> **todo cuanto**: La sangre india, sin embargo, se sublevaba furiosa contra todo cuanto había en él de español (J. Valera, *Genio y Figura,* 66); **todo lo que**: Olvide todo lo que haya podido leer (García Hortelano, *Nuevas Amistades,* 152); No, ¡si estamos conformes! Sería imposible que no lo estuviéramos en todo lo que se refiere a la matemática y a la lógica (P. Baroja, *El Árbol de la Ciencia,* 159); **con pronombre personal**: De todos ellos, sin embargo, acaso los peores sean esos que usan una barba muy blanca (J. Camba, *Sobre casi todo,* 131); Todos ellos tienen una común cualidad: su honor (García Hortelano, *Nuevas Amistades,* 103); **con demostrativo**: Todo esto creyó Antonio que sería suficiente para que se alejara el secre-

tario (A. Carranque de Ríos, *Uno*, 89); Había en todo aquello algo ensayado para infundir terror (P. Baroja, *Zalacaín, el Aventurero*, 117); **coadjunto**: Sí, a mí todas estas cosas me gustan mucho (C. J. Cela, *La Colmena*, 225); **con artículo término primario**: Todo lo suyo era del muchacho (Blasco Ibáñez, *Cañas y Barro*, 30); Por eso no se puede entender rigurosamente una época si no se entienden todas las demás (Ortega y Gasset, *En torno a Galileo*, 134).

Toma valor intensivo cuando se emplea con nombres abstractos de cualidad, estado y actos psíquicos (*con toda elegancia*). El mismo valor aparece en las agrupaciones *todo lo más, todo lo bastante, todo lo bueno*, etc., y con adverbios y locuciones autónomas (*todo alrededor, en todo lo alto, por todo lo alto*, etc.). Aunque los gramáticos han condenado la agrupación *todo a lo largo* como galicismo, ésta se mantiene en la lengua:

Es un salón cuadrado, muy espacioso, con barandilla en lo alto para las mujeres, una multitud de lamparitas de cristal todo alrededor, otras en medio (L. Fernández de Moratín, *Epistolario*, 32); De aquí a una hora, todo lo más, lárgate si quieres (M. Andújar, *Vísperas*, 261): [...] permanecían cuidadosos todo a lo largo de la noche de que sus bufandas blancas continuaran exactamente colocadas [...] (L. Martín Santos, *Tiempo de Silencio*, 79); [...] los pavos de la *escalerilla* no están todo lo bien cebados que debíamos suponer (Galdós, *Fortunata y Jacinta*, I, 397).

Como recurso enfático, *todo*, como término secundario concordado con un nombre antecedente —que puede aparecer reproducido por un pronombre personal— puede ir seguido o precedido de un adjetivo, un sustantivo o un complemento prepositivo. En este caso, *todo* toma un claro valor intensivo y, en algunos casos, se hace sinónimo de *com-*

pletamente con el que concurre. Lo afirmado por el adjetivo, sustantivo o prepositivo es presentado así en toda su plenitud. El sustantivo puede ir tipificado por el indefinido *un* (*todo un señor*). Suele aparecer como aposición de un nombre, como atributo o como predicativo:

> **con pronombre personal**: [...] era el mismo que conocimos [...]; en su cara, la propia confusión extraña de lo militar y lo eclesiástico [...], la calva más despoblada y más limpia y todo él craso, resbaladizo y repulsivo (Galdós, *Torquemada en la Hoguera*, 15); **como aposición**: El cuerpo de Venus se destaca sobre un cielo azul, todo lleno de estrellas (C. J. Cela, *La Colmena*, 224); Judas humillóse ante el caballo del romano y todo temeroso [...] balbució (G. Miró, *Figuras de la Pasión*, 16); La chiquilla, pelos toda, pinta en la pared con cisco, alegorías obscenas (Juan Ramón Jiménez, *Platero y Yo*, 87); Tenía una belleza agridulce y encendida, toda incentivo, de fresa silvestre (R. Pérez de Ayala, *El Curandero de su Honra*, 20); **como atributo**: Dios podrá perdonarme porque es todo misericordia (J. Valera, *Genio y Figura*, 96); [...] su alma era toda balas (Galdós, *Zaragoza*, 14); **como predicativo**: [...] nos encontramos atascada, una vieja carretilla, perdida toda bajo su carga de hierba y de naranjas (Juan Ramón Jiménez, *Platero y Yo*, 97); Iba a la iglesia, grave, silenciosa, vestida toda de negro, con basquiña y mantilla (J. Valera, *Doña Luz*, 24); **elemento prepositivo**: [...] cuando él lo mande será Jerusalén toda de oro (G. Miró, *Figuras de la Pasión*, 19); Se envolvía toda en una sábana (Juan Ramón Jiménez, *Platero y Yo*, 51).

Puede aparecer el neutro cuando se hace referencia a un antecedente plural y bien diversificado:

> Estos desdichados alemanes, rubios, todo barbas y melenas, con grandes anteojos (P. Baroja, *La Ciudad de la Niebla*, 137).

El paso a la adverbialización se da cuando *todo* se convierte en modificativo del adjetivo. Bello [376, nota], considera galicismo la adverbialización del siguiente ejemplo de Jovellanos: "*Se redujo el espectáculo a chocarrerías y danzas todo profanas*". Sin embargo, es usual la agrupación *todo entero* y semejantes.

4.5.3. Fórmulas fijas

Se dan en el discurso usos de estos cuantitativos que alcanzan cierta fijeza y que pueden ser considerados como locuciones o fórmulas expresivas de diversa intención. En la mayor parte de casos se trata de elementos autónomos que desempeñan una función circunstancial o sirven de comentario de lo enunciado o de transición de un enunciado a otro. Con *poco* y *mucho* se dan fórmulas como las siguientes:

> **poco a poco**: Manila recuperó poco a poco la confianza (R. F. de la Reguera, *Héroes de Filipinas*, 202); **ni poco ni mucho**: [...] y, sobre todo, la circunstancia de no temer ni poco ni mucho al valentón llamado el Niño de la Bola [...] (P. A. Alarcón, *El Niño de la Bola*, 186); **a poco**: A Gerardo pareciόle que, a poco de comenzar la serenata, movíanse las cortinas de la galería (Pérez Lugín, *La Casa de la Troya*, 82); **con mucho**: [...] y el triunfo de mi señor primo con ella superará con mucho al que le ha hecho lograr la bailarina griega (G. Martínez Sierra, *Tú eres la Paz*, 81); **en poco**: [...] los ministros de Hacienda tendrían que garantizar para nuestra prole una vida que fuese, aunque en poco, superior a la nuestra (J. Camba, *Sobre casi nada*, 38); **por poco**: Después, cuando vino la guerra, por poco lo fusilan (C. J. Cela, *Molino de Viento*, 35).

Con *todo* las fórmulas son muy abundantes. En unos casos se trata de sustantivaciones, en la mayor parte de aprovechamientos de las posibilidades significativas de *todo* como neutro o como adjetivo:

sustantivación: Hay que cortar esto por lo sano y jugar el todo por el todo: o tú o yo (Palacio Valdés, *Riverita*, 152); **todo uno**: Comenzar Valentín el estudio de las matemáticas de Instituto y revelar de golpe toda la grandeza de su numen aritmético, fue todo uno (Galdós, *Torquemada en la Hoguera*, 18); **de todas formas**: De todas formas, siento que se marche usted (A. Carranque de Ríos, *Uno*, 89); **después de todo**: después de todo, [...], Roosevelt no decía ninguna cosa extraordinaria (J. Camba, *Sobre casi todo*, 80); **en toda regla**: Ella lo arreglará, y se hará un documento en toda regla (Galdós, *Fortunata y Jacinta*, I, 409); **por todos (los) lados**: Por todos lados se veían las obras de Guíxols (C. Laforet, *Nada*, 160); **a toda(s) hora(s)**: Y este rebote del futuro al pretérito acontece en el hombre a toda hora, lo mismo en lo grande que en lo trivial (Ortega y Gasset, *En torno a Galileo*, 133); **en todas partes**: En todas partes no se hablaba más que de la posibilidad del éxito o del fracaso (P. Baroja, *El Árbol de la Ciencia*, 230); **a todas partes**: A todas partes le escoltaba alegre y sumiso, aturdido y radiante, el pollo Castuera (M. Andújar, *Vísperas*, 260); **del todo** (= completamente): Estos Borgias tienen su historia, no del todo bien conocida (P. Baroja, *César o Nada*, 162); [...] la noche había cerrado del todo (Pardo Bazán, *Insolación*, (60); **ante todo**: Yo, ante todo, prefiero la espontaneidad (A. Carranque de Ríos, *Uno*, 90); **a todo esto**: A todo esto, el hombre a caballo se venía encima (P. A. Alarcón, *El Niño de la Bola*, 27); **con todo**: Con todo, aquella noche soñó con Carmiña (Pérez Lugín, *La Casa de la Troya*, 105); **sobre todo**: Y sobre todo, no decepcionarse con los fracasos (C. J. Cela, *La Colmena*, 212); **en todo**: En eso y en todo, completamente a sus órdenes, Padre Verdín (Valle-Inclán, *Viva mi dueño*, 344); **a todo trapo** (*meter*, *pastilla*, *pasto*, etc.): Los que desde el corredor le oían, reíanse a todo trapo (Galdós, *Fortunata y Jacinta*, I, 324); Había alborotos, manifestaciones en las calles, música patriótica a todo pasto (P. Baroja, *El Árbol de la Ciencia*, 229); **así y todo**: Así y todo, no acrecenté al heredado de mi padre (Pereda, *Peñas Arriba*, 31); **allí y todo**: Allí y todo continuaban mis ilusiones marítimas dándome guerra (Pardo Bazán, *Insolación*, 55); **y todo**: Citaba a cada paso unos versos desesperados del Dante, en italiano y todo (Pérez Lugín, *La Casa de la Troya*, 235).

4.5.4. Los existenciales

Constituyen un sistema muy coherente por su lexema, sus usos y sus significados. SFR propuso el nombre de indefinidos de existencialidad [187] al subrayar en estas palabras el problematismo que plantean "acerca de la existencia de un objeto o de una serie de objetos más o menos conocidos o consabidos". Introducen en el discurso lo que no existe —serie negativa— o lo que existe y o no tiene nombre o se desconoce o no se quiere nombrar. Los miembros del sistema se reparten el campo de mención sobre la oposición seriables/no seriables, a la que corresponden los sustantivos **alguien/algo** respectivamente, y **alguno** que cubre los dos campos y además admite la doble función sustantiva y adjetiva. La serie negativa consta de los mismos elementos: **nadie/nada** y, con doble función, **ninguno**. En su uso, la serie negativa, cuando se emplea pospuesta al verbo, exige la presencia de un elemento negativo delante (*nadie lo ha visto/no lo ha visto nadie*).

4.5.4.1. *"Alguien/nadie"*

Aparecen en las mismas funciones que el sustantivo:

Figúrese usted si entra alguien (J. Díaz, *La Venus mecánica*, 108); En la primera trinchera no hay nadie (R. J. Sender, *Imán*, 93); No se lo digas a nadie (Pérez Lugín, *La Casa de la Troya*, 84); [...] necesitaba descargar en alguien su dolor (P. Baroja, *El Árbol de la Ciencia*, 261); Estaba en medio del salón sin decidirse por nadie (R. Gómez de la Serna, *El Incongruente*, 48).

No admiten plural y no se combinan ni con artículo ni con otros pronombres. Pueden recibir la complementación de adjetivos o de proposiciones de relativo.

4.5.4.2. *"Alguno/ninguno"*

Funcionan como sustantivos (*he traído algunos/no ha traído ninguno*) con referencia a personas o a cosas, y como adjetivo (*algunos libros/ningún libro*) antepuesto o pospuesto. Como adjetivo antepuesto se apocopa ante sustantivos masculinos y singulares (*ningún libro/algún cuchillo*).

Como sustantivo realiza la mención destacando uno o varios de los componentes de un conjunto o eliminando la posibilidad de cualquiera de dichos componentes. Puede llevar complemento con *de* que introduce el conjunto de donde destaca el/los componentes. Igualmente puede llevar complementación adjetiva:

con adjetivo: La plaza estaba llena de cadáveres, la mayor parte franceses, algunos españoles (Galdós, *Juan Martín, el Empecinado*, 103); **con complemento con "de"**: Era una fecha memorable y ninguno de ellos, exceptuando a Esteban, entendería la razón de su presencia

(M. Andújar, *Vísperas*, 415); Algunos de ellos habían pasado a nado a las islas inmediatas (Blasco Ibáñez, *Cañas y Barro*, 12); [...] algunos de mis inventos podrían proporcionarme dinero en abundancia (Á. Ganivet, *Los Trabajos del infatigable creador Pío Cid*, 246); **sin modificativos**: Algunos los habían dejado ya (los fusiles) con puntería hecha (R. J. Sender, *Imán*, 95); Ninguno los había visto (Valle-Inclán, *Viva mi dueño*, 33).

Como adjetivo se emplea antepuesto. Cuando va pospuesto y en relación con otra palabra negativa, alternan *alguno* y *ninguno*:

antepuesto: Por lo que he referido sé que el Empecinado no permitió ningún descanso a los que acabábamos de llegar (Galdós, *Juan Martín, el Empecinado*, 147); Gustavo, sorprendido, pues no se acordaba de ninguna Socorro, buscó de nuevo la dirección del telegrama (R. Gómez de la Serna, *El Incongruente*, 87); Si viene algún viajero, tiraré el cigarro (J. Díaz, *La Venus mecánica*, 108); **pospuesto con sentido negativo**: Come, sin mirar a parte ninguna (Valle-Inclán, *Viva mi dueño*, 341); [...] me iría a dormir sin temor alguno (J. Camba, *Sobre casi todo*, 76); Destrozada nuestra derecha y no pudiendo desarrollarse por aquel lado táctica alguna, [...], retrocedió con violencia (Galdós, *Juan Martín, el Empecinado*, 154); [...] si sobreviene la muerte, esta muerte real y definitiva no supone novedad alguna [...] (J. Camba, *Sobre casi todo*, 117); No hay comodidades ningunas (J. Camba, *Sobre casi nada*, 43).

Se producen fórmulas de encarecimiento para el número reducido o mínimo de objetos: *de ninguna manera*, *en modo alguno* (= de ningún modo) y la secuencia *alguno* (sustantivo) *que otro*:

[...] y eso que era muy poco dado a estruendos de ninguna especie (Pereda, *La Puchera*, 59); ¿Qué se pretende con esto? ¿Que el automatismo matemático decida con su característica estupidez y abstracción de la realidad histórica? En modo alguno (Ortega y Gasset, *En torno a Galileo*, 65); De ninguna manera ha querido costearme la edición de la novela (C. Laforet, *Nada*, 162); [...] se veía alguna que otra cabaña de moros salvajes y desharrapados (P. Baroja, *Las Inquietudes de Shanti Andía*, 248); También residen algún que otro poeta, con fama, no crea, y un arquitecto (García Hortelano, *Nuevas Amistades*, 103); [...] se reunían gitanillos maleantes, alguno que otro lisiado de mala estampa, y dos o tres viejas desharrapadas y furibundas (Galdós, *Misericordia*, 265).

4.5.4.3. "*Algo/nada*"

Tienen ambos valor neutro y funcionan como sustantivos sirviendo como "mención provisional o hipotética, o dirigida a una realidad compleja y de conceptuación difícil o que no se conoce enteramente" [SFR, 188] en el caso de *algo*, o como mención de lo no existente o negación de lo que equivocadamente se considera existente. Puede aparecer solo o agrupado con *más/menos* o un adjetivo. En este segundo caso la secuencia es ambigua en cuanto *algo* puede tomar valor cuantitativo (*algo bueno*; *un poco bueno/objeto bueno*). La misma ambigüedad aparece cuando va a continuación del verbo como su objeto directo o como modificativo adverbial:

sustantivo: ¿Cómo quiere usted divertirse si no pone nada de su parte? (C. J. Cela, *La Colmena*, 211); No tengo cabeza para nada (J. Camba, *Sobre casi nada*, 33); Nada le parecía mal (P. Baroja, *El Laberinto de las Sirenas*); ¡Compañero! Aquí ha pasado algo (R. J. Sender, *Imán*,

94); **seguido de relativo**: Yo no tengo nada que ver con vuestras tontas historias de colegialas (C. Laforet, *Nada*, 156); Pues que tu chica y yo no tenemos nada que echarnos en cara (C. J. Cela, *La Colmena*, 215); [...] cogió un vaso y se sirvió algo que resultó ser "whiskey" (García Hortelano, *Nuevas Amistades*, 144); **seguido de adjetivo**: Aquel orden parecía algo absurdo y extraordinario contrastando con la agitación exterior (P. Baroja, *Zalacaín, el Aventurero*, 108); Aún podrás oír algo bueno (García Hortelano, *Nuevas Amistades*, 104); También hice mal, ¿no es verdad? Si este clérigo no puede hacer nada bueno (Galdós, *Juan Martín, el Empecinado*, 101); Y consigue algo más positivo, apelarán a las dilaciones, al papeleo (M. Andújar, *Vísperas*, 416); El pobre Antón de Munda, muy práctico en diversos artes, mas nada especulativo, se declaraba inepto (R. Pérez de Ayala, *Luna de miel, Luna de hiel*, 165); Parecerá esto algo contradictorio (Pereda, *La Puchera*, 325); Al anochecer salieron al pueblo todos algo borrachos (P. Baroja, *Zalacaín, el Aventurero*, 169); Sólo hay dos presos. Un muchacho que ha matado a su novia y un señor que está algo loco (A. Carranque de Ríos, *Uno*, 95); **adverbio**: Sí, algo nos retardamos (Valle-Inclán, *Los Cruzados de la Causa*, 126); ¿[...] a ver si me emociono algo? (J. Camba, *Sobre casi todo*, 85); En general, sin embargo, el paisaje no oscilaba nada (*id.*, 86).

Con valor sustantivo puede ir seguido de un complemento introducido por *de*, y constituido por un adjetivo concordado o inmovilizado en masculino singular (*Mercedes tiene algo de bueno/buena*) o por un sustantivo:

Ya no hay nada de títeres ni de monas (Galdós, *Juan Martín, el Empecinado*, 105); A la máquina se le había contagiado algo de la tozuda lentitud de los bueyes (R. Gómez de la Serna, *El Incongruente*, 62); Madrid no tenía ya nada de típico (J. Camba, *Sobre casi todo*, 76); Hay en la vida de estas ciudades viejas algo de plácido y arcaico. (Azorín, *Antonio Azorín*, 149).

4.5.5. Intensivos

Un grupo de cierta coherencia lo constituyen las palabras *más*, *menos* y *tanto/tan*. Se relacionan con los gradativos —*mucho*, *poco*, etc.— en cuanto si éstos representan la gradación absoluta respecto a una totalidad, los intensivos al intensificar adjetivos, adverbios, verbos o la realidad aludida lo hacen por comparación —gradación comparativa— con otra realidad en la que se da la misma cualidad, acción, etcétera. Esta comparación puede aparecer implícita, explícita o servir como simple recurso de encarecimiento —*intensificación ponderativa*—: *El mayor es más alto*; *El mayor es más alto que el pequeño*; *¡Es tan alto!*

Coinciden con todos los cuantitativos en su conducta sintáctica porque (a) aluden a una realidad ya expresada (anáfora) o que se expresa a continuación (catáfora) por la intensidad de su cantidad o número: *había muchos problemas, pero se crearon más*; *los más de los visitantes estaban cansados*; (b) intensifican o ponderan la cualidad, cantidad o número de un adjetivo, un verbo o un adverbio: *lee más*; *más aburrido*; *más meticulosamente*; (c) funcionan como sustantivos —pronombre indefinido en la terminología tradicional—, como adjetivos o como adverbios.

Morfológicamente son invariables para todos sus usos *más* y *menos*; *tanto* tiene formas concordantes en función adjetiva y sustantiva con los mismos morfemas de género y número que los nombres: *tanto*, *tanta*, *tantos*, *tantas*. *Tan*, variante combinatoria, queda invariable.

4.5.5.1. *Con nombre sustantivo*

Con el nombre sustantivo expresan la superioridad o inferioridad respecto al número cuando se trata de nombres seriables, la cantidad cuando se trata de nombres de sustancia o la intensidad con nombres de cualidad, acción, etc. Se emplean antepuestos al nombre; pero cuando éste va precedido del indefinido *unos* o de los cardinales se posponen obligatoriamente:

> A los tres días era de los pocos presos que se reenganchaban pidiendo más rancho (A. Carranque de Ríos, *Uno*, 106); El señor Arizmendi le dijo que no hiciera más preguntas impertinentes (P. Baroja, *Zalacaín, el Aventurero*, 129); Tal era la historia de Joshé Cracasch que contó Dantchari el Estudiante con algunos latinajos más [...] (*id.*, 134); Por unas pesetas menos no te arruinas (M. Andújar, *Vísperas*, 396).

Se fija en el léxico la agrupación *punto más* y *punto menos* con indefinido para fijar grado o sin él. Este esquema puede arrastrar la construcción comparativa con *que*:

> Así, punto más, punto menos, hubiese redactado su declaración la dama [...] (Pardo Bazán, *Insolación*, 64); [...] resplandecerán como seres punto menos que divinos (J. Valera, *Genio y Figura*, 156).

Como expresión de los signos aritméticos (*dos más cuatro*; *cuatro menos dos*) y sólo con *menos* para la expresión de la hora (*seis menos cuarto*), los intensivos han sido considerados como preposiciones apoyándose, entre otras razones, en la disminución de fuerza del acento. *Menos* con el significado de *salvo* puede agruparse con el nombre sustantivo o con proposiciones de tipo sustantivo:

Eran las seis menos cuarto de la madrugada (R. F. de la Reguera, *Héroes de Filipinas,* 187); Nosotros lo teníamos todo [...], menos leña (P. A. Alarcón, *Historietas Nacionales,* 154).

4.5.5.2. *Los intensivos agrupados*

Con los indefinidos se agrupan en secuencias en las que frecuentemente resulta difícil distinguir cuál sea el elemento primario de los dos. Son siempre secundarios cuando se agrupan con *otro* y con el posesivo tienen claro valor de palabra sustantivada:

sustantivación: Hay sus más y sus menos (R. Pérez de Ayala, *Troteras y Danzaderas,* 133); Doña Engracia, la señora de don Fabián, el secretario, tuvo un día sus más y sus menos con doña Pepita (C. J. Cela, *Molino de Viento,* 25); **algo**: Pero se puede hacer por esa mujer caída algo más que redimirla por el amor [...] (Á. Ganivet, *Los Trabajos del infatigable creador Pío Cid,* 176); **nada**: [...] fue a parar nada menos que a Suecia (P. A. Alarcón, *Historietas Nacionales,* 87); **mucho**: Anda, pues como éste ya tienen muchos aquí y muchos más en otros sitios (Castillo-Puche, *Paralelo 40,* 17); [...] ya no estaba en el cenit ni mucho menos (Pardo Bazán, *Insolación,* 51); **poco**: Cucharón se pasó la lengua por el labio; a poco más se lame el lupus (C. J. Cela, *Molino de Viento,* 57); Los madrileños de entonces creían de buena fe que salir a la Dehesa de la Villa, [...] era salir a veranear o poco menos (Díaz Cañabate, *Historia de una Taberna,* 104); ¿A qué hora irás poco más o menos? (C. J. Cela, *La Colmena,* 129); [...] se compró una fábrica de fideos, un artefacto que era, sobre poco más o menos, como una máquina de coser (C. J. Cela, *Molino de Viento,* 34); A lo largo de dos años el saludo fue haciéndose un poco más expresivo (R. J. Sender, *Réquiem para un Campesino español*, 58).

Se agrupan también en secuencias características con los relativos *cuanto* (*cuanto más*) y *cuando*:

[...] espero que se quedará usté aquí unos días, cuando menos una semanita (R. Pérez de Ayala, *Luna de miel, Luna de hiel*, 129); ¿Quiere usted saber en qué punto de la tierra he hecho ese hallazgo, cuando menos le esperaba? (Pereda, *La Puchera*, 425).

Con artículo concordado toman valor sustantivo referido a personas o cosas. Con artículo neutro pueden tener el mismo valor sustantivado y admitir adjetivo o, lo más frecuente, tomar carácter adverbial en fórmulas independientes con preposición o sin ella. Queda aparte la construcción con la amalgama *al*, que toma el mismo carácter adverbial:

sustantivación con artículo concordado: [...] pero las mejores de éste son las más (Pereda, *Peñas Arriba*, 85); Eran las seis en punto, las seis y tres minutos según unos, las seis y cinco bien contadas según los más (Castillo-Puche, *Paralelo 40*, 13); El tío Paloma pasaba las más de las noches fuera de la barraca (Blasco Ibáñez, *Cañas y Barro*, 131); **sustantivación con "lo"**: [...] y mi deseo es hablar lo menos posible de este asunto (Á. Ganivet, *Los Trabajos del infatigable creador Pío Cid*, 121); **adverbializaciones**: **al menos**: ¡Que al menos Luis no se humillara, que no suplicase! (M. Andújar, *Vísperas*, 424); **lo más/menos**: No, lo más que haría sería encerrarla en el cuarto oscuro (P. Baroja, *César o Nada*, 250); Lo menos hay dos toneladas de casquillos en el suelo (R. J. Sender, *Imán*, 94); **todo lo más**: Nuestra niña a mecerse en la mecedora o todo lo más a cargársela a cualquiera de esos miserables (L. Martín Santos, *Tiempo* *de Silencio*, 79); **a lo más/menos**: ¡A lo menos no es cierto, [...]! (P. A. Alarcón, *El Escándalo*, 24); Seis meses a lo más (*id.*, 163); **por lo menos**: Por lo menos que Petrilla arme ruido con el almirez (Hermanos Álvarez Quintero, *El Patio*, 119).

El artículo tiene claro valor primario con el relativo *que* seguido de *más* y de *menos*. Forma una secuencia fija con la que se significa valor aproximado por exceso o por defecto de lo que se dice:

Hoy día, la que más y la que menos hace lo que puede (C. J. Cela, *La Colmena*, 211); En mi tiempo era otra cosa; las chicas estaban sanas. Ahora, la que más y la que menos huele a perros (P. Baroja, *Zalacaín, el Aventurero*, 171).

4.5.5.3. *Con adjetivos y adverbios*

Con carácter adverbial, los intensivos determinan la intensidad del adjetivo o del adverbio, generalmente anteponiéndose. En ambos casos hay una comparación implícita o explícita, salvo cuando son utilizados para encarecer o ponderar el contenido del adjetivo o adverbio. Algunos adverbios (*mucho*, *todavía*, etc.) con los que aparecen los intensivos, pueden modificarlos:

con adjetivos: En la torre, el cimbal más pequeño volteaba (R. J. Sender, *Réquiem para un Campesino español*, 61); ¡Oh! ¡Qué hombre más imposible es usted! (P. Baroja, *El Árbol de la Ciencia*, 247); **con adverbios**: Y más tarde volvió a repetirse también una pregunta inquietante (R. F. de la Reguera, *Héroes de Filipinas*, 210); Comprendo, no me guió la fortuna. Pero insistiré más adelante (M. Andújar, *Vísperas*, 339); [...] pero a mí me asustan todavía más las consecuencias (R. F. de la Reguera, *Héroes de Filipinas*, 203).

4.5.5.4. *Intensivos sin adjunto*

Aparecen en relación semántica con el verbo (a) con valor pronominal o adverbial según el significado del verbo, (b) como elemento autónomo de la frase con carácter generalmente pronominal introducido por preposición y (c) como cabeza o núcleo de un grupo con valor sintáctico determinado en la frase a la que se une por medio de la preposición *de*.

Referido al verbo (*pronombre*): Nosotros, mal o bien, vamos saliendo. Yo no pido más (C. J. Cela, *La Colmena*, 175); **referido al verbo** (*adverbio*): Esta desolación colmaba de poesía y espiritualizaba aún más el recinto (C. Laforet, *Nada*, 159); **como elemento oracional**: Es más, creo que fue Juan quien lo asustó (García Hortelano, *Nuevas Amistades*, 116); Lo llevó hacia el ascensor sin esperar a más (Castillo-Puche, *Paralelo 40*, 75); Eso creo. A menos que se hayan escondido también (J. Goytisolo, *Duelo en el Paraíso*, 31); [...] y no estaría de más que le pusiera también una chapita en el ombligo (Á. Ganivet, *Los Trabajos del infatigable creador Pío Cid*, 58); Pues yo lo estimo en más que a don Bartolomé (*id*, 122); [...] confesemos que no es para menos el caso (G. Martínez Sierra, *Tú eres la Paz*, 166); Luego, de pronto, [...] vino, sin más y ya sin respiro ni pausa, el diluvio (Ortega y Gasset, *En torno a Galileo*, 143).

Pueden formar unidad de sentido con el verbo en casos como *echar de menos*, *hacer de menos*, *estar de menos/más*, *no poder menos de*, y otros casos:

Ocurrieron casos extraordinarios que no pudieron menos de cautivar su atención poderosamente (J. Valera, *Genio y Figura*, 153).

4.5.5.5. *El segundo término de la comparación*

Cuando el segundo término de la comparación está expreso, aparecen dos fórmulas: (a) el segundo término es introducido por *que*, o (b) el segundo término es introducido por *de*. La solución (a) es la más frecuente (v. 8.1.3.1). La fórmula (b) "se emplea cuando con el término de la comparación se realiza una estimación numérica o no, sobre el término comparado" [SFR, 81]. El segundo término, cuando no hay estimación numérica, está constituido por una proposición de relativo con *lo* o artículo concordado, o por un adjetivo o participio con *lo*:

> La contestación de don Platón Peribáñez tardaba más de lo prometido (P. Baroja, *César o Nada,* 248).

Cuando hay estimación numérica o de medida con un sustantivo, ocasional o no, si es afirmativa, el segundo término es el elemento oracional valorado por el intensivo:

> Más de un pez gordo va a recibir lo suyo (M. Andújar, *Vísperas,* 416); [...] siempre metía las narices más de un palmo en los prados colindantes (Pereda, *La Puchera,* 304); Y hacía más de una hora que le había oído entrar (Dolores Medio, *Nosotros, los Rivero,* 271); Yo me figuro que Zaldumbide debía quedarse con más de la mitad de la ganancia (P. Baroja, *Las Inquietudes de Shanti Andía,* 206); Llevaba cavado menos de un palmo (R. F. de la Reguera, *Cuerpo a tierra,* 122); El aparato para producirla cuesta menos de dos pesetas (Á. Ganivet, *Los Trabajos del infatigable creador Pío Cid,* 247).

Cuando, en cambio, es negativa, la solución clásica con *de* es rara frente a la construcción con *que* (*no más de/no más que*) con el significado de 'ese número solamente' y puede sustituirse por *solamente* o expresiones análogas:

Sin duda éste no se presentaba más que en las circunstancias graves (P. Baroja, *Zalacaín, el Aventurero*, 125); En la calle de Montesa no hay más que empujar la verja del jardín (C. J. Cela, *La Colmena*, 181); A Pedro Juan no le alcanzaron más que los tiempos malos (Pereda, *La Puchera*, 15).

El término del superlativo de singularidad expresa la totalidad de la cual es excepción el elemento destacado:

Joshé era hace años y aun hace meses, el mozo más abandonado, de la ciudad y de los contornos (P. Baroja, *Zalacaín, el Aventurero*, 127); Pero el más destacado de los reclusos era *Matahombres* (A. Carranque de Ríos, *Uno*, 106).

4.5.5.6. *Fórmulas fijas*

Se han fijado una serie de fórmulas en las que los intensivos *más* y *menos* expresan idea de desigualdad, aproximación, exactitud, etc.:

¿Que cómo podré arreglármelas, entonces, para hacer teatro? Pues, más o menos, como se las arreglan los demás (J. Camba, *Sobre casi todo*, 143); [...] era, socialmente, muy superior a aquella gentecilla de poco más o menos que andaba por los demás figones (Pardo Bazán, *Insolación*, 47); [...] durante veinte años, sobre poco más o menos, [...], el Vizconde no volvió a ver en parte alguna a Rafaela (J. Valera, *Genio y Figura*, 154); [...] de seguro que las rechazara, ni más ni menos que el señor don Fernando de Castilla y de Aragón (G. Miró, *El Humo dormido*, 123); Treinta más que menos —respondió hasta con altivez don Elías (Pereda, *La Puchera*, 136); No le plantaría en la calle sin más ni más (*id.*, 339).

4.5.5.7. "*Tanto*"

Es el único intensivo con morfemas de género y número, salvo en la forma *tan* en que se mantiene invariable. Frente a *más* y *menos*, iguala con un segundo término expreso o implícito el número, la cantidad o la intensidad de la cualidad, modo o acción, o, simplemente, la pondera y encarece en frases exclamativas. Actúa (a) como adjetivo referido a un sustantivo (*Había tantos soldados*), (b) como sustantivo aludiendo al número o a la cantidad (*¡Había tantos!*; *¡Había tanto!*) y (c) como adverbio referido a un adjetivo (*Tan bueno*), un adverbio (*tan bien*) o a un verbo (*¡Trabajaba tanto!*).

La forma apocopada *tan* se emplea sistemáticamente ante el adjetivo o participio, adverbios o elementos autónomos de valor circunstancial y locuciones adverbiales: *tan de mañana*; *tan a deshora*; *tan bien*; *tan arreglado*. Se considera expresión vulgar y descuidada su uso con superlativos (*tan buenísimo*) [Cuervo, *Apunt.*; 251]. Sin embargo, en determinadas frases ponderativas y, sobre todo, con el indefinido *uno* es usual (*¡Un tan hermosísimo día!*). Con los comparativos se emplea *tanto* (*tanto mejor*). Se ha censurado igualmente el uso de *tan* por *tanto* [Cuervo, *Apunt.*, 403; Kany, 328] en cabeza de frase cuando se refiere a un verbo cuya intensidad se valora por medio de una oración consecutiva. Cuervo cita este ejemplo de Cánovas: "Tan no pudo obtener que le regalase Usoz el librejo, que encargó al propio Gayangos que se lo comprase" (*El Solitario,* I, 420). También se emplea *tan* ante nombres ordinariamente sustantivos en función semántica predicativa:

Para ella, tan hormiguita [...] (M. Andújar, *Vísperas*, 338).

El segundo término de la comparación se expresa introducido por *como* o bien se acude a la expresión de la consecuencia introduciendo la oración por *que* (v. 8.1.3.5). Sin embargo, si el adjetivo intensificado por *tan*, actúa como elemento causal, se implicita en la frase la consecuencia: *De tan llena, estaba como hueca* (Pérez de Ayala, *Los Trabajos de Urbano y Simona*, 82).

Expresión comparativa: [...] era un varón tan cotidiano, tan de cada día como el pan que a diario pedimos en el padrenuestro (Unamuno, *San Manuel Bueno, mártir*, 66); [...] dura tanto como la vida del hombre (Á. Ganivet, *Los Trabajos del infatigable creador Pío Cid*, 247); No pensaban tan [...] filosóficamente los familiares afectados por estas maniobras (M. Andújar, *Vísperas*, 257); La convalecencia de Martín fue muy rápida, tanto que a él casi le pareció que se curaba demasiado pronto (P. Baroja, *Zalacaín, el Aventurero*, 148).

Cuando no hay comparación explícita o cuando toma carácter ponderativo se producen ciertos deslizamientos semánticos hasta aproximarlo al valor de un cuantitativo ponderativo comparable a *mucho*. En este caso admite el superlativo orgánico (*tantísimo*) y suele ser término de preposiciones por su carácter pronominal.

[...] todos, con esta curiosidad tan provinciana, van mirando atentamente hasta sus menores gestos (Azorín, *Antonio Azorín*, 145); No es preciso extremar tanto las cosas, teniente (R. F. de la Reguera, *Héroes de Filipinas*, 213); Yo, como sueño tantísimo [...] (Hermanos Álvarez Quintero, *Los Galeotes*, 201); Pasmábase la señora de Santa Cruz de que hubiera tantísima madre por aquellos barrios [...] (Galdós, *Fortunata y Jacinta*, I, 280); [...] el hombre medio, que sabe tantas cosas, no sabe nada de historia (Ortega y Gasset, *En torno a Galileo*, 134); ¡Venga ya, hombre, venga ya, con tanto callar y tanta monserga! (C. J. Cela, *La Colmena*, 216); ¡Son tantos los que hacen esto que yo hago! (Valle-Inclán, *Los Cruzados de la Causa*, 25); **con preposición**: No ha sido para tanto (R. F. de la Reguera, *Héroes de Filipinas*, 198); No me ha parecido que hablase en broma... Ni se hubiera propasado a tanto (Valle-Inclán, *Viva mi dueño*, 44); No lo dije por tanto, señor don Baltasar (Pereda, *La Puchera*, 134); [...] la educación es una de tantas rutinas (Á. Ganivet, *Los Trabajos del infatigable creador Pío Cid*, 245).

Tanto puede aparecer agrupado con *así*, *cuanto* y *otro*. Con *un* (*un tanto*) toma el sentido de 'un poco':

tanto así: Ni tanto así me probaron (Andújar, *Vísperas*, 344); El temor y el deseo de que otro tanto le sucediese a ella le obligaba a escudriñar el semblante de los pobres con cierta emoción (Palacio Valdés, *Marta y María*, 119); **un tanto**: Después de esta frase un tanto pedante, [...], César se despidió de sus nuevos conocidos (P. Baroja, *César o Nada*, 239); Y la verdad fue que con esto se sosegó un tanto (Galdós, *Fortunata y Jacinta*, I, 375).

Agrupado con el neutro *lo* y con preposición o simplemente con preposición, *tanto* sirve para aludir a la oración anterior con valor neutro o a acciones y actos de la situación:

[...] por lo tanto, no debía portarse con incorrección (R. Gómez de la Serna, *El Incongruente*, 49); Andrés, mientras tanto, [...] veía pasar los carros por la calle (P. Baroja, *El Árbol de la Ciencia*, 127); García, entre tanto, había notado mi falta (P. A. Alarcón, *Historietas Nacionales*, 161); En tanto, la bella viajera seguía musitando la trabajosa lección del periódico (G. Miró, *Las Cerezas del Cementerio*, 67).

4.5.5.8. *Otros valores de "tanto"*

Toma valor sustantivo para designar número que no se quiere o no se puede precisar, en singular y masculino. Por este carácter puede llegar a convertirse en miembro de un cardinal compuesto:

> Yo le pasaré un tanto al mes a mi hermana (Galdós, *Fortunata y Jacinta*, I, 437); [...] yo les aconsejaría que, de cada boda ventajosa, tomasen un tanto por ciento a beneficio del Tesoro municipal (J. Camba, *Sobre casi nada*, 38); Limosnas diarias, tanto. Limosnas mensuales, cuanto (Galdós, *Misericordia*, 105); Yo he ido en hombre independiente. A tanto trabajo, tanto sueldo (P. Baroja, *El Árbol de la Ciencia*, 234); Era un señor alto, erguido, de noble aspecto, de unos sesenta y tantos años (P. Baroja, *Mala Hierba*, 115); La conocí en el Barceló el veintitantos de agosto pasado (C. J. Cela, *La Colmena*, 214).

Forma locución en *al tanto* y la expresión con la que reafirma lo dicho, *y tanto*:

> Por lo que respecta a Luisa y al señor de Mirabel, estaban muy al tanto de todo (P. A. Alarcón, *El Niño de la Bola*, 242); —Jaime tiene aptitudes naturales para la mecánica. —¿De veras? —Y tanto (Á. Ganivet, *Los Trabajos del infatigable creador Pío Cid*, 244).

4.6. Los numerales *

Han sido considerados como una subclase de los cuantitativos porque sirven para expresar cantidad. En los pa-

* L. Chalon, "Sur un emploi de l'adjectif numéral ordinal", *Le Français Moderne,* XXXVII, 1969, pp. 330-335; L. Foulet, "Le recul

rágrafos anteriores, se ha hablado de los cuantitativos que expresan la cantidad —"Propiedad de lo que es capaz de número y medida y puede ser mayor o menor que algo con que se compara" (*DRAE*, 19.ª ed.)— de manera imprecisa y vaga con relación a un todo que la realidad que se trata de representar sugiere. Los **numerales** serán las palabras que fijan la cantidad tomando como base el número o "expresión de la cantidad computada con relación a una unidad" o "cantidad que se toma como medida o término de comparación de las demás de su especie" (*DRAE*).

Esos nombres de cantidad precisa y determinada frente a los cuantitativos indefinidos pueden nombrar (a) la serie natural de los números enteros y se llaman numerales **cardinales** (*uno*, *ciento*, *mil*), (b) la situación u orden dentro de la sucesión de los números enteros y se llaman numerales **ordinales** (*primero*, *décimo*), (c) las partes de una unidad y se llaman numerales **partitivos** (*medio*, *cuarto*), o (d) el resultado de multiplicación por los números naturales de una determinada realidad y se llaman numerales **multiplicativos** o **múltiplos** (*doble*, *triple*). A éstos se añaden los *numerales distributivos*, tradicionalmente, entre los que se consideran las palabras *sendos*, *cada* y *ambos*.

---

des ordineaux", *Ro*, LXXVII, 1956, pp. 145-234; F. Morales Pettirino, "Apuntaciones sobre los numerales y los colectivos en español", *AUCh*, 1961, pp. 121-122; William Rose, "El Número en el *Romancero del Cid*", *H*, XLIV, 1961, pp. 454-456. **Sobre el indefinido «uno»**: E. Alarcos Llorach, "*Un*, el número y los indefinidos", en *AO*, XVIII, 1968, pp. 11-20; F. Bar, "L'usage abusif de l'article indéfini en français d'aujourd'hui", en *Le Français Moderne*, XXXVII, 1969, pp. 97-113; L. López de Mesa, "El artículo indefinido *un*", *Revista de la Universidad de Antioquia* (Colombia), XXVIII, 1953, pp. 285-299; L. López de Mesa, "El artículo indefinido *uno, una, un*", en *BACol*, VI, 1956.

4.6.1. Numerales cardinales

Son los nombres de los números enteros y son los siguientes: 0 **cero**, 1 **uno**, 2 **dos**, 3 **tres**, 4 **cuatro**, 5 **cinco**, 6 **seis**, 7 **siete**, 8 **ocho**, 9 **nueve**, 10 **diez**, 11 **once**, 12 **doce**, 13 **trece**, 14 **catorce**, 15 **quince**, 16 **dieciséis**, 17 **diecisiete**, 18 **dieciocho**, 19 **diecinueve**, 20 **veinte**, 21 **veintiuno**, 22 **veintidós**, 23 **veintitrés**, 24 **veinticuatro**, 25 **veinticinco**, 26 **veintiséis**, 27 **veintisiete**, 28 **veintiocho**, 29 **veintinueve**, 30 **treinta**, 40 **cuarenta**, 50 **cincuenta**, 60 **sesenta**, 70 **setenta**, 80 **ochenta**, 90 **noventa**, 100 **ciento**, **cien**, 200 **doscientos**, 300 **trescientos**, 400 **cuatrocientos**, 500 **quinientos**, 600 **seiscientos**, 700 **setecientos**, 800 **ochocientos**, 900 **novecientos**, 1000 **mil**, un **millón**, un **billón**, un **trillón** y **cuatrillón** (la unidad seguida de 24 ceros).

Los cardinales superiores al *quince* vacilan en su ortografía escribiéndose en una sola palabra compuesta o en dos palabras unidas por la copulativa *y* (*dieciséis/diez y seis*) hasta el *diecinueve*. A partir del 31 sólo se da la grafía en dos palabras unidas por *y*, procedimiento que se mantiene hasta 100, con degradación acentual del nombre de las decenas.

A partir de *ciento*, todos los demás números se forman por yuxtaposición: *ciento uno, doscientos veinte, trescientos cuarenta y dos, mil doscientos, un millón cien mil doscientos treinta y tres*. La composición por medio de *y* se reserva para la unión de decenas y unidades.

Todas estas palabras son invariables como nombres de los números y se emplean con o sin artículo (*doscientos más tres*; *el doscientos*). En función adjetiva concuerdan en género *uno/una* y sus compuestos. La forma masculina se apocopa en *un* y sus compuestos: *un libro, veintiún días.* Igualmente distinguen género las centenas desde *doscientos* a *novecientos*, ambos inclusive, oponiendo como los nombres, *-os/-as.*

El cardinal *ciento* se apocopa en función adjetiva (*cien alumnos/alumnas*). Sin embargo, de manera creciente se emplea en expresiones como *cien por cien* (*ciento por ciento*) y en la reiteración *cien y cien veces.* También se emplea *ciento* cuando va seguido de un numeral en los superiores a la centena. Así se dice *ciento veinte,* pero *cien millones.*

En función sustantiva, además de nombrar el número, pueden aludir a la cosa a la que se ha dado tal número. Así se emplea siempre con artículo para designar tranvías, autobuses de línea, las horas del día, el día del mes, etc.

> Pásate por Santa Engracia a las ocho (C. J. Cela, *La Colmena,* 212); Toma un 17 y se acerca hasta la glorieta de Bilbao (*id.*, 210).

En función adjetiva preceden de ordinario al nombre (*dos amigos; mil casas*). Sin embargo, se emplea detrás de los pronombres personales:

> Juan, a juzgar por las posiciones de ellos dos, debía de continuar sentado (García Hortelano, *Nuevas Amistades,* 151).

Asimismo, *mil* puede ir igualmente detrás —*En abril, aguas mil*— cuando toma un sentido indefinido de gran número, caso en el que admite el plural *miles.*

4.6.2. Los colectivos

Tienen valor colectivo los que indican conjunto por el número, tales como *par, dúo* que admiten plural y *ambos* para dos. Distinguen igualmente número todos los demás de diversa formación como *trío* y *terceto, cuarteto, quinteto, sexteto* tomados del vocabulario de la música, *decena, docena, quincena, veintena,* etc., por medio del derivativo *-ena* y *centenar* y *millar*. Se emplean en función sustantiva seguidos de un elemento prepositivo introducido por *de*, que indica la especie de la que se fija la cantidad: *una centena* (*un centenar*) *de folios*. Junto a estos colectivos se emplea, a veces, el cardinal con *ciento* y *mil* determinados. En este caso forman plural *cientos* y *miles*: *Dos cientos de cuartillas*.

4.6.3. Los ordinales

Tienen uso adjetivo y sustantivados son término secundario del artículo (*el primero*). Son los siguientes: 1.º **primero**, 2.º **segundo**, 3.º **tercero**, 4.º **cuarto**, 5.º **quinto**, 6.º **sexto**, 7.º **séptimo**, 8.º **octavo**, 8.º **noveno** o **nono**, 10.º **décimo**, 11.º **undécimo**, 12.º **duodécimo**, 13.º **décimo tercero**, etc., 20.º **vigésimo**, 30.º **trigésimo**, 40.º **cuadragésimo**, 50.º **quincuagésimo**, 60.º **sexagésimo**, 70.º **septuagésimo**, 80.º **octogésimo**, 90.º **nonagésimo**, 100.º **centésimo**, 200.º **ducentésimo**, 300.º **tricentésimo**, 400.º **cuadrigentésimo**, 500.º **quingentésimo**, 600.º **sexcentésimo**, 700.º **septingentésimo**, 800.º **octogentésimo**, 900.º **nonagentésimo**, 1.000.º **milésimo**, 2.000.º **dos milésimo**, etcétera.

La numeración ordinal es más teórica que práctica. Se emplea únicamente en lenguaje técnico y sólo hasta el diez o el doce en la lengua corriente. Para los ordinales superiores se emplea el cardinal: *piso quince*. Se usan los partitivos en *-avo* en lugar de los cardinales o los ordinales correspondientes. Sin embargo, el uso de los partitivos es cada vez más frecuente. Se da también para situaciones inferiores a doce el empleo de cardinales para las series de nombres de reyes, papas, siglos, capítulos, leyes. Este uso disuena mucho.

Los días no admiten más que *primero* que alterna con el cardinal.

A diferencia de los cardinales, los ordinales por su carácter fundamentalmente adjetivo admiten concordancia en género oponiendo *-o/-a* (*primero/primera*) y en número con la oposición Ø/*-s*. *Primero* y *tercero* se apocopan ante masculinos singulares: *primer día, tercer ciclo.*

4.6.4. Partitivos y multiplicativos

Los numerales que indican cada una de las partes en que se divide una unidad o un todo emplean los ordinales seguidos de la palabra *parte* y el prepositivo con *de* que introduce el nombre de la unidad dividida: *una décima parte de su fortuna.* Son las más empleadas, aparte uso en lenguajes técnicos, *mitad, tercio* o *tercera parte, cuarta parte* o *cuarto de.*

En el lenguaje técnico y científico, para nombrar los denominadores de los quebrados se emplean los ordinales y para los superiores a diez se utiliza el cardinal correspondiente con el derivativo *-avo*: 5/8 cinco octavos; 2/12 dos dozavos.

Los multiplicativos se emplean como sustantivos y como adjetivos. Como adjetivos se emplean pospuestos y en los más bajos, también antepuestos (*doble forro/alegría doble*). Son: *doble* y *duplo, triple, cuádruple* y *cuádruplo, quíntuplo, séxtuplo, séptuplo, óctuplo, nónuplo, décuplo, undécuplo, duodécuplo* y *céntuplo.* Para los demás se emplea el cardinal seguido de *veces mayor.*

4.6.5. Los distributivos

Los así llamados, entre los que se suele estudiar *ambos* de que ya se ha hablado, presuponen una especialización de cada una de las unidades componentes de un conjunto o una correlación entre cada uno de los componentes de un conjunto y otro u otros nombres. Son solamente *sendos* y *cada*, el primero de los cuales se usa muy poco y algunas veces con el significado de 'fuerte' repetidas veces censurado como incorrecto: *le dio sendas bofetadas*. Es correcto su uso en: "Sobre el fregadero de piedra y colgadas de una repisa, tres herradas con sus grandes arcos brillantes de hierro, y suspendidas de ellas sendos cangilones de metal amarillo con rabo de hierro para sacar el agua" (Palacio Valdés, *Sinfonía pastoral*). Había un cangilón por cada herrada. Su uso es siempre adjetivo, con dos concordancias, masculina y femenina y número plural invariable.

Cada tiene igualmente función adjetiva y es invariable. Se emplea con el nombre o con los cardinales:

> A eso vamos nosotros, cada tarde, al Café de la Marina (M. Andújar, *Vísperas*, 413); El extranjero, la señorita y Martín se guarecieron cada uno detrás de un árbol (P. Baroja, *Zalacaín, el Aventurero*, 140).

4.6.6. El indefinido "uno"

Está relacionado con el numeral **uno** que amplía notablemente sus usos en las lenguas romances. Sus plurales analógicos son **unos** y **unas**. Las formas del sigular son *un* ante nombres masculinos y *una* para los femeninos. La forma femenina tiene la variante *un* desde antiguo ante *á-* tónica o *ha-* [B, 156; H, 182]. La aspiración de la hache restablece la forma íntegra: *una hambre*. En el castellano clásico hay ejemplos de *un* ante *a-* átona y ante otras vocales: *un aldea, un hora, un escriptura* [Kenist., 20. 1] que tampoco se mantienen hoy. Usado como sustantivo no admite la apócope [B, 863].

Tradicionalmente, los gramáticos presentan a las formas singulares en función adjunta como gramaticalización del numeral paralela a la de los derivados del demostrativo latino *ille*, como artículos indeterminados. A diferencia de los derivados de *ille*, mantienen el acento que, sin embargo, se pierde en los plurales de aproximación [NT, 170 *c*].

Por el sentido numeral, *uno* (*un/una*) distingue de entre un número cualquiera de individuos de una especie un solo y único ejemplar sin añadirle ninguna especial determinación que lo distinga de los restantes. De aquí se pasa fácilmente a dos connotaciones implícitas que toman en cuenta la identidad del ejemplar segregado del grupo con los restantes componentes del mismo: (a) valor de **indiferenciación** que llegará a la indeterminación del objeto segregado del grupo, supuesto que todos son iguales, tanto el ejemplar destacado como los componentes del grupo a que pertenece [M-L, III, 50]; (b) valor de **tipificación** del objeto que se destaca como prototípico y representativo del grupo a que pertenece y del que se ha singularizado [Pot., II, 145].

Por su parte, los plurales lógicos del valor numeral son los propios numerales: *dos*, *tres*, etc. El plural gramatical señala que del grupo se ha segregado más de un ejemplar. Comporta las dos mismas connotaciones señaladas para el singular (indiferenciación y tipificación). Este plural puede mentar unidad en los falsos plurales del tipo *unas enaguas*, *unas gafas*. En otros casos pierde su valor numeral.

4.6.7. Valor indiferenciador y numérico

El carácter del sustantivo al que determina y la naturaleza de la construcción en que aparece desarrolla sobre sus connotaciones fundamentales diversidad de matices. Cuando acompaña a nombres que se pueden contar, la idea de indiferenciación está estrechamente ligada a la de número y resulta difícil separar los casos en que el hablante quiere subrayar precisamente una u otra idea. Las dos ideas se superponen estrechamente:

> [...] arrancóse una chambra y unas enaguas (Palacio Valdés, *Marta y María*, 125); ¡Un año sin saber de él! (P. A. Alarcón, *El Escándalo*, 264); Una peseta de premio por cada una (Galdós, *Fortunata y Jacinta*, I, 393); Arrimados a ellos había un canapé, varias sillas y otros muebles contemporáneos de la cómoda; [...]; sobre el canapé una Purísima (Pereda, *Peñas Arriba*, 72).

El valor numeral se subraya en las enumeraciones de objetos, coincidiendo con otros numerales o por medio de refuerzos expresivos como *solo*, *siquiera*, *por lo menos*, *al menos*, etc.:

> Cuatro sillas, un brasero, un sillón y un bufete componían su mueblaje (P. A. Alarcón, *El Escándalo*, 19); ¿Pero qué hacía Dios que no mandaba uno siquiera de los chiquillos que en número infinito tiene por allá? (Galdós, *Fortunata y Jacinta*, I, 188); Monseñor no ha perdido el conocimiento un solo instante (Valle-Inclán, *Sonata de Primavera*, 35).

En la narración y en la descripción actúa como incorporador del nombre al discurso cuando se introduce como realidad no consabida por el interlocutor en oposición al artículo (v. 3.4.2.1). Cualquier referencia nueva a la realidad introducida por el indefinido se hace por medio de demostrativos o artículos. El sentido indeterminado con que se presenta el objeto puede llegar a un sentido de indeterminación semejante al de *cualquiera*:

> Junto a un balcón, en una ciudad, en una casa, siempre habrá un hombre con la cabeza meditadora y triste, reclinada en la mano (Azorín, *Castilla*, 67).

En el uso presentativo se emplea con verbos característicos como *haber, nacer, producir, aparecer,* verbos de percepción. El uso del indefinido en función adjetiva concurre con plurales sin artículo [SFR, 145]:

> [...] todo dice que hay una mansión de justicia, que hay un descanso de los buenos, que hay un premio de las virtudes, que hay una patria de los desgraciados (P. A. Alarcón, *El Escándalo*, 261).

Tiene valor numérico para expresar la identidad entre dos tipos de realidad:

> ¡Qué importa bastón, ideas o luz! En el fondo todo es un ideal (Azorín, *Antonio Azorín*, 14); No; esa gloria es una y la misma (G. Miró, *El Humo dormido*, 52); [...] me pareció que ambos sacerdotes eran uno solo (P. A. Alarcón, *El Escándalo*, 286).

4.6.8. Valor tipificador

El indefinido toma carácter tipificador en construcciones comparativas o caracterizadoras: *como un*, *propio de un* [B, 864] o como atributo de un verbo copulativo o en oraciones de sentido universal en las que el sentido cualitativo del nombre domina su sentido denominativo:

> [...] ya podía encomendarse a Dios, porque llegaba Estupiñá como una fiera (Galdós, *Fortunata y Jacinta*, I, 201); [...] la palidez subió tanto de punto, que realmente parecía un cadáver (Palacio Valdés, *Marta y María*, 210); La mayor, María del Rosario, era una mujer de veinte años (Valle-Inclán, *Sonata de Primavera*, 32).

El indefinido tipificador toma cierto sentido clasificador que se encuentra igualmente cuando es adjunto de nombres propios y apelativos de persona:

Proponte que me vuelva un Castelar o un Cánovas del Castillo, y me vuelvo (Pardo Bazán, *Insolación*, 106); [...] no tenía sobre su corazón otros derechos que los que se conceden a un antiguo y estimado amigo (Palacio Valdés, *Marta y María*, 251).

De la misma manera se tipifica una noción ya expresada al repetirla con el indefinido en una aposición para recibir nuevos modificativos que la describan y puntualicen [M-L, III, 193]. Bello [884] consideraba anglicismo la usual aposición tras el nombre del tipo *El Himalaya, una cordillera de Asia*...

El viento siguió soplando cada vez más vivo, un viento tibio y húmedo que los presos encontraban asaz siniestro (Palacio Valdés, *Marta y María*, 284).

Con este mismo indefinido se consigue cuando acompaña a un adjetivo una suerte de sustantivación tipificadora. Una cualidad representativa sirve para clasificar un determinado nombre dentro del grupo de los que tienen la cualidad subrayada que introduce el indefinido:

Lo que es usted, bien lo sabemos: un holgazanote y un bruto (Galdós, *Fortunata y Jacinta*, I, 351); ¿Qué era aquel hombre? ¿Un hedonista? ¿Un incrédulo? ¿Un hipócrita y un sofista para consigo mismo y los demás? (R. Pérez de Ayala, *Belarmino y Apolonio*, 25); Es un embustero, un farsante (P. Baroja, *La Ciudad de la Niebla*, 182).

En la lengua actual se extiende notablemente el uso de este tipo de indefinido que ha sido censurado por la *Gram. Acad.* [79 *f*] en construcciones como la que cita: "Puede muy bien cualquiera llegar a ser un gran hombre sin estar dotado de un talento ni de un ingenio superior, con tal que tenga valor, un juicio sano y una cabeza bien organizada".

4.6.9. Usos ponderativos

En frases negativas la afirmación del nombre con el numeral *uno* sirve para reforzar la negación en fórmulas de encarecimiento:

> Señor presidente, estoy dispuesta a no decir una sola palabra que pueda comprometer a mis amigos (Palacio Valdés, *Marta y María*, 302); [...] y los sucesos de la vida no paran un punto (Pereda, *La Puchera*, 249).

Toma, por su fondo tipificador, valor ponderativo el indefinido con nombres abstractos y de sustancia y materia o cuando el nombre va seguido de adjetivos, proposiciones de relativo o consecutivas:

> La diligencia pasaba con una barahúnda atronadora (Azorín, *Castilla*, 128); Murió el pobre [...]; me dio una pena [...] (P. Baroja, *El Árbol de la Ciencia*, 249); ¡Vaya una música la de esos señores! (Palacio Valdés, *Marta y María*, 243); [...] posee un misterio de claridades que se han quedado dentro hechizadas (G. Miró, *El Humo dormido*, 43); [...] esas cogidas al anochecer, acaso con un cielo lívido (Azorín, *Castilla*, 51).

Se encuentran igualmente en los complementos de intención descriptiva introducidos por las preposiciones *de* o *con*:

> [...] las olas subían y bajaban con un movimiento blando y perezoso (Palacio Valdés, *Marta y María*, 209); Entretanto, Lázaro, que estaba sentado, se echó a reír de una manera formidable (P. A. Alarcón, *El Escándalo*, 100).

4.7. Los identificativos

Se recoge bajo esta denominación una serie de palabras de cierta heterogeneidad en sus funciones que tienen en común (a) el hecho de expresar la coincidencia de lo que se menciona con una realidad distinta, o bien el de confirmar o negar tal coincidencia ante la pregunta, y (b) el que como todas las palabras comprendidas en la clase de los pronombres aportan simplemente la base de significado que no toma valor concreto sino en el discurso y en relación con el contexto lingüístico o extralingüístico.

La base de significado de estas palabras es la identidad o identificación de sustancia, cualidad o modo con **mismo**, la cualidad con **tal**, el modo o la cualidad con **así**, el tiempo con **mientras**, y el contenido de todo un enunciado generalmente expresado en forma interrogativa con **sí**, **también** y **no** y **tampoco**. Pueden igualmente servir de refuerzo de lo enunciado: *así hablará*; *sí que ha venido*; *también lo sabe*, etcétera.

4.7.1. "Mismo"

La lengua cuenta con *mismo* que admite morfemas de género y número como el nombre (*mismo*, *misma*, *mismos*, *mismas*) y que funciona sustantivado agrupado con artículo, como adjetivo agrupado a un sustantivo o pronombre y como adverbio con otro adverbio o con el neutro *lo*: Agrupado con *lo* (*lo mismo*) puede funcionar como adverbio o como elemento sustantivado.

> ¡Moisés Galeote! ¡El mismo! ¡Mire usted que es cazualidad! (Hermanos Álvarez Quintero, *Los Galeotes*, 200); En la tarde del mismo día en que Azorín ha recibido estas dos

cartas, [...], ha llegado un criado (Azorín, *Antonio Azorín*, 97); Ahora mismo [...]. Éste que voy a recitarle está sin corregir (A. Carranque de Ríos, *Uno*, 90); [...] él creía que las tierras producían siempre lo mismo (Á. Ganivet, *Los Trabajos del infatigable creador Pío Cid*, 253); Pero entonces la idea de renunciar al tormento era para mí más dolorosa que el tormento mismo (Galdós, *Juan Martín, el Empecinado*, 174).

Admite morfemas derivativos de diminutivo y la formación de superlativos:

diminutivo: Se puso lo mismito que un pavo (Galdós, *Fortunata y Jacinta*, I, 373); Mañana mismito nos mudamos de casa (P. Baroja, *Mala Hierba*, 66); ¡Si es usté! Anoche mismito lo soñé (M. Andújar, *Vísperas*, 437); **superlativo**: Lo mismísimo que me había figurado (P. A. Alarcón, *El Escándalo*, 322); Aunque me manchase el mismísimo cuello de la camisa, no me movería mientras no me perdònes (Palacio Valdés, *Marta y María*, 134).

4.7.2. Sentido identificativo de "mismo"

Mismo reproduce en el discurso una idea anterior, marca la identidad de la palabra con que se agrupa y su mención anterior. Necesita por ello de un término coincidente que aparece como antecedente o como complementación. La identificación de la realidad puede hacerse subrayando el contraste de términos distintos que acompañan o se relacionan con dicha realidad identificada. Los términos contrastados explícitos pueden ser introducidos por el relativo *que* o por la preposición *de*: en el primer caso puede tratarse de toda una proposición:

Me sentía envuelto en la misma opresión que la tarde anterior (C. Laforet, *Nada*, 153); Luisito, negro por el sol, hablando ya con el mismo acento valenciano que los demás chicos, jugaba en la carretera (P. Baroja, *El Árbol de la Ciencia*, 127).

Tras el término identificado pueden situarse diversas complementaciones que aluden a los términos contrastados:

Martín entra en el café por la misma puerta por donde salió; quiere que le toque el mismo camarero, hasta la misma mesa, si fuera posible (C. J. Cela, *La Colmena*, 210); Ahora iba buscando las mismas gentes, las mismas casas, los mismos motivos y rasgos esenciales de devoción, de ardor, de juventud de aquellos años (G. Miró, *Años y Leguas*, 151).

4.7.3. Otros valores del identificativo

El identificativo puede tomar valor intensivo cuando se subraya enfáticamente la identificación. Ocurre generalmente con adverbios. No se alude a término de referencia alguno con lo que se presenta este uso fundamentalmente expletivo como distinto del anterior:

Su misma manía religiosa y aquel horror al vacío de su alma ha dado paso en ella a una fría despreocupación (Zunzunegui, *Ramón*, 156); Calculaba con tino infalible, y su padre mismo [...] le consultaba no pocas veces (Galdós, *Torquemada en la Hoguera*, 18); Decía que la Iglesia se alegraba tanto de aquel nacimiento como los mismos padres (R. J. Sender, *Réquiem para un Campesino español*, 39); Ignacio mismo la guardó satisfecho en su cartera (C. Laforet, *Nada*, 163).

Este valor intensivo es particularmente enfático cuando se produce por agrupación con los pronombres personales:

La simiente que en ella he sembrado soy yo misma (Pérez

de Ayala, *El Curandero de su Honra*, 58); Tú mismo has reconocido estar obligado (*id.*, 41); Nosotros somos pobres y nos bastamos a nosotros mismos (Azorín, *Antonio Azorín*, 114); ¡A mí mismo se me hace raro creerlo! (M. Andújar, *Vísperas*, 339); Eres el cadáver de ti mismo (Galdós, *Zumalacárregui*, 222); ¿Para qué provocar en sí mismo un sufrimiento inútil? (P. Baroja, *El Árbol de la Ciencia*, 141). Mañana mismo tenemos que ir a la sala Borgia del Vaticano (P. Baroja, *César o Nada*, 159); La Princesa desea hablaros ahora mismo (Valle-Inclán, *Sonata de Primavera*, 30); ¡No la nombres o te mato aquí mismo! (P. A. Alarcón, *El Escándalo*, 228); El río Cifuentes nace de debajo mismo de las casas (C. J. Cela, *Viaje a la Alcarria*, 62); José Fago, llegándose al muerto que yacía donde mismo había caído, dijo [...] (Galdós, *Zumalacárregui*, 19).

Bello [851] señala la inmovilización de *mismo* cuando acompaña a nombres geográficos y de lugar. Efectivamente se dice *el mismo Barcelona* o *la misma Barcelona*, pero cuando el nombre va introducido por la preposición *en* se usa sólo *mismo* (*en Barcelona mismo*), salvo cuando el nombre geográfico se emplea con artículo que no forma parte de la denominación. Se habla entonces de adverbialización.

4.7.4. Otros identificativos

La lengua parece aproximar a las funciones del identificativo *mismo* palabras de significado próximo como **igual** y **propio**. *Igual* se emplea en la identificación de términos modales y concurre con *mismo* y con el relativo *como*:

Lo malo es que hoy es feria y habrá muchos igual que usted (I. Aldecoa, *Con el Viento solano*, 192); No me dejan salir de la cocina —decía— porque tienen miedo de que con mi aliento se agríe el vino. Pero me da igual

(R. J. Sender, *Réquiem para un Campesino español*, 62); La guerra antigua, al igual de la industria antigua, era, como si dijéramos, una guerra hecha a mano (J. Camba, *Sobre casi nada*, 42).

Propio corresponde al *mismo* intensivo. Su uso decrece notablemente frente a su frecuencia a comienzos de siglo y en el XIX: Queda fijado en determinadas locuciones como *al propio tiempo* con valor identificativo y otras.

Al propio tiempo arramblaban por los espléndidos pañuelos de Manila (Galdós, *Fortunata y Jacinta*, I, 57); [...] creí arder y consumirme en mi propia llama (Á. Ganivet, *Los Trabajos del infatigable creador Pío Cid*, 249); [Disonarían hoy:] Era una pasión mi esperanza, que se alimentaba de sí misma, [...], procurándose satisfacción en sí propia (R. Pérez de Ayala, *El Curandero de su Honra*, 59); [...] he querido que tú propio oigas la explicación que voy a tener con Gabriela (P. A. Alarcón, *El Escándalo*, 134); [...] y allí le atajé yo con el pensamiento, diciéndome a mí propio [...] (Pereda, *Peñas Arriba*, 33); Con el vestido lacio y el pelo mal recogido, le sucedió lo propio que con las uñas negras (Pereda, *La Puchera*, 240).

4.7.5. "Tal"

Cuando funciona como sustantivo o como adjunto del sustantivo puede tomar morfema de número según el sistema nominal que opone *Ø/-es*: **tal/tales**. En los demás casos queda invariable. Tiene gran riqueza de matices de significación difíciles de precisar, como ocurre con todos los indefinidos. Parece la base fundamental de su significado esencial la idea de cualidad o de modo.

Como sustantivo puede aludir a un sustantivo expresado

anteriormente, a un adjetivo o a toda una frase expresa o implícita:

¡Un perro... sí!... Tal fue siempre el papel que a mi lado representó *García* (P. A. Alarcón, *Historietas Nacionales,* 156); Todos parecen prestidigitadores, malabaristas, equilibristas, barristas con pies palmípedos de tales (R. Gómez de la Serna, *El Incongruente,* 51); Tales eran, pico más, pico menos, mis antecedentes personales (Pereda, *Peñas Arriba,* 34); En la Naturaleza, transijo mejor con lo caprichoso y absurdo, o que tal parezca (R. Pérez de Ayala, *Belarmino y Apolonio,* 30); Mi padre pensaba como usted... ¡Ojalá no hubiera pensado tal! (Pereda, *La Puchera,* 138).

Como adjetivo toma un cierto carácter demostrativo y concurre con los demostrativos de evocación:

Vanamente intentaba en tales casos protestar y escabullirse el pollo Castuera (M. Andújar, *Vísperas,* 257); No es, pues, que coincida con Descartes en tal punto y discrepe en tal otro (Ortega y Gasset, *En torno a Galileo,* 66); ¿Qué vendrá a hacer esta tropa a tales horas? (Palacio Valdés, *Marta y María,* 244); ¡Me repudro de que hayas puesto atención a tales calumnias! (Valle-Inclán, *Viva mi dueño,* 341).

Puede tomar, tanto en función adjetiva como sustantiva, acentuado su carácter indefinido, la función de expresión vicaria de lo desconocido, de lo que siendo presumible no interesa detallar o de eufemismo de lo que resultaría ofensivo emplear:

Pucheta mandaba, que es hombre que sabe del orden y tal (Galdós, *O'Donnell,* 12); Narváez y compinches son unos tales y unos cuales (Galdós, *Narváez,* 291); Durante el camino no habló más que de guisos y de comidas, de la cena que le quitaron al cura de tal pueblo o al maestro de escuela de tal otro (P. Baroja, *Zalacaín, el Aventurero,* 114); Hablaban de una mina, del precio de los carbones ingleses y de un tal Becerra (J. Díaz, *La Venus mecánica,* 110); El desconocido ha dicho que se llamaba Bellver y que vivía en tal parte (Azorín, *Antonio Azorín,* 161); [...] nos iríamos a los tés de tal o cual hotel en busca de una rica heredera [...] (J. Camba, *Sobre casi nada,* 37); El tal Tristán o como se llamara, no nos dio suerte (P. Baroja, *Las Inquietudes de Shanti Andía,* 224); —¡La tal de tu madre! —le contestó Samoeiro rabioso (Pérez Lugín, *La Casa de la Troya,* 52).

Otro uso característico de *tal* es el de intensivo, cuyo valor se desarrolla por una expresión comparativa o por una oración de tipo consecutivo (v. 8.2.1.3), respectivamente introducidas por *como* y por *que*:

> [...] en lo demás habíala quemado el sol por tal extremo que su palidez marmórea reflejaba ya un tinte como de oro mate [...] (P. A. Alarcón, *El Niño de la Bola,* 17).

Por último, aparece en locuciones fijas de diverso carácter, de tipo adverbial, conjuntivo, y en las fórmulas de saludo:

> **tal vez**: [...] sólo quedarían tal vez algunos cimientos del Palacio Real (J. Valera, *Genio y Figura,* 67); **tal vez que otra**: [...] la obligaban tal vez que otra a dar con la frente en las manos (Palacio Valdés, *Marta y María,* 121); **tal cual**: A Inés le pareció tal cual el símil, pero no tanto el *dibujo* con que Marcos le exornó (Pereda, *La Puchera,* 292); **como si tal cosa**: Tú sigues como si tal cosa, Emiliano (Castillo-Puche, *Paralelo 40,* 22); **con tal que**: [...] de buen grado habría concedido a la cantante en aquel momento toda la memoria de que disponía, con tal

que no le dejase en mal lugar (Palacio Valdés, *Marta y María*, 246); **qué tal**: No le había visto. ¿Qué tal? (García Hortelano, *Nuevas Amistades*, 106); —¿Qué tal el chico? —le preguntó Andrés (P. Baroja, *El Árbol de la Ciencia*, 125).

4.7.6. "Así"

Bello lo clasifica junto con *tal* y *si* como adverbio de cualidad o modo: *es así*; *está así*; *trabaja así*. Al expresar la cualidad o modo realiza su identificación. Tiene gran facilidad para prescindir de un antecedente textual, por lo que éste o se deduce del contexto o de la situación. Puede tomar valor optativo [Bello, 998] en frases exclamativas con subjuntivo: *así te piquen*. Debe distinguirse entre el *así* que alude a cualidad de inconfundible valor vicario de un adjetivo, del *así* puramente adverbial que alude al modo o manera de una acción:

> **sustituto de adjetivo**: El diminutivo de leche resultaba un poco extraño, pero todo lo que hacía la Jerónima era siempre así (R. J. Sender, *Réquiem para un Campesino español*, 36); Así me gustan los hombres, vivos de memoria (Galdós, *Mendizábal*, 122); La verdad era que los guardias no podían esperar de Paco —amigo de ellos— una salida así (R. J. Sender, *Réquiem para un Campesino español*, 59); **adverbial**: Zalacaín pensaba en el giro que tomaría aquella guerra así iniciada (P. Baroja, *Zalacaín, el Aventurero*, 95); A ver si para el verano se anima a visitar a este hijo que tanto la echa de menos y así la conoce (C. J. Cela, *La Colmena*, 133); Santorcaz me habló así (Galdós, *Juan Martín, el Empecinado*, 172).

4.7.6.1. *Fórmulas fijas*

Como los demás adverbios en tal uso, *así* queda en agrupaciones fijas empleadas con diversas intenciones:

> **así como así**: Así como así, va usted a ayudarme a quitar a esa chiquilla un caprichito que se le ha metido en la cabeza (Unamuno, *Niebla*, 65); **así, así**: [...] nos contó que los mozos de su pueblo en Bretaña, son más bien chaparritos y llegan a la talla así, así (R. Sánchez Mazas, *La Vida Nueva de Pedrito de Andía*, 15).

4.7.7. "Mientras"

Expresa relación de coincidencia entre el tiempo del verbo del enunciado en que aparece y el de otra acción expresada con la que se contrasta. La acción puede estar implícita. Este uso absoluto de *mientras* fue denunciado por Bello como nuevo en su tiempo; sin embargo, está actualmente arraigado en el uso. Por el hecho de servir para contrastar e identificar el tiempo de dos acciones, puede evolucionar fácilmente hasta convertirse en marca de subordinación. En su uso como absoluto, *mientras* es tónico, frente a su uso en enunciado en que aparezcan las dos acciones contrastadas, en que es átono.

> Mientras, se guardaba la cartera o cosas en los bolsillos (E. Quiroga, *Tristura*, 82); Mientras docenas de manos sostienen el cabo de la cuerda, el gentío baja del palenque (J. Goytisolo, *Señas de Identidad*, 147); **agrupado**: Pero la procesión había avanzado mientras tanto (P. A. Alarcón, *El Niño de la Bola*, 253).

4.7.8. Otros adverbios correlativos

Tradicionalmente se inventarían por el significado como adverbios de afirmación y negación los adverbios *sí, también/no, tampoco.* Como otros adverbios, significan en correlación con enunciados anteriores cuyo contenido hay que tomar en cuenta. Además, pueden formar frases independientes.

También y *tampoco* confirman o niegan la coincidencia de una circunstancia, una acción o todo un enunciado con otro con el que se introduce el adverbio:

> **también**: Tu padre, que también sabe lo suyo de este saqueador negocio de las importaciones, te habrá hablado (García Hortelano, *Nuevas Amistades,* 75); **tampoco**: Algunos ya tenían puesta la gabardina; pero tampoco todos tenían gabardina (Castillo-Puche, *Paralelo 40,* 13).

Por su variedad de uso y su importancia significativa tiene particular interés la negación *no.*

(a) Puede unirse como incremento a elementos nominales y verbales a los que precede ordinariamente. Se emplea directamente con abstractos verbales [B, 1.255] y en correlación con *sino* (*no... sino*) con cualquier sustantivo:

> No aquella noche, ni la siguiente, sino tres o cinco noches después [...] se llegó a nosotros Ido del Sagrario (Galdós, *Cánovas,* 133).

Con cuantitativos y otros adverbios actúa como modificativo y cambia o matiza su sentido:

> [...] nos había traído a la memoria otro portal no menos afortunado (Alarcón, *Historietas Nacionales,* 68); [...] tomó una casa en el barrio de Pozas, no muy lejos de la tienda de Lulú (P. Baroja, *El Árbol de la Ciencia,* 277);

[...] interrumpe Anita con voz y ademán no menos suave (G. Martínez Sierra, *Tú eres la Paz*, 136).

Con un segmento prepositivo precedido de *sin* (*no sin alegría*), la doble negación se traduce por la afirmación, frente a los demás casos en que aparezca dicha negación doble, que se mantiene con sentido negativo.

Con el verbo, la negación tiene mayor libertad de situación. En general, se sitúa delante del verbo, inmediatamente, pero puede admitir la interposición de los pronombres complementarios e, incluso, del sujeto:

No se te puede perdonar por tu linda cara (Galdós, *Juan Martín, el Empecinado*, 167); No había una sola flor (E. Quiroga, *Tristura*, 60); Quince duros no es una renta opípara, claro que no (R. Pérez de Ayala, *El ombligo del mundo*, 80); No todos los trabajos tienen nombre (Á. Ganivet, *Los Trabajos del infatigable creador Pío Cid*, 268).

(b) La negación resulta superflua [H, 645; B, 1.140; M-L, III, 756] en frases interrogativas o exclamativas o en fórmulas de encarecimiento:

Y ¿a qué precio no nos los vendería si nos los vendiese con cloroformo? (J. Camba, *Sobre casi todo*, 119); ¡Qué de colores! ¡Qué de irisaciones no había allí! (P. Baroja, *El Laberinto de las Sirenas*, 278); [...] y fuimos detrás de los que llevaban la bandera española, y por poco no se la quitamos (P. Baroja, *La Busca*, 66).

(c) La negación pleonástica ocurre cuando aparece en frases con alguna palabra negativa [B, 1.135]. El uso de *no* se mantiene sólo si la palabra negativa va situada detrás del verbo. En caso contrario, se elimina el *no*:

No le respondía nada (Galdós, *Juan Martín, el Empecinado*, 163).

(d) Como casi sustituto de un enunciado anterior puede aparecer incorporado a la frase o independiente, e, incluso, en frases sin verbo:

> Si algo de esto es verdad, culpa a la Condesa y a su familia, no a mí (Galdós, *Juan Martín, el Empecinado,* 171); Nunca se supo si la carta llegó o no, a manos de la famosa canzonetista (C. J. Cela, *Molino de viento,* 33); A las ferias se viene a ganar un chuli, no a dejarlo (Valle-Inclán, *Viva mi dueño,* 214); [...] agradezca usted que estoy amarrado como una bestia salvaje, que si no, Mosén Antón no se dejaría insultar villanamente (Galdós, *Juan Martín, el Empecinado,* 267); Que no, que éste es un belén gordo (Pardo Bazán, *Insolación,* 122); —Eso sí que no —dijo el tío Rentero (Á. Ganivet, *Los Trabajos del infatigable creador Pío Cid,* 114).

El adverbio *sí* se articula como miembro independiente, aislado o dentro del enunciado, o como incremento de un verbo. Mientras en el primer caso se opone a *no,* con su misma función semántica de tomar valor con referencia a un enunciado anterior, en el segundo caso es un elemento expletivo que actúa como enfatizador del enunciado del que forma parte.

Como confirmación de un enunciado anterior actúa con el valor de una oración independiente o subordinada con las marcas propias de la subordinación:

> Pepita le ha dicho si estaba constipado y él ha contestado que sí (Azorín, *Antonio Azorín,* 154).

Incorporado como enfatizador en un enunciado puede introducirse directamente o por medio de varios recursos gramaticales con los que se trata de dar mayor relieve:

> En aquel caso sí podía decirse que el chico era comido a besos (Galdós, *Juan Martín, el Empecinado,* 144); Ese

salto sí que es antinatural, peligroso e inverosímil (J. Valera, *Pasarse de listo*; 57); Recibiría, sí, más azotes que un condenado a galeras (Galdós, *Juan Martín, el Empecinado*, 144); Conozco, sí, el Cazai de Piccadilly y el restaurante chino de Regent Street (J. Camba, *La Casa de Lúculo*, 58); En aquel ajedrez ganaba todas las partidas, aunque eso sí, tenía que tomar los buenos peones (R. Gómez de la Serna, *El Incongruente*, 55); ¡Ay! Porque, eso sí, tengo que rendirle justicia al grandísimo socarrón (Pardo Bazán, *Insolación*, 49).

4.8. Los relativos*

Los relativos forman una clase de palabras de comportamiento muy afín, que constituye una de las piezas fundamentales en la articulación de las proposiciones como elementos o constituyentes de elementos en la oración compleja.

* **Sobre los relativos**: D. L. Bolinger, "Discontinuity of the Spanish conjunctive pronoun", en *Lan*, XXV, 1949, pp. 253-260; E. Gessner, "Das Spanische Relativ- und Interrogativpronomen", *ZRPh*, XVIII, 1894, pp. 449-497; P. Guiraud, "Le système du relatif en français populaire", en *Langages*, fasc. 3, 1966, pp. 40-48; Alf. Lombard, "À propos de *quienquiera*", *StN*, XX, 1948, pp. 21-36; H. Meier, "Indefinita vom Typus span. *cualquiera*, it. *qualsivoglia*", *RF*, LXII, 1950, pp. 385-401; A. Par, "*Qui* y *que* en la Península Ibérica", *RFE*, XIII, 1926, pp. 337-349; XVI, 1929, pp. 1-34; XVII, 1930, pp. 113-147; XVIII, 1931, pp. 225-234; R. R. Spaulding, "Notes and queries on the relative pronouns in modern Spanish", *H*, XVIII, 1935, pp. 161-164; G. P. Sullivan, "Relatives in Spain", en *H*, XXXVI, 1953, pp. 457-458; Knud Togeby, "L'unicité de *dont*", *Le Français Moderne*, XXXIV, 1966, pp. 81-86. **Sobre los interrogativos**: D. L. Bolinger, "Qué tan, qué tanto", *H*, XIV, 1946, pp. 167-169; H. Frei, *Interrogatif et Indéfini*, París, P. Geuthner, 1940; Stanley Martin Sapon, *A study of the development of the interrogative in Spanish from the twelfth through the fifteenth centuries*, Ohio, Columbus, 1951; Otto Richters, *Zur historischen Syntax von interrogativem "quel"*, Gotinga, 1910.

Las palabras incluidas en esta clase forman una doble serie átona y tónica:

Tónicas: **qué, cuál, quién, cúyo, cuánto, cuándo, cómo, dónde, dó.**
Átonas: **que, cual, quien, cuyo, cuanto, cuando, como, donde, do.**

El acento gráfico que se usa en los pronombres tónicos tiene un mero valor diacrítico. Estas palabras, por uno de sus empleos más característicos se suelen llamar **interrogativas**. Estas mismas palabras tónicas pueden aparecer con entonación exclamativa.

La Gramática tradicional estudiaba todas las palabras que se reúnen aquí como elementos de una sola clase, distribuidas en partes oracionales distintas. Distinguía unos pronombres relativos entre los que se incluía *que, cual, quien, cuyo* y, a veces, *cuanto*, de los adverbios relativos entre los que incluía *cuanto, cuando, donde, como* y *do*. Por otra parte, e independientemente de los relativos, con la caracterización de interrogativos estudiaba las correspondientes formas tónicas como pronombres interrogativos, adjetivos interrogativos o adverbios interrogativos, prescindiendo del hecho de que aluden a un antecedente no siempre desconocido, o de que valoran intensivamente un sustantivo o una cualidad con la entonación exclamativa.

La unanimidad de comportamiento de estas palabras hace recomendable tomarlas todas dentro de un mismo conjunto y este conjunto incluirlo en la subclase de los pronombres por su capacidad de marcativos de subordinación, según se verá más adelante. Los rasgos fundamentales que, cualquiera que sea su valor morfológico, recomiendan agrupar a todas estas palabras, son de dos tipos:

(a) El hecho de ser marcas orientadoras en la incorporación de una oración como elemento o constituyente de elemento de otra oración compleja. Tanto en su forma tónica como en su forma átona se sitúan en cabeza de una proposición, lo que permite su función marcativa:

He alquilado una casa La casa es vieja	He alquilado una casa **que** es vieja.
Ignoro algo ¿Por dónde ha venido?	Ignoro **por dónde** ha venido.

(b) Semánticamente, como los demás pronombres, aportan siempre una base nocional de significado que coincide con las aportadas por otras clases de pronombres del sistema indicial, cuantitativo, etc., tanto en la serie átona como en la tónica.

Expresan:		*De manera semejante a:*
Sustancia y cualidad	*Que, quien* *Cual*	*Yo, tú, él, etc.*
Posesión o pertenencia	*Cuyo*	*Mío, tuyo, etc.*
Cantidad	*Cuanto*	*Muchos, etc.*
Lugar	*Donde*	*Aquí, ahí, etc.*
Tiempo	*Cuando*	*Ahora, entonces, etc.*
Modo	*Como, cual*	*Así, tal, etc.*

A estos dos rasgos fundamentales se puede añadir un tercer rasgo, tenido tradicionalmente en cuenta para los relativos y no para los tónicos, de concretar su significado de base en el discurso por su relación de alusión a un concepto o palabra conocido e identificable o no. Este último rasgo no siempre se cumple en la realización de estas palabras, lo cual comporta un problema de límite con las llamadas conjunciones subordinantes.

4.8.1. El antecedente y el relativo

Se ha hecho tradicionalmente especial hincapié en la relación de alusión o referencia del relativo a una mención anterior a la que se conoce con el nombre de **antecedente** término que se emplea aquí por razones de comodidad. Frente a los demás pronombres, sin embargo, esta relación de referencia se da sistemáticamente en todos los relativos con una diversidad de matices, grados de identificación y posibilidades, que por una parte amplían, con relación a los demás pronombres, sus posibilidades de actuación, y, por otra, justifican el ser tomados aparte de ellos aunque coincidan en su base de significado.

El tal llamado antecedente puede aparecer, por su parte, en el texto como **antecedente textual** y ser identificado como una palabra del discurso, o bien, no aparecer en el texto —**antecedente extratextual**— con lo que las posibilidades de identificación se dificultan y en todo caso son menores. Este debilitamiento de la relación de alusión permite que se emplee para inquirir por el concepto no lexicalizado o por el concepto cuya palabra se desconoce.

4.8.1.1. *Antecedente textual*

La alusión a un sustantivo, adjetivo, adverbio o toda una proposición puede hacerse directamente por el relativo cuando el antecedente está expreso.

> **que**: La ciudad en que Miguel vive cierra el camino de las acciones y abre el de los sueños (I. Aldecoa, *Pájaros y*

Espantapájaros, 46); Ven la casa de Ángela Zabata, con la que se puede hablar de literatura (G. Marañón, *Luis Vives*, 146); Uno que era de Azpeitia se encargó de acercarse a su pueblo (Galdós, *Zumalacárregui*, 94); Pues ahí los tenía, esperando encontrarme con alguien que se mereciese llevárselos (C. J. Cela, *Viaje a la Alcarria*, 49); Comía con ella perfectamente, siempre que tuviera qué (P. Baroja, *La Busca*, 96); Pedro, para consuelo de su pena, piensa en lo muy feliz que en aquel Paraíso estará siendo la señora (G. Martínez Sierra, *Tú eres la Paz*, 186); **cual**: [...] mirando fijamente al consejero, el cual se paró ante él (Galdós, *Zumalacárregui*, 177); Por semejantes faltas de acentuación iba siendo nuestra vida en común bastante borrascosa; a pesar de lo cual, yo seguía (G. Martínez Sierra, *Tú eres la Paz*, 70); **quien**: ¿Habré venido a pasar junto al cuerpo de Ulibarri, a quien ensarté no sé cuántas veces con mi bayoneta? (Galdós, *Zumalacárregui*, 148); **cuyo**: [...] los había de maestrantes, de oidores de Chancillería, de un inquisidor cuyos eran los arcones y el aguamanil (G. Miró, *El Humo dormido*, 15); **cuando**: [...] el aire venía fresco de los montes por la mañana, cuando el valle y el mar estaban envueltos con la gasa blanca de la niebla (P. Baroja, *El Laberinto de las Sirenas*, 168); **donde**: Sobre el mosaico del suelo caía una lluvia de rayos intensos donde flotaba un polvo ligero y coloreado (Palacio Valdés, *Marta y María*, 146); La calle donde estaba el convento era angosta (Valle-Inclán, *Los Cruzados de la Causa*, 61); Oyó cantar un gallo, por donde vino a conocer que eran las dos de la mañana (Galdós, *Zumalacárregui*, 151); ¿Qué tienen que hacer las mujeres allí donde deben estar solos los hombres en su obligación? (*id.*, 209). **como**: Los brazos eran finos y frágiles como los de un niño (Palacio Valdés, *Marta y María*, 126); La vieja, una sombra menuda y negra, corría ante el grupo de las mujeres, con los dedos enredados en los cabellos y la mantilla de paño sobre los hombros, como en los entierros (Valle-Inclán, *Los Cruzados de la Causa*, 65).

4.8.1.2. *Antecedente extratextual*

La ausencia de un antecedente expreso como palabra o secuencia de palabras en el texto, plantea graves problemas no siempre de fácil solución por cuanto el antecedente puede aparecer como (a) **implícito**, esto es, reconocible claramente por el contexto dentro de la realidad que entorna a los hablantes o que constituye la materia del discurso. Su identificación coincide con una palabra del léxico, o bien con un concepto genérico suscitado por la base de significado del pronombre, o con un concepto que no conoce lexicalización. Hay que considerar el relativo llamado **de generalización** como el que identifica el antecedente con un concepto genérico lexicalizable suscitado por la base de significado que el pronombre aporta: *Quien pregunta, a Roma va.*

Como (b) **desconocido** o **encubierto**, cuando el pronombre aporta el significado de base que remite a un antecedente desconocido por el cual se pregunta (*¿Sabes quién ha venido?*), o a un antecedente conocido sólo por alguien de los que intervienen en la comunicación mientras es ignorado por los demás (*Sé quién ha venido*). Este tipo de relación es el que justifica el tradicionalmente llamado interrogativo. La condición de tónico o átono del pronombre viene exigida por la construcción, mientras el carácter interrogativo depende de la intención y del contexto.

Por último, como (c) **cuantificador**, cuando el relativo generaliza un valor magnificador en frases de tipo exclamativo independientes o incorporadas.

Antecedente implícito: **que**: Le rodeaban los que no creían (G. Miró, *El Humo dormido*, 142); ¿Los que pelean y matan entran en el reino de Dios? (Galdós, *Zumalacárregui*, 214); **cuanto**: [...] comprendí claramente cuanto me sucedía (Pardo Bazán, *Insolación*, 57); Cuanto al general se refiera, se ha dicho en el tono más serio (Galdós, *Narváez*, 140); [...] y llega a penetrarse en cuantos deliciosos sabores dan a sus guisos los más inspirados cocineros del mundo (J. Valera, *Genio y Figura*, 158); **cuando**: Estalla el coraje cuando menos se piensa (Galdós, *Zumalacárregui*, 150); **donde**: Donde más se manifestaba el claro método de la casa era en la mesa (G. Miró, *El Humo dormido*, 123); **quien**: [...] era al parecer quien había hablado (Palacio Valdés, *Marta y María*, 248); Pues es falso, y quien lo haya dicho miente como un bellaco (Galdós, *Zumalacárregui*, 169).

Antecedente desconocido: qué: Veamos qué orden es ése (P. A. Alarcón, *El Sombrero de Tres picos*, 113); ¿Para qué preguntas por mi prima con ese afán? (Galdós, *Zumalacárregui*, 212); Pero lo que yo digo, ¿de qué les ha de valer si en el valle de Josafat saldrá toda la verdad a relucir? (C. J. Cela, *Viaje a la Alcarria*, 71); **cuál**: ¿A cuál de los dos amantes [...] se le ocurrió primero la idea? (Pardo Bazán, *Insolación*, 143); Quién había contado los amores secretos de Napoleón; quién la noche del dos de Mayo en Madrid; cuál la batalla de las Pirámides; cuál otro la ejecución de Luis XVI (P. A. Alarcón, *Historietas Nacionales*, 39); **quién**: [...] y entabló larga discusión con el carretero acerca de quién tenía la obligación de retroceder (P. Baroja, *César o Nada*, 210); ¿Quién os manda mirar? (Pardo Bazán, *Insolación*, 131); ¡Demasiado sé yo a quién le gusto y a quién no le gusto! (P. A. Alarcón, *El Sombrero de Tres picos*, 70); **dónde**: ¿Dónde estará ahora? (G. Miró, *El Humo dormido*, 103); **cómo**: Yo no sé cómo tiene espaldas la infeliz (Pardo Bazán, *Insolación*, 87).

4.8.1.3. *Valor conjuntivo*

Se ha visto cómo en algunos casos el relativo incorpora solamente la base de significado que se ha de llenar de un antecedente extratextual. Puede ocurrir que, neutralizada la capacidad de alusión, la palabra en cuestión siga manteniendo el aporte de una base de significado y su función marcativa. El paso puede ser insensible. La frase "Clavó un par por todo lo alto Machaquito, que así se llamaba" emplea un relativo (*que*) para incorporar la proposición del verbo *llamarse*, aludiendo al sustantivo *Machaquito*. La repetición del mismo valor semántico de este antecedente dentro de la frase subordinada, neutraliza la capacidad anafórica del *que*: "Clavó un par por todo lo alto Machaquito, que así se llamaba el banderillero". De la misma manera, determinadas expresiones causales con *que* sin antecedente, con un cambio de ordenación restablecen su valor relativo: *Los muchachos no desayunaron, que tenían prisa* → *Los muchachos, que tenían prisa, no desayunaron.*

El límite es incierto y los gramáticos, en general, vacilan en el reconocimiento de las formas relativas y las puramente marcativas. De cualquier manera parece que el sistema de la lengua ha destinado estas palabras, que unas veces se llenan de significado en el discurso por su alusión a palabras o conceptos y otras veces son meras marcas de subordinación, para servir operacionalmente para distinguir el comienzo de la proposición subordinada.

Por otra parte, como se verá más adelante, el carácter de marcativo que mantienen conjuntamente los tradicionalmente llamados relativos y las mismas palabras sin antecedente, es distinto del que ofrecen las conjunciones llamadas coordinantes, de naturaleza y comportamiento muy distinto.

4.8.2. Otros valores de los relativos

Algunos de los relativos se presentan en situaciones particulares y llegan, incluso, a perder su valor marcativo para entrar en el campo de otros subsistemas pronominales. Es especialmente variada la utilización de *qué, cómo* y *cuánto* como **exclamativos** y de *cual, cuanto* y *como* con matices bien determinados.

4.8.2.1. *Valor exclamativo*

Funcionando como sustantivo, adjetivo o adverbio, *qué* potencia el sentido de cantidad o intensidad (*qué de zalamerías*; *qué hermosura*; *qué bonito*). Es la forma de usos más variados. En algunos de ellos, en límite con el interrogativo, como en la petición de clarificación o repetición de lo dicho o no entendido o iniciación de discurso ante una pregunta:

> Qué, ¿vais a pasaros una temporada en la dehesa? (J. Benavente, *Señora Ama*, 101); ¿Qué, contesta algo? (P. Baroja, *Zalacaín, el Aventurero*, 167); ¿Qué no tendréis hablao de la Jorja y de la Engracia y de la Cicela y de toas? (J. Benavente, *Señora Ama*, 88); ¡Qué granuja eres! —exclamó Bautista (P. Baroja, *Zalacaín, el Aventurero*, 160); ¡Ay! ¡Cómo bendije su aparición! ¡Con qué gozo sentí el suave rumor de agua agitada por la pértiga! (Galdós, *Juan Martín, el Empecinado*, 235); Mira, Platero, qué de rosas caen por todas partes (Juan Ramón Jiménez, *Platero y Yo*, 32).

Otros interrogativos que pierden su capacidad de alusión al emplearse en la exclamación y toman valor intensivo son *cómo, cuánto, cuán* y *lo que*.

¡Cómo galopaba el condenado! (C. J. Cela, *La Colmena*, 166); [...] pero ¡cómo temblaban sus manos cuando acariciaban las mejillas del niño! (Azorín, *El Licenciado Vidriera*, 36); ¡Ay! ¡Cómo lo has dicho! (Pardo Bazán, *Insolación*, 107); [...] vio con espanto y cólera cuán engañada vivía (R. León, *Alcalá de los Zegríes*, 188); ¡Cuántos sueños le ha mecido a mi infancia esa pobre pimienta que, desde mi balcón, veía yo, llena de gorriones, sobre el tejado de don José! (Juan Ramón Jiménez, *Platero y Yo*, 46).

4.8.2.2. *Valores de "cual"*

Aparte del valor modal, que le lleva a convertirse en un duplicado de *como* en construcciones de tipo comparativo modal, se emplea como identificativo en coincidencia con *tal* y en la construcción fija *a cual más*:

comparación: Cual mastín que guarda las puertas del limbo, allí estaba la estatua de Espartero (Pardo Bazán, *Insolación*, 118); Se habla de la vida, del tiempo, de la esperanza, del mundo cual es en sí (P. A. Alarcón, *Historietas Nacionales*, 153); **identificativo**: El cual patio está también enlosado (Azorín, *Antonio Azorín*, 48); Estaba acordado que cada cual exploraría el terreno a su modo (P. Baroja, *César o Nada*, 211); Por el puente de Toledo pasaba una procesión de mendigos y mendigas a cual más desastrados y sucios (P. Baroja, *La Busca*, 82).

4.8.2.3. *Valores de "cuanto"*

Conoce la posibilidad comparativa de cantidad de tipo proporcional. Junto a este valor es un cuantitativo sustantivo o adjetivo homologable a *tanto*, *mucho*, etc.:

comparativo: [...] y cuanto más andaba, más envuelto se veía en las manchas lechosas (Galdós, *Zumalacárregui*,

147); Las cosas cuanto más rápidas, mejor (P. Baroja, *César o Nada,* 227); **cuantitativo**: Esta noche te daré unas cuantas (C. J. Cela, *La Colmena,* 129); Esta partida días antes había apaleado bárbaramente a unas muchachas porque no quisieron bailar con unos cuantos de aquellos forajidos (P. Baroja, *Zalacaín, el Aventurero,* 163).

4.8.2.4. *Valores de "como"*

Además de su propio y característico valor modal y comparativo, toma valor prefijal (*como dormido*) y el sentido de "en condición de" que serán estudiados más adelante (v. 8.2.2.3).

4.8.3. Agrupaciones con "querer"

Siguiendo una clara tradición latina, el sistema de relativos forma con el subjuntivo del verbo querer, *quiera,* toda una serie de compuestos para algunos de los cuales se ha propuesto el nombre de pronombres **de indiferencia** [SFR, 197-199]. La base de significado que aporta el componente relativo se expresa como indiferente, como igualmente válido en cualquiera de las concretizaciones que se puedan fijar. Salvo *que* y *cuyo,* el castellano actual conoce compuestos de toda la serie más o menos estrechamente fundidos. Así, mientras *cuando* y *cuanto* forman todavía modos adverbiales —*cuando quiera, cuanto quier*, registrado como poco usado—, los demás se conocen formando una sola palabra: **comoquiera**, **dondequiera**, **doquier**, **doquiera**, **quienquiera**, todos ellos de forma única, y **cualquiera** que toma la forma *cualquier* cuando va antepuesto al sustantivo y el plural *cualesquiera.* Reforzados por *que* forman característicos modos conjuntivos marcativos de determinados tipos de subordinación.

Quienquiera que hubiese gritado, había huido (P. A. Alarcón, *El Escándalo,* 45); Otro cualquiera hubiese pasado un mal rato (J. Camba, *Sobre casi todo,* 120); [...] con cualquiera de ellos, [...] podría hacerme millonario (Á. Ganivet, *Los Trabajos del infatigable creador Pío Cid,* 246); La famosa nariz de los griegos podrá constituir un motivo de presunción para un empleadillo cualquiera (J. Camba, *Sobre casi nada,* 31); [...] temiendo hasta que se dispare sola, la ponen a cubierto de cualquier imprudencia temeraria (Pereda, *La Puchera,* 326); [...] y yo me inclinaría siempre ante el vencedor, cualesquiera que fuesen el tono, la forma o el volumen de sus narices (J. Camba, *Sobre casi nada,* 31); El francés sigue siendo, por dondequiera, la lengua diplomática [...] (J. Valera, *Genio y Figura,* 155); Usted, señor santo Borrajo, o comoquiera que se llame, puede ir adonde quiera (Galdós, *Zumalacárregui,* 259).

Estrechamente vinculado a este grupo de palabras relativas, tan unidas como marcativos de subordinación, hay que considerar la composición de *si* con *-quiera*:

¡Qué lástima que las almas no coincidiesen, siquiera un momento, en el amor! (G. Miró, *Las Cerezas del Cementerio,* 90); [...] no lo había sospechado siquiera (R. Gómez de la Serna, *El Incongruente,* 200).

4.8.4. Agrupaciones con "saber"

Algunos interrogativos aparecen agrupados con cierta fijeza con el verbo *saber* en forma negativa. Esta agrupación, semejante a la que da lugar al adverbio *quizá,* expresa el significado básico del pronombre y se deja indeterminado su antecedente:

Después de escribir no sé cuántos borradores y de romper infinidad de pliegos de papel, hilvanó Gerardo aquella misma noche una sobria y sentida declaración (Pérez Lugín, *La Casa de la Troya,* 103); Espíritus rosados, amarillos, malvas, azules se pierden no sé dónde (Juan Ramón Jiménez, *Platero y Yo,* 279); A caer en sus brazos me ha impulsado no sé qué extraña misericordia (J. Valera, *Genio y Figura,* 141).

Toma el verbo la forma de presente en primera persona, de ordinario y así llega a sustantivarse: *el no sé qué.* Pero además puede tener por sujeto el relativo *quien, Dios,* emplear el verbo impersonalizado con *se* y, aunque rara vez, puede aparecer en otro tiempo:

La Ilustración francesa se había dejado en un arranque de patriotismo, por culpa de un grabado en que aparecía no se sabe qué reyes de España matando toros (Clarín, *La Regenta*); Algunos expiaban así quién sabe qué pecados (R. J. Sender, *Réquiem para un Campesino español,* 57); [...] maravilloso es también el color, un azul copiado quién sabe de qué cielo [...] (G. Martínez Sierra, *Tú eres la Paz,* 136).

4.9.0. EL ADVERBIO *

La clase de los adverbios tiene justificada su existencia funcionalmente por estar constituida por palabras que actúan como términos terciarios con relación a verbos o adjetivos (términos secundarios) y a otros adverbios o, en términos de la Psicomecánica del lenguaje de Guillaume, por ser incidentes de segundo grado. La *Gram. Acad.* [166 *a*] señalaba

* John Barker Davies, "*Delante mío*: enfoque y análisis del problema", *EAc*, n.º 7, 1966, pp. 4-6; R. J. Cuervo, "Sobre la forma *he* que pasa por imperativo de *haber*", en *Anuario de la Academia Colombiana,* 1874 (reproducido en *Disquisiciones...,* Bogotá, 1950, pp. 80-88); J. C. Davis, "A pesar mío, a pesar de mí", en *H,* XXXVI, 1953, pp. 459-461; Olaf Deutschmann, *Zum Adverb im Romanischen,* Tubinga, Max Niemeyer, 1959; Nancy Joe Dyer, "Old Spanish Adverb in *-mente*", *HR,* XL, 1972, pp. 303-308; Eugène Faucher, "Une Syntaxe transformationnelle de l'adverb allemand", en *La Linguistique,* VII, 1971:1, pp. 115-126; J. P. Fitz Gibbon, *Verbs and Adverbial Prepositions,* Madrid, 1960; Hans Flasche, "Das aus *-mente* = Adverb und Adjektiv bestehende Syntagma (Zur Sprache Calderóns)", en *Saggi e ricerche in memoria di Ettore Li Gotti,* vol. II, Palermo, 1962, pp. 18-37; Ernst Gamillscheg, "Über Präposition and Adverb im Spanischen", en *Medium Aeveum Romanicum. Festschrift fü Hans Rheinfelder,* 1963, pp. 120-139; D. Granada, "Vicios de elocución: uso impropio del adverbio *dentro*", en *BRAE,* IV, 1917, p. 627; E. Gregores, "Las formaciones adverbiales en *-mente.* Estudio descriptivo sobre el adverbio español", *Fil,* VI, 1960, pp. 77-102; C. E. Kany, "American Spanish *no más*", *HR,* XIII, 1945, pp. 72-79; Serge Karcevskij, "Sur la nature de l'adverbe", en *A Prague School Reader in Linguistics,* 1964, pp. 360-365;

esto mismo al decir que el adverbio "sirve para calificar o determinar la significación del verbo o la del adjetivo, y a veces la de otro adverbio".

Sin embargo, dificultan la fijación de un inventario coherente y bien delimitado la abundancia de rasgos particularizadores de unos elementos a otros dentro de la clase y la enorme posibilidad de ser utilizadas con el mismo valor funcional secuencias de palabras que no han llegado a gramaticalizarse plenamente. Hay que tener presentes, pues, los siguientes puntos:

(a) De las palabras tradicionalmente incluidas entre los adverbios sólo una parte puede modificar a verbos, adjetivos y adverbios. Frente a esta parte, otra sólo conoce la referencia al verbo que se confunde con la situación de todo el enunciado en una determinada circunstancia. (b) Algunos adverbios, que aportan una información de tipo circunstan-

---

Arne Klum, "Qu'est-ce qui détermine quoi? Réflexions sur les rapports entre les verbes et les adverbes exprimant une date", *StN*, XXXI, 1959, pp. 19-33; Arne Klum, *Verbe et Adverbe*, Estocolmo, Acta Universitatis Upsaliensis. Studia Romanica Upsaliensia: 1, 1961; Ralph Dale McWilliams, "The Adverb in Colloquial Spanish", en *Descriptive Studies in Spanish Grammar*, Urbana, 1954, pp. 73-137; G. Moignet, "L'incidence de l'adverbe et l'adverbialisation des adjectifs", en *TLLS*, I, 1963, pp. 175-194; H. Nelson-Ehle, *Les adverbes en "-ment" compléments d'un verbe en français moderne*, Lund, Gleenrup, 1941; K. Pietsch, "The Spanish Particle *he*", en *MPhi*, 1904, pp. 205-206, y en *Spanish Graal Fragments*, I, 1924, pp. 24-25; Harm Pinkster, *On Latin adverbs*, Amsterdam, North-Holland, 1972; B. Pottier, "Problèmes relatifs aux adverbes en *-ment*", en *Miscelánea Filológica dedicada a Mons. Griera*, II, 1960, pp. 189-205 (traducido en *Ling. mod. y Fil. Hispánica*, Madrid, 1968, pp. 217-231); M. Sandmann, "On neuter adjectives determining verbs with special reference to french and spanish", en *MLR*, XLI, 1946, pp. 24-34; L. Spitzer, "Warum frz. *énormément* und warum romanisch *-mente?*", en *ZRPh*, XLV, 1925, pp. 281-288; Renate Steinitz, *Adverbial-Syntax*, Berlín, 1969; A. M. Viegas, "L'expression adverbiale en portugais moderne", en *BJR*, V, 1962, pp. 11-15.

Adverbios

De base sinsemántica	Cualificativos	propios: *bien, mal*	
		en *-mente: cuidadosamente*	
		adjetivos neutralizados: *hablar bajo*	
	Proporcionales: *pronto, temprano, tarde*		
Prepositivos	*cerca/lejos, delante/detrás, dentro/fuera, arriba/abajo, encima/debajo, antes/después, junto, frente, enfrente, alrededor, luego,* etc.; *adelante, adentro, atrás, afuera.*		
Pronominales	Locativos	espaciales	
		temporales	
	Cuantitativos		
	Identificativos		
Otros adverbios	*siempre, nunca, jamás; ya, aún, todavía*		

cial al verbo o al enunciado total, tienen una manera de significar semejante a la de los pronombres. (c) Mientras una parte de adverbios, que admiten gradación, se refiere a verbos, adjetivos y otros adverbios, son de origen adjetivo y se forman por neutralización de los categorizadores de género y número, otra parte está en estrecha relación con preposiciones y otras categorías. Por otra parte, algunos de estos adverbios pasan fácilmente a habilitarse como marcas sintácticas de subordinación. (d) Por último, no se ha elaborado un criterio suficiente para marcar el límite entre el adverbio y el complemento de tipo circunstancial.

Ante estas consideraciones, resulta muy tentadora la posibilidad de eliminar tal clase de palabras —como se ha hecho a veces— en beneficio de las partes del discurso con las que están evidentemente relacionadas, y del criterio sintáctico. En esta exposición, se va a intentar una descripción de diversos tipos de palabras con arreglo a un reducido número de criterios. Aunque, como se verá, se entiende que una buena parte de los tradicionales adverbios debe engrosar la clase de los pronombres, se ha optado por incluirlos aquí para que quede más clara la exposición y se consiga una visión de conjunto del problema sin necesidad de polemizar demasiado sobre la cuestión.

4.9.0.1. *Adverbios de base lexemática*

Una subclase, indudablemente fundamental entre los adverbios, si no es la única, está constituida por palabras de base nominal que pueden admitir gradación y que actúan como modificativos de verbos, adjetivos, adverbios o enunciados. Morfológicamente no conocen la concordancia y semánticamente expresan circunstancias en relación con la palabra a la que modifican. Estos adverbios son:

(a) **cualificativos**: *habla bien*; *habla bajo*; *habla débilmente*.

(b) **proporcionales**: *llegó pronto*; *corre despacio*.

4.9.0.2. *Adverbios prepositivos*

Un subconjunto de adverbios de cierta coherencia se distingue (a) por actuar como núcleo de un elemento que admite incrementación prepositiva explícita o implícita, (b) por poder ser término de preposición como incremento adnominal o como elemento autónomo de una oración (*la casa de enfrente*; *saltó desde arriba*), (c) por poder ser modificativo de un nombre (*calle arriba*) o de otro adverbio (*allí cerca*). Esta subclase admite modificativos, a su vez, y se enriquece con realizaciones nominales que expresan orientación, situación, etc.

4.9.0.3. *Adverbios pronominales*

Otra subclase puede recoger las palabras que funcionan como términos terciarios y que significan por alusión, dentro del contexto. Se podrán distinguir:

(a) **locativos** que organizan diversas series: *aquí, hoy, ahora*.

(b) **relativos**: que remiten a un antecedente autónomo nominal o adverbial: *ayer cuando llegaste…*

(c) **identificativos**: pueden aludir a todo un enunciado confirmándolo, negándolo o poniéndolo en duda. Su significado sólo se logra en relación con tal enunciado. Tienen a su vez funciones secundarias de refuerzo o simplemente modificativas, semejantes a las de los prefijos.

4.9.0.4. *Clasificación semántica*

Una clasificación de los adverbios por el significado tiene el grave inconveniente de mezclar dentro de cada grupo unidades de naturaleza y comportamiento distintos. No obstante es el tipo de clasificación sobre el que más se ha insistido. Tradicionalmente se distinguen adverbios de **lugar** (*donde, aquí, cerca*), de **tiempo** (*cuando, hoy, antes, pronto, siempre*), de **modo** (*como, así*, adv. en *-mente, bien, adrede, apenas*), de **cantidad** (*cuanto, mucho, poco, nada*), de **orden** (*primeramente, sucesivamente*), de **afirmación** (*sí, cierto, ciertamente*), de **negación** (*no, nunca, jamás, tampoco*) y de **duda** (*acaso, quizá*). La *Gram. Acad.* incluye entre los de modo palabras como *excepto, salvo* y *conforme*, que otras gramáticas excluyen.

4.9.0.5. *Modos adverbiales*

Supuesto que domina en la definición tradicional del adverbio un criterio funcional, es natural que uno de los límites en la fijación de inventarios tropiece con la dificultad de distinguir objetivamente entre la palabra perteneciente a la clase de adverbios y las palabras que adquieren una cierta fijeza en el léxico de la lengua como elementos autónomos de la oración. Tradicionalmente se conocen con el nombre de **modos adverbiales** [*Gram. Acad.*, 172] "ciertas locuciones que hacen en la oración oficio de adverbios, y abundan en nuestra lengua". Algunas de estas locuciones son fácilmente caracterizables por ser latinismos como *gratis, máxime, ítem, inclusive, exprofeso, a priori* originariamente adverbios, o expresiones que adquieren carácter adverbial al usarse en castellano como *ipso facto, cálamo currente*, etc. Igualmente se pueden aislar fácilmente también las locuciones que emplean palabras que no se usan en otra situación o que forman agrupaciones que sólo se dan en función adverbial: *a sabiendas, a hurtadillas, a la chita callando, a pie juntillas, a troche y moche, en un santiamén, de cuando en cuando, de vez en cuando*, etc.

Sin embargo, tradicionalmente se incluyen en los inventarios de modos adverbiales otras agrupaciones simplemente por su equivalencia funcional. Hay que pensar en un proceso transpositivo provocado por la preposición, proceso que no ha sido estudiado ni sistematizado, o en la frecuencia de la agrupación en tal función. Aparecen así casos como los de *a* + adjetivo plural (*a ciegas, a oscuras*), *a* + *lo* + nombre (*a lo torero*), *a* + *la* + adjetivo (*a la francesa*) y variados casos como *con todo, en efecto, en resumen, en fin, al revés, de golpe, en el acto, por último*, etc.

4.9.1. Adverbios cualificativos

El grupo más característico de adverbios, según hemos visto, está constituido por las palabras que expresan circunstancias de términos secundarios (verbo o adjetivo) que morfológicamente o neutralizan sus morfemas concordantes o en muy pocos casos inflexionan el lexema o no seleccionan morfemas de género y número y, por último, funcionalmente se agrupan con verbos, adjetivos o adverbios. La mayor parte de ellos admiten gradación de sentido por procedimientos semejantes al adjetivo. El grupo más numeroso está constituido por adjetivos neutralizados en femenino singular con el constituyente *-mente* (*cuidadosa-mente*). Pero además se dan algunos casos de apócope, de neutralización en masculino singular, y un corto número de adverbios propios (*bien, mal*, etc.).

4.9.1.1. *Adverbios en -mente*

Bello [369] los caracterizó como "frases sustantivas adverbializadas" en las que *mente*, históricamente ablativo del sustantivo latino femenino *mens, mentis*, significa manera o forma. El castellano medieval hace concurrir con la formación en *mente* y *mientre*, formaciones con *guisa* y *cosa* [M-L, II, 643; M. Pidal, *Gram.*, 104.3]. El sentimiento de composición de estas palabras es patente para el hablante que mantiene los acentos de las dos palabras componentes y, cuando utiliza dos o más adverbios de esta clase seguidos, utiliza la terminación sólo en el último y deja a los restantes en su forma adjetiva original [Bello, 370; *Gram. Acad.*, 171 *f*].

> Las hijas del ex Juez contestaron alegre y expresivamente al sombrerazo del joven (Pérez Lugín, *La Casa de la Troya*, 79); [...] y la mujer leía triste y cansadamente (G. Miró, *Las Cerezas del Cementerio*, 67).

Casi todos estos adverbios, por su componente fijo, son de modo. Sin embargo, en algunos casos el aporte significativo del lexema los hace servir como localizadores en el tiempo o en el espacio: *actualmente, antiguamente, tempranamente, previamente, primeramente, últimamente*, etc. O bien expresan cantidad como *totalmente, cabalmente, completamente, escasamente, aproximadamente*, etc.

Junto a los adverbios en *-mente* sobre base adjetiva se extiende el uso, sobre todo en la lengua coloquial, a palabras como *tal, mismo, bastante, igual, mayor*:

> A Manuel no le importaba mayormente aquello (P. Baroja, *Mala Hierba*, 121); [...] vive mismamente de cara a la entrada por la calle de las Huertas (Galdós, *Misericordia*, 237); [...] este primer bloque americano era mismamente

la giba de un inmenso camello atravesando las dunas del desierto (Castillo-Puche, *Paralelo 40*, 16).

Por su naturaleza de frase absoluta no suele ser núcleo de grupo. Sin embargo, se dan algunos casos como el que sigue:

[...] la fuerza de la ley disminuye proporcionalmente al aumento de medios del triunfador (P. Baroja, *El Árbol de la Ciencia*, 262).

Estos adverbios actúan: (a) como modificativos de un verbo; (b) como modificativos de un adjetivo; (c) como modificativos de otro adverbio o locución adverbial; (d) como modificativos de toda la frase:

Cuando él surgió al fin comprendió bruscamente las razones profundas de aquel peregrinaje al pasado (J. Goytisolo, *Señas de Identidad*, 163); [...] y prudentemente vestidas de negro los empujaron (Martín Santos, *Tiempo de Silencio*, 86); [...] en el fondo nos deja enteramente sin cuidado (J. Camba, *Sobre casi nada*, 42); Realmente, no es fácil distinguir una de otra (P. Baroja, *César o Nada*, 162).

Los adverbios en *-mente* alternan y, en algunos casos, pueden llegar a coincidir con elementos autónomos constituidos por nombres abstractos con preposición (*con alegría* = *alegremente*) o por adjetivos con preposición (*por entero* = *enteramente*), aunque siempre existe una cierta especialización particular en cada construcción:

Esto lo dice con gran solemnidad y hasta melodramáticamente (Martínez Sierra, *Tú eres la Paz*, 166).

4.9.1.2. *Adjetivos adverbializados*

El latín conoció el uso de determinados adjetivos neutros como adverbios. El castellano conoce, de manera semejante, ciertas predicaciones adjetivas disociadas del sustantivo al que referirse, que actúan desde el campo estructural del verbo. Las predicaciones que se refieren a un sustantivo y al verbo de la construcción en que aparecen, establecen el puente hacia una característica transposición del adjetivo a la función adverbial. Basta que neutralice su concordancia con el nombre fijándose en la forma masculina y singular.

Se produce con un número reducido de adjetivos en relación con muy determinados verbos. He aquí algunos casos más frecuentes:

(a) Con verbos como *decir*, *hablar*, *charlar*, *cantar*, en cuyo sentido está implícito el concepto de voz, se emplean adverbializados los adjetivos *alto*, *bajo*, *claro*, *quedo*, *recio*:

> Tía Concha habló a tío Juan, rápido y bajo, al entrar en la biblioteca (E. Quiroga, *Tristura*, 78); Se rieron agudísimo (*id.*, 159); —Inés —le dijo en cuanto ésta se incorporó, hablándola muy bajo y muy arrimado a ella (Pereda, *La Puchera*, 426).

(b) La duración e intensidad de la conversación se expresa por la locución *largo y tendido* (*hablar largo y tendido*), así como la inteligibilidad de la expresión o percepción por medio del adjetivo *claro* con verbos como *expresarse*, *hablar*, *explicar(se)*, *ver*, *comprender*, etc.

> Al fin vio claro en la sima en que cayera (Unamuno, *Tres Novelas ejemplares*, 91).

(c) La energía, cuidado o velocidad de la acción con verbos como *andar*, *pisar*, *dar*, *golpear*, etc., se expresa por medio de los adjetivos *fuerte*, *firme*, *rápido*, etc. Así como para valorar la intensidad de la acción con verbos como *respirar*, *suspirar*, o *costar*, *valer*, *sonar*, *andar* se emplean *hondo*, *caro*, *raro* ('malo'), *largo*, etc.

Seguí dándole firme a los libros (Pereda, *La Puchera,* 140); Para ser completo sepamos si conducirá a sus hijos a una victoria eficaz, resistiendo firme y pegando fuerte (Galdós, *Zumalacárregui,* 232); Asís suspiró más profundo (Pardo Bazán, *Insolación,* 11); ¿Piensa usted andar largo? (P. A. Alarcón, *Historietas Nacionales,* 77).

(d) El adjetivo *derecho* se suele adverbializar con verbos de movimiento. Toma entonces un cierto valor prepositivo de dirección (*vino derecho a mí*). Con verbos iterativos como *llover, clavetear, taconear,* se adverbializan *menudo* y *menudito.* Con los verbos *seguir, estar* y *permanecer* solos o como auxiliares en perífrasis, suele aparecer *continuo.*

Pues no es posible que esté continuo el arco armado (Cervantes, *Quijote,* I, 48).

(e) Otras adverbializaciones aparecen sobre todo en la lengua coloquial sobre nuevos y distintos adjetivos:

Me han herido cuatro veces, dos de ellas grave (R. F. de la Reguera, *Cuerpo a tierra,* 117); Esto de volar me sienta fatal (Castillo-Puche, *Paralelo 40,* 471).

(f) Relacionables con su uso predicativo temporalizados con verbos copulativos, son los usos adverbiales de *bueno, claro, cierto, justo* y *exacto,* que sirven para aceptar o confirmar lo dicho anteriormente.

¿Quiere usted que veamos el Priorato de Malta que está aquí, a un paso? —Bueno (P. Baroja, *César o Nada,* 158); Es verdad, y tú estás hecho un inquisidor. —Muy cierto (*id.,* 242); —¿Usted quiere habitación? —Sí. Y comida. —Para usted y para el caballo, ¿no? —¡Claro! (Pérez Lugín, *La casa de la Troya,* 165).

El uso de *justo* con el sentido de 'precisamente' y de *exacto* con el de 'en punto', 'con exactitud', ha sido censurado por los gramáticos. Sin embargo, se ha abierto paso en la lengua hablada: *justo en casa*; *llegó exacto.*

(g) Los adjetivos *primero* y *alto* pueden tomar valor adverbial con el sentido de 'en primer lugar' y de 'antes' y con el de 'arriba', respectivamente:

> Las ventanas han jugado un papel importante en la vida de nuestro niño. Primero, la ventanita del sobrado; luego, una ventana, que el criado de la casa le enseñaba algunas noches (Azorín, *El Licenciado Vidriera,* 28).

4.9.1.3. *Adverbialización de adjetivos sustantivados con "lo"*

Aparecen en concurrencia con grupos nominales de carácter adverbial como elementos autónomos de la oración. Actúan introducidos por preposición o bien separados por pausa del resto del enunciado. Son formaciones como *lo primero, lo segundo, lo último, lo bastante, lo alto, lo bajo, lo sumo, lo mejor, lo peor, lo hondo* [Bello, 973]. Junto a estas construcciones con adjetivo se dan las sustantivaciones de adverbios como en *lo lejos, lo atrás, lo adelante, lo arriba, lo abajo, lo bien, lo mal, lo menos,* etc.

> No sé qué me fue diciendo por lo bajo (Pardo Bazán, *Insolación,* 59); [...] dijo César por lo bajo con ironía (P. Baroja, *César o Nada,* 239).

Forman locuciones como *por lo bajo, por todo lo alto, por lo bajini, a lo lejos, a lo sumo, a lo mejor, a lo peor, a lo menos, a lo más, por lo menos,* etc. Se emplean sin preposición en enumeraciones *lo primero, lo segundo, lo último.*

4.9.1.4. *Otras adverbializaciones*

El mismo valor cualificativo tienen adverbializaciones de adjetivos como *bárbaro, negras, moradas*, o de sustantivos como *bomba* y *fenómeno* en la lengua coloquial con la construcción *pasarlo* y *pasarlas* de pronombre fosilizado:

> Aquí las vamos a pasar negras dentro de nada (R. F. de la Reguera, *Héroes de Filipinas*, 207).

4.9.1.5. *Formas especiales*

Hay que considerar formas especiales los adverbios *bien, mal, medio* y *recién* relacionados con los adjetivos *bueno, malo, medio* y *reciente*. El primero ofrece una variación lexemática, el segundo y cuarto apócope. Los dos primeros se emplean como sustantivos (*el bien* y *el mal*) y admiten la agrupación con *lo* (*lo bien, lo mal*) Los dos primeros pueden emplearse referidos al verbo (*vive bien/mal*). En este caso, *recién* toma la forma en *-mente* o la forma prepositiva *de reciente* (*se ha trasladado recientemente/de reciente*). Los tres se emplean con participios (*bien/mal pintado, recién pintado*). *Bien* se usa también con adjetivos con cierto valor intensivo que algunos gramáticos censuran (*bien bueno*).

4.9.1.6. *Adverbios temporales proporcionales*

Tres adverbios de tiempo —*tarde, temprano* y *pronto*— expresan la idea de tiempo de manera relativa a un valor temporal previamente conocido. Los tres admiten gradación y pueden ser cabeza de un grupo adverbial (*llegó pronto para encontrarlo*).

El adjetivo **pronto** en su uso adverbial no parece ser anterior al siglo XVIII [DELC, III, 893 *b*]. Actualmente su uso adjetivo ha retrocedido notablemente ante otros adjetivos como *dispuesto*, *presto*, etc., salvo en clisés como *genio pronto*, *risa pronta*. En la lengua familiar se sustantiva para significar "movimiento repentino a impulso de una pasión u ocurrencia repentina": *un pronto*, *al primer pronto*. Este valor sustantivo se mantiene en locuciones adverbiales (*al pronto*, *por lo pronto*, *de pronto*, *por de pronto*):

pronto: Yo me ofrezco a serlo y ojalá que sea pronto (Á. Ganivet, *Los Trabajos del infatigable creador Pío Cid*, 55); Tengamos la fiesta en paz y diga usted prontito lo que sabe (Palacio Valdés, *Marta y María*, 302); **con modificativos**: [...] he de comer muy pronto con mi "madrina" (G. Miró, *Las Cerezas del Cementerio*, 189); [...] sentía que el tiempo pasaba demasiado pronto (P. Baroja, *El Árbol de la Ciencia*, 140); [...] bien pronto será la existencia una carga tan pesada que no habrá quien la soporte (Á. Ganivet, *Los Trabajos del infatigable creador Pío Cid*, 246); **al pronto**: ¿Y esta breve mueca, que, al pronto, una vez observada, no sabemos de qué es? (Azorín, *El Licenciado Vidriera*, 25); **de pronto**: De pronto, sin matices, rompe el silencio de la calle el seco redoble de un tamborcillo (Juan Ramón Jiménez, *Platero y Yo*, 124); **lo más pronto**: Dos negocios, de la mayor gravedad, he de ultimar lo más pronto (Á. Ganivet, *Los Trabajos del infatigable creador Pío Cid*, 90); Mary me mandó un recado urgente diciéndome que fuera a Bisusalde lo más pronto posible (P. Baroja, *Las Inquietudes de Shanti Andía*, 182); **al pronto**: [...] al pronto agradaba su buen porte (Galdós, *Juan Martín, el Empecinado*, 166); **por de pronto**: [...] era lo que más falta le hacía por de pronto (Castillo-Puche, *Paralelo 40*, 327); **por el pronto**: [...] he pasado de prisa, por buscar al grandísimo tirano que, por el pronto, me ha robado el alma (Martínez Sierra, *Tú eres* *la Paz,* 166); **por lo pronto**: Pero el automatismo matemático nos obliga a colocarlo, por lo pronto, en otro anterior (Ortega y Gasset, *En torno a Galileo,* 65).

El adjetivo **temprano** no se sustantiva usualmente. Se emplea como adverbio con terminación masculina y singular y admite la gradación intensificado con *más, menos, tan, muy, bastante, demasiado* y *un poco,* y la construcción singularizadora por medio de la sustantivación con *lo.* Puede ser introducido por la preposición *desde*:

Félix subió temprano a su aposento (G. Miró, *Las Cerezas del Cementerio,* 179); Muy temprano trajeron esta carta de Bela (*id.,* 120).

Tiene, en cambio, origen adverbial la palabra **tarde** que se sustantiva con concordancia femenina para designar la segunda mitad del día, anterior a la noche. Como sustantivo con artículo y las preposiciones *a, desde, hasta* y *por* forma construcciones de carácter autónomo en el enunciado: *a la tarde, por la tarde, desde la tarde anterior, hasta la tarde.* Como adverbio no es modificativo de otros y admite como los demostrativos la gradación con *bastante, más, bastante más, demasiado, muy* y *un poco,* y la construcción singularizadora mediante la sustantivación con *lo*: *lo más tarde, lo tarde que.*

[...] era ya un poco tarde (Azorín, *El Licenciado Vidriera,* 78); [...] habéis terminado tan tarde (E. Quiroga, *Tristura,* 81); Lo comprenderá más tarde (Azorín, *El Licenciado Vidriera,* 31); Por fuerza debía esperar hasta más tarde (Pérez Lugín, *La Casa de la Troya,* 165); Al caer en la cuenta de lo tarde que era, púsose precipitadamente el manto [...] (Galdós, *Fortunata y Jacinta,* I, 396); Lo hay en esas fondas silenciosas, con comedores que se abren de tarde en tarde (Azorín, *Antonio Azorín,* 149).

4.9.1.7. *Gradación del adverbio*

La gradación la admiten todos los adverbios que se han agrupado como cualificativos, estrechamente emparentados con los adjetivos y los prepositivos que se estudian más abajo. Los recursos que se emplean son prácticamente los mismos que en la gradación del adjetivo (v. 3.5.0).

Las formas *mejor* y *peor* mantienen el valor comparativo cuando actúan como adverbios comparativos de *bien* y *mal*: *Lo pasó mejor/peor*. Los adverbios en *-mente* pueden formar superlativos orgánicos con la terminación *-ísima* a la que se añade la terminación *-mente*: *discretísimamente*.

4.9.2. Adverbios prepositivos

Una segunda subclase de adverbios se organiza muy coherentemente en cuanto a su conducta sintáctica y a su manera de significar. Semánticamente fijan la situación en el tiempo o en el espacio en relación con un segundo término que unas veces es la situación misma del hablante, y puede no expresarse, y otras es una realidad que se expresa por medio de una palabra o una proposición sustantiva con *que*: *llegaron delante de mí*; *llegaron delante de los que te conocen*; *llegaron delante*. Por otra parte estos adverbios pueden ser introducidos por preposiciones: *mirabas desde arriba*.

Cuando el término está explícito el comportamiento de estos adverbios es muy semejante al de las preposiciones, atenúa su acento y forma unidad acentual con el término: *arriba de mi casa*. Son rasgos que los separan de la preposición: (a) el que el término va introducido por preposición, y (b) que el adverbio admite modificativos de gradación (*más arriba*; *muy arriba*) y derivativos (*arribotas*). Algunos lingüistas [Pottier, *Syst.*, 151] llaman a estos adverbios con término implícito "prépositions sans terme B exprimé".

Tanto en su forma positiva como en su forma modificada por intensivos de gradación, cuando va con término explícito, el adverbio ha de ser considerado base o núcleo de un grupo que actúa en la oración como elemento autónomo.

Su proximidad a las preposiciones es mayor cuando el uso prescinde de la preposición que introduce el término nominal de relación (*encima la casa*) en la lengua coloquial. Frente a esto [Cuervo, *Not.*, 142], determinadas preposiciones se adverbializan al admitir, en usos dialectales, una preposición de enlace: *bajo de tu casa.*

4.9.2.1. *Adverbios prepositivos introducidos por preposición*

Tanto con término implícito como con término explícito, estos adverbios pueden ser introducidos por las preposiciones *de, desde, hacia, hasta, para* y *por* para marcar origen o procedencia, lugar por donde o dirección:

> **de**: [...] intervinieron en él muy de cerca (P. A. Alarcón, *Historietas Nacionales,* 76); Yo quería quitarme de encima la pesadumbre de la infancia que habían arrojado sobre mí (Galdós, *Juan Martín, el Empecinado,* 175); **desde**: Mandáronle desde arriba que subiera (Pereda, *La Puchera,* 132); **hacia**: Se echaba hacia atrás en el butacón verdebotella (E. Quiroga, *Tristura,* 81); **hasta**: [...] suspenden su juicio hasta después de mi muerte (Á. Ganivet, *Los Trabajos del infatigable creador Pío Cid,* 177); **para**: [...] se lo reservaba para más adelante (Galdós, *Mendizábal,* 279); **por**: Mosén Antón, seguido de su tropa, desfilaba tranquilamente por detrás de la venta (Galdós, *Juan Martín, el Empecinado,* 140); —¡Señor tío, vaya

usted saliendo! —¡Tú por delante! (Valle-Inclán, *Viva mi dueño,* 339).

4.9.2.2. *El término de los adverbios prepositivos*

El término de relación cuando se explicita es introducido para la mayor parte de adverbios prepositivos por medio de la preposición *de*. Algunos, sin embargo, como *frente* y *junto* exigen la preposición *a*:

> El centinela reía de soslayo, paseando con el fusil al brazo, delante de la puerta (Valle-Inclán, *Los Cruzados de la Causa,* 62); Junto a él, con los instrumentos quirúrgicos, se hallaba el sanitario (R. F. de la Reguera, *Héroes de Filipinas,* 216); Estaba frente a un bar de puerta estrecha, abierta (I. Aldecoa, *Con el Viento solano,* 122).

Sobre el uso con posesivo, v. 4.2.4.

4.9.2.3. *Significado*

Los adverbios de este grupo se organizan en parejas para expresar situación con relación al término (*cerca/lejos, delante/detrás, dentro/fuera, arriba/abajo, encima/debajo, antes/ /después*) o constituyen menciones aisladas como *junto, frente, enfrente, alrededor* y *luego.*

Algunos de estos adverbios además del significado situacional pueden desarrollar otros significados. Es lo que ocurre con *arriba* que puede significar 'más' y con *fuera* con el sentido de 'menos, excepto, aparte', o *encima,* con el sentido de 'además':

> Unos alpargates no valen arriba de seis reales (Á. Ganivet, *Los Trabajos del infatigable creador Pío Cid,* 114); Fuera de estas correrías al cercado ajeno, la vida de don Diego

discurrió por el carril monótono de los señoritos de pueblo (F. Urabayen, *La Última Cigüeña*, 98).

4.9.2.4. *Formas sin término*

Estrechamente emparentados con los anteriores, los adverbios *adelante, adentro, atrás* y *afuera* no admiten término de relación, con lo que pierden el carácter prepositivo:

> **adelante**: [...] y me hacía tambalear hacia adelante y hacia atrás (Galdós, *Juan Martín, el Empecinado*, 127); Allí las gentes han dado en respetarse unas a otras desde las ocho de la noche en adelante (J. Camba, *Sobre casi nada*, 43); **adentro**: Pues vamos adentro a saludar a esos señores (Pereda, *La Puchera*, 133); **atrás**: [...] caminaba tendiendo los brazos hacia atrás (G. Miró, *El Humo dormido*, 56); **afuera**: Afuera, el viento silbaba con furia, haciendo retemblar puertas y ventanas (P. Baroja, *Las Inquietudes de Shanti Andía*, 171).

Algo semejante ocurre en el uso de *antes*, que junto a su valor prepositivo enlazado por *de* con el término de la relación, tiene un valor absoluto en frases como "antes muerto que vencido", de valor comparativo. En este sentido puede ser reproducido por un adverbio relativo (*antes que*). Cuando introduce el *que* una proposición del mismo verbo que el de la oración de que forma parte *antes*, se elide, con lo que se introduce solamente el sujeto, según señala Cuervo [*Dicc*., I, 488 *a*] que cita el siguiente pasaje del P. Mariana:

> Tardaron mucho en la navegación, tanto, que llegó antes que ellos, la nueva de lo que pasaba (*Historia de España*).

4.9.2.5. *Otras formaciones*

La estructura sintáctica que fijan estos adverbios permite inventariar con ellos características construcciones de notable fijeza en el uso. Se constituyen con sustantivos y otras palabras que expresan orientación:

en pos de: [...] los dos batallones entraron en el pueblo en pos de él (R. F. de la Reguera, *Cuerpo a tierra*, 120); **en derredor** (**de**): Asís y don Diego miraron en derredor (Pardo Bazán, *Insolación*, 114); **en medio** (**de**): [...] sólo en Nueva York podía llegarse a crearlo [...] en medio de los ruidos más estrepitosos (J. Camba, *Sobre casi nada*, 35); **en torno** (**de**): Todo, en torno de Simona, la excitaba saludablemente a salir de sí misma (R. Pérez de Ayala, *Los Trabajos de Urbano y Simona*, 81); **en torno a**: Sentáronse en torno al lar (*id.*, 100); **a la mitad de**: A la mitad de la comida la conversación se animó (P. Baroja, *César o Nada*, 238); **al frente de**: Prusia, vencedora, se puso al frente de casi todos los pueblos germánicos (J. Valera, *Genio y Figura*, 154); **al lado de**: Luego, el tableteo de las ametralladoras al otro lado del barranco, señaló la llegada de las avanzadillas (J. Goytisolo, *Duelo en el Paraíso*, 17); **al principio** (**de**): La conversación tomó al principio un carácter lánguido y aburrido (P. Baroja, *César o Nada*, 238); **al través de**: Don Vicente miraba el paisaje exterior al través de los turbios cristales verdosos (Galdós, *Juan Martín, el Empecinado*, 146); **a través** (**de**): El reflejo del sol, que se está poniendo, se ve centellear a través del ramaje, en los vidrios de algunos balcones (G. Martínez Sierra, *Tú eres la Paz*, 163); **al socaire de**: El chófer metió el vehículo en una calleja, al socaire de las casas (R. F. de la Reguera, *Cuerpo a tierra*, 127).

4.9.2.6. *Adverbio pospuesto al nombre*

Todos estos adverbios y locuciones coinciden con los demostrativos de lugar en servir de complemento prepositivo del nombre (*la casa de arriba*). Es particular de los prepositivos el aparecer en construcción absoluta pospuestos al nombre que indica vía, camino, dirección, tiempo, situación. Algunos gramáticos han llamado a esta construcción de preposición pospuesta [Hanssen, 734]. De hecho, parece una secuencia a la que se le ha suprimido la preposición.

Metíanse los mozos agua adentro (Blasco Ibáñez, *Cañas y Barro,* 132); Allá iba, calle adelante, un hombre y un adolescente (R. Pérez de Ayala, *Luna de miel, Luna de hiel,* 104); Dudoso estuvo entre huir campos afuera [...] (Galdós, *Zumalacárregui,* 44); La plaza de Baler era también como la raya que había trazado, siglos antes, el conquistador (R. F. de la Reguera, *Héroes de Filipinas,* 211); La vieja navegaba calle arriba, apoyada en su bastón (Dolores Medio, *Nosotros, los Rivero,* 277); [...] y por no volver pies atrás, tuve una idea atrevida (Á. Ganivet, *Los Trabajos del infatigable creador Pío Cid,* 168); Una semana después, mi prima me comunicó su pensamiento de trasladarse a Lúzaro (P. Baroja, *Las Inquietudes de Shanti Andía,* 185); Yo estaba unos pasos detrás (J. Goytisolo, *Duelo en el Paraíso,* 36).

4.9.3. Adverbios pronominales

Otra subclase de gran índice de frecuencia está constituida por palabras que expresan circunstancia por alusión a la circunstancia misma en el acto verbal o a otra palabra o concepto expresado en el contexto. De ellas se ha hablado entre los pronombres, como locativos, relativos y cuantitativos indefinidos.

4.9.4. Otros adverbios de tiempo

Quedan por comentar un corto número de adverbios que quizá puedan relacionarse con los pronombres existenciales. Tienen como rasgo común el de no aceptar complementos prepositivos y admitir muy pocos modificativos o no admitir ninguno. Con particularidades muy propias forman un subsistema: *siempre*, *nunca* y *jamás*.

Siempre tiene dominante carácter adverbial; sin embargo, aparece como modificativo del nombre formando un verdadero compuesto (*carita de siemprenovia*). Entre los temporalizadores parece tener un cierto sentido de nominación del tiempo (*en todo momento*). Puede aparecer en algunas regiones en diminutivo: *siemprecito* [Kany, p. 263]. Como término de las preposiciones *por* y *para* aparece reforzado por el adverbio *jamás*, gracias al carácter afirmativo que tiene originariamente este adverbio: *por siempre jamás*; *para siempre jamás*.

Nunca constituye la negación de *siempre*. Con nombres de carácter predicativo y adjetivos, participios y gerundios, forma construcciones insertas en las que el adverbio tiene mayor fuerza y énfasis que el adverbio *no*, con el que concurre. Cuando se pospone al verbo exige la presencia de una palabra negativa delante del mismo (*nadie lo ha visto nunca*; *no lo ha visto nunca*). Como *siempre* admite la modificación de *jamás* por las mismas razones (*nunca jamás*).

Jamás tiene las mismas exigencias que *nunca* cuando se pospone al verbo (*jamás lo he buscado/no lo he buscado jamás; nadie lo ha buscado jamás*). En la lengua vulgar, se refuerza formando una suerte de superlativo por repetición: *en jamás de los jamases*. Se usa en los mismos casos que *nunca* con nombres de carácter predicativo, adjetivos, participios y gerundios.

Los tres pueden, como *sí* y *no*, formar en relación con un enunciado anterior, en frase independiente que confirma o niega lo dicho anteriormente:

siempre: Pero la que, en realidad, es siempre angélica, es su burra, la señora (Juan Ramón Jiménez, *Platero y Yo*, 67); Un hombre tenaz, [...], triunfa siempre (Á. Ganivet, *Los Trabajos del infatigable creador Pío Cid*, 175); Casi siempre, el que conseguía el primer puesto era un pobre, sin otros bienes que un barquito y algunas redes (Blasco Ibáñez, *Cañas y Barro*, 94); Bendito sea por siempre jamás (Palacio Valdés, *Marta y María*, 66); [...] tuvo enredada su pierna a la suya, como liana viva que le sujetase por siempre (Ramón G. de la Serna, *El Incongruente*, 196); Se muere sin remedio y para siempre (Unamuno, *San Manuel Bueno, mártir*, 99); [...] lo demostraría de una vez para siempre (J. Camba, *Sobre casi todo*, 134); La noche de agosto es alta y parada, y se diría que el fuego está en ella para siempre como un elemento eterno (Juan Ramón Jiménez, *Platero y Yo*, 169); [...] lo que hace un obispo lo deshace el papa. No digo que siempre, pero con harta frecuencia (R. Pérez de Ayala, *Los Trabajos de Urbano y Simona*, 87); **nunca**: Ahora me siento con voluntad y con facultades que nunca había poseído (R. Pérez de Ayala, *Luna de miel, Luna de hiel*, 161); Ya se sabe que no son casi nunca los adversarios quienes eligen a los padrinos (J. Camba, *Sobre casi todo*, 119); **jamás**: Jamás se acercó al corrillo en que nos entreteníamos viendo al Empecinadillo hacer el ejercicio (Galdós, *Juan Martín, el Empecinado*, 143); Si ustedes han conseguido jamás alguna concesión de los hombres es esa exclusiva del pelo largo (J. Camba, *Sobre casi todo*, 80); Jamás secreto alguno ha sido mejor guardado (Galdós, *Juan Martín, el Empecinado*, 176); [...] un hombre debe vivir siempre como si no hubiese de cambiar jamás (Á. Ganivet, *Los Trabajos del infa-*

tigable creador Pío Cid, 170); —¿Quieres que se lo devuelva? —Eso, jamás (J. Camba, *Sobre casi todo*, 120).

El adverbio **ya** matiza la realización de la acción o de la circunstancia en el pasado, presente o futuro como realizada o como de segura realización:

Ambos ya en el sitio y con la pistola en la mano, marcharon el uno contra el otro (J. Valera, *Genio y Figura*, 116); Hay noticias de que ya está preparándose (R. F. de la Reguera, *Héroes de Filipinas*, 197).

En la estructura del párrafo distributivo, refuerza la realidad de cada uno de los miembros enumerados —elementos oracionales u oraciones— en disyunción inclusiva o exclusiva:

[...] pues si de los primeros [pueblos] le arrojaban, ya su mala estrella, ya la ilusión de conjurarla cambiando de postura, de los siguientes le fueron echando sus hijas a medida que crecían (Pereda, *La Puchera*, 125).

Aún, **aun** y **todavía** se reparten el campo de significación de (a) persistencia de la realidad del elemento o acción que determinan, y (b) el de la concesión retórica de tal realidad. *Todavía* es siempre tónico y va ligado tonalmente a la secuencia que le precede o le sigue:

[...] tu hijo es todavía una criatura sin reflexión (Á. Ganivet, *Los Trabajos del infatigable creador Pío Cid*, 73); Todavía se lanzó Arturito, decidido a darle de golpes (J. Valera, *Genio y Figura*, 115).

Toma valor concesivo cuando va pospuesto al término a que se refiere y separado de él por pausa marcada: *Alfredo, todavía.*

Por su parte, *aún* tónico coincide con *todavía* en su uso

tónico. Tónico y en coincidencia con *todavía*, toma valor concesivo pospuesto y separado por pausa marcada: *Alfredo, aún*:

> Si la rebelión no ha estallado aún, la veremos arder muy pronto en el archipiélago (R. F. de la Reguera, *Héroes de Filipinas*, 204); Tío Juan besaba a la abuela, aún con la marca del almohadón en la mejilla y las orejas encarnadas (E. Quiroga, *Tristura*, 82); La fertilidad de su suelo y más aún el talento de los que en él nacen [...] hechizan o consuelan la vida humana (J. Valera, *Genio y Figura*, 155).

En su forma átona tiene siempre valor concesivo y puede ser sustituido por *incluso*. Se agrupa con cualquier elemento, gerundio, etc., cuya realidad posible o imposible acepta como verdadera, para subrayar la seguridad de lo que se dice en el enunciado:

> En diecisiete o dieciocho años las cosas cambian mucho, aun en la misma calle del Arenal (J. Camba, *Sobre casi nada*, 33); [...] hasta su propia esposa le llamó siempre Martínez aun en los momentos de mayor intimidad (R. León, *Alcalá de los Zegríes*, 65).

4.9.5. Usos prefijales del adverbio

Algunos adverbios de manera única y sistemática y otros como una de sus posibilidades de uso, actúan directamente sobre el contenido del verbo o palabras predicativas cambiando su significado. Se ha visto ya que la actuación de *no* puede ser de este tipo cuando se une al verbo inmediatamente. De manera semejante ocurre con los adverbios *recién, casi, medio* y *como*.

Recién es forma apocopada de *reciente* y *recientemente*. Se apocopa al agruparse con adjetivos verbales:

> [...] tenía una hija, llamada Amparo, [...], recién salida del colegio (Pereda, *La Puchera*, 330); Pues yo sí —le dijo una recién viuda (Unamuno, *San Manuel Bueno, mártir*, 56).

Casi se agrupa con verbos, adjetivos, adverbios y sustantivos. Reduce la plenitud de su significado:

> Era yo entonces una mocita, una niña casi (Unamuno, *San Manuel Bueno, mártir*, 62); La casa estaba ya casi vacía de muebles (Azorín, *El Licenciado Vidriera*, 37); Saludó a Inés entre dientes, y casi del mismo modo le respondió ella (Pereda, *La Puchera*, 429).

Medio se agrupa como adjetivo con nombres sustantivos o como adverbio con adjetivos y con prepositivos nominales y verbales:

> En una de las habitaciones medio guardillas había vivido una señora arruinada (P. Baroja, *Locuras de Carnaval*, 90); —¿Qué? —decía éste levantando los medio caídos párpados (Palacio Valdés, *Riverita*, 102); [...] y medio por persuasión, medio por violencia, le encerraron en un cuarto (J. Valera, *Genio y Figura*, 115).

El relativo **como** toma este mismo carácter prefijal con nombres prepositivos de carácter modal, adverbios, gerundios e incluso subordinadas con *que* (*hacía como que no le veía*):

> Leopoldo miraba fijamente la pared, en una postura laxa, como derrotada (García Hortelano, *Nuevas Amistades*, 78).

5. LAS PALABRAS: III

EL VERBO

5.0. EL VERBO*

Desde antiguo se ha distinguido el verbo como una de las partes de la oración o del discurso fundamental frente al nombre, por su capacidad para expresar tiempo. La *Gram. Acad.* [80] lo define como "la parte de la oración que designa estado, acción o pasión, casi siempre con expresión de tiem-

* E. ALARCOS LLORACH, "Sobre la estructura del verbo español", en *BBMP*, XXV, 1949, pp. 50-83; A. BADÍA MARGARIT, "Los demostrativos y los verbos de movimiento en iberorrománico", en *EDMP*, III, 1952, pp. 3-31; Manfred BIERWISCH, *Grammatik des deutschen Verbs*, Berlín, Studia Grammatica, II, 1966; U. BONNEKAMP, *Das Spanischen Verbum. Aktualisierung und Kontext*, Tubinga, 1959; Viggo BRONDAL, "Les formes fondamentales du verbe", en *Essais de Linguistique générale*, 1943, pp. 128-133; William E. BULL, *Time, Tense and the Verb. A Study in Theoretical and Applied Linguistics with particular attention to Spanish*, Berkeley y Los Angeles, Univ. of California Publications in Linguistics, XIX, 1960; W. E. BULL, "Modern Spanish Verb Form Frecuencies", en *H*, XXX, 1937, pp. 451-466; A. CASTAGNA, "Le verbe anglais à travers quelques ouvrages récents", en *La Linguistique*, IV, 1968:2, pp. 125-133; M. CRIADO DE VAL, *El Verbo Español*, Madrid, SAETA, 1969; J. DUBOIS, "Essai d'analyse distributionnelle du verb (les paradigmes de conjugaison)", en *Le Français Moderne*, XXXIV, 1966, pp. 185-209; Rafael FENTE GÓMEZ, *Estilística del verbo en inglés y en español*, Madrid, SGEL, 1971; J. FOURQUET, "Deux notes sur le système verbal du français", *Langages*, n.º 3, 1966, pp. 8-18; D. L. GOYVAERTS, "Towards a theory of the expanded form in English", en *La Linguistique*, IV, 1968:2, pp. 111-124; Gustave GUILLAUME, *Temps et Verbe. Théorie des aspects, des modes et des temps*, París, Collection

po y de persona". El esfuerzo principal de la Gramática tradicional estaba encaminado a fijar el significado esencial del verbo sin llegar a otra expresión más satisfactoria que la de "estado, acción o pasión". Algunos gramáticos han ofrecido en su lugar la de "proceso", dentro de la cual se subsumen las acciones, estados o pasos de un estado a otro.

Linguistique, XXVII, 1929; G. GUILLAUME, "Inmanencia y trascendencia en la categoría del verbo. Bosquejo de una teoría psicológica del español", en DELACROIX y otros, *Psicología del Lenguaje,* Buenos Aires, Paidós, 1953; Klaus HEGER, *Die Bezeichnung temporal-deiktischer Begriffskategorien im französischen und spanischen Konjugationssystem,* Tubinga, Beihefte zur ZRPh, 104 Heft, 1963; K. HEGER, "La conjugación objetiva en castellano y en francés", en *BICC,* XXII, 1967, pp. 153-175; K. HEGER, "Personale Deixis und grammatische Person", en *ZRPh,* LXXXI, 1965, pp. 76-216; Gerold HILTY, "Tempus, Aspekt, Modus", en *VR,* XXIV, 1965, pp. 269-301; E. C. HILLS y J. O. ANDERSON, "The frequency of the moods and tenses of verbs in recent spanish plays", *H,* XII, 1929, pp. 604-606; María ILIESCU, "La productivité de la IVe conjugaison latine dans les langues romanes", en *IX Congr. Inter. de Ling. Rom.,* 1959, pp. 87-102; Paul IMBS, *Coup d'oeil sur le système des temps du verbe français,* Frankfurt, Die Neueren Sprachen, Beiheft 5, 1959; T. B. IRVING, "Completion and becoming in the Spanish verb", *MLJ,* XXXVII, 1953, pp. 412-414; R. JAKOBSON, "Zur Struktur des russischen Verbums", en *A Prague School Reader in Linguistics,* 1964, pp. 347-349; Martin JOOS, *The English Verb. Form and Meanings,* The Univ. of Wisconsin Press, 1964; Alphonse JUILLAND y James MACRIS, *The english verb system,* La Haya, Mouton, 1962; Arthur KRACKE, "Das 'Zeit'-Wort. Tempus, Aktionsart, Aspekt", en *Der Deutschunterricht,* XIII, 1961, pp. 10-39; Vidal LAMÍQUIZ IBÁÑEZ, "El sistema verbal del español actual. Intento de estructuración", en *RUM,* XVIII, 1969, pp. 241-265; S. LECOINTRE y J. LE GALLIOT, "À propos d'une macro-structure du système verbal français", en *Le Français Moderne,* XXXVIII, 1970, pp. 315-337; Irving A. LEONARD, "The Organization of the Spanish Verb", en *H,* VIII, 1925, p. 29; E. LORENZO, "Notas sobre el verbo español", en *El español de hoy,* 1966, pp. 97-113; E. LORENZO, "Un nuevo planteamiento del estudio del verbo español", en *Presente y Futuro de la Lengua española,* I, Madrid, 1964, pp. 471-478 y en *El español de hoy,* 1966, pp. 114-128; E. LORENZO, "Desgajamiento del participio en los tiempos compuestos",

Fue Bello [35 y ss.; 476] el primero en reparar en la importancia del comportamiento sintáctico. Tras subrayar sus variaciones formales para expresar persona, número y, después, tiempo, la define como "una clase de palabras que significan el atributo de la proposición, indicando juntamente la

---

en *El español de hoy,* 1966, pp. 153-160; Al. LORIAN, "Un problème de méthode: les formes verbales indifférenciées", en *RPh,* XV, 1961-1962, pp. 292-300; Y. MALKIEL, "The contrast *tomáis-tomávades, queréis-queríades*", *HR,* XVII, 1949, pp. 159-165; F. MARCOS MARÍN, "Formas verbales en las jarchas de moaxajas árabes", en *RUM,* XIX, 1970, pp. 169-184; A. MEILLET, "Sur les caractères du verbe", en *Linguistique historique et linguistique générale,* I, 1926, pp. 175-198; F. ROBLES DEGANO, *Filosofía del Verbo,* Madrid, Nueva Biblioteca Filosófica, L, 1931; J. ROCA PONS, "Estudio morfológico del verbo español", *RFE,* XLIX, 1966, pp. 73-89; Martín S. RUIPÉREZ, "Notas sobre estructura del verbo español", en *Problemas y Principios del estructuralismo lingüístico,* 1967, pp. 89-96; Ludwig SCHAUWECKER, "Die Genera verbi im Französisch/Provenzalischen", en *Zeitschrift für französischen Sprache und Literatur,* LXX, 1960, pp. 49-83; Henry G. SCHOGT, "*Tempus et Verbe* de Gustave Guillaume trente-cinq ans après sa parition", en *La Linguistique,* I, 1965:1, pp. 55-74; E. SEIFERT, "Sintaxis del verbo español moderno", en *Anales del Instituto de Lingüística de la Universidad de Cuyo,* V, 1952, pp. 398-404; R. D. SEWARD, *Syntax of the Spanish Verb,* Liverpool, 1958[3]; R. F. SPAULDING, *Syntax of the Spanish Verb,* Nueva York, 1931; Knud TOGEBY, *Mode, aspect et temps en espagnol,* Copenhague, 1953; Peter E. TRAUB, *The Spanish Verb,* Nueva York, 1900; Henry VERNAY, "Un système logique comme cadre d'une étude comparative de deux structures", en *La Linguistique,* III, 1967:1, pp. 39-62; M. L. WAGNER, "Expletive Verbalformen in den Sprachen des Mittelmeeres", en *RF,* LXII, 1955, pp. 1-8; Hans WEBER, *Das Tempus system des Deutschen und des Französischen. Ubersetzungs- und Strukturprobleme,* Berna, Romanica Helvetica, 45, 1954. **Estudian fundamentalmente el tiempo**: Th. BERCHEM, "Sur la fonction des temps verbaux. A propos de H. Weinrich: Tempus -Besprochene und erzählte Welt", en *Le Français Moderne,* XXXVI, 1968, pp. 287-297; M. de P. BOLEO, "Génese do conceito de tempo passado, sua expressão nas linguas romanicas", en *Biblos,* 1929, pp. 315-340; H. BONNARD, "Avec Klum vers une théorie scientifique des marques temporelles", en *Le Français Mo-*

persona y número del sujeto, el tiempo y el modo del atributo" [476]. En esta definición se prescinde de las formas de infinitivo, gerundio y participio que Bello estudia como derivados verbales.

Han sido problemas fundamentales que todavía impiden

---

derne, XXXII, 1964, pp. 85-96; J. Chaurand, "L'enfance, la geste médiévale et le nouveau roman. Le Temps grammatical dans quelques *modes au présent*", en *Le Français Moderne,* XXXIV, 1966, pp. 210-224 [queda incompleto]; Rodger A. Farley, "Sequence of Tenses: A Useful Principle?", en *H,* XLVIII, 1965, pp. 549-554; R. A. Farley, "Time and the Subjunctive in Contemporary Spanish", *H,* LIII, 1970, pp. 466-475; E. Gamillscheg, "La prehistoria de un tiempo verbal románico", en *Estudio,* VI, 1914, pp. 351-352; E. Gamillscheg, *Studien zur Vorgeschichte einer romanischen Tempuslehre,* Viena, 1913; Stephen Gilman, *Tiempo y formas temporales en el "Poema del Cid"*, Madrid, Gredos, 1961; Klaus Heger, "Problemas y métodos del análisis onomasiológico del tiempo verbal", en *Boletín de Filología* de la Universidad de Santiago de Chile, XIX, 1967, pp. 165-195; J. Kurylowicz, "Les temps composés du roman", en *Esquisses Linguistiques,* 1960, pp. 104-108; Juan M. Lope Blanch, "La expresión temporal en Berceo", *NRFH,* X, 1956, pp. 36-40; Antonio H. Obaid, "A Sequence of Tenses? What Sequence of Tenses?", en *H,* L, 1967, pp. 112-119; J. Onimus, "L'expression du temps dans le roman contemporaine", en *Rev. de Littérature Comparée,* XXVIII, 1954, pp. 299-317; Charles Rallides, "The Temporal Element of the Non-Finite Verb Forms in Spanish", en *H,* LI, 1968, pp. 132-137; Charles Rallides, *The Tense aspect system of the Spanish verb as used in cultivated Bogotá Spanish,* La Haya, Mouton, 1971; Richard James Schneer, "A Sequence of Tenses? What Sequence of Tenses? A Rejoinder", *H,* LI, 1968, p. 120; Sten, *Les temps du verbe fini en français moderne,* Copenhague, 1952; Harald Weinrich, *Tempus. Besprochene und erzählte Welt,* Stuttgart, 1964 (trad. esp., *Estructura y función de los tiempos en el lenguaje,* Madrid, Gredos, 1968). **Sobre el modo**: O. Díaz Valenzuela, *The Spanish Subjunctive,* Filadelfia, 1942; A. M. Espinosa, *The use of the conditional for the Subjunctive in Castilian popular speech,* Ithaca, The Thrift Press, 1936; J. Fonseca, "Indicativo y Subjuntivo", en *BACol,* IV, 1955, p. 127; M. Isabel de Gregorio de Mac, *El problema de los modos verbales,* Rosario, Universidad del Litoral, 1968; A. Lamotte, "La valeur modale du conditionnel", en *Nouvelle Revue Pédagogique* (Bélgica), XIX, 1964, pp. 527-

llegar a una definición concluyente, la abundancia de formas que toman las realizaciones en el discurso de las palabras que conocemos tradicionalmente como verbos y la falta de precisión en el concepto de las categorías verbales que afec-

---

531; J. F. Lemon, "A psychological study on the subjunctive mood un Spanish", en *MLJ*, XI, 1927, pp. 196-199; Anthony G. Lozano, "Subjunctives, Transformations and Features in Spanish", en *H*, LV, 1972, pp. 76-90; Sebastián Mariner Bigorra, "Estructura de la categoría verbal modo en latín clásico", en *Em*, XXV, 1957, pp. 449-486; W. Moellering, "The function of the Subjunctive Mood in *como* clauses of fact", en *H*, XXVI, 1943, pp. 267-282; Peter Schifko, *"Subjonctif" und "subjuntivo". Zum Gebrauch des Konjunktivs im Französischen und Spanischen*, Viena-Stuttgart, Wiener romanistische Arbeiten, VI, 1967; R. D. Seward, "The elliptical Subjunctives in Spanish", en *H*, XVII, 1934, pp. 355-360; R. K. Spaulding, "Two elliptical Subjunctives in Spanish", en *H*, XVII, 1934, pp. 355-360. **Sobre el aspecto**: F. R. Adrados, "Observaciones sobre el aspecto verbal", en *Estudios Clásicos*, I, 1950, pp. 1-25; Wolf Dietrich, *Der periphrastische Verbalaspekt in den romanischen Sprachen*, Tubinga, Beiheft zur ZRPh, Band 140, 1973; J. Dubois, "La traduction de l'aspect et du temps dans le code français (Structure du verbe)", en *Le Français Moderne*, XXXII, 1964, pp. 1 y ss.; Otto Duchacek, "Sur le problème de l'aspect et du caractère de l'action verbale en français", en *Le Français Moderne*, XXXIV, 1966, pp. 161-184; J. González Muela, "El aspecto verbal en la poesía moderna española", en *RFE*, XXXV, 1951, pp. 75-91; G. Guillaume, "Immanence et transcendence dans la catégorie du verbe. Esquisse d'une théorie psychologique de l'aspect", en *Jour. Psycholog. normale et pathologique*, XXX, 1933, pp. 355-372; K. van der Heyde, "L'aspect verbal en latin", en *Revue des Études Latines* (París), XI, 1933, pp. 59-84; XII, 1934, pp. 140-157; XIV, 1936, pp. 326-335; H. Keniston, "Verbal Aspect in Spanish", en *H*, XIX, 1936, pp. 163-176; J. Labochette, "Les aspects verbaux en espagnol moderne", en *Revue Belge de Philologie et d'Histoire* (Bruselas), XXIII, 1944, pp. 39-72; J. Larochette, "Les aspects verbaux en espagnol ancien", en *RLR*, LXVIII, 1939, pp. 327-421; L. J. MacLennan, *El problema del aspecto verbal*, Madrid, Gredos, 1962; R. Martin, "Grammaire et lexique: leur concurrence dans l'expression de l'aspect perfectif en français moderne", en *BJR* (Estrasburgo), VI, 1962, pp. 18-25; Guérard Piffard, "L'aspect", en *BJR*, VIII, 1964, pp. 1-8; Z. Plachy, "Quelques remarques sur le problème de l'aspect perfectif ou impératif d'un temps verbal", en

tan a la expresión de esta clase de palabras, y la imprecisión y problematismo en la segmentación de los morfemas que las expresan.

5.0.1. La flexión verbal

El término **tiempo** se emplea en dos acepciones: (a) *tiempo gramatical,* realización morfémica de una determinada categoría gramatical que veremos inmediatamente; (b) cada grupo de formas que puede tomar un verbo. Otras lenguas habilitan dos palabras para expresar esto mismo: ingl. *Tense/Time*; alem. *Tempus/Zeit.* Aquí se llamará **forma verbal** a cada una de las realizaciones de un mismo verbo. El conjunto o serie ordenada de todas las formas con que se presenta un verbo se llama **conjugación**.

PhP, IV, 1961, pp. 24-34; J. Pohl, "Aspect-temps et aspect-durée", en *Le Français Moderne,* XXXII, 1964, p. 170; Wolfgang Pollak, *Studien zum "Verbalaspekt" im Französischen,* Viena, 1960; Charles Rallides, "Differences in aspect between the Gerundive Forms and the Non-Gerundive Forms of Spanish Verb", en *H,* XLIX, 1966, pp. 107-114; Martín S. Ruipérez, "Observaciones sobre el aspecto verbal en español", en *Strenae,* 1962, pp. 427-436; M. S. Ruipérez, *Estructura del sistema de Aspectos y Tiempos del verbo griego,* Salamanca, CSIC, 1954; Jan Sabrsula, "Verbal aspect and manner of action in French", en E. Fried (ed.), *The Prague School of Linguistics and Language Teaching,* Londres, Oxford University Press, 1972, pp. 95-111; Ernest Stowell, "Contrasts of Aspect in the Spanish progressive and passive", en *H,* XL, 1957, pp. 467-469. **Sobre la «Aktionsart»**: M. Bassols de Climent, "La cualidad de la acción verbal en español", en *EDMP,* II, 1951, pp. 135-147; Dwight L. Bolinger, "Modes of Modality in Spanish and English", en *RPh,* XXIII, 1969-1970, pp. 572-580; W. Hanckel, *Die Aktionsarten im Französischen,* Berlín, 1930; F. Hermann, "Objektive und Subjektive Aktionsart", en *IF,* XVIII, 1968, pp. 29-39; Karl-Heinz Klöppel, *Aktionsart und Modalität in den portugiesischen Verbalumschreibungen,* Berlín, 1960.

Un morfema lexemático, al realizarse en el discurso como verbo, selecciona diversas clases de morfemas que en sincretismo a veces expresan diversas categorías gramaticales: (a) **número**: que opone formas singulares y plurales; (b) **persona**: que alude al sujeto como indicio de cada uno de los tres campos referenciales (1.ª, 2.ª y 3.ª personas); (c) otras nociones **auxiliares** no muy claramente delimitables ni segmentables, tales como las categorías de tiempo, modo, etc., según veremos; (d) a esto hay que añadir la presencia en ocasiones de vocales temáticas.

Con ello, cada forma verbal mantiene el morfema lexemático (1) y cambia los restantes morfemas según una serie finita de posibilidades; (2) vocal temática; (3) morfema auxiliar; (4) morfema concordante (número y persona):

(1) Morfema lexemático	(2) Vocal temática	(3) Morfema auxiliar	(4) Morfema concordante
cant-	**-a-**	**-ba-**	**-s**
cant-	**-á-**	**-ba-**	**-mos**
cant-	**-a-**	**-re-**	**-mos**

Tomando en cuenta las posibilidades de los morfemas concordantes, nos encontraremos con casos (a) de una sola forma simple, (b) de dos formas simples y (c) de seis formas simples: tres en singular y tres en plural que corresponden a las tres personas. Tomando como muestra las formas únicas y sólo la segunda persona del singular, cada uno de los tipos de verbo según la vocal temática posible nos dará el siguiente conjunto de formas:

1	2	3	4
cant-a-r	cant-a-nd-o	cant-a-d-o	cant-a-d
corr-e-r	corr-ie-nd-o	corr-i-d-o	corr-e-d
sub-i-r	sub-ie-nd-o	sub-i-d-o	sub-i-d

5	6	7	8
cant-á-is	cant-a-ba-is	cant-a-ste-is	cant-a-ré-is
corr-é-is	corr-í-a-is	corr-i-ste-is	corr-e-ré-is
sub-í-s	sub-í-a-is	sub-i-ste-is	sub-i-ré-is

9	10	11	12	13
cant-a-ría-is	cant-Ø-é-is	cant-a-ra-is	cant-a-se-is	cant-a-re-is
corr-e-ría-is	corr-Ø-á-is	corr-ie-ra-is	corr-ie-se-is	corr-ie-re-is
sub-i-ría-is	sub-Ø-á-is	sub-ie-ra-is	sub-ie-se-is	sub-ie-re-is

Para 1, 2 y 3 hay una forma única; para 4, dos formas de segunda persona; para las restantes, seis. Así se totalizan 59 formas simples. A estas formas simples hay que añadir las formas compuestas por la forma 3 de cada verbo y las del verbo *haber* que, desconociendo las formas 3 y 4, constituyen un total de 56 formas. Totalizando las formas simples y compuestas, llegan así a 115 las formas que puede conseguir un mismo verbo. Las formas 13, simples y compuestas, sólo se usan en la lengua jurídica y administrativa o en frases hechas, y la forma compuesta 7 sólo en determinados tipos de lengua culta o literaria y muy escasamente en la coloquial.

5.0.2. Comportamiento sintáctico del verbo

Desde el punto de vista formal y funcional, tomando en cuenta su comportamiento en el discurso, se pueden hacer a propósito de las diversas formas de cualquier verbo las siguientes observaciones: (a) todas las formas del verbo tienen una función secundaria (término secundario) predicativa; (b) todas las formas del verbo menos la 3 (*cantado*), en su función predicativa de término secundario, se convierten en núcleo ordenador de una serie de constituyentes sintácticos que puede integrar en la unidad acentual que forman, por medio de los pronombres personales complementarios átonos (afijos): *cantó una canción*→*la cantó*; *cantando una canción*→*cantándola*, etc.; (c) todas las formas del verbo, menos 1 (*cantar*), 2 (*cantando*) y 3 (*cantado*), seleccionan morfemas concordantes (de número y persona) que permiten identificar el sujeto del enunciado: *Al cantar* **yo**, *comenzó a llover*; *al cantar* **tú**, ...; *al cantar* **María**, ...; *yo canto/tú cantas/María canta*; (d) todas las formas del verbo, menos 2 (*cantando*), 3 (*cantado*) y 4 (*cantad*), pueden ser seleccionadas por el pronombre relativo *que* en proposiciones subordinadas, ya que cuando aparecen 2 y 3 actúan como predicación adyacente.

A estas cuatro observaciones cabe añadir una quinta (e) sobre el comportamiento nominal de 1 (*cantar*) que es la única forma verbal que admite artículo y puede llegar, lexicalizada, a admitir número (*los deberes, los andares*) como el nombre sustantivo, y sobre el de 3 (*cantado*) que puede aparecer en función secundaria concordada con un nombre en género y número: *la canción cantada*; *el himno cantado.*

5.0.3. Sistematización de las formas verbales

A la vista de lo expuesto en el parágrafo anterior se pueden registrar en cualquier verbo las siguientes oposiciones:

(a) **Formas simples** y **formas compuestas** según que consten del lexema flexionado por los morfemas verbales o tomen la forma invariable 3 (*cantado*) auxiliada por las formas del verbo *haber*. De una manera general, se puede afirmar que las formas compuestas expresan el contenido del lexema como concluido con respecto a la forma simple correspondiente: *cantaba/había cantado; cantaré/habré cantado.*

(b) **Formas personales** y **formas no personales** según admitan morfemas concordantes o no: *cantar, cantando, cantado/canto, cantaba, canté, cantaré,* etc.

(c) *Formas que admiten "que" relativo* y *formas que no admiten "que" relativo.* Se separan las formas 4 (*cantad*) de las que siguen: *cantad/cantáis, cantabais, cantasteis, cantaréis, cantaríais,* etc.

(d) *Formas que aparecen tras "quiero que"* y *"ojalá"* y *formas que no aparecen en dicha posición.* Se oponen las formas 5 (*cantáis*), 6 (*cantabais*), 7 (*cantasteis*), 8 (*cantaréis*) y 9 (*cantaríais*) a las siguientes:

Sistematización de las formas del verbo castellano

	No seleccionan morfemas concordantes		Seleccionan morfemas concordantes	
Admiten *que* relativo	INFINITIVO		INDICATIVO	No dependen de *ojalá*
			SUBJUNTIVO	Pueden depender de *ojalá*
	Durativo	Conclusivo		
No admiten *que* relativo	GERUNDIO	PARTICIPIO	IMPERATIVO	

Las variaciones de contenido aportado por las oposiciones (c) y (d), menos ostensibles que las anteriores, se han puesto en relación con los conceptos de diversas categorías gramaticales tales como el tiempo, el modo, el aspecto y alguna otra. Ninguna de estas categorías ha llegado a conseguir una definición inequívoca y aceptada por todos los gramáticos.

5.1. Formas no personales *

Son formas que se definen por oposición a las personales por no seleccionar morfemas concordantes. Comportan por tanto tres morfemas pertenecientes a la clase de los lexemáticos, vocal temática y morfemas auxiliares verbales. Son tres formas simples únicas y dos compuestas, únicas también. Se han llamado **infinitivo** (1. *cantar, correr, subir*), **gerundio**

* **Sobre el participio**: E. Herzog, "Das *-to* Partizip im Altromanische", en *ZRPh,* XXXIV, 1910, pp. 75-186; Joan Solà, "Concordança del participi passat", en *Estudis de Sintaxi catalana/2,* 1973, pp. 57-87; A. Zamora Vicente, "Participios sin sufijo en el habla albaceteña", *Fil,* II, 1950, pp. 342-343. **Sobre el gerundio**: A. Badía Margarit, "El gerundio de posterioridad", en *Presente y Futuro de la Lengua Española,* II, 1964, pp. 287-295; E. Bourciez, "Die Gerundialumschreibung im Altspanischen zum Audruck von Aktionsart", en *ZRPh,* LIII, 1933, p. 408 y ss.; J. Bouzet, "Le gérondif espagnol dit *de posteriorite*", *BHi,* LV, 1953, pp. 349-374; Miguel Antonio Caro, "Tratado del Participio", *Obras Completas,* V, Bogotá, 1925; A. Thomas Douglass, "Gerundive and Non-Gerundive Forms", *H,* L, 1967, pp. 99-103; Hans Chmelicek, *Die Gerundialumschreibung im Altspanischen zum Ausdruck von Aktionsarten,* Hamburgo, Hamburger Studien, 5, 1930; S. Lyer, "La Syntaxe du gérondif dans le *Poema del Cid*", *RFE,* XIX, 1932, pp. 1-46; S. Lyer, *Syntaxe du gerondif et de Participe présent dans les langues romanes,* París, 1934; S. de los Mozos Mocha, *El gerundio preposicional,* Salamanca, Acta Salmanticensia, 73, 1973; E. Oca, "Sobre el Participio", *BRAE,* IV, 1917, pp. 195-206; R. Á. de la Peña, *Tratado del gerundio,* México, Ed. Jus, 1955; Hilario S. Sáenz, "Disquisiciones participio-gerundiales", *H,* XXXVI, 1953, pp. 291-299; L. Spitzer, "Das Gerundium als Imperativ im Spanischen", en *ZRPh,* XLII,

(2. *cantando, corriendo, subiendo*) y **participio** (3. *cantado, corrido, subido*).

Se han llamado también estas formas no personales, *derivados verbales, formas nominales* y *verboides*. Algunos gramáticos llegan a separarlas de las restantes formas del verbo y entenderlas como subclases especiales del nombre sustantivo y del adjetivo. Para el infinitivo y gerundio el hecho de actuar como centro ordenador de enunciados o partes de enunciados integrando los complementos verbales, y para el participio el hecho de que en su forma inmovilizada de masculino y singular se une a las formas del verbo *haber*

1922, pp. 204-210; J. P. WONDER, "Some Aspects of Present-Participial Usage in Six Modern Spanish Novelists", en *H*, XXXVIII, 1955, pp. 193-201; Carolina WU, *El gerundio español. Sus equivalentes en los idiomas inglés, francés y alemán*, Trujillo (Perú), 1965. **Sobre el infinitivo**: E. ALARCOS LLORACH, "Análisis sincrónico de algunas construcciones del infinitivo español", en *Actas del XI Congreso de Lingüística y Filología*, 1965; Wilfred A. BEARDSLEY, *Infinitive Constructions in Old Spanish*, Nueva York, Columbia University Press, 1921; G. BLANDIN COLBURN, "The Complementary Infinitive and its Pronoun Object", en *H*, XI, 1928, pp. 424-429; F. COURTENEY TARR, "Infinitive Constructions in Old Spanish", en *MLN*, XXXVIII, 1923, pp. 103-108; R. J. CUERVO, "Sobre el carácter del Infinitivo", en *Disquisiciones sobre filología castellana*, Bogotá, 1950, pp. 102-119; J. C. DAVIS, "Al + Infinitivo", en *H*, XXXVI, 1953, p. 458; J. DUBSKY, "El Infinitivo en la réplica", en *EAc*, n.º 8, 1966, pp. 1-2; H. FLASCHE, "Der persönliche Infinitiv im klassischen Portugiesisch (Antonio Vieira, 1608-1697)", en *RF*, LX, 1947, pp. 685-710; P. U. GONZÁLEZ DE LA CALLE, "*Camino a seguir, trabajo a realizar*", en *BICC*, II, 1946, pp. 535-546; P. U. GONZÁLEZ DE LA CALLE, "Aclaraciones a un texto del autor" [sobre el anterior], en *BICC*, IV, 1948, pp. 572-580; J. GONZÁLEZ MUELA, *El Infinitivo en el "Corbacho" del Arcipreste de Talavera*, Granada, Colecc. Filológica, VIII, 1954; C. E. KANY, "Conditions expressed by Spanish *de* plus infinitive", *H*, XIX, 1936, pp. 211-216; C. E. KANY, "More about conditions expressed by Spanish *de* plus infinitive", *H*, XXII, 1939, pp. 165-170; Gustaf LILJEQUIST, *Infinitiven i det fornspanska lagspråket*, Lund, 1885-1886; A. LOMBARD, *L'infinitif de narration dans les langues romanes. Étude de Syntaxe historique*, Upsala, 1936;

para constituir las formas compuestas, justifican que no pueda separárselas de las restantes formas verbales.

El morfema lexemático se realiza como infinitivo enlazándose por medio de una vocal temática -**a**-, -**e**-, -**i**- al morfema marcativo de infinitivo -**r**. Cuando integra acentualmente los complementos verbales, lo hace por enclisis (*cantarlo, ganárselo*).

Resulta difícil describir el significado del infinitivo que está en límite con los nombres de movimiento [Bello, 420]. Cabría decir que el nombre toma una misma realidad que el infinitivo que se corresponde con él como realización del mismo lexema, como algo estático, mientras el infinitivo nombra la acción en su dinamismo. Desde otro punto de vista, mientras el nombre no admite la complementación verbal,

---

A. Lombard, "Les expressions roumaines employées pour traduir l'idée de "*Faire + infinitif*", en *StN*, XXI, 1949, pp. 47-58; J. M. Lope Blanch, "Construcciones de infinitivo", en *NRFH*, X, 1956, pp. 313-336; J. M. Lope Blanch, "El infinitivo temporal durante la Edad Media", en *NRFH*, XI, 1957, pp. 285-312; H. E. MacNeel, *The Use of the Infinitive in Spanish Prose between 1600 and 1630*, M. A. Dissertation, Univ. of Chicago, 1932; Harri Meier, "Infinitivo flexional portugués e infinitivo personal español", en *Boletín de Filología* de Santiago de Chile, VIII, 1954-1955, pp. 267-291; Nurmela, "Le débat sur l'infinitif de narration dans les langues romanes", en *NM*, 1944, pp. 146-160; Richard Otto, "Der portugiesische Infinitiv bei Camoes", en *RF*, I, 1888; P. Perrochat, *Recherches sur la valeur et l'emploi de l'infinitif subordonné en latin*, París, 1932; J. Picoche, "Reflexions sur la *Proposition infinitive*", en *Le Français Moderne*, XXXVII, 1969, pp. 289-300; J. M. Restrepo Millán, "De la proposición de Infinitivo", en *BICC*, I, 1945, pp. 140-145; G. Rohlfs, "La perdita dell'infinito nelle lingue balcaniche e nell'Italia meridionale", en *Omagiu lui Jorgu Iordan*, Bucarest, 1958, pp. 733-744; Joan Solà, "Substantivació de l'Infinitiu", en *Estudis de Sintaxi catalana/1*, 1972, pp. 47-71; R. K. Spaulding, *History and Syntax of the progressive Constructions in Spanish*, Berkeley, 1926; Leo Spitzer, "Beiträge zur spanischen Syntax. II. Sp. *Al volver que volvió*", en *HMP*, I, 1925, pp. 58-62; Knud Togeby, "L'infinitif dans les langues balkaniques", en *RPh*, XV, 1961-1962, pp. 221-233.

el infinitivo puede admitir la complementación del nombre: *el murmurar de la fuente/el murmullo de la fuente.* Como nombre de acción servirá para nombrar al verbo.

Es característico en el doble uso nominal y verbal del infinitivo su comportamiento como término primario (sustantivo) o secundario (verbo) que se refleja en la ausencia o presencia de sujeto. Como forma no personal no tiene marcas concordantes con el sujeto; sin embargo, toma como sujeto el nombre o pronombre personal que esté más próximo a él: *Al llegar tu hermano, salió de casa/Al llegar, salió tu hermano de casa/Al llegar, tu hermano salió de casa.* La ambigüedad se limita por la proximidad del nombre y la entonación, pausas, etc.

Pueden darse, en este sentido, los siguientes casos: (a) el sujeto explícito se sitúa al lado del verbo o dentro de la frase de que forma parte: *Te vi salir*; *Vi salir a Mercedes*; (b) el sujeto está implícito y viene dado por el contexto: *No puedo salir*; (c) el sujeto es indeterminado: *Es conveniente descansar*; (d) no tiene sujeto y toma por sí mismo valor de término primario: *Le adormece el murmurar de la fuente.* La aproximación a su función nominal se refuerza con la eliminación del sujeto y se acentúa con la incorporación de complementaciones con *de* (genitivo subjetivo).

Junto a esto hay que tomar en cuenta el hecho de que el infinitivo tiene por sí mismo un valor sustantivador que se extiende a toda la construcción que organiza, con lo que el infinitivo puede alternar con construcciones con *que* tanto de indicativo como de subjuntivo: (I) El verbo dominante no admite más que subjuntivo en la proposición dependiente. Mantiene el infinitivo su valor verbal y, cuando tiene sujeto, marca la coincidencia con el del verbo dominante frente al verbo en forma personal que exige un sujeto distinto: *quiero cantar/quiero que cantes.* (II) El verbo dominante admite indicativo y subjuntivo: *sé cantar/sé que canto/sé que cantas.* El infinitivo frente al indicativo con el mismo sujeto que el verbo dominante, toma un valor distinto al encontrado en (I). Tanto en un caso como en otro nos encontramos con un proceso de sustantivación de la construcción ordenada por el infinitivo. La presencia del artículo no impide la realización verbal del infinitivo con sus complementos siempre que se corresponda con las proposiciones con *que*: *(El) saltar a la cuerda es divertido/(El) que saltes a la cuerda es divertido.*

Por otra parte, se puede producir la lexicalización de determinados infinitivos como sustantivos con atenuación más o menos marcada de su significado (*andar*, *cantar*, *haber*, *deber*, *placer*, *pesar*, etc.). El castellano tiene gran facilidad para trasposiciones ocasionales con eliminación de sujeto y asimilación de los complementos del nombre:

> Mari Juana continuaba ocupada en su cocina, en su coser, en su lavar y en su barrer (S. J. Arbó [cit. J. Coste-A. Redondo, p. 475]).

Por su misma naturaleza admite además del artículo —salvo en la forma compuesta de infinitivo— cualquier pronombre en función adjetiva (*este sonreír*; *su caminar*, etc.). De la misma manera, se combina con adverbios (*el cantar siempre*). Sin embargo, ni aun en estos casos desconoce la posibilidad de su realización verbal, como núcleo organizador de una proposición.

5.1.1. Proposiciones de infinitivo

El infinitivo puede ser introducido por relativos enunciativos o interrogativos en construcciones muy características:

No hay porqué alarmarse y renegar del exterior rudo de las cosas (G. Marañón, *Raíz y Decoro de España*, 191); Digo que no va a haber tierra donde meterlo (Galdós, *Zumalacárregui*, 136); Ese mitin dará mucho que hablar (R. Pérez de Ayala, *Troteras y Danzaderas*, 131); Aún le faltaba mucho que aprender (Blasco Ibáñez, *Sangre y Arena*, 79); No hallando cosa oportuna que decir, Segundo callaba (Pardo Bazán, *El Cisne de Vilamorta*, 109); No, hija mía; no tengo de qué perdonarte (A. Palacio Valdés, *Marta y María*, 306); Pues las tuyas no tienen nada que envidiar (Á. Ganivet, *Los Trabajos del infatigable creador Pío Cid*, I, 120); ¡Pues no han dado poco que hablar las tales! (Galdós, *Zumalacárregui*, 207).

Por medio de preposiciones se introduce en un enunciado complejo en concurrencia con las proposiciones sustantivas con *que*. Generalmente, como se ha dicho, no hay opción:

con: Los que no lo tenían se contentaban con sonreír y aplaudir (A. Palacio Valdés, *Marta y María*, 241); **de**: Barbarita no gustaba de prodigar su tesoro (Galdós, *Fortunata y Jacinta*, I, 38); **en**: La envidia la mantienen los que se empeñan en creerse envidiados (Unamuno, *San Manuel Bueno, mártir*, 51); **por**: [...] concluyendo ella por meterle en la memoria las fórmulas (Galdós, *Fortunata y Jacinta*, I, 55).

Como complementación de un nombre:

a: [...] abandonaban la victoria con más tristeza que desaliento, sintiéndose dispuestos a empezar otra vez en aquel mismo instante (Galdós, *Zumalacárregui*, 132); **de**: Tenía Andrés un gran deseo de comentar filosóficamente las vidas de los vecinos de la casa de Lulú (P. Baroja, *El Árbol de la Ciencia*); **en**: La primera comparsa la organizó la Nautilia, sociedad nueva y emprendedora, empeñada en eclipsar a otra más antigua y acreditada (Pardo Bazán, *Doña Milagros,* 149); **para**: [...] montones de cartas de luto preparadas para echar al correo (R. Gómez de la Serna, *El Incongruente,* 128).

Tras locuciones adverbiales o conjuntivas:

a fin de: Sin duda una división pasaría el Ega por Acedo, a fin de embestir por el Valle de Lana (Galdós, *Zumalacárregui,* 139); **a efecto de**: A efecto de paliar mis inquietudes, refúgiome en mi soledad (R. Güiraldes, *Xaimaca,* 63); **en lugar de**: Fuimos allá, y vimos que la joven, en lugar de irse a su aposento, [...], se había ocultado (P. A. Alarcón, *El Escándalo,* 143).

Entre las proposiciones de infinitivo introducidas por preposición que no concurren con las sustantivas de verbo personal introducidas por *que,* el caso más interesante lo ofrecen las fórmulas introducidas por *a* de valor condicional y las introducidas por *al* de valor circunstancial puntual. La primera alterna con la construcción con *de*:

a: Hubiérase creído vivienda amasada con sustancia de nubes a no ser por el estilo tallado, perpendicular, de los muebles de laca blanca (R. Pérez de Ayala, *Troteras y Danzaderas,* 22); A juzgar por lo que da, nadie en el mundo más rico que él (C. J. Cela, *El Nuevo Lazarillo*); [...] allí hubiera terminado la elección, en un zafarrancho de combate, a no intervenir la fuerza pública (R. León, *Alcalá de los Zegríes,* 173); **al**: Al verme entrar, corrieron a mi encuentro (Valle-Inclán, *Sonata de Primavera,* 23); ¿No te acuerdas cuando yo al despertar sola y contarte cómo escapé de casa, me dijiste: Volverán a la vida y al camino? (Unamuno, *El Espejo de la Muerte,* 26); [...] al entrar en el colmado de la calle de Arlabán, se encontraron al doctor (P. Baroja, *Locuras de Carnaval,* 25).

Otros usos verbales del infinitivo como núcleo ordenador de la frase serán estudiados más adelante (v. 8.1.). Baste señalar ahora su uso muy frecuente en la lengua hablada en fórmulas de mandato. Corresponde a la segunda persona del plural y se considera vulgarismo:

> Hombre, callarse. ¡Qué nena! [...] Aguardarse que ya tenemos amenidaz femenina pa la orgía (C. Arniches, *Es mi Hombre,* 123); Esta noche, y no moler, amigo (Galdós, *Narváez,* 145); En pie. Ponerse los correajes con los paquetes (R. J. Sender, *Imán,* 92).

5.1.2. El gerundio

Constituye una de las formas no personales más controvertidas por los gramáticos y, al mismo tiempo, una de las construcciones sobre la que hay mayor desacuerdo entre el uso y las normas. El gerundio utiliza, además del morfema lexemático, vocales temáticas de la serie -**a**-, -**ie**- y el morfema -**ndo**. Como el infinitivo, sólo admite enclíticos (pospuestos) los pronombres personales complementarios (afijos) integrados. Tiene una forma simple de carácter imperfectivo y una compuesta de carácter perfectivo que oponen la idea de acción no concluida a la de acción concluida: *cantando/ habiendo cantado.*

El gerundio, como el participio, entra como elemento de una oración en calidad de predicación secundaria. Dos oraciones de construcción independiente pueden transformarse en una sola construcción siempre que uno de los verbos tome la forma de gerundio:

El muchacho *llega* a su casa
El muchacho *silba* } El muchacho **llega** a su casa **silbando.**

Esta predicación adyacente puede situarse (1) delante del sujeto; (2) detrás del sujeto; (3) detrás del verbo: (1) *Silbando, llegó el muchacho a su casa*; (2) *El muchacho, silbando, llegó a su casa*; (3) *El muchacho llegó silbando a su casa.*

Del significado y uso del gerundio interesa destacar los siguientes rasgos fundamentales: (a) la forma simple expresa la acción en su transcurso (*aspecto durativo*), lo que le obliga a restringir sus posibilidades notablemente; (b) no expresa por sí mismo idea de tiempo (*cantando ayer/cantando ahora/cantando mañana*), pero lo recibe por extensión del verbo dominante con el que se construye (*llegó cantando/llega cantando/llegará cantando; hiciste bien, ordenando eso/haces bien ordenando eso/harás bien ordenando eso*). Sin embargo, hay una idea de sucesión de los hechos que se desprende del significado de los verbos empleados. Según esto, el gerundio puede ser anterior o coetáneo, pero nunca posterior absoluto; (c) por razones históricas, se ha insistido en el valor adverbial del gerundio; sin embargo, aparece como término secundario del núcleo del sujeto o del complemento directo. Su función es idéntica a la del adjetivo y puede concurrir con las construcciones adjetivas de relativo: *La mujer, mirándole fijamente, le saludó/La mujer, que le miraba fijamente, le saludó*. Se distingue del adjetivo por su carácter de acción durativa y porque no puede tomar carácter especificativo. Esto marcará otra de las restricciones más importantes en su uso.

Estas tres características —duratividad, atemporalidad y valor adjetivo explicativo solamente— harán que se sientan como extrañas al castellano actual todavía (a) las construcciones de gerundio que tengan valor especificativo y (b) las construcciones de gerundio que expresen una acción que comienza después de concluida la acción expresada por el verbo dominante.

(a) El carácter especificativo va ganando terreno más en determinados tipos de lenguaje —periodístico, legislativo, etc.— que en la lengua común que, por otra parte, no hace demasiado uso del gerundio. Así, expresiones con sujeto inanimado del tipo de *Ley prohibiendo, Nota explicando,* etc., son más frecuentes en los titulares de los periódicos que en la creación viva del habla coloquial.

(b) El **gerundio de posterioridad**, frente a la crítica implacable de la Gramática normativa desde Bello, ha sido documentado en el castellano medieval y modernamente alcanza un creciente desarrollo. No disuena siempre que la acción expresada por el gerundio sea inmediatamente posterior a la del verbo dominante. Para ello, debe ir apoyada por adverbios de tiempo, o bien, el propio significado verbal y el contexto lo justifican. Con todo, pese a la frecuencia en la lengua escrita en textos descuidados, no abunda ni mucho menos en la lengua hablada, como se ha dicho antes:

> **anterioridad**: Echando la vista en torno y advirtiendo el lujo que allí reinaba, pronto se convenció Miguel de que los tertulianos todos, sin exceptuar a su tío, apetecían la mano, un poco rugosa ya, de la intendente (Palacio Valdés, *Riverita,* 124); De esta casa de comercio, avanzando un poco en la calle, entraron en los Docks de Santa Catalina (P. Baroja, *La Ciudad de la Niebla,* 256); Yo creo, Leoncio, que has quedado como las propias rosas regalándole la cajetilla (C. J. Cela, *La Colmena,* 80); **coetaneidad**: Decía esto con ademán tribunicio, echando fuego por los ojos, agitando nerviosamente la cabeza altiva y arrugando entre las manos el periódico (R. León, *Alcalá de los Zegríes,* 63); **posterioridad**: [...] los troncos del pinar se ennegrecieron más resaltando a manera de barras de tinta sobre la claridad verdosa del horizonte (Pardo Bazán, *El Cisne de Vilamorta,* 6); Telefoneó al capitán pi-

diéndole permiso (R. F. de la Reguera, *Cuerpo a tierra*, 188); Nueva bofetada la enderezó, arrumbándola luego del lado contrario (Galdós, *Prim*, 195); Los reflejos lejanos de la ría también se apagaron quedando toda ella de un mismo color de acero mate (Palacio Valdés, *Marta y María*).

El sujeto del gerundio adyacente puede ser el sujeto del verbo dominante. En este caso puede expresar una acción doble e independiente del verbo dominante o matizar la modalidad de dicha acción. En este segundo caso, el más frecuente, cuando va pospuesto al verbo toma un cierto carácter adverbial de modo que ha justificado la insistencia con que se ha equiparado al adverbio. En otro caso, el contexto suscita relaciones de tiempo, causa, concesión y condición:

modo: [...] luego va hacia el sector de la policía indígena amenazando con palabras vagas y cae de narices contra las piedras (R. J. Sender, *Imán*, 92); **causa**: ¡Dios mío, he profanado tu altar rogándote que reservases aquella vida preciosa [...] (Valle-Inclán, *Sonata de Primavera*); **tiempo**: Lo que recuerdo todavía es que viéndola alejarse sentí que una nube de vaga tristeza me cubría el alma (*id.*, 42); **condición**: Asomándose a la ventana se veía a un extremo y a otro de la calle los grandes árboles frondosos y verdes de dos plazas próximas (P. Baroja, *La Ciudad de la Niebla*, 15).

Puede ser su sujeto también el complemento directo de verbos de percepción (*ver, contemplar, hallar, recordar, imaginar*, etc.) y de representación (*pintar, representar*, etc.), siempre que mantengan el carácter explicativo fundamental del gerundio:

Tal vez nos sorprenda la muerte atando la última carpeta y pasando los nublados ojos por estos números traidores (R. León, *Alcalá de los Zegríes*, 68).

Aunque los gramáticos censuran duramente el gerundio con sujeto distinto al sujeto del verbo dominante o su complemento directo, suele encontrarse también tomando por sujeto otros tipos de elementos de la oración del verbo dominante:

> **atributo**: [...] el padre Martín, por el contrario, parecía un pachá recorriendo sus dominios (P. Baroja, *César o Nada*, 247); **elemento prepositivo**: [...] confundíase en su interior con los recuerdos de su tiempo, recuerdos vagos, perdidos en unos días todos lluviosos, tristes, con las campanas tocando por las ánimas (Valle-Inclán, *Los Cruzados de la Causa*, 69); A la zaga de todos, iba Ger, el benjamín de la familia, con sus rizos revueltos escapándosele de la boina (D. Medio, *Nosotros, los Rivero*, 277); [...] era mismamente la giba de un inmenso camello atravesando las dunas del desierto (Castillo Puche, *Paralelo 40*, 16); ¡A mí me suena lo mismo que una jauría de perros ladrando! (Palacio Valdés, *Marta y María*, 243); En la Corte inglesa había visto de cerca la tremenda batalla de las pasiones, hirviendo en el alma de los príncipes con violencia (G. Marañón, *Luis Vives*, 98).

El uso especificativo en frases independientes o dentro de una oración no es infrecuente, sobre todo cuando el sujeto es nombre animado. Determinados gerundios —*hirviendo, ardiendo, colgando*— se han fijado en este uso como verdaderos adjetivos. En este caso aparecen con cualquier elemento oracional como sujeto:

> [...] un carrito en la cuesta con cintas de colores colgando del techo (E. Quiroga, *Tristura*, 159); [...] conducían [...] a Lorenzo Carballo, quien, borracho como una cuba y con las manos colgando en un palo atravesado sobre los hombros, se dejaba llevar (Pérez Lugín, *La Casa de la Troya*, 57); Eran viejas con mantilla y los pies descalzos, mozue-

las vistiendo trajes blancos que habían sido destinados a servirlas de mortaja (Blasco Ibáñez, *Sangre y Arena*); Y el hombre dejó colgando sus brazos (G. Miró, *Años y Leguas*); A los pocos minutos sólo quedaba en ella un piquete de la Guardia Civil, con los sables desnudos brillando al sol (R. León, *Alcalá de los Zegríes*, 177); Pasaban grupos de mujeres y hombres tocando panderos y tambores, zambombas, gaitas, bandurrias; golpeando sartenes, almireces, latas; vociferando, cantando, brincando, haciendo gambetas y contorsiones (R. Pérez de Ayala, *Los Trabajos de Urbano y Simona*, 212).

La única preposición que admite el gerundio es *en*, pero actualmente esta construcción es prácticamente desconocida en la lengua hablada y de muy escaso uso en la lengua escrita:

En llegando bajo la sombría cúpula frondosa, batí palmas, canté, grité (Juan Ramón Jiménez, *Platero y Yo*, 86); Deja encerrada a su esposa, habiéndole escrito un billete, que ella lea en saliendo él (R. Pérez de Ayala, *El Curandero de su Honra*, 35).

Independientemente de los elementos oracionales del verbo dominante, el gerundio puede aparecer con sujeto particular y distinto a ellos. Se suele llamar a este gerundio **absoluto** y tiene los mismos usos que el gerundio dependiente. Suele aparecer casi únicamente en principio de frase, delante del sujeto:

Pasando el jardín, estaba la botica (P. Baroja, *Páginas escogidas*, 100); Pero, andando los años, aquel río de oro asentado en las márgenes del Tejo fue aclarando el caudal (F. Urabayen, *Don Amor volvió a Toledo*, 66); Vean ustedes lo que costó la inscripción de 500 francos, y suponiendo que se venda a ciento, verán lo que ganan en venderla (L. Fernández de Moratín, *Epistolario*, 275); Repetía sus trovas en honor de la señora Angustias, acabando la buena mujer por desarrugar el ceño y reírse (Blasco Ibáñez, *Sangre y Arena*, 61); En la botica, o mejor dicho, en la trasbotica, hablóse largamente de la llegada del *Niño de la Bola*, no faltando ya quien supiese y contase [...] que éste había recibido quince días antes una carta del joven (P. A. Alarcón, *El Niño de la Bola*, 166).

Otros usos en frases independientes y con unidad de sentido (perífrasis o frases verbales) serán estudiadas más adelante (v. 5.4.).

5.1.3. El participio

El participio es la única forma léxica que no admite la integración de pronombres personales complementarios átonos, de una parte, y la única también que selecciona morfemas de género y número. Bello [438] distinguía un participio sustantivo o sustantivado, inmovilizado en género masculino y número singular para combinarse con el verbo *haber* y formar los llamados tiempos compuestos, y un participio adjetivo que admite las mismas construcciones de cualquier nombre adjetivo. Parece evidente el carácter de subclase del nombre adjetivo de esta palabra; sin embargo, el arraigo del término y la fuerza del significado que toma el contenido en estos lexemas parece hacer recomendable el mantener la denominación tradicional de participio con que se les conoce. Aquí se llamará **participio** siempre a las formas inmovilizadas con neutralización de género y número, y se llamará **adjetivo verbal** y, a veces, participio adjetivo a las realizaciones concordadas.

El morfema lexemático se actualiza como participio mediante una de las dos vocales temáticas -**a**-, -**i**- y el morfema derivativo -**do** o, en algunos casos, -**to**, -**o**. Toman estos últimos con posibilidad de neutralización un grupo de participios atemáticos: *abierto*, *cubierto*, *escrito*, *muerto*, *puesto*, *resuelto*, *visto*, *vuelto*, y *frito*, *provisto* y *roto* que conocen la formación *freído*, *proveído*, *rompido*, de las cuales la segunda sólo sigue en uso en la lengua jurídica; *dicho*, *hecho*, *impreso* y *preso*, este último con la alternativa *prendido*, viva en la lengua con otra acepción. Los lexemas compuestos de los inventariados aquí se actualizan como participio de la misma manera: *encubierto*, *deshecho*, *inscrito*, etc.

El participio expresa la acción acabada, en general. Sin embargo, especialmente en su uso adjetivo, hay algunos que pierden el sentido pasivo. Así se encuentra en *comido*, *leído*, *bebido*, *presumido*, *osado*, *mirado*, *desprendido*, *asociado*, *casado*, *afiliado*, *esforzado*, *entendido*, y otros muchos.

En su uso verbal, es el constituyente conceptual de las formas compuestas a las que aporta el significado de su morfema lexemático, mientras las formas del verbo *haber* aportan las informaciones de los morfemas auxiliares y concordantes. El verbo *haber*, gramaticalizado, actúa como mero soporte de los valores morfemáticos de la forma compuesta apoyada y completada por los morfemas del participio. Constituyen la expresión de acción concluida de la forma simple correspondiente.

5.2. Formas personales

Las formas personales emplean cuatro constituyentes como se ha dicho, de los cuales son los morfemas concordantes los que las caracterizan como subsistema. Los morfemas concordantes marcan (a) la persona del sujeto y (b) el número del sujeto, como sigue:

Forma 4 (pres. imperat.):	2.ª pers. sing.	Ø
	2.ª pers. pl.	**-d**
Formas restantes, salvo 7:	1.ª pers. sing.	Ø; pl. **-mos**
	2.ª pers. sing.	**-s**; pl. **-is**
	3.ª pers. sing.	Ø; pl. **-n**

Forma 7 (prét. indefinido): las mismas marcas que las restantes, salvo para la 2.ª persona del singular que impone Ø; sin embargo, en el uso descuidado vulgar reaparece el morfo *-s*, muy censurado por los gramáticos.

5.2.1. Los modos

Siguiendo la interpretación de Bello [nota XI; 450], las formas personales se oponen en una estructura de tres partes, tomando en cuenta el hecho de que pueden ser regidas por unas determinadas palabras. A este criterio, que ha de considerarse como fundamental, se pueden añadir otros también formales y de significado.

La primera oposición enfrenta el modo imperativo a los modos indicativo y subjuntivo. El imperativo frente a los restantes modos cumple las siguientes exigencias: (a) no puede subordinarse a ningún verbo dominante ni con el *que* relativo ni con el *que* anunciativo; (b) no admite los adverbios *quizá* ni *no*; (c) integra acentualmente a los pronombres personales complementarios átonos como enclíticos, nunca como proclíticos; (d) por tener sólo las segundas personas, no lleva sujeto, que puede ser nombrado por medio del vocativo.

A estos criterios de tipo formal se suelen añadir otros de tipo psicológico y semántico. El imperativo es la fórmula de mandato del hablante, por lo que no conoce más que la segunda persona. Frente a la función representativa que realizan las demás, sirve para la llamada *función apelativa* o de llamada al interlocutor.

Por su parte, las restantes formas del verbo se oponen en subjuntivo e indicativo. Las primeras son las únicas posibles tras la expresión de un verbo de voluntad o deseo seguido de *que* anunciativo, o de la interjección *ojalá*: *Quiero que cante*; *Quería que cantara o cantase*, etc. Semánticamente pueden subordinarse a verbos que expresan duda y deseo, incertidumbre o emociones y sentimientos: *Quiero que vengas*; *Dudo de que venga*; *Me alegro de que venga*. Estas formas del modo subjuntivo pueden emplearse también para expresar ruego, exhortación o mandato: *Quiera Dios que venga; No temas; Vaya con cuidado*. Las formas del modo subjuntivo se han interpretado también como las formas de la irrealidad frente al indicativo que sirve para enunciar lo cierto, verdadero o falso, real o supuesto. Las formas del modo indicativo pueden aparecer como dominantes o subordinadas, y se caracterizan porque no pueden ser regidas por *quiero que...* ni por *ojalá*.

La *Gram. Acad.* establece como modo las formas número 9, cuya integración entre las del modo indicativo ha sido defendida y ampliamente justificada por diversos gramáticos desde puntos de vista distintos.

5.2.2. Terminología

Como se ha dicho, uno de los problemas no resueltos es el de fijar la relación entre las variaciones del morfema auxiliar y el contenido que aportan a la comunicación las categorías gramaticales. Por tradición, ha dominado el concepto de tiempo gramatical sobre las restantes categorías que se expresan por medio de estos morfemas. No obstante, se ha observado ya que no todas las formas expresan tiempo o, por lo menos, no lo expresan de la misma manera y que, además del tiempo, el aspecto —categoría muy importante

Forma	*Academia*	*Bello*	*Gili*
	INDICATIVO		
amo	presente	presente	presente
amaba	pretérito imperfecto	co-pretérito	pretérito imperfecto
amé	pretérito indefinido	pretérito	pretérito perfecto absoluto
he amado	pretérito perfecto	ante-presente	pretérito perfecto actual
había amado	pretérito pluscuamperfecto	ante-co-pretérito	pluscuamperfecto
hube amado	pretérito anterior	ante-pretérito	antepretérito
amaré	futuro imperfecto	futuro	futuro absoluto
habré amado	futuro perfecto	ante-futuro	antefuturo
amaría	potencial simple	pos-pretérito	futuro hipotético
habría amado	potencial compuesto	ante-pos-pretérito	antefuturo hipotético
	IMPERATIVO		
amad	presente	—	presente
	SUBJUNTIVO		
ame	presente	presente	presente
amara, amase	pretérito imperfecto	pretérito	pretérito imperfecto
haya amado	pretérito perfecto	ante-presente	pretérito perfecto
hubiera, hubiese amado	pretérito pluscuamperfecto	ante-pretérito	pluscuamperfecto
amare	futuro imperfecto	futuro	futuro hipotético
hubiere amado	futuro perfecto	ante-futuro	antefuturo hipotético

en algunas lenguas como el ruso— desempeña también destacado papel en la conjugación castellana.

Una vez clasificadas las formas personales por su modo en tres grupos, se dedicará atención principal a las formas del modo indicativo, dejando para después el imperativo y el subjuntivo. Pero antes debe ser conocida la terminología con que se designa cada uno de los grupos de formas conocidos con el nombre convencional de tiempos (v. 5.0.1). De las terminologías empleadas son tres las más importantes: la de la Academia por la gran difusión alcanzada;* la de Bello, muy difundida en Hispanoamérica, y la de Gili que con gran tacto trata de hacer más expresivos los nombres utilizados. Puede verse en cuadro adjunto la correspondencia de dichas terminologías.

Bello para las formas de subjuntivo da, además de las consignadas, otras denominaciones en relación con sus usos. Así el *ante-presente* puede ser también *ante-futuro*; el *ante-co-pretérito*, *ante-pos-pretérito*, etc. Aquí, en razón de la difusión de la *Gram. Acad.*, se mantiene su nomenclatura, pese a sus convencionalismos e imperfecciones.

5.2.2.1. *Aspecto verbal*

Generalmente se entiende por **aspecto verbal** la expresión, por medios gramaticales no siempre fáciles de aislar del modo, de cómo transcurre la realización de la idea del lexema por medio de cada una de las formas personales. Supuesto que el morfema lexemático aporta la información de una determinada acción en un determinado momento según el tiempo, esta acción puede ser focalizada en cuanto a (a) su conclusión o no conclusión o (b) a su desa-

* El *Esbozo* de la Academia Española [2.11.1.*a*] propone el nombre de *pretérito perfecto simple* por el de *pretérito indefinido* y el de *pretérito perfecto compueso* por el de *pretérito perfecto* de indicativo.

rrollo a lo largo del período señalado. En el primer caso, se designa con el nombre de **perfecta** la forma que expresa la acción concluida, e **imperfecta** la forma que se desentiende de la conclusión; en el segundo caso, se llama **durativa** la forma que expresa el desarrollo de la acción a lo largo del período, y **momentánea** o **puntual** la que prescinde de focalizar el desarrollo para atender a su realización.

Estas dos oposiciones *perfecto/imperfecto, durativo/momentáneo,* de las que es marcado el primer término, se recubren fácilmente y pueden oscurecer la comprensión del sistema. Mientras todas las formas compuestas se oponen como formas marcadas perfectas a las correspondientes simples, el pretérito imperfecto de indicativo (*cantaba*) se opone como forma marcada durativa al pretérito indefinido (*canté*) cuvo carácter momentáneo y puntual le hace parecerse a las formas perfectas. Así en cuanto al aspecto como realización se oponen *cantaba/canté* y en cuanto al aspecto como conclusión *había cantado/cantaba.*

5.2.2.2. *El tiempo*

El tiempo es ante todo un orden conceptual que se introduce en percepciones, observaciones, experiencias o imaginaciones. Este orden se fija en relación con el acto verbal por referencia al cual los hechos son anteriores (*pasados o pretéritos*), simultáneos (*presentes*) o posteriores (*futuros*). Por otra parte, los hechos que trata de representar el hablante pueden ser recordados (*retrospectivos*), vividos o anticipados (*prospectivos*). El acto verbal como punto ordenador de los hechos es primario; pero el hablante puede lanzar la triple distinción anterior/simultáneo/posterior tanto por el recuerdo como por la anticipación, a su pasado o a su futuro, del que un determinado punto es tomado como referencia y convertido en punto secundario de ordenación.

Las formas verbales castellanas pueden expresar (a) *tiempo específico* cuando se especializa para expresar cualquiera de los nueve intervalos posibles; (b) *tiempo neutro* cuando cubre dos o más intervalos como ocurre con el presente, el pretérito imperfecto o el potencial de indicativo; o (c) *tiempo sintagmático* cuando los intervalos que representa están en función de los expresados por otras formas verbales como ocurre con las de subjuntivo.

Este sistema ideal de ordenación de hechos no es recubierto por formas especiales en cada uno de los casos. De hecho, muchas lenguas no especializan un subsistema completo para el punto de ordenación en el futuro. Por otra parte, la matización aspectual duplica formas para un mismo intervalo y, en última instancia, una misma forma pasa de un subsistema a otro.

5.2.2.3. *Formas de indicativo*

El modo indicativo del verbo castellano ofrece, con sus diez formas simples y compuestas en cada persona, una organización en dos subsistemas que toman como punto de ordenación del tiempo el acto verbal (I) y el pasado (II). Se puede esquematizar así:

I. Punto de ordenación: el presente (acto verbal).

ha cantado	canta	cantará
cantaba		habrá cantado
	cantaría	
	habría cantado	

II. Punto de ordenación: el pasado (recuerdo)

había cantado	cantaba	cantaría
hubo cantado	cantó	
	cantaría	
ha cantado	canta	

5.2.2.4. *Formas de subjuntivo*

Las formas del modo subjuntivo tienen tiempo sintagmático impuesto por el punto ordenador del verbo dominante, según puede verse:

I. Formas dominantes del sistema de presente:

		Pasado	*Presente*	*Futuro*	
He querido Quiero Querré	que		cantes	cantaras	**(presente)**

II. Formas dominantes del sistema de pasado:

		Pasado	*Presente*	*Futuro*	
Querría Quería Quise	que	cantaras cantases	cantaras cantases	cantaras cantases	**(pret. imp.)**

Las formas de futuro presentan características particulares y corresponden a un presente y a un futuro en las expresiones de tipo condicional. Estas formas son poco empleadas en el castellano peninsular salvo en algunas regiones. Su uso se mantiene fosilizado en la lengua jurídica y administrativa o en locuciones como *sea quien fuere* y semejantes.

5.2.3. Conjugación de los verbos regulares

Los verbos castellanos siguen un determinado sistema de morfemas auxiliares según la vocal temática que adoptan. Esto justifica la tradicional clasificación en tres conjugaciones. Las vocales temáticas se mantienen invariables para la mayor parte de formas. En la primera conjugación emplean {**a**, **á**, *Ø*}; en la segunda {**e**, **é**, **í**, **yé**, *Ø*}; y en la tercera {**e**, **i**, **í**, **ye**, *Ø*}. Como se podrá ver después, las diferencias entre las dos últimas conjugaciones se producen en las dos primeras personas del plural del presente de indicativo, en la segunda del plural del imperativo y en el futuro imperfecto y potencial simple de indicativo.

Tradicionalmente se llaman verbos irregulares, frente a la mayoría que mantienen la formación según los paradigmas que se dan a continuación, los que en el morfema lexemático emplean varios alomorfos, los que emplean morfemas auxiliares o concordantes distintos y, por último, unos pocos que utilizan formas de varias conjugaciones o de varios verbos.

No se consideran irregularidades las variaciones producidas por razones ortográficas. Esto es lo que ocurre en los siguientes casos:

(a) Para mantener el mismo valor fonético de una consonante final de lexema, se transcribe de manera distinta según comience el morfema siguiente por *a-*, *e-*, *i-*. Así en **sacar**: *saco/saque*; **pagar**: *pago/pague*; **averiguar**: *averiguo/averigüe*; **trazar**: *trazo/trace*; **delinquir**: *delinque/delinco*; **distinguir**: *distingue/distingo*; **mecer**: *mece/mezo*; **coger**: *coge/cojo*.

(b) La *-i-* en las agrupaciones *-ió, ieron, -iera, -iese,* etc., se transcribe *-y-*: **oír**: *oyó, oyeron, oyera, oyese,* etc.

(c) La fusión de dos íes en una sola como ocurre con verbos como *reír*, *freír*, *desleír* y otros en *riendo*, *frió*, *deslieron*, etc.

(d) La *i* semiconsonante se funde con los sonidos palatales **ll**, **ñ**, **ch**, **j**, cuando le preceden como final del lexema. Así en *bullir/bullendo*, *engullir/engullendo*, etc.

(e) La segunda persona del plural del imperativo, cuando lleva enclítico el pronombre afijo *os*, pierde la *-d*: *levan-*

tad + *os* → *levantaos*. De la misma manera, la primera persona del plural del presente de subjuntivo, al recibir el enclítico *nos* o la agrupación *selo*, *sela*, *selos*, etc., pierde la -*s*: *volvamos* + *nos* → *volvámonos*; *devolvamos* + *se* + *lo* → *devolvámoselo*.

5.2.3.1. *Formas simples*

Formas no personales:

Infinitivo	cant	a	r	corr	e	r	sub	i	r
Gerundio	cant	a	ndo	corr	ie	ndo	sub	ie	ndo
Participio	cant	a	do	corr	i	do	sub	i	do

INDICATIVO

Presente:

1	cant	-o	Ø	corr	Ø	-o	Ø	sub	Ø	-o	Ø
2	cant	a	Ø	s	corr	e	Ø	s	sub	e	Ø	s
3	cant	a	Ø	Ø	corr	e	Ø	Ø	sub	e	Ø	Ø
1	cant	a	Ø	mos	corr	e	Ø	mos	sub	i	Ø	mos
2	cant	á	Ø	is	corr	é	Ø	is	sub	í	Ø	-s
3	cant	a	Ø	n	corr	e	Ø	n	sub	e	Ø	n

Pretérito imperfecto:

1	cant	a	ba	Ø	corr	í	a	Ø	sub	í	a	Ø
2	cant	a	ba	s	corr	í	a	s	sub	í	a	s
3	cant	a	ba	Ø	corr	í	a	Ø	sub	í	a	Ø
1	cant	á	ba	mos	corr	í	a	mos	sub	í	a	mos
2	cant	a	ba	is	corr	í	a	is	sub	í	a	is
3	cant	a	ba	n	corr	í	a	n	sub	í	a	n

Pretérito indefinido:

1	cant	Ø	é	Ø	corr	Ø	í	Ø	sub	Ø	í	Ø
2	cant	a	ste	Ø	corr	i	ste	Ø	sub	i	ste	Ø
3	cant	Ø	ó	Ø	corr	i	ó	Ø	sub	i	ó	Ø
1	cant	a	Ø	mos	corr	i	Ø	mos	sub	i	Ø	mos
2	cant	a	ste	is	corr	i	ste	is	sub	i	ste	is
3	cant	a	ro	n	corr	ie	ro	n	sub	ie	ro	n

Futuro imperfecto:

1	cant	a	ré	Ø	corr	e	ré	Ø	sub	i	ré	Ø
2	cant	a	rá	s	corr	e	rá	s	sub	i	rá	s
3	cant	a	rá	Ø	corr	e	rá	Ø	sub	i	rá	Ø
1	cant	a	re	mos	corr	e	re	mos	sub	i	re	mos
2	cant	a	ré	is	corr	e	ré	is	sub	i	ré	is
3	cant	a	rá	n	corr	e	rá	n	sub	i	rá	n

Potencial simple:

1	cant	a	ría	Ø	corr	e	ría	Ø	sub	i	ría	Ø
2	cant	a	ría	s	corr	e	ría	s	sub	i	ría	s
3	cant	a	ría	Ø	corr	e	ría	Ø	sub	i	ría	Ø
1	cant	a	ría	mos	corr	e	ría	mos	sub	i	ría	mos
2	cant	a	ría	is	corr	e	ría	is	sub	i	ría	is
3	cant	a	ría	n	corr	e	ría	n	sub	i	ría	n

Imperativo

2	cant	a	Ø	Ø	corre	e	Ø	Ø	sub	e	Ø	Ø
2	cant	a	Ø	d	corre	e	Ø	d	sub	i	Ø	**d**

Subjuntivo

Presente:

1	cant Ø e Ø	corr Ø a Ø	sub Ø a Ø
2	cant Ø e s	corr Ø a s	sub Ø a s
3	cant Ø e Ø	corr Ø a Ø	sub Ø a Ø
1	cant Ø e mos	corr Ø a mos	sub Ø a mos
2	cant Ø é is	corr Ø á is	sub Ø á is
3	cant Ø e n	corr Ø a n	sub Ø a n

Pretérito imperfecto en -ra:

1	cant a ra Ø	corr ie ra Ø	sub ie ra Ø
2	cant a ra s	corr ie ra s	sub ie ra s
3	cant a ra Ø	corr ie ra Ø	sub ie ra Ø
1	cant á ra mos	corr ié ra mos	sub ié ra mos
2	cant a ra is	corr ie ra is	sub ie ra is
3	cant a ra n	corr ie ra n	sub ie ra n

Pretérito imperfecto en -se:

1	cant a se Ø	corr ie se Ø	sub ie se Ø
2	cant a se s	corr ie se s	sub ie se s
3	cant a se Ø	corr ie se Ø	sub ie se Ø
1	cant á se mos	corr ié se mos	sub ié se mos
2	cant a se is	corr ie se is	sub ie se is
3	cant a se n	corr ie se n	sub ie se n

Futuro imperfecto:

1	cant a re Ø	corr ie re Ø	sub ie re Ø
2	cant a re s	corr ie re s	sub ie re s
3	cant a re Ø	corr ie re Ø	sub ie re Ø
1	cant á re mos	corr ié re mos	sub ié re mos
2	cant a re is	corr ie re is	sub ie re is
3	cant a re n	corr ie re n	sub ie re n

5.2.3.2. *Formas compuestas*

Como se ha dicho antes, se forman con el participio pasivo inmovilizado en singular masculino y las formas simples del verbo *haber* que, con el morfema auxiliar del participio, aportan la información de tiempo, modo y aspecto. El verbo *haber* utiliza varios alomorfos: {**h-**, **ha-**, **hab-**, **hay-**, **hub-**}. Los tres primeros los emplea en el presente de indicativo, el tercero en las formas no personales, futuro y potencial de indicativo con pérdida de tema y en el pretérito imperfecto de indicativo, el cuarto en el presente de subjuntivo y el último en el pretérito indefinido y en las restantes formas de subjuntivo.

Son regulares en cuanto a sus morfemas gramaticales todos salvo el presente de indicativo y el pretérito indefinido:

	Presente				*Pretérito indefinido*			
1.	h	Ø	e	Ø	hub	Ø	e	Ø
2.	ha	Ø	Ø	s	hub	i	ste	Ø
3.	ha	Ø	Ø	Ø	hub	Ø	o	Ø
1.	h	Ø	e	mos	hub	i	Ø	mos
2.	hab	Ø	é	is	hub	i	ste	is
3.	ha	Ø	Ø	n	hub	ie	ro	n

Las formas compuestas son las siguientes:

Modo indicativo: **Pretérito perfecto**: presente de indicativo + part. pas. (*he cantado*); **Pretérito pluscuamperfecto**: pretérito imperfecto + part. pas. (*había cantado*); **Pretérito anterior**: pretérito indefinido + part. pas. (*hube cantado*); **Futuro perfecto**: futuro imperfecto + part. pas. (*habré cantado*); **Potencial compuesto**: potencial simple + part. pas. (*habría cantado*).

Modo subjuntivo: **Pretérito perfecto**: presente + participio pas. (*haya cantado*); **Pretérito pluscuamperfecto en -ra**: pretérito imperfecto en *-ra* + part. pas. (*hubiera cantado*); **Pretérito pluscuamperfecto en -se**: pretérito imperfecto en *-se* + part. pas. (*hubiese cantado*); **Futuro perfecto**: futuro imperfecto + part. pas. (*hubiere cantado*).

Formas no personales: **Infinitivo perfecto**: infinitivo simple + part. pas. (*haber cantado*); **Gerundio perfecto**: gerundio simple + part. pas. (*habiendo cantado*).

No tienen formas compuestas ni el participio ni el imperativo.

5.3. Verbos irregulares*

La Gramática tradicional entendía por verbos irregulares los que se apartaban de alguna manera de los paradigmas fijados por las tres conjugaciones. La Gramática histórica mostró que tales irregularidades eran resultado de la evolución fonética de las palabras que cumplían estrictamente las leyes que rigen dicha evolución. Así, fenómenos de diptongación como los que se encuentran en *dormir/duermo* se

* M. Alvar, "El imperfecto *iba* en español", en *Homenaje a F. Krüger*, t. I, Mendoza, Fac. de F y L, Univ. Nacional de Cuyo, 1952, pp. 41-45; Dorothy M. Atkinson, "A re-examination of the hispanic radical-changing verbs", en *EDMP*, V, 1954, pp. 39-65; Bernard Bloch, "English verb inflection", en *Lan*, XXIII, 1947, pp. 399-418; William Bull y otros, "Modern Spanish verb-form frequencies", en *H*, XXX, 1947, pp. 451-466; G. Cirot, "Sur quelques archaïsmes de la conjugaison espagnole", en *BHi*, XIII, 1911, pp. 82-90; G. Colón, "La matización vocálica en las desinencias de 1.ª y 3.ª persona del presente e imperfecto de Indicativo (conjugación en *-are*) en las comarcas castellonenses", en *Miscelánea Filológica dedicada a Mons. Griera*, t. I, 1955, pp. 203-211; R. J. Cuervo, "Las segundas personas de plural en la conjugación castellana", en *Ro*, XXII, 1893, pp. 71-86; J. Dubois, "Gram-

pueden observar en el ámbito del nombre en *fogata* y *hoguera* frente a *fuego,* o en *bueno/bondad.* En todos estos casos, tanto en el verbo como en los nombres sustantivos o adjetivos, el diptongo aparece en posición tónica.

Para la descripción estructural de la lengua entendida como sistema de signos, las irregularidades se inscriben dentro del ámbito de los inventarios de alomorfos de un morfema o como casos de supletivismo. Aparte los casos de su-

---

maire transformationelle et morphologie (structure des bases verbales)", en *Le Français Moderne,* XXX, 1965, pp. 81-96 y 178-187; C. ESPINOSA, "La excepción del verbo *inmiscuir* de los verbos irregulares de la décima clase a la que sirve de modelo la conjugación del verbo *huir*", en *Boletín de la Academia Cubana de la Lengua,* IV, 1955; P. FOUCHE, *Le présent dans la conjugaison castillane,* Grenoble, 1923; V. GARCÍA DE DIEGO, *Temas gramaticales. I. Verbos irregulares,* Burgos, 1910; E. GAMILLSCHEG, "Das Romanische *-ss-* praeteritum", en *Sitzungsberichte der kgl. preuss. Akademie der Wissenschaften zu Berlin,* 1938, pp. 57-77; L. de LACERDA, "Morfología histórica del verbo *ser*", en *Revista de Filologia Portuguesa* (Brasil), I, 1924, pp. 235-243; R. LANCHETAS, *Morfología del verbo castellano,* Madrid, 1897; Y. MALKIEL, "The contrast *tomáis-tomávades, queréis-queríades* in classical Spanish", *HR,* XVII, 1949; J. M. LOPE BLANCH, "La reducción del paradigma verbal en el español de México", en *Actas del XII Congr. Inter. de Ling. y Filología Románicas,* IV, Madrid, 1968, pp. 1.791-1.808; W. MANCZAK, "Sur quelques régularités dans le développement de la conjugaison espagnole", en *RLiR,* XXVII, 1963, pp. 463-469; B. MUELLER, "Spanish *soy, estoy, doy, voy* im Lichte der romanischen Endungs Eubildung mit Flexions fremden Elementen", en *RF,* LXXV, 1963, pp. 240-263; Ángel PARIENTE HERREJÓN, "El problema de la forma *eres*", en *RUM,* XVIII, 1969, pp. 281-298; B. POTTIER, "Forma española *soy*", en *Lingüística moderna y Filología Hispánica,* 1968, pp. 211-213; C. ROSALES, "Clasificación de los verbos irregulares", en *Anales de la Facultad de Filosofía y Educación* (Santiago de Chile), II, 1937-1938, pp. 104-140; Knud TOGEBY, "L'apophonie des verbes espagnols et portugais en *-ir*", en *RPh,* XXVI, 1971-1972, pp. 256-264; Ernest H. WILKINS, "Notes on the inflection of Spanish verbs: I: verbs in *-iar* and *-uar*; II: verbs in which the last two vowels of the stem form a combination of the type strong + weak", en *MLN,* XX, 1905, pp. 229-231; Anne WUEST, "Stem vowels of Spanish *-ir* verbs", en *PhQ,* XXIX, 1950, pp. 171-181.

pletivismo, se distinguen dos clases particulares de alternancia según se produzcan en el morfema lexemático o en éste y en los morfemas gramaticales.

El estudio histórico de la lengua explica cómo un mismo fenómeno afecta a determinados tiempos de la conjugación y no a otros. Esto permite fijar tres grupos: **grupo de presente** que comprende los tres de indicativo, subjuntivo e imperativo; **grupo romance** que comprende el futuro imperfecto y potencial de indicativo, ambos sin antecedente directo en latín, y el **grupo de pretérito** que comprende el pretérito indefinido de indicativo, los dos pretéritos imperfectos de subjuntivo y el futuro imperfecto del mismo modo. Cualquier alternancia aparecida en una forma del grupo aparece generalmente también en las restantes.

A continuación se hará inventario de los tipos de alternancia más representativos. Por su parte, cada verbo tiene una o más alternancias con lo que dificulta una clasificación exhaustiva. Entre corchetes se remitirá al párrafo correspondiente en la *Gram. Acad.*

5.3.1. Alternancias vocálicas en el lexema

Las alternancias son las siguientes: *e/ie, o/ue, o/u, e/i, u/ue.* Se dan en los siguientes verbos:

5.3.1.1. ***e/ie***

Se produce en las formas del grupo de presentes y afecta a la posición tónica de presente de indicativo —salvo primera y segunda personas del plural—, presente de subjuntivo y forma singular del imperativo. La tienen verbos como *acertar, entender* y *discernir* que coexisten con sustantivos o adjetivos en que aparece también la misma diptongación [104]. Tienen otras irregularidades los verbos *sentir* [111], *querer* [131], *erguir* [122], *venir* [135] y *tener* [133].

Estos dos últimos verbos diptongan solamente en segunda persona del singular y tercera de singular y plural del presente de indicativo.

Tipo **acertar**: presente de indicativo: *ac**ie**rto, ac**ie**rtas, ac**ie**rta, acertamos, acertáis, ac**ie**rtan*; presente de subjuntivo: *ac**ie**rte, ac**ie**rtes, ac**ie**rte, acertemos, acertéis, ac**ie**rten*; imperativo: *ac**ie**rta, acertad.*

Tipo **venir**: presente de indicativo: *vengo, v**ie**nes, v**ie**ne, venimos, venís, v**ie**nen.*

5.3.1.2. ***o/ue***

Se produce en condiciones semejantes al caso anterior y en las mismas formas. Se produce en verbos como *contar* y *mover* [105] y están en coexistencia con sustantivos y adjetivos con la misma diptongación (*probar/pr**ue**bo/la pr**ue**ba*). Tienen otras alternancias e irregularidades los verbos *dormir, morir* [114] y *poder* [128].

Tipo **contar**: presente de indicativo: *c**ue**nto, c**ue**ntas, c**ue**nta, contamos, contáis, c**ue**ntan*; presente de subjuntivo: *c**ue**nte, c**ue**ntes, c**ue**nte, contemos, contéis, c**ue**nten*; imperativo: *c**ue**nta, contad.*

5.3.1.3. ***o/u***

Afecta al verbo *podrir* o *pudrir* [129] regularizado por la Academia con *u*. Igualmente se encuentra en el grupo de pretérito de los verbos *dormir* [114] y *poder* [128].

Tipo **dormir**: pretérito indefinido: *dormí, dormiste, d**u**rmió, dormimos, dormisteis, d**u**rmieron*; pretérito imperfecto en *-ra*: *d**u**rmiera, d**u**rmieras, d**u**rmiera, d**u**rmiéramos, d**u**rmierais, d**u**rmieran*; pretérito imperfecto en *-se*: *d**u**rmiese, d**u**rmieses, d**u**rmiese, d**u**rmiésemos, d**u**rmieseis, d**u**rmiesen*; futuro imperfecto:

*d***u***rmiere, d***u***rmieres, d***u***rmiere, d***u***rmiéremos, d***u***rmiereis, d***u***rmieren*; gerundio: *d***u***rmiendo.*

Tipo **poder**: Se verá al hablar de los pretéritos fuertes.

5.3.1.4. ***e/i***

Comprende en su casi totalidad, salvo el pretérito imperfecto de indicativo, a las formas del verbo *erguir* [122]. Además, un corto grupo de verbos en las formas del grupo de pretérito con variación de acento que pasa al lexema y serán estudiados con los pretéritos fuertes. Estos verbos son *sentir* [111], *pedir* [109], *reír, ceñir* [110] y *querer* [131]. El primero de éstos hace aparecer la *-i-* en el presente de subjuntivo y en el pretérito indefinido. Los tres siguientes, además del grupo de pretérito, toman la misma alternancia en el grupo de presente.

Tipo **sentir**: presente de subjuntivo: *sienta, sientas, sienta, s***i***ntamos, s***i***ntáis, sientan;* pretérito indefinido: *sentí, sentiste, s***i***ntió, sentimos, sentisteis, s***i***ntieron;* gerundio: *s***i***ntiendo.*

5.3.1.5. ***u/ue***

Afecta a *jugar* y a los terminados en *-irir* [112]. Se produce en las formas tónicas del grupo de presente.

Tipo **jugar**: presente de indicativo: *j***ue***go, j***ue***gas, j***ue***ga, jugamos, jugáis, j***ue***gan*; presente de subjuntivo: *j***ue***gue, j***ue***gues, j***ue***gue, juguemos, juguéis, j***ue***guen*; imperativo: *j***ue***ga, jugad.*

5.3.2. Variaciones consonánticas en el lexema

Responden a tres tipos: de los dos alomorfos, uno tiene uno o dos sonidos más añadidos al final del lexema, cambia el sonido final (*d*/g), o interpola un sonido delante del último del lexema.

5.3.2.1. *Añaden* -**g**

Afecta a los verbos *salir* y *valer* [115], *asir* [117], *poner* [130], *tener* [133] y *venir* [135]. Salvo *asir*, todos ellos tienen otras alternancias. Se produce en la primera persona del singular del presente de indicativo y en todo el presente de subjuntivo.

Tipo **salir**: presente de indicativo: *sal***g***o, sales, sale, salimos, salís, salen*; presente de subjuntivo: *sal***g***a, sal***g***as, sal***g***a, sal***g***amos, sal***g***áis, sal***g***an.*

5.3.2.2. *Añaden* -**ig**

Afecta a los verbos *caer* [119], *oír* [126] y *traer* [134]. Se produce en los mismos casos que en el parágrafo anterior.

Tipo **caer**: presente de indicativo: *ca***ig***o, caes, cae, caemos, caéis, caen*; presente de subjuntivo: *ca***ig***a, ca***ig***as, ca***ig***a, ca***ig***amos, ca***ig***áis, ca***ig***an.*

5.3.2.3. *Añaden* -**y**

Afecta al verbo *huir* y a los terminados en *-uir*, incluido *inmiscuir* pese a la indicación académica. Se produce en las formas del grupo de presente.

Tipo **huir**: presente de indicativo: *hu***y***o, hu***y***es, hu***y***e, huimos, huís, hu***y***en;* presente de subjuntivo: *hu***y***a, hu***y***as, hu***y***a, hu***y***amos, hu***y***áis, hu***y***an*; imperativo: *hu***y***e, huid.*

5.3.2.4. *Añaden* -**j**

Afecta a los verbos en *-ducir* [110] y se produce en las formas del grupo de pretérito con desplazamiento de acento por lo que serán estudiados al hablar de los pretéritos fuertes.

5.3.2.5. *Cambian* **c** *por* **g**

Afecta a los verbos *hacer* [124] y *yacer* [137], y se produce en la primera persona del singular del presente de indicativo y en todo el subjuntivo.

Tipo **hacer**: presente de indicativo: *hago, haces, hace, hacemos, hacéis, hacen*; presente de subjuntivo: *haga, hagas, haga, hagamos, hagáis, hagan.*

5.3.2.6. *Interpolan el sonido* **-z-**

Se presenta delante de la *-c* final siempre que tiene sonido fuerte en los verbos terminados en *-acer*, salvo *hacer* y sus compuestos, *placer* y *yacer*, los terminados en *-ecer*, salvo *mecer* y *remecer*; los terminados en *-ocer*, menos *cocer, escocer* y *recocer*; y los terminados en *-ucir*. Se produce en la primera persona del singular del presente de indicativo y en todo el presente de subjuntivo.

Tipo **nacer**: presente de indicativo: *nazco, naces, nace, nacemos, nacéis, nacen*; presente de subjuntivo: *nazca, nazcas, nazca, nazcamos, nazcáis, nazcan.*

5.3.3. Alternancia vocálica y variación consonántica

Se producen ambos tipos de variación en los verbos *decir* [121] y *caber* [118]. *Decir* alterna el morfema léxico *dec-* con *dig-* en el grupo de presente, primera persona del singular del presente de indicativo y todo el subjuntivo. El verbo *caber* alterna igualmente *cab/quep* en los mismos casos.

Tipo **decir**: presente de indicativo: *digo, dices, dice, decimos, decís, dicen*; presente de subjuntivo: *diga, digas, diga, digamos, digáis, digan.*

5.3.4. Formas atemáticas del grupo de futuro

Una serie de verbos en futuro imperfecto de indicativo y en el potencial simple no llevan vocal temática, y añaden el morfema auxiliar a continuación del morfema lexemático. Otros añaden *-d* al lexema. Afecta la primera irregularidad a verbos como *haber*, *saber*, *caber*, *querer*, *hacer* y *decir*. La segunda a *poner*, *venir*, *salir* y *tener*.

Tipo **saber**: futuro imperfecto: *sabré*, *sabrás*, *sabrá*, *sabremos*, *sabréis*, *sabrán*; potencial simple: *sabría*, *sabrías*, *sabría*, *sabríamos*, *sabríais*, *sabrían*.

Tipo **poner**: futuro imperfecto: *pon*__**d**__*ré*, *pon*__**d**__*rás*, *pon*__**d**__*rá*, *pon*__**d**__*remos*, *pon*__**d**__*réis*, *pon*__**d**__*rán*; potencial simple: *pon*__**d**__*ría*, *pon*__**d**__*rías*, *pon*__**d**__*ría*, *pon*__**d**__*ríamos*, *pon*__**d**__*ríais*, *pon*__**d**__*rían*.

5.3.5. Presentes agudos monosílabos

Una serie de verbos muy reducida pero de gran frecuencia en el uso tiene formas agudas monosílabas para la segunda persona del singular del imperativo y otro reducido grupo para la primera persona del singular del presente de indicativo. Entre los primeros figuran los verbos *poner*, *salir*, *hacer*, *dar*, *tener*, *venir*, *valer* y *decir* que hacen su imperativo en *pon*, *sal*, *haz*, *da*, *ten*, *ven*, *val* y *di*. En la mayoría de ellos se trata de morfema léxico sin morfema gramatical. El verbo *decir* conoce además la forma *diz* por analogía con *haz*, que sólo se emplea como arcaísmo en expresiones irónicas. El verbo *valer* emplea la forma *vale* y reserva la forma monosílaba para su uso con pronombre enclítico (*valte*).

Las formas de presente de indicativo de *dar*, *ser* y *estar* añaden una *-y* final (*soy*, *doy*, *estoy*) que aparece igualmente en el lexema *voy* del verbo *ir*. El verbo *saber* toma el lexema /*sé*/ que como los de los verbos anteriores se presenta sin morfema auxiliar, como lexema puro.

5.3.6. Los pretéritos fuertes

Se llaman pretéritos fuertes los que tienen una dislocación de acento que pasa de los morfemas gramaticales agudos en el pretérito indefinido a los morfemas lexemáticos y éstos están constituidos por lexemas modificados. Todos ellos toman un sistema de morfemas gramaticales que sólo aparecen en estos verbos, salvo los de *ser* e *ir* que emplean otro por su parte.

Los morfemas gramaticales son los siguientes:

	Para *ser* e *ir*			Para los restantes		
1.	í	Ø		Ø	e	Ø
2.	i	ste	Ø	i	ste	Ø
3.	Ø	é	Ø	Ø	o	Ø
1.	i	Ø	mos	i	Ø	mos
2.	i	sté	is	i	sté	is
3.	e	ro	n	i(e)	ro	n

Los morfemas lexemáticos varían con relación al que sirve de base en el infinitivo por (1) *alternancia vocálica*: **a/i** en *hacer/hice*, **e/i** en *venir/vine*, **o/u** en *poder/pude*; (2) por *variación consonántica*: -**c**/-**j** en los verbos terminados en *-ducir* como *conducir/conduje*; (3) por *alternancia vocálica y cambio consonántico*: como en *poner/puse, caber/cupe, saber/supe, tener/tuve, haber/hube, querer/quise, placer/plugo, decir/dijo*; y (4) *por adición*: de *-j* como en *traer/traje*, o de *-uv* como en *estar/estuve* y *andar/anduve*.

5.3.7. Verbos defectivos

Otro tipo de irregularidad se produce por no estar en uso determinadas formas verbales o bien por el significado o bien por su estructura fonética [*Gram. Acad.*, 160]. Muchos de ellos sólo se emplean en infinitivo y en participio. Tal ocurre con *arrecirse, aterirse, desabrir, despavorir, empedernir, preterir, manir, guarnir, garantir* (poco frecuente en el castellano peninsular), *descolorir, balbucir* o *transgredir*. Estos participios tienen puramente carácter adjetivo. Muchos de estos verbos sufren la competencia de otros que se conjugan en todas sus formas como *garantizar* frente a *garantir, guarnecer* frente a *guarnir, decolorar* frente a *descolorir, balbucear* frente a *balbucir*.

Verbos como *arreciar, atañer, concernir, incoar, placer* y *yacer* se emplean únicamente en las terceras personas. Por razones de eufonía se evitan las formas en que entran en contacto dos vocales en los verbos *loar, roer,* poco usado en la primera persona del singular del presente de indicativo y en el presente de subjuntivo, y *raer*. Resultan pedantescas las formas irregulares en *go, ga* de los verbos *asir* y *desasir*.

5.3.8. Vacilaciones en la acentuación de verbos en "-iar"

En el presente de indicativo se produce la concurrencia de vocales que puede resolverse por hiato o por diptongo. Algunos verbos tienen fijada de manera bastante general el diptongo como en *rumiar* (rumio), *saciar* (sacio), *expoliar* (expolio), *escanciar* (escancio), *feriar* (ferio), *sitiar* (sitio), mientras otros han impuesto generalmente el hiato como en *arriar* (arrío), *rociar* (rocío), *chirriar* (chirrío), *descarriar* (descarrío), *hastiar* (hastío), *variar* (varío), *vaciar* (vacío), *desvariar* (desvarío), *aliar* (alío), *contrariar* (contrarío) y otros.

Quedan, sin embargo, un cierto grupo en que la acentuación es vacilante y se dan según regiones y costumbres personales la pronunciación con hiato o con diptongo. Eso ocurre en verbos como *afiliar, agriar, ansiar, auxiliar, conciliar, espaciar, expatriar, extasiar, gloriar, historiar, inventariar, obviar, paliar, vanagloriar, vidriar,* y algunos otros.

5.4. Bipredicaciones con unidad de sentido*

Las formas no personales del verbo pueden aparecer en el discurso como incrementos muy directos —directos, suplementarios, predicativos— del verbo dominante en forma personal: (a) *Está estudiando, Está cansado, Va a salir,* etc.

* Amado ALONSO, "Sobre métodos: construcciones con verbos de movimiento en español", en *RFH*, I, 1939, pp. 105-138; Karl-Richard BAUSCH, *Verbum und verbale Periphrase im Französischen und ihre Transposition im Englischen, Deutschen und Spanischen,* Tubinga, 1963; Theodor BERCHEM, *Studien zum Funktionswandel bei Auxiliarien und Semi-Auxiliarien in den romanischen Sprachen,* Tubinga, Beihefte zur ZRPh, 139, 1973; C. CARRILLO HERRERA, "A propósito del pronombre reflexivo *nos* en la frase *Hay que matarnos por esta revolución*", en *Boletín de Filología* de la Universidad de Santiago de Chile, XIII, 1967, pp. 311-314; Marcel COHEN, "Quelques considérations sur le phénomène des verbes auxiliaires (avec bibliographie pour le français)", en *Studii si cercetări linguistice,* XI, 1960; Eugenio COSERIU, "Sobre las llamadas *construcciones con verbo de movimiento*: un problema hispánico", en *Revista de la Facultad de Humanidades y Ciencias* (Montevideo), XX, 1962, pp. 121-126; J. Cary DAVIS, "Más sobre *puede hacerlo, lo puede hacer*", en *H*, XLIV, 1961, pp. 700-709; Elisabeth DOUVIER, "Le verbe auxiliaire espagnol", en *BJR,* X, 1964, pp. 23-30; David M. FELDMAN, *The Historical Syntax of Modal Verb Phrases in Spanish,* Cornell University, Ph. D., 1963; David M. FELDMAN, "Some Structural Characteristics of the Spanish Modal Verb Phrase", en *Boletín de Filología* de la Universidad de Santiago de Chile, XVI, 1964, pp. 241-255; S. FERNÁNDEZ RAMÍREZ, "Algo sobre la fórmula *estar* más gerundio", en *HDA*, I, 1960, pp. 509-516; Gordon T. FISH, "*Lo puede hacer* versus *puede hacerlo*", *H*, XLIV, 1961, pp. 137-139; M. Beatriz FONTANELLA DE WEINBERG, "Los auxiliares españoles", en *Anales del Instituto de Lingüística* de la Universidad de Cuyo, X, 1970, pp. 61-73; Georges GOUGENHEIM, *Étude sur les périphrases verbales de la langue française,* París, Les Belles Lettres, 1929; Philip W. KLEIN, *Modal Auxiliaries in Spanish,* Seattle, Studies in Linguistics and Language Learning, IV, 1968; Karl-Hermann KÖRNER, *Die "Aktionsgemeinschaft finites Verb + Infinitiv" im spanischen Formensystem. Vorstudie zu einer Untersuchungen der Sprache Pedro Calderón de la Barca,* Hamburgo, Ibero-Amerikanisches Forschungsinstitut, 1968; Renate KOSMATA,

(b) *Vino gritando, Continúa cansado, Se negó a salir,* etc. En todos estos casos hay una **bipredicación**. De estas dos predicaciones, la aportada por el verbo en forma personal ordena la estructuración de la frase formalmente indicando el sujeto, su número, el tiempo, modo, etc., y la segunda predicación

---

"Beobachtungen zum Gebrauch der Hilfsverben *avoir* und *être* im modernen Französisch", en *VR,* XXIV, 1965, pp. 238-268; H. Krueger, "Tener que", en *H,* XXXVI, 1953, p. 372; M. Rosa Lida, "*Saber* y *soler* en las lenguas romances y sus antecedentes grecolatinos", en *RPh,* II, 1948-1949, pp. 269-283; Janine Maillard, "Verbes auxiliaires dans la langue française actuelle", en *Le Français Moderne,* XXVII, 1959, pp. 252-266; H. Marchand, "On a Question of aspect: A comparison between the progressive form in English and that in Italian and Spanish", en *StL,* IX, 1945, p. 45 y ss.; Wener Matthies, *Die aus den intransitiven Verben der Bewegung und dem Partizip des Perfekts gebildeten Umschreibungen im Spanischen,* Jena-Leipzig, Berliner Beiträge zur Romanischen Philologie, III, 3, 1933; José Andrés de Molina, "La construcción verbo en forma personal + infinitivo", en *REL,* I, 1971, pp. 275-298; José Joaquín Montes, "Sobre las perífrasis con *ir* en el español de Colombia", *BICC,* XVIII, 1963, pp. 384-403; Fernand Mosse, *Histoire de la forme périphrastique être + participe présent en germanique,* París, 1938; Bernard Pottier, "Sobre el concepto de verbo auxiliar", en *NRFH,* XV, 1961, pp. 325-331; Manuel A. Ramos, "El fenómeno de *estar siendo*", en *H,* LV, 1972, pp. 128-131; J. Roca Pons, *Estudios sobre perífrasis verbales del español,* Madrid, CSIC, 1958; J. Roca Pons, "Dejar + participio", en *RFE,* XXXIX, 1955, pp. 151-185; J. Roca Pons, "Tenir + participi en català antic", en *Miscelánea Filológica dedicada a Mons. A. Griera,* II, 1960; N. Ruwet, "Les constructions factitives", en *Théorie syntaxique et Synaxe du français,* 1972, pp. 126-180; Henry G. Schogt, "Les auxiliaires en français", en *La Linguistique,* III, 1968:2, pp. 5-19; H. Schultz, *Das modale Satzgefüge im Altspanischen,* Jena-Leipzig, 1937; R. K. Spaulding, *History and Syntax of the Progressive Constructions in Spanish,* Berkeley, 1926; John A. Stausbaugh, *The Use of "aver a" and "aver de" as Auxiliary Verbs in Old Spanish from Earliest Texts to the End of the XVIIIth Century,* Chicago, The University of Chicago, 1936; L. Tesniere, "Théorie structurale des temps composés", en *Mélanges de Linguistique offerts à Charles Bally,* Ginebra, Georg et Cie., 1939, pp. 153-183; Lynn Warren Winget, *Auxiliary Verbs in the Prose Works of Alfonso X,* The Univ. of Wisconsin, Ph. D., 1960.

del mismo sujeto expresa una nueva idea verbal que se añade a la anterior.

Sin embargo, mientras en los ejemplos (a) se advierte una gran unidad de sentido y el verbo de la primera predicación matiza el modo de acción de la segunda, en los ejemplos (b) cada una de las predicaciones mantiene su independencia conceptual. Para el primer caso, los gramáticos han fijado el término **perífrasis verbal** o **frase verbal** y han convenido en llamar **auxiliar** al verbo conjugado porque semánticamente matiza la significación del segundo y morfológicamente aporta las informaciones de sus morfemas gramaticales para organizar y ordenar la construcción, y **conceptual** o **auxiliado** al verbo de la segunda predicación porque conceptualmente aporta la idea fundamental de las dos predicaciones.

El problema sigue siendo: (1) cuándo la cohesión de sentido y la función modificadora del verbo finito es tal que separe la bipredicación con unidad de sentido de la que no tiene tal unidad de sentido; (2) el hecho que se pretende describir cuándo es un hecho de habla y cuándo corresponde a una estructura previa en la lengua.

La lingüística histórica nos ha explicado la formación de futuros y potenciales en la evolución desde el latín a los romances por la fusión de un verbo finito (en forma personal) con un infinitivo. En la lengua de hoy los tiempos compuestos están constituidos igualmente por un verbo conjugado y un participio. En los dos casos, tanto si se ha formalizado la fusión ortográfica de sus componentes como si no, se muestra un caso de grado extremo de cohesión de sentido. Igualmente en ambos casos el verbo en forma personal ha perdido su sentido propio para convertirse en un mero soporte de morfemas gramaticales, y el infinitivo en un caso y el participio en otro aportan su particular carácter aspectual.

No hay, de hecho, criterios objetivos suficientemente explícitos para fijar el límite más allá de la particular y subjetiva opinión de quien describa el fenómeno. Dado el punto a donde han llegado los actuales estudios sobre el tema, parece lo más recomendable describir tales fenómenos como hechos de habla y añadir en un segundo nivel de la descripción el carácter unitario de sentido que pueden alcanzar tales construcciones.

Tomando en cuenta la forma verbal del verbo conceptual se han distinguido [Gili, 87 y ss.] frases verbales **de infinitivo** de carácter progresivo, **de gerundio**, con carácter durativo y **de participio** con carácter perfectivo. En las primeras, el carácter matizador que tiene el verbo finito no es exclusivo de estas construcciones, ya que el infinitivo, para el mayor número de casos, es una alternativa, según se verá más adelante, con las construcciones subordinadas marcadas por *que* anunciativo (*Quiero cantar/Quiero que cantes*).

Por otra parte, se ha observado que la mayor unidad de sentido se da en los casos en que el verbo en forma personal no admite más construcción que la de infinitivo como dependiente. Así ocurre frente al verbo *querer*, con el verbo *soler*. Al lado de esto, se ha subrayado repetidas veces el hecho de que el cambio de significado del verbo finito es fundamental para su conversión en auxiliar: *Viene a comprar un cuarto de kilo de dulces a diario.*

En el caso de la agrupación con gerundio y participio, el fenómeno coincide en una más amplia área de la realización de la lengua, con las agrupaciones de predicativo con verbos seudo-copulativos (*Seguir enfermo*) y las de incrementos regidos del tipo de *echar de menos, hacer de*, etc., o complemento directo con el verbo como en *dar una lavada, comenzar la busca*, etc.

Es positivamente importante, sobre el estudio formal de

Frases verbales

Incoativas	Durativas	Progresivas	Reiterativas	Terminativas perfectivas	Modales	Obligativas	Aproximativas	
echar(se) a *poner(se) a* *romper a* *comenzar a* *resolverse a* *decidirse a* *acabar de* *terminar por*			*volver a*	*terminar de* *dejar de* *cesar de* *concluir de*	*soler* *poder* *deber*	*tener que* *haber que* *haber de*	*venir a* *deber de*	Infinitivo
	estar *seguir* *andar*	*ir* *venir*						Gerundio
				haber *tener* *ser*				Participio

la construcción, señalar el matiz logrado por estas agrupaciones, independientemente de su mayor o menor fijeza. Se han señalado valores de tipo temporal como el comienzo de la acción en las frases **incoativas**, o de continuidad en las **durativas** y progreso en las **progresivas**, ambas conseguidas con gerundio y los verbos *estar, ir, venir, seguir* y *andar*, y, por último, la conclusión de la acción o la repetición de la misma en las llamadas frases **terminativas** y **reiterativas** con verbos como *terminar de, dejar de, volver a*, etc.

Otros matices señalados son los de las frases **obligativas** conseguidas con los verbos *tener* y *haber*, un *que*, viejo relativo neutralizado, y el infinitivo o bien con *deber + de + infinitivo*. Esta última construcción además del matiz obligativo tiene valor de aproximación (*Debe de tener veinte años*). La lengua ha distinguido la construcción *deber + infinitivo* con neto carácter obligativo de la forma aproximativa. Actualmente la confusión es constante incluso entre buenos escritores. Frases de tipo modal se construyen además de con *deber*, con *soler* y *poder* + infinitivo.

5.4.1. La conjugación pasiva *

Muchas lenguas por medios gramaticales expresan si el sujeto realiza la acción que expresa el verbo o si la recibe. El latín opone las formas *amor* (*soy amado*) y *amo*. Un morfema indica **pasiva** en oposición a **activa**. Esta categoría

* E. Alarcos Llorach, "La diátesis en español", en *RFE*, XXXV, 1951; S. Cárdenas, "Voz pasiva en inglés y español", en *Filología Moderna*, 1967-1968, pp. 159-166; Klaus-Dieter Gottschaalk, *Untersuchungen zur Frage der Passiversatzformen im Romanischen. Eine Studie am Werk von P. Calderón de la Barca unter Beachtung der französischen, italienischen und spanischen Grammatik*, Marburg, 1962; Sandali Letelier, "La voz pasiva en castellano", en *Anales de la Universidad* de Santiago de Chile, LXXXIV, 1893, pp. 853-857; F. Hans-

se conoce con el nombre de **voz verbal.** El castellano para expresar esta misma categoría acude a la bipredicación constituida por cualquier forma verbal de *ser* seguida por el participio *concordado* del verbo conceptual de que se trate.

Parece evidente que la voz no se expresa por medios morfológicos sino sintácticos y que la expresión de pasiva/no pasiva está reservada al contenido léxico del participio que mantiene la cualidad adjetiva de la concordancia: *Esta mujer es pesada por su locuacidad/La mercancía es pesada por el comerciante.*

Sólo el contexto lingüístico y extralingüístico informa al interlocutor del valor significativo del adjetivo "*pesada*". Se tiene que pensar que se trata de un hecho de habla que rellena un esquema y no de una información inherente a la morfología del verbo.

5.5. Clases de verbos

Se carece hasta ahora de una clasificación detenida del verbo por su significado. Términos como la oposición **transitivo** e **intransitivo** que se han empleado y a veces todavía se emplean para designar la capacidad designativa del verbo, suficiente por sí misma o necesitada de un comple-

---

SEN, "Das spanische Passiv", en *RF,* XXIX, 1917, pp. 764-778; R. HUDDLESTON, "Some observations on tense and deixis in English", en *Lan,* XLV, 1969, pp. 777-806; Mabel V. MANACORDA DE ROSSETI, "La forma verbal pasiva en el sistema español", en *Fil,* VII, 1961, pp. 145-159; H. MENDELOFF, "The passive voice in Old Spanish", en *RJ,* 1964, pp. 269-287; H. F. MÜLLER, "The passive voice in vulgar latin", en *RR,* XV, 1924, p. 68-93; G. REICHENKROM, *Passivum, Medium und Reflexivum in den romanischen Sprachen,* Jena-Leipzig, 1933; H. Ned. SEELYE, "The Spanish Passive: A Study in the Relation between Linguistic Form and World-view", *H,* XIX, 1966, pp. 287-293; Paul ZIFF, "La nonsinonimia delle frasi attive e passive", en *Itinerari filosofici e linguistici,* Bari, Ed. Laterza, 1969, pp. 139-145.

mento directo, se han mostrado muy imprecisos y por su referencia a la presencia o ausencia de un constituyente muy bien caracterizado, de mayores posibilidades en el campo sintáctico que en el semántico (v. 7.2.1.2). Otros como los de **reflexivos** y **recíprocos** según expresen acción que se cumple en el mismo sujeto que la ejecuta o acción que se intercambia entre los varios agentes que constituyen el sujeto, se han considerado rasgos irrelevantes para una clasificación del verbo por el significado y parcialmente interesantes para la descripción de construcciones de un mismo verbo. El mismo término de verbo **impersonal** señala más claramente a una especial construcción de determinados verbos que no admiten sujeto que a una especial clase de significado. Con ello, queda flotando en la mayor parte de gramáticas una serie de términos, no demasiado precisos ni rigurosos, pero de indudable utilidad en el conocimiento de uso, que distingue verbos *factitivos, de voluntad, deseo, mandato, duda, percepción, lengua*, etc., ya que parece muy posible que la elección de una construcción u otra por un determinado verbo esté gobernada en última instancia por el significado.

Frente a estas incompletas clasificaciones que trataban de poner de relieve el significado del verbo como un todo unido a su expresión léxica, se ha destacado también la posibilidad de clasificar atendiendo a un aspecto de la significación designada con el término de **modo de acción** (*Aktionsart*), concepto gemelo al de aspecto con el que se le suele confundir y del que se distingue por no acudir a medios morfológicos gramaticales y estar contenido estrictamente en el componente sémico del lexema.

Entre los valores aislados con mayor o menor precisión por los gramáticos deben recordarse los de verbos *incoativos, momentáneos* y *frecuentativos, perfectivos* e *imperfectivos*. Son verbos **incoativos** los que expresan el comienzo de una determinada acción o el paso a un nuevo estado. Excepcionalmente se ha podido segmentar el morfema formativo *-sc-* que aparece en verbos como *florecer, anochecer, oscurecer, palidecer*, aunque dicho valor no aparece en otros verbos en *-cer* como *pacer, nacer, acontecer,* etc. [A-H, II, 137]. Se ha notado igualmente que el reflexivo puede oponer en ciertos verbos el modo de acción incoativo a la pura expresión de la idea: *dormir/dormirse, enojar/enojarse, calentar/calentarse,* etcétera.

Con los términos **frecuentativo** e **iterativo** se designan verbos que expresan acción frecuente y habitual o acción compuesta de momentos repetidos. Son frecuentativos o iterativos verbos como *tutear, cecear, cortejar* o *apedrear, besuquear, mariposear* aunque no siempre resulte fácil fijar la distinción entre unos y otros. Formalmente aparece el morfema derivativo *-ea-* en muchos de ellos. Así se forman sobre sustantivos verbos como *picotear, bailotear, castañetear, corretear, canturrear,* etc.

La más importante distinción es, sin duda, la que opone verbos perfectivos a verbos imperfectivos [Bello, 625; Gili, 119] llamados por Bello *desinentes* y *permanentes*, respectivamente. Los verbos **perfectivos** o **desinentes** para expresar completamente la acción necesitan llegar a un término. Verbos como *besar, firmar, saltar, comer* expresan una acción que no se puede considerar realizada si no llega a su término. En cambio, los verbos son **imperfectivos** o **permanentes** cuando por la naturaleza de lo que significan no se necesita conocer su término para que se pueda tomar como completada la acción. Esto ocurre con verbos como *oír, saber, querer,* etc.

5.6. Inventario de usos de las formas verbales*

Se intenta en el presente parágrafo un inventario mínimo de los usos de cada una de las formas verbales que ilustran en el habla las oposiciones fijadas anteriormente para la elaboración del sistema verbal castellano. Además del uso del verbo en enunciado independiente se tomarán en cuenta, hasta donde sea posible, los usos en los que otros verbos o indicadores de tiempo —complementos o adverbios— fijan

* E. Alarcos Llorach, "La forme *cantaría* en espagnol: mode, temps et aspect", *BdF,* XVIII, 1959, pp. 203-212; E. Alarcos Llorach, "Perfecto simple y compuesto en español", en *RFE,* XXXI, 1947, páginas 108-139; J. Arzúa, "Formas verbales afines", en *El Lenguaje,* III, Madrid, 1914, pp. 40-44; A. Badía Margarit, "Ensayo de una sintaxis histórica de tiempos. I. El pretérito imperfecto de indicativo", en *BRAE,* XXVIII, 1948, pp. 281-300 y 393-410; XXIX, 1949, pp. 15-29; A. Badía Margarit, "El subjuntivo de subordinación en las lenguas romances y especialmente en iberorrománico", en *RFE,* XXXVII, 1953, pp. 95-129; W. A. Beardsley, "The Psychology of the Spanish Subjunctive", en *H,* VIII, 1925, p. 98; D. Becker, *Die Entwickelung des lateinischen Plusquamperfect-Indicativus im Spanischen,* Leipzig, 1928; Virgilio Bejarano, "Sobre las dos formas del imperfecto de subjuntivo y el empleo de la forma en *-se* con valor de indicativo", en *Strenae,* 1962, pp. 77-86; D. L. Bolinger, "The future and conditional of probability", en *H,* XXIX, 1946, pp. 363-375; D. L. Bolinger, "Gleanings from CLM: Indicative vs. Subjunctive in Exclamations", en *H,* XLII, 1959, pp. 369-371; D. L. Bolinger, "Subjunctive *-ra* and *-se.* Free variation?", en *H,* XXXIX, 1956, pp. 341-350; E. Bourciez, "The *-ra* verb form in Spain", en *Revue Critique d'Histoire et de Littérature* (París), LXVI, 1932, p. 510 y ss.; Constant Brusiloff, "Don Andrés Bello. Significación fundamental de los tiempos del indicativo", en *Revista Nacional de Caracas,* n.º 85, pp. 127-142; Ch. Camproux, "Télescopage morpho-syntaxique?", en *Le Français Moderne,* XXXV, 1967, pp. 161-183; Eugenio Coseriu, "Sobre el Futuro Romance", en *Revista Brasileira de Filologia,* III, 1957, pp. 1-18; M. Criado de Val, *Sintaxis del verbo español moderno. I. Metodología. II. Los tiempos pasados del Indicativo,* Madrid, CSIC, Anejo XLI de la RFE, 1948; M. Criado de Val, "Sistema verbal del español. Notas para una sintaxis hispanorrománica", en *VR,*

las posibilidades de comportamiento de cada una de las formas verbales.

5.6.1. Presente de indicativo

Es una de las formas más abierta y flexible por el número de situaciones en que puede emplearse y la posibilidad de matización del tiempo de realización de lo que el lexema verbal aporta. Su valor, además del propio del lexema, está motivado por la situación o circunstancia en que se suscita

---

XII, 1951-1952, pp. 95-111; M. Criado de Val, "Lenguaje y cortesanía en el Siglo de Oro español: el futuro hipotético de Subjuntivo y la decadencia del lenguaje cortesano", en *Arb*, XXIII, 1952, pp. 244-252; George Irving Dale, "The Imperfect Subjunctive", en *H*, VIII, 1925, pp. 127-129; John B. Dalbor, "Temporal distinctions in the Spanish Subjunctive", en *H*, LII, 1969, pp. 889-896; J. Cary Davis, "Me trae un vaso de agua, por favor", en *H*, XLVIII, 1965, pp. 549-554; J. Cary Davis, "That Old Subjunctive Again", en *H*, XLI, 1958, pp. 210-212; R. Davis, "Note on the *-ra* indicative in fifteenth century Spain", en *PhQ*, XIII, 1934, pp. 218-220; O. Díaz Valenzuela, *The Spanish Subjunctive*, Filadelfia, 1942; J. Dubsky, "Intercambio de componentes en las formas descompuestas españolas", *BHi*, LXVII, 1965, pp. 343-345; J. Dubsky, "Formas descompuestas en el español antiguo", en *RFE*, XLVI, 1963, pp. 21-48; A. M. Espinosa, "The use of the conditional for the Subjunctive in Castilian Popular speech", en *MPhi*, XXVII, 1930, pp. 445-449; J. E. Espinosa, *The Spanish subjunctive with examples*, Ithaca, 1936; G. T. Fish, "The neglected tenses: *hube hecho*, indicative, *-ra, -se*", en *H*, XLVI, 1963, pp. 138-142; G. T. Fish, "Subjunctive of Fact", *H*, XLVI, 1963, pp. 361-363; L. Flórez, "Uso del potencial. Locución *en cuyo caso*", en *BACol*, IX, 1959, pp. 306-310; P. Fouche, "Le parfait en castillan", en *RHi*, LXVII, 1929, pp. 1-171; P. Fouche, "Le présent dans la conjugaison castillane", en *Annales de l'Université de Grenoble*, XXXIV, 1923; S. Gili Gaya, "El futuro en el lenguaje infantil", en *Strenae*, 1962, pp. 215-220; S. Gili Gaya, "El pretérito de negación implícita", en *Studia Hispanica in honorem R. Lapesa*, I, Madrid, 1972, pp. 251-256; Malbone Watson Graham, "The Imperfect Subjunctive in Spanish-America", *H*, IX, 1926, p. 46; G. de Granda, "Formas en *-re* en el español atlántico y problemas conexos", en *BICC*, XXIII, 1968, pp. 1-22; P. Groult, "La courtoisie espa-

su empleo (valores situacionales) y por los usos sintácticos y de vocabulario que acompañan al verbo. Puede expresar un amplio intervalo de tiempo que precede y sigue al instante mismo del acto verbal. Se opone al pretérito perfecto y al imperfecto e indefinido para poner de relieve matices aspectuales muy característicos.

5.6.1.1. *Presente actual y habitual*

Se llama **actual** el presente que expresa la acción en relación con el momento de la palabra. La noción temporal que

---

gnol et le subjontif futur", en *Les Lettres Romanes* (Lovaina), XI, 1957, p. 73; F. Hanssen, "Revisión del problema del imperfecto", en *AUCh*, 1906, p. 187; C. Hernández Alonso, "El futuro absoluto de Indicativo", en *AO*, XVIII, 1968, pp. 29-39; Paul Imbs, *L'emploi des temps verbaux en français moderne. Essai de grammaire descriptive*, París, Klincksieck, 1960; Hans Wilhelm Klein, *Servitude grammaticale und freier Ausdruck des Gedankens im modernen Französisch. Grundsatzfragen der neusprachlichen Grammatik*, Frankfurt, Die Neueren Sprache, Beiheft 5, 1959; Arne Klum, *Verbe et adverbe. Étude sur le système verbal indicatif et sur le système de certains adverbes de temps à la lumière des relations verbo-adverbiales dans la prose du français contemporain*, Upsala, Studia Romanica Upsaliensia, 1, 1961; W. Koning, "Ein conditionalis Perfecti mit dem Infinitiv präsens und sein Ersatz im Spanischen", *NS*, XXXV, 1927, pp. 35-39; A. Lanly, "*Nous avons à parler* maintenant du futur", en *Le Français Moderne*, XXVI, 1958, pp. 16-26; A. Lanly, "Les formes en *-rais/-rai* (esp. *ría/ré*)", en *Les Langues Néo-Latines*, LIV, 1960, pp. 44-46; F. B. Lemon, "The relative frequency of the Subjunctive in *-se* and *-ra*", *H*, VIII, 1925, pp. 300-302; E. Lerch, *Die Verwendung des romanischen Futurums als Ausdruk eines sittlichen Sollens*, Leipzig, 1919; H. Michael Lewis, "Some notes on the Subjunctive", *MLJ*, XXXV, 1951, pp. 376-381; Leena Löfstedt, *Les Expressions du commandement et de la défense en latin et leur survie dans les langues romanes*, Helsinki, Mém. de la Soc. Néophilologique, 1966; J. M. Lope Blanch, "Algunos usos de indicativo por subjuntivo en oraciones subordinadas", en *NRFH*, XII, 1958, pp. 383-384; J. M. Lope Blanch, "Sobre el uso del pretérito en el español de México", en *HDA*, II, pp. 373-386; L. López Santos, "El perfecto y los tiempos afines en

evoca va desde el *ahora, en este momento* hasta cubrir todo el intervalo del presente. Limitaciones complementarias de tipo léxico fijan su punto de partida y, a veces, su conclusión.

El punto de partida de la acción se expresa por construcciones como *hace ... que, desde hace, desde, desde que...* [Spauld, 28]. Se opone esencialmente al pretérito perfecto cuando recubre exclusivamente el pasado y al imperfecto e indefinido cuando se refieren a un pasado que no llega al momento de la palabra:

> Hace un siglo que no nos vemos (R. Pérez de Ayala, *Troteras y Danzaderas*, 119); Me hago la ilusión de ser una gran señora, que, después de haber comido ancas de rana y criadillas de ruiseñor, va al teatro (*id.*, 97).

---

el dialecto leonés", en *Archivos leoneses*, XIII, 1959, pp. 7-66; E. Lorenzo, "La expresión de ruego y de mandato en español", en *Strenae*, 1962, pp. 301-308; J. Mallo, "La discusión sobre el empleo de las formas verbales en *-ra* con función de tiempos pasados de Indicativo", en *H*, XXX, 1950, pp. 126-139; M. Mansilla García, *Análisis lingüístico de los usos del Subjuntivo en el español y su comparación con el inglés*, Madrid, 1969; A. Marshall Elliott, "Lebrija and the Romance Future Tense", en *MLN*, VII, 1892, pp. 485-488; J. W. Martin, "Some uses of the Old Spanish Past Subjunctives (with Reference to the Autorship of La Celestina)", *RPh*, XII, 1958-1959, pp. 52-67; J. Mattoso Camara, jr., *Uma forma verbal portuguêsa. Estudo estilistico-gramatical*, Río de Janeiro, Livraria Acadêmica, 1956; J. Mattoso Camara, jr., "Sobre o Futuro Romance", en *Revista Brasileira de Filologia*, III, 1957, pp. 221-223; J. Mattoso Camara, jr., "Une catégorie verbale: le futur du passé", en *Reprints of papers for the Ninth Intern. Congr. of Ling*, Cambridge (Massachussetts), 1960; J. Mattoso Camara, jr., *A forma verbal portuguesa em "-ria"*, Washington, Georgetown University Press, 1967; H. Meier, "Futuro y futuridad", en *RFE*, XLVIII, 1965, pp. 61-78; W. Moellering, "The function of the Subjunctive mood in *como* clauses of fact", en *H*, XXVI, 1943, pp. 267-282; José Joaquín Montes, "Sobre la categoría de futuro en el español de Colombia", en *BICC*, XVII, 1962, pp. 527-555; L. Mourin, "La valeur de l'imperfect, du conditionnel et de la forme en *-ra* en espagnol moderne", en *Romanica Gandensia*, IV, 1955, pp. 251-278; Bodo Muller, "Das lateinische

Con verbos como *conocer* el presente añade una realización más íntima y próxima que el pretérito imperfecto o los pretéritos indefinido y perfecto: *Hace tiempo que le conozco/que le conocí.*

Otra forma de este presente actual la constituye la expresión de acciones que son resultado de otras pasadas cuyas consecuencias perduran en el momento de la palabra. Este matiz resultativo de rica intencionalidad sirve para subrayar el interés por las acciones que son objeto del recuerdo.

Futurum und die romanischen Ausdrucks weisen für das futurische Geschehen", en *RF*, LXXVI, 1964, pp. 44-97; B. MULLER, "Remarques sur l'imperfait *pittoresque*", en *Annuaire de l'Association des professeurs de langues vivantes en Finlande*, 1963; Ricardo NAVAS RUIZ, "Bibliografía crítica sobre el Subjuntivo español", en *Actas del XII Congr. Intern. de Ling. y Filología Románica (1968)*, IV, Madrid, 1970, pp. 1.823-1.840; Helge NORDAHL, *Les systèmes du Subjonctif, corrélatif*, Bergen-Oslo, 1969; Gaspar OTALORA, "El perfecto simple y compuesto en el actual español peninsular", en *EAc*, n.° 16, 1970, pp. 24-28; M. de PAIVA BOLEO, *O perfeito e o pretérito em portugués em confronto com as outras linguas románicas*, Coímbra, 1937; E. F. PARKER, "Ignored values of the preterit tense", en *H*, XI, 1928, pp. 218-220; K. PIETSCH, "Zur Spanischen Grammatik. VI. Formen des Präsens Indik, in der Funktion eines Imperative", en *MPhi*, 1912; John M. PITTARO y Alexander GREEN, *The Spanish Subjunctive and other Topics*, Boston, 1930; Leopoldo SÁEZ GODOY, "Algunas observaciones sobre la expresión del futuro en español", en *Actas del XII Congr. Intern. de Ling. y Fil. Rom. (1968)*, Madrid, 1970, t. IV, 1875-1889; H. R. SAUNDERS, "Il futurum temps. Le passé défini au théâtre classique", en *Le Français Moderne*, XXXIV, 1966, pp. 25-38; L. S. de SCAZZOCCHIO, "El futuro eventual en español, particularidad sintáctica del español a la luz de una forma griega. Futuro en los idiomas clásicos", en *Revista de la Facultad de Humanidades y Ciencias* (Montevideo), 1953, pp. 167-177; H. G. SCHOGT, *Le système verbal français contemporain*, La Haya, Mouton, 1968; Robert D. SEWARD, "Preterite and Imperfect", en *H*, XXXVII, 1954, pp. 82-83; Mitja SKUBIC, "Pretérito simple y compuesto en los primeros textos castellanos", en *Actas del XII Congr. Inter. de Ling. y Filología Románicas*, IV, Madrid, 1970, pp. 1.891-1.901; Leif SLETSJOË, "L'imperfait dit hypocoristique", en *Le Français Moderne*, XXXI, 1963, y XXXII, 1964; Ludwig SOLL, "Synthetisches und analytisches Futur im modernen

A este tipo pertenecen las citas de frases u opiniones de autores del pasado, de personas apartadas del hablante: *Cervantes dice...*; *Me escribe mi tío que...* Puede tomar tonalidades nostálgicas: *¿Cómo te ha ido por París? —Estoy encantado.*

El presente se llama **habitual** cuando representa un comportamiento usual y acostumbrado. La información transmitida por el presente vale tanto para el pasado inmediato

---

Spanischen", *RF*, LXXX, 1968; L. SOLL, "Imparfait und Passé simple", en *NS*, 1965, pp. 411-425 y 461-472; Robert K. SPAULDING, "An inexact analogy. The *-ra* form as a substitute for the *-rías*", en *H*, XII, 1929, pp. 371-376; R. K. SPAULDING, "Infinitive and Subjunctive with *hacer, mandar*", en *H*, XVI, 1933, pp. 425-432; L. SPITZER, "Sur quelques emplois métaphoriques de l'impératif: un chapître de Syntaxe comparative", en *Ro*, LXXII, 1951, pp. 433-478, y LXXIII, 1952, pp. 16-63; Ch. N. STAUBACH, "Current variations in the Past Indicative use of the *-ra* form", en *H*, XXIX, 1946, pp. 355-362; A. STEIGER, "Das Spanische Imperfekt mit präsentischer Bedeutungsfunktion", en *VR*, XVIII, 1957, pp. 158-162; K. TOGEBY, "La hiérarchie des emplois du Subjonctif", en *Langages*, 1966:3, pp. 67-71; VARGAS-BARÓN, "Los tiempos del Indicativo", en *H*, XXXVI, 1953, pp. 412-419; M. WANDRUSZKA, "Les temps du passé en français et dans quelques langues vivantes", en *Le Français Moderne*, XXXIV, 1966, pp. 3-18; Marc WILMET, *Le système de l'indicatif en moyen français. Étude des "tiroir" de l'indicatif dans les farces, sotties et moralités françaises des XVe et XVIe siècles*, Ginebra, Publications Romanes et Françaises, 1970; M. WILMET, "L'imparfait dit hypocoristique", en *Le Français Moderne*, XXXVI, 1968, pp. 298-312; Robert E. WILSON, "Polite Ways to Give Orders", en *H*, XLVIII, 1965, pp. 116-119; L. O. WRIGHT, "The Indicative Forms in *-ra* in Spanish America", en *H*, IX, 1926, p. 288; L. O. WRIGHT, "The disappearing spanish verb-form in *-re*", en *H*, XIV, 1931, pp. 107-114; L. O. WRIGHT, *The -ra verb form in Spain*, Berkeley, 1931; L. O. WRIGHT, "Further notes on *-ra* and *-se*", en *H*, IX, 1926, p. 201; L. O. WRIGHT, "Subjunctive Forms in *-ra* and *-se* in Spanish-American speech", en *H*, IX, 1926, pp. 170-173; L. O. WRIGHT, "Indicative function of the *-ra* verb form", en *H*, XII, 1929, pp. 259-278; L. O. WRIGHT, "The *-se* verb form in the apodosis", en *HR*, I, 1933, pp. 335-336; L. O. WRIGHT, "The Spanish verb form with the greatest variety of functions", en *H*, XXX, 1947, pp. 488-495.

como para el futuro próximo en una línea de constante reiteración:

> [...] por las noches ando de café en café con este fonógrafo, y por la mañana llevo un juego de esos de martingala (P. Baroja, *El Árbol de la Ciencia*, 116); [...] no parece sino que hay una ley estampada en la mente de todos los hombres o una fibra de cierto temple inextinguible escondida en su naturaleza carnal, que los obliga a decir cosas bonitas a una mujer guapa siempre que están a solas con ella y aunque se trate de las ánimas del Purgatorio (Pereda, *Peñas Arriba*, 468).

5.6.1.2. *Presente gnómico*

Dentro de esta misma intemporalización del presente habitual, el presente gnómico se emplea para comunicar los hechos y observaciones de la experiencia con validez fuera de todo límite temporal. Se usa en refranes, proverbios, moralejas y en el estilo científico en definiciones y verdades universales: *La tierra es redonda*; *Este problema se resuelve...* En otros tipos de lengua entra para expresar experiencias de validez universal supuesta o real:

> Tan verdaderos y misteriosos son estos trances que se debe tener por prudente al que para buscar sus anteojos comprueba antes que no los trae puestos (G. Miró, *El Humo dormido*, 82); Porque estas quisicosas son ingénitas en la mujer de todas las castas y latitudes, y, puestas todas ellas en una misma situación, todas, salvo las diferencias de lugar y de estilo, vienen a escarbar en el mismo terreno y con los mismos fines (Pereda, *Peñas Arriba*, 392).

5.6.1.3. *Presente prospectivo*

El carácter imperfectivo del presente permite que sin transición represente acciones que se han de realizar inmediatamente después del acto verbal. Al valor imperfectivo hay que añadir también su carácter descriptivo. Las situaciones de su empleo son varias.

(a) En expresiones interrogativas aparece el presente cuando se pregunta por órdenes, decisiones que se han de dar o tomar para ser realizadas después: *¿Le digo que pase?; ¿Baja usted en la próxima?; ¿Qué hacemos ahora?*

> ¿Qué se hace con la vida? ¿Qué dirección se le da? (P. Baroja, *El Árbol de la Ciencia*, 146).

El uso del futuro añadiría lejanía y proyección que no requiere la situación y por tanto marca una intención de estilo.

(b) Con valor de mandato o futuro de proyecto describe situaciones no comenzadas, que han de cumplirse en el futuro: *Vuelve en seguida; Tráeme el periódico.*

> Hija, te vienes conmigo esta noche, con cualquier pretexto, y así, que entre en celos y suelte la mosca (R. Pérez de Ayala, *Troteras y Danzaderas*, 141); Cabalito: luego salgo al público, me da un soponcio y adiós Madrid (*id.*, 116).

(c) Con valor de presente profético o de visión anticipadora es común en la lengua coloquial y muy especialmente, como ha notado Gili, del lenguaje infantil y popular.

(d) El mismo carácter de acción no cumplida toma carácter hipotético en las condicionales con las que se expresa una acción eventual que tampoco se puede traducir por futuro:

> Si esa muchacha da con un guía o maestro de sensibilidad artística, llegará a ser una bailarina famosa (R. Pérez de Ayala, *Troteras y Danzaderas,* 184).

5.6.1.4. *Presente por pasado*

El carácter abierto del presente se muestra en el llamado **de conato** en el que la acción se sitúa en el pasado y no llega a realizarse. Se emplea con expresiones como *por poco más, por un poco, a poco, a poco más.* El verbo puede ir con negación redundante: *Por poco no me caigo*; *Por poco me caigo.*

Con cambio del punto ordenador del discurso, se emplea el presente para expresar acción pasada. Con ello se aproxima y vivifica lo recordado:

> El tierno San Paulino de Nola no resiste la versión literal de algunos pasajes de los Salmos; y cuando el salmista ruge: "¡Mísera hija de Babilonia: [...]!, San Paulino ve en estas criaturas los pecados... (G. Miró, *El Humo dormido,* 80); Sabes, y si no lo sabes lo vas a saber ahora, que cuando el traidor Bellido Dolfos mata al rey Sancho y huye a guardarse dentro de los muros de Zamora, el Cid cabalga para darle alcance; pero no lo logra porque se le había olvidado calzarse las espuelas (R. Pérez de Ayala, *Troteras y Danzaderas,* 121).

5.6.2. Los pretéritos simples de indicativo

En el uso se corresponden perfectamente en la narración. Mientras el pretérito indefinido sirve para representar la sucesión de hechos, el pretérito imperfecto por su carácter durativo se utiliza para la descripción de la escena:

pretérito de narración (*indefinido*): Salió sin despedirse de Verónica. Llegó al vestíbulo; quedóse mirando un momento la sombra negra que el gabán de Tejero hacía; se apoderó, casi inconscientemente, de las doscientas pesetas; abrió con sigilo la puerta y la cerró sin mover ruido; huyó escaleras abajo, y cuando llegó al portal se preguntó: ¿Qué he hecho? (R. Pérez de Ayala, *Troteras y Danzaderas*, 126); **pretérito narrativo** y **pretérito descriptivo**: El nuevo preso se acercó a Antonio para pedirle unas cerillas al tiempo que le ofrecía media tableta de chocolate (R. Carranque de Ríos, *Uno*, 142).

El pretérito imperfecto alterna también con el presente cuando lo descrito continúa hasta el presente. Sin embargo, se suelda mejor que el presente en este uso por su afinidad y por su carácter de coetaneidad. El presente en este caso rompería el encanto de la evocación del pasado al constatar la perpetuación de la acción hasta el momento del habla que el pretérito se limita simplemente a no negar. Puede aparecer la coexistencia de las dos fórmulas verbales unidas por una copulativa:

Pero de los pitillos me pasaba y me pasa, como a Joshe-Mari, que ya no me podía quitar (R. Sánchez Mazas, *La Vida Nueva de Pedrito de Andía*, 15).

Este mismo pretérito, de presentar rasgos ambientales y puramente escenográficos, pasa a presentar acciones secundarias que se desarrollan dentro de la acción principal [Spauld, 33]:

descripción pintoresca: El día se preparaba a ser ardoroso. El cielo estaba azul, sin una nube; el sol, brillante;

la carretera marchaba recta cortando entre viñedos y alguno que otro olivar, de olivos viejos y encorvados. El paso de la diligencia levantaba nubes de polvo (P. Baroja, *El Árbol de la Ciencia,* 175); **narración de hechos habituales**: Venía con frecuencia por casa de Angelón; éste le decía: "Dame acá la panoplia", y Apolinar le presentaba recado de escribir. Angelón escribía algunas cartas que eran otros tantos *sablazos* o peticiones de dinero, y Apolinar después las traspasaba de la diestra del esgrimidor al corazón de sus víctimas (R. Pérez de Ayala, *Troteras y Danzaderas,* 136).

Esta doble posibilidad justifica su aparición como entrada en la narración que después se desarrolla en pretérito indefinido. La narración en pretérito imperfecto resulta más demorada, sugestiva y minuciosa frente al corte que el indefinido impone.

En el uso del pretérito indefinido los gramáticos han señalado característicos usos —iterativo, ingresivo, momentáneo, etc.— que de hecho están implícitos en el significado del verbo. De la misma manera, el pretérito indefinido por apoyos contextuales puede llegar a significar implícitamente la negación del presente [B, 692; Lenz, 294; Gili, 122.4]: *Aquí fue Troya*→'*Ya no es*'.

Con verbos de entendimiento y voluntad, acciones como *sentarse, levantarse* y verbos de movimiento cuyo sentido dura hasta el presente [Wackernagel, II.181], la atención se lleva hacia el estado alcanzado al realizarse la acción, estado que continúa o puede continuar hasta el presente, él mismo o sus consecuencias. La negación de estos verbos equivale a la negación en presente: *No lo creía nunca* = *No lo creo ahora* [B., 181; Gili, 138; Kenist, 436].

5.6.2.1. *El pretérito imperfecto irreal*

Por su carácter durativo y su valor de coetaneidad, el pretérito imperfecto puede pasar desde describir el pasado a representar el presente y el futuro entrando en el campo de las acciones no realizadas. Su atemporalidad se amolda perfectamente tanto al presente como al futuro en cuyos campos respectivos cabe situar usos muy característicos.

(a) Toma valor de presente. El uso del presente en su lugar implicaría una seguridad en el acontecer que el pretérito imperfecto no tiene:

> Ella les preguntó si tenían madres, hermanos, y mujeres, novias e hijos en los pueblos (R. Sánchez Mazas, *La Vida Nueva de Pedrito de Andía*, 111); [...] y hacía el panegírico de las bellezas que en su tiempo brillaron y ya se habían muerto o eran arrinconados vejestorios (Galdós, *Misericordia*, 152); Aquí volvieron a su susto las *Catalanas*. ¿Es que don Pío no era un buen sacerdote? (G. Miró, *El Obispo leproso*, 108); ¿Que no comes? Pues no faltaba otra cosa (R. Pérez de Ayala, *Troteras y Danzaderas*, 97).

(b) El mismo carácter durativo, permite el uso del pretérito imperfecto en la prótasis de las condicionales con el mismo carácter irreal de acción no realizada:

> Si el prelado no salía a su ventana del huerto para llamarle o no le mandaba un paje convidándole a subir, el párroco se iba sin llegar a los aposentos del señor (G. Miró, *El Obispo leproso*, 10); [...] pero si sus piernas flaqueaban, si su cabeza no le mantuviese firme en su sendero, si su corazón empezaba a bambolear y enflaquecer, ¿quién la sostendría a ella?, ¿quién sería su báculo? (Unamuno, *La tía Tula*, 80).

(c) El mismo nivel de irrealidad cubren los pretéritos imperfectos de cortesía, principalmente en las preguntas (*¿Qué deseaba?*) y en el característico lenguaje infantil. El imperfecto de cortesía atenúa la dureza del presente:

Bueno, yo venía a hablarte de un asunto de importancia (R. Pérez de Ayala, *Troteras y Danzaderas*, 122).

(d) Igualmente puede aparecer indicando acción no emprendida en construcciones concesivas y condicionales, como verbo dominante:

Aunque fuera más pobre que una rata, me casaba con él (P. Baroja, *La Busca*, 136); Ya sé que es usted un hombre discreto que no se va de la lengua, pero a lo mejor, por un casual, se le escapaba a usted algo y ya teníamos monserga para quince días (C. J. Cela, *La Colmena*, 55); Si a ti, José, te dieran a real el jesús, seguro que ganabas (Ignacio Aldecoa, *Gran Sol*, 98).

5.6.3. Futuro y potencial simples de indicativo

Ambos tiempos son de formación romance resultado de una perífrasis constituida por el presente y el pretérito imperfecto de *haber* conjugados con el infinitivo. Ambas formas verbales expresan la enunciación de una acción que se ha de realizar y por tanto no está comenzada. Este hecho le da un carácter irreal en el que la idea que la forma verbal enuncia se supone como resultado de una decisión o una creencia. Toman así un equívoco matiz subjetivo que los aproxima al subjuntivo. El potencial ha sido considerado por la Academia, al sobrevalorar los rasgos de este tipo, como subjuntivo durante mucho tiempo. Todavía hoy está separado del modo indicativo como un modo especial.

5.6.3.1. *El futuro imperfecto*

Esta formación perifrástica en su origen justifica con lo dicho anteriormente la existencia de un futuro modal cuyos matices están en relación con la persona. Con la primera persona se expresa acción futura decidida en el presente. Con la segunda persona se destaca claramente el valor volitivo y toma diferentes grados que van desde la exhortación hasta el mandato:

> Y a las doce, pasaremos ante la ventana de los niños en cortejo de disfraces y de luces, tocando almireces, trompetas y el caracol que está en el último cuarto. Tú irás delante conmigo, que seré Gaspar, y llevaré unas barbas blancas de estopa, y llevarás como un delantal, la bandera de Colombia (Juan Ramón Jiménez, *Platero y Yo*, 294); [...] te irás al cortijo de Guadelux, y en la sala baja, donde está aquel arcón muy pesado y muy viejo que dicen es gótico, contarás a tu izquierda dieciséis ladrillos, fíjate, dieciséis —una onza de ladrillos—, ¿entiendes?, y levantarás el que hace diecisiete, que tiene como la señal de una cruz, y algunos más alrededor. Bajo los ladrillos verás una piedra y una argolla [...]. Quitarás la argamasa, desquiciarás la piedra y aparecerá un escondrijo y en él un millón de reales en peluconas y centenes de oro (Pardo Bazán, *Novelas y Cuentos*, I, 1.304); Te guardarás muy bien de decirle nada (P. Baroja, *La Busca*, 51).

El mandato va reforzado por la entonación. Como tal forma de mandato se emplea en concurrencia con el imperativo en forma afirmativa, a cuyo sentido añade el carácter **de proyecto.** En forma negativa sustituye al imperativo (*no matarás*).

Cuando la forma del futuro se emplea en relación con

el presente toma el sentido **de probabilidad**. Se consigue con cambios de entonación y admite la alternancia con el presente. Junto a este sentido de probabilidad puede tomar el valor de sorpresa:

> Hará dos años por esta época, quise yo hacer un regalillo (P. Baroja, *La Busca*, 47); Pues buen picaronazo estará usted (Pereda, *Peñas Arriba*, 291); [...] he de ver cómo me las compongo para que tome la peseta que necesita para pagar el catre de esta noche. Pero ¡ay! no, [...], que necesitará ocho reales (Galdós, *Misericordia*, 140); Margarita no puede vivir siempre metida en un rincón. A ti no te importará; pero a ella, sí (P. Baroja, *El Árbol de la Ciencia*, 130); Crujió la tierra y pensé: "Será un caminante" (G. Miró, *El Humo dormido*, 36).

En segunda persona con entonación interrogativa, este mismo futuro del momento presente suaviza la misma construcción de presente y se conoce como **futuro de cortesía**:

> ¿Y no me dirá usted cómo se llama para que yo conserve mejor su recuerdo? (Ramón Gómez de la Serna, *El Incongruente*, 99).

Este mismo uso podrá tomar carácter de conocimiento inseguro o cualquier otra forma de especial distanciamiento de lo inmediato:

> Pues le diré a usted; yo fui a París el sesenta y ocho (P. Baroja, *La Busca*, 117); No sabemos cómo será por el otro lado (Unamuno, *La tía Tula*, 76).

5.6.3.2. *Valores del potencial simple*

Es, sin duda, su valor fundamental el valor modal de hecho probable sin más indicación temporal que la que proporciona el contexto. Como hecho irreal es futuro del momento en que se dice lo que comunica la forma potencial. Por ello puede ser entendido como **futuro del pasado**. Así completa de alguna manera el campo que cubre el futuro y en algunos casos concurren:

> En la luna creemos que se podría vivir (Unamuno, *La tía Tula*, 75); Así llegaron las dos a dar por hecho que no habría tenido yo menos de cincuenta novias ni bajarían de tres las que quedaban en Madrid llorando mis ausencias (Pereda, *Peñas Arriba*, 392); [...] después conocía a Rosita que entonces tendría veinticinco o treinta (P.. Baroja, *La Busca*, 117).

Como el futuro, sirve para referencias presentes como fórmula **de cortesía** por el matiz irreal en preguntas: *¿Tendría una habitación? / ¿Tendrá una habitación? / ¿Tiene una habitación?*

5.6.4. Las formas compuestas de indicativo

La perífrasis con *haber* aparece ya en latín arcaico. Con esta fórmula se lleva la atención sobre el estado que se alcanza como resultado de una acción anterior y viene a significar lo que el castellano con la fórmula *tengo + participio*. El castellano medieval, que aún hace concordar el participio, conoce la perífrasis con *haber* en los verbos intransitivos y la perífrasis con *ser* en los intransitivos y reflexivos propios. La alternancia de *ser* y *haber* se mantiene hasta el siglo XVI.

En castellano viene a constituir un sistema por sí mismo independiente del que forman los simples. Destacan la idea de conclusión aportada por el participio mientras el auxiliar aporta como temporalizador la idea de tiempo, modo y las informaciones de los morfemas concordantes.

5.6.4.1. *Los pretéritos compuestos*

Los tres pretéritos se corresponden por el tiempo de su auxiliar con el presente de indicativo, con el pretérito imperfecto y con el pretérito indefinido. El pretérito perfecto expresa una acción recientemente concluida y se combina con la narración en presente:

> Viance mueve la cabeza queriendo decir algo y por fin se calla. No puede dejar el puesto. El compañero tiene llagas en los labios hinchados y de las mangas de la guerrera salen unas muñecas y unas manos flacas, color sarmiento [...]. De la comisura de los labios bajan hilos de sangre de las encías. Esta tarde tiró seis paquetes. Un rebote le ha levantado una loncha de carne en el pulpejo de la mano derecha. Lo ha vuelto a acomodar y ha pegado encima un papel de fumar. No es nada (R. J. Sender, *Imán*, 97); Es mi sorpresa. Para mí misma ha sido un milagro de salud (G. Miró, *El Obispo leproso*, 214).

Su relación con el presente depende de razones de tipo diverso. Unas veces se trata del propio significado del verbo cuya acción llega con sus consecuencias hasta el presente; otras, intenciones afectivas del hablante que aproximan la acción remota; otras, la acción pasada habitual:

> Por lo que he referido, se ve que el Empecinado no permitió ningún descanso a los que acabábamos de llegar (Galdós, *Juan Martín, el Empecinado*, 147).

El pluscuamperfecto expresa, como el anterior, una acción concluida con relación a otra acción o hecho pasados. Frente al anterior cuyo campo invade, no exige un límite entre la acción concluida que expresa y el hecho o acción que le sirve de base de relación, por lo que se aparta o aproxima fácilmente mediante recursos complementarios apropiados. Esta base de la relación viene dada por otro pretérito simple —imperfecto o indefinido— o por medio del contexto:

Todo lo que había sostenido, se hacía añicos (M. Andújar, *Vísperas*, 245); [...] deshicimos a los renegados que habían bajado de la montaña (Galdós, *Juan Martín, el Empecinado*, 152); Recordó la tarde que le había llevado al "Olivar" de don Daniel (G. Miró, *El Obispo leproso*, 212); **rememoración del pasado**: Y luego las dos comienzan el relato al mismo tiempo: Habían oído un sermón en la Catedral: Habían pasado por el Convento de las Carmelitas para preguntar por la Madre Superiora que estaba enferma: Habían velado al Santísimo. Aquí la Princesa se interrumpió (Valle-Inclán, *Sonata de Primavera*, 112); Jamás había visto yo porción tan grande de mundo a mis pies, ni me había hallado tan cerca del Creador, ni la contemplación de su obra me había causado tan hondas y placenteras impresiones (Pereda, *Peñas Arriba*, 178).

En expresión indirecta sirve en consonancia con el pretérito simple para fórmulas de cortesía, alejando la expresión en pretérito perfecto, tiempo con el que alterna: *Quisiera saber cómo había llegado/ha llegado.*

El pretérito anterior se emplea en construcciones principalmente temporales para expresar que un hecho es concluido inmediatamente antes de otro pasado. Esta inmediatez al hecho que sirve de base de relación es lo único que lo distingue del pretérito pluscuamperfecto. La lengua hablada lo emplea muy poco y en la misma lengua literaria, se acude con frecuencia a otros tiempos con el apoyo léxico necesario.

Bello [642] toma como esencial en el pretérito anterior la idea de sucesión inmediata. Por eso considera pleonasmo, no obstante, acreditado por el uso, la expresión *luego que* +

pretérito anterior. El indefinido es la forma con la que alterna con mayor frecuencia: *Cuando hube recibido/En cuanto recibí*. Cuervo [*Not*, 93] ha señalado como "comunísimo el uso del indefinido por el anterior en época anteclásica":

> Cuando hubo arrasado el jardín, salió corriendo (Pérez Lugín, *La Casa de la Troya*, 155); [...] una vez que lo hube conseguido, se armó tan notable fogata y tan hermoso resplandor que mismo pareciera [...] que estábamos a pleno día (C. J. Cela, *El Nuevo Lazarillo*, 108); Luego que se hubo vestido Manuel salieron madre e hijo de casa (P. Baroja, *La Busca*, 54).

5.6.4.2. *Futuros compuestos*

Con sus especiales matices ya conocidos en las formas simples expresan acción concluida. El futuro perfecto expresa acción concluida en el futuro como resultado de un deseo o una decisión tomada en el presente. Así es frecuente que aparezca en el estilo epistolar anunciando acciones cumplidas en el momento en que sea recibida la carta. En otros casos puede expresar acciones anteriores y cumplidas:

> Este caminante del mundo y del pecado, ¿no habrá venido a nuestro pueblo para ser salvado? ¿Y no será usted, don Jesús, el escogido para salvarle? (G. Miró, *El Humo dormido*, 95); ¿Por qué le habrán cantado tanto a la luna los poetas? —dijo Ramiro— [...] (Unamuno, *La tía Tula*, 75).

Próximo al presente, como el simple, puede servir para la expresión de la sorpresa y la probabilidad:

> —¡Cochina! ¡Más que cochina! —murmuraba—. ¡Habráse visto la guarra! (P. Baroja, *La Busca*, 38); No la habré mirado a la cara media docena de veces desde que estoy en los Pazos (Pardo Bazán, *Novelas y Cuentos*, I, 26).

El potencial compuesto, por su parte, expresa fundamentalmente el resultado de una condición expresa o implícita. En este caso suele alternar con el subjuntivo en *-ra*. De cualquier manera, y siempre como acción concluida, expresa acción futura respecto al pasado. Alternando con el pluscuamperfecto puede expresar la verdad probable en el pasado:

> Tardó en volver con las cafeteras más de un cuarto de hora, con lo que supuso que Roberto habría terminado su narración (P. Baroja, *La Busca*, 46); [...] aunque hubiera llovido a cántaros, Antonio no habría alquilado una cama (R. Carranque de Ríos, *Uno*, 110).

5.6.5. Formas del modo subjuntivo

Los gramáticos suelen distinguir una serie de sub-modos al tratar de describir el sistema del subjuntivo e insisten sobre el valor modal frente al temporal que aparece mediatizado por dependencias y el contexto. Todas las formas del modo subjuntivo aparecen característicamente como dependientes de un verbo dominante. Sólo unos pocos casos, y éstos del presente de subjuntivo y el pretérito imperfecto en *-ra*, pueden aparecer como independientes constituyendo el núcleo ordenador de una oración compleja.

5.6.5.1. *Presente de subjuntivo independiente*

Tradicionalmente, se han incluido las formas de primera persona del plural y tercera persona de singular y plural dentro del modo imperativo. De hecho, las formas negativas de la segunda persona toman valor de mandato en correspondencia con las afirmativas de imperativo (*corred/no corráis*) y el pronombre de cortesía *usted* impone, igualmente, las formas de tercera persona según se ha visto (*salga usted/no salga usted*). Salvo estos casos, el subjuntivo independiente no expresa mandato y, entonces, admite su agrupación con *quizá*.

Dentro de una interpretación del modo por la intención del hablante, el presente de subjuntivo puede expresar exhortación y deseo, en una especie de subordinación interior que a veces formalmente se exterioriza por la interjección *ojalá* o por locuciones hechas. En todo caso es fácil advertir en las imprecaciones la fuerza del deseo (*Maldita sea*; *Dios me valga*). En estos casos, comúnmente llamados **optativos**, no se usa más que el subjuntivo, con frecuencia alternando con el imperativo:

> ¡Ay Fernando! ¡Mátame si quieres! Pero que nuestro hijito no se entere de nada (C. J. Cela, *La Colmena*, 94); Cuenta, veamos tu odisea en esa tierra de don Quijote (P. Baroja, *El Árbol de la Ciencia*, 232); ¡Quiera Dios que escarmiente en la verdadera realidad! (G. Miró, *El Humo dormido*, 84); **valor imperativo**: Miguelillo, no te olvides del ramo de flores (M. Andújar, *Vísperas*, 247); Niña, no seas mal criada; contesta a tu tío lo que debes contestar [...] (J. Valera, *Pepita Jiménez*, 12); Que no se te ocurra entusiasmarte con una mujer (P. Baroja, *La Busca*, 137); No le haga usté caso (R. Pérez de Ayala, *Troteras y Danzaderas*, 120).

Fuera de este uso optativo e imperativo, el presente de subjuntivo puede formar frase independiente en alternancia con el indicativo, necesariamente marcado por *quizá*, *acaso* o *tal vez*, para subrayar la eventualidad de un suceso (*Tal vez venga/Tal vez viene*):

> [...] quizás alguien sepa por qué la gente de las tres de la tarde no tiene nada que ver con la que llega dadas ya las siete y media (C. J. Cela, *La Colmena*, 100).

5.6.5.2. *Pretérito imperfecto en* -ra *independiente*

Los usos siguientes son exclusivos de las formas *-ra*. No admite su sustitución por la forma *-se* en ninguno de los dos casos:

(a) Como consecuencia de su origen histórico, del pluscuamperfecto latino de indicativo, puede tomar el significado del pretérito pluscuamperfecto de indicativo castellano, tanto en frase independiente como en frase subordinada. Su uso es antiguo y se atestigua ya en el *Poema de Mio Cid*. Su uso decrece en el siglo XV hasta ser prácticamente inusitado. El Romanticismo lo vuelve a emplear y hoy se usa con una clara intención estilística en la lengua literaria. Es prácticamente desconocido en la lengua hablada:

> Y los dos caminantes evocaron sus días en Sidón, cuando la sinagoga repudiara a Jesús (G. Miró, *Figuras de la Pasión*, 28); [...] repitió los guiños que hiciera cuando salió al patio (Martínez Garrido, *El Miedo*, 35).

(b) Aparece también en alternancia con el potencial simple para expresar la acción posible. Ambas formas verbales subrayan como ha señalado Gili [129] "la mayor o menor intención dubitativa". Además, con los verbos *querer*, *deber* y *poder* toma el mismo valor de cortesía y modestia del potencial:

> Sin ese profeta fuera yo venturoso con mujer y con hijos (G. Miró, *Figuras de la Pasión*, 22); [...] tras tantas incidencias y a través de tantos obstáculos, más pareciera la ronca voz de un hombre que se hallaba a punto de llorar o que acababa de hacerlo, que una simple voz [...] (Martínez Garrido, *El Miedo*, 42); **de modestia**: Quisiera que me escribiese usted una carta (R. Carranque de Ríos,

Uno, 112); No quisiera más que tratar con egoístas absolutos, completos [...] (P. Baroja, *El Árbol de la Ciencia*, 240); No eres sociable y debieras serlo (Martínez Garrido, *El Miedo*, 45).

5.6.5.3. *Presente y pretérito simples en proposición subordinada*

En general, pueden alternar con otras formas verbales de indicativo. Cuando esto ocurre, la forma de subjuntivo expresa la eventualidad de la acción que se expresa como desconocida, no comprobada, mientras el indicativo expresa el conocimiento y experiencia del suceso. Por otra parte, en el pretérito, el uso de la forma *-ra* y la forma *-se* es difícil de delimitar ya que en la conciencia del hablante se han llegado prácticamente a igualar ambas formas.

(a) Proposiciones de relativo: El subjuntivo expresa la eventualidad absoluta sin restricciones frente al indicativo que expresa lo experimentado y conocido o lo lógicamente presumible:

Apenas hay aquí quien acierte a comprender lo que llaman mi manía de hacerme clérigo (J. Valera, *Pepita Jiménez*, 6); ¡Bastante me importa a mí lo que digan! (P. Baroja, *La Busca*, 65); El amo, encargado o lo que fuese, de la tienda, compraba todo lo que le llevaban los randas, a bajo precio (*id.*, 207); [...] cifraba toda su esperanza en una buena colocación para su hija que la sacase de apuros (J. Valera, *Pepita Jiménez*, 11); [...] se preparó a tardar el mayor tiempo posible allí, para oír todo lo que pudiese de la conversación (P. Baroja, *La Busca*, 46).

(b) Subordinadas con el *que* anunciativo: Las proposiciones que actúan como sujeto, complemento directo o elemento suplementario de un verbo principal emplean el subjuntivo o el indicativo fundamentalmente en función del significado del verbo dominante. Imponen el subjuntivo los verbos que expresan voluntad, mandato, consejo, consentimiento, ruego, prohibición, temor, deseo, verbos de sentimiento, valoración, verbos de exhortación. El subjuntivo traduce indirectamente el mandato expresado por el imperativo (*Ven/Ha dicho que vengas*). Los verbos de mandato alternan así con el imperativo en estilo directo. Cuando con otros verbos hay elección posible entre indicativo y subjuntivo, este último expresa la eventualidad, hecho del que no se tiene experiencia directa:

en presente: A mí me da mucho sosiego que trabaje en una gran capital (C. J. Cela, *La Colmena,* 98); Yo no le voy a jurar que estos pitillos lleven tabaco de Gener (*id.*, 101); Miren no sea el Judío errante (G. Miró, *El Humo dormido,* 85); —Si no me dan más que una sábana —chilló la vieja torciendo la jeta— les digo que se la guarden en el moño (P. Baroja, *La Busca,* 86); ¿Me consienten que me despida de mis amigos? (R. Pérez de Ayala, *Troteras y Danzaderas,* 257); [...] ha de callar siete días, desde que comience el santo de la Preparación [...] (G. Miró, *Figuras de la Pasión,* 31); ¡Qué tengo yo en mi sangre para que me aborrezcan! (*id.*, 20); **en pretérito**: [...] discutían que se hablase en griego a un paso de la frontera (Valle-Inclán, *Viva mi dueño,* 16); [...] lo que le chocaba es que le produjese tanta ira y tanta rabia (P. Baroja, *La Busca,* 254); Lo que nos conmovía era que Luz fuese mayor que nosotros (G. Miró, *El Humo dormido,* 67); Esperó a que nuevamente me acercase [...] (Valle-Inclán, *Sonata de Primavera,* 40); [...] y recomendaba a todas horas a su hija que diera a Leandro una despedida terminante (P. Baroja, *La Busca,* 99); Se acordó que velara Facia, que no se acostara Chisco y me durmiera yo como las liebres (Pereda, *Peñas Arriba,* 394); Fue una lástima que murieran así (Martínez Garrido, *El Miedo,* 22); **con valor final**: Clamaban las mujeres presentando los pomos y vasos de aceite y vino, para que el Rabí tomara de allí con sus dedos y pronunciase sobre sus hijos la fórmula de salud (G. Miró, *Figuras de la Pasión,* 15); Daría cualquier cosa porque viniera, hombre (P. Baroja, *La Busca,* 101); **de modo con "sin que"**: [...] y lo sentenció decididamente, sin que el pensamiento vagase (Martínez Garrido, *El Miedo,* 36); **complemento del nombre**: Muy en lo profundo sorprendimos que nos alumbraba la alegría de que Luz no fuese nuestra hermana (G. Miró, *El Humo dormido,* 70); [...] le quedaba la esperanza de que el muchacho se convenciera de que le convenía más estudiar cualquier cosa que aprender un oficio (P. Baroja, *La Busca,* 29).

En relación con estas oraciones, el subjuntivo se impone cuando el verbo es negativo (*creo que viene/no creo que venga*) de la misma manera que influye en las proposiciones de relativo o en las mismas adverbiales consecutivas la negación del verbo principal. Frente a esto, las llamadas interrogativas indirectas introducidas por palabras interrogativas imponen el indicativo.

(c) Proposiciones con adverbios relativos.—Como en los casos anteriores se opone la eventualidad con subjuntivo a la certeza, hecho experimentado, realidad posible en indicativo: *cuando llueva/cuando llueve...*

presente: Laurita y Pablo suelen ir a tomar café a un bar de lujo, donde uno que pase por la calle no se atreve ni a entrar (C. J. Cela, *La Colmena,* 98); [...] cuando me necesite, me llamará (P. Baroja, *El Árbol de la Ciencia,* 238); Tío, con mucho gusto: cuando usted quiera (J. Valera, *Pepita Jiménez,* 12); **pretéritos**: Luego cuando pasara la época de vacaciones, seguiría estudiando (P. Baroja, *La Busca*, 29); [...] le escribí a don Mariano, [...], diciéndole si él sabía de algún sitio donde tú o yo pudiésemos trabajar (C. Arniches, *Es mi hombre*, 84).

(d) En condicionales y concesivas. — En la construcción concesiva se cumple la oposición general. El subjuntivo refuerza el énfasis de la concesión y encarece el sentido de la oración principal. En la condicional no cabe el presente de subjuntivo y, mientras en la prótasis las formas en *-ra* y en *-se* son sentidas como equivalentes y se emplean según usos regionales e incluso personales, en la apódosis sólo puede emplearse el pretérito en *-ra* alternando con el potencial. Este último uso del pretérito en *-ra* está en franco retroceso en la lengua hablada y ha reducido su frecuencia en la lengua literaria:

concesivas: Aun cuando pudiera parecer lo contrario, Monseñor no ha perdido el conocimiento un solo instante (Valle-Inclán, *Sonata de Primavera*, 35); [...] y se desvivía por complacer y ser útil a todo el mundo, aunque le costase trabajos, desvelos y fatiga, con tal que no le costase un real (J. Valera, *Pepita Jiménez*, 10); [...] respecto a los curas, fuesen católicos, protestantes o chinos, aunque no hubiera ninguno, no se perdería nada (P. Baroja, *La Busca*, 60); **prótasis de la condicional**: Eso sí, si él fuera del Gobierno, expulsaría a todos los frailes y monjas (*id.*, 60); Si tuviera yo otra condición, preferiría que mi padre se quedase soltero (J. Valera, *Pepita Jiménez*, 16); Si todas mis hijas entrasen en un convento, yo las seguiría feliz (Valle-Inclán, *Sonata de Primavera*, 34); **forma en "-ra" en la apódosis**: Merendamos en el fresco hortal, y a sus sombras pasáramos toda la tarde si Mauro nos dejara. Pero no lo consintió (G. Miró, *El Humo dormido*, 65).

5.6.5.4. *Formas compuestas de pretérito*

Tanto el pretérito perfecto como los dos pretéritos pluscuamperfectos expresan claramente la acción como acabada. Se ha señalado la invasión del presente de subjuntivo para la expresión de acción concluida, sobre todo en la lengua hablada. En cuanto al pretérito pluscuamperfecto, se dan los mismo usos que para el imperfecto con alternancia de las formas *-ra* y *-se*. Para la forma *-ra* en la apódosis, se ha notado la mayor resistencia de la forma compuesta en relación con la simple ante el empuje del potencial, motivada sin duda por la clara expresión del aspecto perfectivo de dicha forma verbal:

> **pretérito perfecto**: No hay familia conocida que no me haya enviado algún obsequio (J. Valera, *Pepita Jiménez,* 7); **pretérito pluscuamperfecto en "-ra" y en "-se"**: ¿Si hubiera podido hablar con su voz, la suya, para decir su nombre y amarla como ahora [...]? (G. Miró, *El Obispo leproso,* 217); [...] era muy posible que la ocasión hubiese pasado ante mí sin que yo supiese aprovecharme de ella (P. Baroja, *La Busca,* 194).

5.6.5.5. *Los futuros de subjuntivo*

Bello los agrupa con el valor de subjuntivo hipotético frente a las restantes formas que constituyen el subjuntivo común. Expresan las formas del futuro de acción eventual en el futuro, campo que cubren en la lengua actual las restantes formas del subjuntivo. Sin embargo, la Acad. [434 s.] sigue censurando el uso del imperfecto en *-se* en la prótasis en lugar del futuro. De hecho, la lengua hablada emplea en tales casos de manera dominante la forma en *-ra* que no aparece censurada por la *Gram. Acad.* El futuro perfecto expresaría la acción como concluida y anterior. Se usa, actualmente, sólo en algunas áreas dialectales, y en el castellano peninsular parece reducido a expresiones hechas como *sea lo que fuere, venga de donde viniere,* etc., o en refranes:

> ¡Bienaventurados cuando os maldijeren u os persiguieren y dijeren todo mal contra vosotros, calumniándoos por mi causa! (G. Miró, *Figuras de la Pasión,* 19); Vosotros sois la sal de la tierra. Y si la sal perdiere su sabor, ¿con qué será salada? (*id.,* 14); La que intentare pasar a la otra orilla antes que yo se lo permita, será pasada [...] por las armas (Galdós, *Zumalacárregui,* 103).

5.6.6. El imperativo

Tradicionalmente la distinción puramente semántica del modo, como la forma verbal que sirve para expresar el mandato, ampliaba estas formas a determinados usos del presente de subjuntivo, infinitivo, futuro imperfecto de indicativo e incluso del presente del mismo modo. La distinción del modo como comportamiento sintáctico restringe las formas del imperativo exclusivamente a las dos formas de segunda persona en singular y plural cuyo único uso es el de la orden directa al que escucha. Su uso no presenta ninguna particularidad más allá de las restricciones que cubre con el uso de otras formas verbales:

> Tú, baila y baila con toda tu alma, como David delante de Dios (R. Pérez de Ayala, *Troteras y Danzaderas,* 115); Bueno, pues márchate (P. Baroja, *La Busca,* 47); ¡Mira, niña, estate callada y no marees! (C. J. Cela, *La Colmena,* 99).

6. LAS PALABRAS: IV

LA INTERJECCIÓN Y LAS PARTÍCULAS

6.0. OTRAS CLASES DE PALABRAS

Fijadas ya las tres clases de palabras fundamentales —nombre sustantivo y adjetivo, verbo y adverbio— en su doble serie de palabras sinsemánticas y pronominales, quedan todavía otras para las que hay que habilitar nuevos criterios de caracterización, ya que se escapan del plano de enunciación en que se mueven las anteriores o porque sus funciones son difíciles de caracterizar de manera inequívoca. Tradicionalmente, estas palabras residuales de la clasificación anterior se suelen agrupar en tres clases: *interjección*, *conjunción* y *preposición*. Estas dos últimas han sido también llamadas, incluyendo algunos aspectos o valores de algunas pronominales, con el nombre de *palabras de relación*.

6.1. La interjección*

Constituye una clase de palabras que no tiene una completa y cabal delimitación, ni ha podido ser justificada por los mismos principios utilizados hasta aquí. Morfológica-

* L. Brun-Laloire, "Interjection. Language et parole", en *Rev. de Philologie française et de Littérature,* XLII, 1930, pp. 209-227; E. E. Kordi, "Contribution au problème de la formation des interjections

mente, pueden ser palabras que existen en el léxico de la lengua con otros fines que, fijada su terminación y con entonación exclamativa, se pueden emplear aisladas formando frase, o acuñaciones onomatopéyicas.

Tradicionalmente, para caracterizar este grupo de palabras se insiste en notas extralingüísticas. Bello [76] presenta las interjecciones como "palabras en que parece hacernos prorrumpir una súbita emoción o afecto, cortando a menudo el hilo de la oración". Para la *Gram. Acad.* [175 *a*] "es una voz con que expresamos, por lo común repentina e impremeditadamente, la impresión que causa a nuestro ánimo lo que vemos u oímos, sentimos, recordamos, queremos o deseamos".

Algunos gramáticos le han negado valor de parte de la oración basándose, principalmente, en el evidente hecho de que muchas de estas palabras se oponen al sistema fonológico castellano. Sin embargo, de alguna manera responden a un convenio y contribuyen a la comunicación. Todos, en cambio, están de acuerdo en reconocer su capacidad de constituir enunciados independientes.

En la interjección destaca la cierta elementalidad y espontaneidad con que son utilizadas en la comunicación, el carácter repentino e "impremeditado", la nota de palabras improvisadas por fuertes sentimientos a que alude Bello. Sin embargo, como nota Sapir [12-13], forman también parte de un convenio y de las tradiciones lingüísticas de cada lengua. El sistema fonético y los hábitos de lengua particulares llegan a acuñar determinadas ordenaciones fonemáticas con

---

(en ancien et moyen français)", en *Leningraskij gos. pedagogiceskij Institut im A. I. Gercena,* Leningrado, 1959; J. M. Lope Blanch, "Sobre el valor gramatical de las interjecciones", en *Antologia Mexico City College,* México DF, 1956, pp. 47-60; J. Pohl, "Les idéophones du français", en *Le Français Moderne,* XXXV, 1967, p. 13.

particular intención [Lenz, 22]. Constituyen un inventario abierto que se puede enriquecer por aportaciones lexemáticas bien caracterizadas, inmovilizadas morfológicamente y con un significado derivado.

Son notas distintivas de las interjecciones: (a) la ausencia, en algunas de ellas, de contenido semántico que alcanza ocasionalmente en su realización dentro de un contexto lingüístico o extralingüístico: *¡ay, qué pena!*; *¡ay, qué alegría!* Sin embargo, para la mayor parte, hay la posibilidad de traducirlas y sustituirlas por vocativos (*¡eh! tráeme eso→Fernando, tráeme eso*), frases exclamativas (*¡ay!→¡qué dolor!*) o, incluso, por una oración (*¡puaf!→me da asco*); (b) la posibilidad de enriquecerse acuñando secuencias fonemáticas extrañas al sistema fonológico castellano. Especialmente, el castellano actual, en determinados tipos de escrito, renuevan constantemente el repertorio por trascripciones ideofónicas: *¡pss! ¡chist! ¡pfif!*; (c) la necesidad de ir acompañadas de un morfema entonacional característico, en límite con vocativos y frases exclamativas; (d) carecer de función primaria en la enunciación, salvo cuando se gramaticalizan (*los ayes*), y ser capaz de enunciados independientes con unidad melódica por sí misma.

6.1.1. Tipos de interjecciones

Su límite con vocativos y frases exclamativas con las que coincide en su entonación y comportamiento en la comunicación, explica que vocativos y frases exclamativas nutran constantemente el grupo de interjecciones. No hay que considerar la entonación como marca transpositora. Invocaciones como *¡Jesús!, ¡Dios mío!,* por medio de las cuales el hablante pide ayuda sobrenatural, pierden su valor intencional y significativo cuando pasan a ser interjecciones. Por otra parte, las onomatopeyas constituyen otro importante grupo de interjecciones, con especiales acuñaciones fonemáticas no demasiado fijas de un hablante a otro.

Entre las interjecciones se pueden distinguir unas llamadas **propias** o **primarias** constituidas por ordenaciones de fonemas, sancionadas por el uso e incorporadas a la lengua con cierta fijeza, que por sí mismas no tienen relación con el léxico del castellano y se pueden emplear con variadas intenciones. Otras se suelen llamar **impropias** o **secundarias** porque están constituidas por palabras de diversas clases que por transposición se emplean con la misma intención que las anteriores por proceso evolutivo de acomodación fácilmente perceptible:

primarias: ¡**ah**!: —Es don Eugenio. — ¡Ah!, que pase en seguida (P. Baroja, *OC*, III, 781); ¡Ah! Pero yo esperaba que alguna noche le había de traer (R. Gómez de la Serna, *El Incongruente*, 112); ¡**ajá**!: ¡Ajá! Una cosa así quisiera yo para bañarme completamente tranquilo (Pereda, *Tipos y Paisajes*, 344); ¡**ajajá**!: ¡Ajajá! Y ahora yo y la gorra jugamos un mus a los que salgan (Díaz Cañabate, *Historia de una Taberna*, 105); ¡Ajajá!; ¡eso era! (Pereda, *Tipos y Paisajes*, 174); ¡**ay**!: Era evidente, ¡ay!, era evidente (R. Pérez de Ayala, *Belarmino y Apolonio*, 158); ¡**bah**!: ¡Bah! No tanta como en una sepultura (P. Baroja, *OC*, III, 549); ¡Bah!, no digas bobadas (R. F. de la Reguera, *Cuerpo a tierra*, 101); ¡Bah, bah, bah!... ¿con qué perro o gato de la villa habrá dejado mi mujer de celebrar consulta? (A. Palacio Valdés, *Marta y María*, 24); ¡**ca**!: —¿De aquí no se verá Plasencia? —dijo Aviraneta. —No. ¡Ca! (P. Baroja, *OC*, III, 619); ¡**chist**!: ¡Chist!... Mire usted con el rabillo del ojo y con mucho tiento (Pereda, *Tipos y Paisajes*, 342); ¡**ea**!: ¡Ea, basta de guasas! (C. Arniches, *OC*, IV, 313); ¡**et**!: Hace frío, ¿eh? (I. Aldecoa, *Pájaros y Espantapájaros*, 94); ¿Eh? ¿Debo ir yo allí? (R. Pérez de Ayala, *Belarmino y Apolonio*, 57); ¡Eeeh! ¡El demonio del señor éste, cada día más grosero y más...! (C. Arniches, *OC*, IV, 313); Ésta es tu tía, ¿eh? (A. Palacio Valdés, *Marta y María*, 143); ¡**fuuh**!: ¡Fuuh!, no nos dejan ni respirar (R. F. de la Reguera, *Cuerpo a tierra*, 133); ¡**hale**!: ¡Otro más fuerte! ¡Como los que me da usté a mí, pero en mejor! ¡Hale! ¡Así! (C. Arniches, *OC*, IV, 565); ¡**hola**!: ¡Hola!...; según eso, ¿vienes tú a remachar el clavo? (Pereda, *Tipos y Paisajes*, 269); ¡Hola!, aquí tenemos al curita de Elizondo (Galdós, *Zumalacárregui*, 87); ¡**huy**!: —¿Verdad que eres cristiano? —¡Huy! Too lo que se pue ser, padre (C. Arniches, *OC*, IV, 497); ¡**oh**!: ¡Oh María, si supieses qué feliz me haces! (A. Palacio Valdés, *Marta y María*, 253); [...] y por fin, ¡oh sorpresa!, encontré el hotel (R. Gómez de la Serna, *El Incongruente*, 44); ¡**olé**!, ¡**olé**!: ¡Olé!... Ahí la tienes. Y eso a los nueve años (C. Arniches, *OC*, IV, 66); ¡**psche**!: —¿Va usted muy lejos? —Psche...; regular (C. J. Cela, *Viaje a la Alcarria*, 29); ¡**puah**!: ¡Reconstituyente! ¡Puah!, vino de viejas (R. F. de la Reguera, *Cuerpo a tierra*, 180); ¡**quiá**!: ¡Quiá, hombre, quiá! (Pereda, *Tipos y paisajes*, 345); ¿Pa que no me conteste? ¡Quiá! (C. Arniches, *OC*, IV, 497); ¡**sus**!: ¡Sus y a ella que está diciendo comedme! (Díaz Cañabate, *Historia de una Taberna*, 105); ¡**uf**!: ¡Uf, qué humazo! (I. Aldecoa, *Pájaros y Espantapájaros*, 56); ¡**uff**!: —¡Uff! —resolló—. No volveré a desnudarme (R. F. de la Reguera, *Cuerpo a tierra*, 169); ¡**uy**!: ¡Uy, qué divertido es esto, pero qué divertido! (Díaz Cañabate, *Historia de una Taberna*, 202); ***onomatopéyicas***: **¡cataplum!**: ¡Anda y cómo chillan!... ¡Cataplum!...; ¡ahí va esa ola! (Pereda, *Tipos y Paisajes*, 339); ¡**plaf**!: [...] yo quisiera ser bañero... ¡Plaf!...; se zambulleron en el agua (*id.*, 340); ¡**pum**!: Por fin, ¡pum! le dio un sombrillazo (Galdós, *Fortuna-*

ta y Jacinta, 1, 128); **rin-rin**: Ya todo estaba hundido en la blandicie del irse a dormir, cuando, rin-rin, sonó el timbre y se encendió la bombilla del pasillo (R. Gómez de la Serna, *El Incongruente,* 86); ¡**zas**!: Yo entonces estaba destinado en Carabanchel, y en cuanto que se terciaba, ¡zas!, me plantaba en Madrid (C. J. Cela, *Viaje a la Alcarria,* 102); ¡Zas!, estocada y te lo metes en el bolsillo (Blasco Ibáñez, *Sangre y Arena,* 349); ***secundarias*** (*transposiciones*): ¡**alto!**: ¡Alto! ¿Quién vive? —dijo Aviraneta (P. Baroja, *OC,* III, 629); ¡**anda**! ¡**anda**!, **anda salero**: ¡Anda éste! —rió Roca (R. F. de la Reguera, *Cuerpo a tierra,* 141); ¡Anda salero, la Cibeles sin leones y con un poquito de carne! (Díaz Cañabate, *Historia de una Taberna,* 103); ¡**arrea**!: ¡Arrea, furriel! (R. F. de la Reguera, *Cuerpo a tierra,* 135); ¡**ay Dios**!, ¡**por Dios**!, ¡**Dios mío**!: ¡Ay Dios, qué pesado! (A. Palacio Valdés, *Marta y María,* 202); ¡Quite usted, por Dios, si son monísimos y muy graciosos! (Díaz Cañabate, *Historia de una Taberna,* 211); ¡**diablos**!, ¡**demonios colorados**!, ¡**demonios**!: ¡Diablos! —exclama Augusto (R. F. de la Reguera, *Cuerpo a tierra,* 132); ¡**hombre**!: ¡Hombre, gracias a Dios que han aprobado algo! (C. Arniches, *OC,* IV, 788); ¡**Jesús**!: ¡Jesús, qué barbaridad! (A. Palacio Valdés, *Marta y María,* 149); ¡**porras**!, ¡**qué porras**!: Ya me conoces: al pan, pan, y al vino, vino... qué porra! (C. Arniches, *OC,* IV, 787); ¡**Cristo**!, ¡**Recristo**!: ¿Veis estas patas? ¡Recristo!, os digo que volaban (R. F. de la Reguera, *Cuerpo a tierra,* 120); ¡**sopla**!: ¡Sopla y qué airecillo tan fresco me ha dado en la cara de repente! (Pereda, *Tipos y Paisajes,* 334); ¡**toma**!: —¡Hijo, rodar! ¿Qué quieres que ruede? —¡Toma! ¡Las andas, los hombres, las luces, todo! (G. Miró, *Las Cerezas del Cementerio,* 111); ¡**vaya**!, ¡**vamos**!, ¡**va**!, ¡**ahí va**!: ¡Vaya susto! —acezó Peláez (R. F. de la Reguera, *Cuerpo a tierra,* 141); ¡Ahí va; pues entonces claro! (Díaz Cañabate, *Historia de una Taberna,* 63); ¡Vamos, no me haga usted tan simple! (J. Valera, *Las Ilusiones del doctor Faustino*, 106); ¡Ah, vamos, lo que tú quieres es presumir! (Díaz Cañabate, *Historia de una Taberna*, 99); ¡**venga**!: ¡Venga, muchachos! (R. F. de la Reguera, *Cuerpo a tierra*, 118); ¡**canario**!: ¡Canario, qué puntiagudas son! (Pereda, *Tipos y Paisajes*, 342); ¡**canastos**!: ¡Canastos, y cómo corre el coche por esta cuesta abajo! (*id.*, 336); ¡**zambomba**!: ¡Zambomba!, ¡cómo se estrelló esa ola! (*id.*, 337); (*eufemismos y abreviaciones*): ¡**arre**!: [...] le diré con las fuerzas que aún me resten: "¡Arre, Gorrión!", y el "Gorrión" seguirá (C. J. Cela, *Viaje a la Alcarria*, 58); ¡**caracho**!: ¡Caracho!, lo que usted sabe, amigo Apolonio (R. Pérez de Ayala, *Belarmino y Apolonio*, 100); ¡**carape**!: ¡Carape! ¡Pues menudo bárbaro es Aniceto! (C. Arniches, *OC*, IV, 580); **caray**: No, caray, eso, no (*id.*, 283); **cojondrios**: La libertad no es eso, cojondrios, no es eso (Galdós, *O'Donnell*, 12); ¡**concho**!: Es usted sargento, ¡concho! (Galdós, *Zumalacárregui*, 155); ¡**mecachis**!: ¡Santísima...! ¡Meca...! ¡Mecachis en...! (C. Arniches, *OC*, IV, 313); ¡**rediez**!, ¡**rediezla**!: ¡Rediezla!... ¿Qué es eso que le rebulle a usté en el pecho? (*id.*, 775).

Un valor próximo al de las interjecciones lo tienen las muletillas con que en la lengua hablada se corta, a veces, la línea del discurso por medio de repetición de palabras no significantes [Bouz., 338]. Se acude a conjunciones como *pues*, calificativos como *bueno*, demostrativos, *eso*, *esto* y a interjecciones como *ea*, *ché*, etc.

6.1.2. Las onomatopeyas

Las onomatopeyas constituyen intentos de reproducir sumariamente por sus sonidos aquello que se trata de representar. Así pueden aislarse del contexto o introducirse como aposiciones de enunciados. Independientemente de esta función interjectiva, la onomatopeya puede sustantivarse y funcionar como nombre:

> Ras, ras, ras, ras, ras. Y la mesa parecía quejarse como un ser sano al que cortan inútilmente las piernas (R. Gómez de la Serna, *El Incongruente*, 138); Sonaba de esta manera: miiii... (Galdós, *Fortunata y Jacinta*, I, 190); Thompson soportó lo más amablemente los ¡ejem!, ¡ejem! (P. Baroja, *OC*, III, 666).

6.1.3. Clasificación por el sentido

La Gramática tradicional acostumbra clasificar las interjecciones por sus áreas de aplicación según el sentido. Por su equivalencia significativa pueden ser **emocionales** [Sweet., 433] cuando sirven para expresar emociones de sorpresa, alegría, dolor, asco, malestar o desprecio tales como *¡ah!*, *¡ay!*, *¡bah!*, *¡eh!*, *¡guay!*, *¡hola!*, *¡huy!*, *¡oh!*, *¡puf!*, *¡tate!*, *¡uf!*, etc.

Son **imperativas** las que sirven para ordenar y mandar como *¡arre!*, *¡so!*, *¡ar!*, *¡sus!*, *¡zape!*, *¡ox!*, *¡chit¡*, *¡chitón!*, o simplemente para llamar la atención como *¡eh!*, *¡ce!*, *¡psit!*, *¡chit!*, *¡mis, mis!*, etc.

Las **expletivas** actúan esencialmente como apoyaturas incidentales con las que se trata de reforzar la expresión. Son simples descargas psicológicas del hablante. Éstas comprenden desde invocaciones hasta juramentos y reniegos. Constituye este grupo el más abierto a nuevas e impensadas invenciones y queda en límite con la exclamación. Tal como se ha podido ver, son frecuentemente eufemismos y otras abreviaciones de voces obscenas o irreverentes.

6.1.4. Comportamiento sintáctico de la interjección

Según se ha dicho, la interjección forma unidad melódica que se separa en el escrito por coma, punto y coma o punto. Aparece, generalmente, al frente del enunciado o en situación parentética, subrayando el sentido de la frase, vocativo u oración. Cuando va dentro de la frase o enunciado constituye un paréntesis. En todo caso, el sentido y valor de la interjección se entiende sobre todo por el contexto en que se produce. Puede ser simple escape psicológico o refuerzo de sentido de lo enunciado.

Las interjecciones se agrupan con frecuencia con el intensivo *qué* (*¡qué caray!*) y admiten refuerzo por medio del prefijo *re-* (*¡recontra!*, *¡recaramba!*). Suelen formar unidad con un sustantivo en los vocativos (*¡oh María!*). Pueden encabezar un grupo e ir seguidas de un nombre con las preposiciones *de* y *con*:

> ¡Moler con la generosidad de la carnicera! (P. Baroja, *Mala Hierba*, 127); [...] ¡contra con Dios! ¿El Gobierno nuevo que venga le había de castigar? (Galdós, *O'Donnell*, 15); ¡Caray con Schopenhauer! (Díaz Cañabate, *Historia de una Taberna*, 128); ¡Caray con el turista!... ¡Y no puede con las piernas! (C. Arniches, *OC*, IV, 69).

Con un cierto grado de gramaticalización, la interjección puede actuar como sustantivo dentro de la estructura oracional. Así aparece como complemento directo de verbos de lengua, equivaliendo a una oración:

> Laguna gritó con todas sus fuerzas: "¡Eeeh!" (R. F. de la Reguera, *Cuerpo a tierra*, 139); —¡Bah! —exclamó Augusto turbado. —¿Por qué bah? Te has portado muy valientemente (*id.*, 141).

También puede aparecer con el mismo sentido tras *conque, pues, así que*:

Conque... ¡fuera!... ¡Échala, Pepe! (C. Arniches, *OC*, IV, 451); Nada de alego... ¡Conque hale! (*id.*, 313).

Un caso aparte lo constituye la interjección *¡ojalá!* [Bello, 1.203] que significa "Dios quiera" y que rige verbo en subjuntivo cuyo valor desiderativo subraya. De esta manera la interjección se convierte de hecho en núcleo ordenador de la frase: *¡ojalá venga!*

6.2. La preposición*

Para la *Gram. Acad.* [257], la preposición es llamada impropiamente parte de la oración puesto que "no tiene valor por sí misma en el habla" y sirve para, en estrecho contacto con el nombre, convertirlo en complemento de otro vocablo, de tal manera que la preposición "el entendimiento la concibe como formando un solo concepto mental con dicho nombre, y al expresarlo lo hace como si las dos palabras, es decir, la preposición y el nombre, fuesen una sola".

* **De carácter general y teórico**: R. Bastianini, *Tablas de la preposición castellana*, Buenos Aires, 1915; C. de Boer, *Essai sur la Syntaxe moderne de la préposition en français et en italien*, París, 1926; Viggo Brøndal, *Théorie des prépositions. Introduction à une sémantique rationelle*, Copenhague, 1950; L. Contreras, *Los Complementos*, Montevideo, Cuadernos del Inst. Lingüístico Latinoamericano, 13, 1966; J. Cl. Chevalier, *Histoire de la syntaxe, naissance de la notion de complément dans la grammaire française (1530-1750)*, Ginebra, Droz, 1968; C. Fahlin, *Étude sur l'emploi des prépositions "en", "a", "dans" au sens local*, Uppsala, 1942; Charles J. Fillmore, "The case for case", en Emmon Bach y Robert T. Harms, *Universals in linguistic theory*, Nueva York, Holt, Rinehart and Winston, 1968, pp. 1-88; G. Gougenheim, "Y a-t-il des prépositions vides en français?", en *Le Français*

Con una orientación semejante la había entendido Bello [65, 66] al considerarla como modificativo del nombre para convertirlo en complemento mediante el cual expresaba las relaciones posibles entre el nombre y otra palabra. En relación con el nombre, el oficio de la preposición es "anunciarlo, expresando también a veces la especie de relación de que se trata".

En suma, se destacan tres aspectos como característicos: expresan con mayor o menor vaguedad o precisión una relación, y por ello coinciden con los que se han llamado adverbios prepositivos o relacionales; marcan a un nombre o constituyente que haga sus veces, y convierten dicho constituyente en complemento de otra palabra, esto es, subordina

---

Moderne, XXVII, 1959; J. Guasch, "La preposición: dificultades que entraña su estudio", en *BAAL,* XVIII, 1949, pp. 59-60; L. Hjelmslev, "La notion de rection", en *Acta Linguistica* (Copenhague), I, 1939, pp. 10-23; Harriett S. Hutter, "The development of the function word system from vulgar latin to modern Spanish", en *Descriptive Studies in Spanish Grammar,* 1954, pp. 139-175; G. Ivanescu, "Les formes du nominatif et de l'accusatif pluriels des Ire et IIe déclinaisons en latin vulgaire", en *IX Congr. Inter. Ling. Rom. (1959),* pp. 125-133; José S. Lasso de la Vega, "El problema de las clases casuales a la luz del estructuralismo", en *Problemas y principios del estructuralismo lingüístico,* 1967, pp. 97-122; K. G. Ljunggren, "Towards a definition of the concept of preposition", en *StL,* V, 1951, pp. 7-20; Philippe Marcq, "Structure d'un point particulier du système des prépositions spatiales en latin classique", en *La Linguistique,* VII, 1971:2, pp. 81-92; A. Martinet, "Cas ou fonctions? A propos de l'article *The case for case* de Charles J. Fillmore", en *La Linguistique,* VIII, 1972:1, pp. 5-24; P. Martínez Abellán, *Rarezas de la lengua española,* Madrid, 1902; E. Náñez, *Construcciones sintácticas del español,* Santander, 1970; John T. Platt, *Grammatical form and grammatical meaning,* Amsterdam (North-Holland), 1971; G. de Poerck-L. Mourin, "Réflexions sur les prépositions *in* et *ad* dans quelques textes romans", en *VR,* XIII, 1953-1954, pp. 266-301; R. L. Politzer, "A note on the late latin genitive", en *PhQ,* XXXI, 1952, pp. 417-423; B. Pottier, "Sobre la naturaleza del caso y la preposición", en *Ling. Mod. y Fil. Hispánica,* 1968, pp. 137-143; B. Pottier, "Espacio y tiempo en el sistema de las pre-

gramaticalmente el **término** o constituyente marcado por la preposición a otra palabra que la rige (*regente*).

A estos tres rasgos evidentes se pueden añadir otros rasgos igualmente característicos. Las preposiciones no tienen uso independiente como ocurre con el artículo y, en general, con los llamados morfemas trabados. Al mismo tiempo, se emplean siempre antepuestas a una palabra. Por este aspecto entran en fricción con los *prefijos* con los que se han agrupado alguna vez, lo cual permitió distinguir preposiciones *impropias* —los prefijos— y *propias*, las que nos ocupan. La palabra *según*, tradicionalmente inventariada entre las preposiciones, puede alguna vez emplearse independiente y sin término. Otros casos, menos frecuentes, están en estrecha relación con la situación en que se pro-

posiciones", en *Bulletin de la Faculté des Lettres* (Estrasburgo), VIII, 1954, pp. 347-354 (trad. en *Ling. Moderna y Filología Hispánica*, 1968, pp. 144-153); B. Pottier, *Systématique des éléments de relation, Étude de Morphosyntaxe structurale romane*, París, Klincksieck: Bibliothèque Française et Romane, 2, 1962; Fritz Renzenbrink, *Untersuchungen über die Entstehung und den syntaktischen Gebrauch der aus einem subtantivierten Adjektiv, einem Pronomen und einer Verbform abzuleitenden Präpositionen*, Gotinga, 1908; Joan Solà, "Canvi i caiguda de les preposicions", en *Estudis de Sintaxi catalana/1*, 1972, pp. 11-43; R. E. Sondergard, "The Spanish preposition", en *H*, XXXIV, 1953; Ebbe Spang-Hanssen, *Les prépositions incolores du français moderne*, Copenhague, 1963; M. de Toro Gisbert, "El régimen en español", en *Los nuevos derroteros del idioma*, París, 1918, pp. 187-198; J. Vallejo, "Complementos y frases complementarias en español", en *RFE*, XII, 1925, pp. 117-132. **Sobre usos particulares**: M. Arrive, "A propos de la construction *La Ville de Paris*: rapports sémantique et rapports syntaxiques", en *Le Français Moderne*, XXXII, 1964, p. 179; D. L. Bolinger, "Prepositions in English and Spanish", en *H*, XL, 1957, pp. 212-213; D. L. Bolinger, "Purpose with *por* and *para*", *MLJ*, XXVIII, 1944, pp. 15-21; A. Castro, "*De aquí a = hasta*", en *RFE*, III, 1916, p. 182; J. M. Corral, "¿Diputado de o diputado por?", en *La Revista Católica* (Santiago de Chile), XXXVII, 1919, pp. 311-312; Harold L. Dowdle, "Observations on the uses of *a* and *de* in Spanish", en *H*, L, 1967, pp. 329-335; Gordon T. Fish, "*De*", en *H*,

ducen y queda muy claramente sobrentendida la palabra que se elide: *¿Prefieres el café con leche o sin?* Una mayor frecuencia en este uso se da en zonas de lenguas en contacto como Cataluña.

Por su presencia habitual delante de un nombre, la preposición es palabra átona que se agrupa con el sustantivo o constituyente que le sigue con el que forma grupo acentual. Por último, todas las preposiciones tradicionalmente inventariadas, salvo *hasta, entre* y *según,* sólo admiten las formas complementarias del pronombre personal en la mención directa de 1.ª y 2.ª personas.

LIII, 1970, pp. 266-268; Gregorio GARCÉS, *Fundamento del vigor y elegancia de la lengua castellana expuesto en el propio y vario uso de sus partículas.* Con adiciones de don Juan Pérez Villamil y algunas notas y un prólogo por don Antonio María Fabié, Madrid, Librería de Leocadio López, editor, 1886; F. HANSSEN, "Cuestiones de gramática: Observaciones sobre la preposición *para*", *BHi,* XIII, 1911, pp. 40-46; Ch. E. KANY, "American Spanish *hasta* without *no*", en *H,* XXVI, 1943, pp. 155-159; Ch. E. KANY, "Conditions expressed by Spanish *de* plus infinitive", en *H,* XIX, 1936, pp. 211-216; XXII, 1939, pp. 165-170; F. KRUGER, "A propósito de *de aquí a, hasta*", en *RFE,* VIII, 1921, pp. 295-296; G. P. NIKITINA, "Les compléments de nom introduits par la preposition *en*", *Leningradskij gos. pedagogiceskij institut im A. I. Gercena,* t. 212, Leningrado, 1959; A. F. PADRÓN, "El uso de la preposición *de* con los nombres de calles y plazas", en *Boletín de Filología* (Montevideo), V, 1949; Günter PEUSER, *Die Partikel "de" im modernem Spanischen. Ihre Leistung als Ligament und Präposition,* Friburgo, Albert-Ludwigs Univ., 1965; J. A. van PRAAG, "Nota gramatical: La preposición *a*", en *N,* XXXI, 1947, pp. 127-129; H. SÁENZ, "The preposition *a* before placenames in Spanish", en *MLJ,* XX, 1936, pp. 217-220; Gerardo SÁENZ, "Use *con* instead of *para*", en *H,* XLVI, 1963, pp. 612-617; C. G. SHENTON, "*Bajo* and *debajo de*", en *H,* XLVII, 1964, pp. 362-366; J. SOLÀ, "Canvi i caiguda de les preposicions", en *Estudis de Sintaxi catalana/1,* 1972, pp. 11-43; G. P. SULLIVAN, "*Durante*", en *H,* XXXV, 1954, p. 345; J. VALLEJO, "Notas sobre la expresión concesiva. I: *por.* II: El subjuntivo con *aunque*", en *RFE,* IX, 1922, pp. 40-51; L. O. WRIGHT y R. E. SONDERGARD, "The *a* of separation", en *H,* XXXIV, 1951, pp. 354-356.

6.2.1. Inventario de preposiciones

Como piezas articuladoras de la expresión en el habla, constituyen un inventario finito como ocurre con otras clases de morfemas trabados. Prescindiendo de la preposición *so* que sólo se mantiene en expresiones fijas como *so pena, so color, so pretexto, so capa,* cada vez menos usadas y *cabe* totalmente olvidada, las preposiciones tradicionalmente relacionadas son éstas:

a, **ante**, **bajo**, **con**, **contra**, **de**, **desde**, **en**, **entre**, **hacia**, **hasta**, **para**, **por**, **según**, **sin**, **sobre** y **tras**.

A éstas se han de añadir ciertos usos de *cuando* y *donde* empleados ante sustantivo (*cuando niño, donde tu madre*) y desde Bello, que las considera preposiciones, aunque "lo son imperfectamente", las palabras *excepto, salvo, durante, mediante, obstante* y *embargante* [Bello, 1.184]. Estas dos últimas, empleadas con *no*, tienen un claro valor de ordenador del discurso. Por otra parte, las dos primeras pueden introducir pronombres personales sujeto en la mención directa.

En todos estos casos se ha dado la inmovilización. Cuervo [*Not.*, 143] cita ejemplos que muestran a estas palabras concordando con el sustantivo, hecho que se mantiene hasta el siglo XVII:

> Todas las ciudades de éstos fueron arrasadas [...] exceptas tres que estaba dispuesto por orden de Dios que quedasen (Márquez, *Gobernador Cristiano*, II, 31; Pamplona, 1615); No se había tratado de otra cosa [...] durantes aquellos meses (Coloma, *Tácito, Hist. I.*, 3; pág. 639, Douay, 1629); Lo que después se hace mediantes los actos exteriores, es la ejecución desta determinación de la voluntad (Palacios

Rubios, *Esfuerzo bélico heroico*, XXIV); Non obstantes estos impedimentos, plugo a la sabiduría soberana alumbrar las tinieblas de mi entendimiento (Pedro de Alcalá, *Arte para ligeramente saber la lengua arábiga*, pról.); Non embargantes cualesquier mis cartas e albalaes (*Cortes de Zamora*, año 1432).

Obstante y *embargante*, como se ha dicho poco usadas, actúan como ordenadores de frase; la primera con *no* se emplea en el período adversativo. *Salvo, excepto* e *incluso* e *inclusive* actúan con frecuencia no sólo ante nombres sino ante proposiciones subordinadas, formando una agrupación de contenido que contrasta con el resto de la oración. Por su parte, *durante* y *mediante* de manera absoluta se emplean con elementos nominales y alcanzan una mayor identidad con los rasgos que se han fijado como propios de la preposición:

durante: Su inclinación al estudio sufrió notable menoscabo durante este tiempo (Palacio Valdés, *Riverita*, 129); **mediante**: [...] y sólo mediante un gran esfuerzo lograba dominarse (J. Goytisolo, *Duelo en el Paraíso*, 80); **excepto**: El público de la biblioteca, excepto algunas mujeres elegantes que iban a leer novelas, lo formaban tipos harapientos, hombres barbudos, sucios, encorvados, mujeres marchitas, desgarbadas y tristes (P. Baroja, *La Ciudad de la Niebla*, 137); **salvo**: ¿Y quién aquí, salvo contadas excepciones, sabe apreciar el calzado como una obra de arte? (R. Pérez de Ayala, *Belarmino y Apolonio*, 98); **incluso**: Doña Araceli, sin la menor ironía, elogió el arrope y las gachas y todo lo demás, incluso las empanadas (J. Valera, *Las ilusiones del doctor Faustino*, 120); **inclusive**: [...] cuya lectura han terminado muy pocos cristianos y no ha repetido ninguno, yo inclusive (Pereda, *La Puchera*, 329).

6.2.2. Preposiciones y adverbios prepositivos

Como se ha señalado más arriba, la función significativa de los adverbios prepositivos o relacionales se aproxima notablemente a la de las preposiciones. Tres rasgos fundamentales los apartan de las preposiciones: (a) El poderse emplear sin término (*vive cerca*); (b) el poderse posponer al nombre (*calle arriba*), uso, por otra parte, descrito por algunos gramáticos con el nombre de *preposición pospuesta*; y (c) el necesitar una preposición cuando se enlazan a un nombre (*arriba del armario*).

Históricamente, se ha constatado en un cierto número de palabras el paso de una construcción a otra, del uso sin preposición al uso con preposición y al revés. La palabra *cerca*, de origen prepositivo, se empleó sin preposición en la época clásica y, después, tomó por analogía la preposición *de*. Preposiciones como *bajo* y *tras*, en el castellano actual, se oyen y se escriben con la preposición *de*:

> Dios Nuestro Señor ha dispuesto que tras de la calma tengamos las tempestades, y tras de las tempestades, la calma y el cielo sereno (Galdós, *Cánovas*, 115); [...] tras de esa puerta [...] entran todas las locuras humanas (P. Baroja, *El Árbol de la Ciencia*, 162).

La lengua hablada actual suele emplear determinados adverbios sin la preposición tales como *encima* (*encima la mesa*), *delante* (*delante la casa*) y otras, uso que no suele llegar al escrito y a la lengua cuidada.

La afinidad entre adverbios y preposiciones por su comunidad de significado explica desplazamientos del área de uso. La lengua actual apenas emplea la preposición *tras* con el significado de "en seguimiento de". En su lugar, prefiere el adverbio *detrás de*.

Los curiosos se guarecieron tras de la iglesia (Galdós, *Zumalacárregui,* 274).

6.2.3. El término de la preposición

No todas las palabras pueden ser introducidas por preposición. Se ha observado desde antiguo que sólo el nombre admite preposición. No admiten preposición las formas personales del verbo ni las interjecciones. El gerundio sólo admite la preposición *en,* construcción en trance de desaparecer en el castellano actual. Por su parte, los adverbios sólo admiten preposición en determinados tipos y éstos especializan determinadas preposiciones. Por último, el adjetivo y el participio, al tomar preposición —pueden aparecer introducidos por *de* y *por*—, acentúan su carácter predicativo y se sienten como atributos de un verbo copulativo elidido (*lo hizo por bueno = porque era bueno*). En otros casos, toma valor denominativo: *Salió de bueno en la película.*

Con ello, sólo quedan el nombre sustantivo, el infinitivo y las proposiciones con el anunciativo *que* como posibles términos de la preposición. Esto ha hecho pensar, sobrevalorando la aparición de la preposición ante el nombre sustantivo, que el rasgo característico de la preposición sería su capacidad de transponer al sustantivo en las diferentes funciones que puede desempeñar como complemento de otra palabra. Sin embargo, tal interpretación, aparte de desatender su función ante el infinitivo cuyo carácter verbal es cada vez más indudable, y las proposiciones con *que,* se apoya en equivalencias con adjetivos o adverbios no siempre defendibles.

6.2.4. Articulación del constituyente prepositivo

El término introducido por la preposición se articula en la frase fijando su relación con cualquier palabra que sea sustantivo (*casa de muñecas*), adjetivo (*corto de entendederas, cansado de trabajar*), adverbio (*delante de la casa*) y la interjección (*¡ay de los vencidos!*). En todos estos casos, los constituyentes prepositivos forman unidad endocéntrica con la palabra que sirve de núcleo ordenador de la construcción y actúan a nivel semántico, como incrementos de sentido.

En cuanto al verbo, como se verá más adelante, cabe la posibilidad de distinguir un tipo de construcción ligado al verbo con un cierto grado de cohesión mayor o menor (*echar de menos, hablar de toros*), de término fijo o variable, mediante el cual se completa el significado del verbo en el enunciado; de otro tipo de construcción en la que la preposición con su término forma una unidad aislable con pleno sentido que puede pasar de un enunciado a otro cuyos restantes elementos sean distintos.

Mientras el segmento /*de menos*/ sólo aparece con las formas del verbo *echar* o la complementación con *de* + *nombre* sólo aparece marcando tal relación con el verbo *hablar*, un segmento prepositivo como /*por la mañana*/, /*desde ayer*/, /*hacia París*/, comúnmente caracterizados como complementos verbales, pueden aparecer en cualquier enunciado independientemente del verbo que sirva de núcleo ordenador: *salió por la mañana*; *escribió por la mañana*; *se acostó por la mañana*, etc.

6.2.5. Clases de preposiciones

La Gramática tradicional ha intentado hacer una clasificación de las preposiciones atendiendo al significado. Ha tomado en cuenta necesariamente el hecho de que, mientras unas preposiciones dan cuenta de la relación que expresan cuando se toma en consideración el significado de la palabra regente y del término, en otras basta con la consideración del significado del término para entender la relación. Mientras *por* toma un significado determinado según la clase de palabra que introduzca —*por la calle, por Navidades, por Alfredo, por miedo, por zoquete*, etc.—, la preposición *de* sólo alcanza su plenitud de significado cuando, además de la palabra que introduce, se considera la palabra con la que se relaciona: el segmento /*de toros*/ no marca por sí mismo la relación que será una en *tarde de toros* y otra en *hablaron de toros*.

Estas consideraciones justifican que, con ciertas reservas, se pueda hablar de preposiciones **llenas**, que se emplean en un reducido número de realizaciones de acuerdo con su significado, y de preposiciones **vacías**, que aparecen como simples marcas de enlace con múltiples posibilidades de relación cuyo significado es función tanto de la palabra con la que se relacionan como del término que introducen.

Aunque falta un criterio suficientemente elaborado para trazar una división objetiva, provisionalmente puede afirmarse que las preposiciones *a, con, de* y *en*, y en algunos aspectos *por*, son vacías, mientras las restantes *ante, bajo, contra, desde, entre, hacia, hasta, para, por, según, sin, sobre* y *tras* y las pseudopreposiciones significan por sí mismas o por la naturaleza y carácter del término.

Relaciones espaciales de lugar o tiempo, relaciones de causa y finalidad, de instrumento, compañía y modo son fácilmente aislables tomando en cuenta el término introducido por la preposición, aun cuando se acuda a preposiciones vacías. Por otra parte, el régimen impuesto por el verbo o por los adjetivos —ambos, términos secundarios— fundamentalmente utiliza preposiciones vacías y su uso suele ser vacilante en muchos casos.

Expresión de lugar

en : Lugar en que se cumple la acción (*Vivo en Madrid*).
a : Proximidad o aproximación en el espacio (*Voy a Madrid*).
de : Separación (*Vengo de Madrid*).
tras : Situación (*Está tras la puerta*).
entre : Situación (*Entre las hojas del libro*).
hacia : Dirección (*Va hacia allí*).
por : Lugar a través del cual se realiza la acción (*Pasea por la calle*; *Lo coge por los pies*).
con : Compañía (*Quedó con ellos*).

Expresión de tiempo

a : Momento particular en un espacio de tiempo (*A las nueve*).
en : Una unidad de tiempo en toda su extensión (*En Navidades*).
de : Duración o un momento indeterminado (*De noche*).
por : El momento de la acción (*Por la noche*).
desde : Punto de partida en el tiempo (*Desde hoy*).
con : Simultaneidad (*No saldrás con este tiempo*).
sobre : Proximidad (*Sobre las once*).
para : Conclusión (*Para mañana*).

Expresión de causa y finalidad

por : Causa. Con verbos de movimiento, finalidad (*Voy por agua*).
para : Finalidad (*Para Mercedes*).
a : Finalidad (*Útil a sus amigos*).
de : Agente (*Preferido de todos*).

Expresión de instrumento

con : Medio o instrumento (*Con una navaja*).
de : Expresa autor o causante de un estado (*Seguido de un faldero*).
a : Instrumento (*A sangre y fuego*).
en : Materia o cantidad (*Pagar en oro*).

Expresión de modo

de, a, por, con, en forman modos adverbiales (*a gatas, de firme, por ventura, con prudencia, en serio*).

6.2.6. Agrupación de preposiciones

Se ha visto más arriba cómo en determinados casos preposiciones como *bajo* o *tras* toman la preposición *de* para introducir un sustantivo, invadiendo el campo de actuación de los adverbios prepositivos o relacionales. En estos casos la preposición deja de serlo para adverbializarse y la preposición de enlace corresponde al régimen de la construcción adverbial. Hay además otros casos en que una preposición introduce un elemento ya marcado por otra preposición. En este caso se puede hablar de agrupación de preposiciones y, cuando ocurre, cada una de las preposiciones agrupadas introduce una determinada relación, matiza con una nueva relación la unidad prepositiva o refuerza el sentido de la relación expresada por el término prepositivo.

La *Gram. Acad.* [263] registra como posibles las agrupaciones de la preposición *de* con *entre, hacia, por* o *sobre*; la de la preposición *desde* con *por*; las preposiciones *hasta* y *para* con *con, de, desde, en, entre, por, sin* o *sobre*; y la preposición *por* con *ante, bajo, de* y *entre*.

[...] y sois vosotros los que primero quitáis las manos de entre las suyas (E. Noel, *España, nervio a nervio,* 180); El caso, de común acuerdo, se ocultó o se disimuló para con el público (J. Valera, *Genio y Figura,* 117); De pronto, un halcón aparece revolando rápida y violentamente por entre los árboles (Azorín, *Castilla,* 95).

De la misma manera, condena la agrupación de la preposición *a* con cualquier preposición y, especialmente, con la preposición *por,* agrupación muy característica en que con la preposición *a* se pretende subrayar la idea de movimiento y dirección que exigen los verbos de movimiento con que ordinariamente se construye. De hecho, tal agrupación, pese a la prohibición académica, se ha impuesto y generalizado en la lengua hablada en muchas zonas e incluso en la lengua escrita: *ir a por el periódico* frente a *ir por el periódico.*

6.2.7. Observaciones sobre el uso de las preposiciones

Los gramáticos han hecho observaciones sobre particularidades de la situación de la preposición en el enunciado. Salvá [*Gram.*, pág. 323] observa la conveniencia de no separar la preposición de su término y censura como anfibológica la frase de Jovellanos: "Siendo insuficiente el fondo señalado para tan grandes empresas". Son éstas, anfibologías que una correcta puntuación puede salvar, aunque sea más recomendable la corrección propuesta: *Siendo el fondo señalado insuficiente para tan grandes empresas.*

Añade observaciones también sobre el término que depende de dos palabras regentes que exigen preposiciones distintas. Es común utilizar únicamente la preposición que corresponde al regente inmediato; sin embargo, Salvá, como Bello [1.193] prefieren la reconstrucción de la frase de manera que queden patentes las dos construcciones. Citan la frase de Jovellanos "Lo que depende y está asido a otra cosa", para la que proponen la reconstrucción: *Lo que depende de otra cosa y está asido a ella.*

Una solución a este mismo problema se encuentra en Blanco-White y Jovellanos [Bello, 1.196]. Consiste en callar el término con la primera preposición y expresarlo con la segunda. Bello cita "Providencias exigidas por, y acomodadas al estado actual de la nación". Es solución artificiosa que todavía se encuentra alguna vez en escritos de tipo técnico apoyadas por el ejemplo del inglés.

6.3. La conjunción*

La *Gram. Acad.* [174 *a*] considera que "sirve para denotar el enlace entre dos o más palabras u oraciones". Bello, por su parte, había precisado que une palabras "que ocupan un mismo lugar en el razonamiento" [74]. En otra parte, precisa que "ligando palabras, cláusulas u oraciones no tienen influencia sobre ninguna de ellas" [1.200].

La delimitación del inventario de conjunciones plantea dos órdenes de problemas que se implican: (a) la determinación de unas exigencias de conducta sintáctica en el discurso y (b) la fijación de unas características formales que denuncien las de contenido que se les atribuye en (a). Las palabras que se inventarían tradicionalmente como conjunciones son formal y sintácticamente heterogéneas. Una somera observación de las mismas permite fijar cuatro tipos de comportamiento:

(1) De acuerdo con las precisiones de Bello, solamente

* Vid. la bibliografía recogida en la nota al párrafo 8.0.

enlazan tanto oraciones como elementos o constituyentes de elementos: *Una casa grande y espaciosa...*; *Una casa grande pero incómoda*; *Una casa no grande sino destartalada*; *El muchacho corre y la niña salta; Tú hablas pero yo no te comprendo.*

(2) Enlazan solamente oraciones sin aportar a su contenido ningún significado: *Está contento, pues trabaja a gusto*; *Le has avisado, luego ya vendrá.*

(3) Enlazan un elemento proposicional dentro de la estructura de una oración compleja y además, incorporan un significado dentro de la proposición que introducen: *La casa donde vivo es grande.*

(4) Marcan una oración que se pone en contraste con otra: *Si llueve, no saldré de casa.*

Las palabras que cumplen los comportamientos de (3) y (4) proceden de clases ya registradas como pronombres o adverbios. Pueden incorporar un significado dentro del enunciado que encabezan. En suma, se distinguen bastante coherentemente porque (a) admiten preposiciones que maticen el carácter de su función dentro de la proposición que introducen o como elemento de la oración de que forman parte. (b) por su base morfológica pronominal plena o neutralizada, y (c) porque por su misma naturaleza funcional como elementos de un esquema oracional o por su carácter de marca de oración en contraste pueden coordinarse y por tanto pueden aceptar delante una de las palabras inventariables en (1), lo cual comporta a su vez que dos segmentos no pueden ser coordinados por más de un coordinador.

De todas las palabras que tienen cabida evidentemente en estos dos últimos tipos de comportamiento, *que*, por su propia naturaleza de falta de color en su significado de base, parece caer dentro del tipo (2). Sin embargo, hace recomendable el incluirlas en (3) el hecho de que admite una palabra del tipo (1) delante y la proximidad a los relativos, ya que la presencia de un sustantivo inmediatamente delante le confiere significado.

Los gramáticos han tratado de salvar la cuestión distinguiendo unas conjunciones **coordinantes** entre las que recuentan las del tipo (1) y (2) y otras **subordinantes** entre las que se incluyen las restantes. Sin embargo, no puede echarse en olvido el estrecho parentesco que las une a los pronombres y adverbios. Gran número de gramáticos sólo admiten como conjunciones las que caben en los dos primeros tipos (1) y (2) y dejan de considerar las restantes como conjunciones sin especificar su naturaleza.

6.3.1. Inventario de conjunciones

Tomando como rasgo distintivo el (c) estudiado arriba, se puede fijar la siguiente prueba de reconocimiento: dada una partícula que se puede considerar como coordinante en una estructura como /$\mathbf{M}_1$ **coord**? $\mathbf{M}_2$/, donde **M** = miembro de la coordinación y **coord**? = objeto de reconocimiento como supuesta partícula coordinante, no será coordinante si hay una estructura tal como /$\mathbf{M}_1$ **coord. coord**? $\mathbf{M}_2$/, y, por el contrario, será coordinante si tal estructura no es gramatical.

El morfema *que* en el enunciado (1) *Antonio dijo que vendría* no será coordinante supuesto que es gramatical el enunciado (1a) *Antonio dijo que vendría y que traería las raquetas.* Por otra parte, los morfemas *pues* y *luego* habrá que confirmarlos entre las conjunciones supuesto que no admiten la coordinación con *y*. En cambio, locuciones como *sin embargo, no obstante*, etc., que tradicionalmente se incluyen entre las conjunciones adversativas, habrá que segregarlas de la clase.

6.3.2. Clases de conjunciones

Las conjunciones, entendiendo por tales, exclusivamente las coordinantes, se clasifican en:

Copulativas, como **y**, **e**, **ni**.
Disyuntivas, como **o**, **u**.
Adversativas, como **mas**, **pero**, **sino**, **empero**.
Causales, como **pues**.
Consecutivas, como **pues** y **luego**.

7. SINTAXIS ELEMENTAL

7.0. SINTAXIS DEL DISCURSO: EL ENUNCIADO*

En el discurso, la unidad básica es el **enunciado** que se define operacionalmente por ser un segmento de la comunicación, cualquiera que sea su extensión, comprendido entre dos pausas marcadas o el silencio anterior al habla y una pausa marcada. Todo enunciado concluye por un tonema característico. Para la segmentación del enunciado no se

* E. BENVENISTE, "L'appareil formel de l'énonciation", en *Langages*, n.º 17, 1970, pp. 12-18; F. BOILLOT, *Psychologie de la construction de la phrase française moderne*, París, 1930; E. BUYSSENS, *Les langages et le discours. Essai de linguistique fonctionelle dans le cadre de la Sémiologie*, Bruselas, 1943; J. DUBOIS y L. IRIGARAY, "Approche expérimentale des problèmes intéressant la production de la phrase noyau et ses constituants immédiats", en *Langages*, n.º 3, 1966, pp. 90-125; David M. FELDMAN, "A Syntactic Verb-unit in Spanish", en *H*, XLV, 1962, pp. 86-89; A. G. HATCHER, "Syntax and the Sentence", en *Word*, XII, 1956, pp. 234-250; O. KOVACCI, "La oración en español y la definición de sujeto y predicado", en *Fil.*, IX, 1950, pp. 103-118; J. KURILOWICZ, "Les structures fondamentales de la langue: groupe et proposition", en *Esquisses linguistiques*, 1960, pp. 35-40; R. B. LONG, *The sentence and its parts*, The University of Chicago Press, 1961; J. M. LOPE BLANCH, "Sobre la oración gramatical (En torno al *Curso de Sintaxis* de Gili Gaya), en *NRFH*, XVI, 1962, pp. 416-421; A. MARTINET, "Les Structures élémentaires de l'énoncé", en *La Linguistique synchronique*, 1965, pp. 195-229; A. MARTINET, "Syntagme et synthème", en *La Linguistique*, II, 1967:2, pp. 1-14; Antonie MENSIKOVÁ, "Sentence patterns in the theory and practice of teaching the Grammar of french as a foreign language", en E. FRIED (ed.), *The Prague School of lin-*

toma en cuenta ni su estructura gramatical ni su contenido, que puede ser insuficiente e incompleto.

Según este criterio, se distinguirán cuatro enunciados en el siguiente párrafo:

> (1) Siguieron algunas tardes de lluvia. (2) El estudiante paseaba en el atrio de la catedral durante los escampos, pero mi hermana no salía para rezar las Cruces. (3) Yo, algunas veces, mientras estudiaba mi lección en la sala llena de aroma de las rosas marchitas, entornaba una ventana para verla. (4) Paseaba solo con una sonrisa crispada, y al anochecer su aspecto de muerto era tal, que daba miedo (Valle-Inclán, *Jardín Umbrío*).

---

guistics and language teaching, Londres, Oxford University Press, 1972; Christiane MILNER, "Groupes verbaux et groupes nominaux en allemand contemporain", en *La Linguistique,* IV, 1969:2, pp. 41-58; R. NAVAS RUIZ, "Pausa, base verbal y grado cero", en *RFE,* XLV, 1962, pp. 274-284; G. A. NIDA, "The analysis of grammatical Constituents", en *Lan,* XXIV, 1948, pp. 168-177; Eugène PAULINY, "La phrase et l'énonciation", en *A Prague School Reader in Linguistics,* 1964, pp. 391-397; L. J. PICCARDO, *El Concepto de oración,* Montevideo, 1954; Geneviève PROVOST-CHAUVEAU, "Problèmes théoriques et méthodologiques en analyse du discours", en *Langue Française,* n.º 9, 1971, pp. 6-21; J. ROCA PONS, "Le sujet et le prédicat dans la langue espagnole", *RLiR,* XXIX, 1965, pp. 249-255; B. POTTIER, "Structures grammaticales fondamentales", en *Tendances nouvelles en matière de recherche linguistique,* L'Éducation en Europe, Conseil de la Coopération Culturelle, Estrasburgo, 1964, pp. 73-84; B. POTTIER, *Introduction à l'étude des structures grammaticales fondamentales,* Nancy, 1962; Eddy ROULET, *Syntaxe de la proposition nucléaire en français parlé. Étude tagmémique et transformationnelle,* Bruselas, 1969; Manfred SANDMANN, *Subject and Predicate,* Edimburgo, 1954; A. SECHEHAYE, *Essai sur la structure logique de la phrase,* París, Champion, 1926; A. SECHEHAYE, "Les deux types de la phrase", en *Mélanges offertes à M. Bernard Bouvie,* Ginebra, 1920; Nicol C. SPENCE, "Composé nominal, locution et syntagme libre", en *La Linguistique,* IV, 1969:2, pp. 5-26; Tzvetan TODOROV, "L'énonciation", en *Langages,* n.º 17, 1970; J. VALLEJO, "Complementos y frases complementarias en español", en *RFE,* XII, 1925, p. 126 y ss.

Según el mismo criterio, en el siguiente fragmento, en el que se reproduce un diálogo con indicación de la actitud de los interlocutores, se podrán distinguir doce enunciados:

> (1) —Perdóname, Javier. (2) Este diablo de Joaquín tiene una noche inaguantable. (3) —Ya sé que lo habéis pasado bien por el pueblo. (4) —Sí —(5) bajó el tono de la voz— (6) Me he acordado de ti. (7) —Haz lo posible para que tú y yo nos escapemos un rato, Elena (8) —traté de lograr una pequeña risa irónica. (9) —Pero vienes ahora, ¿no? (10) —Sí. (11) —Amadeo, Andrés y Santiago están en la terraza. (12) Mira, en este momento entra Claudette (García Hortelano, *Tormenta de Verano*).

7.0.1. ORACIÓN Y FRASE

Según se puede comprobar en los ejemplos anteriores, siguiendo este criterio formal, se pueden aislar en el discurso enunciados que responden a dos estructuraciones sintagmáticas distintas: (a) unos organizan todos sus constituyentes en relación con un verbo conjugado en forma personal. Así, tanto en /*Siguieron algunas tardes de lluvia*/, enunciado con un solo verbo en forma personal, como en /*Ya sé que lo habéis pasado bien por el pueblo*/, enunciado con dos verbos en forma personal, hay un verbo —/*siguieron*/ en el primer caso y /*sé*/ en el segundo— que actúa como **núcleo ordenador** de la comunicación; (b) otros enunciados que cumplen igualmente la misma función de comunicar, se caracterizan frente a (a) por la ausencia de verbo en forma personal en función de núcleo ordenador de las palabras que constituyen la comunicación. Así ocurre en /*Sí*/.

En esta exposición se seguirá llamando **oración** a los enunciados cuya estructura responda al tipo (a), arriba señalado, y se empleará el término **frase**, que en la primera acepción del *DRAE* (19.ª ed.) aparece definido como "conjunto de palabras que basta para formar sentido, aunque no constituye una oración formal", para designar los enunciados que coincidan con la estructuración señalada en (b).

7.0.2. Interpretación tradicional

Desde antiguo, se ha considerado la oración como unidad fundamental en el análisis del discurso y se la ha definido según diversos criterios. En las definiciones tradicionales se atendía al hecho de ser (a) una serie de palabras, (b) la combinación de un sujeto y un predicado, (c) expresión de lo pensado, (d) síntesis de representaciones o (e) descomposición analítica de representaciones, (f) al hecho de contener un sentido cabal o completo. Se dio un paso importante al atender a rasgos formales como (g) la entonación y su limitación por pausas y (h) la relación sintagmática entre las unidades del discurso tomando como base la descripción estructural.

Los criterios señalados desde (a) a (f) son demasiado imprecisos y lucubrativos para ser utilizados inequívocamente. Por otra parte, todos ellos, total o parcialmente, se han mostrado ineficaces y frecuentemente falsos: no toda oración expresa un juicio; hay oraciones sin sujeto; el concepto psicológico de representación no es aplicable en la práctica del análisis ni de la descripción gramatical; bajo el título único de oración se incluyen diversos tipos de realidad formal, etc.

Aunque se esté todavía lejos de una conclusión definitiva, lo cierto es que se ha hecho posible una sustancial aproximación al hecho que se trata de describir y se ha conseguido la fijación de unos criterios objetivos que permiten el análisis del discurso y su descripción dentro de ciertos límites de rigor y precisión.

7.1. SINTAXIS DE LA ORACIÓN: SUS ELEMENTOS

Una oración se llama **simple** cuando tiene un solo verbo en forma personal y **compuesta** cuando tiene más de un verbo en forma personal. El enunciado (1) *La casa de mi amigo estaba vacía* será una oración simple y el enunciado (2) *La casa de mi amigo, que has visto arder, estaba vacía* es una oración compuesta. Tanto una como otra tienen un verbo dominante en forma personal, que actúa como núcleo ordenador de las palabras que constituyen cada enunciado.

La Gramática tradicional distinguía como elementos fundamentales de toda oración el **sujeto** y el **predicado**. Estos términos que procedían de la antigua lógica del juicio parecen imponerse a la conciencia del hablante de manera intuitiva: el sujeto como la persona o cosa de quien se dice algo (*La casa de mi amigo*) y el predicado como lo que se dice del sujeto (*estaba vacía*).

Sin embargo, esta segmentación basada exclusivamente en el contenido semántico, no siempre es fácil de realizar. Seguramente no se conseguiría tan sencillamente la segmentación adecuada en el enunciado (3) */Me basta tu comprensión/*. Esta posible dificultad hace acudir a segmentaciones de nivel inferior.

Si se toma como criterio el acento, el mismo enunciado (1) podría ser segmentado en cuatro unidades: */La [1]casa/*, */de mi [2]amigo/*, */[3]está/*, */vacía/*. Se conviene en llamar **constituyente** de la oración a cada uno de los segmentos dominado por un acento de intensidad. Cada constituyente puede estar formado a su vez por un morfema o por más de un morfema organizados en una o más palabras (v. 2.8.1.3.).

A la labor de segmentación sigue otra de relacionar los constituyentes. Esta segunda labor, más puramente sintáctica, se basa en los marcativos —morfemas concordantes o funcionales— y, en última instancia, en el sentido. Mientras la relación de las unidades 1 y 2 o 1 y 3 (*la casa de mi amigo*; *la casa está vacía*) tiene sentido, la relación de las unidades 2 y 3 no lo tiene (*de mi amigo está*).

Tomando como punto de partida en el análisis el verbo en forma personal no marcado por ningún marcativo de subordinación, se van aislando unas nuevas unidades que contraen determinadas relaciones sintagmáticas con el núcleo ordenador. Estas unidades, que pueden estar formadas de un constituyente o de más de uno, se llaman **elementos** de la oración.

Cuando el elemento aislado está constituido por más de un constituyente, uno de ellos se convierte en núcleo ordenador del grupo. La construcción se llama **endocéntrica**, porque el constituyente complementario del núcleo forma unidad con él como elemento de la misma importancia.

El enunciado (1) tendrá como núcleo ordenador de la oración al constituyente 3 /*está*/; los constituyentes 1 y 2 forman un elemento al que se llama sujeto porque se cumple concordancia de número, y a la variación de singular a plural en 3 le corresponde una variación de singular a plural en el núcleo del sujeto: /*la***s** *casa***s** *de mi amigo*/. De manera análoga, se denuncia como elemento el constituyente 4 porque puede integrarse en el constituyente 3: **lo** *está*. Otros elementos no marcados se relacionan por el sentido únicamente o se pueden reconocer por reducciones a partes del discurso bien caracterizadas en cada una de las funciones sintagmáticas.

Cuando el elemento consta de un solo constituyente se le llama **simple** y cuando consta de más de uno en la relación de complemento a núcleo se le llama **compuesto**. Puede ocurrir que los constituyentes estén coordinados. Entonces se habla de elemento compuesto **múltiple**: /*mi casa y mi amigo*/.

Puede ocurrir también que un elemento esté constituido por una oración. Se toma como un todo que va ordinariamente marcado por un morfema subordinante. Entonces el elemento se llama **complejo** o **proposicional**: *Es interesante que María venga a mi casa.*

7.1.1. Patrones o esquemas

Los elementos se clasifican según la naturaleza de su función formal o semántica. Así, del enunciado (1) del párrafo anterior se puede decir que está constituido por tres elementos: un sujeto (*S*)—/*La casa de mi amigo*/—, un elemento nuclear ordenador (*V*) —/*está*/— y un atributo (*Atr.*) —/*vacía*/—. De otra manera, se podrá decir que el enunciado (1) actualiza en el habla la fórmula *S* + *V* + *Atr.*

Los enunciados (2) /*Son hermosas esas flores*/, (3) /*El perro que ladra está furioso*/ y (4) /*Es imposible que le oigas*/ contienen los mismos tres elementos que se han distinguido para (1) y se considerarán actualizaciones distintas, con distintas palabras y mayores o menores complicaciones en cada uno de sus elementos, de una misma organización con las mismas relaciones sintagmáticas.

Mientras las oraciones que se pueden aislar en todos los discursos pueden ser, como se ha dicho desde Hockett, distintas y nuevas siempre, la organización de sus elementos responde a un número limitado de combinaciones. Las organizaciones posibles en las que se toma en cuenta la naturaleza funcional de cada elemento, constituyen los **patrones** o

esquemas de la lengua que el hablante rellena en el momento del habla.

Para seriar estos esquemas se tiene en cuenta solamente la presencia o ausencia de los elementos objetivamente determinados o marcados. De hecho, la tradicional clasificación de oraciones simples responde, con criterios distintos, al mismo hecho fundamental de distinguir sobre la variada realización en el habla de diversos contenidos, unos esquemas subyacentes comunes a todas ellas. En el análisis y segmentación de la oración en el discurso, se estudian y describen hechos de habla; al fijar los esquemas que tales oraciones actualizan, se entra en la descripción de la lengua.

7.2.0. Elementos completivos: el sujeto *

Para mayor simplicidad en la exposición se conviene en llamar **esquemas básicos** de la lengua los de oraciones afir-

* F. Bar, "L'anticipation dans la phrase contemporaine", en *Le Français Moderne*, XXXV, 1967, pp. 81-102; W. E. Bull, A. Gronberg y J. Abbott, "Subject position in Contemporary Spanish", en *H*, XXXV, 1952, pp. 185-188; Gordon T. Fish, "The Position of Subject and Object in Spanish Prose", en *H*, XLII, 1959, pp. 582-589; Iorgu Iordan, "Quelques parallèles syntaxiques romans", en *IX Congr. Inter. de Ling. Rom. (1959)*, pp. 103-124; Henry y Renée Kahane, "Position of the actor expression in colloquial Mexican Spanish", en *Lan*, XXXI, 1950, pp. 236-263; Francisco Marcos Marín, "El Pronombre sujeto de primera persona en las jarchas", en *Homenaje Universitario a Dámaso Alonso*, Madrid, Gredos, 1970; M. Papic, *L'expression et la place du sujet dans les "Essais de Montaigne"*, París, PUF: Publ. de la Fac. des Lettres et Sciences Humaines de l'Université de Clermont-Ferrand, 1970; Dietrick Schellert, *Syntax und Stilistik der Subjektstellung im Portugiesischen*, Bonn, Romanistische Versuche und Vorarbeiten, I, 1958. **Sobre indeterminación del sujeto**: Ali M. Said, "Pessoas indeterminadas", en *BdF*, XI, 1950, pp. 108-114; S. Kärde, *Quelques manières d'exprimer l'idée d'un sujet indéterminé ou général en espagnol*, Uppsala, 1943.

mativas, sin reflexivo y con elementos simples. Posteriormente se añadirán graduales complicaciones.

De todos los elementos que con un verbo pueden constituir oraciones válidas, dos de ellos sirven para caracterizar cada uno de los cuatro esquemas básicos primarios: el sujeto y los elementos integrables. La presencia o ausencia del elemento sujeto opone un determinado esquema a los restantes. Este esquema se llama tradicionalmente **impersonal.**

Frente a la definición lógico-semántica que daba la Gramática tradicional, se postula la distinción del sujeto por el hecho de que es el único elemento nominal que cambia su marca de número con el verbo con el cual concuerda. He aquí una serie de enunciados con tres elementos:

	1	2	3
(1)	El niño	dibuja	un monigote / muchos monigotes
(2)	*El niño	dibuja-**n**	
(3)	Lo**s** niño**s**	dibuja-**n**	
(4)	*Lo**s** niño**s**	dibuja	

Mientras los enunciados (1) y (3) son gramaticales, los enunciados (2) y (4) no son válidos. De la misma manera, en los enunciados (1) y (3) los elementos 1 y 2 tienen el mismo número, en los enunciados (2) y (4) los elementos 1 y 2 tienen número distinto. Por otra parte, los enunciados (1) y (3) que se han dado como válidos, pueden relacionarse con el elemento 3 tanto en singular como en plural; su cambio de número no afecta a la validez del enunciado. Al margen de su significado y su relación semántica con el verbo, el elemento al que se conviene en llamar sujeto se distingue por su concordancia con el verbo de tal manera que el cambio de número en el verbo exige el cambio de número en el sujeto para mantener el enunciado con sentido.

7.2.0.1. *Sujeto elíptico y sujeto Ø*

El elemento sujeto puede faltar en el enunciado. En unos casos, el contexto nos permite restablecerlo acudiendo a los pronombres personales tónicos correspondientes a la persona del verbo y se dice que el sujeto es **tácito** o **elíptico**. En otros, sin embargo, no es válida la sustitución por medio de pronombres: la concordancia marcada por el verbo queda suspendida. La oración no tiene sujeto y el verbo se llama impersonal:

(5)	Dibujan monigotes	**Ellos/Ellas** dibujan monigotes
(6)	Cojo la maleta	**Yo** cojo la maleta
(7)	Es imposible que venga	**Ello** es imposible
(8)	Hace calor	***Él/Ella/Ello** hace calor

7.2.0.2. *Discordancia entre sujeto y verbo*

Cuando el sujeto está constituido por un grupo de palabras cuyo núcleo ordenador es un colectivo seguido por un complemento con *de* que tiene por término las personas o cosas que constituyen el conjunto, en plural (*un grupo de amigo***s**), es posible que el verbo concuerde con el complemento en plural, aunque el estilo cuidado rehúye tal concordancia. De la misma manera, nombres como *parte*, *mitad*, *tercio* y otros referidos a un conjunto de personas o cosas, en singular, pueden relacionarse como sujeto con un verbo en plural (v. 7.8.3.1.).

Otros casos son planteados por el verbo *ser*, y las construcciones llamadas de pasiva-refleja que serán estudiadas más adelante. Hay que consignar además que, cuando el sujeto es múltiple, puede el verbo ir en singular si cada uno de los constituyentes coordinados es parte de un todo [Bello,

826] o expresan matices muy próximos de una misma realidad:

> Yo no tengo la culpa de que la gente que vive sobre sus propiedades sean unos granujas y unos ladrones (P. Baroja, *El Laberinto de las Sirenas*, 243); En Villaluenga asalta el coche un tropel de fornidos mozos rasurados, mofletudos, en mangas de camisa (Azorín, *Antonio Azorín*, 211); ¡Si por lo menos se muriesen un par de ellos! (C. J. Cela *Molino de Viento*, 23); Mientras se marcha por el camino torcido, es inútil la brújula y el sextante; se va de escollo en escollo hasta el último batacazo (P. Baroja, *Las Inquietudes de Shanti Andía*, 199); El duende, el genio, el demonio que me inspira, que directamente se entiende conmigo, que toca sin intermedio en mi alma y se comunica con ella, ¿a qué ley de física o de matemáticas obedece? (J. Valera, *Las Ilusiones del doctor Faustino*, 34); [...] desde lo alto se divisa la ciudad y toda la campiña (Azorín, *Castilla*, 57).

7.2.1. Los integrables *

Se pueden llamar **integrables** determinados complementos nominales que pueden ser conmutados por los pronombres personales átonos que se integran en el grupo acentual del verbo ordenador de la oración en que aparecen.

* Andreas Blinkenberg, *Le problème de la transitivité en français moderne. Essai syntactico-sémantique*, Copenhague, 1960; D. L. Bolinger, "Retained objects in Spanish", en *H*, XXXIII, 1950, pp. 237-239; J. Brauns, *Über den präpositionalen Akkusativ im Spanischen mit gelegentlicher Berücksichtigung anderer Sprachen*, Hamburgo, 1908-1909; J. Brauns, "Zum präpositionalen Akkusativ im Spanischen", en *Arch. f. das Studium der Neuren Sprachen und Literaturen* (Berlín), 1910, pp. 357-358; Björn Carlberg, *Subjektsvertauschung und Objektsvertauschung im Deutschen*, Lund, 1948; H. N. Castañeda Calderón, "Esbozo de un estudio sobre el complemento indirecto", en *Lan*, XXXIV,

Son los tradicionales *complemento directo, indirecto* y el *atributo.*

(1) Mi amigo vio una casa → Mi amigo **la** vio
(2) Mi amigo vio un edificio → Mi amigo **lo** vio
(3) Mi amigo vio a Mercedes → Mi amigo **la** vio
(4) Mi amigo vio a Pedro → Mi amigo **lo/le** vio
(5) Mi amigo entregó un libro a Mercedes } Mi amigo **le**
(6) Mi amigo entregó un libro a Pedro } entregó un libro
→ Mi amigo **se lo** entregó

1946, pp. 9-43; Patrick CHARAUDEAU, "La préposition *a* devant l'objet", en *Description sémantique de quelques systèmes grammaticaux de l'espagnol actuel,* París, CDU, 1970, pp. 40-46; Gordon T. FISH, "*A* with Spanish direct Object", en *H,* L, 1967, pp. 80-86; Maurice GROSS, "La notion d'objet direct en grammaire traditionnelle et transformationnelle", en *Langue Française,* n.° 1, 1969; Anna G. HATCHER, "The use of *a* as a designation of the personal accusative in Spanish", en *MLN,* LVII, 1942, pp. 421-429; E. C. HILLS, "The accusative *a*", en *H,* III, 1920, pp. 216-222; Horst ISENBERG, *Das direkte Objekt im Spanischen,* Berlín, Akademie Verlag, Studia Grammatica, IX, 1968; Theodor KALEPKY, "Präpositionale Passivobjeckte im Spanischen, Portugiesischen und Rumänischen", en *ZRPh,* XXXVII, 1913, pp. 358-364; Harri MEIER, "Sobre as origens do acusativo preposicional nas linguas românicas", en *Ensaios de Filologia Românica,* Lisboa, 1948; A. NICULESCU, "Sur l'object direct prépositionnel dans les langues romanes", en *IX Congr. Inter. Ling. Rom. (1959),* pp. 167-185; B. POTTIER, "L'object direct prépositionnel: faits et théories", en *SCL,* II, 1960, pp. 673-676; G. REICHENKRON, "Das präpositionale Akkusativ-Objekt im ältesten Spanisch", en *RF,* LXIII, 1951, pp. 342-397; A. SAUVAGEOT, "La catégorie de l'object", en *Journal de Psychologie,* 1950, pp. 155-168. **Sobre los pronombres integrables**: H. H. ARNOLD, "Spanish neuter dative *le*", en *MLJ,* XIII, 1929, pp. 631-632; Sandra S. BABCOCK, *Verbal clitics objects Pronouns in Spanish,* Washington, 1968; A. M. BARRENECHEA y T. ORECCHIA, "La duplicación de objetos directos e indirectos en el español hablado en Buenos Aires", en *RPh,* XXIV, 1970-1971, pp. 58-83; José M. BASSOCO, "De los usos del pronombre *él* en sus casos oblicuos sin preposición", en *Memorias de la Acad. Mexicana,* I, 1867-1878, México; M. E. BUFFUM, "The post-positive pronoun in Spanish", en *H,* X, 1927, pp. 181-188, M. E. BUFFUM, "Galdós's usage with regard to the enclitic pronoun", en *MLJ,* XI, 1926, pp. 33-37; J. CARFORA, "*Lo* y *le* in American

La Gramática tradicional entendía el complemento directo, al que también llamaba *objeto externo, objeto directo* [*Gram. Acad.*, 271 *b*], como un elemento esencial de los verbos que conocía como transitivos, como el objeto sobre el que recae la acción de tales verbos. No siempre resulta fácil aplicar semejante criterio semántico por la diversidad de relaciones de significado que unen tal elemento con el verbo. Un criterio puramente formal permite aislar unos elementos que admiten la conmutación, de otros que no la admiten.

Spanish", en *H*, LI, 1968, pp. 300-302; Guy Blandin COLBURN, "The Complementary Infinitive and its pronouns object", en *H*, XI, 1928, p. 424; E. COTARELO, *Sobre el "le" y el "la". Cuestión gramatical*, Madrid, 1910; R. J. CUERVO, "Los casos enclíticos y proclíticos del pronombre de tercera persona en castellano", en *Ro*, XXIV, 1895, pp. 95-113 y 219-263; F. de Paula CHABRAN, *Refutación al opúsculo "Notas gramaticales: el «la» y el «le»" de Antonio de Valbuena*, Madrid, 1911; W. H. CHENERY, "Object Pronouns in dependent clauses", en *PMLA*, XX, 1905; R. DAVIS, "The emphatic object pronoun in Spanish", en *PhQ*, XVI, 1937, pp. 272-277; J. Cary DAVIS, "The *se me* construction", en *H*, L, 1967, pp. 322-325; Juan Gualberto GONZÁLEZ, "Observaciones sobre el uso del pronombre *la, le, lo*", en *Obras en prosa y verso*, t. III, Madrid, 1844; Irving S. GOODMAN, "The dificulty of the object pronouns and the Subjunctive in Spanish", en *H*, IV, 1921, pp. 86-87; Anna Granville HATCHER, "On the inverted object in Spanish", en *H*, LXXI, 1956, pp. 363-373; K. HEGER, "La conjugaison objective en français et en espagnol", en *Langages*, n.° 3, 1966, pp. 19-39; James S. HOLTON, "Placements of object pronouns", en *H*, XLIII, 1960, pp. 580-585; R. LAPESA, "Sobre los orígenes y evolución del leísmo, laísmo y loísmo", en *Festschrift W. v. Wartburg*, Tubinga, 1968, pp. 523-551; C. F. MAC HALE, "Leísmo, loísmo", en *III Congreso de Academias de la Lengua Española. Actas y Labores*, pp. 469-491; C. F. MAC HALE, "Nuestro desaforado enredo gramatical, ¿podrá América desenredarlo?", en *BACol*, 1959; José Joaquín MONTES, "*Le* por *les*. ¿Un uso de economía morfológica?", en *BICC*, XX, 1965, pp. 622-625; G. NOGUÉS, "La cuestión sintáctica del *la* y del *le*", en *Estudio*, XVI, 1916, pp. 14-25; D. M. PERLMUTTER, "Les pronoms objects en espagnol: un exemple de la nécessité de contraintes de surface en Syntaxe", en *Langages*, n.° 14, 1969, pp. 81-133; H. RAMSDEN, *Weak-Pronoun Position in the Early*

El reconocimiento se realiza sobre la tercera persona, sin más restricción que la que impone el uso laísta de una muy restringida área hispano-hablante que emplea un sistema unicasual con distinción de género en ambas complementaciones. La doble función de los pronombres átonos de primera y segunda personas se pueden identificar transponiendo el enunciado a la tercera persona. Otros casos de posible ambigüedad se resuelven por el contexto o por la aparición de una preposición *a* marcativa de función.

Al lado de la integración de estos complementos, con los verbos *ser, estar, semejar* y *parecer* —y solamente con éstos— se produce la integración atributiva por medio del pronombre personal átono neutro *lo* que con esta única forma alude al nombre sustantivo o adjetivo independientemente de su género y número:

(7) María es buen**a** } **Lo** es
(8) Juan es buen**o** }
(9) María y Montserrat son buen**as** } **Lo** son
(10) Jorge y Ramón son buen**os** }

Con el mismo criterio semántico, la Gramática tradicional definía el atributo como el elemento portador de sentido en el llamado, por eso, predicado nominal. Se oponía así el **predicado verbal** cuya palabra fundamental era un verbo,

---

Romance Languages, Manchester, Publ. of the Fac. of Arts of the Univ. of Manchester, 14, 1963; José Antonio Rodríguez García, *Del leísmo, laísmo y loísmo, contribución al estudio de la lengua castellana,* La Habana, 1900; R. N. Sabatini, "Pronominal variances in a given construction", en *H,* LIII, 1970, p. 91; L. de Selva, *Definición y empleo lógico de los pronombres le, la y lo,* Buenos Aires, s. a.; Robert K. Spaulding, "*Puedo hacerlo* versus *lo puedo hacer*", en *H,* X, 1927, p. 343; Erik Staaff, *Étude sur les pronoms abrégés en ancien espagnol,* Uppsala, 1906; C. Sturgis, "The use of *la* as feminine dative", en *H,* XII, 1930, pp. 195-200; C. Sturgis, "Uso de *le* por *les*", en *H,* X, 1927, pp. 251-254.

al **predicado nominal** cuya palabra fundamental era un nombre unido por un verbo al sujeto: la cualidad era atribuida al sujeto a través de un verbo frente a cualquier otro tipo de adjetivación del sustantivo. El verbo que cumplía esta función unitiva se llamaba **copulativo** porque servía de mero enlace entre sujeto y atributo.

Una concepción semántica como ésta planteaba en la práctica la delimitación entre predicativos (v. 7.3.1) y atributos, ya que, aparte el verbo *ser* —verbo vacío y mero temporalizador de la cualidad muchas veces—, los demás aportaban un significado. Los gramáticos daban inventarios diferentes según entendiesen como predicativo o como atributo el elemento adjunto al verbo estudiado. Entre /*Andrés está enfermo*/ y /*Andrés volvió enfermo*/, el significado parece claramente denunciar dos predicaciones en el segundo enunciado, mientras parece una sola en el primero. Pero en /*Andrés sigue enfermo*/, de contenido tan semejante al primer enunciado —ya que de hecho el verbo *seguir* parece matizar la cualidad *enfermo*—, se planteaba la discusión.

El criterio formal separa automáticamente este último enunciado como no atributivo, por el hecho de que la conmutación por *lo* produce un enunciado enteramente distinto: *Andrés lo seguía.* De esta manera, opone los enunciados con *ser, estar* y *parecer,* entre las oraciones con sujeto, cuando tienen atributo integrable por medio de *lo* neutro, de los enunciados de los restantes verbos. Y éstos, por su parte, en enunciados en que el verbo tiene integración del complemento directo frente a los que no la tienen.

7.2.1.1. *El complemento directo*

Para un gran porcentaje de oraciones con sujeto y complemento directo, el sujeto es agente de la acción que el verbo expresa y el complemento directo el nombre de la cosa que resulta de la acción o sobre la que se actúa. De esta manera, el sujeto animado se opone al complemento como nombre inanimado. La expresión gramatical tiene que evitar la confusión de un nombre animado como complemento directo para lo que se acude a la preposición *a* que, de manera general, se emplea con los nombres capaces de actuar y que pueden ser tomados como agente. A este hecho de gran generalización y fundamental para justificar el uso de la preposición *a* con los nombres de persona, hay que añadir la frecuencia de relación con nombres de persona o con nombres de cosa de cada uno de los verbos. El paso de un verbo, dominantemente relacionado con complementos directos de persona, a la construcción con un nombre de cosa puede mantener el uso prepositivo y, al revés, justificar la ausencia de preposición con nombres de persona.

La Gramática tradicional, por su parte, ha insistido en la oposición *personificación/despersonificación* para justificar el uso de preposición o la ausencia de preposición frente a los casos generales. Sin embargo, todavía no se tiene un estudio lo suficientemente amplio para sacar conclusiones válidas y hay que contentarse con una exposición de casos que no se puede considerar definitiva:

(a) La preposición *a* aparece sistemáticamente con los nombres propios de persona o de animales. De la misma manera los pronombres personales que aluden a persona (*a él*, *a mí*) y los indefinidos *alguien*, *nadie* y el relativo *quien*:

> En mi delirio, insulté públicamente a Robespierre (Galdós, *Juan Martín, el Empecinado*, 177); Entonces llamaba usted a Gabriela, no a Dios (P. A. Alarcón, *El Escándalo*, 259); Vio después a San Lázaro, hospital de leprosos (Fernán Caballero, *La Gaviota*, 135); [...] el ganadero envió

a Barrabás, animal perverso al que tenía aparte en la dehesa (Blasco Ibáñez, *Sangre y Arena,* 165).

(b) Los nombres propios de nación o ciudad, pueblo, etc., conocieron el uso con preposición que actualmente está en retroceso total. Con los nombres de ríos, accidentes geográficos, no se usa la preposición. Sólo cuando el verbo que se emplea está relacionado dominantemente con nombres de persona, el nombre geográfico toma preposición *a*:

Se diría que había olvidado a Madrid (J. Valera, *Doña Luz,* 21); ¿Qué faltaba? Tomar a San Sebastián y a Pamplona (Galdós, *Zumalacárregui,* 245); Aborrezco el comercio; aborrezco a Londres, mostrador nauseabundo de las drogas de todo el mundo (Galdós, *Cádiz,* 29); Escogiendo como término de comparación a Italia (G. Marañón, *Raíz y Decoro de España,* 175); [...] es capaz de engañar a media Francia (Galdós, *Juan Martín, el Empecinado,* 16).

(c) Para evitar ambigüedades, a veces, pero no siempre, se suspende el uso de la preposición cuando le sigue otro elemento prepositivo con *a*:

Marchmont salió al pasillo y presentó su mujer a Laura y a César (P. Baroja, *César o Nada,* 23); El plan que concibió para presentar al Pituso a la familia [...], revelaba cierta astucia (Galdós, *Fortunata y Jacinta,* I, 385).

(d) Con nombres apelativos de persona, el comportamiento suele variar según la determinación del sustantivo. Cuando no lleva artículo, puede darse la construcción sin preposición con un alto grado de cohesión significativa entre verbo y sustantivo. Con artículo, puede llevar preposición o no. En general, y para muchos casos, implica una diferencia o matización de significado: *Conoció reyes, gobernadores/ Conoció a los reyes, a los gobernadores.*

Esta misma diferencia de significado ocurre con verbos como *tener*, que distingue el parentesco (*Tengo un primo*), de otras relaciones (*Tengo a mi primo en casa*), o como con *educar*, *cuidar*, *vigilar*, etc. Mientras el nombre propio se emplea siempre con preposición, el apelativo vacila según particularidades que corresponden a la sintaxis de cada verbo.

Ocurre así con los nombres de persona que designan empleos, títulos, dignidades, etc., y en general los empleos cuando dependen de verbos como *necesitar, buscar* y semejantes, construcción en la que los gramáticos psicólogos quieren ver una suerte de cosificación de los nombres de persona:

> El pequeño Tonet, que tenía diez años, encontró muy de su gusto aquella chiquilla para hacerla sufrir sus caprichos y exigencias de hijo mimado y único (Blasco Ibáñez, *Cañas y Barro*, 38); Odio los hombres medianos y fríos. Admiro en cambio, los hombres al modo antiguo (R. León, *Alcalá de los Zegríes*, 86); [...] solía encontrarme en la carretera y en los caminos paseantes de mal aspecto, enfermos hepáticos que tomaban las aguas en un balneario próximo (P. Baroja, *César o Nada*, 10); Galardi fue al puerto para encontrar los marineros y un contramaestre que sirviera para una travesía larga (P. Baroja, *El laberinto de las Sirenas*, 300).

(e) El caso contrario de nombres apelativos de cosa o de animales que admiten preposición *a* es más frecuente. Sin embargo, no se puede más que sospechar causas entre las cuales puede figurar un cierto grado de personificación, como se ha dicho. Parece importante el grado de frecuencia con que el verbo aparezca construido con nombres de persona. Se ha señalado el uso de término con *a* con verbos como *preceder, calificar, determinar, seguir* y en los que se implica la idea de antagonismo o dirección como *atacar, mirar, atinar, alcanzar, renunciar,* etc.

personificación: Desde lo empinado de la loma parecías centelleante al sol, reverberando en clara lumbre, como un inmenso espejo (Azorín, *El Licenciado Vidriera,* 86); [...] la alegría de vivir en un país dulce, que hace olvidar a la muerte (Blasco Ibáñez, *Sangre y Arena,* 283); Uno no es un peatón indefenso ni un desheredado de la fortuna y no tiene a la opinión de su parte (J. Camba, *Sobre casi todo,* 116); ¿Pero usted cree que se puede aprobar, en conciencia, a esos almacenes de palabras? (Pérez Lugín, *La Casa de la Troya,* 148); **otros casos**: A cualquiera se le ocurre que dado el estrecho parentesco de la carne con la mantequilla, la mantequilla ha de acompañar a la carne mejor que el aceite (J. Camba, *La Casa de Lúculo,* 34); En todo caso no condenes a esta esperanza sin oír antes lo que tengo que decir en su defensa (J. Valera, *Las Ilusiones del doctor Faustino,* 152; [...] el hijo tenía sin duda la pretensión de dirigir a las bolas como si fueran caballos (P. Baroja, *La Ciudad de la Niebla,* 20); [...] yo acuso a la anestesia de haber permitido que, en unos cuantos años, la cirugía haya adelantado más que en muchísimos años (J. Camba, *Sobre casi todo,* 118); Temía tanto a todas las derivaciones, incongruencias y casuales de la denuncia, que desistió en el acto de presentarla (R. Gómez de la Serna, *El Incongruente,* 133); [...] no oiré ya al viejo reló de pesas (Unamuno, *San Manuel Bueno, mártir,* 274); La civilización mata al pintoresquismo (Díaz Cañabate, *Historia de una Taberna,* 141); [...] y luego, se halló sin voz para responder a su saludo (Pereda, *Don Gonzalo González de la Gonzalera,* 163); Con todo esto, Agustín estaba esperando las palabras que habían de seguir a las pocas que Ana María pronunció en la puerta (G. Martínez Sierra, *Tú eres la Paz,* 147); **con nombres de animales**: [...] casi lloro si castigan a un perro delante de mí (Galdós, *Zaragoza,* 127); [...] yo le digo a tu Vuecencia que le mato sin compasión como se mata a un perro (Galdós, *Juan Martín, el Empecinado,* 108); ¡Martirizó satánicamente a un pollo! (G. Miró, *Las Cerezas del Cementerio,* 136).

7.2.1.2. *Clasificación semántica de los complementos directos*

La Gramática tradicional defendía la existencia de verbos transitivos e intransitivos por su significado. Sin embargo, gran parte de verbos se emplean unas veces con complemento directo y otras sin él, lo cual permite pensar que los verbos no son, sino que se construyen como transitivos o como intransitivos.

Comparando construcciones en que un mismo verbo aparece como transitivo y como intransitivo, se puede pensar que el objeto sirve para hacer el significado actualizado por el verbo más especial y concreto o para limitar su esfera de aplicabilidad [Jespersen, *MEG,* 12.1]. Las relaciones entre verbo y objeto son varias y heterogéneas, y es difícil llegar a fijar una clasificación adecuada. Como un intento de aproximación puede ofrecerse la siguiente que separa las construcciones en dos tipos según que el nombre que sirve de objeto directo responda a una realidad preexistente a la actualización del verbo o represente una realidad que surge como resultado de la realización del verbo.

En el primer grupo, habrá que incluir verbos que expresen ideas de posesión, donación, atribución, préstamo; verbos de percepción, conocimiento o creencia; verbos de voluntad o sentimiento; verbos que expresan las varias relaciones entre las acciones y los objetos que son afectados por ellas; verbos, por último, que expresan una relación de lugar, dirección, posición, alejamiento:

tener, poseer, detentar, guardar, llevar, sufrir, tomar, coger, revestir, obtener, recibir, aceptar, encontrar, adquirir, comprar, ganar, procurar, robar, dar, ofrecer, enajenar, prodigar, atribuir, remitir, prestar, pagar, desembolsar, reembolsar, abandonar, ceder, dejar, perder, heredar, vender, etc.

ver, observar, considerar, contemplar, entender, escuchar, sentir, experimentar, presentir, percibir, descubrir, discernir, distinguir, observar, mirar, divisar, examinar, sopesar, saber, poseer, concebir, comprender, aprender, constatar, averiguar, comprobar, verificar, imaginar, sospechar, olvidar, etc.

querer, exigir, imponer, ordenar, pedir, reclamar, solicitar, permitir, admitir, aceptar, escuchar, tolerar, sufrir, rehusar, decidir, amar, desear, esperar, ambicionar, preferir, apreciar, estimar, respetar, reverenciar, venerar, adorar, odiar, detestar, execrar, desdeñar, despreciar, temer, lamentar, etc.

modificar, transformar, corregir, aumentar, disminuir, mejorar, deteriorar, estropear partir, dividir, manejar, palpar, frotar, acariciar, fustigar, amasar, remover, agitar, sacudir, barrer, meter, colocar, poner, calzar, revestir, vestir, tirar, recoger, comenzar, emprender, continuar, acabar, concluir, consumir, completar, utilizar, ocupar, cuidar, infectar, reparar, oprimir, obligar, desobligar, forzar, injuriar, violentar, matar, ahogar, asesinar, fusilar, dejar, acompañar, preceder, seguir, llevar, enviar, remitir, mandar, impresionar, encantar, divertir, ofender, burlar, celebrar, festejar, aconsejar, desaconsejar, etc.

invadir, enfilar, escalar, ganar, juntar, recorrer, atravesar, costear, traspasar, dejar, remontar, alcanzar, subir, habitar, frecuentar, pisotear, etc.

En el segundo grupo cabrían verbos que expresan creación, resultado de la acción; verbos que expresan la relación entre una enunciación, reflexión, etc., y lo que constituye el contenido, el tema, el asunto; verbos que expresan duración y medida:

hacer, fabricar, ejecutar, realizar, emprender, construir, edificar, levantar, erigir, establecer, fundar, constituir, instituir, crear, procrear, producir, engendrar, formar, inventar, componer, confeccionar preparar, esbozar, elaborar, proyectar, causar, ocasionar, provocar, etc.

decir, proferir, pronunciar, enunciar, articular, expresar, emitir, repetir, explicar, pedir, declarar, anunciar, comunicar, publicar, proclamar, divulgar, confiar, contar, recontar, narrar, callar, gritar, clamar, vociferar, murmurar, bisbisear, testimoniar, augurar, hablar, responder, charlar, discutir, debatir, tratar, pensar, soñar, meditar, reflexionar, rumiar, etc.

sobrevivir, vivir, dormir, esperar, durar, permanecer, correr, marchar, aguantar, resistir, luchar, etc. (Son normalmente intransitivos, pero pueden admitir una complementación temporal que indica sea el momento de la acción, sea su duración. Esta complementación puede ser complemento directo. Hay una débil cohesión entre verbo y complemento.)

avanzar, subir, bajar, envejecer, pesar, valer, costar, correr, hacer, recorrer, etc.

El complemento directo puede omitirse para dar mayor brevedad a la expresión (*braquilogía*) o por corresponder la expresión al lenguaje directo de los interlocutores dentro de una situación determinada. Estas omisiones suelen ser muy frecuentes. El contexto las recompone de manera suficiente. Por otra parte, el verbo sin su concreto complemento directo que se sobreentiende, tiene mayor generalización.

Ocurre en frases coloquiales, especialmente en imperativos: *¡Ya no puedo más!*; *Yo le explcaré*; *¿Me permite?*; *Dame*; *Coge el aparato y descuelga*; *Dígame*; *Cierra*; *No recuerdo*; *No comprendo*; *Ya entiendo*; *Busca en el cajón*; *Por fin, le dio*; *Pide por esa boca*; *Escribe a tu familia*; *Las drogas atontan*; *La crema X embellece*; *Sabe invitar*; *No explica.*

7.2.1.3. *Complemento indirecto*

Como con el complemento directo, el complemento indirecto expresa diversas relaciones de un sustantivo con el verbo. Los gramáticos han dado nombres diversos a estas relaciones. Las más frecuentes en castellano son las que siguen:

	Un mismo hecho formal: integración por **le-les**	*Varios valores significativos*
(a)	Entregaron un obsequio **a Merced**es	de interés
(b)	**Le** rompió el vestido (**su** vestido)	"sympatheticus"
(c)	(**Me**) lo bebí de un trago	ético
(d)	**Le** alejé la bicicleta	de dirección
(e)	No **le** pareció bueno	de relación

(a) **de interés**: expresa la persona que recibe las consecuencias y resultados de la acción. Representa la función más caracterizada y se produce con verbos que expresan creación o resultado, posesión o donación, percepción, conocimiento: *entregar un objeto a Mercedes.*

(b) **posesivo**, también llamado *sympatheticus* (posesivo con el verbo *ser* y sympatheticus con los demás verbos): expresa al poseedor del complemento directo. Concurre con el adjetivo posesivo. Además de la posesión, expresa la idea de relación de parte al todo, adscripción, amistad o parentesco. Con verbos transitivos, el elemento nominal es complemento directo o complemento prepositivo (*Le rompió el vestido*; *Te lo rompo en la cabeza*). Con verbos intransitivos, el elemento nominal es el sujeto (*Le arde la frente*). Cuervo [*Apunt.*, 344] denunció como de cierto sabor galicista construcciones como *Mis ojos se llenaron de lágrimas* en vez de *Los ojos se me llenaron de lágrimas*, y recomienda el uso de los pronombres en lugar de los posesivos, salvo en estilo enfático.

Pueden resultar frases ambiguas cuando el dativo simpatético coincide con el de interés. Frases como *Le compré la casa* pueden querer decir que la casa le pertenecía al vendedor y que la casa fue comprada con destino a alguien.

(c) **ético**: expletivo, de carácter muy expresivo y muy abundante en la lengua coloquial, se da solamente en forma pronominal. Con gran variedad de matices expresa la persona que se interesa vivamente en la realización de la acción expresada por el verbo: *Se lo leyó de cabo a rabo*; *Me lo suspendieron.*

(d) **de dirección**: con verbos de movimiento, sirve para aludir a la persona que sirve de término del movimiento o sentido del movimiento. Concurre con la secuencia *a* (*de, sobre,* etc.) + pronombre tónico: *Le anda detrás y delante* (*anda detrás de él*); *Le alejé la bicicleta.*

(e) constituyen casos especiales, el **dativo de relación**, que expresa la persona para la que es válido lo que el verbo enuncia (*Le pareció magnífico*) y fórmulas como /*Se le reían*/ o /*¿Qué le querían a usted?*/, que concurren con complementos con *de* (*Se reían de él; ¿qué querían de usted?*).

7.3. Otros elementos complementarios

La Gramática tradicional, además de los tradicionales complemento directo y complemento indirecto, distinguía bajo el nombre general de **complementos circunstanciales** una amplia y variada gama de complementos que se distinguían negativamente por no ser ni complemento directo ni complemento indirecto. A este nombre general, de base claramente semántica, se añadía un nuevo nombre no siempre fácil de precisar, que los clasificaba entre las supuestas circunstancias posibles. Entre estos elementos, algunos —los más— son todavía separables por rasgos formales y marcativos, sin embargo, otros sólo pueden distinguirse o por ciertas posibilidades de conmutación o, inevitablemente, por criterios semánticos o de relación semántica con el verbo.

El discurso nos ofrece más allá de los elementos básicos descritos hasta aquí: (a) elementos que se denuncian por su condición morfológica: gerundios y adjetivos o participios con o sin preposición; (b) elementos que por sí mismos alcanzan un significado propio independientemente del entorno oracional en que aparezcan y de la oración de que formen parte. Segmentos como *cuidadosamente*, *con cuidado*, *hoy*, *en Navidades*, etc., conmutables por adverbios o segmentos nominales como *por su voluntad*, *para su beneficio*, etc., que expresan relación determinada y constante frente a la que encontramos en segmentos como /*en oro*/ que puede aparecer en enunciados como *abunda en oro* o *sortija engastada en oro* expresando diversas clases de relación; (c) elementos muy heterogéneos cuya presencia viene exigida por el verbo actualizado en la oración, como componente necesario para la comprensión de lo que se dice. Están ligados al verbo con diferentes grados de cohesión, pero siempre su eliminación significa malinterpretar el mensaje: *echar de menos, dar con algo o alguien*, etc.; (d) elementos, por último, de gran independencia de construcción que contrastan o comentan lo dicho por el resto de la oración o relacionan la oración con otras oraciones anteriores.

7.3.1. Predicativos

En la estructura de los esquemas básicos, se señala como predicación el contenido del verbo ordenador sólo incrementado por los integrables. Al lado de esta predicación, cabe la presencia de una segunda predicación paralela a ella, de valor secundario, conseguida mediante formas morfológicas muy características —adjetivos, participios o gerundios— que no expresan tiempo. La Gramática tradicional utilizó sin demasiadas precisiones el término **predicativo** para designar a estos elementos, y, más recientemente, se ha propuesto el término de **predicatoides**.

Estas predicaciones secundarias adyacentes a la central y ordenadora del enunciado pueden presentarse como concordadas —adjetivos y participios— con valor perfectivo, o como no concordadas —gerundios— de valor durativo. Tanto en un caso como en el otro, el predicativo tiene como sujeto al sujeto del verbo nuclear o a su complemento directo, pero nunca a otro elemento de la oración. Estas construcciones de gerundio o participio tienen en común unos determinados rasgos: (a) carácter de predicación secundaria, (b) necesidad de un sujeto al que referirse y (c) necesidad de que tal sujeto esté ligado al verbo nuclear como su sujeto o como su complemento directo. Se apartan u oponen por el valor perfectivo o durativo del contenido expresado y, secundariamente, por la concordancia o no concordancia con su sujeto.

Predicación secundaria	PARTICIPIO	(1) (a) Antonio **llegó** a casa (b) Antonio estaba **cansado**	Antonio llegó **cansado** a casa
		(2) (a) El camarero **trajo** el pescado (b) El pescado estaba **frito**	El camarero trajo **frito** el pescado
	GERUNDIO	(3) (a) El muchacho **corría** por la calle (b) El muchacho **silbaba**	El muchacho **corría** por la calle **silbando**
		(4) (a) El visitante **vio** a una mujer (b) La mujer **pintaba**	El visitante **vio** a una mujer **pintando**

Por su carácter explicativo, los predicativos tienen gran libertad posicional en el enunciado. Cuando se refieren al sujeto, pueden ir anticipados, delante del sujeto, parentéticos, entre pausas que los separan del sujeto y del verbo nuclear, o pospuestos al verbo. Cuando se refieren al complemento directo, sólo pueden construirse delante de su sujeto del que van separados por pausa, o pospuestos a él.

Esta libertad posicional queda limitada cuando se usan con determinados verbos estativos o de movimiento con los que forman unidad de sentido. En este caso el predicativo, como en el caso del atributo con *ser*, aporta la significación más relevante del enunciado, mientras el verbo nuclear toma carácter auxiliar (v. 5.4.):

(5) Alberto viene estudiando toda la tarde.
(6) Alberto está (sigue, continúa) estudiando.
(7) Alberto sigue (continúa) enfermo.
(8) Alberto tiene escrita una novela.

Mientras las construcciones con gerundio (5) y (6) son caracterizadas como *progresivas* o *durativas*, la (7) es unida a las construcciones atributivas y la (8) se relaciona con las formas compuestas con el verbo *haber* por su aspecto perfectivo.

En todas estas construcciones, hay un aspecto formal que ha de tomarse en cuenta para fijar el esquema de la construcción y un aspecto semántico que, tras el formal, subraya la unidad de sentido conseguida por la bipredicación.

7.3.2. Elementos concordados

Afines de alguna manera a las adyacencias concordadas estudiadas arriba, aparecen elementos concordados introducidos por las preposiciones *por* o *de* que pueden referirse, igualmente, tanto al sujeto como al complemento directo del verbo nuclear y que pueden llegar a tener cierta unidad de sentido, al unirse al verbo:

(1) Tiene a su tío **por dueño** de todo/Se tiene **por dueño** de todo.
(2) Tiene a su tío **por bueno**/Se tiene **por bueno.**
(3) Hizo el sacrificio **por bueno.**
(4) Colocó a su sobrino **de aprendiz**/Se colocó **de aprendiz.**

En el uso de *por* que marca característicamente causa, se posibilita una cierta ambigüedad cuando el adjetivo que le sirve de término a la preposición se construye con verbos como *pasar, tener, aceptar, elegir, proponer, dar, juzgar, tomar* o *querer*. Si el término es un sustantivo, la construcción es inequívoca. Cuando es atributo indirecto, no se puede prescindir de él sin viciar la interpretación del contenido del enunciado. Atributo y verbo tienden a representar un significado unitario.

La construcción con *de* se da en un mayor número de verbos y con amplia matización. Los verbos con que más a menudo aparece son *hallar(se), encontrar(se), permanecer, mantener(se), andar, ir, continuar, seguir, quedar, acabar, terminar, hacer, volver, poner(se), llegar, aparecer, ofrecer(se), presentar(se), salir, entrar, meter(se), profesar, apuntar(se), ingresar, trabajar, emplear(se), oficiar, servir, presumir, venir, tener, conservar, llevar, traer, dár(se)las, admitir, coger, recibir, poner, ver(se), acusar, bautizar, calificar, tachar, tildar,* etcétera.

Semejantes a estas construcciones, no tienen su carácter predicativo los elementos concordados sin preposición que siguen formando unidad de sentido con los verbos *nombrar, proclamar, declarar, llamar, elegir, proponer,* etc. El predicativo puede concordar con el complemento directo o con el sujeto como en los casos anteriores.

Para una gran parte de los casos citados puede utilizarse *como* que parece aproximar su función a la preposición: *Lo tengo como buena persona.*

7.3.3. Elementos autónomos *

Tienen valor significativo por sí mismos, según se ha dicho, y pueden tener carácter **adverbial** cuando pueden ser conmutados por adverbios como *aquí, entonces, así* o **nominal,** cuando sólo admiten la realización por medio de nombres y la conmutación por los pronombres neutros *eso, ello*:

(1)	Pasó *por casa*	→ Pasó por **ahí**
(2)	Vendrá *hacia Navidades*	→ Vendrá hacia **entonces**
(3)	Obró *con descuido*	→ Obró **así**
(4)	Estudia *para médico*	→ Estudia para **eso**
(5)	Lo hizo *por compromiso*	→ Lo hizo por **eso**

(A) Los adverbiales expresan nociones de lugar y tiempo (*locativos*) y de modo. Los locativos forman un sistema de referencias dentro del cual se inscribe todo el contenido del enunciado. La referencia puede hacerse al momento del

* Vid. la nota bibliográfica al párrafo 6.2.

habla y la situación que implica (*aquí* y *ahora*) o bien ser extraña a dicha situación cuando el hablante limita el tiempo y el espacio por referencia a una realidad distinta a la suya.

Expresan lugar los adverbios locativos y prepositivos y nombres con preposición. Los nombres con las preposiciones *ante*, *bajo* y *en* se conmutan por el adverbio demostrativo. La agrupación de las preposiciones *de*, *desde*, *entre*, *hacia*, *hasta*, *para* y *por* con nombre sustituye solamente el nombre por el adverbio (*de Madrid* > *de allí*).

Expresan tiempo igualmente los adverbios locativos y prepositivos, y nombres que expresan tiempo y que pueden presentarse sin preposición o con preposición. Solamente la agrupación de *en* con nombre de tiempo se conmuta totalmente por *entonces*. En los demás casos, con las preposiciones *de, desde, entre, hacia, hasta, para, por* sólo se conmuta el nombre (*desde Navidades* > *desde entonces*).

Las preposiciones organizan con bastante claridad dos sistemas de referencias para situar en el tiempo o en el espacio, en función del significado del nombre que les sirve de término. Un sistema es dinámico y gradúa la situación a lo largo de una línea ideal que fija el desplazamiento desde su punto de partida a su punto de llegada: origen, dirección y final. El otro sistema, mucho más simple y fijo, es estático y sitúa entre dos posibilidades fundamentales: dentro o en límite.

(a) La preposición *a* con verbos de movimiento expresa el lugar al que se dirige cuando introduce nombres propios de lugar:

> Trasladóse luego a Madrid (Azorín, *Castilla*, 34); Al cabo de este tiempo, sale de la carretera un ramal que va a Durón (C. J. Cela, *Viaje a la Alcarria*, 91); Llegaron a

Inhiesta a las ocho de la mañana (R. Pérez de Ayala, *Belarmino y Apolonio*, 124); Don Jaime llegará a Madrid dentro de quince días (P. A. Alarcón, *El Escándalo*, 185).

El mismo valor tiene con nombres con que se designa una institución o, en general, con cualquier apelativo que designe lugar:

Otras se subían a los tejados (Juan Ramón Jiménez, *Platero y Yo*, 129); Salieron luego a la terraza (R. León, *Alcalá de los Zegríes*, 105; Después de la comida meridiana, va a un huertecillo que posee en las afueras de la villa (R. Pérez de Ayala, *El Ombligo del Mundo*, 25).

La misma preposición sirve para expresar dentro del sistema estático la situación en contacto con el límite de un espacio, frente a la preposición *en*:

Tal vez la madre de Ena había vuelto a sentarse al piano (C. Laforet, *Nada*, 117); Don Saturnino, deme usted esa culebrilla que lleva a la cintura (Galdós, *Juan Martín, el Empecinado*, 114).

En la lengua actual hay frecuentes vacilaciones y una cierta preferencia en determinados casos por la preposición *en* como más clara, sobre todo cuando se emplea con verbos que expresan acción o acercamiento. El uso de *a* sigue siendo más tradicional y se mantiene en locuciones características con los sustantivos *lado*, *través*, *cabeza*, *frente*, *zaga*, etc., con artículo y seguidos de un determinativo de tipo posesivo o un incremento con *de*:

Había dos puertas de cristales a un lado y a otro del comedor (E. Quiroga, *Tristura*, 138); Por las tardes formaban grupo a la entrada de la calle de las Sierpes (Blasco Ibáñez, *Sangre y Arena*, 63); Venía a esperarla a la salida de la Fábrica de Tabacos (*id.*, 61); A la cabeza de aquel gran lío de carruajes se veía el ruedo de gente (R. Gómez de la Serna, *El Incongruente*, 96); [...] y las necesidades de la guerra le llevaron otra vez a ponerse al frente de la partida grande, que él solo sabía dirigir (Galdós, *Juan Martín, el Empecinado*, 124).

(b) La preposición *en* dentro del sistema que constituye, expresa lugar o tiempo según el significado del término que introduce (*en Navidades/en Barcelona*):

tiempo: [...] escudriñó con pena, en horas de lucidez, el profundo trastorno de su carácter (R. León, *Alcalá de los Zegríes*, 133); No importa que se esté en el mes de agosto (J. Camba, *La Casa de Lúculo*, 92); En otro tiempo, mis abuelos tenían una horca (Valle Inclán, *Los Cruzados de la Causa*, 110); **lugar**: [...] habitaba una mezquina casa en Toledo (Azorín, *Castilla*, 100); Depositaría su hallazgo en casa de su hermana Candelaria (Galdós, *Fortunata y Jacinta*, I, 385); Se le llevó a la iglesia y se le puso en el sillón, en el presbiterio, al pie del altar (Unamuno, *San Manuel Bueno, mártir*, 100).

(c) La idea de dirección se matiza y refuerza mediante las preposiciones *hacia* y *para*. Con *hacia* seguida de nombres de lugar o de persona y nombres abstractos o de cosa, expresa dirección desentendiéndose del límite como necesariamente alcanzado:

[...] se iba perdiendo en las lontananzas de la noche fría, cual si despavoridos huyeran hacia los montes (Galdós, *Misericordia*, 130); Pepín, tras los estores, extendía el brazo hacia la damisela (Valle-Inclán, *Viva mi dueño*, 51); El cochero despertaba al caballo y éste salía hacia la Castellana a un trote cansino (Díaz Cañabate, *Historia de una Taberna*, 117); [...] comienza en Dijon y se extiende hacia el Sur (J. Camba, *La Casa de Lúculo*, 89).

Con verbos que indican sentimientos o apreciaciones, el nombre introducido por *hacia* nombra a la persona sobre quien se tienen tales sentimientos o formula tal apreciación. Cuando va con verbos de movimiento que expresan dirección o ataque, suele concurrir con *contra*.

Con nombres de tiempo, época del año, etc., y con cualquier nombre cuando va en frase de verbo estativo, *hacia*, en concurrencia con *a* y *en*, expresa aproximación:

> Hacia el mediodía sale de nuevo a la calle (C. J. Cela, *Viaje a la Alcarria*, 95); [...] el viajero, hacia la mitad del camino, se sienta a descansar un rato (*id.*, 99).

Para, con nombres que expresan lugar, nombres geográficos propios o genéricos, y con nombres como casa, oficina, etcétera, con verbos de movimiento, expresa igualmente dirección en concurrencia con *hacia* y *a*. Cuando, en cambio, introduce nombres de tiempo —estación del año, mes, día, etcétera— o nombres de festividades, expresa tiempo de manera aproximada, sin puntualizarlo:

> **lugar**: Julio Vacas se asoma a la puerta y mira para la calle (C. J. Cela, *Viaje a la Alcarria*, 51); Era menester que los mil reales que le quedaban alcanzasen para el tiempo que había de estar en el pueblo de su prima (J. Valera, *Las Ilusiones del doctor Faustino*, 140).

(d) La preposición *hasta* fija como término el nombre que introduce, ya en el espacio, ya en el tiempo:

> [...] la matriculamos en el gremio de las mujeres galantes hasta la hora de la muerte (Pardo Bazán, *Insolación*, 89); Gerardo acompañó a Carmiña hasta los soportales de enfrente sin soltar su brazo (Pérez Lugín, *La Casa de la Troya*, 132); Subieron hasta la plaza de San Marcial (P. Baroja, *Mala Hierba*, 101); Pero desde hace un mes

se halla en Torrejón de donde no vendrá ya hasta las ferias (P. A. Alarcón, *El Escándalo,* 163).

En serie cerrada y en correlación con *desde*, puede trasladar la idea de dirección a la de sucesión entre diversos grados o diversas realidades que se toman en conjunto:

Todas le encalabrinan, desde las mocosas de costura hasta los refajos de las huertanas y las piernas de pringue de las de San Ginés (G. Miró, *El Obispo leproso,* 153).

Dentro de la expresión de límite en una sucesión, puede llegar a tomar valor enfático inclusivo y concurrir con *incluso*:

Los toros o son una cosa seria y hasta trágica, o no son nada (Díaz Cañabate, *Historia de una Taberna,* 129); Hasta en mi propia alma había obstáculos invencibles contra el nacimiento del amor (J. Valera, *Genio y Figura,* 143); Félix durmió hasta con pesadez (G. Miró, *Las Cerezas del Cementerio,* 179).

(e) La preposición *por,* de mayor riqueza de posibilidades, cuando aparece en enunciados de verbos de movimiento o de estado, expresa el lugar a través del cual se realiza la acción o el lugar aproximado, sin precisar (*Va por la calle/ Está por la calle*):

El catador, mientras tanto, seguía paseándose el sorbo de vino por la boca sin ver ni oír (J. Camba, *La Casa de Lúculo,* 87); ¡Qué lejos del trajinar errabundo por Flandes y por Italia! (Azorín, *El Licenciado Vidriera,* 106); La cifra pasó fugaz por mi mente (Galdós, *Cánovas,* 133); Algunas gotas de sudor resbalan por su frente y brazos, por la barba áspera de una semana (E. Noel, *España, nervio a nervio,* 181).

Con verbos que indican acción sobre un objeto o cosa, la preposición *por* marca el lugar preciso por donde se desarrolla la acción de coger, sujetar, etc.:

> [...] cuando la algazara subía de punto, asomaba disimuladamente las narices por la puerta (Palacio Valdés, *Riverita*, 121); [...] y Gurrea, que intentó atacar por la derecha, había llegado tarde (Galdós, *Zumalacárregui*, 154).

(f) *De* y *desde*, con mayor tradición la primera y mayor expresividad la segunda, se utilizan para introducir el punto de partida de una acción en el tiempo o en el espacio. La traslación en el tiempo o en el espacio puede expresarse por medio de secuencias cerradas de dos miembros (*desde* x *hasta* z; *de* x *a* z), o mediante secuencias de un solo miembro dejando que el contexto sobrentienda el otro (*desde Navidades*; *hasta ahora*).

La lengua ha lexicalizado elementos bimembres en locuciones como *de higos a brevas, de la Ceca a la Meca, de Herodes a Pilatos, de la noche a la mañana, de punta a punta, de cabo a rabo, de la cruz a la fecha*, etc. Cambian su valor locativo por valores modales de carácter cualitativo como *hasta la coronilla, hasta los pelos, hasta el cuello, hasta las orejas*, etc.

Los elementos autónomos modales son más ricos y variados en formaciones, aunque manejan un reducido número de preposiciones —*con, contra, de, en* y *sin*— que son conmutados en bloque con el nombre adjetivo o sustantivo que introducen por los dos valores de *así*. Al mismo tiempo, estas formaciones se constituyen en límite, a veces, con predicativos y atributivos. Muchos de ellos constituyen locuciones adverbiales (v. 4.9.0.5).

Con el sustantivo solo, sin preposición, unido por medio de *a* a otro nombre se lexicalizan formaciones como

|gota a gota|, *|mano a mano|*, *|poco a poco|*, *|día a día|*, etcétera.

(B) Los elementos autónomos nominales expresan relaciones lógicas de causa, finalidad, instrumento, compañía, etcétera. Se presentan para expresar causa y finalidad marcadas por las preposiciones *por* y *para*, que se oponen a las agrupaciones semejantes con nombres de lugar o tiempo. También emplean locuciones significativas: *a causa de*, *en beneficio de*, *a fin de*, etc.

La preposición *con* distingue tres tipos de relación según el contenido del término sea nombre de instrumento (*con un palo*), nombre animado (*con mi tío*), nombre de indumentaria, parte del cuerpo (*con el pelo suelto*; *con un pañuelo rojo*).

7.3.4. Elementos regidos

Empleando el término *rección* en un sentido estricto, se entenderá por **término regido** aquel elemento prepositivo cuya preposición o el elemento entero aparece exigido por la naturaleza gramatical del verbo. Hay que distinguir entre la naturaleza semántica del verbo y su naturaleza gramatical. Por su naturaleza semántica, los verbos suelen implicar un determinado tipo de complementación. El verbo *estar* implica por su significado una complementación de lugar o de modo (*Está en casa*/*Está en mangas de camisa*); otros verbos pueden implicar modalidad expresada por un atributo predicativo o por un elemento autónomo modal. Por su naturaleza gramatical, determinados verbos exigen una complementación difícil de clasificar semánticamente. El verbo *abundar* exige un elemento encabezado por la preposición *en* seguida de un término variable (*Abundar en oro*;

Abundar en plata). El verbo *echar* exige el elemento *de menos*, tanto preposición como término. Este elemento regido puede ser así **de término variable** o **de término fijo.** En el segundo caso, de manera general en la lengua, y en el primero de manera particular en el habla, el elemento regido forma unidad de sentido con el verbo constituyendo verdaderas frases verbo-nominales, y no se pueden desgajar de la oración sin desgarrar su sentido. El término fijo no suele ser conmutable por pronombres, frente al elemento regido de término variable. Los de término fijo cambian a veces el significado del verbo: *tener/tener en menos.*

7.3.5. Reductibilidad

En muchos casos los elementos estudiados arriba pueden reducirse a las bien determinadas funciones de sujeto, complemento directo o indirecto, sin variación de significado o con ligeras matizaciones. Las reducciones posibles son muy variadas. Un primer intento de inventariar tales posibilidades nos da como más frecuentes las que siguen:

Reducción a la función sujeto

(1) María se adorna la cabeza **con flores/Las flores** le adornan la cabeza.
(2) El muchacho atruena la sala **con sus voces/Las voces** (del muchacho) atruenan la sala.
(3) Juan se atemoriza **con los cohetes/Los cohetes** atemorizan a Juan.
(4) Juan se apasiona **por el deporte/El deporte** le apasiona.
(5) Juan se estimula **con alcohol/El alcohol** le estimula.
(6) Alberto se aburre **con/de tus chistes/Tus chistes** le aburren.

(7) Alfredo se aconseja **de Pedro/Pedro** aconseja a Alfredo.
(8) María congenia **con Jorge**/María **y Jorge** congenian.
(9) Mi amigo rompió sus tratos **con Jorge**/Mi amigo **y Jorge** rompieron los tratos.
(10) A María le rebosa el corazón **de bondad/La bondad** de María le rebosa el corazón.
(11) Estas tierras abundan **en cardos/Los cardos** abundan en estas tierras.

Reducción a complemento directo

(1) El viajante sube **por la escalera**/El viajante sube **la escalera.**
(2) El muchacho sabe **de matemáticas**/El muchacho sabe **matemáticas.**
(3) El enfermo se curó **de sus heridas**/El enfermo se curó **sus heridas.**
(4) Juan acertó **con el regalo**/Juan acertó **el regalo.**
(5) Por fin, se encontró **con el libro**/Por fin, se encontró **el libro.**
(6) Se confirmó **en lo dicho**/Confirmó **lo dicho.**
(7) Se aprovechó **de la ocasión**/Aprovechó **la ocasión.**
(8) Se untó **de/con aceite** la cabeza/Se untó **aceite** en la cabeza.
(9) Le vaciaron el bolsillo **de dinero**/Le vaciaron **el dinero** del bolsillo.

Reducción a complemento indirecto

(1) Unió una cosa **con otra**/Le unió una cosa **a la otra.**
(2) Consultó su problema **con Federico**/Le consultó su problema **a Federico.**

Para muchos usos prepositivos, se cumple la extensión de la construcción a términos de tipo oracional constituidos por una proposición marcada por el anunciativo *que* o por un infinitivo: *Habla de toros/Habla de torear*; *Habla de que lo han visto/Habla de lo que ha visto.*

7.3.6. Elementos periféricos

Más allá del campo de la ordenación oracional que cubren los elementos autónomos se sitúa un heterogéneo grupo de elementos de variada estructura gramatical que sólo se pueden distinguir por su función semántica, dedicada a comentar, precisar o contrastar el significado de toda la oración o a marcar el orden y relación de una oración con las demás que le preceden y siguen en el discurso.

Están constituidos por frases o elementos de cierta autonomía que aportan muchas veces el mismo contenido de una oración y otras son simplemente una complementación o aclaración de lo que se dice en la oración:

(a) *Frases de infinitivo.*—Se presentan con diversos valores temporales, condicionales o de otro tipo:

(1) De tener lo que necesito, te avisaré.
(2) A tener lo que necesito, te visitaría.
(3) Al llover, se estropearon las cosechas.
(4) Con tener lo que necesita, no está contento.

(b) *Predicativos absolutos.*—Gerundio, adjetivo o participio como impersonales o referidos a un sustantivo que no es elemento de la oración, forman una predicación secundaria desligada del resto del enunciado con el cual contrasta y toma valores significativos variados (causales, temporales, etcétera):

(1) Siendo ya de día, regresaron del monte.
(2) Abriendo yo la puerta, se produjo el apagón.
(3) Concluido el negocio, se estrecharon las manos.

Afines a estas construcciones son las conseguidas con adjetivos o participios en trance de gramaticalización, de tal manera que algunos gramáticos las consideran preposiciones:

(1) Salvo los domingos, descanso todos los días.
(2) Excepto los domingos...
(3) Incluso los domingos...
(4) Supuesto su buen propósito, lo recibiré.
(5) Dado su interés, habrá que ayudarle.

(c) *Comentarios oracionales.*—Refuerzan o comentan de alguna manera —con gran libertad posicional, pero siempre entre pausas— lo que dice la oración:

(1) Ciertamente, no le he visto.
(2) Sí, ha llegado ya.

El mismo carácter tienen las frases interjectivas que se sitúan al frente o bien entre pausas en el interior de la oración.

(d) *Vocativos.*—Se caracterizan por la entonación y son nombres con los que el hablante atrae la atención de su interlocutor. El vocativo puede coincidir con el sujeto de la oración o estar completamente desligado de él.

(1) Muchacha, tráeme la comida.
(2) Muchacha, nadie supo nada del asunto.

(e) *Amplificaciones.*—Son puntualizaciones introducidas por medios diversos, casi siempre adverbiales, para situar el sentido de la oración dentro de un campo concreto. Son expresiones como *además de, en cuanto a, sobre,* etc.

(f) *Ordenadores del discurso.*—Una variada y bastante extensa serie de unidades se emplea para relacionar la oración con la que le precede o sirve para situarla dentro del discurso en una jerarquía o relación lógica. Determinados elementos autónomos pueden llenar esta función. Se emplean elementos como *por tanto, por ello, por eso, con todo, en consecuencia, por consiguiente, pues, luego, así que, y eso que, sin embargo, no obstante,* y otros.

7.4. Esquemas básicos primarios

Con los criterios que permiten objetivamente aislar el elemento-sujeto y los diversos elementos integrables —com-

* D. L. Bolinger, "Further comment on *haber*", en *H*, XXXVII, 1954, p. 334; W. E. Bull, "Related functions of *haber* and *estar*", en *MLJ*, XXVII, 1943, pp. 119-123; J. L. de Campos, "Evolução da syntaxe do verbo *haber* na oração existencial", en *Revista de Lingua Portuguesa* (Río de Janeiro), IV, 1922, pp. 211-235; E. Coseriu, "¿Arabismos o romanismos?", en *NRFH*, XV, 1961, pp. 4-22; D. Gaatone, "La transformation impersonnelle en français", en *Le Français Moderne*, XXXVIII, 1970, pp. 389-411; Ph. Kalepky, "Sind die *verba impersonalia* ein grammatisches Problema?", en *NS*, XXXV, 1927, pp. 161-175; Maurice Molho, "Essai sur la Sémiologie des verbs d'existence en espagnol", en *Linguistiques et Langage*, Burdeos, Ducros, 1969, pp. 57-99; E. Oca, "Explicación lógica de los verbos impersonales", en *BRAE*, I, 1914, pp. 457-467; José Pedro Rona, "Sobre la sintaxis de los verbos impersonales en el español americano", en *Romania.* Scritti offerti a Francesco Riccolo, Nápoles, Armanni, 1962; E. Seifert, "Die beiden Verben *habere* und *tenere* in der altspanischen *Danza de la Muerte*", en *ZRPh*, XLVII, 1927, pp. 514-522; E. Seifert, "*Haber* y *tener* como expresiones de posesión en español", en *RFE*, XVII, 1930, pp. 233-276 y 345-389; E. Seifert, "Die Verben *habere* und *tenere* im *Fuero Juzgo*",

plemento directo, complemento indirecto, atributo— se pueden fijar cuatro esquemas básicos:

Esquema 1: sin sujeto: $\emptyset + V \rightarrow$ esquema **impersonal.**
Esquema 2: con complemento directo: $S + V_t + CD \rightarrow$ esquema **transitivo.**
Esquema 3: con atributo: $S + V_c + Atr. \rightarrow$ esquema **atributivo.**
Esquema 4: sin complemento directo ni atributo: $S + + V_i \rightarrow$ esquema **intransitivo.**

---

en *Miscelânea de estudos em honra de D. Carolina Michaëlis de Vasconcellos,* Coímbra, 1933, pp. 735-744; W. T. Starr, "*Hay* in the *Poema de Mio Cid*", en *Three studies in Philology,* University of Oregon, 1939; W. T. Starr, "Impersonal *haber* in Old Spanish", en *PMLA,* LXII, 1947, pp. 9-31; John H. Utley, "*Haber* and *estar*", en *H,* XXXVII, 1954, pp. 224-225; Hernán Zamora Elizondo, "Una pesquisa acerca del verbo *haber*", en *BICC,* IV, 1948, pp. 580-585. **Sobre otros verbos**: E. Alarcos Llorach, "Verbo transitivo, verbo intransitivo y estructura del predicado", en *AO,* XVI, 1966, pp. 5-17; M. L. Amunategui Reyes, "Régimen del verbo *ocuparse*", en *AUCh,* 1904-1905, pp. 537-562; D. L. Bolinger, "Verbs of Being", en *H,* XXXVI, 1953, pp. 421-429; D. L. Bolinger, "*Contestar* vs. *contestar a*", en *H,* XXXIX, 1956, p. 105; D. L. Bolinger, "Verbs of Emotion", en *H,* XXXVI, 1953, pp. 459-461; W. E. Bull, "*Quedar* and *quedarse*: A study of contrastive ranges", en *Lan,* XXVI, 1950, pp. 467-480; W. E. Bull, "The intransitive reflexive *ir* and *irse*", en *MLJ,* XXXVI, 1952, pp. 382-386; J. Cary Davis, "Resultar, «seem»", en *H,* XXXVIII, 1955, p. 81; Harold L. Dowdle, "Notes on *conocer* and *saber*", en *H,* LI, 1968, pp. 310-312; David M. Feldman, "A Syntactic Verb-unit in Spanish", en *H,* XLV, 1962, pp. 86-89; J. E. Gillet, "Le transitif espagnol *quedar*", en *Archivum Romanicum,* XIX, 1935, pp. 441-442; B. R. Glover, *A history of six spanish verbs meaning «to take, seize, grasp»,* La Haya, Mouton, 1971; Stuart M. Gross, "*Pensar* and *Creer*", en *H,* XXXVII, 1954, pp. 24-25; R. Jackson y D. L. Bolinger, "Trabajar para", en *H,* XLVIII, 1965, pp. 884-889; R. W. Langacker, "Les verbes *faire, laisser, voir,* etc.", en *Langages,* n.º 3, 1966, pp. 72-89; M. Rothemberg, *Les verbes à la fois transitifs et intransitifs en français contemporain,* tesis policopiada de la Sorbona, 1968.

$$
\begin{array}{ccc}
 & \text{Transitivo} & \text{Atributivo} \\
 & | & | \\
\text{S} \diagdown \quad\quad \diagup \text{CD} & & \text{Atr.} \\
\quad\quad\diagup \mathbf{V} \diagdown & & \\
\emptyset \diagup \quad\quad \diagdown \emptyset & & \emptyset \\
\text{(impersonal)} & \diagdown\quad\diagup & \\
 & \text{Intransitivo} &
\end{array}
$$

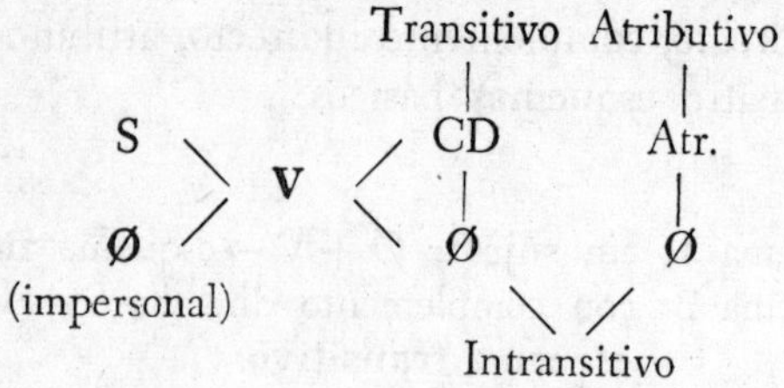

Un mismo verbo puede aparecer llenando un esquema impersonal (*Es de día*), intransitivo (*Dios es*) o atributivo (*La manzana es buena*). Una descripción completa de un verbo sólo se puede hacer inventariando los esquemas que puede recubrir y actualizar en la comunicación.

7.4.1. Verbos meteorológicos

Constituyen un grupo homogéneo que expresa fenómenos de la naturaleza como *llover, tronar, relampaguear, granizar, helar, alborear, amanecer, anochecer, diluviar, escampar, escarchar, lloviznar, nevar, ventear, ventiscar*, etc. Bello [773] propuso para estos verbos el nombre de **unipersonales** con preferencia al de impersonales "porque parecen referirse siempre a una tercera persona de singular, bien que indeterminada. Hay en ellos a la verdad un sujeto envuelto, siempre uno mismo, es a saber, *el tiempo, la atmósfera, Dios*". La *Gram. Acad.*, que acepta el término de Bello, añade que "la significación de estos verbos es causativa, o sea, que el sujeto en ellas no es el que materialmente ejecuta la acción':

El cielo se nubla; relampaguea (Azorín, *Antonio Azorín*, 127); Y el primer viaje a las posiciones lo inició muy in-

Elementos de la oración

1. **Verbo** núcleo ordenador
2. Completivos
   - Sujeto
   - Integrables
     - CD/Atr.
     - CI
   - Regidos
3. Predicativos
   - Adyacentes
     - Nominales : Adjetivo
     - Verbales : Gerundio
   - Concordados
4. Autónomos
   - Adverbiales
     - Lugar
     - Tiempo
     - Modo
   - Nominales
     - Causa
     - Finalidad
     - ....
5. Periféricos
   - Frases de Infinitivo
   - Predicativos absolutos
   - Comentarios oracionales
   - Vocativos
   - Interjecciones
   - Amplificaciones
   - Ordenadores del discurso

quieto y receloso. Llovía (R. Fernández de la Reguera, *Cuerpo a tierra*, 184); Hacía una noche detestable, llovía y granizaba (P. Baroja, *César o Nada*, 96).

Los verbos *amanecer* y *anochecer* se pueden emplear con sujeto animado con el significado de "llegar" y "venir" [*Gram. Acad.*, 283 *b*]. Entonces admiten cualquiera de las tres personas. En tercera persona pueden emplearse con sujeto de cosa en construcción intransitiva también verbos como *tronar, llover, helar*, etc.:

Sobre la cabeza del psiquiatra vienés llueven conjuntamente los homenajes más ardientes y las más fieras diatribas (G. Marañón, *Raíz y Decoro de España*, 177); Cuando el crítico es ecuánime, [...], las pedradas le llueven por igual de los dos extremos (G. Marañón, *Luis Vives*, 126); Una detonación espantosa heló mi sangre en las venas (Galdós, *Dos de Mayo*, 225); Amaneció al fin aquel memorable domingo en que había de tener comienzo la ruda batalla (P. A. Alarcón, *El Niño de la Bola*, 207).

7.4.1.1. *Otros verbos en esquemas impersonales*

Los verbos *haber, hacer, ser* y *bastar* figuran entre los más frecuentes que se pueden emplear en esquemas impersonales.

(a) *Haber.*—El verbo *haber* es siempre impersonal salvo en su uso como auxiliar y en construcciones como *habérselas con alguien*. Se emplea sólo en la tercera persona del singular; sin embargo, no deja de aumentar el uso del plural que ya advertía Galdós en: "Por mí que haigan dos o cuarenta, todos los que ellos mesmos quieran haberse" (*Misericordia*, 57). El habla culta en Castilla y en casi toda la península mantiene el singular. El elemento nominal pasa a ser por tanto el complemento directo que puede ser integrable (*lo había, lo hay*). Sin embargo, la lengua hablada, y aun la escrita en periódicos y traducciones, emplea el plural sintiendo el complemento directo como sujeto de la construcción y *haber* con el sentido de "existir":

> En la vida de la familia, hubo un acontecimiento (Blasco Ibáñez, *Cañas y Barro*, 38); En África había de todo (I. Aldecoa, *Con el Viento solano*, 124); Hay en sus movimientos algo de felino (P. Baroja, *Locuras de Carnaval*, 11).

Es un arcaísmo emplearlo en expresiones de tiempo donde se usa actualmente *hacer*. Se usa en lenguaje afectado o con intención humorística:

> Como dijo, siglos ha, Cristóbal Hayo, maestro físico de Salamanca, en loor del tabaco: "usando dél no se siente soledad" (R. Pérez de Ayala, *Belarmino y Apolonio*, 62).

Es también particular en él, el carácter de sustantivo indeterminado que debe tener el complemento directo. Junto a esta indeterminación, es creciente el uso con nombres con artículo. El verbo en este caso tiene el significado de "existir":

> Sí, hay la novedad fotográfica y la fonográfica (P. Baroja, *Locuras de Carnaval*, 15).

(b) *Hacer*.—Se emplea en construcción impersonal con complemento directo integrable. El complemento directo expresa medida de tiempo o nombres como *calor, frío, día, tiempo,* etc., con calificativos estos últimos:

> Aún no hace el año que falleció en una cacería (Valle-Inclán, *Sonata de Primavera*, 24); Hacía un día hermoso, tibio, sin sol (P. Baroja, *La Ciudad de la Niebla*, 141).

Con *se* admite elementos adverbiales como *de día, de noche, tarde,* etc.:

> Se había hecho ya de noche (P. Baroja, *La Ciudad de la Niebla,* 150).

(c) *Bastar.*—El verbo *bastar* conoce una construcción impersonal con un elemento regido prepositivo introducido por *con* y otra construcción intransitiva cuyo sujeto puede ser el mismo introducido en la anterior por *con* y un complemento indirecto pronominal:

> Si quiero ver en realidad, no ya lo grande, sino lo infinito, ¿no me basta con alzar los ojos al cielo? (J. Valera, *Las Ilusiones del doctor Faustino,* 27).

(d) *Ser.*—Tradicionalmente se entienden como construcciones impersonales las de *ser* con un elemento autónomo de tiempo como *temprano, tarde, de día, de noche,* etc. Los problemas que plantea esta construcción deben ser interpretados en relación con las demás construcciones de este verbo (v. 7.4.4.1.).

7.4.2. Esquemas intransitivos

Los esquemas intransitivos se oponen estructuralmente a los transitivos y atributivos por la ausencia de elemento integrable de primer grado. Fundamentalmente, estas construcciones están constituidas por verbos existenciales, de movimiento, pseudoimpersonales, y los que expresan determinadas actividades, producción de sonido, acciones, etc., de animados o inanimados:

(a) **Verbos existenciales**: *ser, estar, parecer, permanecer, existir, subsistir, abundar, morir, vivir, quedar,* etc.

Aparte los que admiten esquema atributivo, algunos de

ellos admiten predicativo y otros tienen la posibilidad de emplear un complemento directo que expresa un significado implícito en el contenido del verbo, construcción que por tradición latina se llama de *acusativo interno*:

> [...] murió en Málaga [...] pobre porque daba de limosna cuanto tenía (J. Valera, *Las Ilusiones del doctor Faustino*, 21); La familia había vivido siempre libre, como deben vivir los hijos de Dios que en algo se estiman (Blasco Ibáñez, *Cañas y Barro*, 33).

(b) **Verbos de movimiento**: *venir, andar, volver, ir, partir, saltar, caer, entrar, salir, subir, bajar, marchar, caminar, planear, errar, viajar, circular, desfilar, evolucionar, bascular, titubear, oscilar, vacilar,* etc.

Admiten la construcción con predicativo fácilmente y se refuerzan con matización de sentido mediante la marca *se* (*irse*). Algunos de ellos, como *subir, bajar, retroceder, resbalar*, con valor factitivo o sin él, admiten complemento directo:

> Al día siguiente, fue don Frutos a casa de don Román (Pereda, *Don Gonzalo González de la Gonzalera*, 215); Este viejo ha venido esta mañana en el tren; esta noche regresará a su casa (Azorín, *Antonio Azorín*, 88); En cuanto huelo la pólvora, me entra una especie de borrachera (R. F. de la Reguera, *Cuerpo a tierra*, 117); Pasemos ahora a los consejos sobre la alimentación (G. Marañón, *Luis Vives*, 63); Caía en la lectura como en una cisterna (Galdós, *Fortunata y Jacinta*, IV, 6); **con predicativo**: El empleado del Ayuntamiento salió el último (I. Aldecoa, *Pájaros y Espantapájaros*, 25); Unas merinas que le compré a Ponciano me salieron con fiebres (I. Aldecoa, *Con el Viento solano*, 168); Han andado por el pueblo excitados unos y otros hombres (Azorín, *Antonio Azorín*, 169); Pasa vacío el coche de las siete (Juan Ramón Jiménez,

Platero y Yo, 286); Marchamos a la iglesia serenos y confiados (Galdós, *Zaragoza*, 181); Voces de mando llegaban hasta afuera, airadas, blasfemantes (Galdós, *Zumalacárregui*, 27); En la época de la siembra, Tono llegaba sudoroso (Blasco Ibáñez, *Cañas y Barro*, 33); El gato tuerto salió jorobado y bufante a darles la bienvenida (I. Aldecoa, *Pájaros y Espantapájaros*, 85); Se fue del lugar y volvió riquísimo, ya muy entrado en años y con un don como una casa (J. Valera, *Las Ilusiones del doctor Faustino*, 14); [...] pasó el indiano la tarde, febril y desesperado (Pereda, *Don Gonzalo González de la Gonzalera*, 191).

(c) **Verbos de acción**: Son verbos que expresan acciones de personas, animales, y algunos inanimados. No necesitan de complemento directo como *gesticular, gimotear, jadear, acezar, ladrar, gañir, rugir, vociferar, mayar, gruñir, rezongar, susurrar, gritar, croar, balar, chiar, crujir, debutar, zozobrar, fracasar, galopar, sobresalir, trotar, llorar, temblar, sudar, toser, estornudar, reír, volar, galopar*, etc.

Algunos de los verbos que expresan producción de sonidos de alguna manera comparables a los humanos, acción en relación con la respiración, etc., por braquilogía, pueden llegar a emplearse como transitivos, sobre todo en la expresión literaria. La mayor parte de ellos admiten predicativo:

Manolo contestó entre malhumorado y satisfecho de su propia generosidad y rumbo (I. Aldecoa, *Con el Viento solano*, 9); Todo relucía limpio, nuevo (P. Baroja, *La Ciudad de la Niebla*, 18); Jijona surge súbita y audaz trepando por la tierra (G. Miró, *El Libro de Sigüenza*, 92); [...] no huelen tan mal como las chinches (G. Marañón, *Luis Vives*, 84); Otras veces, jugaba con sus amigos y discípulos (*id.*, 82); En esta frase fluye su nostalgia de la patria remota (*id.*, 78); Su corazón palpita tranquilo (R. F.

de la Reguera, *Cuerpo a tierra*, 121); Sonó la una de la noche de tan aciago día (P. A. Alarcón, *Historietas Nacionales*, 139); Azorín ha sonreído con benevolencia (Azorín, *Antonio Azorín*, 86); Dulces y arrobadoras melodías sonaban en tanto (Pereda, *Don Gonzalo González de la Gonzalera*, 193).

(d) **Verbos seudo-impersonales**: Constituye un grupo bastante bien caracterizado cuyo sujeto suele ser o puede ser un nombre inanimado que se pospone al verbo y semánticamente puede ser tomado como complemento directo. Suelen admitir un complemento indirecto pronominal. Toma de esta manera un cierto carácter impersonal, en cuanto no hay un agente —lo expresa el dativo— que realice la acción. Algunos gramáticos los consideran de construcción impersonal, aunque formalmente tienen el sujeto que concuerda con el verbo. Son verbos como *convenir, bastar, interesar, gustar, ocurrir, parecer, importar, impresionar, encantar, divertir, ofender, pasar, faltar, sobrar, molestar, disgustar, caber*, etc.:

No me importan burlas de gente afrancesada (Galdós, *Cádiz*, 51); Me importa un pimiento el marqués (I. Aldecoa, *Pájaros y Espantapájaros*, 24); ¡Bastante me importa a mí, don Román...! (Pereda, *Don Gonzalo González de la Gonzalera*, 238); A don Eladio le tocó la lotería (I. Aldecoa, *Pájaros y Espantapájaros*, 100); Y muchos días —ha oído decir Azorín— le falta celebración (Azorín, *Antonio Azorín*, 77); Al que más y al que menos le sucede otro tanto (Pereda, *Don Gonzalo González de la Gonzalera*, 234); Ya me parecía a mí. Pues le ha tocado (I. Aldecoa, *Pájaros y Espantapájaros*, 102).

7.4.3. Esquemas transitivos

Constituyen esquemas personales con complemento directo de naturaleza varia (v. 7.2.1.2). Tienen especial interés, aparte las llamadas construcciones de acusativo interno ya estudiadas, las que constituyen los verbos con doble acusativo y los de duración y valer.

(a) **Verbos con doble acusativo**: Por tradición de la solución que en latín se da a determinados verbos, se llaman así los verbos que admiten la doble alternativa de una construcción con complemento directo de cosa y complemento indirecto de persona y otra construcción en la que ha desaparecido el complemento directo de cosa, sustituido por el nombre que actuaba como complemento indirecto de persona. Una y otra construcciones mantienen el mismo sentido y el contenido del complemento directo queda subsumido en el significado del verbo que resulta de sentido más general, falto de la determinación del complemento directo de cosa: *Aristóteles enseña Gramática a Alejandro/Aristóteles enseña a Alejandro.*

Ocurre con verbos como *educar, enseñar, oír* y verbos que expresan elogiar y odiar. De hecho, gran parte de verbos admiten complemento directo tanto de persona como de cosa (*Dejar el libro a Mercedes/Dejar a Mercedes en casa*), sin embargo, el significado cambia de un enunciado a otro, cosa que no ocurre con los llamados de doble acusativo. Un grupo interesante, entre éstos, lo constituye los que silencian el complemento directo como *escribir, telefonear, decir, abrir,* etc., que muy fácilmente, en la integración del complemento indirecto, lo asimilan al complemento directo (*decir a Mercedes/decirle/decirla*), caso de laísmo de área más extensa que los demás.

(b) **Verbos con complemento directo de duración y valer**: Los complementos que expresan duración en tiempo o en extensión (*Corrí cinco kilómetros/cinco minutos*) se emplean con los verbos ya señalados (v. 7.2.1.2). Estos complementos pueden alternar en el discurso con complemento directo de persona. Pero cuando coinciden ambos, el complemento directo de persona puede ser integrado y el complemento que expresa tiempo pasa a condición de elemento autónomo: *Sobreviví una semana sin alimentos/La sobrevivió; Sobrevivió una semana a su madre/La sobrevivió una semana.*

No es el mismo caso de los verbos que, por su significado, necesitan de un elemento que exprese medida. Son verdaderos verbos transitivos por su significado y en su uso, y frente a los anteriores, no admiten complemento directo de persona:

> Había pasado su vida trabajando (Blasco Ibáñez, *Cañas y Barro*, 41); No tardó medio minuto en dármela (Pereda, *La Puchera*, 424); El llano continuaba bastante trecho (R. F. de la Reguera, *Cuerpo a tierra*, 184); Y pasó gran parte de la corrida junto a la barrera (Blasco Ibáñez, *Sangre y Arena*, 247); Cuatro horas duraba la heroicidad de los artilleros de Punta Sangley (R. F. de la Reguera, *Héroes de Filipinas*, 192); Felicita llevaba ya tres días sin ver a su adorado Novillo (R. Pérez de Ayala, *Belarmino y Apolonio*, 133); [...] en una hostería de Luca pasó el mes más agradable de toda su existencia (Azorín, *El Licenciado Vidriera*, 42); Había tardado dos horas en ir en tren a Guadalajara (J. Camba, *Sobre casi todo*, 87); **con complemento de persona**: [...] le costaría a usted una fortuna (P. Baroja, *El Laberinto de las Sirenas*, 142).

7.4.4. Esquemas atributivos

Como se ha observado (v. 7.2.1.0), la interpretación tradicional añade a los verbos copulativos *ser, estar, parecer, semejar,* que pueden integrar por medio del neutro *lo* su atributo, toda una más o menos larga serie de verbos. La base de la distinción es puramente semántica y se justifica por la unidad de sentido que el atributo tiene con determinados verbos; sin embargo, es fundamental la distinción de unos verbos que pueden integrar el atributo, de otros a los que tal integración es imposible. Provisionalmente estos verbos pueden llamarse **seudo-copulativos**. Los más importantes son, incluyendo los conjugados con *se*: *hallarse, encontrar(se), permanecer, persistir, perdurar, mantener(se), andar, ir, continuar, seguir, quedar, acabar, terminar, hacer(se), volver(se), tornar(se), poner(se), llegar, aparecer, ofrecer(se), resultar, salir, caer, venir, ver(se),* etc.

> [...] lo apretaba [el palillero] ansiosamente para que los palotes, letras y palabras le resultaran irreprochables (M. Andújar, *Vísperas,* 215); Hoy se halla más intranquilo que nunca (*id.*, 401); Retiróse Teófilo y Alberto se encontró, por fin, solo (R. Pérez de Ayala, *Troteras y Danzaderas,* 146); Los hijos permanecieron silenciosos (Valle-Inclán, *Los Cruzados de la Causa,* 19).

Mercedes está enferma → **Lo** está = Verbo copulativo
Mercedes sigue enferma → *Lo sigue = Verbo seudo-copulativo

7.4.4.1. *Construcciones con ser y estar* *

Forman un conjunto de construcciones muy frecuentes, no siempre fáciles de describir y clasificar. El verbo *ser*

* E. Alarcos Llorach, "Pasividad y atribución" en *Homenaje al Prof. Alarcos García,* Valladolid, 1967, pp. 15-21; M. J. Andrade, "The

alcanza una mayor amplitud y puede tomar nuevos significados, mientras *estar* mantiene el mismo en casi todas sus actualizaciones posibles. De cierta manera, se pueden considerar en distribución complementaria en aquellos casos en que ambos admiten elementos de la misma naturaleza:

(A) El verbo *ser* actúa como temporalizador de la relación de dos elementos nominales que convierte en oración. Estos elementos pueden ser: (a) los miembros de una aposición sustantiva o (b) los miembros de una aposición autónoma de valor temporal. Tanto en un caso como en otro, el temporalizador clasifica incluyendo lo que significa uno de

---

distinction between *ser* and *estar*", en *H*, II, 1919, pp. 19-23; J. BENZIG, "Zur Geschichte von *ser* als Hilfszeitwort bei den intransitiven Verben im spanischen", en *ZRPh*, LI, 1931, pp. 385-460; D. L. BOLINGER, "Ser bien", en *H*, XXXV, 1952, p. 474; D. L. BOLINGER, "Still more on *ser* and *estar*", en *H*, XXX, 1947, pp. 361-367; J. BOUZET, "Orígenes del empleo de *estar*. Ensayo de sintaxis histórica", en *EDMP*, IV, 1953, pp. 37-58; W. E. BULL, "Related functions of *haber* and *estar*", en *MLJ*, XXVII, 1943, pp. 119-123; Julio CAMPOS, "Prehistoria latina del español *sedere, stare,* «ser»", en *Helmantica*, XXIV, 1973, pp. 358-376; D. N. CÁRDENAS, "*Ser* and *estar* vs. to be", en *Filología Moderna*, IV, 1963, pp. 61-78; G. CIROT, "*Ser* et *estar* avec participe passé", en *Mélanges de philologie offerts à Ferdinand Brunot*, París, 1904, pp. 57-69; G. CIROT, "*Ser* and *estar* again", en *H*, XIV, 1931, pp. 279-288; G. CIROT, "Nouvelles observations sur *ser* et *estar*", en *Todd Memorial Volumes, Philological Studies,* Nueva York, 1930, I, pp. 91-122; L. CRESPO, "Los verbos *ser* y *estar* explicados por un nativo", en *H*, XXIX, 1946, pp. 45-55; Patrick CHARAUDEAU. "Ser-Estar", en *Description sémantique de quelques systèmes grammaticaux de l'espagnol actuel,* París, CDU, 1970, pp. 31-39; R. FENTE, "Sobre los verbos de cambio o *devenir*", en *Filología Moderna,* n.° 38, 1970, pp. 157-172; Gordon T. FISH, "Syntactic Equations", en *H*, XLV, 1962, pp. 738-744; G. T. FISH, "Two notes on *estar*", en *H*, XLVII, 1964, pp. 130-135; J. D. M. FORD, "*Sedere, essere* and *stare* in the *Poema del Cid*", en *MLN*, XIV, 1899, pp. 8-20 y 85-90; J. GONZÁLEZ MUELA, "*Ser* y *estar*: enfoque de la cuestión", en *BHS*, XXXVIII, 1961, pp. 3-12; C. HERNÁNDEZ, "Atribución y predicación", en *BRAE*, LIX, 1971, pp. 327-340; E. LORENZO, "Sobre los verbos de cambio", en *Filología Moderna*, n.° 38,

sus miembros en el significado del otro o bien identifica un miembro con otro:

(1) Pedro es alcalde (*clasificador*). (2) El alcalde es Pedro/ Pedro es el alcalde (*identificador*).
(3) Hoy es jueves. Hoy es 6 de marzo. (4) El jueves es hoy.

En las construcciones identificativas, sólo cuando el sujeto es de primera o segunda personas, la morfología señala claramente la función sujeto y la función integrable. En tercera persona, en cambio, los elementos son intercambiables.

El verbo *estar* no puede introducir ningún sustantivo a menos que utilice la preposición *de* (*Está de alcalde*), con lo que toma un significado distinto y bien definido subrayando la provisionalidad del cargo, empleo, etc., frente a *ser*, que clasifica.

(B) El verbo *ser* temporaliza igualmente (c) un nombre que funciona como sujeto y el adjetivo o participio que lo califica, (d) un nombre y otro introducido por la preposición

---

1970, pp. 173-197; H. Meier, "Está enamorado-anda enamorado", en *Volkstum und Kultur der Romanen* (Hamburgo), VI, 1933, pp. 301-316; F. Monge, "Ser y estar con participios y adjetivos", en *BdF*, XVIII, 1959-1961, pp. 213-227; S. G. Morley, "Modern Uses of *ser* and *estar*", en *PMLA*, XL, 1925, pp. 450-489; R. Navas Ruiz, *Ser y estar. Estudio sobre el sistema atributivo español*, Salamanca, 1963; R. Navas Ruiz, "Construcciones con verbos atributivos en español", en *BBMP*, XXXVI, 1960, pp. 277-295; K. Pietsch, "Zur spanischen Grammatik. V. *ser* + Adverb.", en *MPh*, 1913; M. Prigniel, "Note sur *être beurré* et sur d'autres expressions argotiques signifiant «être ivre»", en *Le Français Moderne*, XXXIII, 1965, p. 34; Walter J. Schnerr, "The luso-brazilian use of *estar* with a predicate nominative", en *H*, XL, 1957, pp. 163-170; Leo Spitzer, "Soy quien soy", en *NRFH*, I, 1947-1948, pp. 113-127; II, 1948, pp. 275; F. S. Spurr, "New rules for *ser* and *estar*", en *MLJ*, 1939; F. S. Spurr, "Further Reflexions on *ser* and *estar*", en *H*, XXVIII, 1945, pp. 379-382; A. Vermeylen, "L'emploi de *ser* et de *estar*: question de sémantique ou de Syntaxe?", en *BHi*, LXVII, 1965, pp. 129-134.

de que le completa para indicar la materia de que está fabricado, el origen, la persona o cosa que lo posee o a quien pertenece, el valor, edad, precio, peso, etc., y (e) un nombre y un numeral o cuantitativo que lo determina:

(5) El niño bueno → El niño es bueno.
(6) El niño, castigado por el padre → El niño es castigado.
(7) El muchacho de Madrid → El muchacho es de Madrid.
(8) La caja de madera → La caja es de madera.
(9) La casa de mi tío → La casa es de mi tío.
(10) La sortija de mil duros → La sortija es de mil duros.
(11) La joven de quince años → La joven es de quince años.
(12) El jersey de color → El jersey es de color.

En (5), como ha notado Bouzet [563], el verbo *ser* marca la existencia absoluta sin fronteras temporales, mientras *estar* expresa una manera de ser relativa dentro de las coordenadas de tiempo y espacio. La lengua ofrece interesantes contrastes léxicos en los que, a veces, se producen deslizamientos de significado en una u otra construcción: *Una persona es negra/está negra*; *El asunto es verde/está verde*; *El libro es viejo/Está viejo*; *Una persona es blanca/está blanca*; *Se puede ser listo* y *estar listo*; etc.

En (6), el verbo *ser* temporaliza el verbo utilizado en el participio. En la formación de esta estructura, la secuencia de *ser + participio* está en relación de competencia con las de *haber* y *estar + participio*. En el significado de estas tres perífrasis, entran en juego diversos aspectos en relación con el valor del participio y del auxiliar empleado:

1.º El participio expresa una acción concluida que puede ser realizada por el sujeto o por un agente distinto al sujeto. En el primer caso se encuentran las perífrasis de *haber + participio* de verbos transitivos (*ha cantado*) y de *ser + participio* de verbos intransitivos (*es ido*) o reflexivos (*es levantado*): En el segundo caso se encuentran solamente las perífrasis de *ser* + *participio* de verbos transitivos (*es cantado*).

2.º El sentido en que se toma la idea expresada por el participio puede ser o bien una acción concluida en el sujeto o el objeto de la construcción (*ha cantado la canción*) o bien el estado que el sujeto alcanza como resultado de una acción realizada ya (*es obligado*). Un aspecto particular en relación con este último lo constituye el entender el participio como nominalización de una cualidad atribuida al sujeto (*es honrado*).

3.º Por último, el sentido de acción sufrida —sentido pasivo— o de acción pasada y perfecta o de estado alcanzado —sentido activo— realizada por el sujeto se enfrentan también. Mientras el *hombre amado* u *obligado* es el que, como consecuencia de la acción que otro realiza, recibe la acción de *amar* u *obligar*, el *hombre sentado* es, por el contrario, el que ha realizado la acción de *sentarse*.

		La acción la realiza el sujeto		La acción la realiza otro elemento distinto al sujeto
		El participio expresa acción concluida en el S/CD		El participio expresa estado q. el S. alcanza por acción externa a él
Castellano clásico	PERFECTO	V_t *ha cantado* V_i *es ido* V_r *es levantado*	PASIVO	*es cantado*
Castellano moderno	PERFECTO	V_t *ha cantado* V_i *ha ido* V_r *se ha levantado*	PASIVO	*es cantado*

Este doble valor de *ser* + *participio* como vehículo de la expresión pasiva con verbos transitivos, y en competencia con *haber* + *participio* para expresar los tiempos perfectos de verbos intransitivos y reflexivos, comienza a decaer en el siglo XVI. Keniston [33. 82] registra 59 ejemplos de tiempos compuestos con *ser* de verbos intransitivos en la prosa del siglo XVI. De estos 59 casos, 47 pertenecen a la primera mitad del siglo. En Cervantes ya son raros los casos de *ser*.

El castellano actual mantiene en claro retroceso tal construcción reducida a un número escaso del tipo *llegada es la hora* [*Gram. Acad.*, 462, nota 1]. Bello [1.119], que amplía los ejemplos a otros que son claros arcaísmos, señala el valor anterior de la acción expresada por el participio en relación a la del tiempo del verbo auxiliar:

> Y como era llegada la hora de comer, se inició el desfile (R. León, *Alcalá de los Zegríes*, 88); Era ya entrada la noche (*id.*, 151); Todos los de vuestra tierra sois nacidos en la cama de las liebres (Valle-Inclán, *Los Cruzados de la Causa*, 75).

El uso de la pasiva con *ser* ha disminuido notablemente en castellano en relación con su uso latino. La influencia humanística y culta lo mantuvo, pero el incremento de las construcciones con sentido pasivo conseguidas con el signo *se* (v. 7.5.3), creciente hasta hoy, ha restringido más y más su uso. Por influjo del inglés, en la lengua científica y técnica, conoce una particular renovación.

Sólo los verbos imperfectivos admiten espontáneamente la construcción pasiva en todos sus tiempos. En estos verbos, el participio pasivo expresa la conclusión alcanzada tras un determinado proceso y admiten el sentido durativo que aporta el verbo *ser*. Frente a éstos, los perfectivos que expresan con su participio el estado alcanzado en un tiempo determinado no lo admiten en presente ni en imperfecto. Cuando aparece, toma valor reiterativo. La admiten en los tiempos perfectos de *ser* por el carácter puntual de los mismos: *La escopeta es disparada/La escopeta es acariciada/La escopeta ha sido acariciada.*

Otro aspecto en relación con el significado de esta perífrasis, es el de valorar de manera precisa si el esquema pasivo reproduce exactamente el mismo significado que el esquema correspondiente activo. Aparte de que no todos los verbos admiten la conversión del esquema activo al pasivo (*El muchacho tiene un libro*→* *El libro es tenido por el muchacho*), siempre representa una aportación de matices que no existen o se desprecian en la fórmula activa. Se podría decir que el hecho representado es la misma realidad, pero la expresión que representa este mismo hecho toma en cuenta aspectos diversos en una u otra construcción.

En relación con el uso de *ser* o *estar* con participio, hay que señalar que el castellano no conoció para expresar la atribución del estado más que la construcción con *ser* y sólo en el siglo XIII se atestigua la competencia entre *ser* y *estar*, que avanzará sobre todo a partir del siglo XVI. Influye, en este avance de *estar*, el carácter perfectivo o imperfectivo del verbo cuyo participio se utiliza. Los imperfectivos ni aun en el castellano actual se podrán utilizar siempre, ya que su carácter de acción a la que no se pone término se lo impide. Parece apoyarse este avance en cierto carácter locativo. Así Hanssen [595] enfrenta en don Juan Manuel "*es dicho*"/"*está escrito*".

Por otra parte, se emplea en los tiempos imperfectos, por lo que se ha dicho [Gili, 103] que forma una especie de pasiva de resultado que no admite los tiempos perfectos. No se dirá *ha estado concluido* sino *ha sido concluido*, frente a la oposición *está concluido/es concluido*. El participio, como en general cualquier elemento introducido por *estar*, tiene valor situativo dentro de una escala de posibilidades circunstanciativas o cualificativas.

No admite directamente el nombre y cuando lo admite, éste toma un marcado carácter adjetivo. Así ocurre con palabras convencionales como *tururú, guillatis, trompa, bufanda, fenómeno, bomba,* etc., o bien aparece con exclamativos —*qué, cuán*— con lo que el nombre toma valor adjetivo [Navas Ruiz, pág. 155]: *¡Qué mozo está!*

(C) Con el verbo *estar* se introducen, referidos a un sujeto, diversos elementos prepositivos con el mismo valor atributivo ya conocido y por tanto constituyen elementos integrables por el pronombre neutro *lo*. Con ellos coincide el valor del modal *así*. Los elementos prepositivos pueden ser: (a) nombres animados que expresan compañía (*Está con su padre*); (b) con las preposiciones *contra* y *por* expresa el estado favorable o desfavorable respecto al nombre que introduce (*Está contra todo*); (c) con las preposiciones *a, con, de, en, para, según* y *sin* seguidas de nombres sustantivos o con adjetivos, introduce formaciones modales y locuciones adverbiales de modo (*Está sin dinero*; *Está a gatas*); (d) puede introducir adverbios de modo como *bien, mal*.

(D) La expresión de circunstancias de tiempo, salvo la aposición estudiada en (A), con *ser* toma el valor puramente temporalizador de una constatación (*Es de día*; *Es verano*; *Es temprano*) y la construcción es impersonal. Con *estar*, el verbo toma la forma personal y el elemento temporal es introducido por la preposición *en*: *Estamos en agosto*. No admite, en cambio, adverbios temporales.

(E) Con elementos locativos, las variadas construcciones toman en cuenta el carácter del sujeto: (a) cuando el sujeto

	SER	ESTAR
NOMBRE	identifica: *Pedro es el alcalde* clasifica: *Pedro es alcalde*	
PREPOSITIVO con **de**	clasifica: por el origen *Es de Barcelona*; materia *Es de madera*; poseedor *Es de tu tío*; precio *Es de 20 ptas.*; edad *Es de 15 años*; color *Es de color*	función: *Está de médico*
con **para** y otras preposiciones	clasifica por la finalidad *Es para ti*	caracteriza por el modo: *Está sin dinero, en camisa…* por la situación: *Está en casa; a dos pasos* compañía: *Está con su tía*
ADJETIVO	*Es castigado* *Es bueno*	*Está bueno* *Está castigado*
LOCALIZACIÓN en el tiempo	*Es* { *de día* / *verano; Navidad* / *temprano* } *La fiesta es aquí*	— *Estamos en verano; Navidades* — *Su encargo estará mañana*
en el espacio	*La fiesta* { *aquí* / *en casa* }	*Mi madre está* { *aquí* / *en casa* }

es un acontecimiento, fiesta, etc., el verbo *ser* introduce locativos de tiempo o de lugar, indistintamente: *La fiesta es hoy*; *El baile es en mi casa*; (b) con cualquier otro tipo de sujeto se emplea únicamente *estar* (*La casa está aquí*; *La carpeta está en casa*; *Está cerca*). Con adverbios prepositivos (*cerca, lejos, delante, detrás,* etc.) el uso del verbo *ser* impone la simple temporalización. No admite la integración y toma su valor originario de construcción intransitiva.

(F) El verbo *ser,* por último, por su valor temporalizador puede utilizarse en dos tipos de estructuraciones enfáticas del tipo *Es aquí donde vive* (v. 8.4.3.0) y *Es que tengo prisa* (v. 8.1.1.9).

7.5. Esquemas básicos secundarios

Sobre los cuatro esquemas básicos ya descritos en el parágrafo anterior se pueden desarrollar, con diversas intenciones y diversas posibilidades, una serie de nuevos esquemas en los que interviene el morfema "reflexivo". El morfema "reflexivo" se realiza en primera y segunda personas en singular y en plural por los pronombres personales átonos afijos al verbo y en la tercera persona por la forma invariable *se* tanto en singular como en plural.

Los reflexivos se realizan con dos valores esenciales tan dispares que cabe preguntarse si se trata de dos signos distintos. Por una parte, el reflexivo integra en el verbo el significado del sujeto o como complemento directo o indirecto, o bien como simple alusión al sujeto; por otra, marca la indeterminación del agente de la acción que el verbo expresa. En el primer caso, su función es de alguna manera pronominal; en el segundo, en cambio, no puede fijarse claramente su carácter que es simplemente marcativo. Contribuye a dificultar la comprensión de estas construcciones el mismo nombre tradicional de reflexivos con que se les designa, ya que la reflexividad de la acción sólo se consigue, como se verá, en un reducido número de construcciones.

En el inventario que sigue se distinguen construcciones en que el reflexivo es integrable, signo de voz media, o transformación de cualquier construcción básica en oración de agente indeterminado.

7.5.1. Construcciones reflexivas *

Se recogen aquí las construcciones en las que el reflexivo viene impuesto por la naturaleza misma del contenido que trata de comunicar. El hablante no tiene elección posible con otra construcción y constituyen una ampliación a los esquemas transitivos que se distinguen de los reflexivos

* E. Alarcos Llorach, "Valores del *se* en español", en *AO*, XVIII, 1968, pp. 21-28; N. Alonso Cortés, *El pronombre "se" y la voz pasiva castellana*, Valladolid, 1939; S. B. Babcock, *The Syntax of Spanish Reflexive Verbs*, La Haya, Mouton, 1970; J. Donald Bowen y Terence Moore, "The reflexive in English and Spanish. A transformational approach. English teaching", en *Forum*, VII, 1969, pp. 2-12; W. E. Bull, "The intransitive reflexive *ir* and *irse*", en *MLJ*, XXXVI, 1952, pp. 382-386; J. Casares, "La pasiva con *se*", en *Nuevo concepto del Diccionario de la lengua...*, Madrid, 1941; A. Castro, "La pasiva refleja en español", en *H*, I, 1918, pp. 81-85; Lidia Contreras, "Significados y funciones del *se*", en *ZRPh*, XC, 1966, pp. 298-307; Eric Dahlën, *Études syntaxiques sur les pronoms reflechis pleonastiques en latin*, Göteborg, Acta Universitatis Gothoburgensis, Studia Graeca et Latina Gothoburgensia, XIX, 1964; A. Díez Escanciano, "El *se* español y su traducción al latín", en *Humanidades* (Comillas), I, 1949, pp. 263-267; Gordon T. Fish, "*Se*", en *H*, XLIX, 1966, pp. 831-834; A. G. Hatcher, *Reflexive verbs: Latin, Old French, Modern French*, Baltimore, John Hopkins studies in Romance Literatures and Languages,

porque su complemento directo o su complemento indirecto son divergentes, de referente distinto al sujeto:

		CD
(1)	La madre lava *a su hija*/La madre **la** lava	Divergente
	La madre **se** lava	Convergente
		CI
(2)	La madre lava las manos a su hija/La madre **le** lava las manos	Divergente
	La madre **se** lava las manos	Convergente

El sujeto es siempre un nombre animado y el verbo expresa una acción que se realiza sobre el mismo que la ejecuta de manera semejante a como se puede realizar sobre otro objeto. Son verbos como *lavar, peinar, cepillar, poner, vestir, colocar, afeitar, colgar, meter, defender, asear, alistar, mirar, quemar, cortar, subir algo, mirar, arañar, inyectar,* etc.

El reflexivo indica que el sujeto y el complemento directo o que el sujeto y el complemento indirecto son idénticos. Puede aparecer el elemento *a sí mismo* manteniendo el sig-

43, 1942; A. G. HATCHER, *Passive "se" in Spanish*, Nueva York, 1954; A. G. HATCHER, "Construcciones pasivas con *se*", en *BAAL*, 1941, pp. 585-587; C. HERNÁNDEZ ALONSO, "Del *se* reflexivo al impersonal", en *AO*, XVI, 1966, pp. 39-66; T. B. IRVING, "The Spanish reflexive and the verbal sentence", en *H*, XXXV, 1952, pp. 305-309; Anthony G. LOZANO, "Non-reflexivity of the indefinite *se* in Spanish", en *H*, LIII, 1970, pp. 452-457; A. G. LOZANO, "The indefinite *se* revisited", en *H*, LV, 1972, pp. 94-95; M. MANACORDA DE ROSSETTI, "La llamada pasiva con *se* en el sistema español", en *Estudios de Gramática estructural*, Buenos Aires, Paidós, 1969; Henry MENDELOFF, "The passive voice in *La Celestina* (with a partial reappraisal of Criado de Val's *Índice Verbal*)", en *RPh*, XVIII, 1964-1965, pp. 41-46; William MOELLERING,

nificado del enunciado. La función del reflexivo como complemento directo o como complemento indirecto se atestigua por la misma construcción con pronombre divergente (*Yo me lavo/Yo lo lavo*). En la agrupación binaria *se + complemento directo* pueden darse ambigüedades que el contexto aclara: *Él se lo repetía a sí mismo/a otro.*

Pueden tener valor causativo construcciones como *cortarse el pelo, afeitarse, construirse una casa, hacerse un traje,* etcétera. Tiene valor ambiguo *cortarse el dedo* (*a sí mismo/con algo*). Pueden llevar predicativo verbos como *ver, sentir, encontrar, hallar, creer, notar, conceptuar, considerar, reconocer, poner,* etc.

Una forma particular de la reflexividad es la **recíproca** cuando el sujeto es múltiple o plural y la acción es intercambiada por cada uno de los componentes del sujeto, con verbos como *tutearse, pegarse, casarse,* etc.:

"On the indefinite *se*", en *H*, LIV, 1971, p. 300; F. Monge, "Las frases pronominales de sentido impersonal en español", en *Archivo de Filología Aragonesa,* VII, 1954, pp. 7-102; E. Oca, "El pronombre *se* en nominativo", en *BRAE*, I, 1914, pp. 573-581; C. Otero, "El otro *se*", en *Letras I*, Londres, Tamesis Books, 1966, pp. 49-57; David M. Perlmutter, *Deep and Surface Structure Constraints in Syntax,* Nueva York, Holt, Ronehart and Winston, 1971; Nicolas Ruwet, "Les constructions pronominales neutres et moyennes", en *Théorie syntaxique et Syntaxe du français,* París. Éd. du Seuil, 1972, pp. 87-125; Jan Schroten, *Concerning the deep structures of spanish reflexive sentences,* La Haya, Mouton, 1972; John Robert Schmitz, "The *se me* construction: Reflexive for unplanned ocurrences", en *H*, XLIX, 1966, pp. 430-434; R. K. Spaulding, "Construcciones pasivas con se", en *BAAL*, IX, 1941, p. 585 y ss.; Jean Stefanini, *La voix pronominale en ancien et moyen français,* Publ. de la Fac. des Lettres et Sciences Humaines d'Aix-en-Provence, Nouv. série, 33, Éd. Ophrys, 1962; B. Terracini, "Sobre el verbo reflexivo y el problema de los orígenes románicos", en *RFH*, VII, 1945, pp. 1-22 (reproducido en *Pagine e Appunti di Linguistica Storica,* Florencia, 1957, pp. 167-179).

como complemento directo: Olieron la sangre y se miraron asustados (I. Aldecoa, *Pájaros y Espantapájaros*, 85); [...] como se saludaron familiarmente, se puede decir que se conocían de antiguo (Azorín, *Antonio Azorín*, 114); Me escribió Rebagliatto, [...], íntimo de mi padre, pues se querían como hermanos (*id.*, 104); La gata y yo nos acompañamos (R. Pérez de Ayala, *El Ombligo del Mundo*, 82); Se insultaban el picador y el contratista con amistosa tranquilidad (Blasco Ibáñez, *Sangre y Arena*, 358); **como complemento indirecto**: Los dos de pie, [...], se daban la mano en un rincón de la habitación (R. Gómez de la Serna, *El Incongruente*, 139); Se contaban los apuros para bandearse, se hacían pequeños empréstitos de cobres y tabaco (Valle-Inclán, *Viva mi dueño*, 16); Cuando se ve con Pelaítas, se hacen cortesías (Galdós, *Cádiz*, 41); **verbos con valor medial usados como recíprocos**: Nos juntamos en el pasillo adonde daba mi habitación (R. Pérez de Ayala, *Belarmino y Apolonio*, 23); [...] se comprometieron a dar fuego a la mecha (Unamuno, *El Espejo de la Muerte*, 54); Las niñas, que se peleaban ante el espejo por la brocha de polvos, quedaron deslumbradas (Valle-Inclán, *Viva mi dueño*, 117); Nos batiremos luego (Galdós, *Cádiz*, 152).

7.5.2. Construcciones de reflexivo medial

El antiguo indo-europeo distinguió, frente a una voz activa, una **voz media** que aportaba los siguientes matices: El interés del sujeto en la realización de la acción expresada por el verbo y la participación del sujeto en su realización, tanto por estar relacionado real y directamente con el objeto de la acción —parte del sujeto o perteneciente a él— como por su activa intervención en la acción [Wackernagel, I, 122 y ss.].

Mientras en la voz activa sujeto y verbo se mantenían, por decirlo así, como representaciones independientes de dos realidades que sólo se ponían en relación en cuanto una realidad era causa de la otra, con la voz media, sujeto y verbo estrechan su contacto en cuanto vienen a ser partes de una misma realidad involucrada por diferentes matices de interés, participación o intensidad.

El castellano emplea la misma marca reflexiva para la voz media y la reflexiva. Con la construcción reflexiva, la realidad aludida por el sujeto y el pronombre reflexivo son dos instantes distintos de una misma realidad o dos aspectos distintos de una misma realidad. El valor medio anula esta duplicidad y consigue inscribir la acción verbal en el sujeto o expresar la total inmersión del sujeto en la acción por él realizada. Por otra parte, el sujeto de la medial es mínimamente un sujeto activo, se presenta como el sujeto en el que la idea verbal ocurre sin intervención de la voluntad, como un proceso que se realiza u ocurre en él. Se ha notado, para la construcción reflexiva latina en Ennio y en los poetas cómicos latinos, que, característicamente, predomina con sujetos animados o sentidos netamente como personificaciones [Ronc., 21].

Los verbos castellanos que admiten tal construcción pueden corresponder a las siguientes posibilidades:

(a) Verbos que presuponen una construcción transitiva con complemento directo divergente. La presencia del reflexivo totaliza la acción en el sujeto dándole un cierto sentido intransitivo. Entre una forma y otra no hay cambio de significado, pero el proceso de la acción no se realiza de la misma manera por su propia naturaleza:

(1) Pedro levanta la mesa → Pedro se levanta.

Son verbos con sujeto animado como *asomar, recoger, poner, colocar, situar, elevar, despertar, conmover, apear, encaramar, detener, lanzar, asomar, esconder, estirar, mover,* etcétera.

(b) Verbos que no conocen en la lengua otra forma que la reflexiva. Algunos de ellos han sido transitivos de complemento directo divergente en alguna época del idioma. Así se cita el caso de *jactarse* y *atreverse* [*Gram. Acad.*, 277 *a*]:

> Que no jacto valor de mis pecados/Propia virtud es calidad gloriosa (Ruiz de Alarcón, *La Cueva de Salamanca,* I); Hoy verás que Dios/soberbias confunde, que al cielo atrevían/locas pesadumbres (Tirso de Molina, *El Rey don Pedro en Madrid,* II).

Son verbos como *arrepentirse, jactarse, desperezarse, portarse, fugarse, vanagloriarse, pavonearse, descararse, desbocarse, repantigarse, arrellanarse, inmutarse, atreverse, quejarse, dignarse, apropiarse,* etc.:

> Es una cosa de que me arrepiento hoy (P. A. Alarcón, *El Escándalo,* 78); [...] no me jacto tampoco de tierno de corazón (J. Valera, *Las Ilusiones del doctor Faustino,* 30); Cuando llegó el periódico, don Eladio se arrellenó en la butaca de su escritorio (I. Aldecoa, *Pájaros y Espantapájaros,* 96).

Hay que considerar además algunos verbos, cuyo uso reflexivo implica un cierto cambio de significado. Ocurre con verbos que presuponen una construcción atributiva: *parecer/parecerse a;* transitiva como *hacer el tonto/hacerse el tonto, acordar algo/acordarse de algo, llevar algo/llevarse algo; decidir algo/decidirse por algo; prestar algo/prestarse a algo;* intransitivos como *perecer/perecerse por, llegar/lle-*

garse a, correr/correrse de. A éstos hay que añadir construcciones en que el reflexivo impone un complemento infinitivo tales como *resolver algo/resolverse a + inf., decidir algo/decidirse a + inf., reducir algo/reducirse a + inf.,* etc.:

> Gustavo de vez en cuando se acordaba de su motocicleta (R. Gómez de la Serna, *El Incongruente,* 126).

Dentro de este grupo tienen carácter especial el verbo *antojarse* que no admite más que la construcción reflexiva y los verbos *ocurrir* y *figurar,* todos los cuales se emplean con sujeto inanimado. Un dativo de persona se une al reflexivo *se*: *me ocurre algo/se me ocurre algo*; *se me antoja algo.*

(c) Verbos que mantienen la construcción activa y la construcción con reflexivo sin variación esencial de significado. Hay o puede haber cambio de régimen:

(1) Confesar algo → Confesarse de algo.
(2) Olvidar algo → Olvidarse algo/de algo.

Son verbos como *confesar, reír, vengar, hincar, compadecer, admirar, aprovechar, permitir, cruzar, olvidar, descargar,* etc.

> Se olvidó del peligro, de la guerra (R. F. de la Reguera, *Cuerpo a tierra,* 185); Tomasa se reía con las otras (E. Quiroga, *Tristura,* 65); Carpio se descargó del rozón (Pereda, *Don Gonzalo González de la Gonzalera,* 225).

Un grupo de verbos admite igualmente las dos construcciones sin cambio de significado ni cambio de régimen:

> Gerardo tropezóse con un grupo extraño que salió de la cercana taberna de la *Seca* (Pérez Lugín, *La Casa de la*

Troya, 57); Un día, revolviendo en los cajones de su hijo, se encontró con una sorpresa desagradable (I. Aldecoa, *Pájaros y Espantapájaros*, 75); Si te despiertas asustada, llámame, hija mía (C. Laforet, *Mis páginas mejores*, 22).

Tiene en ocasiones el reflexivo un cierto valor enfático tal como ocurre con verbos como *beber, comer, tomar, tragar, presuponer, presumir, suponer, conocer, perder, encontrar, ganar, trasladar, creer, estudiar, ver, subir, bajar, leer, aprender*, etc. El reflexivo actúa como complemento indirecto en las construcciones transitivas y refleja una intensificación en la acción.

(d) Verbos de movimiento y estativos en construcción intransitiva. En algunos casos, el *se* puede tomar valor inceptivo. Alternan siempre la posibilidad de estructura activa y de reflexiva medial. El reflexivo puede ser obligatorio o preferido cuando se introduce el concepto de procedencia por medio de algún elemento: *cayó al río/se cayó del árbol.* Ocurre con verbos como *ir, volver, marchar, huir, andar, partir, entrar, subir, bajar, escapar, salir, quedar, estar*, etc.

Algunas veces saltaba a las isletas de carrizales [...] Otras, se entraba en la Dehesa (Blasco Ibáñez, *Cañas y Barro*, 44); Odilia se paseaba por los caminos del monte con su escopeta y su perro "Plutón" (P. Baroja, *El Laberinto de las Sirenas*, 253); Ustedes votarán lo que quieran, pero yo me marcho a casa (Azorín, *Antonio Azorín*, 103); Dios, hijo mío, no puede consentir que las almas de los muertos se anden siglos y siglos paseando por acá (J. Valera, *Las Ilusiones del doctor Faustino*, 194); Ahora se queda usted conmigo aquí, en este sofá (R. Gómez de la Serna, *El Incongruente*, 140); Tú me curarás, a fin de que no me muera ahora que puedo ser feliz (P. A. Alarcón, *El Escándalo*, 186).

(e) Con los verbos que se agrupan en este apartado, el hablante puede elegir entre dos realizaciones. De una parte, una construcción transitiva o intransitiva con sujeto agente, cuyo complemento directo o indirecto señala nombre animado; de otra, la realización reflexiva en la que el complemento directo o el complemento indirecto de la anterior se convierte en sujeto y el agente pasa a la condición de elemento prepositivo, generalmente con *de*:

(1) Las tormentas asustan a Mercedes → Mercedes se asusta de las tormentas.
(2) A Juan le basta el bastón → Juan se basta con el bastón.

Ocurre con verbos como *extrañar, bastar, sobrar, complacer, entusiasmar, interesar, fastidiar, divertir, ruborizar, entristecer, alegrar, conmover, avergonzar, regocijar, emocionar, serenar, tranquilizar, espantar, horrorizar, acobardar,* etcétera.

Esta misma conversión se produce cuando sujeto y complemento directo son nombres de persona. El sujeto de la oración convertida puede tomar cierto carácter pasivo:

(3) El profesor examina al alumno → El alumno se examina.

Ocurre con verbos como *visitarse, examinarse, fotografiarse, confesarse, ayudarse,* etc.

7.5.3. Construcciones de "se" de indeterminación de agente

Frente a la oposición de los conceptos *sujeto/objeto* (complemento directo), de tipo exclusivamente gramatical,

SUJETO			
Animado	La madre se lava (las manos)	*Se reflexivo*	
	La madre se levanta La madre se va La madre se asusta La madre se lo comió todo La madre se queja	*Se medial*	
Inanimado	Las hojas se caen		
	Se suspende la sesión	*Pasiva-Refleja*	Hay indeterminación de agente
Ø	Se oyó a los culpables Se vive bastante bien	*Impers. Refleja*	

la oposición *agente/paciente* introduce en la Gramática tradicional conceptos de tipo semántico. El esquema transitivo contendrá, según se ha dicho, la presencia de un sujeto y un complemento directo. Semánticamente, los verbos que expresen acción harán coincidir el concepto agente con el sujeto y el concepto paciente, aproximadamente, con el complemento directo. Sin embargo, esto no es necesariamente así. La construcción pasiva tiene un sujeto paciente y, en cambio, el agente es expresado por un elemento complementario.

Cuando al hablante le interesa eliminar de la expresión el agente de la acción del verbo o pretende generalizar dicha acción sin especificar el agente, el castellano acude a la conversión de la estructura personal básica primaria en una especial estructura básica secundaria en tercera persona con "se". Esta estructura convertida constituirá un esquema determinado según la base de donde parta la conversión:

(1) La constructora edifica muchas casas en este barrio
S V_t CD L
→ Se edifican muchas casas en este barrio.
V S L

(2) La constructora edifica mucho en este barrio → Se edifica mucho en este barrio.
S V_i A L
V A L

(3) La profesora ve a sus alumnas desde el despacho →
S V CD L
Se ve a las alumnas desde el despacho.
V CD L

Desde el punto de vista del significado, las tres oraciones convertidas no eliminan el agente sino lo dejan indeterminado. Desde el punto de vista formal se cumple que en (1), cuya oración base es transitiva, se constituye un esquema con sujeto, que es precisamente el complemento directo de la oración transitiva, y el verbo con "se"; en (2), no hay sujeto porque no hay complemento directo en la oración intransitiva de que se parte; y en (3) tampoco hay sujeto porque el complemento directo por la preposición diferenciadora que lleva, le impide convertirse en sujeto. Tradicionalmente, se llama a los esquemas (1) **de pasiva-refleja** y a los (2) y (3) **de impersonal refleja**. Evidentemente, la terminología disocia tres estructuras que están basadas en un mismo y común proceso de conversión. Según la naturaleza y carácter de la oración de base, se produce cada uno de estos dos esquemas.

Por su propia naturaleza, los esquemas que se han desarrollado en (1) llevan un sujeto inanimado, lo cual puede dar cierto carácter pasivo a la construcción. Sin embargo, cuando lo expresado por el verbo es un proceso que ocurre de manera espontánea, sin necesidad de un agente aislable, el mismo esquema que sirve para la indeterminación del agente se usa para la expresión medial. El sentido del esquema sólo se clarifica por el contexto. Se ha notado una cierta tendencia a situar el sujeto detrás del verbo en las llamadas pasivas-reflejas [Gili, 104] a diferencia de las de reflexivo medial que lo sitúan delante. Sin embargo, sólo el apoyo del contexto lingüístico o situacional puede deshacer el equívoco.

(4) Para este trabajo, se dobla el papel en dos.
(5) Este papel se rompe solo.

Mientras en (4) se presupone un agente que se indetermina, en (5) no hay alusión a agente alguno. Simplemente se subraya un proceso que se cumple en el sujeto. Esta duplicidad se puede dar en verbos como *desarreglar, romper, estropear, deslizar, cerrar, mojar, desmoronar, desconchar, filtrar, corroer, resquebrajar, agrietar, curar, incendiar, hundir, apolillar, abarquillar, doblar, decolorar, descoyuntar, desgastar, rajar, estrellar, apagar,* etc.:

> **expresan proceso**: [...] los tales versos no se prestan a burla (P. A. Alarcón, *El Escándalo,* 182); Petrel se asienta en el declive de una colina (Azorín, *Antonio Azorín,* 111); Mi primita aguarda, sin duda, a que esta propensión que tiene a amarme se convierta en amor ya hecho (J. Valera, *Las Ilusiones del doctor Faustino,* 168); La luz se cubría de infinidad de mosquitos (I. Aldecoa, *Pájaros y Espantapájaros,* 85); [...] las cosas no se dieron bien (Dolores Medio, *Nosotros, los Rivero,* 275); Se preparaba un día feo y desapacible (Palacio Valdés, *Marta y María,* 54); **expresan indeterminación de agente y toman valor pasivo**: Se eligen los caballos, se dan algunas reglas para la remonta; se considera, sin duda, la capacidad balística de las bombardas. Y más aún: se planta la tienda mayor, se abre la vía capitana, se abre la vía de la cruz, se trazan con exactitud otras vías. Se dibujan torreones, rastrillos, ballesteras [...] Se cuentan los carros de las vituallas (Mourlane Michelena, *El Discurso de las Armas y de las Letras,* 6); Le mentó la madre en una sota y se armó el San Quintín (I. Aldecoa, *Pájaros y Espantapájaros,* 87); A la cabeza de aquel gran lío de carruajes se veía el ruedo de gente (R. Gómez de la Serna, *El Incongruente,* 97).

El elemento nominal que acompaña al verbo convertido con "se", produce soluciones contradictorias en la lengua. Cuando se trata de verbos de lengua y el elemento nominal es la reproducción precisa de lo que se ha de decir o hablar, puede mantener su primitivo carácter de complemento directo y dejar de concertar con el verbo:

> Se dice buenas noches, marquesa (I. Aldecoa, *Con el Viento solano,* 8).

En consonancia con este hecho, que se podría considerar esporádico, es posible la integración del elemento nominal como complemento directo subrayando el carácter indeterminador del "se". De hecho, aparece impuesta en el habla la falta de concordancia cuando el sujeto pospuesto es múltiple:

> Pasábamos por las plazas donde se vendía pan y otras provisiones (*Lazarillo,* III); En el rostro de don Clemente descubríase nobleza de carácter y estrechez de inteligencia (R. Pérez de Ayala, *El Ombligo del Mundo,* 257).

En casos no bien sistematizados, la integración es posible. Así Bello cita los siguientes ejemplos de Moratín y Oliva a los que se puede añadir un tercero de la prosa actual:

> Si en la fábula cómica se amontonan muchos episodios, o no se la reduce a una acción única, la atención se distrae (Moratín); Unas veces se ama la esclavitud, y otras se la aborrece como insoportable (Oliva); A este tipo de pizarras llamamos de Lerilla, por ser aquí, un despoblado vecino de Ciudad Rodrigo, donde primero se las halló, y alcanzan a centenares las allí recogidas; pero también se las obtiene abundantes en Salvatierra de Tormes (M. Gómez Moreno, *Documentación goda en pizarra,* BRAE, XXXIV, 1954, p. 26).

Aunque la Academia censura la falta de concordancia, ésta no sólo se da sino que el elemento admite, según hemos visto, la integración pronominal. No faltan, por otra parte, gramáticos que defienden como válida precisamente la construcción que deja sin concordancia al verbo y al elemento nominal. Se trata, sin duda, de una construcción en proceso de fijación. El estado actual permite inventariar una serie de realizaciones posibles: (a) *Se hallaron pizarras en Lerilla/Se las halló en Lerilla*; (b) *Se da crédito a tus palabras*; (c) *Se veía en el almacén una enorme máquina y sus accesorios*; (d) * *Se vende zapatos*.

La forma (d) se considera vulgar y descuidada o, en último término, respondiendo a una ultracorrección. Las restantes son habituales en la lengua culta.

Las construcciones impersonales, ya por proceder de oraciones transitivas con complemento directo de persona, ya por proceder de oraciones intransitivas, no tienen valor pasivo y solamente el carácter de indeterminación señalado junto con el pasivo en el anterior esquema. No parecen admitir tal impersonalización las construcciones con *ser*. Cuervo [*Apunt.*, 339] censura construcciones como las de los siguientes ejemplos de Cervantes y Jovellanos:

> Si por ventura tenéis alguna doncella que vender se os será muy bien pagada (Cervantes, *Persiles y Segismunda*, I, cap. III); Suplicaron por conclusión que se les mandase reintegrar en los atrasos que se les eran debidos (Jovellanos, *Memorias del Castillo de Bellver*).

Tampoco la admiten ni los infinitivos, salvo cuando llevan predicativo, ni los reflexivos que no conocen otro tipo de construcción (*arrepentirse*). Sin embargo, pese a la censura normativa es creciente el uso de esta construcción con esquemas atributivos y con verbos con predicativo: *Se es español; Se está contento* (censurado como galicismo por Balart); *Se llega cansado*; etc. No obstante, estos usos son excepcionales.

La integración del elemento nominal de estas impersonales procedente de transitivas con complemento directo de persona se produce en el castellano peninsular por los pronombres *le/les, la/las.* Bello y Cuervo a la vista de la solución americana, consideran dativo tal integración y censuran el "empalagoso laísmo" de los españoles. Frente a Bello [791] y Cuervo [*Not.*, 106 y *Apunt.*, 336-337], la *Gram. Acad.* [279 *c*] y Gili [105] lo consideran acusativo.

7.6. Esquemas básicos transformados

Se han fijado los esquemas básicos de la oración simple sobre la convención de que se trata de enunciados afirmativos. Sobre dichas formas básicas se producen dos posibles transformaciones que afectan al esquema descrito, para conseguir los esquemas interrogativos y negativos.

7.6.1. Esquemas negativos *

La negación se consigue de una manera primaria sin variación del esquema entonacional y sintagmático por la

* B. de Boyssons-Bardies, "Négation syntaxique et négation lexicale chez les jeunes enfants", en *Langages,* n.º 16, 1969, pp. 111-118; N. Chigarevskaia, "Sur certains aspects de la négation en français contemporain (le rôle de la particule négative *pas*)", en *Le Français Moderne,* XXXV, 1967, pp. 286-297; Hans Flasche, "Studie zur Negation mit *no* im Sprachgebrauch Calderon's", en *Linguistic and Literary Studies in Honour of H. Hatzfeld,* Washington, 1964, pp. 129-148; D. Gaatone, *Étude descriptive du système de la négation en français contemporain,* Ginebra, 1971; D. Gazdaru, "Español *no más* y rumano *númai* en su desarrollo paralelo", en *Fil,* I, 1949, pp. 23-42; K. E. M. George, "Formules de négation et de refus en français populaire et argotique", en *Le Français Moderne,* XXXVIII, 1970, p. 307 y ss.; R. A. Haynes, *Negation in Don Quijote,* Austin, Texas, 1933; A. Kalik, "La caractérisation négative", en *Le Français Moderne,*

introducción del morfema *no,* delante del verbo núcleo ordenador de la oración:

(1) Voy a casa de mis padres→No voy a casa de mis padres.

La anulación del sujeto por medio del pronombre *nadie* impone la anulación del morfema *no* cuando el sujeto va antepuesto (*Nadie va a casa de mis padres*). La posposición de *nadie* restablece el morfema *no*: *No va nadie a casa de mis padres.*

El mismo comportamiento se produce con *ninguno* y *nada*: *Ninguno lo ha visto/No lo ha visto ninguno; No se sabe nada del asunto/Nada se sabe del asunto.*

Determinados refuerzos de la negación imponen comportamiento semejante: *De ninguna manera lo podrás saber/No lo podrás saber de ninguna manera.*

XXXIX, 1971, pp. 128-146; C. E. Kany, "American Spanish *no más*", en *HR*, XIII, 1945, pp. 72-79; Edward S. Klima, "Negation in English", en Fodor-Katz, *The Structure of Language,* 1964, pp. 246-323; E. L. Llorens, *La negación en español antiguo con referencia a otros idiomas,* Madrid, anejo XI de la RFE, 1929; V. Mathesius, "Double négation and grammatical concord", en *Mélanges de Linguistique et de Philologie offerts à Jacques van Ginneken,* París, 1933, pp. 79-83; Cristina Micusan, "Estudio comparativo sobre la sintaxis de la negación en el español actual frente al portugués y rumano actuales", en *EAc,* n.º 13, 1969, pp. 5-13; M. Molho, "De la négation en espagnol", en *Mélanges offerts à M. Bataillon,* Burdeos, pp. 704-715; Ivan Poldauf, "Some points on negation in colloquial English", en *A Prague School Reader in Linguistics,* 1964, pp. 366-374; M. L. Rivero, "Una restricción de la estructura superficial sobre la negación en español", en H. Contreras, *Los fundamentos de la Gramática transformacional,* México, Siglo XXI, 1971, pp. 91-134; Joan Solà, "La negació", en *Estudis de Sintaxi catalana/2,* Barcelona, Edicions 62, 1973, pp. 87-118; K. Wagenaar, *Étude sur la négation en ancien espagnol jusqu'au XVe. siècle,* Gröningen, 1930; Kare E. Zimmer, *Affixal negation in English and other languages,* suplemento de *Word,* XX, 1964.

7.6.2. Esquemas interrogativos *

La transformación interrogativa se consigue por medio de la entonación cuando son conocidos todos sus componentes y se pregunta por la validez de la totalidad del enunciado:

Tu padre irá pronto a París	¿Tu padre irá pronto a París? ¿Irá pronto a París, tu padre? ¿Irá tu padre pronto a París?

Al lado de este tipo de *interrogación total,* que exige una respuesta afirmativa o negativa —*sí* o *no*—, la lengua prevé la posibilidad de la *interrogación parcial* (v. 4.8.1.2) en la que se pretende identificar un determinado elemento oracional o un constituyente de un elemento. Las llamadas palabras interrogativas que actúan como pronombres, adjetivos o adverbios ocupan en el esquema el lugar del miembro desconocido que se pretende identificar. A esto se añade un particular esquema entonacional. La contestación rellena por decirlo así, el vacío conceptual marcado por el interrogativo:

¿*Quién* ha venido? S	—Ha venido *Pedro.* S
¿*Dónde* estás? L	—Estoy *aquí.* L

7.7. SINTAXIS DE LOS ELEMENTOS

Con cada uno de los elementos aislados en la primera segmentación de la oración, se puede proceder a una se-

* Vid. la nota bibliográfica al párrafo 8.4.

gunda segmentación para aislar los constituyentes, ya que el elemento puede ser **simple** (*El hijo reía*), **compuesto múltiple** (*El hijo y su amiguito reían*) o **compuesto incrementado** (*El hijo de mis amigos reía*). Tanto en el segundo como en el tercer casos los constituyentes responden a una determinada ordenación de unidades menores que el elemento.

En el segundo caso (*el hijo y su amiguito*), los constituyentes son de la misma importancia en el elemento. Esta identidad de importancia sintáctica dentro del elemento se marca mediante las palabras que forman la clase llamada conjunción (v. 6.3.0). En el tercer caso (*el hijo de mis amigos*), se destaca uno de sus constituyentes como **cabeza** o **núcleo** ordenador del elemento. La construcción del elemento es **endocéntrica** (v. 7.1.0). En toda construcción endocéntrica interesa fijar el núcleo ordenador cuya naturaleza morfológica fijará, a su vez, la naturaleza de los constituyentes seleccionados por el núcleo. La función que contrae el núcleo con sus incrementos está dominada por la función que el elemento contrae con el núcleo ordenador de la oración. Los incrementos y el núcleo que los impone, constituyen una unidad superior.

El segmento /*la casa blanca*/ está constituido por tres unidades menores: /*la*/, /*casa*/, /*blanca*/. El constituyente /*la*/, átono y plenamente fundido al segmento que le sigue, no tiene existencia independiente sin él; el constituyente /*casa*/ es, como sustantivo, miembro primario del elemento y forma con el anterior el núcleo del mismo; el constituyente /*blanca*/ es miembro secundario que se relaciona formalmente con el anterior constituyente por la concordancia en género y número. Este último constituyente forma con el segmento anterior un elemento que puede adoptar la función sujeto (*La casa blanca es grande*), complemento directo

(*Vi la casa blanca*), autónomo (*Estuve en la casa blanca*), etc., o bien incremento de cualquier elemento de base sustantiva (*La puerta de la casa blanca*).

7.7.1. Tipos de elementos por su núcleo

Según se ha dicho, interesa fijar la naturaleza morfológica del núcleo del elemento que puede ser un sustantivo como en el ejemplo utilizado (*la casa blanca*), un adjetivo (*No es capaz de comprenderlo*) o un adverbio (*Vive delante de tu casa*).

El ejemplo utilizado en el párrafo anterior será un elemento nominal constituido por un artículo (*la*), un sustantivo (*casa*) y un adjetivo (*blanca*). Coincide con otros muchos elementos como /*el perro grande*/, /*la cruz verde*/, etcétera. La descripción morfológica permite fijar los esquemas de cualquier elemento. Estos esquemas se llamarían, frente a los *esquemas oracionales* estudiados en la parte anterior, **esquemas elementales**. De la misma manera, se distinguirá en cada palabra su función elemental dentro del elemento de que forma parte —/*blanca*/ es un incremento en el elemento /*la casa blanca*/—, de su función oracional como constituyente de un elemento dentro de la oración en que aparezca.

7.8. Funciones del sustantivo*

La función de un sustantivo en castellano se marca por su posición, por las preposiciones y sus posibilidades de con-

* M. Arrive, "Structure morphologique des déterminants du Substantif", en *SELF*, 2 diciembre 1967; H. Backvall, "*Algo* y *nada* (+ *de*) + adjetivo en el castellano actual", en *Ibero-romanskt*, Estocolmo, II, 1967, pp. 76-93; Lester Beberfall, "The partitive indefinite cons-

mutación. Como se ha dicho, hay que distinguir su función oracional y su función elemental.

7.8.1. Función oracional del sustantivo

Se pueden distinguir tres dobles posibilidades tomando en cuenta (a) la presencia o ausencia de preposición, (b) la entonación y (c) la conducta respecto al verbo. La presencia de la preposición distingue al sustantivo prepositivo del sustantivo puro. Su carácter parentético y su entonación distinguen la función vocativa de la función completiva del sustantivo puro. En la función completiva se distingue el sujeto por su concordancia obligatoria con el verbo, de los integrables que pueden ser conmutados por los pronombres personales átonos.

A estas características marcas de función hay que añadir dos importantes: la presencia de una *a* discriminadora ante ciertos complementos directos y el complemento indirecto y la ausencia de preposición en ciertos elementos autónomos que expresan tiempo, como ocurre con los nombres de los

---

truction in the *Lusíadas*", en *H*, XLIII, 1960, pp. 246-248; L. Beberfall, "Some italian influence in Delicado's *La Lozana Andaluza*", en *H*, XLIX, 1966, pp. 828-830; Mark G. Goldin, *Spanish case and function*, Washington, Georketown University, 1968; W. Havers, *Untersuchungen zur Kasussyntax der indogermanischen Sprachen*, Estrasburgo, 1911; F. Kruger, *El argentinismo "es de lindo"*, Madrid, CSIC, 1960; J. Kurylowicz, "Le problème du classement des cas", en *Esquisses linguistiques*, 1960, pp. 131-150; R. Lapesa, "Los casos latinos: restos sintácticos y sustitutos en español", en *BRAE*, XLIV, 1964, pp. 57-105; L. Carlsson, *Le degré de cohésion des groupes subst.+de+subst. en français contemporain étudié d'après la place accordée à l'adjectif épithète. Avec examen comparatif des groupes correspondants de l'italien et de l'espagnol*, Uppsala, Acta Universitatis upsaliensia. Studia romanica upsaliensia, 3, 1966; D. Mohle, *Das Neufranzösische Adjektiv. Wortinhalt und sprachliche Leistung*, Munich, Freiburger Schriften zur romanischen Philologie, 15, 1968.

días de la semana, año, mes, semana o estación. En este último caso, el nombre de estación sólo se emplea con preposición y cuando se agrupa con un adjetivo puede ir sin preposición: *En primavera hizo buen tiempo/La primavera pasada hizo buen tiempo.*

7.8.2. El vocativo

El vocativo puede distinguirse por la presencia de un suprasegmento tonal característico que lo separa, juntamente con pausas marcadas, del resto de la comunicación (v. 2.8.2.6.5.). Sintácticamente, se asocia a interjecciones y, semánticamente, nombra a una segunda persona que puede coincidir con el sujeto de la oración o no:

> ¿No tiene usted frío, Montserrat? (C. J. Cela, *La Colmena*, 110); Mosén Millán, parece que en Madrid van a darle la vuelta a la tortilla (R. J. Sender, *Réquiem para un Campesino español*, 63).

7.8.3. Nombre sujeto

Se ha mantenido tenazmente la definición de sujeto acudiendo a razones semánticas. Se le ha definido como el agente de la acción, aunque hay verbos que no expresan acción y tienen sujeto. También se le define coincidiendo con el concepto de sujeto del juicio lógico, como la persona, animal o cosa de la que se dice algo. No se ha subrayado suficientemente, sin embargo, el hecho fundamental de su concordancia con el verbo. Cuando la concordancia no puede servir de guía en la descodificación, la comunicación resulta anfibológica como ocurre en los siguientes ejemplos que sólo se pueden entender cabalmente en su contexto:

Colgaban de los artesones cuencos de pedernal (G. Miró, *Figuras de la Pasión*, 216); Entre los negros y fríos troncos de las vides, saltaba una alfombra de amapolas amarillas (C. Laforet, *Mis Páginas mejores*, 60).

7.8.3.1. *Sujeto no concordado*

Por razones variadas de combinatoria sintáctica o por influjo del significado, no se realiza en el habla la concordancia del nombre sujeto y el verbo al que se asocia:

(a) El nombre colectivo en singular agrupado con artículo, demostrativo o posesivo, mantiene la concordancia; pero, cuando se agrupa con un indeterminado o va seguido de un incremento en plural, prefiere el verbo en plural. Hay, de manera expresa en este último caso y de manera implícita en el anterior, la alusión a un conjunto plural con nombres como *multitud, infinidad, tropa, pueblo*. No lo admiten colectivos como *regimiento, compañía, ejército, armada, congreso* [Bello, 818; Hans, 484; *Gram. Acad.*, 818].

(b) Nombres como *parte, resto, mitad, tercio* y los colectivos *veintena, docena, centenar*, etc., cuando aluden a conjunto de individualidades, llevan generalmente el verbo en plural [Bello, 820; *Gram. Acad.*, 212 c].

(c) En ocasiones, el nombre que expresa cantidad lleva un incremento con *de* que especifica la clase a que pertenece el conjunto que el núcleo menciona. Aunque lo censuran duramente los gramáticos, el verbo aparece concordado con el incremento. Lo mismo ocurre con *más, menos* o el intensivo *qué* [Bello, 819-821] (*Qué de pasiones se desencadenaban*):

Si las nubes del polvo que levantaban, no les turbara y cegara la vista [...] (Cervantes).

(d) En cambio, los nombres geográficos, como *las Asturias, Buenos Aires, los Madriles, las Hurdes* con forma plural fija, emplean indistintamente singular o plural en su concordancia con el verbo; pero, en general, domina el singular. En nombres de archipiélagos o cuando los del tipo antes citado van determinados, domina la concordancia adecuada en plural: *Las Baleares estaban cerca.*

(e) Cuando se trata de un sujeto constituido por la agrupación de varios sustantivos en enumeración se impone la concordancia plural [Bello, 830-831; Hans, 486].

De la misma manera, un nombre incrementado por otro con la preposición *con* puede emplear la concordancia en plural [Bello, 838]. Análogamente, cuando se emplea la sobrestructura *tanto... como, así como, como* [Bello, 838; Cuervo, *Dicc.*, II, 228].

(f) En la enumeración de manera general, frente al castellano clásico que tenía mayor libertad, el castellano moderno prefiere la concordancia plural casi sistemáticamente. Sólo se justifica el singular cuando los miembros enumerados guardan una cierta sinonimia [Bello, 833]. Si la serie enumerativa va pospuesta al verbo, sólo se impone el plural cuando se les considera a todos los miembros de la enumeración actuando a la vez y como conjunto. En otras ocasiones se utiliza la concordancia con el primer miembro de la enumeración [Bello, 832; Bouz, 553].

(g) Paradójicamente, cuando se trata de dos nombres enlazados por la disyuntiva *o*, se prefiere el plural, aunque el sentido haría presumible el singular [Bello, 837].

(h) Un caso aparte lo constituyen las construcciones con *se* de indeterminación de agente (v. 7.5.3).

(i) Un caso especial también lo constituye el verbo *ser*, que tiende a concordar con el elemento que le sigue inmediatamente. La atracción del predicado es general en las lenguas románicas [M-L, III, 417]. Suele ocurrir cuando el sujeto está separado por otros elementos del verbo o cuando el verbo *ser* tiene valor identificativo en que los elementos son intercambiables [Bello, 823; Hans, 487; *Gram. Acad.*, 210 *c*]:

> La soledad inmensa que aflige al alma son setecientas leguas de arena y cielo, silencio y calma (Zorrilla, *Álbum de un Loco*); La demás chusma del bergantín son moros y cristianos (Cervantes, *Quijote*, II, 63) [ambos ejemplos citados por la *Gram. Acad.*].

7.8.3.2. *Sujeto con preposición*

El sustantivo en función de sujeto, como en función de complemento directo, puede aparecer precedido de las preposiciones *hasta* y *entre*:

(a) A este particular uso de *hasta* se le ha llamado cuasiafijo [Bello, 1.246-1.247] por el especial énfasis que da al elemento de que forma parte. Coincide este uso de *hasta*, al frente de cualquier elemento sustantivo e incluso al frente de toda una comunicación, con el de *aun* e *incluso*. Por otra parte, *hasta* puede aparecer tras la copulativa *y* encabezando el último miembro de una enumeración para subrayar enfáticamente que, contra lo que pudiera suponerse, dicho miembro forma parte también de la enumeración. Cuando en esta enumeración se prescinde de todos los miembros anteriores al último, porque el hablante entiende que están suficientemente sobrentendidos, resulta la construcción que se comenta aquí. Aunque existía ya en la lengua clásica, ha sido principalmente la lengua moderna la que ha desarrollado más su uso [Hans, 497; *Gram. Acad.*, 333]:

> [...] hasta los cocineros lo utilizan en sus preparaciones (J. Camba, *La Casa de Lúculo*, 36); [...] y hasta sus caudales le parecen *supérfludos* por no decir de sobra (Pereda, *Don Gonzalo González de la Gonzalera*, 170).

(b) La preposición *entre* reúne en la expresión las entidades personales que intervienen de consuno en la realización de algo o a las que algo les ocurre al mismo tiempo. Históricamente, la preposición introduce elementos autónomos o marginales. Su valor complementario se pone de relieve en la lengua clásica por el empleo de las formas complementarias del pronombre personal. Así en *La Celestina* (2.º acto) se dice: "*Entre esta mi señora y mí es necesario intercesor o medianero*". Después, en esta misma función complementaria, los pronombres serán sustituidos por las formas plenas (*entre esta señora y yo*).

Por otra parte se ha notado que desde el *Poema del Cid* aparece el elemento encabezado por *entre* como desarrollo y precisión del sentido de un sujeto expreso o tácito:

> Entre Rachel e Vidas aparte yxieron amos (v. 191); Entre Minaya e los buenos que hí ha/acordados foron quando vino la man (v. 3.058).

Este carácter de especificación del sujeto se pierde en la medida que el hablante busca la identidad del sujeto y expresa la acción conjunta de varios protagonistas de los sucesos que se enuncian. Se puede suponer que se trata de un sujeto aparente especificador del sujeto real, desarrollo significativo del mismo:

> Entre el corregidor y D. Diego de Cañizares y D. Juan de Avendaño se concertaron que D. Tomás se casase con Constanza (Cervantes, *La Ilustre fregona*).

7.8.4. Incrementos del sustantivo

Los incrementos que puede recibir un sustantivo núcleo ordenador de un elemento, cualquiera que sea la función oracional de éste, son (1) prepositivo, (2) adjetivo, (3) sustantivo en aposición.

ELEMENTO

NÚCLEO	+	INCREMENTO
SUSTANTIVO La casa		ADJETIVO blanca
SUSTANTIVO La Virgen		SUSTANTIVO Niña
SUSTANTIVO La casa		PREPOSITIVO de los azulejos
ADJETIVO Bueno		ADVERBIO
ADJETIVO Largo		PREPOSITIVO de piernas

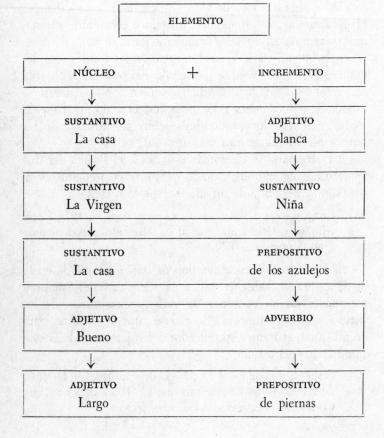

7.8.5. Nombre incremento prepositivo, de otro nombre

Los segmentos nominales prepositivos que incrementan al sustantivo en cualquiera de sus posiciones en la oración, emplean como marca más típica la preposición *de*, que viene a heredar, de hecho, en nuestra lengua los usos del genitivo latino junto con otros que se asimilaron a éste en el latín vulgar. El uso de otras preposiciones se explica por el influjo en el ánimo del hablante de las construcciones más frecuentes de base verbal, es decir, de los elementos prepositivos en torno al verbo.

Este hecho se produce por dos vías: (a) por una exigencia interna de la parte lexemática del sustantivo que postula, para su incremento la misma preposición que exige cuando se realiza como verbo: *llegó a casa*→ *la llegada a casa*; (b) por una particular nominalización de una secuencia verbal, es decir, de una sucesión de segmentos incrementadores de un verbo que se enuncia fuera de la noción del tiempo, generalmente, con referencia a algo dicho anteriormente o, cuanto menos, sobrentendido fácilmente: *un hombre montaba a caballo*→ *un hombre a caballo*→ *un hombre de a caballo.*

Este último tipo de nominalización es cada vez más frecuente, a causa sin duda del particular estilo de los grandes medios de comunicación y la publicidad. Cuervo [*Dicc.*, I, 6 *a*] observaba ya que en ejemplos como "*Nota al artículo IV*" es como si se dijera "*Nota puesta al capítulo IV*". Por su parte, S. F. R. [p. 131] habla de relajación de estas construcciones cuando "el régimen depende de un verbo elíptico y el nombre no es verbal".

Con mucho, las preposiciones más ricas en matices y de

mayor índice de frecuencia son las preposiciones *a* y *de* que se estudiarán en primer lugar.

7.8.5.1. *Prepositivos con "a"*

Suele aparecer en ciertas nominalizaciones con el objeto directo o indirecto de verbos cuyo lexema incorpora un sustantivo abstracto. El agente puede incorporarse con la preposición *de*:

> Perduraba en su alma de hombre de campo el respeto a la legitimidad del matrimonio (Blasco Ibáñez, *Sangre y Arena*, 214); El temor a las consecuencias [...] la mantuvo en vela (Dolores Medio, *Nosotros, los Rivero*, 273); Mi saludo a todos (Valle-Inclán, *Los Cruzados de la Causa*, 93).

Toma carácter de objeto indirecto, cuando el sustantivo al que incrementa es sentido como complemento directo de un verbo. El agente puede introducirse de la misma manera como posesivo o como incremento con *de* subjetivo:

> Justamente, la única afición de Belarmino al arte zapateril consistía en restaurar calzado viejo (R. Pérez de Ayala, *Belarmino y Apolonio*, 91); Omito las duras reprimendas de Gregoria a la criada (P. A. Alarcón, *El Escándalo*, 195); [...] y se verían realizadas las reformas que el grande hombre había prometido en su famosa exposición a la Reina (Galdós, *Mendizábal*, 105).

Con sustantivos que indican movimiento o acción, el incremento prepositivo con *a* viene a expresar el lugar hacia donde la acción se realiza (dirección) o el lugar donde se produce la acción:

> Creyó entrever la llegada a su casa (Caballero Bonald, *Dos días de Septiembre*, 121); [...] quiere ocultarme sus recientes inclinaciones al cristianismo (Galdós, *Zumalacá-*

rregui, 177); Vengo de ver los cañones de la entrada a la bahía (M. F. de la Reguera, *Héroes de Filipinas,* 176).

Otros incrementos resultados de nominalización son construcciones de sentido modal. El término de la preposición es el sustantivo o éste precedido de artículo (*a la perfección, a lo Napoleón*), o bien un adjetivo sustantivado:

Al ver a Machín de nuevo, comprendí que se había declarado entre los dos una guerra a muerte (P. Baroja, *Las Inquietudes de Shanti Andía,* 275); Les mandaba un oficial a caballo (E. Quiroga, *Tristura,* 278); Soy un obrero a destajo (Dolores Medio, *Nosotros, los Rivero,* 158); Una de las invenciones más funestas del siglo diecinueve es la invención de la anestesia, invención de la que se derivan los robos al cloroformo, los suicidios a la cocaína, los asesinatos al éter, y, peor que todo ello, las operaciones quirúrgicas al éter, la cocaína, el cloroformo, etc. (J. Camba, *Sobre casi todo,* 117).

Cuando el sustantivo introducido por *a* es el nombre del agente, la construcción toma un marcado sentido galicista que, sin embargo, se va imponiendo en construcciones de sentido unitario: *calefacción a gas, aviones a reacción,* etc.

Con nombres como *espalda, cara,* etc., el sustantivo introducido por la preposición expresa el lugar de relación acerca del cual el sustantivo núcleo de la construcción adopta una situación:

Se volvió de espaldas a la luz (Caballero Bonald, *Dos días de Septiembre,* 120).

7.8.5.2. *Prepositivos con "de"*

La preposición *de* llega a transponer la categoría del sustantivo que introduce hasta igualarla a la de un término secundario análogo al adjetivo cuyo comportamiento sintáctico toma: (a) se combina en serie con adjetivos, (b) admite la sustantivación por medio del artículo, (c) admite igualmente la temporalización por medio del verbo *ser*, (d) puede construirse con las mismas preposiciones que introducen adjetivos en los elementos concordados con *por*, (e) llega a ser sinónimo de un adjetivo de su mismo lexema (*hombre ingenioso/hombre de ingenio*).

Se hace a continuación un inventario de las principales relaciones suscitadas por la presencia del complemento con *de*:

(a) Se establece una estrecha relación entre el sustantivo que sirve de núcleo de la construcción y el término introducido por la preposición. El término introducido por la preposición expresa el poseedor o el todo al que pertenece o de que forma parte el sustantivo nuclear de la construcción:

> Martín pasa las noches en casa de su amigo (C. J. Cela, *La Colmena*, 79); [...] estaba alojado en Estella en casa de unas viejas solteronas (P. Baroja, *Zalacaín, el Aventurero*, 193); [...] vaciaba el tintero del escribiente en la olla donde se cocía la cecina (Galdós, *Juan Martín, el Empecinado*, 144); Las suelas de los zapatos habían absorbido agua (I. Aldecoa, *Pájaros y Espantapájaros*, 37); Aunque imberbe aún, el chico imitaba las maneras de los adultos (R. J. Sender, *Réquiem para un Campesino español*, 53); En el fondo de la copa, quedaban unas gotas de coñac (J. García Hortelano, *Nuevas Amistades*, 163); "Cara rajada" se hincó las uñas en la piel de sus muñecas (G. Miró, *Nuestro Padre San Daniel*, 115); Las abundantes hojas de las acacias estaban polvorientas (J. García Hortelano, *Nuevas Amistades*, 114); ¡Tráeme el tabaco del bolsillo de la chaqueta! (C. J. Cela, *La Colmena*, 161);

Todo fue bien hasta la mañana del domingo (Galdós, *Juan Martín, el Empecinado*, 129).

Puede la relación estar invertida. Entonces el sustantivo, núcleo de la construcción, expresa el poseedor o el todo a que pertenece el término introducido por la preposición:

El señor del castillo era un follón y mal nacido caballero (Cervantes, *Quijote*, I, 3).

Cuando en la relación de posesión el incremento es nombre de persona, puede integrarse por medio de los posesivos: *el libro de mi tío → su libro*. Para evitar la anfibología del posesivo se duplica el sentido del posesivo mediante el complemento con *de*: *su → de usted*.

(b) El término introducido por *de* puede expresar el origen, procedencia, patria, domicilio o lugar donde se ejerce un mandato: *vino de Valdepeñas*; *gobernador de Barcelona*, etcétera. Puede expresar igualmente la causa o el destino o empleo que se hace del sustantivo nuclear:

Desde la abadía, Mosén Millán, leyendo su breviario, oía el ruido de las birlas chocando entre sí (R. J. Sender, *Réquiem para un Campesino español*, 54); Un lobo de estos montes es más leal que los canallas que se pasan al enemigo (Galdós, *Juan Martín, el Empecinado*, 146); Salió de Tolosa y tomó el camino de Anoeta (P. Baroja, *Zalacaín, el Aventurero*, 133); [...] balanceaba las llaves del contacto (J. García Hortelano, *Nuevas Amistades*, 156).

En relación con este sentido, aparece en diversos tipos de denominaciones de personas, familias, ciudades, villas, accidentes geográficos, etc., con frecuencia en competencia con la aposición. La aposición se impone, continuando la tradición latina que es general, en los nombres de ríos, en accidentes geográficos, establecimientos, instituciones. Se emplea también la aposición con la numeración de los años, siglos, etc. (*el año de 1970/el año 1970*). Con *monte*, la vacilación llega hasta hoy (*monte Caro/monte de Caro*). Con nombres de ciudad, villa, pueblo, etc., el uso prepositivo es dominante. En cambio, con nombres de instituciones o establecimientos —convento, teatro, estadio, etc.— o calles, plazas, etc., se vacila en el lenguaje hablado, aunque en el escrito suele dominar el uso prepositivo:

> Llévame a la carrera de San Jerónimo (C. J. Cela, *La Colmena*, 81); Pasaron por el portal de Santiago, entraron en la calle Mayor (P. Baroja, *Zalacaín, el Aventurero*, 177); Al final de esta calle se encontraron con la iglesia del Santo Sepulcro (*id.*, 189); Martín se detuvo frente al palacio del duque de Granada, convertido en cárcel (*id.*, 188).

El apellido con *de* se emplea referido a *señor*, *familia*, etcétera, uso que va perdiendo igualmente terreno (*los de Castro*; *señora de Castro*). En el siglo pasado y todavía hoy, se emplea para marcar nobleza por influjo francés, expresando linaje conocido.

El mismo valor denominativo se encuentra como incremento de *color* con la misma vacilación entre construcción con preposición y aposición:

> Usted llevaba un carrik de color de canela (G. Miró, *Nuestro Padre San Daniel*, 216).

(c) Otra relación entre núcleo e incremento puede expresar por medio del término de la preposición la materia (*olla de barro*) o el contenido (*vaso de agua*) del referente representado por el sustantivo nuclear de la construcción. Afines a éstos serán todos los prepositivos de carácter descriptivo (*mujer de ojos grandes*).

> [...] había un lugar en las afueras [...] en la base de una cortina de rocas que daba al mediodía (R. J. Sender, *Réquiem para un Campesino español*, 51); [...] aquí le habían dado por toda comida un caldo de berzas (P. Baroja, *Zalacaín, el Aventurero*, 193); Encartó un jugo de frutas y palillos (J. García Hortelano, *Nuevas Amistades*, 114); Fue ella quien llevó la noticia de la piedad de Paco por la familia agonizante (R. J. Sender, *Réquiem para un Campesino español*, 52).

Entre los predicativos de carácter descriptivo, tiene particular interés aquel en que el término de la preposición expresa cantidad con la que se mide anchura, edad, etc. En estas construcciones suele aparecer el adjetivo que expresa la naturaleza de la medida que fija el prepositivo: *calle de tres metros de ancho*. Cuervo [*Dicc.*, II, 787] censura la expresión *una calle ancha de setenta y dos pies*. El adjetivo debe introducirse por medio de *de* y toma un claro valor sustantivo: *de ancho, en ancho*. En la lengua hablada, se siente el valor predicativo del adjetivo y se le suele hacer concertar indebidamente: *una fosa de veinte pies de ancha*.

(d) Puede expresarse idea de situación por medio de un incremento introducido por *de*. Esta idea de situación toma dos formas según que el referente que se ha de situar sea núcleo de la construcción (*la casa de delante*) o término de la preposición (*el interior de la casa*). En correspondencia, la información situadora —núcleo o término prepositivo— puede ser un adverbio:

> [...] salió don Magín de su parroquia por el portillo del hostigo (G. Miró, *Nuestro Padre San Daniel*, 99); El vecino de al lado preguntaba (C. J. Cela, *La Colmena*, 87); Salió a la arena guapamente, y se quedó plantado en mitad de ella (Blasco Ibáñez, *Sangre y Arena*, 163); [...]

y desde los labios corría por lo interior de su cuerpo (Palacio Valdés, *Marta y María*, 164); Casi toda la gente se apartó de las inmediaciones de la iglesia (P. A. Alarcón, *El Niño de la Bola*, 242).

(e) Con ciertas semejanzas en la construcción con el anterior, se emplean los elementos en que el núcleo expresa cantidad por medio de numerales o pronombres cuantitativos y el término introducido por la preposición *de* expresa la naturaleza del objeto cuantificado por el núcleo:

Gregorio, sin soltar a Julia, abrió una de las portezuelas (García Hortelano, *Nuevas Amistades*, 157); Juan es uno de ellos (*id.*, 88); [...] dijo que en su choza no tenían ni siquiera un poco de leña para hacer fuego (R. J. Sender, *Réquiem para un Campesino español*, 51); Julia y la mujer debían haber permanecido algo de tiempo en el portal (García Hortelano, *Nuevas Amistades*, 156).

En las construcciones con *algo* toma un cierto carácter partitivo y, en la lengua hablada en algunas regiones, se llega a concertar el pronombre con el sustantivo —*una poca de agua*—. Para Cuervo [*Dicc.*, II, 765 *b*] se ha producido la fusión de dos construcciones: *un poco de agua* + *poca agua* → *poca de agua*. En la época clásica se encuentra algo semejante con *mucho*:

Muchas de cortesías y ofrecimientos pasaron entre don Álvaro y don Quijote (Cervantes, *Quijote*, II, 72).

(f) El término de la preposición *de* expresa la naturaleza de los componentes individuales del colectivo o nombre de cantidad que actúa de núcleo del elemento:

Había tenido [...] multitud de pretendientes (J. Valera, *Doña Luz*, 25); [...] despierta en la fantasía un enjambre de pensamientos dulces y vagos (Palacio Valdés, *La Hermana San Sulpicio*); En el viaje que yo fui de grumete naufragaron una porción de barcos (P. Baroja, *Las Inquietudes de Shanti Andía*, 195); En el recinto enorme, multitud de puestos cerrados ofrecían un aspecto muerto (C. Laforet, *Nada*, 179); Pocas veces se ha visto una congregación de fieles tan apenados (P. Baroja, *Zalacaín, el Aventurero*, 193);. [...] la generalidad de los niños empiezan diciendo papá y mamá (Galdós, *Juan Martín, el Empecinado*, 142).

(g) Una particular construcción con *de* lleva como núcleo un nombre que semánticamente actúa como aposición valorativa o especificadora del sustantivo que funciona como término de la preposición *de*. Se emplea en frases enfáticas para encarecer la cantidad, intensidad o por el contrario en frases peyorativas, afectivas, etc. (v. 7.9.5):

con nombres abstractos: [Los mulos] se hubieran comido una barbaridad de cebada (J. Valera, *Doña Luz*, 16); Aunque Isabel hacía milagros de arreglo y economía, el considerable gasto cotidiano quitaba al establecimiento mucha savia (Galdós, *Fortunata y Jacinta*, I, 69); ¡Bravo! Muy precioso. Una monada de vestido (Linares Rivas, *La Garra*, 20); [...] eran el único amor de mi tía y fueron el mío también [...] siete gatos preciosos, un amor de gatos (J. Benavente, *Ni al Amor ni al Mar*, 20); Mal que bien con su mierda de poco dinero podía seguir nuestra vida (García Hortelano, *Nuevas Amistades*, 88); **en frase peyorativa**: ¿Te consideras capaz de torear a ese cabestro de Juan? (García Hortelano, *Nuevas Amistades*, 89); ¡Bastante entiende de eso la lechuza de tía Eulalia! (F. Urabayen, *La Última Cigüeña*, 158).

Afín a esta construcción es la que une un pronombre exclamativo al sustantivo *diablos* o *demonios* que actúa como núcleo del esquema y que, semánticamente, cualifica al término de la preposición *de*:

¿Qué diablos de ciudad, fortaleza o castillo dice v. m.? (Cervantes).

(h) Por último, el esquema lleva como núcleo un nombre del que existe verbo o adjetivo que imponen régimen con *de*. La solución es general en la lengua clásica, sin embargo hay vacilación y competencia con el uso de otras preposiciones en la lengua actual. Parece que se prefiere la mayor puntualización de sentido con otras preposiciones más expresivas:

Bueno, Miguel, no tienes necesidad de insultarme (I. Aldecoa, *Pájaros y Espantapájaros*, 31); Pero su alma vive en una perpetua captación de emociones (G. Marañón, *Raíz y Decoro de España*, 149); Si continuaba así iba a subir en busca de la escopeta (Blasco Ibáñez, *Sangre y Arena*, 211); Doña Socorro no quería apresurar las cosas, esperando la llegada de los soñados príncipes que sus hijas se merecían (Á. Ganivet, *Los Trabajos del infatigable creador Pío Cid*, I, 101); ¿Le parece a usted que salgamos en busca de ese canalla? (Galdós, *Juan Martín, el Empecinado*, 146).

La Gramática ha distinguido entre lo que llamaba *genitivo subjetivo*, cuando equivalía al sujeto de la acción aludida por el nombre núcleo de la construcción, y el *genitivo objetivo* que equivalía al complemento directo de dicha acción. La anfibología de tales construcciones se resuelve únicamente por el contexto.

7.8.5.3. *Con otras preposiciones*

He aquí los casos más característicos y frecuentes con las principales preposiciones restantes:

bajo: Los imagino por las calles, apresurándose con sus grandes carteras bajo el brazo (J. Goytisolo, *Duelo en el Paraíso*, 44).

con expresa fundamentalmente compañía y contenido. Además introduce grupos marginales. Agrupa con el nombre no sólo el contenido real y material (*armario con libros*) sino los sentimientos (*hombre con malas intenciones*). Agrupa con un sustantivo todo aquello que forma parte de él:

Me pasó a un cuarto pequeño con una ventana que daba al muelle (P. Baroja, *Las Inquietudes de Shanti Andía*, 193); [...] y fue introducido en una habitación pequeña con luces al patio medianero (Galdós, *Mendizábal*, 119); [...] entró en una habitación con dos estanterías a media altura (Caballero Bonald, *Dos días de Septiembre*, 123); [...] y a usté con toos sus capitales le sacan de una plaza con los pies pa alante (Blasco Ibáñez, *Sangre y Arena*, 223); Dos bedeles con sotana y birreta paseábanse en el claustro (Valle-Inclán, *Sonata de Primavera*, 23); El castillo aquel era de piedra labrada y de torres con arcos (P. Baroja, *Las Inquietudes de Shanti Andía*, 248).

El desarrollo del contenido con la preposición *con* puede introducirse formando período entonacional independiente, que se marca en el escrito por las comas que lo limitan y traducen las pausas:

La barca deslizábase a lo largo de la Dehesa y pasaban rápidamente ante ella las colinas areniscas, con las chozas de los guardas en su cumbre (Blasco Ibáñez, *Cañas y Barro*, 16); [...] el suelo crujía, espeso, con sus piedrecitas blancas, al pisarle (E. Quiroga, *Tristura*, 60); Síguenle otro hombre y un mozuelo, entrambos de blusón blanco, con sendas banastas sobre la testa (R. Pérez de Ayala, *Belarmino y Apolonio*, 172); El Incongruente, sorprendido, pero con ese dominio de sí que le caracterizaba, se estableció en el coche con decisión (R. Gómez de la Serna, *El Incongruente*, 98).

En otros casos se trata de nominalizaciones en las que el núcleo del esquema es complemento verbal en secuencia con el introducido por la preposición *con* (*Tuvo una discusión con Pedro→Su discusión con Pedro*):

Mis relaciones con Dolores se averiguarían en seguida (P. Baroja, *Las inquietudes de Shanti Andía*, 129); [...] te di parte de mi proyectada boda con Pepe Güeto (J. Valera, *Doña Luz*, 167); Tenía [...] algunas ideas supersticiosas acerca de las afinidades del pueblo español con los espléndidos crespones rameados de mil colores (Galdós, *Fortunata y Jacinta*, I, 41); Le daba cuentas del encuentro con D. Narciso (Á. Ganivet, *Los Trabajos del infatigable creador Pío Cid*, I, 112); Oíamos dentro tacos, insultos. Carreras y tropezones con los muebles (C. Laforet, *Nada*, 132); [...] la convivencia íntima de unos meses con otro ser humano, [...], deja en nosotros huellas (G. Marañón, *Raíz y Decoro de España*, 156).

en en las nominalizaciones sigue expresando la significación de lugar que le es característica. Otras veces sobrentiende un participio de *hacer, meter*, etc., para significar el modo. A veces constituye locuciones de cierta fijeza:

Se le clavaba en el alma aquel rostro contraído y angustiado de Jesús en la cruz (A. Palacio Valdés, *Marta y María*, 163); En este movimiento, Navarro Ledesma representaba la tradición castiza, la rebusca del ideal nacional en la continuidad profunda y clásica de nuestra solera (G. Marañón, *Raíz y Decoro de España*, 147); Las grandes nubes escarlatas, los stratus obscuros en forma de peces, acabaron por ocultar el sol (P. Baroja, *Las Inquietudes de Shanti Andía*, 258); De las paredes colgaban tan sólo tres cuadros, un aguafuerte y dos grabados en sepia, con mucho margen, [...] (R. Pérez de Ayala, *Troteras y Danzaderas*, 22); Era todavía un hombre en pleno vigor, grueso, fuerte, de facciones nobles, de pelo gris (P. Baroja, *Las Inquietudes de Shanti Andía*, 254).

contra: Tenemos leyes contra la blasfemia, tenemos disposiciones contra ciertas propagandas políticas, tenemos ordenanzas contra los galanteadores de señoras; pero ¿quién nos defiende de los lateros? (J. Camba, *Sobre casi nada*, 54); Resultaba excitante en cierto sentido aquella rebelión contra sí mismo (García Hortelano, *Nuevas Amistades*, 155).

entre: [...] iba gruñendo con el rabo entre piernas (C. Laforet, *Nada*, 133); Realmente, los dos desmoralizábamos el baile [...]; yo, saltando pesadamente con la gracia de un oso blanco entre los hielos (P. Baroja, *Las Inquietudes de Shanti Andía*, 265).

hacia: Sus mimos, sus cuidados hacia don Joaquín eran incesantes (J. Valera, *Genio y Figura*, 149); [...] y resistía resignado aquel baño abundante de vulgaridad más por su conveniencia y para no soltar las amarras con el mundo que por interés didáctico hacia el avechucho (R. Pérez de Ayala, *Belarmino y Apolonio*, 90).

para: [...] las cámaras para la marinería, en el sollado y castillo de proa eran muy capaces (P. Baroja, *Las Inquietudes de Shanti Andía*, 198).

por: El marqués exponía las observaciones de su sabiduría, adquirida en interminables cabalgadas por la llanura andaluza (Blasco Ibáñez, *Sangre y Arena*, 159); No le pareció prudente al capitán intentar el paso por el estrecho de Magallanes (P. Baroja, *Las Inquietudes de Shanti Andía*, 244).

sin: Sentía un desconocido dolor y enojo de sí mismo, sin mezcla de generosidad (G. Miró, *Las Cerezas del Cementerio*, 179); [...] tu hijo es todavía una criatura sin reflexión (Á. Ganivet, *Los Trabajos del infatigable creador Pío Cid*, 73).

sobre: En nuestros estudios sobre la vida sexual y sobre el trabajo y el deporte o el juego como funciones biológicas, hemos hecho alusiones repetidas al vestido y al adorno (G. Marañón, *Vida e Historia*, 122); Mejor que la observación de la vida es la acción sobre la vida (Á. Ganivet, *Los trabajos del infatigable creador Pío Cid*, I, 170).

7.8.6. La aposición

El término **aposición** se emplea para designar la actuación de un sustantivo o adjetivo sustantivado que entra en relación con otro sustantivo sin acudir a transpositores prepositivos. El sustantivo en aposición desempeña una función secundaria comparable, a veces, a la del adjetivo, o, simplemente, añade su significación a lo significado por el sustantivo que sirve de base de la construcción: *el pastor poeta*; *don Anselmo González, capitán general de la provincia*.

Su función en la frase puede ser: (a) la de un incremento de un nombre con el que forma unidad entonacional. El sustantivo en aposición concuerda en número, pero no siempre en género. Puede llegar a formar con él un todo único con valor de palabra compuesta; (b) la de una adyacencia predicativa que va marcada por pausa en la expresión hablada y por coma en el escrito. Entonacionalmente, el tono de la enunciación baja sensiblemente y, muchas veces, toma las características tonales del paréntesis.

7.8.6.1. *Aposición adjunta*

La aposición adjunta forma unidad tonal con el nombre núcleo de la construcción. Su utilización se justifica por diversas razones y responde a diversos esquemas:

(a) Tiene valor denominativo cuando el sustantivo nuclear es genérico o común y la aposición es un nombre propio con el que se le distingue de manera particular. Se corresponde y opone a la adyacencia apositiva clasificatoria, en la que el nombre común pasa a ser aposición de un nombre propio:

> El bombardino Peláez se las daba de listo (C. J. Cela, *Molino de Viento,* 61); Por la zapatería caían de visita, periódicamente, Pedro Barquín, el cura Chapaprieta, el magistrado don Hermenegildo Asiniego y otros claros varones de la urbe (R. Pérez de Ayala, *Belarmino y Apolonio,* 96); Jerusalén hincaba los contornos de sus torreones, de sus cúpulas, de los macizos de mármoles del Templo, de la fortaleza Antonia (G. Miró, *Figuras de la Pasión,* 19); Empujaba los cuerpos con su dedo índice derecho (I. Aldecoa, *Pájaros y Espantapájaros,* 31); La palabra magno le cuadra como al mar, como al cielo y como a mi corazón (Juan Ramón Jiménez, *Platero y Yo,* 106).

Tienen el mismo valor denominativo los sobrenombres constituidos por adjetivos sustantivados con artículo. Y en el mismo orden hay que situar los apellidos que acompañan al nombre de pila:

> Esa noche cenaban en la casa de Simón el leproso (G. Miró, *Figuras de la Pasión,* 20); Y al irme hacia mi casa topé con Blasillo el bobo (Unamuno, *San Manuel Bueno, mártir,* 64).

(b) Tiene carácter aditivo la aposición que suma su aporte significativo al del núcleo del grupo. Con mucha frecuencia dan lugar a palabras compuestas en casos específicos en que su uso se impone (*casa cuna*, *ciudad jardín*, *mujer-cañón*, *pez espada*, *pájaro mosca*, *mesa camilla*, etc.):

> [...] y de la brasa de su pasión sintió que brotaba una llama de un claro amor de mujer madre (G. Miró, *Las Cerezas del Cementerio*, 184); Tenía una risa infantil de hombre niño (P. Baroja, *El Laberinto de las Sirenas*, 261); Pero el hombre delfín no viene (P. Baroja, *La Ciudad de la Niebla*, 174); [...] como sombras duendes, se les iban de las manos (Valle-Inclán, *Viva mi dueño*, 34).

(c) Toma carácter descriptivo la aposición cuando caracteriza y puntualiza de muy variadas maneras la intención significativa del sustantivo, al que incrementa puntualizando inequívocamente cómo ha de ser entendido:

> [...] ni una liebre brincaría por allí sin que sus ojos linces de cazador la avizorasen (Pardo Bazán, *Novelas y Cuentos*, I); Allá en el fondo cerraban el horizonte las gigantes cresterías de la sierra (R. León, *Alcalá de los Zegríes*, 313); Lacedemonias... A mí eso me suena a demonios hembras (R. Pérez de Ayala, *Luna de miel, Luna de hiel*, 158); Nada [...] pudo notar la persona más lince (J. Valera, *Genio y Figura*, 149).

Toman un especial sentido valorativo fijaciones como *vida padre*:

> [...] estos gandules se dan la vida padre (R. F. de la Reguera, *Héroes de Filipinas*, 107).

Una agrupación apositiva muy frecuentada en el español actual por las características del estilo apresurado del habla comercial, se construye con un nombre apuesto que clasifica o fija el *modelo*, *estilo*, *hechura* por medio de un sustantivo denominador. Con frecuencia, la aposición se da en secuencia de tres hombres: *traje hechura sastre*:

> [...] y siguió después por un campo de lentisco, saliendo vencedora de esos obstáculos la motocicleta último modelo (R. Gómez de la Serna, *El Incongruente*, 107); No habrá oído usted decir punta a la madrileña, tacón Isabel II o hechura española, como se dice punta a la florentina, zapato Richelieu, tacón Luis XV, hechura inglesa (R. Pérez de Ayala, *Belarmino y Apolonio,* 101); Verdad que tenía el cabello casi enteramente blanco; el cual más parecía empolvado conforme al estilo Pompadour que encanecido por la edad (Galdós, *Fortunata y Jacinta,* I, 169).

7.8.6.2. *Aposición predicativa*

La aposición en este caso toma una función respecto al verbo idéntica a la del segmento nominal a que se refiere, y va siempre marcada por pausa. Se le ha llamado también *aposición explicativa*. En general, este tipo de aposición se presenta con marcada intención retórica, con el fin de destacar un determinado aspecto del núcleo. Otras veces se justifica, en la lengua hablada, por el propósito de evitar malas interpretaciones del sustantivo núcleo de la construcción, como una clarificación del mismo significado por medio de otro significante que es sinónimo:

(a) Es frecuentemente reiterativa, repetición de sentido del núcleo. Esta reiteración ocurre en estilo descriptivo de tipo literario. La repetición del mismo sustantivo permite la introducción de nuevas caracterizaciones distintivas sin sobrecargar la incrementación del sustantivo nuclear y la extensión de la construcción:

> Cuanto veía con los ojos, al escapar por la calle, confundíase en su interior con los recuerdos de otro tiempo, re-

cuerdos vagos, perdidos en unos días todos lluviosos, tristes, [...] (Valle-Inclán, *Los Cruzados de la Causa*, 69).

Frente a la anterior, de carácter dominantemente literario, la reiteración se da en la lengua hablada como un inciso para introducir una calificación de carácter enfático:

Y cuando las gentes, ¡las pobres gentes!, se van a misa los domingos (Juan Ramón Jiménez, *Platero y Yo*, 162).

La reiteración permite, en el estilo literario, enlazar nuevas calificaciones referidas a un sustantivo que es a su vez complemento de otra construcción:

El huerto daba sobre los esteros del río, un huerto triste, con matas de malva olorosa y cipreses muy viejos, donde había un ruiseñor (Valle-Inclán, *Los Cruzados de la Causa*, 61); Sonó el timbre y los cuatro carillones de las tiendas de automóviles y motocicletas, tiendas en las que el negocio es tan grande que se anuncia como con música (R. Gómez de la Serna, *El Incongruente*, 105); El Dragón era, como he dicho, una urca, una urca coquetona y elegante (P. Baroja, *Las Inquietudes de Shanti Andía*, 198); El sol de Madrid, ese sol que saca ronchas en la piel, se encargaba de desinfectar aquella madriguera (P. Baroja, *La Busca*, 74).

La reiteración puede ser solamente semántica. La aposición recoge un valor semántico de los que suscita el núcleo a que se refiere:

[...] y así se pasaba el tiempo hasta las doce, hora en que le traían a don Eduardo su almuerzo (Galdós, *Mendizábal*, 104). El bombardino Peláez se las daba de listo y diplomático, virtudes ambas que rara vez suelen coincidir (C. J. Cela, *Molino de Viento*, 61).

(b) En concurrencia con las proposiciones de relativo, la aposición puntualiza el significado del núcleo por medio de una predicación identificadora de la base de la construcción:

> Para Sánchez Gómez, aquel Proteo de la tipografía, la palabra imposible no existía en el diccionario (P. Baroja, *Mala Hierba*, 111); Silverio, en el patio, se dedicaba a requebrar a Candelita, la doncella de Beatriz (R. León, *Alcalá de los Zegríes*, 88); Don Galán, el bufón del mayorazgo, les tiró un puñado de lodo (Valle-Inclán, *Los Cruzados de la Causa*, 75); Muy digno de estudio me parece este comentario materno, clave y norma del carácter y de la conducta posterior y futura de Soledad (P. A. Alarcón, *El Niño de la Bola*, 189).

Este esquema es clasificatorio cuando inscribe un término individual dentro de un nombre de clase o género. Este mismo esquema clasificatorio puede tomar valor hipotético o condicional cuando ambos miembros del esquema no se identifican:

> Yo, Gobernador, [...] me dispondría rápidamente a destruirlo con unas cuantas disposiciones higiénicas (J. Camba, *Sobre casi todo*, 76).

(c) El núcleo del esquema apositivo sirve para retardar, muchas veces con clara intención estilística, el enunciado justo por medio de un término que lo caracteriza de alguna manera:

> La familiaridad con el peligro había transfigurado nuestra naturaleza, al parecer, con un elemento nuevo: el desprecio absoluto de la materia y total indiferencia de la vida (Galdós, *Zaragoza*, 179); Ahora que para morar de por vida en casa de huéspedes, como para profesar en una orden religiosa, necesitase asimismo una cualidad rara, aunque no tan rara entre españoles: vocación ascética (R. Pérez de Ayala, *Belarmino y Apolonio*, 8).

(d) La aposición puede estar constituida por una enumeración cuando el nombre que actúa de núcleo de la construcción está en plural o se refiere a un conjunto de clases o posibilidades:

> *Cucharón* había reunido, lleno de mimo, todos los papeles: partida de nacimiento, certificado de penales, cédula de vecindad [...] y tres fotografías tipo carnet (C. J. Cela, *Molino de Viento,* 58); Apagábanse lentamente los rumores que poblaban la noche: el barboteo de las acequias, el murmullo de los cañaverales, los ladrillos de los mastines vigilantes (Blasco Ibáñez, *La Barraca*, 5).

La aposición enumeratoria puede tomar forma distributiva, introduciendo o bien elementos descriptivos correspondientes a cada uno de los miembros de la distribución o bien elementos circunstanciadores:

> La ciudad vieja, rodeada por la antigua cintura de murallas, flanqueadas por torreones, obscuros y negruzcos: unos, cuadrados; otros, redondos; algunos, ya casi completamente derruidos, aparecía como un pólipo (P. Baroja, *El Laberinto de las Sirenas*, 121); Cada cual a lo suyo: el uno al lago y el otro a aplastar terrones (Blasco Ibáñez, *Cañas y barro,* 34).

7.8.6.3. *Aposición oracional*

Tras una oración, un sustantivo que total o parcialmente recoge el significado de la oración que le precede sirve para introducir de hecho nuevas puntualizaciones. Concurre, con frecuencia, con las proposiciones explicativas de relativo con *cual* o *que* con artículo neutro (*lo cual, lo que*):

> La vi meter la mano en el bolsillo derecho del chaleco y asomarse a él la culata de un revólver: vista que redobló

mi susto y mis esfuerzos para desviarme (Pardo Bazán, *Insolación,* 55); [...] mas percatándose después de que todo el zipizape provenía de chismes y enredos, obra del ingenioso *intellectus* de aquella lumbrera complutense, [...], la emprendió con éste (Galdós, *Juan Martín, el Empecinado,* 139).

7.9. Funciones del nombre adjetivo*

Según se notó, el adjetivo es la especialización predicativa del nombre fijada en el léxico por razones de frecuencia. Su uso en el enunciado es por definición esencialmente predicativo, dicho de algo o alguien. Las diferentes maneras como realiza la predicación han sido señaladas desde antiguo. Dificulta su exposición la falta de fijeza de la terminología empleada. Muchos de los términos tienen dos acepcio-

* Wilfred A. BEARDSLEY, "Use of adjectives by the Spanish Mystics", en *H,* XI, 1928, pp. 29-41; Denise BERNOT, "L'épithète en birman. Contribution à l'étude des langues sans catégorie adjectivale", en *La Linguistique,* VII, 1971:1, pp. 41-54; J. Donald BOWEN y Robert P. STOCKWELL, "The Apocopation of certain adjectives in Spanish", en *H,* XXXIX, 1956, pp. 341-350; Edmundo GARCÍA GIRÓN, "La adjetivación modernista en Rubén Darío", en *NRFH,* XIII, 1959, pp. 345-351; A. KALIK, "La caractérisation négative", en *Le Français Moderne,* XXXIX, 1971, p. 128 y ss.; R. LAPESA, "Sobre las construcciones *con sola su figura, Castilla la gentil* y similares", en *Ibérida,* III, 1961, pp. 83-95; R. MARTIN, "Problèmes de l'adjectif", en *Le Français Moderne,* XXXIX, 1971, p. 101 y ss., L. MICHELENA ELISSALT, "Aspecto formal de la oposición nominativo/acusativo", en *CEC(3),* 1968, pp. 145-148; R. NAVAS RUIZ, "En torno a la clasificación del adjetivo", en *Strenae,* 1962, pp. 369-374; R. OROZ, "Sobre los adjetivos derivados de apellidos en la lengua española", en *Boletín de Filología* de la Universidad de Santiago de Chile, IX, 1956-1957, pp. 105-120; G. SOBEJANO, *El epíteto en la lírica española,* Madrid, Gredos, 1956; Leo SPITZER, "El sintagma *Valencia la bella*", en *RFH,* VII, 1945, pp. 259-276. **Sobre posición del adjetivo**: Karl ARNHOLDT, *Die Stellung des attributiven Adjektivs im Italienischen und Spanischen,* Romanisches Museum. Schriften und Texte zur romanischen Sprach- und Literatur-

nes que cuentan con indudable arraigo. Términos como *atributivo* o *atributo* o *epíteto* han podido señalar el mismo uso del adjetivo inmediatamente unido al sustantivo y, al mismo tiempo, un especial tipo de adjetivo que desarrolla una cualidad implícita en el sustantivo (*epíteto*) o el elemento nominal incorporado por el verbo copulativo (*atributo*). Sólo con el propósito de clarificar y delimitar cada una

---

wissenschaft, IX Heft, 1916; M. ARRIVE, "Attribut et complément d'objet en français moderne", en *Le Français Moderne*, XXXII, 1964, p. 241 y ss.; F. BAR, "L'accumulation des épithètes en français écrit d'aujourd'hui", en *Le Français Moderne*, XXXIX, 1971, pp. 103-118; G. G. BROWNELL, "The position of the attributive adjective in the Don Quixote", en *RHi*, XIX, 1908, pp. 20-50; William E. BULL, "Spanish Adjective position: The theory of valence classes", en *H*, XXXVII, 1954, pp. 32-38; Eugène FAUCHER, "La place de l'adjectif. Critique de la notion d'épithète", en *Le Français Moderne*, XXXIX, 1971, pp. 119-127; Hans FLASCHE, "Problemas de la sintaxis calderoniana (la transposición inmediata del adjetivo)", en *Archivum Linguisticum*, 1964, pp. 54-68; M. GLATIGNY, "La place des adjectifs y épithètes dans deux oeuvres de Nerval", en *Le Français Moderne*, XXXV, 1967, p. 201 y ss.; M. GLATIGNY, "Remarques sur la détermination et la caractérisation dans quelques textes littéraires", en *Le Français Moderne*, XXXII, 1964, p. 1 y ss.; XXXIII, 1965, p. 109 y ss.; G. GOUGENHEIM, "La place de l'adjectif épithète en français et la traduction automatique", en *Problèmes de la traduction automatique*, pp. 83-88; A. KALIK, "L'expression des rapports de déterminé à déterminant/ adjectifs de relation/", en *Le Français Moderne*, XXXV, 1967, p. 270 y ss.; L. MORAWSKA, *L'adjectif qualitatif dans la langue des symbolistes français (Rimbaud, Mallarmé, Valéry)*, Poznau, 1964; Erwin REINER, *La place de l'adjectif épithète en français. Théories traditionnelles et essai de solution*, Viena, Stuttgart, Wiener romanistische Arbeiten, VII, 1968; Elise RICHTER, *Zur Entwicklung der romanischen Wortstellung aus der lateinischen*, Halle, 1903; Elbert Winfred RINGO, "The Position of the Noun Modifier in Colloquial Spanish", en *Descriptive Studies in Spanish Grammar*, 1954, pp. 49-72; G. ROBERTS BAXRON, *The epithet in Spanish poetry of the romantic period*, Iowa, 1936; Biondi SCIABONE, "Sur la place de l'adjectif en français moderne", en *ZRPh*, XCI, 1967, pp. 583-598; U. STEPHANY, *Adjectivische Attributkonstruktionen des Französischen*, Munich, Structura, 1, 1970; K. WYDLER, *Zur Stellung des attributiven Adjektivs vom Latein bis zum Neufranzösischen*, Berna, Romanica Helvetica, 53, 1956.

ADJETIVO	*adjunto:*			La casa **blanca**
	adyacente	independiente:		**Concluido** el negocio, se despidieron
		Dependiente	de sujeto	**Cansado** del viaje, Manuel llegó a su casa
				Manuel, **cansado** del viaje, llegó a su casa
				Manuel llegó **cansado** del viaje a su casa
			de CD:	Trajo **frito** el pescado
	conexo	predicativo:		Sigue **enfermo**
		atributo:		Está **enfermo**
		concordado:		A Miguel lo tienen por **decidido**
	prepositivo:			Lo suspendían **por travieso**
				De súbito, se levantó
				No tiene nada **de bueno**

de las funciones se rehúye aquí la terminología usual y se propone otra parcialmente nueva.

Se distinguen con bastante claridad cuatro funciones caracterizadas de la siguiente manera: (a) el adjetivo **adjunto** que aparece fuertemente ligado al nombre con el que llega a fundirse, a veces, con unidad de sentido como un compuesto (*casa grande*; *Semana Santa*); (b) el adjetivo **conexo** [Sobej., p. 127] que se atribuye al sustantivo por medio de un verbo (*es bueno*); (c) el adjetivo **adyacente**, que constituye una predicación de cierta independencia con gran libertad posicional y que puede ser *independiente* o *absoluto* (*concluido el negocio, se fueron*) cuando se refiere a un sustantivo ajeno a la oración o *dependiente*, cuando se refiere, separado por pausas, a un sustantivo miembro de la oración; (d) el adjetivo **prepositivo**, cuando es introducido por medio de preposición como incremento de un pronombre o como elemento oracional autónomo.

7.9.1. Adjetivo adjunto

Va directa e inmediatamente unido al sustantivo con el que ordinariamente forma unidad entonacional. Puede situarse delante o detrás del sustantivo y en algunos casos formar unidad de sentido con él:

> **con unidad de sentido**: Los triunfos de su amor propio no le impedían ver que debajo del trofeo de su victoria había una víctima aplastada (Galdós, *Fortunata y Jacinta*, I, 166); **con sustantivo en diversas funciones**: [...] las cosas pequeñas y de transporte fácil sustituían a las de mayor tamaño (J. Goytisolo, *Duelo en el Paraíso*, 12); A los diez y seis años hice un viaje no muy feliz a Terranova, de grumete (P. Baroja, *Las Inquietudes de Shanti Andía*, 195); El médico las resumió con una frase entre

amarga y viril (R. F. de la Reguera, *Héroes de Filipinas*, 208).

Desde un punto de vista léxico, el adjetivo adjunto toma fácilmente significados secundarios que se fijan en determinadas y características construcciones. Así ocurre entre otros con *valiente*, *bueno*, *dichoso*, etc.:

> **dichoso**: [...] estoy seguro de que si te trajera el dichoso aderezo te reirías en grande (A. Palacio Valdés, *Marta y María*, 38); **maldito**: [...] si la Pilar no me hace ni maldito el caso (C. J. Cela, *Molino de Viento*, 33); A mí no me hizo maldita la gracia (R. F. de la Reguera, *Héroes de Filipinas*, 74); Ningún santo del cielo le hacía ya maldito caso (Galdós, *Misericordia*, 247); Tuvo de ella dos hijos como dos oseznos de Andara, de cuya educación no se cuidó cosa maldita (Pereda, *Peñas Arriba*, 204); **valiente**: [...] ¡Valiente don Juan estás tú hecho! (G. Martínez Sierra, *Tú eres la Paz*, 149).

7.9.2. Adjetivo conexo

Se ha distinguido tradicionalmente entre el adjetivo que califica directamente al sustantivo y el que funciona a través de un verbo. En principio, se entenderán como conexos, los que constituyen el atributo de los esquemas de los verbos *ser*, *estar*, *parecer* y *semejar*, que pueden ser conmutados por *lo* neutro, los elementos concordados introducidos por las preposiciones *de* o *por* que incrementan semánticamente a determinados verbos, y, por último, en límite con los que aquí llamamos adyacentes, los tradicionalmente conocidos como predicativos:

> En la ciudad todos acusaban de liviana arrepentida a doña Beatriz (G. Miró, *Las Cerezas del Cementerio*, 203).

Los tradicionalmente llamados predicativos se refieren, como se ha visto en otra parte (v. 7.3.1), al sujeto o al complemento directo, cuando semánticamente matizan con puntualizaciones modales el significado del verbo con el que aparecen y con el que tienen una mayor o menor cohesión que puede llegar a la unidad de sentido. De hecho, el predicativo viene a ser una predicación secundaria adyacente a la principal.

Algunos adjetivos en este uso toman formas particulares y fijas que se trasladan a otras posiciones. Tal es el caso que se consigue con el participio *hecho* con verbos como *tener*, *encontrar*, *estar*, etc.:

> La que se me ponga otro calzado que no sea las alpargatitas de cáñamo, ya me tiene hecha una leona (Galdós, *Fortunata y Jacinta*, I, 71).

7.9.3. Adjetivo adyacente

Se distingue aquí como adyacencia la predicación secundaria constituida por un adjetivo que alcanza temporalización transferida por el verbo dominante de la frase y que puede situarse delante del sujeto, entre el sujeto y el verbo o detrás del verbo. En cualquiera de sus posiciones va claramente marcado por pausas y, cuando va pospuesto al sujeto, concurre con las proposiciones de relativo.

Por la función del soporte, estos adjetivos adyacentes pueden ser independientes o absolutos cuando su soporte no es miembro de la oración y constituye una frase que se contrasta con ella y puede tomar valores temporales, causales, etc. En otro caso es dependiente de un sustantivo miembro de cualquier elemento oracional. En este caso puede situarse en límite con el adjetivo adjunto. Semánticamente se distingue por expresar situación, manera, etc., y, en general, aspectos exteriores y momentáneos en relación con la esencialidad del sustantivo que califican.

La adyacencia independiente que se sitúa en cabeza de frase tiene según se acaba de decir valor causal o temporal:

> [...] escalado el Parlamento, su famosa oratoria hizo lo demás (F. Urabayen, *La Última Cigüeña*, 100); [...] cogida del ramal, le apretaba el bocado (I. Aldecoa, *Con el Viento solano,* 31); Atado por el rabo el vencedor de Europa, los chicos querían llevarlo al mercado (Galdós, 158); Aprobado este plan, Fago mandó apartarse más hacia Occidente (*id., Zumalacárregui*, 98).

El soporte puede ir antepuesto y la adyacencia unida por *y* a la oración:

> [...] una maniobra mal hecha, una cuerda rota y la goletilla iba al fondo del mar (P. Baroja, *Las Inquietudes de Shanti Andía,* 286).

Toma carácter descriptivo cuando se la destaca entre pausas en el interior del enunciado:

> Una cogujada desde la pared de pizarras de una cerca se lanzó, ceñido el vuelo, ondulando plegada a los accidentes del espacio (P. Caba, *Las Galgas,* 24); El enjuto don Cástulo se ponía en pie, abiertos los brazos, con la faz arrebatada de los místicos (R. Pérez de Ayala, *Luna de miel, Luna de hiel,* 208); Se volvió asustada, alocado el corazón (R. Cajal, *Juan Risco,* 84); [...] el gato, rizado el pelo, asombrados los ojos, se aprestó a la fuga (Fernán Caballero, *La Gaviota,* 68); Bernardo de Valbuena y el buen Ercilla conducían a Clío desmayada y casi moribunda, el peinado deshecho, el brial roto, y las narices hinchadas y sangrientas (L. F. de Moratín, *La Derrota de los Pedantes*).

En algunos casos, esta construcción absoluta puede unirse mediante la preposición *con* y mantiene el mismo carácter descriptivo.

Por su parte, la adyacencia dependiente adquiere igualmente gran relieve descriptivo cuando, separada por pausa, se sitúa delante del soporte:

> Cohibidos, y aunque encarcelados en sensaciones distintas, los dos juzgaban la reanudación de su trato, violenta y forzada (R. Cajal, *Juan Risco,* 177); En un rincón del patio, amparada por el hueco de la escalera, una pareja susurraba con los cuerpos pegados uno contra otro (Caballero Bonald, *Dos días de Septiembre,* 206).

Detrás del soporte, entre pausas y especialmente cuando se la deja situándola en el campo del predicado verbal, mantiene el mismo carácter descriptivo de predicación secundaria:

> Aquella vieja mendiga, temblorosa bajo el capuz del manteo, parecía hecha de tierra (Valle-Inclán, *Los Cruzados de la Causa,* 139); Y otra vez la niña, recatada y modesta, tocó en el brazo de la madre (*id.*, 123); [...] él, indeciso, comenzó a pasear arriba y abajo (G. Martínez Sierra, *Tú eres la Paz,* 173); Ella, horrorizada, me dijo que no tuviese cuidado (P. Baroja, *Las Inquietudes de Shanti Andía,* 278); Las baterías enemigas, arrimadas a la cota, cada vez más impacientes, agravaban la cuestión (R. F. de la Reguera, *Cuerpo a tierra,* 54); [...] y sólo las flores frescas, esparcidas en búcaros de cristal, salpicaban con sus tonos fuertes la estancia (R. Cajal, *Juan Risco,* 132).

Cuando se sitúa en el campo estructural del predicado verbal, queda en límite, como se ha dicho, con el predicativo tradicional, del que se distingue por su afinidad semántica de relación con el verbo cerca del cual se relaciona de manera semejante a un adverbio:

> [...] no pude reprimir una risilla nerviosa que murió apresada entre mis dientes (Arce, *Pintado en el Vacío*, 79); Los otros lo miraron perplejos, indecisos, y de pronto empezaron también a cantar (R. F. de la Reguera, *Cuerpo a tierra*, 127); Carlos apenas si probaba bocado y su madre le insistía, más interesada siempre por la salud de sus hijos que por la clasificación que merecieran sus estudios (R. Cajal, *Juan Risco*, 130); Carlos, después del almuerzo, se despidió apresuradamente, cargado de libros (*id.*, 131); Esther seguía mirándome pero de distinto modo: entre enojada y sorprendida (Arce, *Pintado en el Vacío*, 79); Machín levantó la cabeza, asombrado del tono del médico (P. Baroja, *Las Inquietudes de Shanti Andía*, 278).

Toda una serie de adjetivos neutralizan sus categorizadores y actúan como adverbios (v. 4.9.1.2).

7.9.4. Adjetivos prepositivos

Salvo en el caso de los que constituyen elementos causales en los que es patente su valor predicativo, en los demás casos es posible interpretarlos, como se ha hecho con algunos, como sustantivos o adjetivos sustantivados. Como causal es introducido por las preposiciones *de* y *por*:

> ¡Qué cerezal, tía Lutgarda, el de Posuna! ¡El del cementerio ya resulta negro de tan apretado! (G. Miró, *Las Cerezas del Cementerio*, 108); [...] cruza algún capellán, cayéndosele el manteo de tan apresurado por buscar el sosiego umbroso del archivo de la Abadía (*id.*, 93); La salud de doña Luz era insolente de buena (J. Valera, *Doña Luz*, 46); [...] y si allí me lo quieren cobrar por irreverente, enhorabuena pase yo por algo por esta cria-

tura (G. Miró, *El Obispo leproso*, 120); [...] si le cogen los faiciosos, le afusilan por desertor (Galdós, *Zumalacárregui*, 158); Las tinturas que usaba, [...], eran la envidia del mayor por lo finas y exquisitas (Palacio Valdés, *Riverita*, 122).

Un valor distinto tiene el adjetivo que se introduce por medio de la preposición *de* referido a los pronombres *algo*, *nada*, *poco*, *bastante*, etc., construidos principalmente con los verbos *haber* o *tener*:

[...] Madrid no tenía ya nada de típico (J. Camba, *Sobre casi todo*, 76); Nada de particular, creo yo (C. Laforet, *Nada*, 156); Hay en la vida de estas viejas ciudades algo de plácido y arcaico (Azorín, *Antonio Azorín*, 149); Y había algo de cierto en esto (P. Baroja, *César o Nada*, 260).

Con valor modal y un cierto sentido denominativo aparecen determinados adjetivos introducidos por preposición. En algunos casos, concurren con adverbios en *-mente* con el mismo lexema, y, en ocasiones, llegan a ser sinónimos:

Los triunfos y los descalabros se compartían por igual (Galdós, *Cánovas*, 120); Entendiólo, y de firme, la Galusa (Pereda, *La Puchera*, 429); A menudo, ni la ley puede castigarlos por este crimen (J. Valera, *Genio y Figura*, 124); De nuevo adivinaba en el terreno los signos manifiestos de una huida (J. Goytisolo, *Duelo en el Paraíso*, 17); ¡Oh!, no crea que facilitan las cosas; en absoluto (*id.*, 68); En los ojos de doña Rosita asomaba a menudo un numen jovial y malicioso (R. Pérez de Ayala, *Luna de miel, Luna de hiel*, 128); Don Críspulo desapareció en breve tras un recodo que hacía el camino de Seronete (Á. Ganivet, *Los Trabajos del infatigable creador Pío Cid*, I, 50); [...] la encierra herméticamente dentro del casco, aislándola así por completo de todos los ruidos exteriores (J. Camba, *Sobre casi nada*, 35); Cuando llegaba a casa, siempre en las primeras horas de la madrugada, le rendía el sueño en seguida (Dolores Medio, *Nosotros, los Rivero*, 271); De súbito, [...], lanzó el gaucho varios feroces reniegos (J. Valera, *Genio y Figura*, 114); En el baile del Apóstol, muy animado por cierto, no hubo nadie que te interesase (Pérez Lugín, *La Casa de la Troya*, 160).

7.9.5. Casos especiales *

Dos casos particulares de la sintaxis del adjetivo lo constituyen el valor vocativo del mismo y el uso sustantivado con un complemento de nombre sustantivo con preposición *de*.

En el primer caso, el adjetivo que puede ir con artículo se distingue entonacionalmente del resto del enunciado en que aparece y va dirigido o bien al interlocutor al que denomina y califica al mismo tiempo o a un sustantivo del enunciado como su aposición:

* E. Alarcos Llorach, "Grupos nominales con /de/ en español", en *Studia Hispanica in honorem R. Lapesa*, I, Madrid, 1972, pp. 85-91; O. Deutschmann, "Un aspect particulier des constructions nominales du type *ce fripon de valet* en espagnol", en *Biblos*, XV, 1939, pp. 171-258; A. Eskenazi, "Quelques remarques sur le type *ce fripon de valet* et sur certaines fonctions syntaxiques de la préposition *de*", en *Le Français Moderne*, XXXV, 1967, pp. 184 y ss.; R. Lapesa, "Sobre las construcciones *el diablo del toro, el bueno de Minaya, ¡ay de mí!, ¡pobre de Juan!, por malos de pecados*", en *Fil*, VIII, 1962, pp. 169-184; M. Regula, "Encore une fois *ce fripon de valet*", en *RLiR*, XXXVI, 1972, pp. 107-111; J. Thomas, "Syntagmes du type *ce fripon de valet, le filet de sa mémoire, l'ennui de la plainte*", en *Le Français Moderne*, XXXVIII, 1970, pp. 294 y ss., y 412 y ss.; F. Yndurain, "Notas sobre frases nominales", en *Studia Hispanica in honorem R. Lapesa*, I, Madrid, 1972, pp. 609-618.

Y es que papá, el pobre, no sirve para este teje maneje (Hermanos Álvarez Quintero, *Los Galeotes*, 193); —¿A quién habéis visto? —A la Madre Escolástica, ¡la pobre siempre tan buena y tan cariñosa! (Valle-Inclán, *Sonata de Primavera*, 112); [...] yo, pobre de mí, ¿qué le voy a decir? (Galdós, *Zumalacárregui*, 73); ¿Qué es de su vida de usted, perdulario? (Pérez Lugín, *La Casa de la Troya*, 118); Ven acá, harto de sangre, [...] Ven acá, Candiola de los demonios (Galdós, *Zaragoza*, 95); ¡Y cómo desafinan los malditos! (Pardo Bazán, *Insolación*, 103).

En la segunda construcción citada, forma cabeza de elemento el adjetivo con artículo y el incremento con *de* es precisamente el sustantivo al que el adjetivo califica (v. 7.8.5.1., f):

Es que tiene el estómago fuerte y la pícara de ella se los traga (P. Baroja, *Las Inquietudes de Shanti Andía*, 187); [...] contestó el bueno de don Elías, muy resentido (Pereda, *La Puchera*, 174); El bueno de Fago pudo observar que, [...], sacaban de las casas cuanto podía servirles para reforzar los parapetos (Galdós, *Zumalacárregui*, 27); Además de las fincas, la boba de Isabel dejó escapar un título (J. García Hortelano, *Nuevas Amistades*, 163).

7.9.6. Incrementos del adjetivo

Sirven para graduar, matizar y describir el modo de la calificación o caracterización expresada por el adjetivo, los adverbios y locuciones adverbiales:

Los ojos de todos, como si fuesen dispositivos graduables a voluntad, se volvieron hacia el camino (J. Goytisolo, *Duelo en el Paraíso*, 29); Pues poco bonito será este espectáculo (Galdós, *Cádiz*, 46); Aquella prisa le parecía poco cristiana (R. J. Sender, *Réquiem para un Campesino español*,

49); Su cuerpo enjuto parecía templado al fuego y al agua y modelado después por el martillo (Galdós, *Juan Martín, el Empecinado*, 67); ¿No eran bien elocuentes tantas y tan extrañas coincidencias acumuladas en tan breve tiempo? (Pereda, La *Puchera*, 181).

De diferente tipo y con una mayor variedad de manifestaciones son los incrementos constituidos por un sustantivo introducido por preposición o un infinitivo, igualmente prepositivo. Cuando el adjetivo es verbal (participio), el uso de preposiciones coincide notablemente con el verbo:

a: El sargento [...] andará entre los bancos atento a todo lo que diga el oficial (A. López Salinas, *Año tras Año*, 159); Los codos del hérode, no inferior a Aquiles en el valor, se parecían a los de un escolar (Galdós, *Juan Martín, el Empecinado*, 68); Los campesinos hablaban de cosas referentes al trabajo (R. J. Sender, *Réquiem para un Campesino español*, 39); [...] estoy decidido a no permitirlo (Galdós, *Gerona*, 158); Los políticos, los escritores y los cómicos estaban expuestos continuamente a sus picaduras de cínife (P. Baroja, *Locuras de Carnaval*, 185); [...] y como yo las tomaba en serio, dispuesto al ataque, me dijo: No sea usted majadero (*id.*, 113); [...] sin otro encanto que el de una juventud próxima a desaparecer (Blasco Ibáñez, *La Barraca*, 22); [...] y la llevaron [la res] sobre sus hombros y ya cercanos a la Puerta de Sussa, surgieron los alaridos de las trompetas de oro (G. Miró, *Figuras de la Pasión*, 33); **con**: Comparado con los de hoy, aquel barco daría risa (P. Baroja, *Las Inquietudes de Shanti Andía*, 198); En diciembre pasamos de Aragón a tierra de Guadalajara, fatigados con las repetidas acciones y las penosas marchas (Galdós, *Juan Martín, el Empecinado*, 125); Llegóse el anciano vestido con túnica suelta de color de la amatista (G. Miró, *Figuras de la Pasión*, 30); **de**: Ni las mismas de Santoña y de Ceuta eran merecedoras de tanta fe! (Pereda, *La Puchera*, 181); [...] venían de las Américas los barcos abarrotados de onzas de oro y de perlas preciosas (*id.*, 164); ¿Dónde están aquellos burros de Lucena, de Almonte, de Palos, cargados de oro líquido [...] (Juan Ramón Jiménez, *Platero y Yo*, 183); Llevan a Martín a un cuarto [...] con las paredes cubiertas de un papel lleno de manchas negras de humo (P. Baroja, *Zalacaín, el Aventurero*, 178); Había también allí piernas de cristos desprendidas de los cuerpos (R. J. Sender, *Réquiem para un Campesino español*, 46); Lo que haya de cierto en todo eso es muy difícil de averiguar (C. J. Cela, *La Colmena*, 212); Josefina me miraba en silencio, compadecida de mi dolorosa perplejidad (Galdós, *Gerona*, 189); Es una mujer moderna muy digna de estudio (P. Baroja, *Locuras de Carnaval*, 111); Levantó don Magín la faz enharinada de amarillo (G. Miró, *El Obispo leproso*, 264); [...] Platero, harto de dormir, rebuzna largamente (Juan Ramón Jiménez, *Platero y Yo*, 274); Un hombre envidioso es capaz de todo (Galdós, *Juan Martín, el Empecinado*, 145); **en**: [...] vi pasar por la ventana a monsieur Dupont con *Almirante* enganchado en su *charret*, calle Nueva arriba, entre la lluvia (Juan Ramón Jiménez, *Platero y Yo*, 226); [...] en algunos portales convertidos en talleres de curtidores se veían filas de pellejos colgados (P. Baroja, *Zalacaín, el Aventurero*, 189); [...] la gente vivía en unas cuevas abiertas en la roca (R. J. Sender, *Réquiem para un Campesino español*, 47); [...] y si Paulina afanada en los preparativos de sus adornos, no acudía puntualmente a la hora del rosario, la disculpaba siempre (G. Miró, *El Obispo leproso*, 211); **entre**: Le llamé, con el alma dividida entre una animosa esperanza y un inmenso dolor (Galdós, *Gerona*, 187); Mira [...] cómo torna a navegar por la cuneta el barquito de los niños, parado ayer entre la yerba (Juan Ramón Jiménez, *Platero y Yo*, 285); **para**: [...] era un barco moderno para la época (P. Baroja, *Las In-*

quietudes de Shanti Andía, 197); Las aguas grandes y libres prometían una tierra clara, virgen siempre para un semita (G. Miró, *Figuras de la Pasión*, 30); **por**: Llamó mi atención, perdida por las flores de la vereda, un pajarillo lleno de luz (Juan Ramón Jiménez, *Platero y Yo*, 85); Aquí tienes los tormentos inventados por los hugonotes (G. Miró, *El Obispo leproso*, 299); Allí moraba don Elías con su mujer, tullida por el reuma (Pereda, *La Puchera*, 124); **sobre**: Tenía un tipo repulsivo, chato, de mirada oblicua, pómulos salientes, la boina pequeña echada sobre los ojos (P. Baroja, *Zalacaín, el Aventurero*, 182); Detrás de nosotros, tendido sobre un gran arcón de pino, estaba un hombre (Galdós, *Juan Martín, el Empecinado*, 67).

8. SINTAXIS COMPUESTA: I

SUBORDINACIÓN

8.0. LA SINTAXIS COMPUESTA*

En la parte anterior se han tratado de fijar los esquemas de la oración simple y los de los elementos, cuando éstos estaban organizados por la acción de una palabra caracterizada como sustantivo, adjetivo o adverbio. Se entra en el dominio de la sintaxis compuesta cuando (a) uno de los elementos, por lo menos, es una secuencia ordenada por un verbo conjugado o un infinitivo, (b) cuando aparecen dos o más oraciones simples enlazadas por conjunciones, (c) cuan-

* O. Akhmanova y G. Mikaelan, *The Theory of Syntax in modern Linguistics*, La Haya, Mouton, 1969; Ruth Margaret Brend, *A tagmemic analysis of Mexican Spanish clauses*, La Haya, Mouton, 1968; G. Biller, *Remarques sur la Syntaxe des groupes de propositions dans les premiers romans français en vers*, Göteborg, 1920; E. Borle, *Observations sur l'emploi des conjonctions de subordination dans la langue du XVe siècle, étudié spécialement dans les ouvrages de Bernard Palissy*, París, 1927; Viggo Brøndal, "Le problème de l'hypotaxe, Reflexions sur la théorie des propositions", en *Essais de linguistique générale*, 1943, pp. 72-80; G. Carrillo Herrera, "Estudios de Sintaxis. Las oraciones subordinadas", en *Boletín de Filología* de la Universidad de Santiago de Chile, XV, 1963, pp. 165-221; Gastón Gainza, "Notas a la *clasificación de las proposiciones* de Andrés Bello. La clasificación de los sintagmas oracionales como tarea de la sintaxis", en *Estudios filológicos*, 1965, pp. 131-160; Jozsef Herman, *La formation du Système roman des Conjonctions de Subordination*, Berlín, Akademie-Verlag, 1963; R. A. Hudson, *English complex sentences*, Amsterdam, North-Holland, 1971; R. Karlsen, *Studies in the connection of clauses in current English*, Bergen, Eide, 1960; Lauri Karttunen, "La logique des constructions

do se enlazan por conjunciones dos o más oraciones compuestas o se enlazan elementos cubiertos por secuencias ordenadas por un verbo conjugado o un infinitivo:

(a) *Antonio dijo que vendría*
S V_t CD

(b) *Antonio leía una novela* **y** *Pedro escuchaba la radio*
S V_t CD S V_t CD
1.ª orac. 2.ª orac.

(c) *Antonio dijo que vendría* **y** *Pedro comprendió que sobraba*
S V_t CD S V_t CD
1.ª orac. comp. 2.ª orac. comp.

Antonio dijo que vendría y *que traería tu encargo*
S V_t CD CD
1.er CD **y** 2.º CD

8.0.1. Compuestas por subordinación

En el tipo (a) de los estudiados en el párrafo anterior, el elemento, en lugar de estar constituido por un esquema ordenado por una palabra que actúa sobre otras palabras, está constituido (1) por una secuencia ordenada por un

---

anglaises a complément prédicatif", en *Langages,* n.° 30, 1973, pp. 56-80; O. Klesper, "Beiträge zur Syntax altkatalanischer Konjunktionen", en *BDC,* XVIII, 1930, pp. 321-421; Ofelia Kovacci, "Las proposiciones en español", en *Fil,* XI, 1965, pp. 23-39; Robin T. Lakoff, *Abstract Sintax and latin complementation,* Cambridge, Mass., The MIT Press, 1968; A. Meillet, "Le renouvellement des conjonctions", en *Linguistique historique et linguistique générale,* París, 1926, pp. 159-174; Peter S. Rosenbaum, *The Grammar of English predicate complement constructions,* Cambridge, Mass., The MIT Press, 1967.

verbo en forma personal o por un infinitivo o (2) por una palabra incrementada por un pronombre relativo que introduce una secuencia ordenada por un verbo personal o por un infinitivo:

(1) Antonio no sabía *venir a casa.*
CD
(2) Antonio no sabía *que vendrías a casa.*
CD
(3) Antonio conocía *el camino que le conducía a casa.*
CD
(4) Antonio tenía *mucho camino que recorrer.*
CD

Es evidente que el esquema que se cumple en estas cuatro oraciones es el mismo. Consta de $S + V_t + CD$. Todos los elementos son simples salvo el complemento directo. El complemento directo en (1) y (2) es una secuencia ordenada por un verbo. Sus marcas de subordinación son el *que,* mera partícula de enlace, o el infinitivo. En ocasiones, la marca *que* puede reforzarse por el subjuntivo del verbo subordinado. En (3) y (4) el complemento directo está constituido por un sustantivo + una secuencia con verbo introducida por un pronombre relativo.

No se puede hablar en ninguno de estos casos de una oración principal y un verbo subordinado. Efectivamente, las secuencias */Antonio no sabía/* o */Antonio conocía/*, ni por el contenido ni por su entonación, pueden ser consideradas oraciones. Parece más preciso hablar de un verbo ordenador de la oración, que será precisamente el que no vaya marcado por ningún signo de subordinación, y verbos dominados o subordinados, estableciendo la organización del esquema por la jerarquización de los verbos.

Algunos gramáticos a quienes nosotros seguiremos, no consideran oración a la secuencia con verbo que rellena un elemento completivo del verbo dominante de la oración. A tales construcciones las llaman **proposición**. La proposición será, pues, una oración transpuesta como elemento oracional o la oración encajada en el esquema de un verbo dominante:

(1) Antonio me dijo **algo** (2) Yo volveré mañana	Antonio me dijo que volvería mañana.

Por otra parte, hay que advertir que para muchos gramáticos, siguiendo una tradición historicista, las secuencias ordenadas por un verbo en infinitivo no son oraciones ni proposiciones. En esta exposición se entenderá como una alternativa de que dispone el hablante frente a la forma personal conjugada. El empleo de una o de otra forma viene impuesto por exigencias que se especificarán más adelante. Los enunciados de infinitivo y de verbo en forma personal se reparten un mismo campo funcional:

(1) Yo quiero (yo) cantar.
(2) * Yo quiero (tú) cantar.
(3) Yo quiero que tú cantes.

Cuando el enunciado subordinado gramaticalmente no es un elemento completivo como lo son el sujeto, el complemento directo o los elementos regidos, todos ellos estrechamente vinculados al verbo dominante, frente a lo visto anteriormente es posible aislar una oración principal con sentido completo. En el enunciado /*Antonio reconoció su responsabilidad para que le dejasen libre*/, es posible aislar como oración principal el segmento /*Antonio reconoció su responsabilidad*/. En estos casos se mantendrá el tradicional término de oración subordinada, en lugar de proposición, para nombrar el elemento dependiente.

Efectivamente, la laxitud de la vinculación gramatical puede llegar a ser tal que sólo los rasgos formales (marcas) pueden permitir la distinción entre los dos enunciados que se contrastan. La posible discriminación entre subordinación y coordinación queda supeditada exclusivamente a la naturaleza de las unidades marcativas. El dar prioridad al análisis de contenido llevaría inevitablemente a graves contradicciones que se deben evitar.

8.0.2. Transposiciones proposicionales

Las marcas que advierten del encajamiento de una oración como elemento de una oración compuesta o como constituyente de un elemento de una oración compuesta, están constituidas por un muy cerrado grupo de palabras átonas que funcionan como sustantivos, adjetivos o adverbios, o como meras marcas. En determinadas ocasiones, cumplen la misma función las mismas palabras en uso tónico. Estas palabras son los pronombres relativos enunciativos (átonos) o interrogativos (tónicos) y las marcas *que* y *si* (v. 4.8.0).

Cuando estos transpositores actúan como relativos, se refieren a un antecedente expreso o implícito. En otro caso, son meras marcas. En su uso relativo desempeñan una función en relación con el verbo subordinado y tienen la doble función de marca de subordinación y de alusión a un antecedente que es miembro común en la proposición que introducen:

(1) Vives en **la casa** ╲
(2) **La casa** es grande ╱ La casa **en que** vives es grande.

A la actuación de estos marcativos hay que añadir la función de las preposiciones que les anteceden que, como en la sintaxis simple, marca la subordinación respecto al verbo dominante de la oración, a cualquier otro elemento nuclear o al verbo subordinado:

(1) El libro de que me hablas es insoportable.
(2) Discutimos sobre quién lo conseguirá primero.
(3) La ventana desde donde te veía era demasiado alta.

8.0.3. Interpretación tradicional

La Gramática tradicional clasificaba las oraciones compuestas en coordinadas y subordinadas, basándose en un criterio semántico de dependencia. Se llamaba coordinación cuando no existía dependencia de sentido entre las oraciones componentes de la oración compuesta; se hablaba de subordinación cuando había una oración principal que expresaba la idea más importante de la oración compuesta. La *Gram. Acad.* [316] dice: "Decimos que dos o más oraciones están coordinadas cuando el juicio enunciado en cada una de ellas se expresa como independiente del indicado por las demás, y de manera que puede enunciarse solo, sin que por ello deje de entenderse clara y distintamente". Frente a este criterio semántico mantiene un criterio funcional al definir las subordinadas como las que "desempeñan el mismo oficio que los complementos del nombre o del verbo en la oración simple" [*Gram. Acad.*, 349]. Sin embargo, muchas veces, la idea más importante la expresaba la subordinada, no siempre era posible la separación de dos oraciones independientes sin dejar incompleta a una de ellas, y, por último, dentro de la subordinación se incluían oraciones de indudable independencia.

Las oraciones subordinadas, siguiendo el mismo criterio formal adoptado en su definición, eran clasificadas en *sustantivas, adjetivas* y *adverbiales,* nombres tomados a la Morfología, pero que hay que entender funcionalmente como recubriendo elemento en función primaria (sustantivas), secundaria (adjetivas) o terciaria (adverbiales). En cambio, la *Gram. Acad.* vacilaba en la aplicación de este criterio al que añadía inconsecuentemente el criterio semántico. En esta exposición se procurará mantener un criterio estrictamente formal.

8.0.4. Oraciones compuestas por coordinación

Corresponden a los tipos (b) y (c) expuestos en el párrafo 8.0. Utilizan como marcas las conjunciones que señalan que lo que les sigue tiene la misma categoría sintáctica que lo que les precede. Los esquemas son independientes entre sí, de tal manera que se construyen cada uno sin tomar en cuenta al otro y después se unen. Este hecho explica que no se pueda hablar de verbo dominante o, en la terminología tradicional, de oración principal. Simplemente, por su orden de aparición se habla de primera coordinada, segunda coordinada, etc.

Como se ha señalado (8.0), la coordinación puede realizarse entre oraciones independientes o entre elementos oracionales de la misma categoría sintáctica.

8.1. Proposiciones con «que»*

El transpositor más importante por ser el más frecuente y por introducir un mayor número de relaciones sintácticas

* E. Alarcos Llorach, "¡Lo fuertes que eran!", en *Strenae,* 1962, pp. 21-30; E. Alarcos Llorach, "Español *que*", en *AO,* XIII, 1963,

es, sin duda, el *que*. Morfológicamente se pueden distinguir tres tipos de *que*, estrechamente emparentados entre sí, tomando en cuenta el carácter del enunciado que le sigue y

---

pp. 5-17; A. ALONSO, "Español *como que* y *cómo que*", en *RFE*, XII, 1925, pp. 133-156; John J. ALLEN, "The evolution of *puesto que* in Cervantes prose", en *H*, XLV, 1962, pp. 89-92; Martha E. ALLEN, "Notes on the use of *de* and *que* with *antes* and *después*", en *H*, XLI, 1958, pp. 504-510; H. H. ARNOLD, "Double function of the conjunction *que* and allied forms", en *H*, XIII, 1930, pp. 117-122; H. H. ARNOLD, "Notes on the accentuation of *aquel que*", en *H*, XIV, 1931, pp. 449-456; D. L. BOLINGER, "The comparison in inequality in Spanish", en *Lan*, XXVI, 1950, pp. 28-62; D. L. BOLINGER, "Addenda to the comparison of inequality in Spanish", en *Lan*, XXIX, 1953, p. 62; John BROOKS, "*Más que, mas que* and *mas ¡qué!*", en *H*, XVI, 1933, pp. 23-34; Leenart CARLSSON, *Le type "c'est le meilleur livre qu'il ait jamais écrit" en espagnol, en italien et en français*", Uppsala, Acta Universitatis Upsaliensis, 1969; Ursula DAMBSKA-PROKOP, *L'expression syntaxique des notions de cause et de conséquence dans les "Chroniques" de Jean Molinet*, Krakow, 1965; J. C. DAVIS, "De lo(s) que creía", en *H*, XXXVII, 1954, p. 82; G. T. FISH, "*El cual, el que* or *quien?*", en *H*, XLIV, 1961, pp. 315-318; H. FLASCHE, "Die syntaktischen Leistungen des *que* in der Prosa Antonio Vieiras", en *Homenaje a F. Krüger*, I, Mendoza, 1952, pp. 73-100; S. GILI GAYA, "¿Es que...? Estructura de la pregunta general", en *HDA*, II, 1960, pp. 91-98; R. L. GRAEME RITCHIE, *Recherches sur la syntaxe de la conjonction "que" dans l'ancien français depuis les origines de la langue jusqu'au commencement du XIIIe siècle*, París, 1907; C. HERNÁNDEZ ALONSO, "El *que* español", en *RFE*, L, 1967, pp. 257-271; J. JEANJAQUET, *Recherches sur l'origine de la conjonction "que" et des formes romanes équivalentes*, París, 1894; R. LAPESA, "El artículo como antecedente del relativo", en *Homenaje a van Goor Zonen*, Instituto de Estudios Hisp. Port. e Iberoamer. Univ. de Utrecht, 1966, pp. 287-298; H MEIER, "Konjuntonslose Finalsätze", en *RJ*, III, 1950, pp. 315-320; R. MENÉNDEZ PIDAL, "El *que* expletivo", en *Al-An*, XIX, 1954, pp. 387-388; J. M. NÚÑEZ PONTE, *Lección sobre el "que"*, Caracas, 1950; Vicente PÉREZ SOLER, "Construcciones con verbos de duda en español", en *H*, XLIX, 1966, pp. 287-289; M. SANDMANN, "Subordination and coordination", en *Archivum Linguisticum*, II, 1950, pp. 24-38; J. SEQUERA CARDOT, *Estudio sobre el "que"*, Caracas, 1950; Joan SOLÀ, "El relatiu a l'actual català literari", en *Estudis de Sintaxi catalana/1*, Barcelona, 1972, pp. 105-138; R. K. SPAULDING, "Otro uso de *no que*", en *EDMP*, III, 1952, pp. 203-209;

el valor que la marca toma dentro de la proposición que introduce:

(1) Antonio dijo **que** vendría mañana.
(2) Antonio era tan alto **que** no cabía por la puerta.
(3) Antonio leía el libro **que** le regalaron.
(4) Antonio tumbó la mesa sobre **la que** se apoyaba.
(5) Escuchó con atención **al que** leía.

El *que* en los enunciados (1) y (2) se distingue claramente de los restantes por ser puramente marcativo y no desempeñar ninguna función dentro de la proposición que introduce por cuanto que no alude a ningún concepto. En (3), *que* es complemento directo de *regalaron* y alude al antecedente /*el libro*/. En (4), el marcativo *la que* es elemento circunstanciador del verbo que introduce y alude al antecedente /*la mesa*/. En (5) el marcativo /*al que*/ es sujeto en la proposición que introduce y alude a un antecedente indeterminado /*hombre*/. Las marcas de los tres últimos ejemplos, que aluden a un antecedente y desempeñan una función dentro de la proposición que introducen, se conocen como *que* relativo enunciativo.

R. K. SPAULDING, "De (el, la, lo, los, las) que vs. que (el, la los, las) que or the force of tradition", en *H*, XLV, 1962, pp. 309-315; Leo SPITZER, "Las expresiones temporales *a lo que, a la que,* etc., en España y América", en *RFH*, VI, 1944, pp. 394-396; L. SPITZER, "Span. *como que*", en *ZRPh*, XXXVII, 1913, pp. 730-735; L. SPITZER, "Über spanisches *que*", en *Archiv für das Studium der Neuren Sprachen und Literaturen* (Braunschweig-Berlin), CXXXII, 1914, pp. 375-394; L. SPITZER, "Notas sintáctico-estilísticas a propósito del español *que*", en *RFH*, IV, 1942, pp. 105-126, 253-265; F. C. TARR, "Prepositional complementary clauses in Spanish with special reference to the works of Pérez Galdós", en *RHi*, LVI, 1922, pp. 1-264; E. H. TEMPLIN, "An additional note on *mas que*", en *H*, XII, 1929, pp. 163-170; M. L. WAGNER, "Spanish *tan* und *más*", en *ZRPh*, XLIV, 1924, pp. 589-594; Samuel A. WOFSY, "A note on *más que*", en *RR*, XIX, 1928, pp. 41-48.

Por su parte, las marcas de (1) y (2) se distinguen por su función. Mientras en (1) la proposición introducida por *que* desempeña toda ella la función de un elemento relacionado con el verbo dominante, la introducida en (2) sirve para valorar el intensivo *tan* que acompaña a un adjetivo en este caso. Se distingue la marca de (1) como *que* **anunciativo** utilizando la terminología de Bello porque "anuncia que lo que sigue funciona como un sustantivo", esto es, como término primario. La marca de (2) se puede llamar *que* **valorativo**. Este último *que* puede tomar carácter relativo en algunas construcciones.

Tomando en consideración las frases (3), (4) y (5), se pueden distinguir en el uso del relativo tres aspectos. En (3) frente a los restantes, no lleva artículo y se le conocerá como *relativo simple*. Entre los otros dos, (4) y (5), hay que notar que en (4) la preposición marca su subordinación respecto al verbo subordinado: *se apoyaba sobre ella* (la mesa), y el artículo no tiene valor anafórico, sino de simple soporte de género con lo que completa la incapacidad del *que* para aludir al género y número del antecedente. Esta conducta es análoga a la que se encuentra en *cual*, relativo que tampoco distingue el género. En cambio, en (5) la preposición marca la subordinación de la totalidad de la proposición y el artículo es anafórico y, para algunos gramáticos, vale como término primario. La agrupación de *art.* + *que* de (4) se llamará *relativo compuesto* por oposición al anterior relativo simple. La agrupación de *art.* + *que* de (5) se llamará simplemente relativo simple con artículo anafórico.

8.1.1. El "que" anunciativo

Marca un grupo muy característico de proposiciones que actúan como elementos de la oración de que forman parte, en sus diversas funciones coincidentes casi siempre con las del sustantivo. Forma las proposiciones llamadas **sustantivas** por la *Gram. Acad.* Preposiciones y locuciones adecuadas marcan el tipo de subordinación. Además aparece con el mismo carácter nominalizador en usos independientes que serán estudiados a continuación.*

Para un gran número de construcciones en relación con

"Que" anunciativo

1. COMPLETIVAS			
	Subjetiva:	Es imposible	que saltes tan alto
	Objetiva:	Descubrió	que le ocultaba la verdad
	Regida:	Hablaban *de*	que traerías noticias

2. PREPOSITIVAS AUTÓNOMAS			
	Desde	que lo vieron	, no pensaron otra cosa
	Hasta	que lo encontraron	, no estuvieron conformes
	Para	que no le confundiesen	, se cambió de traje
	Por—	que no lo esperaba	, se asustó
	Sin	que se diesen cuenta	entró en la cabina

* En el *Esbozo* [3.19.1] se propone llamar *sustantivas* solamente a las subordinadas que funcionan como sujeto, CD o complemento con preposición de un sustantivo a adjetivo; se mantiene el de *adjetivas o de relativo* "por ser un pronombre o adverbio relativo el sexo que las enlaza a la principal" y, por último, se llama *circunstanciales* "cualquiera que sea el nexo que la una a la principal" siempre que asuma el papel de complemento circunstancial, término que se define [3.4.3.] como "vocablo, locución o frase que determina o modifica la significación del verbo, denotando una circunstancia de lugar, tiempo, modo, materia, contenido, etc.".

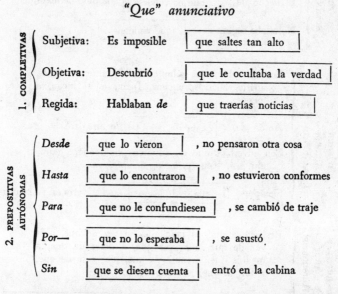

3. PERIFÉRICAS

Aun— que no tengo ganas, iré (concesivo)

Vive en Madrid aun— que no estoy seguro (adversativa)

Dado ques no lo comprenderías, no te debe preocupar

4. INCREMENTO NOMINAL

El hecho *de* que no volviese le puso de malhumor

No estaba seguro de que vinieseis

5. AGRUPADO CON ADVERBIO (Autónomo o periférico)

Con adverbios que admiten "de": antes, después, aparte, además, encima, fuera, lejos, luego, a menos...

Antes (*de*) que llegue, lo arreglaré

Con adverbios que no admiten "de": ahora, aquí, ahí, así, bien, primero, siempre, ya...

Siempre que se disgusta, se encierra en su cuarto

6. LOCUCIONES CONJUNTIVAS (Periféricas y Autónomas)

Respecto a que, al paso que, en vez de que, a la vez de que, a la vez que, a pesar de que, a medida que, a causa de que, (en) caso de que, a fin de que, a punto de que, etc.

Cumpliré tu encargo a condición de que cumplas el mío

7. INDEPENDIENTE

Continuativo: Que no tengo prisa

Optativo: Que Dios te lo pague

Enfatizado: Es que tenía prisa

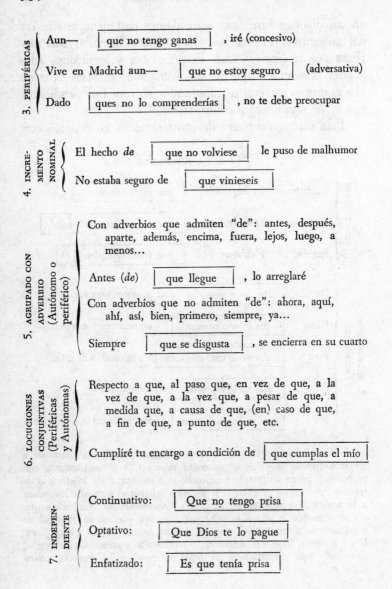

la naturaleza del verbo dominante, la construcción con *que* anunciativo se les ofrece como alternativa opcional u obligatoria, según los casos, lo cual permite entrever una posible estructura o sistema de formación de proposiciones subordinadas de tipo sustantivo. Generalmente, la elección se basa en la identidad de sujetos entre el verbo subordinado y el verbo dominante (*quiero cantar*) o la diferencia de sujetos (*quiero que cantes*) u otros matices no siempre fáciles de establecer discursivamente: *le mandé cantar/le mandé que cantase; sé cantar/sé que canto mal.*

También, por la naturaleza del verbo dominante, cabe ponerlas en relación con las construcciones con relativo interrogativo que admiten infinitivo y verbo conjugado como subordinado: *sé cómo hacerlo/sé cómo lo hago/sé cómo lo haces.*

Por último, las proposiciones con *que* pueden llevar su verbo personal en indicativo o en subjuntivo en relación con el sentido modal y determinados rasgos formales: *sé que lo ha hecho/no sé que lo haya hecho.*

8.1.1.1. *Proposiciones completivas de sujeto y de complemento directo*

Se recogen bajo el nombre tradicional de proposiciones **completivas** las que actúan como sujeto, complemento directo o elemento regido, son conmutables por los neutros *ello* o *eso* y forman un todo con el resto de la oración, de tal manera que no se pueden separar sin que el enunciado pierda su sentido. El verbo principal o dominante necesita el concurso de la proposición subordinada para tener sentido.

Esta clase de oraciones compuestas con proposición completiva satisfacen en el discurso una explícita información sobre el modo (*modus*) como el sujeto encara lo que la proposición comunica (*dictum*). El contenido que se puede expresar por la oración /*Todos los hombres son felices*/ puede valorarse, desearse, pensarse o soñarse, simplemente decirse, etcétera. La actitud del sujeto la refleja el verbo dominante, mientras la proposición recoge el contenido de la oración que es valorada, deseada, pensada, etc.:

Modus	*Dictum*
(1) Es maravilloso	**que** todos los hombres sean felices.
(2) Aspiro	**a que** todos los hombres sean felices.
(3) Hablaba	**de que** todos los hombres son felices.
(4) Afirmo	**que** todos los hombres son felices.
(5) Me interesa	**que** todos los hombres sean felices.

Formalmente, el *dictum* se introduce como sujeto, como complemento directo o como elemento regido; va marcado por el *que* anunciativo y su verbo elige la forma personal en el indicativo o en el subjuntivo. Algunas de sus realizaciones alternan con el infinitivo.

(A) **Subjetivas**: Las proposiciones subjetivas, es decir, en función de sujeto, se construyen esencialmente con los verbos siguientes:

(a) *Ser + atributo*: Cuando se emplea el infinitivo, éste toma un carácter impersonal que lo aproxima al nombre de acción. Con verbo personal va encabezado por *que*. Según el atributo, emplea indicativo o subjuntivo:

en indicativo: Es verdad que he servido de intermediaria en la correspondencia entre mi noble tío el marqués de Rebollar y el bravo don César Pardo (que Dios tenga en la gloria). Es cierto que he asistido a reuniones [...] y es cierto igualmente que he bordado el estandarte y otras prendas para la defensa de la fe. También es verdad que les he facilitado el dinero que pude [...] (A. Palacio Valdés, *Marta y María*, 298); ¿Es verdad que se quitó el paso? Miren que es mucho el arrodeo (Valle-Inclán, *Cara de Plata*, 25); Lo malo es que ese Quirós es un temperamento violento (P. Baroja, *Locuras de Carnaval*, 58); **en subjuntivo**: Verdad que maté en riña al negro; es posible que estuviera yo un poco imprudente. lo confieso (J. M. Salaverría, *Martín Fierro*, 134); Los tablones bailaban y la caída era fácil que sucediese inesperadamente (I. Aldecoa, *El Fulgor y la Sangre*, 97); [...] es necesario que se abra a la luz, que el viento lo penetre (Güiraldes, *Xaimaca*, 28).

El atributo puede ir, sin verbo, en cabeza, delante de la proposición con *que*:

¡La verdad que es bonito el Puerto Viejo de Marsella una mañana de invierno! Cierto que desde los muelles del Puerto Viejo, que parece un estanque interior lleno de mástiles de barcos, no se ve el mar libre (P. Baroja, *El Laberinto de las Sirenas*, 79); Lástima que las novelas que son verdades tengan tan pocos incidentes (G. Martínez Sierra, *Tú eres la Paz*, 77).

(b) Verbos que admiten la construcción transitiva y admiten la transposición de pasiva refleja. En este caso, no suelen admitir el infinitivo y cuando se emplea toma carácter impersonal (*se desea viajar*). Las construcciones con complemento directo de persona con *a* admiten un infinitivo de que es sujeto el complemento directo (*Se vio a las muchachas salir de casa/Se vio que las muchachas salían de casa*). Los verbos dominantes expresan mandato, decisión, deseo, juicio, ninguno de los cuales admite indicativo, o son verbos de percepción, habla y lengua o temor:

Se conoce que esa imagen es para ella la medida áurea aplicable a todas las cosas (E. Mallea, *Rodeada está de Sueño*, 67); Ya se conoce que es usted español (P. Baroja, *Locuras de Carnaval*, 18).

(c) *Verbos intransitivos*: De éstos son especialmente importantes los seudoimpersonales como *gustar, caber, convenir, bastar, parecer, estar, resultar, importar, interesar, encantar, molestar, ocurrir, faltar*, etc., que se construyen con complemento indirecto. Cuando estos verbos se construyen con infinitivo, éste tiene como sujeto el complemento indirecto (*Me gusta cantar/Me gusta que cantes*). Aparece también con las formas con *se* de *ocurrir* y con *antojarse*. Estas proposiciones pueden tomar artículo, sobre todo cuando la proposición sujeto va antepuesta:

> [...] me consta que juró quitarle la vida al General si ponía sitio a Bilbao (Galdós, *Zumalacárregui*, 276); [...] más vale que no salga a la reja (Álvarez Quintero, *El Patio*, 122); Vale más que vayamos a pie (P. Baroja, *Locuras de Carnaval*, 24); Conviene, en una noche como la de hoy, que hagamos acervo común de secretos (E. d'Ors, *Los Diálogos*, 14); Cuantos así hablaban o escribían, se me antojaba que eran hipócritas (J. Valera, *Las Ilusiones del doctor Faustino*, 7); ¿A usted le agradará que le lean las mujeres? (P. Baroja, *Locuras de Carnaval*, 11); [...] si llegara a mí noticia que vive, evitaría cuidadosamente topar con ella (Galdós, *Zumalacárregui*, 25); No está de Dios que emparentemos las dos familias (J. Benavente, *Señora Ama*, 103).

El verbo *parecer* puede llegar a un interesante cruce de construcciones cuando emplea infinitivo cuyo sujeto va antepuesto al verbo *parecer*: (1) construcción atributiva: *A parece B*, donde *A* es el sujeto que concuerda con el verbo y *B* un atributo; (2) *parece* + *Pq/Inf.*: Puede tener un complemento indirecto personal. La proposición subordinada funciona como sujeto; (3) *Sujeto del Inf.* + *parecer* + *Inf.* El sujeto del infinitivo fuerza la concordancia del verbo *parecer*. Éste más el infinitivo forman unidad funcional.

(**2**) [...] y parece que se hinchen unas velas gloriosas, muy blancas (G. Miró, *Años y Leguas*, 18); En su impaciencia loca, parecíale que el carruaje no se movía, que el caballo cojeaba y que el cochero no sacudía bastantes palos al pobre animal (Galdós, *Torquemada en la Hoguera*, 45); Me parece que fue al anochecer del 18 cuando avistamos a Zaragoza (Galdós, *Zaragoza*, 5); (**3**) Los brazos de tierra que avanzan uno hacia otro, parecen estar colgados en el ambiente intangible (Güiraldes, *Xaimaca*, 94); [...] y D. Pablo, [...] parecía haber salido de la sepultura y esperar el canto del gallo para volverse a ella (Galdós, *Gerona*, 92); Los amores de Laura y de Roberto no parecían ser tomados muy en serio (P. Baroja, *El Laberinto de las Sirenas*, 222); Una enfermedad que iba minando su robusta naturaleza, pareció exacerbársele con la muerte de don Manuel (Unamuno, *San Manuel Bueno, mártir*, 107); La abuela parecía no estar (E. Quiroga, *Tristura*, 79).

Por otra parte, este mismo verbo en las proposiciones con *que* admite el subjuntivo cuando va seguido de un valorativo adverbial: *Me parece bien que venga*. Sin tal valorativo, se emplea el indicativo: *Me parece que viene*. En el uso descuidado y en la lengua oral, se emplea indicativo donde, por la naturaleza del verbo, se exige el subjuntivo: *Me alegra que vienes* por *Me alegra que vengas*.

(B) **Objetivas**: Actúan como complemento directo y pueden ser integradas por el neutro *lo* átono:

Estaba orgulloso de su hijo. Se ganaba la vida. Pasaba apuros, lo sabía (R. F. de la Reguera, *Cuerpo a tierra*, 146).

Tomando en consideración el comportamiento de los verbos en cuanto al uso de proposición objetiva con *que* y verbo personal o de proposición de infinitivo, se pueden señalar tres posibilidades como dominantes: (1) sólo admiten infinitivo; (2) sólo admiten proposición con *que*; (3) admiten ambas.

(d) *Sólo admiten infinitivo*: Los verbos *poder, deber* y *soler* admiten únicamente infinitivo como complemento directo. No admiten ni complemento directo nominal ni oracional, lo cual les da un carácter particular entre los demás verbos castellanos. El verbo *deber,* único que admite complemento directo nominal, tiene, en este caso, otro significado:

> **soler**: [...] solía hacer en el Argonauta excursiones, a veces hasta Sicilia y las costas de África (P. Baroja, *El Laberinto de las Sirenas,* 211); ¿Suele suceder eso muy a menudo? (Pereda, *La Puchera,* 185); **deber**: En otros cajones debe haber muebles (P. Baroja, *El Laberinto de las Sirenas,* 196); Debieran estos nombres escribirse con letras de oro (Galdós, *Fortunata y Jacinta,* I, 49); **poder**: [...] en la casa no podía haber grandes ahorros (*id.*, I, 69); Todo el caudal del marqués, a su muerte, podría producir, a lo sumo, 16.000 reales al año (J. Valera, *Doña Luz,* 17).

(e) *Sólo admiten proposición con "que"*: Son verbos de petición o súplica, como *pedir, suplicar, rogar,* etc.; verbos de comunicación como *adelantar, adivinar, admitir, advertir, agregar, añadir, apuntar, avisar, comentar, concluir,* etc.; verbos todos ellos que admiten en la proposición con *que* que el verbo conjugado pueda tener como sujeto tanto el del verbo dominante como otro distinto:

> Oye, me escapé de las gentes que hablan como tú, porque me enseñaron que sin dinero un hombre de sesenta años ha vivido sólo veinte (García Hortelano, *Nuevas Amistades,* 127).

(f) *Admiten proposición con "que" e infinitivo*: Cuando emplean el infinitivo, éste tiene como sujeto el del verbo dominante. Son verbos que expresan deseo, temor, verbos de habla y lengua, que expresan enjuiciamiento tales como *considerar, tener por*, etc.:

> Pero déjame a mí que cumpla un penoso deber de conciencia (P. A. Alarcón, *El Escándalo*, 93).

Cuando se trata de verbos de mandato y prohibición el sujeto, tanto del infinitivo como del verbo subordinado, puede expresarse por medio de un complemento indirecto. Además exigen subjuntivo en la construcción con proposición con *que* (*te mando salir/te mando que salgas; le mandó traer el jarro/le mandó que trajese el jarro; se lo mandó traer*). Con verbos de percepción, el mismo elemento parece un complemento directo por cuanto admite la forma *la*, pero, al mismo tiempo, admite la sustitución por el *se* personal agrupado con acusativo: *la vio cometer el crimen/se lo vio cometer*:

> Entrando por la puerta de Sancho oímos que daba las diez el reloj de la Torre Nueva (Galdós, *Zaragoza*, 5).

(C) **Regidas**: Aparecen en estrecha relación estructural con las anteriores y, muchas veces, en competencia y concurrencia en el uso de manera no suficientemente conocida:

> Me acuerdo que me parecían inmensos (Juan Ramón Jiménez, *Platero y Yo*, 283).

Es habitual también la construcción *acordarse de*. El verbo *decir*, que admite la construcción con infinitivo objetivo, admite igualmente, con cierto cambio de sentido, la construcción con *de* (*dijo de salir*). Por otra parte, verbos como *admirar* que no admiten infinitivo como complemento directo y sólo proposición con *que* (*admiro que sepas nadar*), transformados en reflexivo medial admiten el mismo contenido, regido por *de* (*me admiro de saber nadar/de que sepas nadar*).

(g) *Con sólo infinitivo*: Algunos verbos muy frecuentes admiten solamente infinitivo como elemento regido con el que forman una cierta unidad de sentido, que aumenta cuando el verbo dominante cambia de significado. Son verbos reflexivos como *echarse a, resolverse a, decidirse a, ponerse a,* verbos que admiten complemento directo nominal como *acabar de, comenzar a, concluir de, dejar de, deber de, echar a, empezar a, principiar a, terminar por/de, haber de, acertar a, romper a,* etc., o bien, intransitivos de los que el grupo más característico está constituido por verbos de movimiento como *ir a, volver a, tornar a, llegar a, cesar de, tardar en,* etc. A éstos cabría añadir otros en los que la unidad de sentido no es ostensible, pero en los que se da, como en todas las construcciones de que se viene hablando, el valor modal del verbo dominante y el carácter conceptual del infinitivo. Así en *ceñirse a, dedicarse a, aplicarse a,* etc.:

> Pues te digo, Juan Pedro, y no lo vas a creer, que toda mi vida he tenido un hipo [...] (Pereda, *La Puchera,* 182); Hasta llegaba a incomodarse cuando se le interrogaba en tono dubitativo (Galdós, *Fortunata y Jacinta,* I, 78); [...] tanto tardaban en presentarse las tropas de la Reina, que los facciosos llegaron a creer que no vendrían (Galdós, *Zumalacárregui,* 128); [...] cada vez que el pobre viejo salía, tornaban a proseguir el diálogo (R. León, *Alcalá de los Zegríes,* 162); Vamos a parecer empleados de alguna funeraria (Á. Ganivet, *Los Trabajos del infatigable creador Pío Cid,* I, 127); Con este permiso la adivina volvió a

tender las cartas (Pereda, *La Puchera,* 179); [...] acababa de dar la hora en que concluía el mes (P. Baroja, *El Laberinto de las Sirenas,* 188); [...] pero como es tan misericordioso, acabó por rendirse a las súplicas de los hombres (Azorín, *Antonio Azorín,* 174); El don vino y se antepuso, por último, al Acisclo, en virtud del tono y de la importancia que aquel señor acertó a darse con los muchos dineros (J. Valera, *Doña Luz,* 14); Stuart echó a volar por el pueblo la noticia de que los negocios iban mal (P. Baroja, *El Laberinto de las Sirenas,* 187); [...] echó a andar con paso rápido (A. Palacio Valdés, *Marta y María,* 229); Llegó un momento en que Siseta, no pudiendo contener su dolor, empezó a llorar amargamente (Galdós, *Gerona,* 99); Sospechaba que había de tomarse a risa su retrasada declaración (Pereda, *La Puchera,* 36); Silverio cogió la ociosa pluma y se puso a escribir unos versos (R. León, *Alcalá de los Zegríes,* 67); [...] el tapicero no había terminado aún de arreglar los dos salones que habían destinado para recibir (A. Palacio Valdés, *Riverita,* 6); Perder a Rosina y dejar de existir era todo uno (R. Pérez de Ayala, *Troteras y Danzaderas,* 117).

A las relaciones ya conocidas hay que añadir como particulares usos, el de la agrupación *ir + a + infinitivo* que, con el verbo *ver,* se puede presentar sin el verbo auxiliar: *a ver.* Por otra parte, hay que añadir también la agrupación, de carácter popular, *venga + de + infinitivo* que se usa en la lengua descuidada y dialectal o con intención particular por su expresividad. Con ella se intensifica la idea expresada por el infinitivo.

(h) *Con infinitivo y proposición con "que"*: Se da la alternancia entre la construcción con infinitivo cuando hay identidad de sujeto, generalmente, y la construcción con *que* cuando ambos verbos tienen distinto sujeto:

con "a": Hasta se acostumbró a sufrir malos tratos de palabra y obra (Á. Ganivet, *Los Trabajos del infatigable creador Pío Cid*, I, 106); No acierto a encarecer cuánto se deleitó Rafaela al concebir este proyecto (J. Valera, *Genio y Figura*, 91); Había aprendido a leer (Blasco Ibáñez, *Sangre y Arena*, 62); [...] el pérfido aspira a dominar todos los subterráneos (Galdós, *Gerona*, 154); ¡Aquello equivalía a echar paletadas de tierra sobre un cadáver [...] (P. A. Alarcón, *El Escándalo*, 145); **con la preposición "con"**: [...] yo me contento con declamar como Radamés al final de un acto de Aida: ¡Sacerdote, io resto a te! (Clarín, *Páginas escogidas*, 31); Los que no lo tenían se contentaban con sonreír y aplaudir estúpidamente los chistes de los otros [...] (Palacio Valdés, *Marta y María*, 241); **con la preposición "de"**: [...] los escuálidos soldados no se acordaban de llenar sus panzas con los despojos del vencido (Galdós, *Gerona*, 155); [...] avergonzáronse ambos de verse tan cerca el uno del otro (R. León, *Alcalá de los Zegríes*, 138); Cuando Madame Roche se cansó de ponerme a Londres en los cuernos de la Luna, vinieron las quejas (P. Baroja, *La Ciudad de la Niebla*, 98); Allí me harté de registrar con los ojos cuanto había al alcance de ellos (Pereda, *La Puchera*, 172); **con la preposición "en"**: Jamás consintió en comer en mi casa (P. A. Alarcón, *El Escándalo*, 82); La mía es consolarme en consolar a los demás (Unamuno, *San Manuel Bueno, mártir*, 79); Don Acisclo insistió en sacar el título (J. Valera, *Doña Luz*, 20); Se obstinaba en permanecer a la puerta (Blasco Ibáñez, *Sangre y Arena*, 61), etc.

Semejante carácter tiene un reducido número de verbos con un sustantivo como complemento directo con el que forman unidad de sentido. Esta agrupación impone una determinada preposición como régimen. También aquí el hablante se encuentra con la alternativa entre infinitivo o proposición con *que* resuelta por la identidad o no identidad de los sujetos:

> Ambas señoras conocían al doctor por el retrato, y no había miedo de equivocarse (J. Valera, *Las Ilusiones del doctor Faustino*, 105); El gobierno tiene noticia de haber recorrido algunas capillas de los barrios bajos don Nicolás María Rivero (Valle-Inclán, *Viva mi dueño*, 32); Doña Araceli [...] no pudo menos de extasiarse al ver a su sobrina (J. Valera, *La Ilusiones del doctor Faustino*, 148).

8.1.1.2. *Elementos autónomos*

Elementos autónomos bien caracterizados expresan tiempo, finalidad o causa. El tiempo es expresado por las preposiciones *de*, *desde* y *hasta*, la finalidad con *para* y *por*, causa con *por*, que se funde en la formación *porque*, y el modo con *sin*. La *Gram. Acad.* [404, *a*] entiende el *que* de las temporales como relativo y las incluye entre las subordinadas adverbiales. Como en los demás casos, ocurre siempre la alternativa entre el infinitivo y la proposición con *que*. La construcción con *que* para expresar tiempo y la construcción *por que* para expresar finalidad se usan poco, y siempre con valor dialectal o de arcaísmo en la lengua actual:

> **desde**: Desde que habían desaparecido sus amos, tenía que poner el puchero a la funerala (P. Baroja, *Locuras de Carnaval*, 190); **hasta**: Y así pasaba el tiempo hasta que un día oyó otro canto junto a casa el viejo (Unamuno, *El Espejo de la Muerte*, 25); Esta ansia se va extendiendo hasta que cristaliza en un jefe (R. de Maeztu, *Ensayos*, 128); **para**: He dado dinero a un roto para que nos traiga algo de comer (Güiraldes, *Xaimaca*, 16); [...] se las arregló para que llevaran al cuarto reservado toda la cena al mismo tiempo (P. Baroja, *Locuras de Carnaval*,

> 26); **por** *final*: Daría algo por que el señor Suárez tuviera que enfrentarse con él a través de una capa de niebla (M. Delibes, *Aún es de día,* 17); Yo rezo todos los días por que los militares abran los ojos a la verdad y abominen de las matanzas (Galdós, *Zumalacárregui,* 111); **por** *causal*: En puridad, no existe belleza sino en lo efímero, porque lo efímero se transforma al instante en recuerdo, y de esta suerte se hace permanente (R. Pérez de Ayala, *Troteras y Danzaderas,* 183); **sin**: Saltó sobre el mostrador ágil y suelto, sin que se lo estorbara en lo más mínimo su pata coja (Pereda, *Gonzalo González de la Gonzalera,* 209).

Las construcciones de finalidad, sobre todo, acuden a refuerzos locutivos del tipo de *a fin de que, con objeto de que,* etc.

8.1.1.3. *Elementos periféricos*

Las proposiciones que recubren un elemento periférico, pueden construirse con infinitivo solamente y éste llegar a nominalizarse en mayor o menor grado, disponer de la doble posibilidad de infinitivo y proposición con *que,* o admitir únicamente la construcción con *que.* Sus valores y sentido dependen en todo caso del contexto.

El infinitivo precedido de **al** tiene marcado valor temporal y puede llegar a incrementarse con segmentos complementarios propios del nombre:

> ¿No te acuerdas cuando yo al despertar sola y contarte cómo escapé de casa, me dijiste: Volverán a la vida y al camino? (Unamuno, *El Espejo de la Muerte,* 26); [...] al entrar en el colmado de la calle de Arlabán se encontraron al doctor (P. Baroja, *Locuras de Carnaval,* 25).

En algún caso toma forma parentética y sentido modal:

María continuaba con la frente pegada a los cristales, sumida, al parecer, en una de sus largas y frecuentes meditaciones (Palacio Valdés, *Marta y María*, 241); Al decir de los murmuradores de Alcalá, Charito no desmentía su abolengo cañí (R. León, *Alcalá de los Zegríes*, 48).

Con la preposición **a** puede tomar valor condicional en concurrencia con las proposiciones con *si*:

Hubiérase creído vivienda amasada con sustancia de nubes a no ser por el estilo tallado, perpendicular, de los muebles, de laca blanca (R. Pérez de Ayala, *Troteras y Danzaderas*, 22); [...] yo no soy una perdida y no me iré con un hombre a no ser que le quiera (P. Baroja, *Locuras de Carnaval*, 166); A juzgar por lo que da, nadie en el mundo más rico que él (C. J. Cela, *Nuevo Lazarillo*, 176).

En otros casos, la agrupación *a + infinitivo* puede tener el valor de locución modal o cierto carácter conjuntivo:

Sus compañeros de cátedra le aplaudieron a rabiar (Pardo Bazán, *El Cisne de Vilamorta*, 27); Todos aquellos idiotas se rieron a morir con la palabreja (R. F. de la Reguera, *Héroes de Filipinas*, 74); Y el joven, a partir de un compás, se dejaba llevar por la cólera (B. Jarnés, *Lo Rojo y lo Azul*, 133); Los que salían, a pesar de su sensato hablar, eran tan niños como los que se quedaban en el Grande Oriente (Galdós, *El Grande Oriente*, 250).

Con la preposición **con** toma valor modal y alterna con la adyacencia de gerundio, o bien, valor concesivo sólo posible en infinitivo:

Hacía ganar al marqués tres o cuatro mil duros al año con administrar tan fiel y celosamente sus bienes (J. Valera, *Doña Luz*, 17); Los hombres de ahora, [...], hemos perdido mucho con no leer a Homero (G. Marañón, *Raíz y Decoro de España*, 188); Yo estoy más a gusto con hacer lo que hago (Pereda, *La Puchera*, 29); **concesivo**: Con pensar como pensaba y creer lo que creía el Berrugo [...], había llegado a viejo sin dar a la versión vaga y confusa acerca de lo del *Pirata*, mayor importancia (*id*., 177).

Con la preposición **de** puede tomar un carácter causal hipotético (condicional):

De haber vivido en tiempos más felices, su nombre llegara al alto asiento de Almanzor (R. León, *Alcalá de los Zegríes*, 160); De ser ella la poseedora de una fortuna así, colosal, ¡qué fiestas!, ¡qué iluminaciones!, ¡qué fausto! [...] (P. Baroja, *El Laberinto de las Sirenas*, 213); Y más hubiera dado de haberme sobrado más (C. J. Cela, *Nuevo Lazarillo*, 197).

Con claro sentido nominal puede aparecer igualmente el infinitivo con **de** y **desde** con valor de procedencia. Semejante valor sustantivo tiene con las preposiciones **en** y **entre**:

Venimos de andar (C. J. Cela, *Nuevo Lazarillo*, 173); Desde vivir como un millonario hasta formar parte de un rancho de indios y comer carne humana, todo lo conocía (P. Baroja, *La Ciudad de la Niebla*, 196); **en**: Nadie imaginó, por bien que en su sentir el gaucho tirase, que lo que ocurrió fue el resultado de su tino (J. Valera, *Genio y Figura*, 117); **entre**: Tú tendrías razón en lo que dices, si no hubiese período de transición entre el estar enamorado y no estarlo (J. Valera, *Pasarse de listo*, 57).

Con la preposición **sobre** admite infinitivo y proposición con *que*; con **tras**, sólo infinitivo:

sobre: [...] sobre que yo no soy muy hábil en el arte del mosaico, y sobre que [...] el aire se llevó por las nubes buena parte de los pedazos, la caligrafía de Carmelina desafía toda reconstrucción (G. Martínez Sierra, *Tú eres la Paz*, 70); **tras**: Sucedieron [...] largas y crueles enfermedades que, tras dejar viudo al pobre hombre, le costaron buenos dineros (Pereda, *La Puchera*, 14).

Otros dos usos particulares del infinitivo se encuentran: (a) con el verbo *volverse* en construcción semejante a cuando se emplea con predicativo concordado y (b) referido al sujeto de los verbos *estar* y *quedar* o al complemento directo del verbo *tener* e introducido el infinitivo por la preposición *por*. En este segundo caso se opone al participio para expresar la acción no realizada (*Tiene la casa alquilada/por alquilar*):

Todo se le volvía cavilar si doña Constanza era un angelito o un diablito (J. Valera, *Las Ilusiones del doctor Faustino*, 108); Todavía queda por dormir un buen rato (I. Aldecoa, *Con el Viento solano*, 117); A las ocho entran las chiquillas y aún tengo la enagua por planchar (Pardo Bazán, *El Cisne de Vilamorta*, 31).

De la construcción con *que* se destaca por sus particularidades significativas la conseguida mediante **aun** en la formación **aunque** *. El adverbio *aun* tiene como es sabido dos valores: uno inclusivo y otro temporal. Como inclusivo concurre con *incluso* y, en algunos casos, con *hasta*. Se em-

* James E. Algeo, "The concessive Conjunction in Medieval Spanish and Portuguese; its function and development", en *RPh*, XXVI, 1972-1973, pp. 532-545; C. Höfnen, *Der Ausdruck des Konzessiven Gedankens im Alt-spanischen*, Gotinga, 1923; J. Klare, *Entstehung und Entusicklung der Konjunktionen im Französischen*, Berlín, Akademie-Verlag, 1958; K. Pietsch, "Zur spanischen Grammatik: Einzalheiten zum Ausdruck des konzessiven Gedankens", en *HR*, I, 1933, pp. 37-49; B. Pottier, "Problemas relativos a *aun, aunque*", en *Lingüística moderna y Filología hispánica*, 1968, pp. 186-193; J. Vallejo, "Notas sobre la expresión concesiva. I. *Por*; II. El subjuntivo con *aunque*", en *RFE*, IX, 1922, pp. 40-51.

plea ante elementos simples como fórmula de encarecimiento para enfatizar lo que dice el verbo: *Trabaja aun en domingo; Aun con una sola mano, lo sujeta fácilmente; Aun dormido, habla*; etc. Con valor semejante puede emplearse con proposiciones de valor circunstancial marcadas por *cuando* o *donde*.

La agrupación *aunque* se produce al frente de una proposición periférica que puede tener dos valores: (a) **concesivo**, siempre que haya una relación de causa a efecto entre la proposición marcada por *aunque* y la oración del verbo dominante. En este caso sirve para subrayar la seguridad en la realización de la oración, admitiendo las circunstancias o causas más adversas que lógicamente podrían impedir su realización (*Aunque llueva, iré a verte*); (b) **adversativo**, cuando no hay relación lógica entre ambas oraciones, con lo que la proposición marcada no hace sino puntualizar y matizar lo dicho en la oración principal (*Vive en Madrid, aunque no estoy seguro*).

El hecho de que este segundo valor sea concurrente con *pero* y la circunstancia de ser elemento marginal ha llevado a la *Gram. Acad.* a incluirlo entre las oraciones coordinadas. El valor adversativo señala una oposición entre lo afirmado en una y otra oración:

> **valor concesivo**: Aunque les he dicho que usted era policía y que me había obligado, por pocas me muerden (García Pavón, *Las Hermanas Coloradas*, 105); Martínez, aunque parecía tan "poquita cosa", era más valiente que el Cid (R. León, *Alcalá de los Zegríes*, 79); Mira, por no moverme yo ahora, según estoy, ni aunque pasara Marilyn Monroe; como lo oyes (R. Sánchez Ferlosio, *El Jarama*, 125); Anda, anda a buscarlo y tráelo, aunque sea en brazos (C. Arniches, *OC*, I, 843); ¿Quién no hablaba entonces del duque, aunque sólo fuera para referir sus antece-

dentes? [...] (Galdós, *Memorias de un cortesano*, 92); **con valor adversativo**: Acompañábale un hombre de mediana edad, de aspecto no desagradable, aunque tenía muy poco de fino (Galdós, *Memorias de un cortesano*, 84); Es que son ideas que las llevo muy dentro, aunque yo no soy un finolis (García Pavón, *Las Hermanas Coloradas*, 64); Era difícil precisar si había pasado de los cincuenta años, aunque un mechón de cabellos blancos que le caía sobre las sienes pudiera hacer sospechar más (A. Grosso, *Testa de Copo*, 63).

8.1.1.4. *Incremento de un núcleo nominal*

Las proposiciones con *que* o de infinitivo pueden aparecer como incremento dentro de un elemento cuyo núcleo es un sustantivo o un adjetivo:

de un sustantivo: [...] no dejó en un principio de picarme un poquito el amor propio, el hecho de que mi guapísima prima [...] tomase con tanta tranquilidad el rompimiento de nuestros amores (G. Martínez Sierra, *Tú eres la Paz*, 72); Me da la impresión de que tiene mucha fuerza (P. Baroja, *Locuras de Carnaval*, 11); **sin preposición**: No cabe duda que el escritor de hechos trágicos tiene que barajar el crimen, el asesinato, la locura (P. Baroja, *Locuras de Carnaval*, 12); **de un demostrativo**: ¡Por vida de los moros! ¡Esto de que sea yo siempre el faltón que tarda! (Pármeno, *Embrujamiento*, 29); [...] aquello de que su enamoramiento no era sino de cabeza, le había llegado, doliéndole, al fondo del alma (Unamuno, *Niebla*, 91); Eso de que hombres de esa madera sean tratados como chicos de escuela, no puede aguantarse más (Galdós, *Juan Martín, el Empecinado*, 74); **de un adjetivo**: El doctor estaba inclinado a que fuéramos a cenar al bar de la Nadadora (P. Baroja, *Locuras de Carnaval*,

21); Pero la comprometí seguro de que usté tomaría por hija a la que tuviese derecho a ser su hija (Pármeno, *Embrujamiento,* 42); En cuestión de dinero, los dos estaban conformes en que era lo más selecto y agradable (P. Baroja, *La Busca,* 93); **proposiciones de infinitivo incremento de un sustantivo**: Ambas señoras conocían al Doctor por el retrato, y no había miedo de equivocarse (J. Valera, *Las Ilusiones del doctor Faustino,* 105); En Sevilla da gusto de meterse en una barca y de irse a pasear por el Guadalquivir (Á. Ganivet, *Los Trabajos del infatigable creador Pío Cid,* I, 231).

8.1.1.5. *Proposición de "que" con adverbio*

Cuando la cabeza del elemento es un adverbio, pueden ocurrir los siguientes casos: (a) al adverbio se le une por medio de la preposición *de* la proposición de infinitivo o una proposición marcada por *que* (*Aparte de saber lo más importante.../Aparte de que sabe lo más importante*). En muchos casos, en la construcción con proposición de *que,* la unión de adverbio y proposición se hace directamente sin recurrir a la preposición, sobre todo en la lengua hablada (*Aparte que lo conoce...*); (b) no se da generalmente, la proposición de infinitivo con el adverbio y sólo la proposición de verbo personal marcado por un *que,* que para algunos gramáticos parece tener valor relativo (*Así que vino, se lo entregaron*). En algún caso, el adverbio se une directamente al infinitivo alternando con la construcción de adverbio y *que.* En la mayor parte de estos casos, adverbio y *que* forman una unidad locucional con marcadas y determinadas intenciones dialécticas.

(a) Salvo *antes/después,* que expresan relación de tiempo entre el elemento marginal y el resto de la oración, en los demás casos aporta un razonamiento que hay que añadir a lo que se dice o del que hay que prescindir. Así ocurre con *aparte, además, encima, independientemente, fuera, lejos, a menos*, etc.:

además de (que): Además de que es feísima, se atrasa que es un gusto (Galdós, *Mendizábal*, 99; **antes de (que)**: Don Magín frisaba y sobaba su teja, y antes de cubrirse respondió [...] (G. Miró, *El Obispo leproso*, 272); Antes de que Valdés determinara qué camino seguir, Zumalacárregui, sabedor de la evacuación de Estella, se dirigió a esta ciudad (Galdós, *Zumalacárregui*, 243); **encima de (que)**: Yo ya le he dicho a la señora que encima que te carguen a ti todo el trabajo de Dora (E. Quiroga, *Tristura*, 155); **fuera de (que)**: Es alivio del enfermo el quejarse, y mal que tiene desaguadero en la lengua no aprieta tanto el corazón, fuera de que la lástima con que ve celebrar a los oyentes, el desdichado, sus infortunios, se los disminuye (Tirso de Molina, *Los Cigarrales de Toledo*, 1, 26); **lejos de (que)**: Lo bueno fue que la dama, lejos de mostrar extrañeza, saludó a Pacheco como si encontrarle allí a tales horas le pareciese la cosa más natural del mundo (Pardo Bazán, *Insolación*, 74).

Aparte del uso señalado arriba, alguno de estos adverbios tiene valor ordenador en la frase:

(1) **luego**: En oraciones yuxtapuestas con las que se expresa una sucesión de hechos o acontecimientos, el adverbio subraya la sucesión. Con arreglo a su sentido se aproxima, sin abandonar su neto carácter adverbial, a la copulativa [Kenist., 42. 12]. En relación con esta función, toma carácter conjuntivo cuando el miembro que encabeza expresa el resultado o consecuencia de lo dicho anteriormente.

Su empleo, en el tercer juicio del silogismo, debió de influir en este carácter mantenido actualmente en la lengua. Se cumple siempre que en la sucesión de enunciados hay una relación lógica de causalidad:

> Tiene pues, por necesidad, que encerrarse en muy angostos límites la instrucción del hombre rudo del campo, cuyas ocupaciones han de alejarle necesariamente del trato de toda persona extraña a su condición [...]. Luego su criterio no puede tener jamás el temple del de los hombres avezados a luchar contra la astucia, la deslealtad y la perenne mentira del mundo (Pereda, *Don Gonzalo González de la Gonzalera*, 269).

Sin perder completamente su sentido consecutivo, puede ser inicial de un período, denotando en cierta forma que lo que dice es consecuencia de lo dicho o simplemente pensado o sugerido por los hechos [*Gram. Acad.*, 348 *b*].

(2) **después**: El resto de la oración es posterior a lo que se dice en el elemento introducido por *después*. Es más frecuente el uso sin *de*. El uso *después de que* tiene valor explicativo según la *Gram. Acad.* [412 *d*]. Unida a la principal por *y* o simplemente yuxtapuesta, puede marcar cierta idea de concesión semejante a *encima de que*, siempre que hay relación de causalidad entre el contenido de ambas oraciones (*Después de ayudarte tanto, me pagas así*).

(3) **antes**: En la relación temporal ya conocida, el miembro introducido por *que* puede ser una proposición o cualquier elemento oracional de carácter nominal o modal:

> Antes que ella, comienzan los hombres a estar activos (W. F. Flórez, *El Bosque animado*); Había llamado [...], lo menos hora y media antes que de costumbre (Unamuno, *Niebla*, 55).

Por su propio significado lleva implícita una relación comparativa y forma una sobrestructura idéntica a la de las construcciones comparativas (v. 8.1.3.1). Los términos puestos en contraste pueden ser términos cualesquiera de la oración, y la relación, además de temporal, puede pasar a señalar la preferencia por uno de los dos términos:

> Yo prefiero estar en cualquier parte antes que aquí (I. Aldeoca, *El Fulgor y la Sangre*, 25); Al encastillarse con sus maridos en la torre, las *urbanas*, antes que por su móvil heroico, hacíanlo por miedo a las uñas y a las lenguas de las mujeres del otro bando (Galdós, *Zumalacárregui*, 33); Antes que dar una de sus flores, hubiese chafado todas sus plantas (G. Miró, *El Obispo leproso*, 266); Antes que pregonar delante de extranjeros los defectos de mis compatriotas, me arrancaría la lengua (Galdós, *Cádiz*, 32); Me dejaré emplumar antes que permitir, como quiere el teniente Houdinot, que te quedes en el Hospicio (Galdós, *Juan Martín, el Empecinado*, 202); Como él pegase la hebra con gana, ya podía venirse el cielo abajo, y antes le cortaran la lengua que la hebra (Galdós, *Fortunata y Jacinta*, I, 80); [La piedad] en el amor de amantes, lo menoscaba cuando no lo extingue, sin acertar a sustituirlo y antes ofende que consuela (Juan Ramón Jiménez, *Platero y Yo*, 62).

Según Cuervo [*Dicc.*, I, 489 *b*], este sentido de preferencia llevaría al valor adversativo correctivo que toma *antes* solo o reforzado por *bien*:

> [...] a Novillo no le robaba carnes, antes se las añadía (R. Pérez de Ayala, *Belarmino y Apolonio*, 49); El lecho en que yacíamos no convidaba por sus blanduras a dormir perezosamente la mañana; antes bien, colchón de guijarros hace buenos madrugadores (Galdós, *Zaragoza*, 9).

(b) Ocurre con *ahora, así, bien, primero, siempre, ya,* y se pueden incluir *aquí/ahí,* que marcan con *que* la consecuencia; *en tanto* y *mientras,* que usualmente no utilizan *que,* y *solamente* o *sólo* que admiten proposición de infinitivo además de la de verbo personal. Casi todas estas locuciones toman valor temporal:

de aquí que: Tenía Rafaela la habilidad de insinuarse en los espíritus, de dominar las voluntades y de hacer eficaces sus amonestaciones educadoras sin ofender el amor propio de los educandos. De aquí que los criados [...] la respetasen (J. Valera, *Genio y Figura,* 58); **así que**: Así que fue el perro el que le despertó, no el hombre que era su dueño (A. Grosso, *Testa de Copo,* 62); [...] Joshé era hace años, y aun hace meses, el mozo más abandonado de la ciudad y de los contornos, así que todo el mundo *nemine discrepante* lo apodaba Cracasch (P. Baroja, *Zalacaín, el Aventurero,* 127); **así + ser + que**: Así fue que sucedió lo que ella había previsto (Fernán Caballero, *Cuentos de Encantamiento,* 17); Había una vez un molinero que tenía mucho afán de ser rico; así era que cuando se ponía a picar la piedra de su molino, repetía sin cesar al dar los golpes: Pico, pico,/a ver si me pongo rico (*id.,* 12); Precisamente hoy es un día de recibir... Así es que a las diez de la noche, de frac, en casa de usted (R. Gómez de la Serna, *El Incongruente,* 102); **bien que**: Esta opinión, bien que aventurada, la hago constar como aviso útil al Gobierno español (Á. Ganivet, *La Conquista del Reino de Maya,* 15); Diego y yo principiamos a escudriñar y censurar las acciones de Lázaro [...] bien que nosotros no lo hiciésemos en su presencia (P. A. Alarcón, *El Escándalo,* 79); **primero-que**: Si estaba jugando al tute o al mus, [...]primero se hundía el mundo que apartar él su atención de las cartas (Galdós, *Fortunata y Jacinta,* I, 81); **siempre que**: A pesar de esto se podía escalar la tapia por el ángulo y saltar afuera, siempre que hubiese terreno donde poner los pies del otro lado (Galdós, *Juan Martín, el Empecinado*, 217); **sólo que**: Sus zapatos abotinados como los de Odón, sólo que en negro, con la punta muy chata (E. Quiroga, *Tristura*, 64); **solamente que**: Siempre salta lo que tiene que saltar, solamente que la ocasión es la que juega (I. Aldecoa, *El Fulgor y la Sangre*, 75); **en tanto que**: [...] y en tanto que le hizo la baga, decía: —El Señor agradece paternalmente este consuelo de la comunidad de la Visitación (G. Miró, *El Obispo leproso*, 273); **hasta tanto que**: [...] había resuelto no desnaturalizar el delicado y gustoso carácter de sus relaciones platónicas hasta tanto que no pudiera hacerla suya (R. Pérez de Ayala, *Troteras y Danzaderas*, 158); **en tanto**: Y a todos nos conviene ese parigual, en tanto transcurren estas grandes ferias de Viana (Valle-Inclán, *Cara de Plata*, 65); **ya que**: Yo seguí insultando; pero sumido en esa extraña somnolencia de los epilépticos, que permite ver y oír, ya que no hablar o moverse (P. A. Alarcón, *Historietas Nacionales*, 162); Y ya que has nombrado a Matías, enséñame los papelotes (Pármeno, *Embrujamiento*, 31); **en seguida que**: Salieron en seguida que cesó el bombardeo (R. F. de la Reguera, *Cuerpo a tierra*, 240).

(1) **ahora**: Sin *que*, *ahora* toma carácter adversativo y concurre con *pero*. El *que*, cuando aparece, toma la forma de *que* de refuerzo:

Mi padre no ha olvidado aquel fracaso; ahora, que él lo explica a su modo y se queda tan satisfecho (R. Pérez de Ayala, *Belarmino y Apolonio*, 63); [...] si detrás de ese nihilismo queda el hombre, España siempre será algo; ahora, si no hay nada [...] (P. Baroja, *La Ciudad de la Niebla*, 90); Ahora, que nosotros [...] ¡Muchachos!, ¡qué manera de *jarrear*! (R. F. de la Reguera, *Cuerpo a tierra*, 181).

(2) **así que**: Se ha destacado el valor consecutivo con que frecuentemente aparece. Otro uso importante une *así* al nexo comparativo *como*. El valor comparativo está implícito en el carácter anafórico del modal *así*:

Hay que cultivarla [la lealtad] como un arte difícil, así el virtuoso músico su instrumento (E. d'Ors, *Los Diálogos*, 27).

En otras ocasiones toma valor temporal y significa "al mismo tiempo" o "inmediatamente después":

Así que llegó a los cuarenta años, y a pesar de gozar una salud robustísima, se reconoció como un anciano decrépito (A. Palacio Valdés, *La Novela de un Novelista*, 105); Así que yo me vaya de este mundo y te quedes solo en él, tú cásate, cásate cuanto antes (Unamuno, *Niebla*, 51).

Igualmente puede tomar valor concesivo:

Ésa no se casa con José así que tengamos que andar a golpes (J. Benavente, *Señora Ama*, 98).

(3) **bien que**: Se ha destacado el valor adversativo que toma con *que*. El adverbio puede ser refuerzo de otras marcas; en comparaciones —*bien como, bien cual, bien así*— y con *antes* adversativo: *antes bien* [*Gram. Acad.*, 344 *f*].

Puede aparecer sólo o con *que* en distribución disyuntiva. *Bien* puede considerarse como refuerzo en la disyunción marcada por la conjunción *o* o por el subjuntivo que contrapone dos enunciados contradictorios [*Gram. Acad.*, 339 *c*]:

Un día, bien fuera porque se hartó de aquella cárcel, bien porque le echaran de ella, o por los dos motivos juntos, [...], tomó el trote para Lumiacos (Pereda, *La Puchera*, 56).

Puede tener valor temporal, sobre todo cuando *bien* se agrupa con *no* (*no bien*). El otro miembro de la frase puede ir introducido por *cuando*:

> No bien la hubo conocido, apeóse rápido (Pereda, *Don Gonzalo González de la Gonzalera,* 163); No bien empezó la operación de descolgar las hembras y criaturas, la muchedumbre no pudo contener su inquietud (Galdós, *Zumalacárregui,* 37).

(4) **tanto**: Las formaciones con *tanto* no suelen emplear el *que*. Otras formaciones temporales se construyen con otras preposiciones:

> **entretanto**: Entretanto, la marquesa dormitaba y las hijas del marqués hacían labores (Unamuno, *Tres Novelas ejemplares,* 108); La comida se hace con francachela primitiva entretanto el tren corre por una valle fértil (Güiraldes, *Xaimaca,* 16).

Toma valor próximo al comparativo y el *que*, función semejante al valorativo:

> ¿De verdad que no se te ocurre nada? Tanto que me pregunta Leontina (E. Quiroga, *Tristura,* 277).

El intensivo tiene carácter valorativo de la proposición reforzada por *que*.

(5) **ya que**: Los valores son múltiples por el carácter mismo del adverbio. Puede ser **temporal** y entonces lo expresado por el enunciado que introduce, es inmediatamente anterior a lo dicho por el resto de la oración; **causal**, cuando no hay inminencia en la sucesión de las dos partes de la oración y, entonces, toma un valor semejante al de *puesto que*. El enunciado introducido por *que* se acepta como hecho concluido del que se desprende, como consecuencia lógica y

absoluta o meramente circunstancial, lo que expresa la oración principal [Bello, 1.288; *Gram. Acad.*, 398 *c*; Kenist, 28.241]; **condicional**, cuando esta misma relación de causalidad se expresa por medio del subjuntivo en la proposición introducida por *que*; por último, **concesivo**, cuando los dos enunciados coexisten, se expresan en el mismo tiempo y el segundo es negativo mientras el primero es afirmativo:

> [...] reconozco que algunos de los consejos de Lázaro eran excelentes [...] ya que no hijos de una santa intención (P. A. Alarcón, *El Escándalo*, 78).

8.1.1.6. *Locuciones conjuntivas con "que"*

Hay que recoger en último lugar toda una serie de agrupaciones nominales que introducen una proposición con *que* enlazada al nombre por medio de preposición, cuando su frecuencia y su especialización en significar una determinada relación las aproxima a las locuciones conjuntivas y como tales han sido consideradas por varios gramáticos. En algunos casos el *que* es más valorativo que anunciativo. Estos grupos nominales pueden igualmente con el mismo régimen y sin *que*, introducir una proposición de infinitivo. Se trata de agrupaciones como *respecto a que, al paso que, en vez de que, a la vez que, a pesar de que, a medida que, a causa de que, (en) caso de que, a fin de que, a punto de que, a efecto de que, merced a que, a fuerza de que, en lugar de que, a condición de que, al par que, gracias a que, en vista de que*, etc., y *de modo que, de manera que, de suerte que*, que pueden tener intención consecutiva de valoración:

> **al paso que**: De estos fracasos era producto la costumbre de echar pestes aquellas mujeres contra el lugarejo en que residían, al paso que suspiraban por los que iban dejando detrás (Pereda, *La Puchera*, 125); [...] un hombre limpio

es bello como una voladora mariposa, al paso que otro sucio es feo como una rastrera alimaña (C. J. Cela, *Nuevo Lazarillo*, 95); **en vez de que**: [...] me parecerá muy bien que otro perro le imponga el castigo oportuno, **en** vez de que yo tenga que entendérmelas con un empleado del Municipio (J. Campos, *Sobre casi todo*, 102); Pacheco, en vez de asustarse con tan caliente reprimenda, pareció que recobraba los espíritus (Pardo Bazán, *Insolación*, 75); **una vez que**: [...] una vez que hubo llamado, tenía que pedir el desayuno aunque no era hora (Unamuno, *Niebla*, 55); **cada vez que**: Cada vez que un sufrimiento material me punza el corazón, surge ante mí, [...] la mirada que *Lord* dejó en él para siempre cual una huella macerada (Juan Ramón Jiménez, *Platero y Yo*, 130); **a pesar de que**: A pesar de que no pretendía llamar la atención, las tres mujeres le escucharon con gran curiosidad (P. Baroja, *Locuras de Carnaval*, 27); Mas a pesar de ser un hombre de ciencia, estos artefactos duraban poco tiempo íntegros en sus manos (A. Palacio Valdés, *Riverita*, 17); **pese a que**: Tío Andrés doblaba revistas con muchísimo cuidado, con sus lentos gestos pese a que siempre le temblaba el pulso (E. Quiroga, *Tristura*, 82); **a medida que**: [...] a medida que pasaba la película, se sentía más él mismo en el gran espejo (R. Gómez de la Serna, *El Incongruente*, 194); **a causa de que**: Bajo su mayordomía desaparecieron las dificultades con que para la explotación de la finca se venía tropezando, desde que el antiguo esclavo se convirtió en peón asalariado, a causa de que éste aborrecía ahora más que antes el trabajo a que su pobreza le obligaba (R. Gallegos, *Pobre Negro*, 121); **con tal de que**: Si los del lugar estaban ya sosegados y desengañados, no faltaban aún forasteros, con tal de que fuesen sujetos de cierto fuste, que se alborotasen (J. Valera, *Doña Luz*, 25); El héroe del Matadero pasaba por todo con tal que no le faltase la pitanza (Blasco Ibáñez, *Sangre y Are-*

na, 63); **(en) (el) caso (de) que**: Aquel gran espasmódico que Belarmino iba a tener, caso que Escobar viniese de visita, ¿en qué consistiría? (R. Pérez de Ayala, *Belarmino y Apolonio*, 94); El caso es que a Quirós lo han trasladado a Marruecos (P. Baroja, *Locuras de Carnaval*, 58); Y en el caso de que mi buen Capellán se decida por la religión, me obligo a premiar sus servicios, el día del triunfo, con una buena canonjía (Galdós, *Zumalacárregui*, 203); Parecía estar invadido por el miedo. Miedo a lo que posiblemente ocurriría en caso de que no se pusiera pronto remedio a la situación (I. Aldecoa, *El Fulgor y la Sangre*, 62); **a fin de que**: Sin duda una división pasaría el Ega por Acedo, a fin de embestir por el valle de Lana (Galdós, *Zumalacárregui*, 139); **a punto de que**: Un día vi más. Por cierto que estuve a punto de echar a rodar los miramientos (Pardo Bazán, *Doña Milagros*, 139); **a efecto de que**: A efecto de paliar mis inquietudes, refúgiome en mi soledad (Güiraldes, *Xaimaca*, 63); **merced a que**: [...] la reciben con agrado, a pesar de lo mucho que murmuran de ella, merced a que la esposa de Martínez es egoísta, pero es graciosa (R. León, *Alcalá de los Zegríes*, 82); Estaba a bien con el padre Urdax, merced a haber entrado en una asociación benéfica recomendada por los jesuitas (Pardo Bazán, *Insolación*, 67); **a fuerza de que**: El menosprecio es contagioso. A fuerza de mirar mi mujer el pobre papel que hago [...] ¿no acabará por desdeñarme también? (J. Valera, *Pasarse de listo*, 78); **en lugar de que**: Fuimos allá, y vimos que la joven en lugar de irse a su aposento, [...], se había ocultado (P. A. Alarcón, *El Escándalo*, 143); **a condición de que**: [...] un cubano rico quiere sacarle del atolladero, a condición de que se case con su hija (P. Baroja, *César o Nada*, 228); **al par que**: Y otro compañero, al par que los demás marchan gravemente, con la mano extendida ante la nariz, va tecleando con los dedos en el aire (Azorín, *Antonio*

Azorín, 72); **gracias a que**: Gracias a que esa señorita vino a buscar su fotografía y no la encontramos, dimos con lo que había sucedido (R. Gómez de la Serna, *El Incongruente*, 84); **en vista de que**: [...] en vista de que no manifestaba muchas ganas de hablar, enmudecí (P. Baroja, *Las Inquietudes de Shanti Andía*, 169); **de modo que**: De modo que no lo rompió por antojo de hembra delirante ni pródiga (G. Miró, *El Obispo leproso*, 265); [...] mi abuela murió el mes pasado y mis tíos no tienen medios suficientes. De modo que decidí venir aquí (J. Goytisolo, *Duelo en el Paraíso*, 56); **de manera que**: ¿De manera que usted es nieto de doña Celestina? (P. Baroja, *Las Inquietudes de Shanti Andía*, 168); Estiraba la bata sobre las rodillas de manera que estuviese tirante (E. Quiroga, *Tristura*, 70); **de suerte que**: Vinieron en su ayuda la abuela, el cura y la viuda, de suerte que Herminia recibió la impresión de que no era sólo Tigre Juan sino la sociedad entera quien la esposaba (R. Pérez de Ayala, *El Curandero de su Honra*, 12).

8.1.1.7. *En construcción absoluta*

Una construcción particular se consigue cuando la proposición marcada por *que* va precedida por un participio o adjetivo en masculino singular. Se corresponde en el esquema simple a las construcciones absolutas que cubren un elemento periférico que contrasta con el resto de la oración: *Dada su poca seriedad, no le hicimos caso/Dado que es poco serio, no le hicimos caso.*

Las palabras predicativas *salvo* y *excepto* pueden emplearse con infinitivo o con proposición con *que*. Las restantes —*dado, visto, puesto, supuesto*— sólo se emplean con proposición con *que*. El participio y el *que* forman unidad para algunos gramáticos que los consideran locuciones conjuntivas. En general, se especializan en una determinada relación que se equipara a la causalidad. Igualmente, puede darse con cualquier participio:

> **dado que**: Creo que ha obrado prudentemente, dado que era ya un poco tarde (Azorín, *Antonio Azorín*, 78); **puesto que**: Puesto que voy a Cifuentes —añadió—, me ofrezco a llevar [...] tus últimos recuerdos (Galdós, *Juan Martín, el Empecinado*, 169); **participio + que**: Y admitido que, [...], no hay más remedio que armar soldados [...], hemos de admitir necesariamente los duros castigos, las represalias (Galdós, *Zumalacárregui*, 63).

8.1.1.8. *Proposiciones independientes con "que"*

En la lengua hablada, principalmente, se produce una amplia serie de oraciones independientes precedidas por la marca *que*. En muchos casos, el *que* es efectivamente expletivo, aunque siempre añade un cierto valor de refuerzo. Para algunos casos, tiene alguna validez el pensar el enunciado introducido por *que* como elemento de otro verbo expreso o suscitado por el contexto en el discurso inmediatamente anterior. Tal interpretación es siempre expuesta por evidente que parezca. He aquí una relación de los usos más característicos y frecuentes:

(a) **Continuativo**: Cuando se puede pensar en un verbo elidido. De hecho, lo enunciado puede alternar entre la construcción con *que* y sin él. El *que* imprime mayor fuerza a la expresión. Bello [995] defendió la tesis de verbos dominantes elípticos que pueden ser de lengua principalmente:

> Por cierto, que soy amigo de Grijalva (Galdós, *Memorias de un Cortesano*, 91); ¿Qué te pasa, que no tienes barbi-

lla? (E. Quiroga, *Tristura*, 73); ¿Que no puede usted vivir? Pues se muere usted y en paz (J. Camba, *Sobre casi todo*, 112); Que le da el sol —exclamó—, que le da el sol (Unamuno, *Tres Novelas ejemplares*, 119); Pero yo se lo tengo dicho a Romualdo, que como en la primera junta de Ayuntamiento no vaya y les diga todo lo que hay que decirles, me planto yo [...] (J. Benavente, *Señora Ama*, 105); Pero ¿qué quiés comunicarme? ¿Que vas a dármelo ahora? (Pármeno, *Embrujamiento*, 36).

Puede reproducirse mediante el *que* un diálogo anterior:

El mes pasado que ladrillos nuevos, el anterior que zócalo (Hermanos Álvarez Quintero, *Los Galeotes*, 207); Hemos discutido. Él, que la criada no ha robado el broche; yo, que sí. Me ha insultado [...] (A. Paso, hijo, *El Juzgado se divierte*, 23).

Dependen de variados posibles verbos dominantes o son simplemente refuerzos de la transposición:

¡Este Landrú no hace más que matar mujeres! ¡Qué tío! ¡Para mí que las estrangula! (C. J. Cela, *Molino de Viento*, 17); A mí que me den un catre, y el campo pa los pájaros y las vacas (Díaz Cañabate, *Historia de una Taberna*, 106); Por éstas, que me costó mucho trabajo contentarme en un principio (R. Pérez de Ayala, *Troteras y Danzaderas*, 321); ¡Que mi hija iba a haberte consentido lo que te consiente la Dominica! (J. Benavente, *Señora Ama*, 104); Ahora, que del caso de la María Juana sí entendí de hablar (*id.*, 96).

Otra fórmula continuativa introduce el *que* precedido de preposición. Es la más característica la fórmula *a que* en la que se sobrentiende el verbo *jugar*, *apostar*, etc.:

Pero ¿quién anda en la cocina? ¿A que es el gato? (Unamuno, *Niebla*, 52); ¿A que vosotros también lo habéis pensado? (I. Aldecoa, *El Fulgor y la Sangre,* 51); ¿A que no adivina usté lo que mi madre le ha traído de la capital? (Pármeno, *Embrujamiento,* 13).

(b) **Optativo**: Se presenta característicamente con el verbo en subjuntivo [Bello, 996-998]. Como en el caso anterior, se puede suponer un verbo de deseo como dominante de la construcción. Frente al caso anterior no se puede prescindir del *que.* En algunos casos, en fórmulas fijas de saludo, el *que,* sin embargo, puede eludirse. Son fórmulas equivalentes en el saludo, *Que usted lo pase bien* y *Usted lo pase bien.* Este uso tiene una fórmula muy típica, constituida por la anticipación del sujeto u otro elemento del verbo delante del *que*:

> Que usté se conserve tan bueno y que el ama se mejore; quede usté con Dios (J. Benavente, *Señora Ama,* 93); Y que Dios te pague el aviso (Pármeno, *Embrujamiento,* 15); Bueno, que entre (P. Baroja, *Locuras de Carnaval,* 27); Que todo siga igual. Que durablemente persista en la habitación el mismo orden en el mobiliario y enseres (E. d'Ors, *Los Diálogos de la Pasión meditabunda,* 33); **con elemento anticipado**: Con el vino solo me apaño y estas pelotas que las coman los guiris (Galdós, *Zumalacárregui,* 142); El que sea valiente que me siga (Pereda, *Don Gonzalo González de la Gonzalera,* 212); Los de ese dictamen que vayan delante y hablen primero (Valle-Inclán, *Cara de Plata,* 22); Eso es, y a nosotros que nos parta el rayo (Pérez Lugín, *La Casa de la Troya,* 145).

(c) **Ser + que**: Cualquier proposición que admite el refuerzo que le presta la marca *que* puede ampliar el reforzamiento con una forma personal del verbo *ser.* Hay una cierta tendencia, como se ha notado, a fijar el tiempo presente de indicativo (*es que*). Así una misma proposición admitirá tres expresiones que parecen reflejar tres grados de fuerza en la comunicación: *Tengo prisa/Que tengo prisa/Es que tengo prisa.* Los gramáticos no se ponen de acuerdo sobre la identificación de la función de la proposición marcada por *que* con respecto al verbo *ser*. Para los más se identifica como sujeto de una construcción intransitiva del verbo *ser*. Sin embargo, hay que tener presente que el verbo *ser* cumple aquí una función identificativa y, de hecho, en algunos casos, admite como segundo término de identificación los neutros *ello*, *eso*, etc., en cuyo caso pasaría a ser el elemento marcado, atributo de la construcción.

> Es que Su Majestad se despertará pronto (Galdós, *Memorias de un Cortesano*, 84); No es que no hubiese olvidado a Encarna sino que había sido el recuerdo de Encarna lo que impulsó a Pedro a recurrir a él (García Hortelano, *Nuevas Amistades*, 83); [...] y es que el poeta, en efecto, no ha querido decirnos nada que no supiésemos por adelantado (R. de Maeztu, *Ensayos*, 37); —¡Es que mi abuelo se murió! —dijo la niña (Unamuno, *El Espejo de la Muerte*, 23); ¿Es que volvéis a cuestionar el paso por los arcos? (Valle-Inclán, *Cara de Plata*, 59); Yo no es que quiera decir nada, pero a mí que me da la sensación de que está algo enamorado (I. Aldecoa, *El Fulgor y la Sangre*, 51); **con neutro**: Ello fue que cuando sólo quedaron los que habían imitado con exactitud los ejercicios, danzas, gestos y gritos de alguno de los tres directores, todos se levantaron (Á. Ganivet, *La Conquista del Reino de Maya*, 60); Eso es que debe haber perdío el autobús (A. Paso, hijo, *El Juzgado se divierte*, 12).

Con el verbo en subjuntivo, expresa la posibilidad como alternativa y, en forma negativa, la finalidad contingente que hay que evitar:

[...] le ato a un estambre colorado, para acordarme mejor; no sea que el día de la marcha salgamos con que se ha obscurecido (Pardo Bazán, *Insolación*, 111); [...] tendremos que darle palos para que pare, no sea que con la fuerza del golpe abra un boquete en la muralla de Puerta de Tierra (Galdós, *Cádiz*, 42).

En las frases exclamativas, puede aparecer el doble refuerzo de *ser* + *que* introducido por *que*:

Pero señó, si me harté de decírselo al cabo. ¡Que yo no me llevo este burro! ¡Que es que me ha tomao simpatía! ¡Que es que no se quiere ir de mi lao! (A. Paso, hijo, *El Juzgado se divierte*, 15).

(d) **Con relación lógica**: Pospuestas a una oración con la que tienen relación de causalidad, pueden emplearse marcadas solamente con *que*, oraciones independientes. Concurren con la construcción con *porque* y con la simple yuxtaposición: *Me voy porque tengo prisa/Me voy; tengo prisa/Me voy, que tengo prisa*. La construcción es clásica y en castellano actual domina en la lengua hablada. El lenguaje literario prefiere utilizar nexos expresivos:

Y no le demos vueltas, que no hay más cara que la que luce (García Pavón, *Las Hermanas Coloradas*, 66); Y pon buena cara, que si hablaba de ti era en son de elogio (Pármeno, *Embrujamiento*, 20); Si el espíritu se ensancha hasta convertirse en un cosmos —que no es otra cosa lo que llamamos el genio— no sucumbirá! (E. d'Ors, *Los Diálogos de la Pasión meditabunda*, 15); [...] dame el traje, que yo lo llevaré (Galdós, *Misericordia*, 52); Vamos y no lo demoremos, que está solo en la cueva el lobo cano (Valle-Inclán, *Cara de Plata*, 21); Primero lo tengo que pensar, pero no te preocupes, que no será por ahora (I. Aldecoa, *El Fulgor y la Sangre*, 98).

De la misma manera, antepuesta y en subjuntivo, la oración marcada puede tomar valor condicional con relación al resto de la oración:

> Que te vean cobarde y sin fuerzas, y hasta las ovejas harán aguas en tu cara (Blasco Ibáñez, *Sangre y Arena*, 225); [...] antes el rico tenía que vivir entre los pobres; hoy vive aparte, se ha hecho una muralla de algodón y no oye nada. Que los pobres chillan, él no oye (P. Baroja, *La Busca*).

También en la lengua coloquial puede tomar con la negación un cierto carácter concesivo:

> Ni que fueras millonaria (I. Aldecoa, *El Fulgor y la Sanbre*, 50).

Otro matiz de la concesión se expresa por medio del refuerzo de *y eso que*:

> [...] nadie se prestó a disputarle el corazón ni la mano de su elegida, y eso que el antiguo usurero [...] daba a la muchacha enterrada en onzas (P. A. Alarcón, *El Niño de la Bola*, 184); Su sobrino, [...], nada había querido contarla al despedirse la víspera; y eso que le retozaba la alegría en los ojos (Pereda, *La Puchera*, 293).

(e) **Comentada**: La oración marcada por *que* puede ir precedida de diferentes formas de comentario que ofrecen la alternativa de la simple yuxtaposición separada por pausa y la utilización del *que* (*Cuidado, viene tu madre/Cuidado que viene tu madre*).

Semejante es el refuerzo de la afirmación *sí* de carácter enfático con la que se subraya la evidencia y verdad de lo que se dice en la oración marcada por *que* (*Que sí lo he visto/Que lo he visto/Lo he visto*):

> **por supuesto**: Por supuesto que yo te entero de esas cosas; porque a ti, maldito, si te importa lo de este barrio

(Pereda, *La Puchera*, 58); **a buen seguro**: A buen seguro que el astro rey dijese esta boca es mía protestando (Pardo Bazán, *Insolación*, 12); **a la cuenta**: A la cuenta que vuelven del Tiemblo (J. Benavente, *Señora Ama*, 100); **cuidado**: ¡Cuidao que eres inocente! (Pármeno, *Embrujamiento*, 18); **mucho**: Y mucho que conocía la buena señora (Unamuno, *Niebla*, 64); **descuida**: Descuida que ni al ama ni a mí, ni la Jorja ni tú ni ninguna nos traéis engañás. (J. Benavente, *Señora Ama*, 89); **ande usted**: ¡Menuda curda ha cogido este gachó! ¡Ande usted que la lleva buena! (P. Baroja, *Locuras de Carnaval*, 46); **mire usted**: ¡Mire usted que eso de la escuadra es desatino! (R. León, *Alcalá de los Zegríes*, 64); ¡Miren que salir ahora con vergüenzas! (Galdós, *Zumalacárregui*, 38); ¡Mira tú que con lo burro que eres! (R. F. de la Reguera, *Cuerpo a tierra*, 132); **vaya**: ¡Vaya que son cosa buena! (Pereda, *La Puchera*, 35); **afirmación**: Esa contestación sí que es una burla (Pármeno, *Embrujamiento*, 13).

El *que* puede servir para subrayar un elemento adverbial de la oración que se anticipa a la marca. La expresión toma una entonación particular con la que se encarece la intensidad subrayada (*Vale mucho/Mucho que vale*):

¡Pues poco que se condolerán de mi suerte! (Galdós, *La Campaña del Maestrazgo*, 230); Pues ¡poca broma que hubo en casa de Sahagún la noche que se arregló el plan de la corrida! (Pardo Bazán, *Insolación*, 71); ¡Pues no hay poquito que andar de aquí a la posada de Santa Casilda! (Galdós, *Misericordia*, 51).

8.1.1.9. *Otros usos del "que" anunciativo*

Otros usos del *que* toman un carácter especial difícil de fijar e interpretar en que el *que* anunciativo interfiere con el carácter relativo y el valorativo:

(a) Puede aproximarse al valorativo con verbos que impliquen preferencia entre dos posibilidades o corrección de un elemento oracional que se rechaza por otro que lo sustituye:

> Yo prefiero ser de un país en donde casi todo está por hacer y hay viveza y rabia, que no de aquí, en donde la gente se sienta en un banco, con la boca abierta, y espera a que pase el día (P. Baroja, *La Ciudad de la Niebla*, 88); —Ya está terminado —respondió Fabián— y ¡justicia pido de aquí en adelante, que no misericordia! (P. A. Alarcón, *El Escándalo*, 192).

(b) Toda una serie de construcciones en que se agrupan elementos oracionales u oraciones marcadas por el *que*, con la repetición del mismo verbo expresan alternativa o intensifican la idea o expresan posibilidad por medio de los indefinidos:

> **intensificación**: Casiana le dijo que no tenía nada; pero él, busca que busca, dio con el calcetín (Galdós, *Juan Martín, el Empecinado*, 187); A veces se le pasa en seguida el genio, otras está sopla que sopla hasta que se cansa (I. Aldecoa, *Con el Viento solano*, 222); **alternativa concesiva**: Pues que quieran o no, [...] son tus tías (Palacio Valdés, *Riverita*, 150); [...] mientras llegaba la hora, mi amigo, que quise que no, hubo de darme nuevas lecciones de esgrima (Galdós, *Cádiz*, 43); Subiéronle, y que quieras que no, le despojaron de los pingajos que vestía [...] (Galdós, *Fortunata y Jacinta*, I.394); Vengo de cobrar la nómina en la Universidad, y me han cargado, que quieras que no quieras, con doscientas pesetas en plata (R. Pérez de Ayala, *Troteras y Danzaderas*, 124); **posibilidad**: [...] proyectaba un álbum de los políticos ilustres, hacía informes grafológicos y alguno que otro *chantage* y falsificaba firmas con perfecta tranquilidad (P. Baroja, *Locu-*

ras de Carnaval, 128); Durante la comida, la duquesa le soltó varias frescas y uno que otro sabroso ajo (R. Pérez de Ayala, *Belarmino y Apolonio*, 76).

(c) Con el verbo *hacer* introduce el *que* otro verbo. El concepto expresado por el segundo verbo se entiende como fingimiento (*haciendo que trabaja = finge trabajar*):

Después de darse mucha importancia, haciendo que lo enseñaba y volviéndolo a guardar, [...] de repente ponía el papel en las narices de sus amigas (Galdós, *Fortunata y Jacinta*, I, 38).

8.1.2. El "que" relativo

Cuando el *que* es relativo se cumplen en él, a la vez, dos funciones coincidentes: (1) **función anafórica** por la que el *que* alude a un nombre, adjetivo o adverbio al que se llama convencionalmente *antecedente*, expreso en el discurso o implícito; (2) **función transpositora** por la que el enunciado que introduce se incorpora en la oración como constituyente de un elemento o como elemento de la misma.

El *que* relativo se puede presentar por sí solo (*que*) o agrupado con el artículo (*el que, la que, los que, las que, lo que*). Tanto en un caso como en otro, puede ir marcado por preposiciones que señalan (3) *la función del relativo* como elemento de la proposición ordenada por el verbo subordinado:

La cuestión de que discutían *era apasionante*

V_c Atr.

E Reg. V_i

N + I. nominal

S

o (4) la *función de la proposición* como elemento dependiente del verbo que actúa como núcleo ordenador de la oración:

$$
\begin{array}{l}
\underset{V_t}{\textit{Leyó}} \;\; \underset{CD}{\textit{unas páginas}} \;\; \underbrace{\overline{\text{a los}} \;\; \overline{\text{que}} \;\; \overline{\text{estábamos allí}}}_{\displaystyle CI} \\
\phantom{\textit{Leyó unas páginas aaa}} \underset{S}{} \quad \underset{V_i}{} \quad \underset{L}{}
\end{array}
$$

Mediante las construcciones con relativo, el hablante puede incorporar como constituyente de cualquier elemento oracional dentro de un esquema determinado, una oración que tiene en común con aquella a la que se incorpora, una palabra:

$$
\left.
\begin{array}{l}
\textit{Pedro}_1 \text{ tenía prisa} \\
\textit{Pedro}_2 \text{ se fue}
\end{array}
\right\} \quad \textit{Pedro}_2, \; \textbf{que} \text{ tenía prisa, se fue.}
$$

$$\textbf{que} = \textit{Pedro}_1$$

$$
\left.
\begin{array}{l}
\textit{Hoy}_1 \text{ no tienes prisa} \\
\textit{Hoy}_2 \text{ te quedarás un rato}
\end{array}
\right\} \quad \textit{Hoy}, \; \textbf{que} \text{ no tienes prisa, te quedarás un rato.}
$$

Por la forma de la marca, las proposiciones de relativo pueden tomar fundamentalmente las siguientes fórmulas de incorporación:

(a) **Por aposición**: La proposición marcada por el relativo, en cabeza directamente o tras pausa, se yuxtapone al antecedente que le sirve de núcleo. Desempeña únicamente una función secundaria como constituyente de un elemento subordinado al verbo dominante. El relativo simple o compuesto —*artículo* + *que*— puede ser sustituido por el antecedente para reconstruir la oración originaria antes de ser incorporada a la oración compuesta:

Relativo simple: *El libro de que hablas está aquí = El libro está aquí + Hablas del libro.*

Relativo compuesto: *Los amigos con los que salí de excursión acaban de llegar = Los amigos acaban de llegar + Con los amigos salí de excursión.*

Tanto en un caso como en otro, la preposición marca subordinación del relativo dentro de la proposición que introduce, y el relativo transpone como constituyente de un elemento del esquema del enunciado, a la oración que introduce.

Estas proposiciones pueden tener distinto grado de trabazón con su antecedente. Esta diferencia se traduce en la expresión por la presencia de una pausa o la continuidad tonal. En cuanto al sentido, la expresión parentética tiene valor **explicativo** mientras la otra **especifica** y distingue por medio de una cualificación el antecedente:

(1)	Lleva a arreglar los trajes que están rotos	(No todos están rotos) *Especificativa*
(2)	Lleva a arreglar los trajes, que están rotos	(Todos están rotos) *Explicativa*

En (1) la proposición de relativo tiene *valor especificativo* y distingue unos trajes rotos de otros que no lo están. En (2) la proposición tiene *valor explicativo* e informa de que todos ellos están rotos. El contenido puede entenderse como causa del mandato.

(b) **Sustantivación**: Una proposición de *que* simple

sin preposición como equivalente que es de un adjetivo, puede sustantivarse mediante el artículo. En tal caso, como el adjetivo, puede cubrir un elemento oracional y, en su caso, aceptar la preposición que le corresponda según la función que desempeñe en la oración. Coincide la marca con la del relativo compuesto, pero el antecedente, generalmente implícito, no cubre más que al relativo simple y la preposición lo subordina al verbo dominante: *Vi a los que asaltaron la joyería* = *Yo vi a alguien* + *los* (*hombres/ladrones,* etc.) *asaltaron la joyería.*

| Esperaba sorprenderle **con** *el regalo* |

↑

SIMPLE: Le estropearon *el regalo* **con que** esperaba sorprenderle

| Había trabajado **con** *el buril* |

↑

COMPUESTO: Contemplaba *el buril* **con el que** había trabajado

| Algunas *muchachas* habían merecido el premio |

↑

SUTANTIVACIÓN:
Entregó el premio **a** | las que lo habían merecido |

(c) **Aposición paratáctica**: Una variante de la aposición toma valor paratáctico en la entonación cuando se emplea al final de enunciado y el antecedente del relativo es una oración completa. Los lazos de unión se sueltan por medio de una pausa que puede ser mayor o menor, pero siempre de mayor intensidad que la conseguida por otros procedimientos concurrentes como los restantes neutros *ello, tanto, eso,* etc.: *Devolvieron lo robado por lo que se les perdonó* =

Devolvieron lo robado + *Se les perdonó* **por eso** (**eso** = *Devolvieron lo robado*).

8.1.2.1. *El antecedente*

El concepto aludido por el relativo se llama por tradición **antecedente**, aunque pueda en la mención catafórica aparecer en el discurso detrás del relativo (*Al que vio fue a Federico*).

Su discusión constituye la parte fundamental de la teoría misma del concepto de relativo como recurso para explicar este particular medio de relacionar e incorporar unas oraciones como proposiciones en otras. Tal cuestión parece bastante evidente cuando el antecedente es nominal y está expreso, pero llega a alcanzar gran complicación cuando se trata de un antecedente distinto al del sustantivo o queda implícito en la frase.

(a) *Antecedente expreso*: Se entiende como antecedente el sustantivo, pronombre sustantivo, adjetivo o adverbio que viene expreso inmediatamente delante, por lo general, del relativo. Toda una oración o enumeración puede igualmente ser aludida por el relativo:

(1) **Un sustantivo**:

Unos metros más allá encontró a Leopoldo, que andaba con una rebuscada e insegura lentitud (García Hortelano, *Nuevas Amistades*, 123); Era remotamente dichosa, con una dicha vaga, que casi no se sentía (C. J. Cela, *La Colmena*, 158).

(2) **Un pronombre**:

alguno: ¡Ésas son las verdaderas caridades —dijo Polinar—, y no algunos que yo sé, con mucha trompeta [...]

y ná en junto (Pereda, *Don Gonzalo González de la Gonzalera,* 202); **alguien**: La lejanía era impenetrable y vacía como una carta para alguien que no supiera leer (I. Aldecoa, *El Fulgor y la Sangre,* 6); **algo**: [...] todo eso me parece cual si fuera algo que me pasó (Unamuno, *El Espejo de la Muerte,* 24); **uno**: [...] el Doctor tenía la mano pesada y daba a Respetilla sobre diez palos por cada uno que recibía (J. Valera, *Las Ilusiones del doctor Faustino,* 223); **cualquiera**: Cualquiera que me vea y se le diga la edad que tengo [...] (J. Benavente, *Señora Ama,* 102); **mucho**: Hay muchos que parecen locos y son en el fondo, unos cucos (P. Baroja, *Locuras de Carnaval,* 16); **nada**: No ha ocurrido nada que yo sepa (I. Aldecoa, *El Fulgor y la Sangre,* 39); **nadie**: En la pulpería no hay ahora nadie que quiera contender con él guitarra en mano (Salaverría, *Martín Fierro,* 32); **otro**: ¿Pero no habrá en la familia otro que se ponga la corona? (Galdós, *El Dos de Mayo,* 222).

Al valor del pronombre antecedente se aproxima el sustantivo degradado **cosa**. En concurrencia con *lo cual* puede referirse a todo un contenido oracional o a una o varias acciones [SFR, 173]:

[...] se adentraron en el mesón, cosa que debió haber sido invento del mismo Lucifer (C. J. Cela, *Nuevas andanzas de Lazarillo de Tormes,* 71); Perdóneme usted, padre, lo que le voy a decir [...] es una cosa de que me arrepiento hoy (P. A. Alarcón, *El Escándalo,* 78); Usted es un hombre trabajador. Cosa que debe ser muy absurda para usted (P. Baroja, *Locuras de Carnaval,* 55).

(3) **El artículo**: Mientras en los casos anteriores el relativo se presenta con un antecedente claramente explícito, sustantivo o pronombre, al que directamente alude, hay otro caso en que el antecedente queda implícito, no nombra-

do. La Gramática tradicional hablaba de *antecedente envuelto* en el significado del propio relativo. Se produce en el caso en que el relativo se agrupa con el artículo en coincidencia con el que se ha llamado relativo compuesto.

Para Bello [323; 324] el artículo tiene carácter sustantivo y es el antecedente del relativo. A diferencia de los casos anteriores, "el artículo pertenece a una proposición y el relativo a otra". Según la teoría de Bello que iguala el artículo con los pronombres personales, se prefieren las formas abreviadas *el, la,* etc., a las íntegras *él, ella,* etc., por la proposición especificativa que sigue tras el *que*. En frases como *Los que no moderan sus pasiones son arrastrados a lamentables precipicios, los* es *los hombres*, y es antecedente de *que*. La *Gram. Acad.* [357] acogió la idea de Bello subrayando el carácter demostrativo del artículo: "el artículo conserva su primitivo valor de pronombre demostrativo y hace de verdadero antecedente del relativo".

R. Cuervo en sus *Notas* a la Gramática de Bello [54] incidentalmente, al hablar del artículo, y después Lenz [78-79] y Gili [231] atendieron al carácter adjetivo de las proposiciones especificativas y, por otra parte, subrayaron el valor románico sustantivador del artículo y la unidad de grupo nominal de nombre + proposición de relativo. Explicaron el hecho por ausencia del nombre como simple sustantivación de la proposición de relativo:

El que nace en Barcelona se llama barcelonés.
El *hombre* que nace en Barcelona...
Aquel que nace en Barcelona...

SFR [141; 161 y ss.] advierte la conveniencia, sin embargo, de mantener la aguda distinción de Bello entre un relativo compuesto —*el/la que,* con antecedente expreso, equivalente al francés *lequel*— y la sucesión de *artículo* +

que sin antecedente. Para SFR, en el segundo caso, el artículo sin remisión anafórica desempeñará una función primaria y vendrá a ser, conforme con el carácter demostrativo originario, el antecedente del relativo. El relativo compuesto tendría su origen en este relativo agrupado con artículo [n. 3 al 165]. Al lado de esta sucesión originaria, en algunos casos el artículo "tiene la significación general de persona" y "no actúa como anafórico". Son los casos en que *el/la que* concurren con *quien*.

La teoría de Bello permite explicar y distinguir razonablemente la secuencia *artículo + que* como relativo compuesto y comó sustantivación. Queda sin embargo, aparte, la explicación del artículo neutro agrupado con *que*. En este grupo el artículo tiene valor anafórico y remite a un concepto suscitado por el contexto pero no lexicalizado. Se dice con relación al género y número del nombre al que conviene la especificación de la proposición de relativo, el relativo con el artículo masculino o femenino, singular o plural, si el contexto lo implicita o en el ánimo del interlocutor se presupone la identificación con una realidad lexicalizada. Cuando, en cambio, la especificación revierte sobre el puro concepto, independizado de su realización léxica, porque se considera innecesario o porque no se tiene tal palabra en el léxico, se recurre a la forma neutra *lo*:

| el libro |

↑

He leído el que me trajiste ayer.

| la novela |

↑

He leído la que me trajiste ayer.

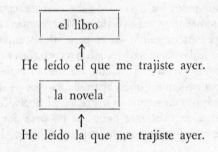

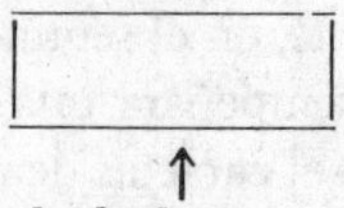

He leído lo que me trajiste ayer.

El artículo que alude a persona confiere efectivamente cierto valor de generalización en gracia a la frecuencia de uso, frente a los casos en que la sustantivación alude a especificaciones de cosa. Parece, sin embargo, conveniente igualar el comportamiento del artículo en todos los casos y convenir en su poder anafórico en todos ellos.

(4) **Un adjetivo o un adverbio**: En dos tipos de construcciones, inequívocamente, el relativo alude a un antecedente adjetivo o adverbial: (a) con adverbios locativos o elementos nominales de carácter temporal y (b) en ciertos casos de adverbios o adjetivos en inversión enfática:

adverbios locativos: No, por aquí que es más cerca. ¡Por el corral! (Pármeno, *Embrujamiento*, 27); [...] ni la tuve entonces que era niño ni ahora que soy reseso la he conseguido (C. J. Cela, *El Nuevo Lazarillo*, 50); **elementos nominales**: Algunos se casaban al tiempo que bautizaban su primer hijo (M. Delibes, *Aún es de día*, 19); Araceli, desde el momento que supo la salida de María del colegio de Kensington, comenzó a enviarle todos los meses quinientos francos (P. Baroja, *La Ciudad de la Niebla*, 181); [...] casi todos los días se dejaba caer en casa a la hora a que tomábamos café (Galdós, *Misericordia*, 100); Pascasio López había salido en el papel de la capital, de una vez que hubo de matar dos lobos a cachavazos (C. J. Cela, *Molino de Viento*, 55); Cada vez que el malecón resistía con terca negativa, Julián apartaba los ojos de las olas para ver la réplica de espuma (J. Prieto, *El Socio*, 53); Le daré la instrucción suficiente para que no pase por cándido el día que se introduzca en la sociedad (Galdós, *Mendizábal*,

112); En los diez años que estuvo en el continente americano se le exaltó el patriotismo (P. Baroja, *Locuras de Carnaval*, 76); **inversión enfática: sustantivación explícita**: [...] no sabe usted lo divertida que voy (P. Baroja, *Locuras de Carnaval*, 24); Y era su madre lo primero que veía al despertarse (Unamuno, *Niebla*, 60); Yo seguía lo muy empeñado que tú sabes (G. Martínez Sierra, *Tú eres la Paz*, 70); Considera lo encaramada y elevada que estás ya en el amor (J. Valera, *Genio y Figura*, 120); **antecedente implícito**: Nunca en mi vida había encontrado una mujer que bebiese lo que usted (García Hortelano, *Nuevas Amistades*, 12); En Nieva se anduvo lo que hacía falta para llegar a la conspiración (A. Palacio Valdés, *Marta y María*, 264).

(5) **Una oración**: Puede emplearse el *que* simple o el compuesto neutro *lo que*. Las construcciones con *que* simple pueden aparecer como parentéticas:

que: [...] y repararon uno y otro sus estómagos, que bien lo necesitaban (Galdós, *Zumalacárregui*, 58); Yo les quitaría de en medio, que es lo más seguro (Galdós, *Juan Martín, el Empecinado*, 77); Gracias a Dios me voy defendiendo, que no es flojo milagro con estas heladas (Galdós, *Misericordia*, 23); [...] y como Rosita no ha sabido jamás silbar, que yo sepa, ¿de dónde adquirió Clotildita esa habilidad con que silba las últimas cancioncillas de las zarzuelas? (Unamuno, *San Manuel Bueno, mártir*, 250); **lo que**: En la vecindad, al corrector se le consideraba y se le llamaba don Antonio, lo que a él le gustaba (P. Baroja, *Locuras de Carnaval*, 80); [...], me pareció desde el principio un alma cándida, con lo que se me alegraron las carnes (C. J. Cela, *El Nuevo Lazarillo*, 94); No vio ninguna cara conocida, de lo que se alegró (Galdós, *Zumalacárregui*, 85); Cantaba tan bien la niña, que a las gentes les gustaba mucho oírla, por lo que en todas partes le daban al viejo mucho dinero (Fernán Caballero, *Cuentos de Encantamiento*, 30); [...] resolví probar a reírme para lo que ensayé jocosas imaginaciones (C. J. Cela, *El Nuevo Lazarillo*, 47).

8.1.2.2. *Función del relativo*

Como se ha dicho, tanto el *que* simple como el compuesto desempeñan función sintáctica en relación con el verbo de la proposición que introducen:

relativo simple: **sujeto**: Las partidas que tan fácilmente se forman en España, pueden ser el sumo bien o mal execrable (Galdós, *Juan Martín, el Empecinado*, 55); **CD**: Y el vaporcito resbaló sobre el agua lisa, y untuosa, cubierta de una capa de grosura, que la proa iba alabeando en anchos lóbulos pavonados (R. Pérez de Ayala, *El Ombligo del Mundo*, 62); **a**: En la noche a que en este capítulo nos referimos, no se veía a los cuatro jugadores (Pereda, *Don Gonzalo González de la Gonzalera*, 200); **con**: Aguaron algo el contento con que don Joaquín vivía (J. Valera, *Genio y Figura*, 75); La gloria militar es la aureola con que el demonio adorna su cabeza (Galdós, *Zumalacárregui*, 109); **de**: [...] los más crédulos o suspicaces dejaban traslucir las sugestiones de que iban henchidos (Pereda, *Don Gonzalo González de la Gonzalera*, 199); **en**: Si admiraban su memoria se ponía a contar en seguida cualquier incidente en que aparecía como un hombre desmemoriado (Palacio Valdés, *La Novela de un Novelista*, 105); ***relativo compuesto:*** **a**: Por la tarde tendrían diversión de novillos lidiados por toreros golfos y trágicos, a los que a veces era necesario proteger de las iras de los campesinos (I. Aldecoa, *El Fulgor y la Sangre*, 8); **con**: La escopeta del tío Paco era la mejor del Palmar: un arma de rico, que Tonet consideraba como suya y con la que rara vez marraba el golpe (Blasco Ibáñez, *Cañas y Barro*, 129); **de**: Por las mañanas, Rebolledo salía del Corralón cargado con un banco y una palomilla de madera de la que colgaba una bacía de azófar y un rótulo (P. Baroja, *La Busca*, 95); **en**: Le molestaban las noches oscuras y tempestuosas en las que el agua está movida y se realizan las grandes pescas (Blasco Ibáñez, *Cañas y Barro*, 127); **hacia**: Para Ernesta eran unas manos obsesionistas hacia las que tenía una inclinación morbosa e infantil (I. Aldecoa, *El Fulgor y la Sangre*, 74); **para**: [...] esperaban en los comienzos de aquel diciembre el día de las vacaciones para las que hacían proyectos y planes (*id.*, 62); **por**: Los dientes abrirían rápidamente un canalillo por el que se le iba a escapar la vida (*id.*, 96); No veo a Mamá Teresa más que a través de los cristales de colores de la cancela del patio, por los que yo miraba azul o grana la luna y el sol (Juan Ramón Jiménez, *Platero y Yo*, 276); **sobre** [...] se traducía en contestaciones impertinentes y en el frecuente dejar de asistir a las clases sobre las que no se podía ejercer una vigilancia muy firme (I. Aldecoa, *El Fulgor y la Sangre*, 100); **tras**: María volvía los ojos hacia el paredón tras el que parecía estar el allá de sus recuerdos (*id.*, 82).

La ausencia de preposición en casos en que debiera llevarla no es infrecuente y marca el paso a la gramaticalización del *que*:

[...] esta primera noche de tierra de España y de teatro es la primera noche que el viajero se aburre (E. d'Ors, *Los Diálogos de la Pasión meditabunda*, 42); Desapareció del valle, un amanecer que el aire parecía ajenjo diluido (R. Pérez de Ayala, *El Ombligo del Mundo*, 58); En el viaje que yo fui de grumete naufragaron una porción de barcos (P. Baroja, *Las Inquietudes de Shanti Andía*, 195).

Cuando la proposición de relativo está estrechamente trabada a su antecedente y éste está subordinado a verbos de percepción, saber, hablar, etc., se produce con frecuencia la anticipación (*prolepsis*) de la preposición del relativo a su antecedente, marcando la agrupación de antecedente y relativo como un todo [*Gram. Acad.*, 358]. El hablante en estos casos lleva todo el interés de la expresión a la determinación del antecedente, frente a la construcción contraria en que el sustantivo se aísla y cobra relieve: *Vi el lugar en que se detuvo/Vi en el lugar que se detuvo.*

El hablante dispone en concurrencia con estas dos posibilidades las de usar la construcción con interrogativo y la completiva con *que* anunciativo: *Vi en qué lugar se detuvo/ Vi que se detuvo en un lugar.*

Frente a los casos de prolepsis señalados, la repetición de la preposición anticipada delante del relativo se revela como descuido o ligereza [*Gram. Acad.*, 358 *c*]:

> Sólo me fatigo por dar a entender al mundo en el error en que está (Cervantes, *Quijote*, II, 1).

Bello [1.052] y con él otros gramáticos, censuran como galicismo el uso de la proposición de *que* relativo con la preposición *de* para expresar posesión, cuando puede emplearse la construcción con el relativo *cuyo*. En la construcción censurada, la base nominal a que se refiere el relativo es desplazada al final de la proposición de la que también forma parte. La tendencia a eliminar el *cuyo* en la lengua hablada hace cada vez más frecuente esta construcción en la que concurren *de que, de el/la que* y *de el/la cual*. Bello cita el siguiente ejemplo: "*Cuando el tierno y honrado padre* [*de Horacio*] *hubo inspirado a su hijo los sentimientos generosos y las máximas elevadas de que éste consignó muchas veces en sus obras el grato recuerdo*" = *cuyo grato recuerdo consignó éste; "Roma, sujeta a una tiranía de que nadie podía prever el término" = cuyo término nadie podía prever.*

El retroceso de *cuyo* se consolida cada vez más por el dominio creciente del *que* como mero nexo de unión y alusión a un antecedente cuyo significado no funciona sintácticamente dentro de la proposición que introduce. Seco [p. 217] cita tomado de la lengua coloquial "*Ese niño que su padre es carpintero*" = *cuyo padre es carpintero*. En la lengua literaria se encuentra a veces también algo semejante:

> Le voy a contar una historia que oí hace años en Londres y que en parte asistí a su desenvolvimiento, porque conocía al personaje (P. Baroja, *Locuras de Carnaval*, 242) = a cuyo desenvolvimiento en parte asistí.

8.1.2.3. *Funciones de la proposición sustantivada*

Contrastando con la libertad de actuación del relativo compuesto, la proposición sustantivada se mueve dentro de posibilidades más limitadas. Con las formas concordantes del artículo, sus funciones se reducen, prácticamente, a la de los elementos completivos más frecuentes. Con *lo* ocupan toda clase de funciones sustantivas:

> **sujeto**: Pensáronlo mucho los que se quedaron a pie firme (Pereda, *Don Gonzalo González de la Gonzalera*, 213); Se come lo que se encuentra (Galdós, *Juan Martín, el Empecinado,* 78); **CD**: Pedro Juan hizo lo que le mandaba su padre (Pereda, *La Puchera*, 29); **CI**: No le daban aquellas barriadas miserables la impresión de tristeza sombría y adusta que producen al que no está acostumbrado a vivir en ella (P. Baroja, *La Busca*, 93); **incremento de un adjetivo**: Porque ellos vinieron a Barcelona con una ilusión opuesta a la que a mí me trajo (C. Laforet, *Nada*,

22); **ante**: Se hincó de rodillas ante los que avanzaban (I. Aldecoa, *El Fulgor y la Sangre*, 15); **de**: [...] categoría menos universal y resplandeciente que aquella otra de los que recorrieron hasta el final la parábola de su vida y de su gloria (G. Marañón, *Raíz y Decoro de España*, 141); **en**: [...] y me gimotea tres estupideces a la espera de poder restregar sus manos en lo que a usted le gusta (García Hortelano, *Nuevas Amistades*, 120); **por**: zegríes y guzmanes se previnieron por lo que pudiera ocurrir (R. León, *Alcalá de los Zegríes*, 177); A los míos y a mí [...] nos tocó esta última posición, la más arriesgada y difícil de todas por lo que después hubimos de ver (Galdós, *Juan Martín, el Empecinado*, 82); **segundo término comparativo**: [...] gastaban más ingenio para vivir miserablemente que el que emplean un par de docenas de autores cómicos (P. Baroja, *La Busca*, 97); [...] como el que no hace daño a nadie y se come lo suyo, divertíase, sin preocuparse de la pesca (Blasco Ibáñez, *Cañas y Barro*, 127); **término comparativo con "de"**: Casi todos los bohemios gastaban más de lo que podían (P. Baroja, *Locuras de Carnaval*, 158); Cenamos mejor de lo que yo esperaba (*id.*, 96); Quiso él elegir los zapatos tres números más pequeños de los que usualmente calzaba (R. Pérez de Ayala, *El Curandero de su Honra*, 47).

8.1.2.4. *Construcciones particulares con relativo*

Se recoge aquí una serie de construcciones de proposición introducida por relativo que tiene particular interés:

(a) *Refuerzo de los superlativos relativos.*—Un superlativo relativo con el que se marca la excepcionalidad de la cualidad destacada puede ir seguido de una proposición de relativo cuyo antecedente es el nombre que sirve de base a la construcción. Con ella se encarece dicha excepcionalidad:

Al morir le dejó confiada la joya más hermosa que aún poseía en este mundo (J. Valera, *Doña Luz*, 19); Tiene pómulos eslavos y los ojos más soñadores y misteriosos que he visto (C. Laforet, *Nada*, 198); Para él, sus amigos eran los seres más ingeniosos y más interesantes que podían encontrarse (P. Baroja, *Locuras de Carnaval*, 17); [...] apareció sobre las brasas la morcilla más hermosa que hubo, hay y habrá en el mundo (Fernán Caballero, *Cuentos de Encantamiento*, 27).

(b) *Especificativas redundantes.*—Las proposiciones de *que* relativo de carácter especificativo pueden repetir una especificación expresada por otros procedimientos gramaticales subrayándola, o bien sustituir con cierto énfasis a otra formulación gramatical más simple: *mi* (*este*) *lápiz* → *el lápiz que tengo*. Se produce con verbos como *ser*, *tener*, *hacer*, *decir*, etc. Con *decir* puede servir para atenuar irónicamente lo que se dice:

Las rosas éstas que ahora vemos, van a morir (Azorín, *Paisaje de España*, 124); ¡Es mucha la soberbia que tiene! (Valle-Inclán, *Cara de Plata*, 18); Hasta la criada vieja que tenemos no la quiere (P. Baroja, *Locuras de Carnaval*, 163); ¡Considera, bárbaro, la afrenta que haces a mi tonsura! (Valle-Inclán, *Cara de Plata*, 51); ¿El camino que traje? (Unamuno, *El Espejo de la Muerte*, 23); Este hombre, esta mujer que os digo, en el momento de soltarme las manos sintieron un instante el pecho inundado de felicidad y de orgullo (E. d'Ors, *Los Diálogos de la Pasión meditabunda*, 24); **fórmulas de atenuación**: ¿Comprende usted? —Hasta ahora, no mucho que digamos (Pereda, *Don Gonzalo González de la Gonzalera*); No es cosa mayor; pero tampoco tan mala que digamos para jornal de una tarde (Pereda, *La Puchera*, 49).

(c) *Reiteración.*—Con la reiteración del verbo se puede

expresar concesión, sea cual sea su posición en la frase, y encarecer el sentido de lo dicho:

> Aunque tuviera los millones que tuviera, no debía hacerle caso (P. Baroja, *Locuras de Carnaval*, 164); [...] debía esforzarse, costase lo que costase, en no ir olvidando el idioma (R. Pérez de Ayala, *Belarmino y Apolonio*, 89); [...] le dijo al adivino que pidiera lo que quisiese, y fuese lo que fuese, le daba su real palabra de que lo concedería (Fernán Caballero, *Cuentos de encantamiento*, 38).

(d) *Participio + que + verbo auxiliar*. — Una fórmula de relieve marcadamente literaria empleada en cuentos y narraciones y, con intención estilística, en la expresión hablada, descompone los constituyentes de un tiempo compuesto o una forma pasiva destacando en primer lugar el participio:

> [...] y llegado que hubo a aquel punto crítico de su relación, bebió agua (P. A. Alarcón, *El Niño de la Bola*, 169); Llegado que hubo el monarca al sitio que todavía se llama la Fuente del Rey, [...], se detuvo (Fernán Caballero, *La Gaviota*, 149); Venga enhorabuena el tal pastorcillo; pero venido que sea, estése quieto y espere con serenidad el *nunc dimittis* (L. F. de Moratín, *Epistolario*, 280); [...] más imposible era llegar a la segunda, suprimido que fuera el tablón (P. A. Alarcón, *Historietas Nacionales*, 171); Pasado que hubieron algunos minutos, el jesuita, sobreponiéndose a su emoción, dijo [...] (P. A. Alarcón, *El Escándalo*, 358); Llegado que hubieron a la salida de Villafranca, se desviaron de la dirección que llevaba la tropa (Galdós, *Zumalacárregui*, 54).

El relieve de este uso de la proposición de relativo toma una forma característicamente literaria y culta en la lengua clásica y alguna vez en la lengua escrita actual. Aparece cuando el elemento destacado es un atributo y el verbo del relativo, *ser*:

Clotildita tiene una habilidad que parece ha heredado de doña Tomasa, su abuela materna, mi patrona que fue, y es que silba que ni un canario (Unamuno, *San Manuel Bueno, mártir*, 249).

(e) *A lo que + verbo.*—Toma diversos valores gramaticales la fórmula con *a* y el relativo *lo que*. Puede ser con el verbo *parecer* una expresión modal concurrente con *según*. En otros casos, una incitación constituida por una frase independiente en la que hay que reconstruir un verbo:

A lo que parece, ustedes han venido a recrearse por estas *cercanidas* (Pereda, *Don Gonzalo González de la Gonzalera*, 169); Pero, en fin, a lo que venía (Pármeno, *Embrujamiento*, 13); Pues dejemos a Dios que se entienda con el que obra mal [...] y nosotros, a lo que estamos (Pereda, *Don Gonzalo González de la Gonzalera*, 202); A lo que parece, no lo han querido creer hasta que lo han visto por sus mismos ojos (L. F. de Moratín, *Epistolario*, 172).

(f) *Relieve con "que".*—En proposiciones independientes, a veces subrayadas por entonación exclamativa, se puede destacar en primer término como núcleo de la construcción un sustantivo complemento directo de un verbo o, lo más frecuente, un atributo sustantivado que es reproducido por el relativo que introduce el verbo al que corresponde el complemento directo o el atributo destacados:

Vaya unos legisladores que nos hemos echado (Galdós, *Cádiz*, 84).

Pueden tomar un refuerzo particular con la preposición *con*:

¡Justo, justo!... ¡Con lo que hizo por Juan tu padre! (Pármeno, *Embrujamiento*, 9); —Malos antecedentes de familia tiene el joven Adolfo —Figúrese usted! Con lo que había corrido la madre y con el padre alcohólico y medio loco (P. Baroja, *Locuras de Carnaval*, 98); ¡Madre de Dios! ¡Con el camino tan largo de traemos! (Valle-Inclán, *Cara de Plata*, 25); ¡Hazte cargo! ¡Con el disgusto que hemos tenío con la chica! (J. Benavente, *Señora Ama*, 87).

El primer tipo de relieve puede incorporarse a una oración como complemento directo del verbo dominante. Se pierde el valor exclamativo pero se mantiene el énfasis cuantificador:

¡No sabéis vosotros lo gran persona que es! (Pereda, *Don Gonzalo González de la Gonzalera*, 202); ¡Sí, porque yo hasta ahora no he visto bien lo bonito que es este patio! (Hermanos Álvarez Quintero, *El Patio*, 124); Ya ves lo egoistonas que son Paca y Candelita (Á. Ganivet, *Los Trabajos del infatigable creador Pío Cid*, I, 117).

(g) *Por + adjetivo/adverbio + que.* — Una construcción causal con *porque* puede destacar en relieve, anticipándolo, un adverbio o adjetivo que es reproducido por el *que* de cierto valor relativo comparable al de los casos anteriores. Esta construcción toma preferentemente el subjuntivo y sirve para dar mayor énfasis a la realización de la oración con que se contrasta (*Porque escribas mucho no acabarás más pronto → por mucho que escribas, no acabarás más pronto*):

con adverbio: [...] pensó que por mucho que subiera su compañero, no era cosa de envidiarle (P. Baroja, *El Árbol de la Ciencia*, 242); **con nombre cuantificado**: [...] por más diligencias que se hicieron no se pudo averiguar quiénes habían sido los perpetradores del robo (Fernán Caballero, *Cuentos de Encantamiento*, 35); **con adjetivo**: Por levantado que sea, tiene que respetar la corona (Valle-Inclán, *Cara de Plata*, 66).

Pueden constituir la oración introducida por *por* y la oración que le sirve de contraste, miembros de una comparación proporcional:

Por muy poco estable que fuera la casa, menos estables debían ser los inquilinos del piso cuarto (Á. Ganivet, *Los Trabajos del infatigable creador Pío Cid*, I, 111); El cabello rojizo se multiplicaba en pequeños rizos díscolos, muchedumbre de lenguas de fuego, y por más que lo domaba, otro tanto se le alborotaba (R. Pérez de Ayala, *El Curandero de su Honra*, 20).

(h) *Otras construcciones enfáticas.*—Con la repetición del verbo, que toma la forma de gerundio, y una forma conjugada, se expresa la realización de la acción. El *que* pudo tener valor relativo que se oscurece completamente en esta construcción:

En juntándose que se juntan dos mujeres, ya está el infierno (J. Benavente, *Señora Ama*, 95).

(i) *"Conque" consecutivo.*—Un ejemplo típico de los límites inciertos entre *que* anunciativo y relativo lo ofrecen las construcciones de *que*, precedidas de la preposición *con*, cuando actúan pospuestas a una oración que les sirve de antecedente. La *Gram. Acad.* [432 *f*] subraya el carácter dudoso de la relación de ambas oraciones: "más bien coordinante que subordinante", y el paso subsiguiente a la gramaticalización de la agrupación *conque* como un conjuntivo, debilitada su capacidad de aludir a un contenido anterior. Se ortografía como una sola palabra y puede emplearse como continuativo o inicial, sobre todo en preguntas, para expresar que lo que se dice es consecuencia lógica de lo dicho anteriormente o de la situación vivida por los hablantes:

relativo: Quiso como buen caballero, añadir al suyo el nombre de la suya [de su patria] y llamarse don Quijote de la Mancha, con que a su parecer declaraba muy al vivo su linaje y patria (Cervantes, *Quijote*, I, 1); **conjuntivo**: Y con gran primor le cosí la bota y él se la puso, y con ella ganó la batalla; quiero decir, que le dio la puntera a Marmont [...] Conque yo sé más que vosotros (Galdós, *Zumalacárregui*, 137); ¿Conque tienen hambre? (*id.*, 21).

(j) *Proposiciones de infinitivo.*—No se da con el relativo la construcción de infinitivo que conoce el *que* anunciativo, salvo con los verbos *haber* y *tener* cuando llevan como complemento directo un cuantitativo como *algo*, *nada*, *mucho*, *poco* (*Tiene mucho que decir*; *Tiene muchas cosas que decir*). En estas construcciones, el relativo funciona como complemento directo del infinitivo que introduce y la construcción, formalmente, tiene grandes analogías con las perífrasis obligativas:

¿Tiene algo que mandar? (Pardo Bazán, *Insolación*, 100).

8.1.3. El "que" valorativo

Se estudia aquí, como distinto del *que* anunciativo y del *que* relativo, un tipo y uso de *que* introductor de un elemento oracional o de una oración mediante cuyo contenido se valora un determinado intensivo —*más*, *menos*, *tal*, etc.— que aparece como forma integrante de la oración del verbo dominante.

En su forma más característica, esta construcción es una sobrestructura en la que cabe distinguir los siguientes constituyentes: (a) el **intensivo** cuya fuerza hay que valorar; (b) la **base de valoración** que puede ser un verbo, un adjetivo, un adverbio o un sustantivo que se valoran por el número, o la intensidad o modo; (c) un elemento marcado por *que*, que gemina otro elemento expreso o implícito de la oración sobre la que sobrepone la estructura valorativa.

Este elemento germinado se suele llamar **segundo término de la comparación** cuando la valoración es comparativa.

En los siguientes ejemplos, el elemento geminado es un sujeto. La base de la construcción va subrayada y es sucesivamente un sustantivo, un adjetivo, un adverbio o un verbo. El intensivo es en los cuatro casos *más*:

(1)	El hijo ha leído	{ **más** / *muchos* }	*libros*	**que** su padre
(2)	El hijo era	{ **más** / *muy* }	*rápido*	**que** su padre
(3)	El hijo leía	{ **más** / muy }	*rápidamente*	**que** su padre
(4)	El hijo *leía*	{ **más** / *mucho* }		**que** su padre

En (1) se valora el *número* de libros leídos por el sujeto comparándolo con los leídos por el padre. En (2) y (4) se valora la *intensidad* de una cualidad o una acción, respectivamente, por comparación igualmente. En (3) se valora la intensidad del modo de una acción, igualmente, por comparación.

(5) El hijo leía **tantos** *libros* **que** se volvió loco.
(6) El hijo era **tan** *rápido* en la lectura **que** acababa una novela en un santiamén.
(7) El hijo leía **tan** *rápidamente* **que** el libro más extenso le duraba media hora.
(8) El hijo *leía* **tanto que** se volvió loco.

La misma sobrestructura valora los mismos aspectos de número e intensidad. Ahora, en lugar de recurrir a la comparación, se valora expresando las consecuencias de tal intensidad o número. El término marcado por *que* es una oración cuyo contenido es consecuencia del encarecimiento que se hace por medio del intensivo *tanto*. Estos cuatro enunciados últimos admiten la inversión en oración con subordinación causal: *Se volvió loco porque leía tantos libros; El hijo acaba una novela en un santiamén porque es tan rápido en la lectura,* etc.

8.1.3.1. *Comparativas de desigualdad*

Tradicionalmente se llaman **comparativas de desigualdad** las construcciones valorativas por comparación que fijan el sentido en que han de tomarse los intensivos *más* o *menos*. Son clasificadas por la *Gram. Acad.* entre las oraciones subordinadas de tipo adverbial por su función en referencia a un constituyente o elementos de carácter adjetivo o adverbial. La Gramática tradicional presupone la existencia de verbo elidido que sería el mismo verbo de la oración. De hecho, sólo por afectación o arcaísmo se repite el verbo en la expresión:

> Peor me hallaré, don García, no amándote, que me hallo aborreciéndome tú (Tirso de Molina, *Cigarrales de Toledo,* I, 20).

Los intensivos *más* y *menos* quedan envueltos cuando el adjetivo o adverbio es un comparativo de forma orgánica:

> Los hombres que preparan el imperialismo romano se caracterizan por poseer mayor sentido de los hechos que culto de las formas (R. de Maeztu, *Ensayos,* 127); Me sorprendió la efigie, no gigantesca, sino algo menor de tamaño que el tipo normal de la raza (S. González de Anaya, *Luna de plata,* 123).

El término marcado por *que* es ordinariamente un elemento oracional o bien una proposición marcada por un signo transpositor (*si*, *porque*, *cuando*, etc.):

Martina sabía adornar sombreros más por gusto natural que porque hubiera aprendido (Á. Ganivet, *Los Trabajos del infatigable creador Pío Cid*, I, 123); [...] estaba más linda que cuando se ponía de tiros largos (A. Palacio Valdés, *Marta y María*, 132).

La función del segundo término está en correspondencia con el elemento que gemina de la oración principal y, puede tomar, por tanto, diversos valores:

sujeto: Aquel hombre [...] en los dos últimos años pesaba más sobre ella que el resto de la familia (Blasco Ibáñez, *Sangre y Arena*, 62); **CD**: Ellos eran hombres de mancera y yunta, de surco y ahijada, siempre lo habían sido, y querían más una aranzada de huerta en casa que fanegas de esmeraldas lejos (Muñoz Rojas, *Historias de familia*, 15); **autónomo de lugar**: En León más que en parte alguna de España, lo fugitivo realza lo eterno y lo eterno da valor a lo fugitivo (Azorín, *En torno a José Hernández*, 104); **CD con "a"**: [...] debe de conocer a los hombres tanto o más que a los ríos y montañas (Galdós, *Zumalacárregui*, 79); **autónomo de modo**: Trató de consolarle Calpena con más lástima que convencimiento (Galdós, *Mendizábal*, 111).

El segundo término de la sobrestructura puede geminar el adjetivo, adverbio o verbo que sirve de base a la construcción. En este caso y cuando se trata de geminación de verbo, la construcción toma un particular sentido de restricción de lo afirmado por la oración principal:

Tú eres más pillo que bonito (Á. Ganivet, *Los Trabajos del infatigable creador Pío Cid*); **sentido restrictivo**:

Vespasiano, en un piano melodioso, canta más que decía, al oído de Herminia (R. Pérez de Ayala, *El Curandero de su Honra*, 31); Porque ya Blasillo lloraba más que reía (Unamuno, *San Manuel Bueno, mártir*, 93).

El término que gemina el segmento introducido por *que* puede faltar siempre que el contexto lo sugiera claramente. Esto ocurre sobre todo con la circunstancialidad de tiempo por la clara referencia al momento a que se alude en el mensaje:

Dejó oír su voz cascada más amable y misteriosa que nunca (Valle-Inclán, *Sonata de Primavera*, 50); Escribía a veces con más ingenio que nunca (P. Baroja, *Locuras de Carnaval*, 171); Así, al entregarle el traje, le entregas la cuenta y siempre es menos violento que pedirle el dinero de viva voz (C. Arniches, *Es mi Hombre*, 67).

Forma muy característica de omisión del primer término se produce cuando el segundo está constituido por una construcción hipotética con *si*. Es una fórmula de encarecimiento. La hipótesis deja libre al interlocutor para que suponga cualquiera de las circunstancias presentes y conocidas por el interlocutor, como actuante: *En verano, estoy* **más** *a gusto en mi casa* **que** *si estuviese en la mejor playa* = *En verano, estoy muy a gusto en mi casa* (*por la temperatura, por la tranquilidad, por las comodidades de que dispongo*, etc.):

[...] para mí peor que si se hubiera muerto (J. Benavente, *Señora Ama*, 102).

Por último, el *que* puede introducir oraciones con las que se encarece la intensidad, número, etc., de la base. En algunos casos la oración introducida presupone como elemento envuelto el contenido de la oración principal: *Trabaja más que puedes imaginarte* (*que trabaja*):

El penco es mejó que yo creía (Blasco Ibáñez, *Sangre y Arena,* 359).

8.1.3.2. *Restrictivas con "más que"*

La sobrestructura con el intensivo adverbial *más* referido al verbo puede llegar a tomar un sentido restrictivo cuando el verbo al que se refiere es negativo. Se destaca enfáticamente el verbo introducido por *que* al tiempo que se rechaza con la negación toda otra posibilidad:

Este tiempo feliz no era ya más que un pálido y grato recuerdo en la memoria de la pobre mujer (Blasco Ibáñez, *Sangre y Arena,* 62); No se oían más que voces de: ¡Armas, armas, armas! (Galdós, *Dos de Mayo,* 226); No tuvo a nadie más que al hijo aquel (C. Laforet, *Mis Páginas mejores,* 46); ¡Yo, desde que estoy aquí, no oigo contar más que trapisondas y deshonestidades (J. Benavente, *Señora Ama,* 104); A poca distancia, en un ribazo que no era más que una estrecha lengua de barro entre dos aguas, vieron los de la barca un hombre en cuclillas (Blasco Ibáñez, *Cañas y Barro,* 13).

En estos casos concurre con la construcción de verbo negativo + *sino.* Este sentido restrictivo toma un nuevo carácter cuando introduce un infinitivo con o sin preposición. Sigue manteniendo el mismo carácter enfático, pero en lugar de una sustitución de términos expresa una reducción:

Yo no hago más que cumplir las órdenes de su padre (P. Baroja, *La Ciudad de la Niebla,* 119); Pero no hay más remedio que pelear por la libertad (Galdós, *La de los tristes destinos,* 195); No había más que verlas en el mercado de Sueca, desolladas, pendientes de sus largos rabos en las mesas de las carnicerías (Blasco Ibáñez, *Cañas y Barro,* 21).

Excepcionalmente puede tomar valor exceptivo y concurre con *sólo* (*que*). Se elimina la negación del verbo principal y se la hace recaer sobre el intensivo: *no más que*; *nada más que*:

> No más que con la relación de los traslados que sufrió en su carrera [...] habría asunto para escribir una docena de capítulos (Á. Ganivet, *Los Trabajos del infatigable creador Pío Cid*, I, 97).

8.1.3.3. *La restricción "otro... que"*

Otra fórmula restrictiva como *más que*, de análogo carácter enfático y equivalente igualmente a *sólo* [*Gram. Acad.*, 429 *a*] se consigue con la correlación en frases negativas con *otro* y el término valorativo introducido por *que*. Este pronombre funciona en la frase como sustantivo o como adjetivo y con él se ponen en contraste dos elementos oracionales de la misma categoría sintáctica y del mismo orden significativo. Así el miembro introducido por *que* cobra mayor relieve y queda como válido en la expresión al negarse relevancia a toda otra posibilidad en su mismo orden:

> Decía que no hubiera sabido beber en otro porrón que en aquél (I. Aldecoa, *El Fulgor y la Sangre*, 97); Sin otras noticias de la situación del pazo que las vagas que Augusto le diera [...] hacía Gerardo contento y asombrado su peregrinación (Pérez Lugín, *La Casa de la Troya*); [...] arrancaba la vida a un hombre honrado, muy querido en el país, sin otra culpa que la tibieza que mostraba por la llamada legitimidad (Galdós, *Zumalacárregui*, 19); Hoy no queda por esta tierra otro judío que el inglés de los Evangelios (Valle-Inclán, *Cara de Plata*, 47); Vivía en su casa de la ciudad sin otra compañía que la de Garabato (Blasco Ibáñez, *Sangre y Arena*, 169).

El elemento sustitutivo cuyo significado se enfatiza mediante esta construcción, puede ser un infinitivo equivalente al primer miembro o una oración con marca de subordinación del mismo tipo que el elemento con que se contrasta:

> ¡No hay otra salvación que quemarle los campos! (Valle-Inclán, *Cara de Plata*, 23); Un tigre que tomara humana forma no sería de otra manera que como era Mosén Antón (Galdós, *Juan Martín, el Empecinado*, 84).

La negación puede recaer sobre el elemento introducido por *que*. Entonces el verbo principal es afirmativo:

> [...] ha de querer otra vida que no la del mundo mismo (Unamuno, *El Sentimiento trágico de la Vida*).

8.1.3.4. *Otras construcciones de "más/menos que"*

La misma sobrestructura puede valer como un simple modificativo para fijar precisamente el valor de un término, para encarecerlo o para corregirlo y enmendarlo:

Agrupaciones como *nada menos, nada más, punto menos* y *poco menos* fijan el sentido en que se ha de tomar un determinado elemento gramatical encareciendo su valor con *menos* o disminuyéndolo y peyorizándolo con *más*:

> Y esta diversidad se acentúa hasta límites monstruosos cuando queremos predicar nada menos que a una generación (G. Marañón, *Raíz y Decoro de España*, 138); Ésta era punto menos que imposible (Palacio Valdés, *La Novela de un Novelista*, 109); El antiguo camino por Caicedo feneció con el nuevo de Muriedes, y éste, a su vez, y el de las Presas y hasta la bahía, se encuentran punto menos que desiertos el día del Carmen (Pereda, *Tipos y Paisajes*, 145).

En frase negativa, viene a tomar el mismo sentido correctivo y enfático que en las contrastivas *más que* u *otro que*. Como en el caso anterior, *menos* sirve para encarecer y *más* para infravalorar:

> [...] sus servicios no pueden ser recompensados con menos que con una mitra (Galdós, *Zumalacárregui*, 75); [...] nada le importa a quien aprecia la vida en menos que un cabello (*id.*).

Más y *menos* pueden valorar un término sustantivado formando parte de la sustantivación:

> Y al escribir esto ahora, aquí, en mi vieja casa materna, a mis más que cincuenta años, [...] está nevando (Unamuno, *San Manuel Bueno, mártir*, 112).

8.1.3.5. *Valoración consecutiva con "que"*

Es la misma estructura, según se ha dicho, cuando el término introducido por *que* es una oración cuyo contenido expresa la consecuencia de la intensidad de una cualidad o acción o el número de un sustantivo. Este *que* ha sido interpretado como un relativo [*Gram. Acad.*, 432] que alude a un antecedente no siempre fácil de reconocer. Son intensivos en las consecutivas, *tal* o *tanto*. Pueden aparecer también en correlación con *que*, *así* o las locuciones modales *de modo*, *de manera*, *de suerte*, *en grado*, etc.

(a) **tal... que**: Subrayan cualidades excepcionales con que se da la acción o cualidad, por sus consecuencias:

> Y manifestaba un convencimiento tal de que vivir en España y ser español era una desgracia irremediable, que María quedó entristecida y mal impresionada (P. Baroja, *La Ciudad de la Niebla*, 183); Pero después penetró de

tal suerte en las situaciones del drama [...] que el auditorio, sin advertir ya en pormenores risibles, se estremecía con un escalofrío patético (R. Pérez de Ayala, *El Curandero de su Honra*, 37); Nuestra ciencia está en nuestra mística, hasta tal punto que cuando algún sabio español, como Servet o Raimundo Lulio, ha hecho un descubrimiento, lo ha hecho incidentalmente en una obra de discusión teológica o filosófica (Á. Ganivet, *Idearium español*); En el espacio de nueve horas, le dieron cuatro ataques intensos a la enferma que la dejaron a tal punto postrada, que el médico temió seriamente algún mal resultado (Palacio Valdés, *Marta y María*); [...] esto hacía reír de tal modo a la niña que le privaba en absoluto de las fuerzas (*id.*, 135); De tal modo habíase adiestrado el capellán aragonés en la táctica, que preveía todo lo que habían de mandarle (Galdós, *Zumalacárregui*, 132).

(b) **tan(to)... que**: El intensivo se emplea como adjetivo o como adverbio y, en algunos casos, como sustantivo:

como sustantivo: Pero esto era muchos años antes. ¡muchos!... tantos que ninguno de los viejos que aún vivían en la Albufera conoció al pastor: ni el mismo tío Paloma (Blasco Ibáñez, *Cañas y Barro*, 17); **como adjetivo**: Menudearon sobre don Quijote aventuras tantas, que no se daban vagar unas a otras (Cervantes, *Quijote*, II, 58); **como adverbio con un adjetivo**: Platero es pequeño, peludo, suave; tan blanco por fuera que se diría todo de algodón, que no lleva huesos (Juan Ramón Jiménez, *Platero y Yo*, 11); **con un adverbio**: Tan lejos estoy de pensar en guardar dinero, que todo mi cuidado consiste en no gastar más de lo que tengo: todo lo gasto (L. F. de Moratín, *Epistolario*, 209); **con locución modal**: Se encuentra allí tan a su gusto, que su mejor deseo sería no tener que abandonarla nunca (Juan Ramón Jiménez, *Platero y Yo*, 9); **cuantitativo adverbial**: Era tanta mi fatiga que dormí hasta la caída de la tarde (Valle-Inclán, *Sonata de Primavera*, 52).

El intensivo puede separarse de la base de la construcción y posponerse a ella de manera que queda en contacto directo, solamente separado por pausa, del *que* consecutivo:

La convalecencia de Martín fue muy rápida, tanto que a él casi le pareció que se curaba demasiado pronto (P. Baroja, *Zalacaín, el Aventurero*, 148); Es negro, grande, huesudo —otro arcipreste—, tanto, que parece que se le va a agujerear la piel sin pelo por doquiera (Juan Ramón Jiménez, *Platero y Yo*, 82).

El intensivo puede posponerse a toda la oración consecutiva. En este caso no es necesaria la marca valorativa del *que*. En consecuencia, se produce una yuxtaposición de oraciones entre las que hay una relación semántica de causalidad.

En la plaza del lugar, [...] soltábanse toros viejos [...] animales venerables que "sabían latín", tanta era su malicia (Blasco Ibáñez, *Sangre y Arena*, 67); [...] no se veía a los cuatro jugadores, no el velón que los alumbraba sobre el tosco tablero de roble que servía de mesa: tan circuidos estaban de curiosos (Pereda, *Don Gonzalo González de la Gonzalera*, 200).

(c) **Con locuciones modales**: Aparte los casos ya vistos en (a) de locuciones como *de modo, de manera, de suerte, en grado*, etc., agrupados con el intensivo *tal*, pueden tener el mismo carácter sin el intensivo:

[...] tenía que ejercer influencia imborrable, no sólo sobre los poetas, sino sobre cuantos hombres habían de dirigir en siglos posteriores nuestros poderes temporales y espirituales, al punto de que nunca llegaron a considerar nuestro imperio y cultura como bienes definitivos y finales (R. de Maeztu, *Ensayos*, 36); [...] todo me conmovió de suerte que tuve harto que hacer en reprimir las lágrimas (Pardo Bazán, *Doña Milagros*, 127); Ella lo hacía de manera que nadie podía sobrepujarla (Fernán Caballero, *Cuentos de Encantamiento*, 32).

(d) **Consecutivas sin intensivo**: Puede producirse la consecutiva sin intensivo. En este caso el *que* puede ser claramente un relativo cuyo antecedente es la base semántica de la estructura. Otras veces, el *que* neutraliza su valor anafórico y no funciona sintácticamente en la proposición que introduce. Tanto Bello [1.063] como después la *Gram. Acad.* [432 *a*] suponen la elipsis del demostrativo. La proposición introducida por *que* actúa como término secundario del sustantivo o como término terciario de un adjetivo o adverbio. Estas construcciones pueden apoyarse en el valor de encarecimiento que tienen los adjuntos *cada* y el indefinido *un*:

cada: Para corregirme me daba cada paliza que me baldaba (P. Baroja, *Locuras de Carnaval*, 54); **un**: La Delfina le obsequió con un pellizco en el brazo que le hizo hacer unos gestos poco aristocráticos (P. Baroja, *Locuras de Carnaval*, 33); Ahora, que cuando empieza a clarear, entra un cansancio que ya no se puede (C. Arniches, *Es mi Hombre*, 20); **funciona como incremento adjetivo**: Creo que le puso la cara que era una lástima (Zunzunegui, *Ramón*, 195); **funciona como un elemento autónomo de valor adverbial**: [...] estaba de guapa entonces que robaba los ojos de la cara (Pereda, *Don Gonzalo González de la Gonzalera*, 204); Todo es muy simple, Eliacim, de una simplicidad que sobrecoge (C. J. Cela, *Mis Páginas mejores*, 171); Además de que es feísimo, se atrasa que es un gusto (Galdós, *Mendizábal*, 99); [...] la digna autoridad aplaudía que se las pelaba (Pereda, *Don Gonzalo González de la Gonzalera*, 207).

Una forma muy característica de encarecimiento por medio de la consecutiva sin intensivo se consigue cuando la oración principal se emplea en potencial o futuro, con marca hipotética, etc., para enfatizar la intensidad de la cualidad o acción, con lo que se destaca la fuerza de la consecuencia:

> En fin, si será atento que el otro día me dijo que le trajesen jabón de sublimao porque quería desinfectarse las manos por si tenía que dar algunas bofetás (C. Arniches, *Es mi Hombre,* 103).

8.1.3.6. *Comparativas de igualdad con "que"*

Con sus especiales valores significativos, las palabras *igual* y el identificativo *mismo* se utilizan para construir fórmulas valorativas de comparación o identificación. El término que sirve para la identificación o comparación está introducido por un *que* valorativo y el elemento que introduce tiene las mismas características sintácticas que se han visto al hablar de la comparación de desigualdad. En algunos casos el *que* puede tener un claro valor relativo (*éstos son los mismos papeles que el otro día traje*).

El adjetivo **igual** puede presentarse concordado (*estos colores son iguales que los del Greco*), aunque predomina la tendencia a la invariabilidad y en tal caso concurre con la construcción comparativa con *como* (*Habla como su amigo/Habla igual que su amigo*):

> Era que aquel oficial, que ahora, igual que entonces, se mostraba tan diestro en la huida, se parecía, como una gota de agua a otra, al guapo y petulante teniente Rebolledo (R. Pérez de Ayala, *El Curandero de su Honra,* 52); Es tierno y mimoso igual que un niño, que una niña (Juan Ramón Jiménez, *Platero y Yo,* 12).

(b) El identificativo **mismo** introduce en la valoración el concepto de identidad entre dos términos que se contrastan. Puede ir concordado en función sustantiva o adjetiva:

> ¡Qué mágico embeleso ver, tras el cuadro de hierros de la verja, el paisaje y el cielo mismos que fuera de ella se veían (Juan Ramón Jiménez, *Platero y Yo*, 66); [...] no me parece usted la misma que vino en la carretera con nosotros (P. Baroja, *Zalacaín, el Aventurero*, 147); Y ahora voy a darte un cubo de esta agua pura y fresquita, el mismo cubo que se bebía de una vez Villegas (Juan Ramón Jiménez, *Platero y Yo*, 72); Papá y yo comíamos en la misma mesa que un Mayor sueco y un señor holandés (P. Baroja, *La Ciudad de la Niebla*, 19).

Con la forma neutra con *lo*, el posible valor relativo del *que* en los casos de concordancia, desaparece casi absolutamente. Identifica elementos gramaticales de cualquier función:

> [...] el que siembra vientos, cosecha tempestades. Lo mismo en la tierra, que en el cielo, que en las almas (R. Pérez de Ayala, *El Curandero de su Honra*, 56); Y el tío Tono [...] seguía adelante, auxiliado únicamente por la *Borda*, una pobrecilla [...] tímida con todos y tenaz para el trabajo lo mismo que él (Blasco Ibáñez, *Cañas y Barro*, 15); Y ellos, no entendiéndole se querellaban y algunos también se reían lo mismo que rapaces (G. Miró, *Figuras de la Pasión*, 35); El entierro va a costar lo mismo si viene el señor cura que si no viene (I. Aldecoa, *El Fulgor y la Sangre*, 64); Lo pasábamos deliciosamente, como nadie podía dudar sabiendo que lo mismo la casa de mi amigo Juanito que la mía poseían un espacioso jardín (Palacio Valdés, *La Novela de un Novelista*, 108).

La identificación puede cumplirse en elementos que expresan causa o tiempo:

causa: [...] chiste que doña Segunda prodigaba, por lo mismo que no era reído (Pérez Lugín, *La Casa de la Troya*, 71); El vino andaluz, por lo mismo que es la gloria de Dios, cuesta caro (Blasco Ibáñez, *Sangre y Arena*, 60); Se complacía más en este... aseo moral y corpóreo, por lo mismo que se veía circundada de gente algo ruda y no muy limpia de cuerpo ni de alma (J. Valera, *Doña Luz*, 23); **tiempo**: Casi al mismo tiempo que Gorión y Carpio hablaban en la calleja, lo que puntualizado queda en el capítulo anterior, Patricio y Gildo, sentados en el poyo del portal de su casa, departían al tenor siguiente (Pereda, *Don Gonzalo González de la Gonzalera*, 237); Su mano cayó desfallecida a lo largo del cuerpo, al mismo tiempo que una lágrima le resbalaba lenta y angustiosa por la mejilla (Valle-Inclán, *Sonata de Primavera*, 37).

8.2. Construcciones con «como»*

Es uno de los relativos de más variado número de construcciones por la riqueza de valores que llega a alcanzar, al perder su capacidad pronominal de aludir a un antecedente.

* R. M. Duncan, "*Como* y *cuemo* en la obra de Alfonso el Sabio", en *RFE*, XXXIV, 1950, pp. 248-258; S. Fernández Ramírez, "*Como si* + Subjuntivo", en *RFE*, XXIV, 1937, pp. 372-380; Ernst Gamillscheg, "Spanish *como* mit dem Konjunctiv", en *Mélanges offerts à M. Delbouille*, 1964, pp. 221-235; M. Morreale, "Esquema para el estudio de la comparación en el *Libro de Buen Amor*", en *Studies in Honor of Tatiana Fotitch*, Washington, DC, The Catholic University of America Press, 1972; R. Olbrich, "Über die Herkunft der übersteiger den Vergleichsform in der spanischen Umgans- und Volkssprache", en *EDMP*, VI, 1956, pp. 77-103; Stur von Scheven, "La conjunción temporal *tan pronto* y algunos casos más de reducción prosódica", en *Studier i modern språkvetenskap*, Nueva Serie, 3, 1968, pp. 224-237; Joan Solà, "La frase comparativa", en *Estudis de Sintaxi catalana/2*, Barcelona, 1973, pp. 119-132; Max Leopold Wagner, "Spanish *tan* und *más* mit Verblassung der ursprünglichen Funktion", en *ZRPh*, XLVIII, 1924, pp. 589-594.

Valorativas

SUSTANTIVO (Cantidad)	El diputado tiene	**tantos**	*votos*	**como** su contrario	COMPARATIVAS
		más	*votos*	**que** su contrario	COMPARATIVAS
		menos	*votos*		
		tantos	*votos*	**que** vencerá a su contrario	CONSECUTIVAS
ADJETIVO (Cualidad)	Tu amigo está	**tan**	*cansado*	**como** yo	COMPARATIVAS
		más	*cansado*	**que** yo	COMPARATIVAS
		menos	*cansado*		
		tan	*cansado*	**que** no se tiene en pie	CONSECUTIVAS
ADVERBIO (Modo)	El marido anda	**tan**	*despacio*	**como** su mujer	COMPARATIVAS
		más	*despacio*	**que** su mujer	COMPARATIVAS
		menos	*despacio*		
		tan	*despacio*	**que** no llegará puntual	CONSECUTIVAS
VERBO (Acción)	El padre trabaja	**tanto**		**como** cualquiera	COMPARATIVAS
		más		**que** cualquiera	COMPARATIVAS
		menos			
		tanto		**que** no puede con su alma	CONSECUTIVAS

En la caracterización tradicional de las construcciones con *como*, se mezcla la idea dominante de modo con la igualación entre dos términos. Esto hace que no se haya fijado un criterio concreto para distinguir entre las oraciones llamadas por la *Gram. Acad. adverbiales de modo* y las *adverbiales comparativas* entre las que figura igualmente un tipo de oraciones comparativas modales. En esta exposición se entenderán como **modales** las que no valoren un intensivo de la oración principal. Las restantes, involucradas en esta mezcla de los conceptos de modo y de comparación, serán llamadas **valorativas,** caracterizadas formalmente por la presencia de un intensivo cuyo sentido desarrolla la construcción introducida por *como*. Aparte se distinguirán los usos conjuntivo, casiprepositivo o restrictivo y el prefijal.

Modales

Con antecedente

ADJETIVO (Cualidad)	Tu amigo es	*lento*	como una tortuga
ADVERBIO (Modo)	Tu padre anda	*despacio*	como un viejo
ADVERBIO INDEFINIDO	Actuaste	*tal*	como se esparaba
ADVERBIO INDEFINIDO	Hablaste	*así*	como lo habías prometido

Sin antecedente expreso

Actúa como: ADJETIVO	Tu padre	está	como unas castañuelas
ADVERBIO		Trabaja	como un negro

8.2.1. Construcciones valorativas de "como"

Como se ha dicho, estas construcciones dan sentido a un intensivo que puede aparecer como adjetivo de un sustantivo o como sustantivo para expresar la cantidad, como adverbio referido a un adjetivo para expresar su intensidad, como adverbio referido a otro adverbio para expresar el modo y como adverbio referido a un verbo para expresar la intensidad:

(1) Alfredo tiene **tantos** *libros*
(2) Alfredo es **tan** *bueno*
(3) Alfredo vive **tan** *alegremente*
(4) Alfredo vivió **tanto**
} **como** Pedro.

Como se ha notado en otra parte (v. 7.1.3.0), en la valoración se constituye una sobrestructura en la que cabe distinguir: (a) una **base de la comparación** constituida por un sustantivo (1), un adjetivo (2), un adverbio (3) o un verbo (4); (b) un **intensivo** cuyo significado hay que esclarecer, que en estos casos es *tan(to)* que puede actuar como pronombre sustantivo, adjetivo o adverbio; (c) un elemento introducido por *como* al que, tradicionalmente, se le llama **segundo término de la comparación**, y que puede ser una oración o un elemento geminado de la oración principal. El uso del intensivo constituye una alternativa que la lengua ofrece al hablante entre otras según puede observarse a continuación:

Tiene	muchos cincuenta tantos	libros	**como**	Pedro

La presencia del intensivo solo la admite la lengua en frases exclamativas. Su sentido encarecido por la entonación no llega a fijarse y queda indeterminado. Hay que considerar como *antecedente del relativo* la base de comparación —sustantivo, adjetivo, adverbio o verbo— acompañada por la valoración concreta que se supone conocida por el interlocutor:

¡Alfredo tiene	tantos	libros!
Alfredo tiene		libros
Alfredo tiene	dos mil	libros

La *función* de la construcción introducida por *como* es siempre adverbial por cuanto se refiere a un intensivo en función adjetiva o adverbial, salvo cuando el intensivo está en función sustantiva, en cuyo caso la construcción tiene carácter de término secundario (adjetivo). Esta construcción puede estar constituida por diversas clases de elementos:

nombre: Si yo soy pobre o infeliz, me dolerá ser tan rico o tan dichoso como mi vecino (G. Marañón, *Raíz y Decoro de España*, 81); [...] fue recibido por Zumalacárregui con severa cortesía, tan distante de la familiaridad como de la rigidez orgullosa (Galdós, *Zumalacárregui*, 78); Es de buena educación agradar al marido tanto como a los amigos del marido (R. Pérez de Ayala, *El Curandero de su Honra*, 26); [...] este apretón de manos ha puesto en mí tanta ufanía como en Alonso Quijano la liberación de los galeotes o la conquista del yelmo (Azorín, *Antonio Azorín,* 162); **pronombre**: Créame que me felicito y me gozo con esta boda tanto como usté (R. Pérez de Ayala, *El Curandero de su Honra,* 23); Soy tan vascongado como cualquiera (P. Baroja, *Las Inquietudes de Shanti Andía,* 153); Pedro se encontró bebiendo aquella bebida que hacía bien hasta a un estómago tan enfermo como el suyo (L. Martín Santos, *Tiempo de Silencio,* 123); **adjetivo**: ¿Habéis visto a Monseñor Gaetani? ¡Qué desgracia! ¡Tan grande como impensada! (Valle-Inclán, *Sonata de Primavera,* 59); **infinitivo**: Estarse en casa quietas y resignadas era tanto como echarse al surco y declararse vencidas a los primeros disparos (Á. Ganivet, *Los Trabajos del infatigable creador Pío Cid,* I, 126).

Igualmente puede ser una oración en la que se repite el mismo verbo, con lo que de hecho se desarrolla el término geminado, o bien una oración de verbo independiente:

el mismo verbo: Te pondrían [...] tan coloradas y tan calientes las orejas como se le ponen al hijo del aperador cuando va a llover (Juan Ramón Jiménez, *Platero y Yo,* 24); —¿Estás bien seguro de lo que afirmas? [...] —Tan seguro —replicó, amoscándose el desorejado eremita— como lo estoy de que los tres sois alcahuetes de la guerra y mequetrefes de Satanás (Galdós, *Zumalacárregui,* 112); **verbo independiente**: [...] cortó en la mustia ribera del arroyo un haz tan grande de retamas como pudo ceñirle entre sus brazos (C. Espina, *La Esfinge Maragata,* 146); El señor don Lázaro es un amigo a quien respeto tanto como admiro por sus virtudes y su talento (Pereda, *Don Gonzalo González de la Gonzalera,* 166).

En cuanto al intensivo, como ya ha sido señalado, actúa como pronombre-sustantivo, adjetivo o adverbio referido a un adjetivo, un adverbio o un verbo:

Castro Duro tiene muchísimas calles, tantas como una capital importante (P. Baroja, *César o Nada*, 215); [...] en el barrio de San Gil hay tantos irlandeses como escoceses o españoles (P. Baroja, *La Ciudad de la Niebla*, 128); Entonces hubiera querido ser tan discreto, tan conceptuoso y tan alambicado como todos mis conocimientos (P. Baroja, *Las Inquietudes de Shanti Andía*, 114); El chasquido agrio de los huesos no resonó tan fuerte como los golpes de la cava, [...] (C. Espina, *La Esfinge Maragata*, 148); [...] cuento ya con rentas y medios para vivir aquí con familia, casi tan bien como los más pudientes (J. Valera, *Pasarse de listo*, 69); Sabrías tanto como el burro de las figuras de cera (Juan Ramón Jiménez, *Platero y Yo*, 23).

8.2.1.1. *"Tanto-como" con valor aditivo*

La correlación, cuando *tanto* fija su forma invariable adverbial ante adjetivos, adverbios o ante un sustantivo, que en otros casos exigirían, respectivamente, la forma apocopada (*tan bueno*; *tan cuidadosamente*) o la forma concordante (*tantos hombres*), toma por su sentido de identificación, valor aditivo y concurre con la copulación con *y*. En este uso desaparece el carácter valorativo de la construcción:

Era también posible que su excesiva juventud diera tanto a los tejidos propios como a sus productos, una consistencia o una elasticidad diferentes de las acostumbradas (L. Martín Santos, *Tiempo de Silencio*, 107).

8.2.1.2. *"Tan pronto ... como"*

La estructura correlativa con el adverbio *pronto* toma valores especiales: (a) marca la alternativa entre dos posibilidades que se suceden o (b) fundidos los tres miembros de la correlación en una sola unidad tonal, expresa una valoración de tiempo: la instantaneidad entre la realización de la acción principal y la subordinada:

distribución alternativa: Este espectáculo de las olas, tan pronto tranquilas en su marcha como lanzadas a la carrera en un furioso galope, tiene a pesar de su monotonía, un inexplicable interés (P. Baroja, *Las Inquietudes de Shanti Andía*, 159); Tan pronto pasaba por el canal un niño como una mujer o un viejo (Blasco Ibáñez, *Cañas y Barro*, 20); En las manos yertas sostenía una cruz de plata, y sobre su rostro marfileño, la llama de los cirios tan pronto ponía un resplandor como una sombra (Valle-Inclán, *Sonata de Primavera*, 70); Tan pronto rezaban invocando a la Virgen y a los santos con fervor sincero, como arrojaban de sus bocas horrendas maldiciones contra la facción (Galdós, *Zumalacárregui*, 49); **temporal**: [...] corría a ella tan pronto como la consideraba sola (Blasco Ibáñez, *Cañas y Barro*, 163).

8.2.1.3. *Correlación "tal ... como"*

La correlación con *tal*, identificativo de cualidad, puede mediante el relativo *como* (a) expresar valoración comparativa. Pero junto a este carácter, puede también, fundiendo los dos términos de la correlación, (b) expresar modalidad o (c) llegar a servir para introducir ejemplificación con la que desarrolla el contenido de una determinada expresión genérica:

valoración comparativa: Digo, dijo Loaysa, que tal sea mi vida como eso me parece, porque la seca garganta ni gruñe ni canta (Cervantes, *El celoso extremeño*); **modal**: Tal como estaba, sobra (G. Miró, *Años y Leguas*, 20); He querido [...] a nuestro don Manuel tal como era (Unamuno, *San Manuel Bueno, mártir*); Pero dejemos venir los acontecimientos, que de fijo vendrán tal y como yo os los anticipo (Galdós, *Zumalacárregui,* 96); **modal de ejemplificación**: No llegaban a habitar estos parajes personalidades ricamente desarrolladas tales como carteristas, mecheras, descuideras, palanquistas o espadones, sino subdelincuentes apenas comenzados a formar (L. Martín Santos, *Tiempo de Silencio,* 118).

8.2.2. "Como" sin correlación

Fuera de la correlación, la construcción introducida por *como* toma un claro valor descriptivo del modo como se produce un determinado antecedente, cuyo sentido reproduce, o funciona por sí mismo como término terciario para describir la acción del verbo. Dos casos particulares están constituidos por el *como* restrictivo (*Yo, como padre, te lo aconsejo*) y el *como* aproximativo de valor casi prefijal (*Tiene como cincuenta años*) que serán estudiados a continuación.

8.2.2.1. "*Como*" *sin antecedente*

Introduce una construcción modal en la que el relativo se gramaticaliza en cierto grado, pero siempre implicita la idea genérica de modo igualado. El segundo término puede ser (a) un nombre con o sin preposición, (b) un pronombre, (c) un adverbio, o bien, (d) una oración del mismo verbo o distinto del dominante o (e) una proposición marcada por un relativo o por *si*:

nombre, *como sujeto geminado*: La tormenta palpitaba sobre el pueblo hacía una hora, como un corazón malo (Juan Ramón Jiménez, *Platero y Yo,* 52); Todo cuanto ambicioné durante mi vida, en este momento se esparce como vana ceniza ante mis ojos de moribundo (Valle-

Inclán, *Sonata de Primavera*, 38); [...] tú, Platero, [...] jugando como un tonto, con el gorrión o la tortuga (Juan Ramón Jiménez, *Platero y Yo*, 60); *como autónomo de tiempo*: Como todas las tardes, la barca-correo anunció su llegada al Palmar con varios toques de bocina (Blasco Ibáñez, *Cañas y Barro*, 7); **nombre con preposición**, *como CI*: Sus palabras pulidas le producían impresión de abalorios, agremanes y cintas que le brotasen de la boca como a un prestidigitador de circo (R. Pérez de Ayala, *El Curandero de su Honra*, 27); [...] preguntó conmovido, hablando a Marianela de ti, como a una niña (C. Espina, *La Esfinge Maragata*, 135); *como autónomos de lugar*: [...] se siente uno quemado en el sol pleno del día, anegado de azul, como al lado mismo del cielo (Juan Ramón Jiménez, *Platero y Yo*, 59); Aún, bajo las grandes higueras centenarias, cuyos troncos grises enlazaban en la sombra fría, como bajo una falda, sus muslos opulentos, dormitaba la noche (*id*., 29); Desde el Miradero se divisaba abajo, como desde un globo, el puente por donde pasan los hombres, las caballerías y los carros [...] (P. Baroja, *César o Nada*, 214); Como en todos los pueblos de pescadores, en Lúzaro se ven lanchas en los sitios más extraños e inverosímiles (P. Baroja, *Las Inquietudes de Shanti Andía*, 144); [...] todas las brillantes fruslerías que deslumbran a ese ingenuo salvaje emboscado en el alma de la mayor parte de las mujeres, como entre un arbusto espinoso y oloroso (R. Pérez de Ayala, *El Curandero de su Honra*, 25); *como autónomos de tiempo*: Las indefinibles miradas entre él y Constancita continuaban como desde el principio (J. Valera, *Las Ilusiones del doctor Faustino*, 140); En estos días la arena no echa fuego como en el verano (P. Baroja, *Las Inquietudes de Shanti Andía*, 159); *como autónomo modal*: No sin jurar a Herminia amor constante e insaciable; juramento que selló, como de costumbre, con el hierro candente (R. Pérez de Ayala, *El*

Curandero de su Honra, 40); *complemento verbal regido*: Hablo de mi temor a la locura con Quintanar, como de la manía de un extraño (Clarín, *La Regenta,* 565); No se reirán de ti como de un niño torpón (Juan Ramón Jiménez, *Platero y Yo,* 24); **pronombre**: [...] miraba de frente como él (C. Espina, *La Esfinge Maragata,* 79); Estas chabolas marginales y sucias no pretendían ya como las otras, tener siquiera apariencia de casitas (L. Martín Santos, *Tiempo de Silencio,* 117); El no saber vivir como los demás me producía una sórdida cólera, una indignación frenética (P. Baroja, *Las Inquietudes de Shanti Andía,* 114); **adverbio**: Estaba muy contento como entonces (G. Miró, *Años y Leguas,* 8); Pero esta tarde será como antes (C. Laforet, *Nada,* 167).

Cuando la oración introducida por *como* va marcada por un relativo, no hace más que utilizar la construcción descrita al principio, en que el término es un nombre en sus diversas funciones. Así puede tratarse de una oración de función sustantiva introducida por los relativos *quien, el cual, el que,* etc., o por los relativos de tiempo, lugar, etc. Un caso aparte lo constituye la agrupación del *como* con una proposición marcada por *si* problematizador que se opone a la enunciación:

quien: Madrugó mucho, don Gonzalo, como quien no ha pegado los ojos en toda la noche (Pereda, *Don Gonzalo González de la Gonzalera,* 173); **el que**: Un pastorcillo como el que ahora caminaba por la orilla, apacentaba en otros tiempos sus cabras en el mismo llano (Blasco Ibáñez, *Cañas y Barro,* 17); Era el relato del viejo mayordomo ingenuo y sencillo como los que pueblan "La Leyenda Dorada" (Valle-Inclán, *Sonata de Primavera,* 81); **cuando**: Ablandando el suelo de la calle había tiradas ramas de olivo, como cuando han pasado las procesiones a las que se quiere evitar el incienso profano del polvo (R. Gómez de la Serna, *El Incongruente*, 123); No tiene eco ni se ve, allá en su fondo, como cuando está bajo el mirador con sol (Juan Ramón Jiménez, *Platero y Yo*, 71); **si**: Le dolía la caja del pecho como si le partiesen las costillas (R. Pérez de Ayala, *El Curandero de su Honra*, 33).

Cuando el segundo término es una oración, el verbo de la subordinada puede ser el mismo verbo de la principal, que para la Gramática tradicional había que sobrentender en los casos inventariados arriba. Cuando el verbo es distinto, pueden producirse diversos esquemas: (a) puede ser un verbo vicario que repite la idea del verbo principal; (b) un verbo modal cuya complementación está constituida por el verbo principal. Cuando el verbo modal es un verbo de lengua, el verbo principal constituye su complemento directo (*Llegó como ha dicho Pedro→Pedro ha dicho que llegó así*):

el mismo verbo principal: [...] acostumbrado a mandar como se manda en un barco, no podía soportar que nadie lo contrariase (P. Baroja, *Las Inquietudes de Santi Andía*, 150); Pues si aprovecha su merced los cinco días que quedan como ha aprovechado los ocho, lindo viaje hemos echado (J. Valera, *Las Ilusiones del doctor Faustino*, 142); **verbo vicario**: Otros le dan de comer al suyo patatas, desperdicios y hasta cadáveres, como hacía el sepulturero de un pueblo de Valencia (G. Miró, *Años y Leguas*, 23); [...] y le tapó con la sábana como se hace con los cadáveres acostados en las mesas de disección (R. Gómez de la Serna, *El Incongruente*, 167); [...] no iban de palique el criado y el señor, como sucede en las novelas [...] (C. Espina, *La Esfinge Maragata*, 83); **con verbo modal**: Que me juzguen como quieran (Galdós, *Zumalacárregui*, 179); Nunca tuvo ocasión para lucirse, como él hubiera deseado (Á. Ganivet, *Los Trabajos del infatigable creador Pío Cid*, I, 98); ¡Que ella ame como yo sé amar [...]! (R. Pérez de Ayala, *El Curandero de su Honra*, 58).

En otros casos, la oración introducida por *como* equipara dos acciones expresadas por verbos distintos. Cuando el verbo es distinto y su esquema también, puede llegar a perder el *como* su valor relativo o atenuarlo en gran medida cuando se pretende corroborar lo dicho, subrayar su intención por repetición enfática del verbo, aclarar lo que se comunica por algún testimonio o por confirmar su realidad por medio del uso enfático de *ser*:

contraste entre oraciones: No creo en la universalización de los hombres, como no creo en la desaparición del amor al pedazo de tierra que nos vio nacer (G. Marañón, *Raíz y Decoro de España*, 73); [...] si yo no creyera en el poder de las ideas, no sería escritor, ni conferencista, como no creo que habría tampoco predicadores si no creyesen en la eficacia de su prédica (R. de Maeztu, *Ensayos*, 339); ¿Por qué habían de prohibir los hombres que cada cual cazase sin permiso, como mejor le pareciera? (Blasco Ibáñez, *Cañas y Barro*, 16); Acaricié a Platero, y como pude, lo enganché a la carretilla, delante del borrico miserable (Juan Ramón Jiménez, *Platero y Yo*, 98); El recogimiento con que ha criado a Costancita, [...] ha dado, como debía suponerse, los más sazonados frutos (Valera, *Las Ilusiones del doctor Faustino*, 215); A su calor no se contaban *antiguas consejas*, como presumía Trifón Cárdenas que había de suceder por fuerza (Clarín, *La Regenta*, 376); **corroboración**: Desde niños nos han enseñado, como observaba uno de mis amigos dilectos, que el mundo es un valle de lágrimas (G. Marañón, *Raíz y Decoro de España*, 82); Como digo, don Calixto estaba en su casa (P. Baroja, *César o Nada*, 223); "Un asunto tenebroso", como dijo uno de aquellos señores, víctima de su bachillerato francés (L. Martín Santos, *Tiempo de Silencio*, 188); [...] estos cálculos en barco de vela, como usted sabe, no tienen mucho valor (P. Baroja, *Las Inquietudes de Shanti Andía*, 226); Piénsalo bien y alaba a Dios, como ha dicho tu abuela (R. Pérez de Ayala, *El Curandero de su Honra*, 14); [...] ya es tonto de capirote y goza de tontería absoluta, total, una y toda, como se expresarían los filósofos (J. Valera, *Doña Luz*, 17); **aclarativo**: El tal Tristán o como se llamara, no nos dio suerte (P. Baroja, *Las Inquietudes de Shanti Andía*, 224); Los vecinos más ricos, como quien dice la aristocracia, se interesaban por su suerte (Blasco Ibáñez, *Sangre y Arena*, 68); Nunca es tarde para entrar por el aro, como quien dice (Galdós, *Misericordia*, 105); Con la lanceta en la mano, me río yo de todos los doctores *honoris causa*, como rezan los diplomas (R. Pérez de Ayala, *El Curandero de su Honra*, 17); **reiteración enfática**: No es sobre todo porque tenga, como tengo, mi hermana viuda (Unamuno, *San Manuel Bueno, mártir*, 59).

8.2.2.2. *"Como" con antecedente*

En estas construcciones, el antecedente expreso o sobrentendido es (a) un adjetivo en sus diversas funciones, (b) un nombre solo o con adjetivo, (c) un adverbio o (d) una locución modal. Debe considerarse aparte el caso en que el antecedente sea *así* o palabras como *arte*, *modo*, *manera*, etc. [*Gram. Acad.*, 414 *a*]:

adjetivo: **atributo**: Lúzaro es un pueblo bonito, obscuro como todos los pueblos del Cantábrico (P. Baroja, *Las Inquietudes de Shanti Andía*, 143); **nombre calificado**: Pasaban rápidamente ante ella [la Dehesa] las colinas areniscas [...] los grupos de pinos retorcidos de formas terroríficas, como manojos de miembros torturados (Blasco Ibáñez, *Cañas y Barro*, 16); Ni te pondrán [...] el gorro de los ojos grandes ribeteados de añil y almagra como los de las barcas del río (Juan Ramón Jiménez, *Platero y Yo*, 24); **predicativo**: Visitación iba y venía de casa en casa, alegre como siempre, risueña (Clarín, *La Regenta*, 375); A la segunda andanada, el palo mayor quedó hecho trizas, como el tubo de una pipa de barro (P. Baroja, *Las Inquietudes de Shanti Andía*, 246); **adverbio**: ¡Inútil pregón misterioso que ruedas brutalmente como un instinto hecho carne libre por las margaritas! (Juan Ramón Jiménez, *Platero y Yo*, 90); **locución modal**: Su voz [...] se depositaba en el oído gota a gota, como un beleño (R. Pérez de Ayala, *El Curandero de su Honra*, 26); Tigre Juan al pronto quedó aspirando el aire a pequeños intervalos como el hombre a quien olfatear un perfume le evoca una visión animada y emocional (*id.*, 19).

Salvo cuando el antecedente es un adjetivo, en que de ordinario se sobrentiende en el segundo término el verbo *ser* o *estar*, en los demás casos se sobrentiende el verbo dominante. En todos ellos hay una marcada intención comparativa, pero frente a la valoración descrita arriba, aquí se busca la descripción por medio de un modelo expresivo. Es la construcción fundamentalmente empleada en la comparación poética.

Esta misma construcción toma carácter puramente modal cuando *como* introduce verbos existenciales como *haber*, *ser, encontrarse*, etc., con los que se enfatiza la cualidad. Lo mismo ocurre cuando con el antecedente callado se acude a la fórmula de encarecimiento con *nada*:

subraya la cualidad: Debilitada y triste como me encontraba, casi tuve ganas de llorar (C. Laforet, *Nada*, 151); Cuando estaba hasta la boca como está hoy, ¡qué asombro, qué gritos, qué admiración! (Juan Ramón Jiménez, *Platero y Yo,* 72); **fórmula con "nada"**: No hay nada como un buen trote para ahuyentar el miedo (R. F. de la Reguera, *Cuerpo a tierra*, 240).

8.2.2.3. "*Como*" *con antecedente implícito*

Las construcciones de *como* pueden llevar un antecedente implícito que el interlocutor reconstruye por el contexto, en enunciados con los verbos *ser* y *estar*:

con "ser": La tranquilidad de Herminia era como la del jugador que tiene en su mano el último triunfo (R. Pérez de Ayala, *El Curandero de su Honra*, 15); En medio de esta vegetación acuática que era como una prolongación de los canales, levantábanse a trechos, sobre isletas de barro, blancas casitas rematadas por chimeneas (Blasco Ibáñez, *Cañas y Barro*, 11); El lugar era como un túnel prolongado (L. Martín Santos, *Tiempo de Silencio*, 191); María Rosario, siempre ruborosa, repuso con aquella serena dulzura que era como un aroma (Valle-Inclán, *Sonata de Primavera*, 99); **con "estar"**: En fin, estoy como un reloj, que es la expresión que usted prefiere (Clarín, *La Regenta*, 566); **con "parecer"**: Parecía, de cerca, como una Giralda vista de lejos (Juan Ramón Jiménez, *Platero y Yo*, 62).

La presencia del *como* en las construcciones de los verbos *ser* y *parecer* aporta la idea de modo a la caracterización del atributo. Cuando aparece este *como* con la misma idea implícita de modo con predicativos, la expresión toma el sentido de "en condición de". Puede referirse al sujeto o al CD de la construcción principal:

referido al sujeto: [...] no sabe si sería aceptado o no como candidato por los suyos (P. Baroja, *César o Nada*, 228); [...] pero al vernos en mayor número y también armados, se manifestaron como amigos (P. Baroja, *Las Inquietudes de Shanti Andía,* 249); Iba como un libro descuadernado (Juan Ramón Jiménez, *Platero y Yo,* 44); **referido al CD**: [...] tienes tú que recibir, como la mayor dulzura que yo puedo ofrecerte, la melancolía de verme ahora incapaz de poder soportar tu fogosidad [...] (R. Gómez de la Serna, *El Incongruente,* 113); [...] quizá habría tomado mi apretón de manos como una prueba de amor (C. Laforet, *Nada,* 150); El juez, desde el primer momento, consideró a César como hombre de importancia, [...] (P. Baroja, *César o Nada,* 234); Juanillo los contemplaba como seres de asombrosa superioridad (Blasco Ibáñez, *Sangre y Arena,* 64).

En este segundo caso, tanto cuando se refiere al sujeto como cuando se refiere al CD, puede tomar valor restrictivo cuando destaca una cualidad inherente al sustantivo:

referidos al sujeto: [...] su asueto debiera haber sido tenido como sagrado por la dirección del establecimiento (L. Martín Santos, *Tiempo de Silencio,* 116); [...] y además meditaba como filósofo de la naturaleza (Clarín, *La Regenta,* 373); Eso no es verdad: lo niego como testigo que fui (Galdós, *Zumalacárregui,* 187); *Semos* amigos y como amigo te sentaré la mano por haberme desobedecido (Galdós, *Juan Martín, el Empecinado,* 101); **referido al CD**: Doña Iluminada, de continuo, pintaba a Colás, para Carmina, como arquetipo de donceles y príncipe de amadores perfectos (R. Pérez de Ayala, *El Curandero de su Honra,* 59); Tenía como socio a Capistún el Americano, hombre inteligentísimo, ya de edad (P. Baroja, *Zalacaín, el Aventurero,* 90).

Bello [1.235] plantea el doble uso con y sin preposición del nombre introducido por *como* con valor predicativo referido al CD, en casos como *Le miran como padre* frente a

Los trata como a hijos. Para Bello la ausencia de preposición marcaría la asimilación a una condición que no le es propia, y el uso de preposición la exactitud de la mención. Cuervo [*Dicc.*, I, 13 *b*] vuelve a plantear la cuestión y acepta la interpretación de Bello; sin embargo, concluye: "Sea de todo esto lo que se quiera, lo más común es el empleo de la preposición". Parece evidente la función de atributo en el primer ejemplo y de CD en el segundo que tienen los elementos geminados tras *como* para explicar el uso de preposición.

8.2.2.4. *"Como" con valor aproximativo*

Con valor semejante al visto arriba con los atributos de los verbos *ser* y *parecer, como* puede encabezar un complemento de un sustantivo (adjetivo, nombre o infinitivo con preposición), situarse delante de un gerundio dependiente del sujeto o del CD, delante de un sujeto o de un CD o, incluso, delante de una oración marcada con *que* anunciativo. Igualmente puede ir delante de oraciones de infinitivo o de complementos autónomos de valor modal, causal, temporal, etc. *Como* actúa como un casi prefijo con el sentido de que lo que va a continuación es una realidad aproximada:

> **con un sustantivo**: Sentía como remordimiento de haber dado a su marido una familia que era un problema económico (Galdós, *Fortunata y Jacinta*, I, 68); En la cumbre de un cerro reposaba un como castillo cuadrangular (R. Pérez de Ayala, *El Ombligo del Mundo*, 185); **adjetivo**: Estiraba y contraía el pescuezo como atragantado (R. Pérez de Ayala, *El Curandero de su Honra*, 51); La tiene [la boca] como trabada con hormigón romano (Juan Ramón Jiménez, *Platero y Yo*, 93); **incremento con "de"**: Tenía la boca muy roja, las manos como de nieve, dorados

los ojos y dorado el cabello (Valle-Inclán, *Sonata de Primavera*, 27); **elementos autónomos de causa, modo, etc.**: La motocicleta aquella noche refunfuñaba con más silencio, como con cuidado de no despertar las alondras dormidas en las bolas de las acacias (R. Gómez de la Serna, *El Incongruente*, 120); [...] comenzaban a verse sometidas a él como por una complicidad secreta o complacencia pecaminosa (R. Pérez de Ayala, *El Curandero de su Honra*, 28); **elemento autónomo** (*adverbio*): De retorno del teatro, Carmina iba como fuera de sí (*id.*, 38); **proposición de infinitivo**: Poner una frontera a la generosidad es como matarla (G. Marañón, *Raíz y Decoro de España*, 78); [...] les vi abandonar la senda como para buscarme (Galdós, *Juan Martín, el Empecinado*, 231); **construcción de gerundio dependiente**: Don Calixto me ha recibido con gran amabilidad, pero con cierto aire de reserva, como diciéndome: En Roma era para ti un alegre camarada; aquí soy un personaje (P. Baroja, *César o Nada*, 223); Rostro al cielo, respiraba larga y profundamente, como bebiéndose los vientos (R. Pérez de Ayala, *El Curandero de su Honra*, 20); **una oración marcada por "que"**: Don Ibrahim de Ostolaza y Bofarull hizo como que no oía lo de la caquita de la nena del vecino (C. J. Cela, *La Colmena*, 86); Entonces estudiaba Derecho o hacía como que lo estudiaba (P. Baroja, *Locuras de Carnaval*, 100).

8.2.3. "Así" como antecedente de "como"

La *Gram. Acad.* incluye las formaciones en que *como* relativo tiene como antecedente al demostrativo *así* como adverbiales comparativas de modo. Con buenos argumentos, Gili [243] las incluye entre las modales. Todas las construcciones en que se establezca esta correspondencia tienen marcado carácter retórico y oratorio en la lengua actual, que acude a ellas en muy contadas ocasiones. Lo introducido por *como* sirve para clarificar el sentido modal en que se ha de tomar el demostrativo *así*. A estos valores se añade, y es el más frecuente en la lengua coloquial, el valor aditivo.

8.2.3.1. *Correlación "así ... como"*

El demostrativo aparece en cabeza del enunciado y forma parte de la oración principal. La oración introducida por *como* constituye la subordinada que da sentido al demostrativo *así*.

> Así es la política en las aldeas como en las ciudades populares (Galdós, *Zumalacárregui*, 137).

Junto a éste puede tomar tres valores bien característicos:

(a) Para encarecer la imposibilidad de algo. La oración principal enuncia un hecho que se quiere mostrar como imposible; la subordinada contrasta igualándolo al anterior un hecho racionalmente imposible [Cuervo, *Dicc.*, I, 699; *Gram. Acad.*, 418 *h*]:

> En oyendo cosas de caballerías y de caballeros andantes, así es en mi mano dejar de hablar en ellos, como lo es en la de los rayos del sol dejar de calentar, ni humedecer en los de la llama (Cervantes, *Quijote*, I, 24).

(b) Para encarecer la veracidad y seguridad de un enunciado. La oración gramaticalmente principal tiene valor imprecativo y expresa un deseo contrario a los intereses del hablante, construido en subjuntivo optativo. La oración introducida por *como*, subordinada gramaticalmente, expresa el enunciado más importante cuya seguridad se trata de fortalecer:

En verdad, señor don Quijote, dijo el barbero, que no lo dije por tanto, y así me ayude Dios como fue buena mi intención y que no debe vuesamerced sentirse (Cervantes, *Quijote,* II, 1).

(c) La forma más usual de esta construcción se consigue cuando toma valor aditivo al establecer la identidad de importancia de una serie de miembros. Se consigue con esta construcción enfatizar la acción aditiva de la copulativa *y* con la cual concurre:

Recibióla con mucho agrado, así enamorada de su belleza como de su discreción, porque en lo uno y en lo otro era extremada la morisca (Cervantes, *Quijote,* II, 64); [...] poniendo en ejecución medios militares o políticos, así los más crueles como los más habilidosos (Galdós, *Zumalacárregui,* 8); Así de las obras como de la ejecución, pedía el clérigo a su amigo noticias prolijas (Galdós, *Mendizábal,* 94).

8.2.3.2. *Correlación "como ... así"*

Al invertir la disposición de los términos en correlación, el enunciado en que se desarrolla por medio de *como* el sentido del demostrativo *así,* toma mayor fuerza:

Como en la noche tempestuosa el que camina carece de abrigo, y va cercado de peligro y de tinieblas; ansí cuando muere el malo, no ve sobre sí sino horror y tinieblas, todo lo que ve es espanto, y lo que imagina, temor (Fr. Luis de León, *Exposición del libro de Job,* 26. 20); Como la niebla inverniza robaba, de la noche a la mañana, las montañas del horizonte en torno a Pilares, y el sol primaveral las devolvía a su lugar, sin que nadie se sorprendiese al verlas de nuevo, así las personas que formaban aquel pequeño círculo de relaciones amistosas [...] dicen por supuesto [...] que había existido de siempre (R. Pérez de Ayala, *El Curandero de su Honra*, 11).

Las palabras en que se apoya esta construcción pueden, por su parte, recibir diversos refuerzos y constituir variaciones del anterior esquema. El demostrativo puede reforzarse en las locuciones *así bien*, *así también*:

Es cosa averiguada que, como en las demás provincias, así bien en España se trocó grandemente la manera de gobierno (P. Mariana, *Historia de España*, IV, 16).

Es el refuerzo más importante, por su vitalidad, el que recae sobre el *como* inicial del enunciado en la correlación *así como... así* [*Gram. Acad.*, 418 *c*]:

Así como el malo recibe el castigo de sus maldades, así el bueno el galardón de sus conocimientos (Fr. Luis de Granada, *Guía de Pecadores*, 1. 24. 1).

Esta construcción puede llegar a tomar cierto valor temporal, y con este sentido está viva en la lengua actual. Sirve para expresar, mediante la subordinada, una acción inmediatamente anterior a la que expresa la acción principal. En algunos casos la subordinada puede llegar a tomar carácter progresivo y expresar que se realiza paralelamente a la acción principal con el significado de "al mismo tiempo":

Así como entró en la venta, conoció a don Quijote (Cervantes, *Quijote*, II, 27); Y así como una vez intenté, fiado en mi pandilla, bajar la escalera de mármol, fui, mil veces, con la mañana, a la verja (Juan Ramón Jiménez, *Platero y Yo*, 66); **temporal progresiva**: Así como [el sol] se va desviando de nosotros, que es por la otoñada, todas las frescuras y arboledas pierden juntamente con la hoja, la hermosura (Fr. Luis de Granada, *Introducción al Símbolo de la Fe,* l. 4).

De la misma manera, ambos términos, tanto en la oración principal como en la subordinada, pueden recibir refuerzos. Con el mismo valor modal descrito, se ha usado la fórmula *así como ... así también*:

Así como veniste a este mundo desnudo, así también has de salir dél (Fr. Luis de Granada, *Guía de Pecadores,* 2. 5).

Por último, la agrupación *así como* puede tener valor aditivo al enlazar miembros de una enumeración:

Preparaos a decidir de mi vida, de mi hacienda y de mi nombre así como de la fama póstuma del padre que en hora aciaga me dio el ser (P. A. Alarcón, *El Escándalo,* 90).

8.2.4. Otros valores de las oraciones con "como"

Más allá del uso relativo descrito en los parágrafos anteriores, se encuentran otros usos vivos en la lengua en los que *como* está prácticamente gramaticalizado y no implicita ningún antecedente ni ninguna alusión modal. El sentido más importante es el causal; en último lugar, el valor de nexo ejemplificador.

8.2.4.1. *"Como" causal*

Se construye sistemáticamente en cabeza de enunciado de tal manera que un cambio de posición en algunos contextos puede motivar un cambio de sentido:

Como lo tiene por costumbre, salió de casa a las nueve. *Causa.*

Salió de casa a las nueve, **como** lo tiene por costumbre. *Modo.*

Expresa, cuando entre las dos oraciones hay una relación de causalidad, la causa como hecho que hay que tomar en cuenta para dar justificación a la oración principal, a diferencia de nexos como *porque,* ordinariamente, pospuestos, que explican la razón de lo que expresa la oración principal. Compárense expresiones como las dos siguientes: *Como hace frío, se abriga/Se abriga porque hace frío.* Se emplea con el verbo en indicativo o en subjuntivo:

en indicativo: Como clava la vista en el suelo, no sabemos si triunfa en sus ojos la dulzura del terciopelo negro o la energía de las aurinas lanzas (G. Martínez Sierra, *Tú eres la Paz,* 32); Como no disponía de mallas, se puso unos calzoncillos de franela color cresta de gallo (R. Pérez de Ayala, *El Curandero de su Honra,* 37); Pero como por el Sur de Mendaza Iturralde se vio desalojado de sus posiciones, [...], Córdova no tardó en ganar el terreno perdido (Galdós, *Zumalacárregui,* 131); **en subjuntivo**: Como Conchita espiase de soslayo la distracción de su ama, por entretenerla le refirió el lance que había acaecido (R. Pérez de Ayala, *Troteras y Danzaderas,* 25).

En las contestaciones, la causal con *como* encabeza la respuesta a una pregunta con el interrogativo *cómo.* Se encuentra en la lengua de nuestros dramaturgos del siglo XVII y todavía en la lengua hablada y en el diálogo dramático moderno [Cuervo, *Dicc.,* II, 235].

Pues ¿cómo has entrado aquí/y emprendes tan loco extremo?/—Como la muerte no temo (P. A. Calderón, *OC,* I, 980 *b*).

El valor causal puede, cuando el verbo va en subjuntivo, tomar el carácter hipotético característico de las oraciones tradicionalmente llamadas condicionales:

Te vas a volver loca como sigas sin dormir (I. Aldecoa, *El Fulgor y la Sangre,* 17); [...] nadie osaba aventurarse como no fuese en barca (Blasco Ibáñez, *Cañas y Barro,* 13.)

El mismo *como* causal se agrupa con *que* (*como que*) para introducir oraciones causales en el castellano clásico [Cuervo, *Dicc.*, II, 235]. Se empleaba en circunstancias y orden semejante al visto para el *como* causal. Actualmente está totalmente perdido. Sólo se emplea en frase independiente como refuerzo de la causa. Va detrás de pausa y expresa algo que ha sido pasado por alto en el enunciado de la oración principal:

No necesitaba Charito la añadidura de sus caudales para trastornar el seso de los mejores mozos de Alcalá. ¡Como que era la niña un puro primor desde la cabeza hasta los pies! (R. León, *Alcalá de los Zegríes,* 48); Angustias, ésa sí que existía; como que la había concebido y creado él (R. Pérez de Ayala, *Belarmino y Apolonio,* 142).

8.2.4.2. "*Como*" *ejemplificador*

De alguna manera se conserva el valor comparativo de *como* en las construcciones en las que introduce un elemento oracional y, excepcionalmente, una proposición con *ser* para desarrollar el contenido de un todo o para ejemplificar una noción genérica respecto a la cual el elemento o elementos introducidos por *como* son tipos:

Despertaba en muchas mujeres atracción malsana y curiosidad de incertidumbre, no sólo por la ambigüedad de sus rasgos y miembros, algunos de ellos femeniles, como la sobarba, el abultado pecho y el trasero, no menos rotundo (R. Pérez de Ayala, *El Curandero de su Honra,* 27).

8.3. Los restantes relativos*

Frente a los relativos *que* y *como* que se reparten desigualmente la mayor parte de los usos en que aparece relativo, los restantes tienen bastante bien divididos los campos de actuación, aunque no falten, sobre todo para *cual,* los casos de invasión en otros terrenos distintos a los suyos propios. En ningún caso, sin embargo, se dan desnaturalizaciones morfológicas como en los ya estudiados.

Otros relativos

| Enviaste por el periódico **a un muchacho** |

↓

El muchacho | **a quien** enviaste por el periódico | , ha vuelto

Entregaré el premio *a* | **quien** llegue primero |

| El autor **del libro** acaba de morir |

↓

El libro | **cuyo** autor acaba de morir | ha sido premiado

* William Cressey, "Relative adverbs in Spanish: A transformational analysis", en *Lan,* XLIV, 1968, pp. 487-500; Emilia Ferreiro, *Les relations temporelles dans le langage de l'enfant,* París, Droz, 1971; E. Hartmann, *Die temporalen Konjunktionen im Französischen,* Gotinga, 1903; Paul Imbs, *Les propositions temporelles en ancien français,* París, 1956.

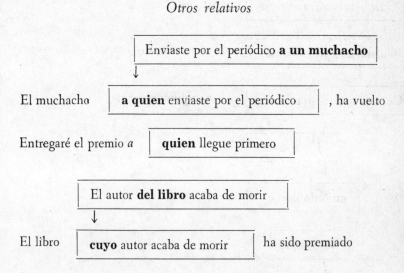

Escondiste el dinero **entre las mantas**

↓

Las mantas | **entre las cuales** escondiste el dinero | han desaparecido

Cuantos lo escuchaban	desconocían sus sufrimientos
Cuanto más *buena* sea	la apreciarán más
Cuanto más trabaja en eso	más le gusta
Cuanto más *pronto* acabes	más pronto nos iremos
Cuantas más *alegrías* le des	más tranquilos estaremos

Llegué **ayer**

↓

Ayer, | **cuando** llegué | no había nadie en casa

Vivo **aquí**

↓

Aquí, | **donde** vivo | no hace nunca sol

Donde vivo	no hace nunca sol

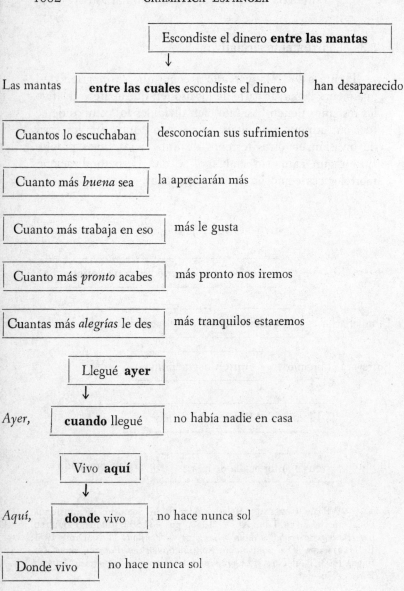

8.3.1. El pronombre "quien"

El relativo *quien,* que según se ha visto (v. 4.8.) alude en el castellano actual casi absolutamente a nombre de persona, puede llevar (a) un antecedente expreso, (b) un antecedente callado pero identificable por el contexto o (c) lo que la Gramática tradicional llamaba "antecedente envuelto", que consistía en la simple evocación de persona generalizada:

(1) *Los espectadores* a **quienes** gustó la obra aplaudieron mucho.
(2) Entregaré este objeto a **quien** me lo pida.
(3) **Quien** canta su mal espanta.

Las diferencias entre (b) y (c) son demasiado tenues para tomarlas en consideración. De hecho, coom se estudiará, el llamado *quien* de antecedente envuelto es un uso particular del *quien* sin antecedente expreso.

8.3.1.1. *"Quien" con antecedente expreso*

Forma proposiciones especificativas y oraciones explicativas. Cuando *quien* es sujeto del enunciado que introduce puede concurrir con *que,* salvo en las proposiciones especificativas. No se dice *El niño quien ha llegado tiene prisa* sino *El niño que ha llegado tiene prisa* [Bello, 331; *Gram. Acad.*, 365 *b*]. En los demás casos concurre con los relativos compuestos *el/la que* y *el/la cual.* La lengua moderna, y sobre todo la hablada, prefiere el *que* compuesto y *quien* retrocede notablemente en el uso, salvo en determinados clisés y esquemas muy arraigados.

Quien es sentido por el hablante como más indeterminado y generalizado que la agrupación de *que* con artículo. En los casos en que se usa *quien*, la expresión se despersonaliza, se desarraiga de la inmediata circunstancia en que se emplea y adquiere un cierto sentido de universalización. Los prosistas del siglo pasado y todavía a comienzos del actual emplean más parcamente el *que* compuesto.

El relativo *quien* funciona, en el enunciado que introduce, como sujeto, complemento directo o complemento indirecto con *a* de manera dominante o como autónomo:

> **sujeto**: Los más se hallaban a medios pelos, y abrumaban con la pesadumbre de sus cuerpos vacilantes a los menos, quienes, a su vez, los volvían a la vertical por aliviarse de la carga (Pereda, *Don Gonzalo González de la Gonzalera*, 209); **CD**: El único orgullo de Martínez era su esposa, doña Cleopatra, matrona opulentísima, remilgada y lagotera, a quien todos llamaban familiarmente doña Cleo (R. León, *Alcalá de los Zegríes*, 79); **CI**: Vidal, a quien no le gustaba pincharse, puso su nombre en un brazo y el de su novia en el otro (P. Baroja, *La Busca*, 94); [...] los claros varones a quienes iba dirigida la filípica tuvieron a bien callarse (Galdós, *Juan Martín, el Empecinado*, 81); **autónomos**: El primero era don Miguel, cura de la parroquia, anciano excelente, aunque de cortísimos alcances, con quien se confesaba todos los meses (J. Valera, *Doña Luz*, 45); Un personaje en quien no habíamos fijado la atención, terció de improviso en la disputa (Galdós, *Juan Martín, el Empecinado*, 81); Somos servidores del Rey D. Carlos V, en favor de quien tú, bendito Borra, seguramente imploras los auxilios del cielo (Galdós, *Zumalacárregui*, 108).

8.3.1.2. "*Quien*" *sin antecedente expreso*

Como se ha visto en los casos de *que* sustantivado, las proposiciones de *quien* sin antecedente expreso, en el caso de ir regidas por preposición, ésta afecta a la totalidad del enunciado introducido por *quien,* con lo que toma carácter sustantivo y cubre la totalidad de un elemento oracional.

La diferencia a que se ha audido en 7.3.1. entre *quien* de antecedente callado y *quien* de antecedente implícito, no afecta a su comportamiento sintáctico y solamente al sentido del pronombre. En el de *quien* con antecedente callado se entiende la existencia de un nombre al que alude el relativo, nombre suscitado por el contexto. En el segundo caso, hay una evidente abstracción que indetermina la persona aludida. Influye en la aparición de este sentido el uso del subjuntivo y la intención general del texto.

El uso abstractivo y generalizador, aparte de los casos en que el hablante intencionalmente lo emplea para marcar frente al *que* sustantivado la despersonalización, aparece impuesto [SFR, 175]: (a) con verbos existenciales donde se usa casi exclusivamente. Así con *haber* que muestra en su uso impersonal marcada preferencia por un CD indeterminado, sobre todo en su forma negativa; con verbos como *buscar, encontrar, hallar, tener,* etc. (*No hay quien lo sepa*); (b) en formas sentenciosas, refranes, etc., con referencia generalizadora:

> Quien vive en Andalucía está bañado desde niño en cantares (Moreno Villa, *Vida en Claro,* 55).

Frente al carácter generalizador que se presenta casi exclusivamente como sujeto, en los demás casos, el relativo puede funcionar con respecto al verbo que introduce según casi todas sus posibilidades. La proposición marcada por *quien* desempeña funciones sustantivas:

> **sujeto**: Maldito sea el dómine y quien acá lo trajo (Galdós, *Juan Martín, el Empecinado*, 74); **autónomo**: Es que yo me dejo acompañar y salgo —dijo Felisa— con quien me da la gana (I. Aldecoa, *El Fulgor y la Sangre*, 67).

8.3.1.3. *Otros usos de "quien"*

Son varios los usos estereotipados que se conservan en el habla actual. Son característicos los que se emplean en frases hechas y en construcciones sin verbo como *quien más, quien menos* de valor distributivo o con carácter condicional en *quien no*:

> Me oyes como quien oye llover (C. Laforet, *Nada*, 106); Jornaleros hasta la semana pasá, como quien dice, y hoy presumiendo de obispos (Pármeno, *Embrujamiento*, 9).

En yuxtaposición con otra oración con la que forma un mismo enunciado, *quien* puede enlazar un verbo con su repetición. Ambos verbos se emplean en subjuntivo y la expresión toma sentido concesivo que subraya la certeza de la oración con que se contrasta:

> En fin, señores, el Consejo acordó el ataque a Bilbao... y, mande quien mande las operaciones, Bilbao será nuestro antes de quince días (Galdós, *Zumalacárregui*, 253).

8.3.2. Las construcciones con "cuyo"

Tienen un sentido muy determinado y se presentan en la lengua actual en franco retroceso ante otras soluciones.

Se emplea, según se ha visto (v. 8.1.2.2), con un nombre con el cual concuerda en género y número, pero alude a un sustantivo anterior. El uso actual exige que tal antecedente sea un nombre determinado [*Gram. Acad.*, 372; SFR, 170] y que la relación semántica que los une sea de posesión o pertenencia. Se rechazan así las relaciones que expresan los "complementos de materia, los denominativos, los distintivos, los de cualidad" [SFR, p. 349], en la medida que estos complementos forman parte del sentido denominativo del grupo y no pueden separarse de ellos sin tomar un matiz significativo distinto. Así, mientras (a) en el grupo de núcleo nominal *el grito de los niños*, se pueden fundir en una sola frase, mediante el uso de *cuyo*, dos predicaciones referidas a cada uno de los nombres que forman el grupo; en cambio, (b) en una agrupación tal como *La taberna de los Tres Reyes*, que traba estrechamente los dos constituyentes de la denominación, no podría utilizarse *cuyo*. Para (a) la doble predicación (1) *Los gritos nos ensordecen* y (2) *Los niños corren por el patio*, puede fundirse con el uso de *cuyo*, en→*Los niños cuyos gritos nos ensordecen, corren por el patio.*

En esta construcción, el nombre concordado con el pronombre puede desempeñar en el enunciado de que forma parte las funciones propias del sustantivo y, en consecuencia, llevar las preposiciones que le correspondan, que se sitúan delante del relativo con el que se agrupa:

> **sujeto**: El murmullo de las aguas cuyo frescor trae hasta mí una brisa dura, aquieta algo mi desazón (Güiraldes, *Xaimaca*, 52); **CD**: [...] sujetaba la palomilla y a su lado el rótulo, un anuncio humorístico, cuya gracia, probablemente, sólo él comprendía (P. Baroja, *La Busca*, 95); **prepositivo**: Mi padre era un pesimista teórico y un optimista práctico, de cuyo contraste resultaban efectos verda-

deramente cómicos (Palacio Valdés, *La Novela de un Novelista*, 105); Y como ciudad principal, centro y cabeza de este nuevo mundo, ponía él a Buenos Aires, su patria, en cuya ingente plaza mayor se levantaría grandioso monumento (J. Valera, *Genio y Figura*, 67).

8.3.2.1. *El antecedente de "cuyo"*

Como se ha dicho antes, el antecedente es un nombre determinado. Igualmente, en gracia de su carácter, pronombres o agrupaciones de valor sustantivo, expresos o suscitados por el contexto, pueden ser antecedente:

> El que en lugar de otro está, razón es que tenga las condiciones de aquel cuyo lugar tiene [...] (Beato Juan de Ávila, *Epistolario*, 4.1) [cit. Cuervo, *Dicc.*, II].

Igualmente puede servir de antecedente un concepto anterior no preciso, resultado de la comprensión del sentido de la oración principal. En este caso *cuyo* viene a tomar un sentido muy semejante a *de lo cual*: Bello [1.051] censuró estas construcciones para las que considera preferible el uso de *cual*.

> No para la envidia, que tan bien muerde un vestido como un entendimiento: a cuya desdicha están infelizmente sujetos los hombres que tienen alguna gracia, si los acompaña buena persona (Lope de Vega, *La Dorotea*, 5, 3).

Dentro de esta misma posibilidad, la lengua ha fijado una serie de agrupaciones que se emplean pospuestas a un sustantivo o a una oración cuyo sentido reproduce el *cuyo*. Son agrupaciones como *a/por cuya causa, por cuya razón, a/para cuyo fin, con cuyo motivo, en cuyo caso, por cuyo medio,* etcétera:

> Quizá las dos operaciones se verificarían simultáneamente, en cuyo caso Córdova y Oráa tenían que dividir su ejército en tres partes (Galdós, *Zumalacárregui*, 139).

Concurren estas construcciones con la aposición de un nombre al que se une *el cual* o *que* o bien, la utilización de los demostrativos: *Por cuya razón/Razón por la cual/Por esta razón*, etc.

El antecedente, en el castellano actual, debe estar muy próximo al relativo frente al uso clásico que admitía una mayor separación:

> Ahora en estos nuestros detestables siglos no está segura ninguna [doncella], aunque la oculte y cierre otro nuevo laberinto como el de Creta; porque allí por los resquicios o por el aire con el celo de la maldita solicitud se les entra la amorosa pestilencia, y les hace dar con todo su recogimiento al traste. Para cuya seguridad, andando más los tiempos y creciendo más la malicia, se instruyó la orden de los caballeros andantes (Cervantes, *Quijote*, I, 11).

8.3.2.2. "*Cuyo*" *sin antecedente ni idea de posesión*

Cuando *cuyo* es predicado nominal (atributo) y se refiere al objeto poseído mediante el verbo *ser*, envuelve el sentido del antecedente [*Gram. Acad.*, 373]. En este caso puede llegar como los demás relativos, a asimilar la preposición que le correspondería a su antecedente. Es uso que ha decaído completamente en la lengua actual:

> Si este Señor, no siendo suyo el negocio, sino tuyo, tanto lo estimó por su sola bondad; tú, cuyo es el negocio, cuya es la causa y cuyo es todo el provecho della, ¿en cuánto será razón que la estimes? (Fr. Luis de Granada, *Introduc-*

ción al Símbolo de la Fe, 3. 13); Quitaron a Dios la honra que como a Dios se le debía y le dieron a cuya no era (Beato Juan de Ávila, *Audi filia*, 47).

Los gramáticos han censurado siempre los casos en que se pierde la noción del antecedente y la idea de posesión propia de esta clase de pronombre. Así se ha censurado [*Dicc.*, II, 713 *a*] el empleo de *cuyo* en lugar de *de quien* o *del cual*, cuando no hay idea de posesión:

Aquél es perfectísimo que no tiene mezcla de aceite y cuya una mínima partecilla posee muy grande virtud (Laguna, *Dioscórides*, 1. 59).

Con el nombre de *cuyo* notarial se ha caracterizado el uso de este pronombre de la misma manera que puede hacerlo *cual* o *este*, acompañando a un nombre de la oración principal. Bello [1.050] señala que "da al lenguaje un cierto tono de notaría que es característico de los escritores desaliñados". Cita el siguiente ejemplo: *Se dictaron inmediatamente las providencias que circunstancias tan graves y tan imprevistas exigían; cuyas providencias, sin embargo, por no haberse efectuado con la celeridad y la prudencia convenientes, no surtieron efecto.*

Por su parte, la *Gram. Acad.* [372 *d*] censura frases semejantes: *Dos cruzan el río montados en buenas caballerías, cuyos hombres traen armas*; *Le regaló un aderezo entre otras muchas alhajas preciosas, cuyo aderezo era de brillantes*; *Dos novelas te presté hace un año, cuyas novelas aún no han vuelto a mi poder*. En todos los casos, el pronombre no tiene antecedente y cumple la necesidad de añadir una nueva predicación a un determinado sustantivo ya nombrado. Estas construcciones viciosas se oyen en la lengua hablada por ultracorrección.

8.3.3. Construcciones con "cual"

Por su origen latino, *cual* expresa modo en correlación con *tal* cuyo sentido especifica. Este tipo de construcción que se realiza cubriendo una sobrestructura semejante a la valoración comparativa, desarrolló desde muy pronto y de manera creciente un valor sinónimo al del *que* compuesto [M-L, III, 617].

8.3.3.1. *Construcciones de "cual" comparativo*

Corre un camino ascendente hasta llegar a homologarse a *como,* del cual se siente una variación poética y literaria. En consecuencia, es muy poco usado en este valor, salvo en poesía o en prosa poética. Se usa en correlación con *tal,* que toma el valor de "esta clase", y contrasta dos acciones, cualidades o nombres poniéndolos en paralelo por su modo o intensidad. En la correlación, el sentido de *tal* ("de esta clase") es clasificado por *cual* que viene a decir por comparación la naturaleza de dicha clase. Así, *cual* se refiere al sustantivo mediante un verbo como su atributo o su predicativo:

> **atributo**: Esto basta para darte a entender que tal está el mundo, cuales los amadores dél (Fr. Luis de Granada, *Guía de Pecadores,* 1. 29); **predicativo**: Aquel hombre que Dios formó de la tierra, se transformó en ella por su voluntad y cual él se hizo entonces, tales nos engendró (Fr. Luis de León, *De los Nombres de Cristo,* 1).

El uso los adverbializa al emplearlos en circunstancias en que no cabe el valor adjetivo reseñado y, entonces, *cual* invariable puede ponerse en correlación con *así, tan(to)* [*Gram. Acad.*, 422]:

así ... cual: Que no podrá la ruda lengua mía/por más caminos que aquí tiente y pruebe/hallar alguno así cual lo deseo/para loar lo que en ti siento y veo (Cervantes, *Galatea*, 6); **tanto ... cual**: Quedó tan fuera de sí y tan suspenso cual lo conocieron bien sus amigos Orompo, Crisio y Orfeno (*id.*).

En su asimilación a *como*, llega a tomar el valor restrictivo de éste y a introducir una proposición hipotética de *si*:

restricción: Hablaron al presidente/cual tu amigo y cual pariente (J. Ruiz de Alarcón, *La Cueva de Salamanca*, 2); **cual si**: Comen despaciosamente y cual si hicieran un sacrificio (Azorín, *En torno a José Hernández*, 107).

Con valor adjetivo o adverbial y sin correlación, *cual* desarrolla el mismo papel explicativo del modo o la intensidad con que una cualidad o acción se producen:

Presto nos hemos de ver los dos cual deseamos (Cervantes, *Quijote*, I, 49).

8.3.3.2. *Construcciones de "cual" con artículo*

Con artículo se emplea en competencia con *que* relativo compuesto. Su uso es actualmente menor que en la época clásica y, aunque no siempre es fácil fijar un límite estricto, se pueden observar las siguientes circunstancias notadas por Cuervo [*Dicc.*, II, 611].

(1) Se usa *cual* dominantemente en frases explicativas cuando son de cierta extensión y el relativo queda muy alejado de su antecedente o cuando se refiere "a condiciones y cualidades conocidas del objeto".

(2) Se prefiere *cual* cuando se necesita precisar el ante-

cedente si éste concurre con otros sustantivos de diverso género y número.

(3) Por razones prosódicas [*Gram. Acad.*, 362] tras *por*, *sin*, *tras*, preposiciones con acento o locuciones prepositivas. En estas agrupaciones la proposición de *cual* puede ser especificativa.

Como en las proposiciones de relativo semejantes, *cual* puede desempeñar en su oración todas las funciones del sustantivo y las preposiciones marcan la función en relación con el verbo del enunciado que introduce:

> **sujeto**: [...] contrajo matrimonio con cierto marqués portorriqueño, el cual, habiendo enviudado al año siguiente, regresó a América (P. A. Alarcón, *El Escándalo*, 80); **CD**: [...] se aproximó al boquete de la obstruida escalera de la torre, el cual los sitiados habían tapado malamente con cascote y maderas (Galdós, *Zumalacárregui*, 308); [...] se veía escapar al toro como alma que lleva el diablo por entre los toreros, a los cuales se les veía la nariz de perfil y al mismo tiempo la boca y los dos ojos de frente (P. Baroja, *La Busca*, 97); **CI**: Era uno de esos hombres a los cuales se puede hacer daño impunemente (Palacio Valdés, *La Novela de un Novelista*, 107); **prepositivos**: **con**: Les daré a ustedes media onza de oro, con la cual paga este leal trabajo nuestro Rey Carlos V (Galdós, *Zumalacárregui*, 102); **contra**: Renuncia [Sancho] y abandona el gobierno mismo [...] mostrándose superior a sus indignos y empedernidos burladores, contra los cuales no exhala la menor queja, ni guarda el rencor más mínimo (J. Valera, *Doña Luz*, 28); **de**: ¿A qué tantos misterios con dos amigos a quienes abrumaba a preguntas y de los cuales recibía diarias confidencias? (P. A. Alarcón, *El Escándalo*, 80); **desde**: Vuelve a descubrirse el puerto de Veracruz desde el cual se hace Cortés a la vela para España (T. de

Iriarte, *Literatos en Cuaresma*, 68); **en**: Una bruma blanquecina esfuma el horizonte, y el agua es una segunda atmósfera en la cual podríamos caer indefinidamente, como una insignificante escoria de astro (Güiraldes, *Xaimaca*, 50); **entre**: En la penumbra de la gran sala, queda hasta un centenar escaso de espectadores, entre los cuales es difícil calcular cuántos soportarán el aburrimiento hasta el fin (E. d'Ors, *Los Diálogos de la Pasión meditabunda*, 42); **para**: [...] con ellos se me encarga de una comisión para la cual se necesita arrojo, astucia y actividad extraordinaria (Galdós, *Zumalacárregui*, 87); **por**: Al tomar la calleja de la izquierda, por la cual había venido de casa de Pilara, se encontró tope a tope con el médico don Elías (Pereda, *La Puchera*, 51); **sin**: Mucho contuvo a Teresa la presencia del señor cura sin la cual Dios sabe lo que hubiera hecho (Pereda, *Tipos y Paisajes*, 156).

Para evitar anfibologías y cuando el antecedente está demasiado alejado del pronombre, suele repetirse agrupado con éste. Igualmente ocurre cuando el antecedente está sugerido por el contenido de la oración:

Vieron a un hombre del mismo talle y figura que Sancho Panza les había pintado cuando les contó el cuento de Cardenio; el cual hombre cuando los vio, sin sobresaltarse, estuvo quedo con la cabeza inclinada sobre el pecho (Cervantes, *Quijote*, I, 27); ¡Caballero, este sermón hay que mojarle! Con la cual noticia la muchedumbre [...] empezó a revolverse, a gruñir y a carraspear (Pereda, *Don Gonzalo González de la Gonzalera*, 211).

8.3.3.3. *Proposiciones con "lo cual"*

Con el artículo neutro alude a un antecedente no lexicalizado, o bien, a un conjunto o a toda una oración. El relativo forma parte de la proposición subordinada y tiene los mismos usos ya reseñados para el concordado:

> **sujeto**: Dijo esto último en tono de burla y sonriendo, lo cual producía una revolución en su fisonomía y gran sorpresa en los espectadores (Galdós, *Juan Martín, el Empecinado*, 78); **con**: La noticia de que se añadía un carnero a la becerra y se hacía un proporcionado aumento de convidados al festín de la Pascua, se extendió rápidamente por el pueblo y llevó nuevos y no pocos espectadores al partido, con lo cual el escándalo acabó de penetrar en los pacíficos lugares de Coteruco (Pereda, *Don Gonzalo González de la Gonzalera*, 199); **por**: Pero el de nuestros vecinos estaba mucho más bajo, por lo cual había que descolgarse para llegar a él (Palacio Valdés, *La Novela de un Novelista*, 109); **para**: Agarraba la mano de él y la mano de ella y las atraía para que se las diesen, aconsejándoles que echasen pelillos a la mar, para lo cual pronunciaba también su discurso (J. Valera, *Genio y Figura*, 72); **a pesar de**: Por semejantes faltas de acentuación iba siendo nuestra vida en común bastante borrascosa; a pesar de lo cual, yo seguía lo muy empeñado que tú sabes (G. Martínez Sierra, *Tú eres la Paz*, 70); **frase absoluta**: Por la mañana, al despertarse, venían a su cama y comían alegremente las migas de bizcocho que les repartía, hecho lo cual se despedían hasta la noche (Palacio Valdés, *La Novela de un Novelista*, 10).

8.3.3.4. *"Cual" distributivo*

Como *quien*, marca miembros oracionales con alusión a persona o cosa en el período distributivo [Bello, 1.170; Diez, 821; Hans, 564]. Para marcar la distribución se repite al frente de cada miembro o alterna con otros demostrativos o indefinidos. *Cual* tiene marcado carácter indefinido:

Descubrieron los rostros todos poblados de barbas, cuales rubias, cuales negras, cuales blancas y cuales albarrazadas (Cervantes, *Quijote*, II, 39); Me parece que, cual más, cual menos, todos ellos son una mesma cosa (*id.*, I, 47).

8.3.3.5. *"Lo cual que"*

Con carácter vulgar, en la expresión hablada aparece la agrupación del neutro *lo cual* con el anunciativo *que*:

Vuestra Eminencia Ilustrísima es la que ha dicho que la Benina sisaba; lo cual que no es verdad (Galdós, *Misericordia,* 44).

8.3.4. Construcciones con "cuanto"

El pronombre *cuanto* en función sustantiva, adjetiva o adverbial expresa una idea indefinida de magnitud y, al mismo tiempo, marca diversos tipos de proposiciones según mantenga su valor pronominal exclusivamente o se neutralice hasta aproximarse al valor de un puro marcativo con pérdida de su función anafórica. Puede formar sobrestructuras comparativas de carácter muy particular y emplearse en correlación con *tan(to)*. El uso actual es muy restringido en relación al del castellano clásico.

8.3.4.1. *"Cuanto" con valor anafórico puro*

Puede actuar como sustantivo o adjetivo aludiendo a un antecedente por su magnitud y formando proposiciones adjetivas cuando tiene un antecedente expreso inmediatamente delante de él o constituir elementos de rango primario (sustantivo). Su antecedente, nombre de persona o cosa, puede ir (a) delante del pronombre, (b) a continuación del pronombre en función adjetiva y concordado con él, o (c) implícito o "envuelto" según la terminología tradicional. Por último, como ocurre con los demás relativos, en su forma masculina y singular se utiliza para aludir a varios antecedentes, con lo que se aproxima al sentido de un colectivo y para mencionar un conjunto de actos, hechos, etc.

(1) *Los invasores*, **cuantos** entraron en la aldea, estaban rendidos.

(2) **Cuantos** *invasores* entraron en la aldea estaban rendidos.

(3) **Cuantos** entraron en la aldea estaban rendidos.

(4) **Cuanto** ocurre carece de sentido.

Concurre con las formas sustantivadas de *que* determinadas por *todo*: *Todo lo que ocurre/Cuanto ocurre.*

La proposición introducida por *cuanto* toma al relativo como elemento oracional en función de sujeto o de CD. Por su parte, la proposición marcada por *cuanto* actúa en las mismas funciones de un sustantivo como elemento oracional o como incremento con *de* de un elemento cuyo núcleo es un sustantivo. Caso de llevar preposición, ésta marca la subordinación de toda la proposición al verbo que sirve de núcleo ordenador de la totalidad del enunciado:

sujeto: Cuanto ha hecho y dicho hasta ahora es bueno en el fondo (P. A. Alarcón, *El Escándalo,* 83); [...] desbandáronse como palomas todos cuantos eran tertulianos de don Ramón (Pereda, *Don Gonzalo González de la Gonzalera,* 213); **incremento con "de"**: Apostado en el esconce que formaba la casa de ti Maizprestao, hallábase Luco, el de Longa al acecho de cuantos salían de la taberna (A. Larrubiera, *A la conquista del jándalo*); **predicativo**: [...] os llamarán malos hijos y descastados y todo cuanto se les ocurra (Unamuno, *Vida de don Quijote y Sancho*); **CD**: Haría cuanto pudiese para no ponerse al alcance de sus cuernos (Blasco Ibáñez, *Sangre y Arena*, 311); **CI**: [...] ponía contentos a cuantos se le acercaban (Palacio Valdés, *La Novela de un Novelista*, 105); **a**: Allí se jugaba a cuanto Dios crió (Pereda, *Don Gonzalo González de la Gonzalera*, 205); **contra**: La sangre india, sin embargo, se sublevaba furiosa contra todo cuanto había en él de español (J. Valera, *Genio y Figura*, 66); **de**: Siempre fui religioso, creyente ciego de cuanto su Iglesia nos enseña (Galdós, *La Campaña del Maestrazgo*, 222).

8.3.4.2. "*Cuanto*" *gramaticalizado*

Cuanto en su forma neutra puede gramaticalizarse con sentido causal, limitativo y temporal. Pierde totalmente su capacidad de aludir a un sustantivo o a un concepto sustantivo no lexicalizado.

(a) Paralela a la agrupación causal, se realiza en habla la locución conjuntiva *por cuanto* y *por cuanto que* de valor causal. La proposición que introduce expresa la causa que se ha de tener en cuenta para explicar lo que la oración principal comunica:

> Por cuanto de las primeras provincias del mundo, que abrazaron este culto y religión, y de las que más recio en ella tuvieron, fue una España, será necesario relatar lo mucho que hizo y padeció en aquellos primeros tiempos de la Iglesia por esta causa (P. Mariana, *Historia de España*, 4. 1).

(b) Toma valor limitativo al marcar el alcance de una atribución, denotar "la condición que determina la existencia de lo que se dice" [Cuervo, *Dicc.*, II, 652] o fijar el aspecto en que se ha de entender como válido lo que expresa la oración principal. Toma las formas *en cuanto, en cuanto que, en cuanto a* y *en cuanto a que*. Se ha considerado italianismo el uso de *cuanto* sin preposición con este valor. Cuervo, que recoge los ejemplos que se citan a continuación, supone la elipsis de los verbos *tocar, hacer referencia*, etc., para explicar la formación *en cuanto a*:

en cuanto: ¿Luego todo aquello que los poetas enamorados dicen es verdad? En cuanto poetas enamorados no la dicen, respondió Lotario, mas en cuanto enamorados, siempre quedan tan cortos como verdaderos (Cervantes, *Quijote*, I, 34); Los cuerpos celestes calientan, no porque son cálidos, sino en cuanto son de veloz movimiento y luminosos (Lope de Vega, *La Dorotea*, 3. 7); **en cuanto a**: En cuanto a la ruina de Europa que mi amigo Lobo presiente, yo no la veo tan cercana (J. Valera, *Genio y Figura*, 73); **cuanto a**: Aunque es suavísima [la mirra] cuanto al olor, es amarguísima cuanto al sabor (Fr. Luis de Granada, *Introducción al Símbolo de la Fe*, 5. 3. 14); **cuanto**: Cuanto yo, no os sabría dar más que una noticia confusa (J. de Valdés, *Diálogo de la Lengua*).

(c) Consigue sentido temporal con la preposición *en* (*en cuanto*), con dos acepciones que se dan respectivamente en la prosa clásica y en la moderna. En la época clásica expresa el tiempo durante el cual se realiza la oración principal y viene a significar "mientras" en la expresión actual. En la época moderna, quizá como supone Cuervo, por semejanza con expresiones como *en el momento*, pasa a significar la acción realizada inmediatamente del verbo subordinado, a continuación de la cual se efectúa la principal [*Gram. Acad.*, 411]:

valor clásico (*mientras*): Comenzó a leerla entre sí, estando yo muy atenta, en cuanto la leía, a los movimientos que hacía con el rostro (J. Montemayor, *Diana,* 2); **valor actual**: Después de todo, esto vuestro se arreglará en cuanto su madre mejore (Zunzunegui, *Ramón,* 190).

Unido a *antes* o a una proposición encabezada por *antes,* significa "inmediatamente". Cuando introduce una oración, la agrupación *cuanto antes* implicita una relación comparativa. *Cuanto antes* como *cuanto más antes* constituyen locuciones adverbiales. En algunos casos, la proposición encabezada por la agrupación *cuanto antes,* junto al valor temporal puede tomar sentido condicionador:

cuanto antes: Cásate cuanto antes (Unamuno, *Niebla,* 51); **cuanto más antes**: Semejantes ejemplos de corromper la inocencia del pueblo más virtuoso, deben desaparecer de sus ojos cuanto más antes (Jovellanos, *Memoria sobre los espectáculos públicos,* 2).

8.3.4.3. *Construcciones de "cuanto" de proporcionalidad*

Cuanto forma, en correlación con *tan(to),* una sobrestructura valorativa, cuyo sentido se basa en el contraste por comparación proporcional entre dos términos. Lo valorado puede ser la intensidad o cantidad con que se da una acción, una cualidad o un nombre en la principal. Se contrasta con otra o la misma acción, cualidad o nombre contenido en la proposición introducida por *cuanto.* Sean los miembros contrastados elementos oracionales u oraciones, hay entre ellos una proporcionalidad en la intensidad o cantidad:

acciones: Cuanto de vos me desvío/tanto a la muerte me llego (Castillejo, 1); **cualidades**: Quedaba la bienaventurada virgen tan llena de deseos, cuanto corta y flaca en las fuerzas (Yepes, *Vida de Santa Teresa,* 1. 16); **nombres por su cantidad**: No se ven tantos rostros figurados/en roto espejo [...]/cuantos nacen cuidados y cuidados/de un cuidado cruel que no se parte/del alma mía (Cervantes, *Galatea*, 1).

Tanto el intensivo como el relativo *cuanto* funcionan en la frase como términos secundarios o terciarios —adjetivos o adverbios— según que el contraste se establezca sobre la base de un nombre —adjetivos— o de una cualidad o una acción. El relativo concuerda con su antecedente cuando la base es un nombre o un adjetivo.

Cuando *cuanto* precede a un sustantivo, se vacila en el uso respecto a su función y se le hace concordar unas veces o se le deja invariable en masculino singular. Cuervo [*Dicc.*, II, 648 *a*; *Apunt.*, 381] observa que cuando la palabra comparativa es *mayor, menor, peor, mejor, cuanto* se utiliza como adverbio, y cuando la palabra comparativa es *más* o *menos, cuanto* se acomoda al género y número del sustantivo. No obstante, son frecuentes los casos de atracción como en el ejemplo que se cita a continuación:

> Cuanta mayor luz necesitan para entrar en el fondo de la verdad, tanto más parece que se aleja de ellos su conocimiento y noticia (Scío, *Biblia, dedic.*, l. IX).

Cuando el segundo término repite la misma base de comparación y se trata así de una misma acción, una misma cualidad o un mismo nombre, el término común se sobrentiende en la proposición o elemento introducido por *cuanto*, aunque puede repetirse:

> **sobrentendido**: Quiso en este mundo vivir tan pobre, tan humilde, y con tantos trabajos, cuantos en su vida santísima, y mucho más en su muerte padeció (Fr. Luis de Granada, *Introducción al Símbolo de la Fe*, 3. 3); **con repetición**: Y de aquí salió la multiplicación de los dioses que

eran tantos y tan diversos, cuantos y cuan diversos eran los apetitos de los gentiles (Venegas, *Agonía del Tránsito*, 2. 9).

Ante adjetivos y adverbios se prefiere usar la forma *cuan*, como se puede ver en el ejemplo anterior y en el siguiente recogido también por Cuervo:

Notó la manera con que le había contado, tan lejos de parecer rústico cabrero, cuan cerca de mostrarse discreto cortesano (Cervantes, *Quijote*, I, 52).

Puede omitirse el intensivo cuando se valora la intensidad de la acción principal, con lo que la proposición de *cuanto* toma el mismo valor adverbial que posee el relativo:

Le suplico cuan encarecidamente puedo, sea servida su merced de dejarse ver y tratar deste su cautivo servidor y asendereado caballero (Cervantes, *Quijote*, II, 23).

Es de las pocas fórmulas usuales todavía, aunque se da en concurrencia con *lo que* y *tan como*.

8.3.4.4. *Refuerzos intensivos en la proporcionalidad*

En estas mismas comparativas de proporcionalidad puede prescindirse del intensivo *tanto* utilizando otros como *más* o *menos*, o bien emplear *tanto* agrupado con *más*, *menos*, *mayor*, *menor*, *mejor* o *peor*. La proporcionalidad podrá ser directa —a más, más— o inversa —a más, menos—. Cuando la proposición introducida por *cuanto* emplea el subjuntivo, toma un cierto matiz de condicionalidad. La fórmula se mantiene con cierta vitalidad en la expresión actual:

sin el intensivo "tanto": Cuanto más avanzado es un pueblo, la gente se aburre más (P. Baroja, *La Ciudad de* *la Niebla*, 99); Cuanto más hablas, abres más el abismo (R. León, *Alcalá de los Zegríes*, 110); Y cuanto más haga Francia por considerarla, mayores serán los enemigos que se unirán en contra suya (R. de Maeztu, *Ensayos*, 130); **"tanto" reforzado**: Cuanto más desconfiaba de ser satisfecha, tanto más se afirmaba y se erguía (R. Pérez de Ayala, *El Curandero de su Honra*, 58); Estupiñá tenía un vicio hereditario y crónico [...] tanto más avasallador y terrible cuanto más inofensivo parecía (Galdós, *Fortunata y Jacinta*, I, 80).

8.3.4.5. *La causalidad en las proposiciones con "cuanto"*

Al valorar la intensidad de una palabra en una proposición por la proporcionalidad con que se da en otra circunstancia, puede ocurrir que entre ambos enunciados haya una relación lógica de causalidad [*Gram. Acad.*, 430]. Se cita el siguiente ejemplo:

> El ejemplo, gran maestro de designios desatinados, me encendía maravillosamente en el deseo de emprender el viaje, y tanto más cuanto no me tenía yo por inferior a ninguno de los que le habían emprendido en los tiempos pasados (Forner, *Exequias de la Lengua castellana*).

La lengua actual tiende a gramaticalizar el *cuanto* formando la locución conjuntiva *cuanto que*. Esta oposición proporcional se suele resolver también por medio de *mientras*, *mientras que* y *contra* según ha notado Cuervo:

> Es la cama una especie de celda donde se medita y hace examen de conciencia, tanto mejor, cuanto que se está muy a gusto (Pardo Bazán, *Insolación*, 11).

Por medio de inversión de la relación de causalidad se pone de relieve como consecuencia, mediante *cuanto más*, el miembro oracional en contraste que interesa. La oración principal introduce un término en contraste con el introducido por *cuanto más*. La oración principal afirma como evidencia el término que servirá de base del contraste. De manera enfática, admitido lo dicho por la principal como cierto, tendrá que serlo mucho más si se sustituye por el segundo término subordinado [Cejador, I, 205]:

> Las buenas noches se podían dar sin segunda intención al mayor enemigo, cuanto más a una buena moza (Pereda, *La Puchera*, 33); [...] con su traje de pastor y su aspecto y habla de idiota es capaz de engañar a media Francia, cuanto más al general Gui (Galdós, *Juan Martín, el Empecinado*, 16).

8.3.4.6. *Correlación aditiva*

Cuando la correlación se realiza entre dos miembros oracionales o dos oraciones que intervienen con el mismo valor sintáctico y, por su contenido, hay que tomarlos en cuenta a ambos, se pierde la intención valorizadora en favor de la igualdad de los términos. Tanto el intensivo como el relativo quedan invariables en masculino y singular. Concurre con la copulación con *y*:

> Sus héroes [de Merimée] habían de ser casi siempre facinerosos y patibularios, tanto los de sus novelas, cuanto los de las historias que escribió (J. Valera, *Sobre el Arte de escribir Novelas*, 5); [...] quería recoger todas las ventajas de su victoria y acosar en su último refugio a las heroicas cuanto desgraciadas tropas de la Reina (Galdós, *Zumalacárregui*, 239).

8.3.5. Oraciones subordinadas de "cuando" y "donde"

Ambos relativos introducen oraciones cuyo contenido se contrasta con el de la oración principal. Su sentido básico de lugar y tiempo, respectivamente, les da un significado muy fácil de observar. Sin embargo, se le pueden sobreponer otras relaciones lógicas de causalidad que matizan su significado básico y les permite usos distintos a los específicamente circunstanciales.

8.3.5.1. *"Cuando": su antecedente y la relación temporal*

Cuando se construye, como todos los relativos, con referencia a un antecedente que especifica o explica, o bien llega a la gramaticalización, perdida su capacidad de alusión:

(1) El antecedente es un nombre que significa idea de tiempo: *tiempo, momento, hora, día, año,* etc. [*Gram. Acad.*, 405 *a*]. El uso moderno de *cuando* ha retrocedido en esta construcción ante los avances del *que* relativo y anunciativo. Sólo cuando la subordinada es explicativa se mantiene la preferencia por *cuando*:

> Salió luego a la playa [...] a tiempo cuando don Quijote volvía las riendas a Rocinante para tornar del campo lo necesario (Cervantes, *Quijote*, II, 64); En el silencio de la noche, cuando/ocupa el dulce sueño a los mortales,/la pobre cuenta de mis ricos males/estoy al cielo y a mi Clori dando (*id.*, I, 34).

(2) El antecedente es un adverbio locativo de tiempo como *entonces, ahora, luego, hoy,* etc. [*Gram. Acad.*, 405 *a*]. Como en el caso anterior, la lengua actual prefiere el enlace con *que* o la construcción sin antecedente:

Entonces es la caza más gustosa, cuando se hace a costa ajena (Cervantes, *Quijote*, II, 13); Cuando más Lotario le deshonraba, entonces le decía que estaba más honrado (*id.*, I, 34).

(3) No hay antecedente explícito. Se puede pensar, como lo hace la Gramática tradicional, en un antecedente envuelto. De hecho, el relativo parece gramaticalizado y expresa una idea de tiempo que se concreta en su relación con la oración principal. La proposición que introduce expresa una acción que sirve como referencia temporal:

Cuando el viento silbaba en las alturas, las piedras del abismo se derrumbaban y caían al mar (P. Baroja, *El Laberinto de las Sirenas,* 253).

En la relación de tiempo que se fija, intervienen, además del relativo, los tiempos empleados en ambos enunciados y el contenido expresado. Básicamente, la relación es de coincidencia puntual entre ambas oraciones o inmediata sucesión. Emplea en ambas oraciones, en este caso, formas de indicativo:

en el presente: Esta vereda lleva los rebaños del pueblo, cuando declina el otoño, hacia las cálidas tierras de Extremadura (Azorín, *Visiones de España*); **en el pasado**: Cuando en julio o agosto soplaba el viento de África, el pueblo entero parecía muerto (P. Baroja, *El Laberinto de las Sirenas,* 126); Estaban oyendo los comentarios a la vida de don Teodosio, cuando se presentó en la venta un señor rubio que al ver a Bautista y a Martín, se les quedó mirando atentamente (P. Baroja, *Zalacaín, el Aventurero,* 173); Cuando Isabel volvió a mirar, cruzaba la calzada (García Hortelano, *Nuevas Amistades,* 122).

La simultaneidad no se emplea en el futuro. Cuervo [*Dicc.*, II, 631 *a*] recoge ejemplos de Torres Naharro cuyo uso "pudiera atribuirse a influencia extranjera". Por influencia dialectal se oyen construcciones como *Cuando vendrás, hablaremos.* La acción futura en la oración principal impone el subjuntivo en la oración introducida por *cuando*, ya el presente o el futuro imperfecto:

> Pero ya verás, ya verás, cuando duermas en el regazo de Eugenia, bajo su mano tibia y dulce (Unamuno, *Niebla*, 62); Cuando pudiere y debiere tener lugar la equidad, no cargues todo el rigor de la ley al delincuente (Cervantes, *Quijote*, II, 42).

De la misma manera, semejante correspondencia puede realizarse con el pretérito en *-ra* o *-se* para el enunciado introducido por *cuando* y el potencial para el verbo dominante:

> Aconsejóle que le diese músicas, que escribiese versos en su alabanza, y que cuando él no quisiese tomar trabajo de hacerlos, él mismo los haría (Cervantes, *Quijote*, I, 33).

Al lado de la simultaneidad, *cuando* puede marcar una acción inmediatamente anterior o inmediatamente posterior al enunciado principal, en el presente o en el pasado:

> **presente**: Cuando trasponemos el umbral, se nos entra en el alma rezumo de siglos (Azorín, *En torno a José Hernández*, 105); **pretérito**: Cuando desperté al amanecer del siguiente día, vi a Montoria que se paseaba por la muralla (Galdós, *Zaragoza*, 19).

Con frecuencia se acude al refuerzo de adverbios que gradúan y subrayan la conclusión de la acción verbal en el enunciado en que aparecen. Son adverbios como *apenas*, *aun, bien, luego, ya* y *no.* La inmediata conclusión de la oración principal, anterior, por tanto, a la subordinada, se expresa por medio del adverbio *apenas,* fórmula dominante en el castellano actual:

apenas: Apenas los divisó don Quijote, cuando se imaginó ser cosa de nueva aventura (Cervantes, *Quijote*, I, 4); **aún apenas**: Y aún él apenas le hubo visto, cuando se volvió a Sancho (*id.*, I, 21); **no**: No había andado mucho, cuando le pareció que a su diestra mano, de la espesura de un bosque que allí estaba, salían unas voces delicadas como de persona que se quejaba (*id.*, I, 4); **bien**: Otro día llegó a la venta donde le había sucedido la desgracia de la manta; y no la hubo bien visto, cuando le pareció que otra vez andaba en los aires, y no quiso entrar dentro (*id.*, I, 26).

La fuerza significativa de *apenas* y *no bien* permite prescindir del marcativo *cuando*:

No bien la hubo conocido, apeóse rápido (Pereda, *Don Gonzalo González de la Gonzalera*, 163); No bien empezó la operación de descolgar las hembras y criaturas, la muchedumbre no pudo contener su inquietud (Galdós, *Zumalacárregui*, 37); Apenas el telón se levanta, comienza el coro de las toses (E. d'Ors, *Los Diálogos de la Pasión meditabunda*, 41).

8.3.5.2. *Relación lógica de contenido entre las oraciones en contraste*

Sobreponiéndose a la idea de temporalidad marcada por *cuando*, lo que dice cada una de las dos oraciones que se contrastan puede tener realidad independientemente o, por el contrario, tener una relación de dependencia lógica:

Cuando son independientes en su realidad, el enunciado introducido por *cuando* es puramente circunstancial, tiene un valor secundario en la información y sirve para marcar el momento en que se realiza el enunciado principal:

El Empecinado mandó traer luces, y cuando las indecisas claridades de un velón iluminaron a medias la estancia, encendió un cigarro (Galdós, *Juan Martín, el Empecinado*, 109).

Cuando tanto una oración como la otra tienen interés sustancial en la comunicación, el uso de *cuando* puede pasar sin cambiar el sentido lógico de la oración de una a otra. Ocurre principalmente cuando se expresa un acontecimiento repentino:

Estaba una vez Martín Fierro bromeando en una pulpería del modo más inocente, cuando cayó el juez de paz con un tropel de soldados y allí mismo hizo una redada (Salaverría, *Martín Fierro*).

Cuando hay, por el contrario, una dependencia lógica entre la realización de una proposición y la realización de otra, ésta es simple relación de causalidad en su triple forma de causa real y eficiente, causa hipotética y causa inoperante, que se corresponde con las viejas titulaciones gramaticales de causales, condicionales y concesivas. Estos valores están recubiertos siempre por la conexión temporal y no siempre es fácil fijar la distinción. La lengua clásica marcaba muy claramente el valor de causa hipotética por medio del subjuntivo [Keniston, 29.731; *Gram. Acad.*, 435 *a-b*]. El fenómeno es general en la Romania [M-L, III, 645]. Para la conexión, según Cuervo [*Dicc.*, II, 638 *a*], las formas en *-ra* y *-se* subrayan enfáticamente con frecuencia "la ineficacia de la razón o esfuerzo contrario":

condicional: Y si mi señor don Quijote [...] quisiere darme alguna ínsula de las muchas que su merced dice que se ha de topar por ahí, recibiré mucha merced en ello, y cuando no me la diere, nacido soy, y no ha de vivir el hombre en hoto de otro, sino de Dios (Cervantes, *Quijo-*

te, II, 4); No digas mal del estado en que te hallas, porque yo te prometo que cuando se comparase con el mío, hallaría yo ocasión de tenerte más envidia que lástima (Cervantes, *Galatea*, 2); **concesivo**: Cuando yo quisiese olvidarme de los garrotazos, no lo consentirán los cardenales (Cervantes, *Quijote*, II, 3); **en la lengua actual**: Cuando menos se hablase de Carmen, sería mejor (Blasco Ibáñez, *Sangre y Arena*, 89); Bueno, bueno, pero algo habrá visto su señora de sospechoso en ella cuando la acusa (A. Paso, hijo, *El Juzgado se divierte*, 19); Después de todo, cuando un hombre se calienta, no distingue (C. J. Cela, *La Colmena*, 180).

La lengua actual conserva el valor concesivo con el refuerzo de *aun* (*aun cuando*) [Bello, 1.218; *Gram. Acad.*, 442 *a*]. Esta marca introduce tanto indicativo como subjuntivo en competencia con *aunque*. El valor temporal puede llegar a desaparecer completamente:

Todo, todo debes saberlo ahora, aun cuando estoy segura de tu desprecio (Valle-Inclán, *Sonata de Estío*, 119); Aun cuando el señor Colignon lo ofreciese, él no lo aceptaba (R. Pérez de Ayala, *Belarmino y Apolonio*, 53); Aun cuando pudiera parecer lo contrario, monseñor no ha perdido el conocimiento un solo instante (Valle-Inclán, *Sonata de Primavera*, 35).

8.3.5.3. *Funciones de las proposiciones con "cuando"*

Como toda proposición de relativo, puede presentarse como constituyente de un elemento cuyo núcleo es el antecedente del relativo o cubriendo un elemento. En este segundo caso, la oración que introduce, siempre conmutable en su valor temporal por un adverbio, tiene gran independencia de los elementos directamente integrados en el verbo dominante, o bien es un elemento directamente relacionado con el verbo dominante. En el primer caso, la misma independencia estructural le aproxima a la organización de dos oraciones en un solo enunciado: la oración de *cuando* cumple una función autónoma o periférica y pueden desarrollarse diversos valores lógicos por el contraste de los contenidos expresados (v. 8.3.5.2). En el segundo caso, muy particularmente, se aproxima, de una parte, a las proposiciones sustantivas de *que* y, de otra, a las del interrogativo *cuándo* (interrogativas indirectas) con las que está en límite. La proposición de *cuando* puede aparecer como elemento regido de verbos de percepción y entendimiento. El *cuando* marca el valor de la temporalidad que se evoca y equivale a "el momento en que". Característicamente, como ha notado Bello [403], rara vez acepta más preposición que *para* en contraste con el *cuándo* interrogativo: *desde cuándo, hasta cuándo,* etc. Con otras relaciones prepositivas se prefiere el uso de *que*:

> Hacía cálculos para cuando fuera a Madrid (I. Aldecoa, *El Fulgor y la Sangre*, 78); [...] pero bien me acuerdo yo cuando se armaba cada zalagarda en Totonucos, en casa de la Peripuesta (Pereda, *Don Gonzalo González de la Gonzalera*, 204); [...] muchas historias podría contarle de cuando fue de matute (G. Miró, *Las Cerezas del Cementerio*, 192); ¡Oh!, ahora me acuerdo de cuando te encontramos en el Pardo [...] (Galdós, *Cádiz*, 67).

8.3.5.4. *Uso prepositivo de "cuando" y "donde"*

Se ha interpretado como uso prepositivo el de *cuando* ante un nombre (*cuando muchacho*). Puede pensarse en la elipsis de verbos como *ser* o *estar*. La cohesión entre *cuando* y el término que introduce es tan estrecha que se ha podido considerar como intercambiable muchas veces por *de*. Cuervo subraya que "podría decirse que está en camino de hacerse preposición, si ya no lo es" [*Dicc.*, II, 635 *b*]. Este carácter prepositivo parece evidente cuando va ante un nombre o frase sustantivada significando "al tiempo de", "en el tiempo de" tal como ocurre en la siguiente frase de Jovellanos: "La corte, que cuando el desafío, estaba, como ahora, en San Ildefonso, esperaba con ansia las resultas de este negocio".

> Traigo esto a propósito de que cuando joven, era yo más severo en mis censuras que ahora (J. Valera, *Las Ilusiones del doctor Faustino*, 6); Allí vaciló un poco, porque seguía profesando a aquella habitación el mismo respeto que cuando niño (Palacio Valdés, *Riverita*, 113).

De manera semejante, toma idéntico valor *donde*, que puede hacer pensar en el verbo *estar*. La difusión del fenómeno es general en América y bastante generalizada en algunas regiones norteñas de la península como Galicia, León y Vasconia y en judeo-español [Cuervo, *Apunt.*, 458; Kany, 363; Kenist., 15.967]. En su uso peninsular, con todo, no se llega nunca a los usos citados por Kany: *Estuve donde mí*.

> Había colillas juntas donde el boj (E. Quiroga, *Tristura*, 60); En Estella no vaya usted donde el ministro de la guerra (P. Baroja, *Zalacaín, el Aventurero*, 158); Luego volvieron donde la mujer (I. Aldecoa, *El Fulgor y la Sangre*, 10).

8.3.5.5. *Relación entre "donde" y su antecedente*

Son esencialmente las mismas ya conocidas en los restantes relativos:

(1) El antecedente es un adverbio locativo de lugar. La oración subordinada introducida por *donde* describe y puntualiza el sentido del adverbio. En estilo retórico pueden separarse antecedente y relativo e invertir el orden de las dos oraciones:

> Y no solamente allá donde todo se juzga ansí como debe, mas en esta vida también y en los ojos de todos, hace Dios justicias ejemplares de esta maldad (Fr. Luis de León, *Exposición del Libro de Job*); Y donde muchos suelen perder la virtud y oración, si alguna tienen, que es en las enfermedades, allí se aficionó y perfeccionó más la suya (Yepes, *Vida de Santa Teresa*).

En la lengua actual esta construcción resulta enfática y afectada. La presencia del adverbio locativo se justifica por un determinado propósito de relieve:

> Donde pones el ojo, allí pones la bala, niño (R. Pérez de Ayala, *Los Trabajos de Urbano y Simona*, 219).

(2) El antecedente del relativo *donde* puede ser un nombre sustantivo que expresa "lugar, recinto o un objeto cualquiera acerca del cual se enuncia en la oración subordinada una relación semejante a la que simboliza la preposición *en*" [SFR, 172]. Puede igualmente ser un pronombre:

> Pedí hospitalidad en una casucha donde había un anciano inválido y una mujer joven (Galdós, *Juan Martín, el Empecinado*, 225); [...] van las mozas con sus cántaros a coger el agua en las fuentes de rojo mármol, donde los caños caen rumorosos (Azorín, *Antonio Azorín*, 52); ¡Si ahora tuviéramos el relicario donde se guarda el corazón de Nuestro Padre San Francisco para ponérselo a sor en el costado! (G. Miró, *El Obispo leproso*, 271); Tendiendo

la vista con angustia a las dos orillas, vi más cerca aquélla de donde había partido (Galdós, *Juan Martín, el Empecinado*, 233).

Para esta relación concreta, *donde* concurre con las construcciones de relativo *que* o *cual* con la preposición *en*. En los demás casos se usa *donde* exclusivamente.

El uso de *donde* con antecedente nominal plantea el problema de fijar la función de la proposición introducida por *donde* como término secundario y, por tanto, de tipo adjetivo, o como término terciario y, por tanto, adverbial. La *Gram. Acad.* [401] es tajante: "Si digo: *ésta es la casa en que nací*, enuncio una oración de relativo; y si substituyo en ella el complemento circunstancial *en que* por el adverbio *donde*, y digo: *ésta es la casa donde nací*, enuncio una subordinada adverbial".

Quizás haya mayor coherencia si entendemos el valor adverbial o sustantivo de *donde* en función de la naturaleza sintáctica del elemento de que es núcleo el antecedente. En el ejemplo citado por la *Gram. Acad.*, sería *donde* un sustantivo y la proposición adjetiva porque el antecedente es núcleo del sujeto. En los casos en que el sustantivo es núcleo de un elemento autónomo de lugar conmutable por un adverbio, *donde* tendría valor adverbial y la proposición la misma función terciaria que los adverbios que modifican a un autónomo formado por un nombre con preposición:

Ésa

La casa **donde** vivo es grande.

aquí

Entré en la tienda **donde** trabajas.

(3) Puede faltar el antecedente como en los demás relativos. La Gramática tradicional distingue entre el antecedente envuelto en su propio significado y el antecedente sobrentendido. En el primer caso, el antecedente sería genérico; en el segundo, se sobrentiende un nombre individualizable. En uno y otro casos se puede reconstruir un adverbio demostrativo de lugar o sustantivos como *sitio*, *lugar*, etc.:

> Donde no hay harina, todo es mohína; Donde la alameda se acaba comienza un parterre (G. Martínez Sierra, *Tú eres la Paz*, 16).

(4) El antecedente puede ser también todo un concepto enunciado por la oración principal. Es uso conocido igualmente por la mayor parte de los relativos. La oración subordinada se sitúa detrás de la oración principal y la idea de lugar puede cambiar hasta tomar carácter de consecuencia lógica [Bello, 1.245] en coincidencia con el uso de *aquí*, *ahí*:

> Con los bocados a medio mascar en la boca, se quedaron dormidos, donde los dejaremos por ahora (Cervantes, *Quijote*, II, 13); **consecuencia**: Veintitrés uagangas quedaron excluidos en esta suerte y tuvieron que abandonar el local; de donde yo deduje que acaso estas ceremonias equivaldrían a nuestros complicados procedimientos electorales (Á. Ganivet, *La Conquista del Reino de Maya*, 59).

8.3.5.6. *Las preposiciones y el relativo "donde"*

El relativo *donde* expresa idea de lugar en donde o bien dirección o procedencia, idea esta última, según se ha dicho, originaria en la historia de la palabra. Se construye con verbos de reposo en el primer caso o con verbos de movimiento en el segundo [*Gram. Acad.*, 401 *a*]. Puede usar las preposiciones *a* (*adonde*), *de, desde, en, hacia, hasta, para, por* y otras. El uso de la preposición *en* no es obligatorio. Las preposiciones marcan la función de toda la oración con relación al verbo dominante, cuando no llevan antecedente explícito; y la relación del adverbio con el verbo que introduce cuando, el antecedente está expreso:

> **a**: Vámonos adonde nos manden (Galdós, *Juan Martín, el Empecinado*, 135); **de**: Tendiendo la vista con angustia a las dos orillas, vi más cerca aquélla de donde había partido (*id.*, 233); **desde**: Para alcanzar la esfera remota desde donde los hombres inmortales nos alumbran y nos serenan, enviándonos su sombra y su luz, es preciso que se hayan desprovisto del lastre de su adscripción a las facciones y banderías que tanto nos apasionan en la tierra (G. Marañón, *Raíz y Decoro de España*, 141); **en**: El mismo día que le dieron la noticia se presentó en la tahona de Archipi en donde Urbide trabajaba (P. Baroja, *Zalacaín, el Aventurero*, 77); **hacia**: Un portero de la plaza iba con él hacia donde estaban los toros (Blasco Ibáñez, *Sangre y Arena*, 359); **hasta**: [...] el no muy abundante confort es suplido hasta donde pueda serlo, con buena voluntad, con discreción y con mucho deseo de agradar y de servir (C. J. Cela, *La Colmena*, 127); **por**: Ahora mismo os volveréis por donde habéis venido (Galdós, *Juan Martín, el Empecinado*, 220).

La preposición *a* forma con *donde* el adverbio *adonde*. La *Gram. Acad.* [401 *f*] recomienda que se escriba como una sola palabra cuando el antecedente está expreso y la preposición rige, por tanto, al relativo en relación con el verbo que introduce. Por su parte, Cuervo [*Dicc.*, I, 209] había anotado: "Según el uso común, *adonde* no se pone por *a donde* sino cuando se trata de expresar la dirección del movimiento; de modo que cuando no es ésta la relación que ha de significar la preposición incorporada en el adverbio, el oído parece exigir que se separen los dos elementos". En el castellano del siglo XVI, *adonde* y *donde* eran sentidos como sinónimos. Bello [398] preconiza el uso de *adonde* para expreser movimiento. SFR [p. 356, n. 1] señala algunos casos especiales.

8.3.5.7. *Relaciones lógicas expresadas por "donde"*

En casos particulares, las oraciones introducidas por *donde* pueden tomar valor condicional y valor final:

(a) El valor condicional se consigue con la fórmula *donde no*, que tradicionalmente se ha considerado frase elíptica [Bello, 1.244; Keniston, 31.863]. Se corresponde con construcciones también de verbo implícito con *si* (*si no*), *cuando* (*cuando no*), etc.:

> Si esto él hace sin quitarme la vida, yo volveré a mejor discurso mis pensamientos; donde no, no hay sino rogarle que absolutamente tenga misericordia de mi alma (Cervantes, *Quijote*, I, 27).

(b) Toma valor final cuando el verbo subordinado va en subjuntivo y *donde* tiene como antecedente a un sustantivo [Cuervo, *Dicc.*, II, 1.320 *a*; *Gram. Acad.*, 402 *a*]:

> Tened confianza en Dios, que no os ha de faltar un estado donde viváis como un príncipe (Cervantes, *Quijote*, I, 30).

8.3.5.8. *Proposiciones con "doquiera" y "dondequiera"*

Son ambas formas de marcado carácter literario. El compuesto de *do* es de uso muy excepcional. Admiten preposiciones y necesitan el refuerzo de un *que*:

Dondequiera que paro, Platero, me parece que paro bajo el pino de la Corona (Juan Ramón Jiménez, *Platero y Yo*, 105); No quieren que se pegue fuego a los pueblos, ni que se extermine la maldita traición ni el pícaro afrancesamiento dondequiera que se le encuentra (Galdós, *Juan Martín, el Empecinado*, 77).

Bello [nota 1.069; Cuervo, *Dicc.*, II, 1.326 *b*] observa como licencia moderna, la omisión de *que* por los poetas de la última generación del siglo XVIII (Meléndez, Cienfuegos, etc.), y cita el siguiente ejemplo que lo justifica. Este uso sigue siendo actual en los pocos casos en que se emplea:

Éste es de amor un templo:/doquier torno la vista,/mil gratas muestras hallo/del númen que lo habita (Meléndez Valdés, *Anacreónticas*).

8.4. La interrogación incorporada en los esquemas complejos*

Un enunciado interrogativo puede incorporarse como elemento oracional dentro de un esquema por dos medios que tradicionalmente han sido nombrados como (a) **estilo direc-**

* L. CONTRERAS, "Oraciones interrogativas con *si*", en *BFUCh*, IX, 1956-1957, pp. 67-87; L. CONTRERAS, "El período comparativo hipotético con *si*", en *BFUCh*, X, 1958, pp. 39-49; L. CONTRERAS, "El período causal hipotético con *si*", en *BFUCh*, XI, 1959, pp. 354-359; L. CONTRERAS, "Oraciones independientes introducidas por *si*", en *BFUCh*, XII, 1960, pp. 273-290; L. CONTRERAS, "Las oraciones condicionales", en *BFUCh*, XV, 1963, pp. 33-109; S. FERNÁNDEZ RAMÍREZ, "Oraciones interrogativas españolas", en *BRAE*, XXXIX, 1959, pp. 243-276; V. GARCÍA DE DIEGO, "La unificación rítmica en las oraciones condicionales", en *EDMP*, III, 1952, pp. 95-107; E. GESSNER, "Die Hipothethische Periode im Spanische und ihrer Entwicklung", en *ZRPh*, XIV, 1890, pp. 21-65; Albert HENRY, "Les propositions introduites par *si* en fonction d'indépendentes. Études de syntaxe affective", en *Roma-*

to y (b) **estilo indirecto**. El hecho de que el enunciado interrogativo tenga una configuración particular (v. 6.0.9) cuando uno de sus elementos es desconocido, permite considerar a la palabra interrogativa como marca de la subordinación simplemente a efectos operacionales. Por otra parte, el hecho de que la interrogación total, sin palabra interrogativa, tome la marca *si*, que además aparece en las construcciones tradicionalmente conocidas como condicionales y

---

nica Gandensia, IV, 1955, pp. 219-250; Klaus Hunnius, *Der Ausdruck der Konditionalität im modernen Französisch,* Bonn, Romanistische Versuche und Vorarbeiten, VI, 1960; Juan M. Lope Blanch, "La expresión condicional en Diego de Ordaz (Sobre el español americano en el siglo xvi)", en *Studia Hispanica in honorem R. Lapesa,* I, Madrid, 1972, pp. 379-400; L. López de Mesa, "¿Si o sí?", en *BACol,* VI, 1956, pp. 140-142; A. Lorian, *L'expression de l'hypothèse en français moderne. Anteposition et postposition,* París, 1964; Henry Mendeloff, "Protasis and Apodosis in *La Celestina*", en *H,* XLII, 1959, pp. 376-381; H. Mendeloff, *The evolution of the conditional sentence contrary to fact in old Spanish,* Washington, The Catholic University of America Press, 1960; G. Moignet, "Esquisse d'une théorie psycho-mécanique de la phrase interrogative", en *Langages,* n.° 3, 1966, pp. 49-66; J. Mondéjar, "La expresión de condicionalidad en español (conjunciones y locuciones conjuntivas)", en *RFE,* XLIX, 1966, pp. 229-254; Emilio Náñez, "Sobre oraciones condicionales", en *Anales Cervantinos,* III, 1953, pp. 353-360; Hans Nilsson-Ehle, "Une particularité du dialecte romain: le *si pleonastique* introduisant les propositions subordonnées interrogatives et exclamatives", en *StN,* XX, 1948, pp. 175-191; H. C. Nutting, "The latin conditional sentences", en *Classical Philology,* VIII, 1926, pp. 1-185; J. Orr, "Vivez, si m'en croyez, n'attendez à demain", en *BJR,* V, 1962, pp. 3-7; José Polo, *Las oraciones condicionales en español (ensayo de teoría gramatical),* Granada, Biblioteca Filológica, XXVI, 1971; H. Renchon, *Études de syntaxe descriptive. I. La conjonction "si" et l'emploi des formes verbales,* Bruselas, 1967; P. Trost, Zum lateinnischen Konditionalsatz", en *Glotta,* XXVII, 1939, pp. 206-211; Ph. Turnbull, "La frase interrogativa en la poesía contemporánea", en *BRAE,* XLIII, 1963, pp. 472-605; R. L. Wagner, *Les phrases hypothétiques commençant par "si" dans la langue française des origines à la fin du XVème siècle,* París, 1939; John D. Williams, "A note on *si* used for *sino*", en *H,* XXXVIII, 1955, p. 486.

en otras en las que no hay interrogación, justifica la unidad de las materias que van a ser tratadas en este capítulo.

En consecuencia, se estudian aquí el estilo directo e indirecto en la enunciación y en la interrogación, el estilo indirecto libre y las construcciones encabezadas por la marca *si* con valor interrogativo o con los demás valores con que puede aparecer en castellano.

8.4.1. Estilo directo y estilo indirecto

En la lengua escrita y algunas veces en la lengua hablada, cualquier mensaje se puede incorporar al discurso por simple yuxtaposición a un *modus* constituido por verbos de lengua, con el mismo valor sintáctico de CD. La pausa y la entonación marcan la independencia entre *modus* y *dictum*; pero la posibilidad de integrar el *dictum* por medio del *lo* pronominal CD, subraya, al mismo tiempo, la dependencia sintáctica:

		A	B
(1)	Ha llegado tu padre	Ha dicho que ha llegado tu padre	Ha dicho: —Ha llegado tu padre
(2)	¿Ha llegado tu padre?	Ha preguntado si ha llegado tu padre	Ha preguntado: —¿Ha llegado tu padre?
(3)	¿Quién ha llegado?	Ha preguntado quién ha llegado	Ha preguntado: —¿Quién ha llegado?

Tradicionalmente se llama estilo directo cuando se reproduce exactamente el enunciado producido por el sujeto, tal como ocurre en la serie *B* de ejemplos. En contraste, se llama estilo indirecto cuando se adscribe al verbo dominante operando ciertas transformaciones, como referencia de lo dicho por el sujeto, tal como ocurre en la serie *A* de ejemplos. Tanto la construcción en estilo directo como la construcción en estilo indirecto será enunciativa como ocurre en (1) o interrogativa, como ocurre en (2) y (3) en que se incorporan enunciados interrogativos totales o parciales.

El estilo directo, en la expresión de determinados géneros literarios, se extiende, de los verbos de habla a otros verbos con los que se expresan estados de espíritu del hablante, actitudes que toma, etc.:

> —Lo de anoche —arguye ante mi arrepentimiento— fue lo que debió ser (Güiraldes, *Xaimaca*, 54); —Según V., por consiguiente —interrumpió Serafinito—, es verdadero el refrán que dice: Honra y provecho no caben en una saca (J. Valera, *Las Ilusiones del doctor Faustino*, 39); **con verbos de lengua**: —Soy un tonto; no lo puedo remediar —murmuró don Alonso para explicar su debilidad (P. Baroja, *La Busca*, 123); A Su Excelencia le da por las botonaduras llamativas —dijo Maturana mirando fijamente a su colega, no sin malicia (Galdós, *Mendizábal*, 191).

En definitiva, las construcciones llamadas convencionalmente interrogativas indirectas agrupan diversos tipos de construcciones que tienen en común el hecho de incorporar una proposición encabezada por una palabra interrogativa y desempeñar una función sustantiva, es decir, incorporarse en el esquema complejo como elemento de rango primario. Pueden ser, cuando dependen de un verbo de lengua, transposiciones indirectas de estilo. En los demás casos, son subordinadas sustantivas interrogativas que se oponen a las subordinadas sustantivas enunciativas.

8.4.1.1. *Estilo indirecto libre* *

La expresión literaria y parcialmente la expresión hablada, en ocasiones, reproducen lo dicho por alguien sin acudir a verbos modales, empleando, característicamente, las mismas transposiciones verbales propias del estilo indirecto, por mera yuxtaposición al discurso del narrador o bien reproduciendo, sin más, las mismas palabras del enunciado que se traslada. Se conoce esta construcción con el nombre de **estilo indirecto libre**:

*Charles BALLY, "Figures de pensée et formes linguistiques", en *GRM*, 1914; Ch. BALLY, "Le style indirect libre en français moderne", en *GRM*, 1912; J. BAYET, "Le style indirect libre en latin", en *Rev. de Philologie, de Littérature et d'Histoire Anciennes*, 3.ª série, V, 1931, pp. 327-342, y VI, 1932, pp. 5-23; O. BEHAGHEL, *Über die Entstehung der abhängigen Rede und die Ausbildung der Zeitfolge im Althochdeutsch*, Paderborn, 1877; J. P. DAVOINE, "Le pronom sujet disjoint dans le style indirect de Zola", en *Le Français Moderne*, XXXVIII, 1970, p. 447 y ss.; W. GUNTHER, "Probleme der Rededarstellung; Untersuchungen zur direkten, indirekten und «erlebten» Rede im Deutschen, Französischen und Italienischen", en *NS*, XIII, 1928; G. HERCZEG, "Il *discorso diretto legato* in Renato Fucini", en *Lingua Nostra*, XI, 1950; G. HERCZEG, *Lo stile indiretto in italiano*, Florencia, Bibl. de Lingua Nostra, XIII, 1963; Th. KALEPKY, "Zum *style indirect libre*", en *GRM*, 1913; Th. KALEPKY, "Zur französischen Tempuslehre", en *Zeitschrift für Französischen Sprache und Literatur*, XLIX, 1926, pp. 324-345; A. KALIK-TELJATNICOVA, "De l'origine du prétendu *style indirect libre*", en *Le Français Moderne*, XXXIII, 1965, pp. 284-294; XXXIV, 1966, p. 123 y ss.; E. LAFTMAN, "Stellvertretende Darstellung", en *N*, XIV, 1929, pp. 161-168; G. LERCH, "Die uneigentlich direkte Rede", en *Idealistische Neuphilologie*, Festschrift für K. Vossler, Heidelberg, 1922, pp. 107-119; M. LIPS, *Le style indirect libre*, París, Payot, 1926; L. RUBIO, "Estructura del estilo indirecto en latín y en castellano. Problemas de traducción", en *Revista Española de Lingüística*, II, 1972, pp. 259-271; L. SPITZER, "Zur Entstehung der sog. *erlebten Rede*", en *GRM*, 1928, pp. 327-332; F. TODEMANN, "Die erlebte Rede im Spanischen", en *RF*, XLIV, 1930, pp. 103-184, Guillermo VERDÍN DÍAZ, *Introducción al estilo indirecto libre en español*, Madrid, CSIC, anejo XCI a la *RFE*, 1970.

Pero Lalita se había puesto a lloriquear, ¿acaso no había sido una buena mujer?, ¿no lo había acompañado siempre?, ¿la creía tonta?, ¿no había hecho lo que él había querido? y Fushía se desnudaba, tranquilo, arrojando las prendas al voleo, ¿quién era el que mandaba aquí?, ¿desde cuándo le discutía? Y por último, qué mierda: el hombre no era como la mujer, tenía que variar un poco, a él no le gustaban los lloriqueos y, además, por qué se quejaba si la shapra no iba a quitarle nada, ya le había dicho, sería sirvienta (M. Vargas Llosa, *La Casa Verde*, 181); Miró al cura pensando precisamente lo que Mosén Millán quería que pensara. "Si lo sabe y no ha ido con el soplo, es un hombre honrado y enterizo." Esta reflexión le hizo sentirse mejor (R. J. Sender, *Réquiem para un Campesino español*, 81).

8.4.1.2. *Interrogativas indirectas*

Cuando el *dictum* que se reproduce es un enunciado interrogativo parcial, la palabra interrogativa sigue encabezando la proposición subordinada que funciona como en la enunciación con el mismo carácter de un sustantivo. La palabra interrogativa puede ir precedida de preposición según la función que desempeñe en relación con el verbo de la proposición que introduce. El valor interrogativo puede atenuarse según el significado del verbo dominante, que puede presuponer el antecedente como conocido. En este caso se sitúan en límite las palabras interrogativas con el valor relativo que subyace en ellas: *Dime dónde vives/Ya sé dónde vives*. Propiamente, en el segundo caso, no hay transposición de estilo.

Por último, hay que indicar que, en algunos casos, la preposición que marca la función del interrogativo puede ir precedida de la preposición que le corresponde para marcar la dependencia de toda la proposición con respecto al verbo dominante:

qué: **sin preposición**: Pregunto qué es lo que opina Jovita del asunto en general (García Hortelano, *Nuevas Amistades*, 145); Lo que no alcanzo es qué relación puede tener ese campo infantil con tus cuitas, Nelet (Galdós, *La Campaña del Maestrazgo*, 277); **con "a"**: No sabemos a qué época fija se referirían estos párrafos sueltos que al vuelo cogía Barbarita (Galdós, *Fortunata y Jacinta*, I, 77); ¿Se puede saber a qué vienen esos gritos? (C. Laforet, *Nada*, 99); **con "de"**: Comprendió al punto Chisco de qué se trataba (Pereda, *Peñas Arriba*, 332); **con "por"**: [...] quizás alguien sepa por qué la gente de las tres de la tarde no tiene nada que ver con la que llega dadas ya las siete y media (C. J. Cela, *La Colmena*, 100); **con "hasta"**: No se sabe hasta qué alturas hubiese volado la fértil imaginación del madrileño (Pérez Lugín, *La Casa de la Troya*, 71); **con doble preposición**: [...] no podía acordarse de por qué está allí la peluda cabeza con sus cuernos amenazadores (Blasco Ibáñez, *Sangre y Arena*, 319).

cuál: Empieza, Fabián, por hacerte cargo de cuál era mi situación (P. A. Alarcón, *El Escándalo*, 305); [...] están ahí jugando a cuál es más bravo y terco (Galdós, *Zumalacárregui*, 28).

quién: **sin preposición**: [...] oculto tras un matorral observé quién pasaba (Galdós, *Juan Martín, el Empecinado*, 225); **con "a"**: No sé a quién te refieres (García Hortelano, *Nuevas Amistades*, 96); **con "por"**: ¿Sabes por quién es hoy la misa? (R. J. Sender, *Réquiem para un Campesino español*, 67).

cuánto, cuán: Y todavía no sé cuánto voy ganando (Galdós, *Juan Martín, el Empecinado*, 247); Ahora, al verte y comprobar cuánto os parecéis, he comprendido lo pro-

funda que fue nuestra intimidad (García Hortelano, *Nuevas Amistades*, 97); [...] vio con espanto y cólera cuán engañada vivía (R. León, *Alcalá de los Zegríes*, 188).
cómo: ¿No habían visto cómo se entraba por las casas, de rondón, y sin llamar...? (R. J. Sender, *Réquiem para un Campesino español*, 38); **con "de"**: Le voy a preguntar a ver si por los demás peces que ha conocido, se ha enterado algo de cómo están mis parientes (P. Baroja, *Zalacaín, el Aventurero*, 167).
dónde: **sin preposición**: Antes de la guerra había dos familias de antiguos ricos que no tenían dónde caerse muertos (I. Aldecoa, *El Fulgor y la Sangre*, 17); Usted sabe dónde se esconde Paco el del Molino (R. J. Sender, *Réquiem para un Campesino español*, 83); **con "a"**: [...] allí le diré adónde vamos, sin peligro de infundir sospechas a esos borrachos (Galdós, *Juan Martín, el Empecinado*, 138); **con "de"**: Yo no sé de dónde le viene a Tatín este nombre un poco taurino y otro poco chusco (Pérez Lugín, *La Corredoira y la Rúa*, 11); **con "en"**: No sé en dónde me meto. Dios sabrá por dónde salgo (Galdós, *Zumalacárregui*, 202).

8.4.1.3. *Otros aspectos de estas interrogativas*

Las construcciones de tipo interrogativo de que se viene hablando, como las enunciativas, además de las proposiciones de verbo personal pueden introducir proposiciones de infinitivo:

> [...] no sabe usted por dónde salir (Galdós, *Zumalacárregui*, 181); [...] porque no tenía de dónde sacarlo (*id.*, 228).

En todas ellas puede producirse la agrupación de doble marca enunciativa e interrogativa. La redundancia refuerza la referencia al discurso directo que se sobrentiende:

> [...] preguntó Galán a su antiguo señor que de dónde había sacado el hermoso caballo que traía (Galdós, *La Campaña del Maestrazgo*, 48); Y tampoco sirve alegar que si fue inesperado, que si parece mentira, que si patatín, que si patatán [...] (Pardo Bazán, *Insolación*, 12); ¡Ay, Señor, cuánto la alabaron! Que si era yo la primera cocinera de toda Europa [...] que si por vergüenza no se chupaban los dedos [...] (Galdós, *Misericordia*, 61).

Las oraciones encabezadas por un interrogativo, incorporadas o dependientes de un verbo principal, tienen de ordinario un orden estricto, de manera que la palabra interrogativa como las marcas de proposiciones subordinadas, se sitúa en cabeza. Sin embargo, pueden darse ciertas alteraciones como las que se indican a continuación:

> Cómo se las ha de componer para transportar esa mole, usted verá (Galdós, *Zumalacárregui*, 88); ¿De qué te crees que hemos estado hablando Pedro y yo toda la santa noche? (García Hortelano, *Nuevas Amistades*, 91).

8.4.2. Enunciados con la marca "si"

La marca *si* aparece al frente de oraciones y proposiciones tradicionalmente consideradas como heterogéneas. En la lengua, sin embargo, la marca *si* se opone claramente a diversas marcas según la construcción y, esencialmente, al *que* anunciativo. Todo ello justifica que se consideren en conjunto todas estas realizaciones, entre las cuales se pueden distinguir formalmente los siguientes tipos:

(1) Un primer tipo que agrupa las tradicionalmente llamadas interrogativas indirectas, por encima del valor interrogativo que, según se verá, afecta solamente a un reducido número de realizaciones; se caracteriza por (a) incorporar una oración interrogativa o no como elemento sustan-

Completivas [si/que]	Subjetiva:	Lo importante es	si sabe arreglarlo
	Objetiva:	No sé	si sabe arreglarlo
	Regida:	Hablaron de	si arreglarían el coche hoy
Autónoma		Le entregaron las herramientas por	si las necesitaba
2.º *término en la comparación* [si/Ø]		Por fin, lo arregló como	si fuese un profesional
Periféricas [si/Ø]	Si lo entregas en seguida	, te quedarás tranquilo	
	Si no le hacía gracia	, por lo menos no le molestaba	
	Si antes le parecía atractiva	, después le pareció maravillosa	
	Si por la calzada no se podía transitar	, en las aceras no cabía un alma	
Independiente	¡Si no hay nadie!		
	¡Pero si es don Luis!		

tivo (de rango primario) de una oración dominada y ordenada por el verbo que le sirve de núcleo, y (b) teñir dicho elemento oracional con el sentido de la problematicidad. Se trata en este caso del valor anunciativo del *si* por el que este signo se opone al *que*.

(2) Un segundo tipo de construcciones marcadas por *si*, que tradicionalmente ha sido denominado *condicional*, e incluido entre las oraciones subordinadas adverbiales, desempeña una función que no tiene equivalente en el esquema de la oración simple y que, a nivel del esquema de las oraciones compuestas en que aparece, de manera semejante a los elementos periféricos, sirve para contrastar su contenido con el de la oración principal con la que aparece en el enunciado. Por último, el contenido que aportan las oraciones marcadas por *si*, cualquiera que sea la relación contrastada —causa, comparación, etc.— se presenta como hipótesis que explica o justifica lo afirmado por la oración principal.

(3) Por último, un tercer tipo de construcción con *si* tiene formalmente carácter independiente por su contenido y por su esquema, y suele ir acompañado de determinados esquemas tonales que la caracterizan.

8.4.2.1. *Interrogativa indirecta con "si"*

Cuando la proposición incorporada es o puede ser una pregunta total que en frase independiente se expresa mediante la especial entonación de la pregunta, toma como marca un *si* tradicionalmente entendido como adverbio interrogativo. Cuando el verbo dominante del enunciado a que se incorpora significa preguntar, inquirir, etc., y sólo en estos casos, transpone a un nuevo plano de comunicación una interrogación total y se mantiene el sentido interrogativo: *¿Ha venido el cartero?/Pregunto si ha venido el cartero.*

Frente a este único tipo en que hay un cambio del estilo directo al estilo indirecto, en enunciados como *No sabía si había venido el cartero,* no se puede reconstruir la pregunta ni hay posible cambio de estilo de enunciación. En este caso, como hemos tenido ocasión de estudiar (v. 7.4.1) se trata de un *dictum* incorporado como elemento oracional a un *modus* que comenta la actitud del hablante respecto al contenido incorporado; el *dictum* (*había venido el cartero*) presentado como problema por medio del *si,* comentado por el *modus* (*no sabía*). El hablante desconoce la llegada del cartero y el llegar del cartero se presenta como problemático. La seguridad de la llegada del cartero como desconocida por el hablante, hubiese impuesto el *que*: *No sabía que había llegado el cartero. Que* y *si* se oponen como lo cierto o seguro frente a lo problemático.

Estas proposiciones incorporadas por medio del *si,* ya como transposición de estilo con verbos de inquirir, ya como secuencias marcadas por la problematicidad que aporta el *si,* actúan sintácticamente en relación con el verbo dominante con la misma categoría sintáctica del sustantivo y son siempre en esta forma dependiente, proposiciones subordinadas sustantivas:

> **sujeto**: Sí, la teoría parece que la conoce [...]; la cuestión es si sabe aprovecharla (P. Baroja, *La Ciudad de la Niebla,* 190); **CD**: No podemos prever si el rayo vendrá o no a segarle con su alfanje de fuego colgado al flanco de la nube (J. Ortega y Gasset, *El Tema de nuestro tiempo,* 30); **con preposición**: Todo se reduce a si se pone más o menos cantidad de agua del pozo (Galdós, *Fortunata y Jacinta,* I, 56); Te informas de si va para Zaragoza o para Levante (Galdós, *La Campaña del Maestrazgo,* 34); Sebastián dudaba entre si debía abrirse o cerrarse el abrigo (M. Delibes, *Aún es de día,* 22); El silencio es tan grande

y tan fino que Sigüenza no se atreve a gozarlo por si se rompe como un vidrio precioso (G. Miró, *Años y Leguas*, 23); Se trabó de nuevo la disputa sobre si mi amo iría o no a la escuadra (Galdós, *Trafalgar*, 47); [...] el hombre quería estar descansado al día siguiente, por si salía bien la maniobra que le llevaba doña Ramona (C. J. Cela, *La Colmena*, 173).

La *Gram. Acad.* [437] entiende la agrupación *por si* que parece corresponderse muy evidentemente con la forma enunciativa *porque*, como condicional elíptica en la que se sobrentiende una proposición final, de manera que la oración *Te lo digo por si no lo sabes* habría que entenderla como *Te lo digo por enterarte (para que te enteres/para que lo sepas) si no lo sabes.* Parece más coherente la igualación con la causal enunciativa: *Te lo digo por si no lo sabes/Te lo digo porque no lo sabes.*

8.4.2.2. *Oposición conjetural con "si"*

Introduce como conjetura un hecho que se pone en contraste por comparación proporcional o no, por oposición, etc., con otro enunciado. En los dos miembros del contraste hay, o puede haber, palabras en correlación que marcan el sentido en que han de ser tomados cada uno. Generalmente, los miembros del contraste son oraciones:

primero-después: Si primero pasó a mis ojos como un embustero lleno de vanidad, después me pareció el más gracioso charlatán que he oído en mi vida (Galdós, *Trafalgar*, 83); **antes-después**: Si antes sus oraciones fueron pararrayos puestos sobre la cabeza de Juanito para apartar de ella el tifus y las viruelas, después intentaban librarle de otros enemigos no menos atroces (Galdós, *Fortunata y Jacinta*, I, 15); **en una parte-en otra**: El vino abundante suplía las escaseces del comer, y si en una parte echaban maldiciones a Viscarrués, en otra le vitoreaban como al primer posadero del mundo (Galdós, *La Campaña del Maestrazgo*, 7).

Esta misma construcción toma sentido adversativo cuando introduce además *en cambio, en desquite, sin embargo*:

[...] si el orden de las cosas se suele disponer según leyes dictadas por el hombre, a las cuales la mujer está sujeta, en desquite, en ella reside la suprema libertad de arbitrio, mediante el consentimiento en el pecado (R. Pérez de Ayala, *El Curandero de su Honra*, 16).

Un cierto carácter concesivo aparece cuando la oración con *si* es negativa en oposición a la principal afirmativa:

El sol, si no podía ensañarse con nuestros cráneos, se filtraba por todas partes y nos envolvía en un baño abrasador (Pardo Bazán, *Insolación*, 42); Si no le pasó nunca por las mientes obligar a rezar el rosario a un chico que iba a la Universidad y entraba en la cátedra de Salmerón, en cambio, no le dispensó del cumplimiento de los deberes religiosos más elementales (Galdós, *Fortunata y Jacinta*, I, 54).

El contraste puede resolverse en una comparación. A veces, la oración principal es negativa:

Si el suelo estaba intransitable, en las paredes no quedaba sitio para un clavo (Pardo Bazán, *Insolación*, 77); Éste [camino] si para caballerizas era malo, para coches perverso (Galdós, *Trafalgar*, 82).

La oración principal es una conclusión deducida de la conjetura propuesta:

Si entre el cuerpo y el alma hay unanimidad, el alma de

Carmina era un alma esencialmente combustible (R. Pérez de Ayala, *El Curandero de su Honra*, 20).

El contraste se convierte en verdadera concesión en concurrencia con *aunque* [*Gram. Acad.*, 439 *b*] cuando *si* va reforzado por *bien*, que da certeza a la conjetura. Entonces puede emplear, además del indicativo, el subjuntivo:

Y si bien merced a algunas viejas audaces [...] doña Luz había recibido papelitos en prosa y hasta en verso, constantemente los había devuelto sin abrir (J. Valera, *Doña Luz*, 26); Si de la madre cualquiera hubiese dicho que le faltaba un tornillo, no podía decirse lo mismo de la hija (P. Baroja, *Zalacaín, el Aventurero*, 150); En cuanto al amor romántico, si bien comenzaba en la forma más pura y conceptuosa, solía degenerar en afecto clásico (Clarín, *Su Único Hijo*, 25).

8.4.2.3. *La condicionalidad con "si"*

La oración introducida por *si* se relaciona lógicamente con la principal, de tal manera que el cumplimiento de la principal depende del cumplimiento de la subordinada de manera necesaria. Es, como en los casos anteriores, una conjetura o hipótesis que el hablante toma como punto de partida o como base discursiva para formular el enunciado principal. Se trata, pues, de una conjetura operante.

La base de esta relación lógica puede ser la relación de causa a efecto o, simplemente, la coincidencia lógica e interdependiente de una circunstancia de tiempo, modo, acción concomitante, etc. En el enunciado *Si llueve, nos mojaremos*, la oración *nos mojaremos* se justifica por la formulación como conjetura de una causa operante: efectivamente *nos mojaremos porque llueve*. En cambio, en el enunciado

Si hay que trabajar, trabaja, se aventura conjeturalmente una circunstancialidad de la acción: el deber y el sentido del deber del sujeto de quien se habla. No hay relación de causalidad, sin embargo; la conjetura sigue siendo operante en la circunstancia particular en que se formula la comunicación:

> **relación causal**: Buena te espera si no andas derecha (R. Pérez de Ayala, *El Curandero de su Honra*, 38); Si se hubiera curado, hubiera sido muy otro de como fue hasta entonces (Á. Ganivet, *Los Trabajos del infatigable creador Pío Cid*, I, 107); **relación circunstancial**: Si nuestro amigo estuviera sentado, y una persona viniera hacia él tan pasito, tan calladamente que no se percibiera ni el menor rumor de pasos, Asensio sabría de pronto que alguien estaba a su lado (Azorín, *El Licenciado Vidriera*, 105); Dios me perdonará si prefiero este palacio con sus cinco doncellas encantadas, a los graves teólogos del Colegio Clementino (Valle-Inclán, *Sonata de Primavera*, 46).

Tradicionalmente se llama **prótasis** la oración marcada por *si* y **apódosis** la oración principal con la que se contrasta. En algunos casos, la apódosis puede faltar y la prótasis aventurarse en forma interrogativa o bien la apódosis ser incompleta y utilizar palabras interrogativas o toda ella como interrogación:

> —Pero como han de subir necesariamente en su día, compro más para ganar más. —¿Y si no suben? (Pereda, *Tipos y Paisajes*, 42); Pero él ¿qué iba a hacer, si se creía engañado? (R. Pérez de Ayala, *El Curandero de su Honra*, 29).

El contenido enunciado por la oración con *si* puede subrayarse y tomar mayor fuerza cuando expresa un propósito o una apreciación, cuando la oración principal desde el punto de vista gramatical expresa una imprecación:

Que el palo mayor se caiga por la fogonadura y me parta si hay por estribor más barco que el *San Hermenegildo* (Galdós, *Trafalgar*, 39); Si miento, que escorpiones me coman la lengua (R. Pérez de Ayala, *El Curandero de su Honra*, 43).

Puede introducirse como paréntesis, interrumpiendo la marcha de la estructura adoptada por la frase principal, para expresar una salvedad formulada por modestia, duda, etc.:

No me refiero ahora a las dificultades que el pensamiento abstracto, sobre si innova, opone a la mente (J. Ortega y Gasset, *El Tema de Nuestro Tiempo*, 13); Si yo no estoy trascordado, creo que Santa Teresa tuvo la misma vanidad cuando era joven (J. Valera, *Pepita Jiménez*, 40).

8.4.2.4. *Realizaciones independientes con "si"*

Un complejo grupo de construcciones con *si* se produce en enunciados independientes. En unos casos, la apódosis se reconstruye o deja suponer, en otros la oración tiene carácter exclamativo, en otros, la apódosis es un enunciado sin verbo, etc.:

(a) Queda suspendida, cuando el hablante formula la conjetura y se interrumpe para dejar que su interlocutor llegue a la conclusión apetecida:

¡Si no fuera por sus muchas astucias y picardías...! (Galdós, *Trafalgar*, 37); Si yo fuera Vespasiano... ¡Ah! Entonces... (R. Pérez de Ayala, *El Curandero de su Honra*, 51).

En algunos casos, la apódosis queda sobrentendida por sobreposición de estructuras:

Si queréis verla, apenas queda tiempo (Valle-Inclán, *Sonata de Primavera*, 119).

(b) El *si* exclamativo introduce como el anterior una proposición conjetural a la que falta la apódosis. Emplea entonación exclamativa y el *si* es, a veces, expletivo:

¡Si tienes echado a la plaza cien veces más del que puedes sufrir! (Pereda, *Tipos y Paisajes*, 42); ¡Si no puedo callarme!... ¡Si estoy loco!... ¡Si mi felicidad... eres tú!... ¡Si te quiero más que a mi vida! ¡Si mis males son de amor [...]! (R. León, *Alcalá de los Zegríes*, 108); ¡Hombre, por Dios, si eso es más viejo que el cocido de papas y garbanzos! (Hermanos Álvarez Quintero, *El Patio*, 134).

(c) El *si* inicial se emplea para comenzar la expresión en concurrencia con el *pero* inicial con el que a veces se agrupa y en competencia con el *que*. También se emplea en el comienzo del enunciado dependiendo de la perífrasis *a ver si*:

¡Calla! Si son doña Julita con la Dacia y con su cuñá (J. Benavente, *Señora Ama*, 100); Pero si creo que cortándole [...] (C. Arniches, *Es mi Hombre*, 31).

8.4.2.5. *Otras construcciones con "si"*

Una forma muy característica está constituida por la oración con *si* que se acompaña de un comentario o valoración de lo dicho:

A ti, metido en tu ría y en las mieses de Las Pozas, maldito, si fuera de Pilara, te importa lo de este barrio dos cominos (Pereda, *La Puchera*, 58).

Es característica la agrupación con *apenas* que sirve de comentario y reduce el enunciado de la oración a su realidad mínima:

Alfonsito, ¡cuéntalo tú... que yo apenas si me acuerdo! (R. León, *Alcalá de los Zegríes*, 161); En la atmósfera opaca y turbia apenas si se distinguían ya los edificios de las dos orillas (P. Baroja, *La Ciudad de la Niebla*, 10).

La misma prótasis puede elidirse cuando la oración con *si* formula la negación de una oración anterior mediante el adverbio *no*:

Hasta el mismo Godoy se hubiera conformado conociendo mi superioridad; y si no, no me habría faltado un castillito donde encerrarle (Galdós, *Trafalgar*, 89).

Puede emplearse la oración con *si* con el propósito de encarecer lo que se dice:

Te digo, Pedro Juan, que aquel día arde esa casa con el Berrugo dentro [...], si es que no arde también el lugar de punta a punta (Pereda, *La Puchera*, 58); Si algo deseaba, era marcharse y descansar de la fatigosa y obsesionante comunidad (I. Aldecoa, *El Fulgor y la Sangre*, 76).

Para subrayar los miembros de una disyunción puede emplearse el *si* interrogativo. En este caso el *si* es expletivo:

Ya veremos qué camino es el mejor, si el de ellos o el mío (Pereda, *Tipos y Paisajes*, 43); Yo no sé quién lo ha encontrado más natural, si Sarrió o Azorín (Azorín, *Antonio Azorín*, 165).

8.4.3. Relieve con "ser" y los relativos

Los relativos intervienen para enlazar cualquier término destacado en cabeza de frase con el resto de enunciado, bien situando el verbo *ser* al principio de toda la comunicación o bien entre el antecedente y el relativo o bien cuando el elemento destacado va a final de frase enlazando todo el enunciado con el antecedente destacado:

Mercedes ha entregado un ramo de flores.
Ha sido Mercedes **quien** ha entregado un ramo de flores.
Mercedes *ha sido* **quien** ha entregado un ramo de flores.
Quien ha entregado un ramo de flores *ha sido* Mercedes.

Pueden intervenir todos los relativos según la naturaleza sintáctica del elemento destacado. Así empleando la primera fórmula de enfatización sobre la oración:

Mercedes ha entregado un ramo de flores con gran alegría
S V_t CD Mod
a su hermana en la fiesta del colegio, esta mañana.
CI CL CT

Ha sido con gran alegría **como** Mercedes ha entregado un ramo, etc.
Ha sido en la fiesta del colegio **donde** Mercedes ha entregado un ramo, etc.
Ha sido esta mañana **cuando** Mercedes ha entregado, etc.

quien: A quien comuniqué mis sospechas fue a Pastelillos (P. Baroja, *Locuras de Carnaval,* 123); A menudo se complacía en recalcarle que era a su padre a quien debía todas sus taras físicas (M. Delibes, *Aún es de día,* 13); La llave se le atascó en la cerradura a Leopoldo y fue Gregorio quien abrió el portal (García Hortelano, *Nuevas Amistades,* 173); **cuando**: En estos momentos de intimidad física es cuando comprendo de seguro que el amor se fue (G. Martínez Sierra, *Tú eres la Paz,* 76); **donde**: Nos repitió, con muchos santos, que aquí es donde peligran los ojos, los oídos y la lengua de las religiosas (G. Miró, *El Obispo leproso,* 264); Los pescadores eran los más alegres del pueblo, y en su barrio era donde se oían con más frecuencia cantos y guitarreo (P. Baroja, *El Laberinto de las Sirenas*, 124).

En una oración que tenga una proposición final o causal, se puede destacar la causa o la finalidad temporalizándola mediante el verbo *ser* y destacando la oración principal por medio del *si*:

[...] yo creo que si el tiempo sobra es porque, como es tan poco, no sabemos lo que hay que hacer con él (C. J. Cela, *La Colmena*, 135); Si Potaje no se atrevía a montarlo era porque los piqueros de ahora tenían miedo a todo (Blasco Ibáñez, *Sangre y Arena*, 358).

Con el relativo *lo que* que sustituye a un determinado elemento oracional, se destaca el resto del enunciado. El elemento sustituido se introduce por medio del verbo *ser* (*Tengo prisa→Lo que tengo es prisa*):

Lo que sucede es que se tiene de la forma una idea falsa (P. Baroja, *Locuras de Carnaval*, 14); En lo que no mostraba tanta conformidad el tabernero era en la conducta de Tonet como asociado (Blasco Ibáñez, *Cañas y Barro*, 127); Sepa usted que yo no pido cuartos: lo que pido es sangre (Galdós, *Juan Martín, el Empecinado*, 76).

8.5. Yuxtaposición y ordenadores léxicos*

En los capítulos anteriores se ha tratado de describir las posibilidades de formación de oraciones complejas tomando

* Ángeles CARDONA, "Estudio gramatical del nexo cero", en *Yelmo*, n.º 6, 1972, pp. 13-15; n.º 7, pp. 19-23; n.º 8, pp. 13-23; S. GILI GAYA, "Fonología del período asindético", en *EDMP*, I, 1950, pp. 57-67; B. ZEITER ZEITER, "La Yuxtaposición", en *BFUCh*, XIX, 1967, pp. 289-295.

como punto de partida los esquemas básicos registrados en la enunciación simple. Había subordinación cuando un elemento de un esquema básico, por lo menos, era cubierto por una ordenación de palabras dominadas por un verbo, que venía a ser así el verbo subordinado o dominado por el verbo ordenador del esquema. Se observó la presencia de los relativos en todas sus formas y funciones como marcas de la condición subordinada de los enunciados que introducían. Su capacidad de significar, en determinados casos, se atenuaba completamente o se presentaba como razonablemente problemática para convertirse de su condición de relativos en puros marcativos. Igualmente se observó que, en los casos en que la oración subordinada recubría un elemento autónomo o periférico, el análisis de contenido nos permitía fijar el contraste entre la oración subordinada y la principal, frente a lo que ocurría en los demás casos en que no se podía hablar más que de elementos gramaticales del esquema. De cualquier manera, los relativos ofrecían un sistema muy coherente de demarcación de los componentes de un enunciado complejo realizado mediante uno cualquiera de los esquemas básicos.

En el presente capítulo, se va a intentar describir, convenientemente agrupados, los demás casos en que en un enunciado aparecen más de una organización de palabras ordenadas por un verbo y aventurar una posible interpretación de los conceptos de subordinación y coordinación que tradicionalmente se reparten dos campos no claramente definibles de la sintaxis compuesta.

En la línea continuada del discurso, el hablante opera situando un enunciado a continuación del otro. La pausa delimitadora del enunciado es la única marca que permite una primera división. La ordenación de los enunciados, sin embargo, no es arbitraria. El sentido impone o hace más recomendable un orden que otro. El hablante, al representar una realidad mediante el discurso, utiliza palabras que ponen de relieve el orden elegido:

> **unas veces/otras veces**: Unas veces se le infundía en el pecho un júbilo doloroso, porque amenazaba no admitir freno y era casi una comezón de locura. Otras veces su tristeza era tan grande que deseaba llorar, y no era raro que llorase (R. Pérez de Ayala, *Troteras y Danzaderas*, 159); **aquí/allí**: En el pueblo los oficiales de mano se agrupan en distintas callejuelas, aquí están los tundidores, perchadores, cardadores, arcadores, peraíles, allá, en la otra, los correcheros, guarnicioneros, boteros, chicarreros (Azorín, *Visiones de España*, 123); **a un lado/al otro/a otra parte/en el medio**: Su guía les mandó esperar en un pequeño patio ladrillado, que de puro limpio y aljimifrado parecía carmín de lo más fino. Al un lado estaba un banco de tres pies, y al otro un cántaro desbocado, con un jarrillo encima, no menos falto que el cántaro; a otra parte estaba una estera de enea, y en el medio, un tiesto que en Sevilla llaman maceta, de albahaca (Cervantes, *Rinconete y Cortadillo*).

Puede producirse el discurso por una simple sucesión de enunciados como en el siguiente ejemplo de Azorín. Sólo el último miembro introduce un elemento ordenador del discurso para marcar el cierre de la sucesión (*por último*):

> El camino de ruedas pasa por Aravaca y las Rozas; atraviesa el río Guadarrama; va después a Galapagar y los Molinos; bordea la venta de Santa Catalina; desfila por el puerto de la Fuenfría; toca, por último, en la venta de Santillana (Azorín, *OC*, IV, 751).

De manera semejante a los casos vistos en que se fija la sucesión de las representaciones, puede subrayarse la relación de sentido entre enunciados. Así, agrupaciones como *en consecuencia, por consiguiente, en cambio, no obstante, sin embargo, entonces, es decir,* etc., subrayan o marcan relaciones lógicas entre un segmento y otro que le sigue, independientemente de que el contenido mismo de cada oración explicite la relación.

Hay de esta manera, estos dos hechos que se complementan al analizar la sucesión de enunciados en el discurso: (a) enunciados sin marcativos ni ordenadores léxicos que entrañan determinadas relaciones lógicas por su contenido; (b) ordenadores léxicos constituidos por palabras o agrupaciones especializadas en determinadas relaciones y que sólo aparecen en el discurso para tal cometido frente a otros que tanto pueden marcar la ordenación del discurso como desempeñar otras funciones determinadas en la comunicación.

Ambas posibilidades se pueden ejemplificar en los siguientes casos en que una misma relación viene subrayada por marcativos o expresada por el contenido de cada una de las oraciones que se ordenan en el discurso:

> (1) Esta noche me iré a Valencia; regresaré dentro de unos días → Esta noche me iré a Valencia, **pero** regresaré dentro de unos días. (2) Entré en el cuarto. Estaba jugando → **Cuando** entré en el cuarto, estaba jugando. (3) Esta mañana le trajeron un ramo de flores a Victoria. Es su santo → Esta mañana le trajeron un ramo de flores a Victoria **porque** es su santo. (4) Te lo pido por todos los santos: no vengas a verme → Te pido por todos los santos **que** no vengas a verme. (5) Está contento, resulta muy simpático; está de malhumor, no hay quien lo aguante → **Si** está contento, resulta muy simpático; **pero si** está de malhumor, no hay quien lo aguante.

Se hablará de **yuxtaposición** cuando en la articulación de enunciados en el discurso o dentro de la oración —unidad separada por pausas— no hay ni marcativos ni ordenadores léxicos especializados.

8.5.1. Ordenadores léxicos especializados

Unas cuantas palabras pueden actuar con un determinado contenido en un enunciado y, en otras ocasiones, como ordenadores léxicos de tal manera que lleguen a modificar su prosodia y a veces su sentido. Esto ocurre con *mientras, luego, apenas, bien, ínterin,* etc.

(1) Desayunará mientras/Mientras desayunaba, leía el periódico.
(2) Luego se callará/No sabrá qué responder, luego se callará.
(3) No come apenas/Apenas llegó, se lo dieron.

8.5.2. Construcciones con "mientras"

Bello [408] lo entendió como preposición "que tiene regularmente por término un demostrativo neutro: *mientras esto, mientras tanto, mientras que* [...]. Si se calla el *que,* la preposición envolviendo el relativo, toma el significado y oficio de *cuando,* y se hace por tanto adverbio relativo".

Sin introducir oración, con valor sintáctico de mero adverbio demostrativo aparece en el uso moderno de la lengua, denunciado por Bello y confirmado por Cuervo [*Not.*, 69]. El uso de *mientras* y *mientras que* se registra desde los más antiguos textos de la lengua. En el *Poema del Cid,* domina el uso de *mientras que* con subjuntivo [Menéndez Pidal, *Cant.*, 157. 3].

8.5.2.1. *Uso temporal de "mientras"*

Tiene carácter de adverbio conjuntivo semejante a *cuando* para marcar la simultaneidad entre dos enunciados, pero mientras *cuando* fija la coincidencia de manera puntual, *mientras* alude al transcurso de ambas acciones. Aunque el carácter aspectual de los verbos empleados pueda influir notablemente en su uso, el hablante siente claramente el carácter coincidente de las oraciones relacionadas por *mientras* a lo largo de su desarrollo. Se dice *Leía el periódico cuando comía,* cuando interesa señalar solamente la coincidencia de las dos acciones de *leer* y *comer* en un momento dado. Se prefiere, en cambio, decir *Leía el periódico mientras comía* cuando se quiere subrayar la persistencia paralela de las dos acciones.

Mientras, que alude a las dos oraciones, forma sintácticamente parte de una sola de ellas en dos esquemas fundamentales:

(a) *Mientras escribo, llueve.* Forma parte de la oración de *escribir* a la que da carácter de proposición. Esta unidad actúa como elemento autónomo de la oración ordenada por *llover.*

(b) *Mientras que se escondía, le descubrieron.* Aquí *mientras* es elemento de la oración ordenada por el verbo *descubrir.* El *que,* relativo adverbial según la *Gram. Acad.* [412] reproduce su sentido en la proposición del verbo *esconderse.* La lengua actual siente cada vez más íntimamente unidos ambos constituyentes como una sola unidad marcativa.

Aunque Cromwell signifique una revolución, se trata de una revolución en nombre del Parlamento, mientras que el cesarismo es esencialmente un modo de gobernar informe o informal en esencia (R. de Maeztu, *Ensayos*, 127); Entre la bruma espesa que parecía sólida, los focos eléctricos nadaban como una nebulosa y daban un resplandor azulado, mientras que los mecheros de gas producían una mancha roja, temblona (P. Baroja, *La Ciudad de la Niebla*, 162).

8.5.2.2. *Relaciones de tiempo*

La simultaneidad durativa que expresa la proposición introducida por *mientras* se refiere a acción presente o pasada. En la expresión de acción futura, cuando el verbo va en subjuntivo, por su carácter de realización incierta, se aproxima a las llamadas condicionales:

presente: En la taberna, mientras pone velas a su barco de juguete, el náufrago relata su naufragio (Valle-Inclán, *Viva mi dueño*, 25); **pasado**: Abajo, las huertas de la vega, rezumando feminidad, exhalaban un frescor de poniente crudo, mientras el silencio hinchado del monte rizado y mórbido, asordinaba una orquestación nemorosa y bruja (P. Caba, *Las Galgas*, 22); Mientras la cabalgadura expiraba con horrible pataleo, lanzando ardientes resoplidos, el soldado proseguía el combate (Galdós, *Dos de Mayo*, 229); **futuro**: Mientras siga el camino derecho, nadie me ha de parar (Pármeno, *Embrujamiento*, 23).

8.5.2.3. *Valor comparativo de "mientras"*

Cuando en ambos enunciados aparece un mismo valor modal, cuantitativo, cualitativo, etc., en diversos grados, *mientras*, y sobre todo, *mientras que*, sirven para marcar el contraste que se hace entre los diversos grados del mismo valor o la comparación con sentido proporcional:

> **cualidades**: Vemos aupados por las multitudes a hombres fatuos, mientras nosotros, que damos a la Humanidad lo más preciado, la belleza permanecemos desamparados (Azorín, *Antonio Azorín*, 162); **cantidad**: Sus habitantes pasan de ocho mil, mientras que Ruzozi tendrá unos tres mil (Á. Ganivet, *La Conquista del Reino de Maya*, 52); **tiempo**: Mientras más pronto entren, más pronto conocerán que no pueden salir (Galdós, *Zumalacárregui*, 141).

Como en las construcciones de valor temporal, también aquí la presencia del subjuntivo aproxima la construcción al valor condicional.

8.5.2.4. "*Mientras tanto*" y "*Mientras tanto que*"

Tiene los mismos usos. La fórmula parece ser relativamente moderna. El *Diccionario de Autoridades* lo registra como de "la gente menos culta". Keniston no recoge ningún ejemplo. Por su parte Corominas piensa que quizás haya que relacionarlo con *entre tanto*:

> Él, mientras tanto, vivía sometido a su padre (Blasco Ibáñez, *Cañas y Barro*, 62); Y la gente, mientras tanto, sigue pensando en que para arreglar España es necesaria la influencia de Dios o la del socialismo (P. Baroja, *La Ciudad de la Niebla*, 78); Mientras tanto, el grupo de los amigos cínifes, entre los cuales había hombres de ingenio, se dispersaba en busca del sustento (P. Baroja, *Locuras de Carnaval*, 187); Así resulta que una operación de éstas se hace sin sacar una peseta del bolsillo, y mientras tanto se ha arruinado una comarca entera (P. Baroja, *La Ciudad de la Niebla*, 190).

8.5.3. Construcciones con "luego"

Luego mantiene en hablas americanas, el sentido etimológico de "inmediatamente" junto con el general en el español peninsular, de "después". Al lado de este valor adverbial, *luego* se emplea con anunciativos para introducir proposiciones y con pérdida de acento, como palabra átona, se convierte en conjunción que ordena oraciones coordinadas.

8.5.3.1. *"Luego" coordinante*

En oraciones yuxtapuestas mediante las cuales se enuncian hechos sucesivos, el adverbio *luego* subraya la sucesión con arreglo a su sentido y se aproxima, sin abandonar su carácter adverbial, a la copulativa [Keniston, 42.12].

Cuando saliendo del orden temporal que este adverbio expresa, se pasa a la sucesión de razonamientos a los que se llega por reflexión, *luego* pierde el acento y toma carácter conjuntivo para marcar la consecuencia a la que se llega tras la realidad de un enunciado que le antecede. Se cumple tal valor cuando entre las oraciones en juego hay una relación de causalidad:

> Tiene, pues, por necesidad, que encerrarse en muy angostos límites la instrucción del hombre rudo del campo, cuyas ocupaciones han de alejarle necesariamente del trato de toda persona extraña a su condición. Luego su criterio no puede tener jamás el temple del de los hombres avezados a luchar contra la astucia, la deslealtad y la perenne mentira del mundo (Pereda, *Don Gonzalo González de la Gonzalera,* 269).

Como las conjunciones coordinantes, puede aparecer tras pausa, al comienzo de una comunicación [*Gram. Acad.*, 348 *b*] manteniendo su mismo carácter consecutivo. La causa queda sobrentendida o por lo que se ha dicho anteriormente en el diálogo o por lo que ha pensado y no expresa el hablante:

—Luego, ¿venta es ésta? (Cervantes, *Quijote*, I, 17).

8.5.3.2. *"Luego" con anunciativos*

Manteniendo su carácter adverbial temporal, *luego* puede agruparse con *que* en dos sucesiones: *luego que, luego de que*. En el primer caso, se ha querido ver un *que* relativo que determina el valor preciso del adverbio y concurre con *cuando*. En el segundo caso, se repite el mismo esquema de la complementación de los llamados adverbios prepositivos, en el cual la preposición *de* introduce un término nominal que fija la relación temporal del adverbio. El hablante actual parece que tiende a hacer desaparecer esta diferencia de matiz. La lengua clásica conoció la misma sucesión con el *como* anunciativo actualmente inusitada [Keniston, 28.56]. Keniston cita el siguiente ejemplo:

[...] luego como llegué les enbjé todo el vizcocho (Jiménez de Cisneros, *Cartas dirigidas a don Diego López de Ayala*, Madrid, 1867, 49).

8.5.4. "APENAS", "ÍNTERIN", "CONFORME" Y "SEGÚN"

Ínterin, cultismo frecuentemente sustantivado (*en el ínterin*), de muy poco uso en el habla actual y los restantes, pueden aparecer con su significado dentro de un enunciado o bien introduciendo una oración. De ellos, sólo *según* puede agruparse con *que* (*según que*). Dentro de la estructura del esquema organizado por el verbo principal, desempeñan función coincidente o análoga a la de algunos elementos autónomos y, por tanto, habría que reconocerlos como marcas de oraciones subordinadas adverbiales.

8.5.4.1. "*Apenas*"

Mantiene su carácter de ordenador léxico y se sitúa al frente de una oración, en la sucesión de dos oraciones yuxtapuestas, para marcar que la que encabeza *apenas* acaba de concluirse inmediatamente antes de que se realice la otra. Además de la yuxtaposición, se puede dar la copulación por *y* de las oraciones constituyentes del enunciado:

> Apenas el telón se levanta, comienza el coro de las toses (E. d'Ors, *Los Diálogos de la Pasión meditabunda*, 41); Apenas supo andar por Madrid, salía sola o con su hermana muy temprano (Á. Ganivet, *Los Trabajos del infatigable creador Pío Cid*, I, 123).

Como hemos visto en otra parte (v. 8.3.5.1), el miembro contrapuesto al encabezado por *apenas* puede ir introducido por *cuando* o *cuando ya*. En la lengua clásica puede agruparse con *que*, uso virtualmente olvidado en la lengua actual:

> Ansí viene llamada/una tormenta de otra, y con rüido/descarga una nublada/apenas que se ha ido/la otra, y de mil olas soy batido (Fr. Luis de León, *Salmos*, 41).

Manteniendo su significado primitivo se agrupa con *si* (v. 8.4.2.5).

8.5.4.2. "*Ínterin*"

Cultismo prácticamente desaparecido, salvo en hablas muy afectadas y en algunos escritores del siglo pasado. Marca la simultaneidad de la oración que introduce con la otra oración con la que aparece en el mismo enunciado. Estas dos oraciones aparecen siempre yuxtapuestas y la palabra *ínterin* no pasa de su carácter de mero ordenador léxico:

> [...] movía el pescuezo entre los cuellos rígidos de su camisa, ínterin hallaba modo de entrar en materia (Pereda, *Don Gonzalo González de la Gonzalera*, 174); Ínterin tengo la altísima honra de reiterar a usted verbalmente petición tan mal escrita, sírvase dar a ésta la solemnidad que el valor del caso reclama (*id.*, 276).

8.5.4.3. "*Conforme*"

Por su sentido como ordenador léxico, tiene carácter modal y concurre con la agrupación *así como*:

> Y si conforme llega cansado y viejo —observó mi madre—, llegara en la flor de la edad, lo que es éste, se metía en el bolsillo a todo el Madrid pretendiente (Galdós, *Narváez*, 80); Sus gritos dotados de sentido habían ido haciéndose más débiles conforme aumentaba la pérdida de líquidos vitales (L. Martín Santos, *Tiempo de Silencio*, 107).

8.5.4.4. "*Según*"

La palabra *según* se entiende comúnmente como preposición. La *Gram. Acad.* [416] explica el paso de la preposición a marcativo de subordinación adverbial de modo, por una doble elipsis en la que desaparecerían el sustantivo término de la preposición y el *que* relativo que introduciría la proposición. Así cita la frase de *La Celestina*: "Aquí nos ha de amanecer, según el espacio con que nuestro amo lo toma" → *según nuestro amo lo toma*. De la misma manera la agrupación *según que* la explica por omisión del antecedente neutro *lo*: *según (lo) que*.

Puede, como las modales, tomar valor de conformidad con lo dicho o hecho por alguien:

> [...] acudieron también a oír al Estudiante, el cual, según dijo el trapisondista en voz resonante y apasionada, tenía la gracia de Dios en la punta de la lengua (Pereda, *Don Gonzalo González de la Gonzalera*, 208); Venía según dijo, a proponer un negocio de España (P. Baroja, *La Ciudad de la Niebla*, 182); [...] había otras, y algunas promiscuaban, sirviendo a carlistas y constitucionales alternativamente, según les convenía (Galdós, *Zumalacárregui*, 157).

Pueden expresar también progresión paralela de los hechos expresados por las dos oraciones:

> Y, según adelantaba el tránsito, se les venían más gentes a rezar (G. Miró, *El Obispo leproso*, 276); En la planta, según se subían los escalones del vestíbulo principal, había otro vestíbulo más pequeño (E. Quiroga, *Tristura*, 137); El sendero nos lo hacemos con los pies según caminamos a la ventura (Unamuno, *Niebla*, 70).

Puede agruparse con *conforme* y con *como* en *según y como* y *según y conforme* que pueden aparecer solos en la frase o introduciendo una oración de tipo modal.

8.6. Construcciones yuxtapuestas

Gili [*Curs.*, 197] propone reservar el nombre de oración **yuxtapuesta** para las "oraciones asindéticas que formen período" y llamar **independientes** a las que no lo forman. Distingue así, apoyado en la entonación, enunciados como *Quería verte; no pude encontrarte en todo el día*, de enunciados como *La tarde había sido agitada; las tropas se retiraban a sus cuarteles. Nuestro protagonista se aventuró a salir...*

En el presente parágrafo se recogerán una serie de construcciones yuxtapuestas en las que quedan patentes relaciones de contenido semejantes a las resueltas en la lengua por medio de marcas adecuadas.

8.6.1. "MODUS" Y "DICTUM" ASINDÉTICOS

Frente a la ordenación dominante que sitúa el *modus* como verbo principal de la oración compuesta y el *dictum* como su subordinada (v. 8.1.1.1), el comentario se disocia del *dictum* cuando éste es enfatizado y toma independencia gramatical y el comentario (*modus*) se introduce como inciso o adición. El *dictum* cobra el valor jerárquico que psicológica y lógicamente le corresponde:

> Y usted ha visto a Córdova, no me lo niegue (Galdós, *Zumalacárregui*, 183); Después, en ese brusco cambiar de la infancia, como llevan unos zapatos y un vestido, y como sus madres, ellas sabrán cómo, les han dado algo de comer, se creen unos príncipes (Juan Ramón Jiménez, *Platero y Yo*, 17); Era muy bella aquella mujer, eso era verdad, y había quedado después de muchos ruegos, en ir aquel domingo a su casa (R. Gómez de la Serna, *El Incon-*

gruente, 94); Casi era como tú, algo más alto [...]; pero no mucho, no creas [...] (Unamuno, *El Espejo de la Muerte*, 23); Tiene siete años, no crea usted (P. Baroja, *Locuras de Carnaval*, 49).

8.6.2. Fórmulas aclarativas y rectificativas

A propósito de un determinado elemento oracional o de la totalidad de una oración, se introducen aclaraciones o rectificaciones acudiendo a fórmulas oracionales sincopadas de los verbos *ser* y *decir*: *o sea, es decir, es más* y otras que se les pueden homologar:

Su contenido tiene un carácter difuso, atmosférico, diríamos, respiratorio (J. Ortega y Gasset, *El Tema de Nuestro Tiempo*, 13); Un pueblo histórico es un pueblo sentimental, es decir, de mentalidad inferior —garganteó profesoral don Floro (P. Caba, *Las Galgas*, 20); El literato, esta vez, queda al margen; es más, está más que nunca vuelto hacia España (G. Marañón, *Luis Vives*, 161); Quiero decir que todos creen, pongo por caso, que yo soy la mente de Sicilia (R. Pérez de Ayala, *Troteras y Danzaderas*, 159); Pues no me voy, no debo irme hasta recibir al nuevo marqués (Unamuno, *Tres novelas ejemplares*, 114).

8.6.3. Subjuntivo yuxtapuesto

Una oración simple o compuesta por disyunción se yuxtapone a otra oración con la que forma un enunciado. El simple hecho de la elección del subjuntivo para uno de los miembros convierte a ésta en subordinada. Dentro de la subordinación puede expresar concesión, causa hipotética, circunstancialidad, etc.:

Un hecho aislado, así sea el de más enorme calibre, no explica ninguna realidad histórica (J. Ortega y Gasset, *En torno a Galileo*, 70); Tenía que andar con miedo, volver la cabeza continuamente, asomarme a las habitaciones de puntillas, no hubiera nadie (Muñoz Rojas, *Historias de familia*, 13); Ante todo, quiérame o no me quiera, ¡eso de la hipoteca no puede quedar así! (Unamuno, *Niebla*, 88).

8.6.4. Oraciones de comienzo

La lengua hablada emplea toda una serie de construcciones para comenzar el discurso. Son como llamadas de atención sobre lo que se va a decir, tales como *vamos a ver, mire usted, fíjese/fíjate,* etc.:

¡Mire usted —le dijo al cochero—: yo vengo de fuera! (P. Baroja, *Locuras de Carnaval*, 47); ¿Presumo mal, señorita Inés? Vamos, dígamelo usted francamente (Pereda, *La Puchera*, 360).

8.6.5. Expresión de tiempo con "hacer" en construcción yuxtapuesta

La construcción del verbo *hacer* impersonal con un complemento directo que expresa tiempo, se emplea yuxtapuesta a otra oración que comporta el significado principal del enunciado o bien, se enlaza por *que*. La construcción es general en la Romania [M-L, III, 541]. El complemento directo está constituido por palabras como *poco, mucho, tiempo, rato, momento, instante,* etc., o *día, hora, mes, año, siglo* y el verbo *hacer* puede ir antecedido de un adverbio de tiempo aunque no necesariamente. El castellano clásico conoció la misma construcción con el verbo *haber* del que actualmente sólo se conserva en estilo afectado, la forma *ha* del presente de indicativo. Keniston sólo registra un solo ejemplo con el verbo *hacer* y es posible que sea errata por *haber*:

> [...] ella hace poco que vino (J. Benavente, *Señora Ama*, 101); Hace un momento, mi Bachelor, con un brinco ágil de sus finas patas nerviosas, me hacía saltar aquel arroyo (E. d'Ors, *Los Diálogos de la Pasión meditabunda*, 10); Porque ya hace algún tiempo que está más triste que la luz de un cirio (Pármeno, *Embrujamiento*, 29); Hace seis días que están en relaciones (Hermanos Álvarez Quintero, *El Patio*, 137); Hace seis meses que no veía España, hace seis meses que no iba al teatro (E. d'Ors, *Los Diálogos de la Pasión meditabunda*, 40); Mi familia paterna, de padres e hijos, desde hace ya dos o tres siglos, vivía a la sombra de la casa de Valdedulla (R. Pérez de Ayala, *Belarmino y Apolonio*, 62).

El uso actual de *hacer* parece justificarse por el sentido de "completar", que se evidencia en el uso americano en que el verbo puede tomar la forma plural [Bello, 779; Kany, 217] y el repetido ejemplo de Cervantes:

> Hoy hacen, señor, según mi cuenta, quince años, un mes y cuatro días, que llegó a esta posada una señora en hábito de peregrina (Cervantes, *La Ilustre fregona*).

En el caso en que se usa *que*, parece evidente interpretar como verbo nuclear al propio verbo *hacer*. La proposición introducida por *que* tendría, según señalan los gramáticos, un valor adjetivo y el *que*, de ser efectivamente relativo, tendría por antecedente al CD de *hacer*. En el caso de la yuxtaposición, en cambio, en la que no hay signos gramaticales que marquen la organización del enunciado, parece más apropiado entender la subordinación desde el punto de vista del contenido y la oración de *hacer* tendría carácter subordinado respecto a la otra oración.

Por otra parte, se plantea la intención que el uso o ausencia del *que* pueda imponer al sentido de la comunicación. Parece que la expresión temporal que se enuncia con el verbo *hacer* en relación con la oración a la que acompaña, tiene, cuando no se usa *que,* un valor puntual, que se convierte en durativo cuando se emplea *que*. El enunciado *Hace cinco años, estaba más fuerte* expresa que cinco años atrás no estaba en el débil estado en que se encuentra ahora, mientras que el enunciado *Hace cinco años que no estoy fuerte* marca la continuidad y duración del cambio de situación. Cinco años atrás comenzó a no estar fuerte.

9. SINTAXIS COMPUESTA: II

COORDINACIÓN

9.0. COORDINACIÓN*

Desde un punto de vista estrictamente formal, habrá coordinación cuando dos elementos o más de una oración, sean palabras, grupos de palabras u organizaciones oracionales (oraciones o proposiciones), o cuando dos oraciones independientes en su estructura gramatical, vayan enlazadas por medio de conjunciones (v. 6.3.). Como se ha estudiado en la subordinación, las relaciones de contenido entre los componentes de la construcción tienen un valor distinto en la descripción gramatical, aunque importante para entender el

* Gérald ANTOINE, *La Coordination en français*, 2 vols., París, Éd. d'Artrey, 1958-1962; Lester BEBERFALL, "The Conjunction *e* in the *Cid*", en *H*, XLVI, 1963, pp. 540-543; M. BOBES NAVES, "La coordinación en la frase nominal castellana", en *Revista Española de Lingüística*, II, 1972, pp. 285-311; E. COSERIU, "Coordinación latina y coordinación románica", en *CEC(3)*, II, 1968, pp. 35-57; S. GILI GAYA, "Y todo", en *RFE*, IV, 1917, pp. 285-289; William J. CLINE y Juan C. ZAMORA, "*Sino* or *pero*: A criterion for choice", en *H*, LV, 1972, pp. 121-123; Simon C. DIK, *Coordination. Its implications for the theory of general Linguistics*, Amsterdam, North-Holland, 1968; Lydia HIRSCHBERG, "La notion de coordination dans l'analyse automatique du français: les conditions nécessaires", en *Linguistics*, XXXI, 1967, pp. 13-35; A. RYNELL, *Parataxis and hipotaxis as a criterion of Syntax and Style*, Lund, 1952; M. SANDMANN, "*Et* de fermeture et *et* de continuation en français moderne", en *Cahiers Ferdinand de Saussure*, XXIII, 1966, pp. 151-164; J. D. WILLIAMS, "A note on *si* used for *sino*", en *H*, XXXVIII, 1955, p. 486.

uso que de tales esquemas se hace en el habla. De hecho, se trata de dos niveles heterogéneos de análisis.

Los gramáticos parecen estar de acuerdo en cuanto al carácter coordinativo conseguido con las llamadas copulativas, disyuntivas y adversativas. Sin embargo, ya no hay tanta unanimidad tanto respecto a determinados nexos de las adversativas como en el problema que plantean las relaciones causales y consecutivas por medio de conjunciones como *pues* o *luego* o por marcas específicas como *porque*.

Sobre la distinción tradicional entre subordinadas causales y coordinadas causales, perfectamente marcada en latín, pero inexistente en castellano, Gili [*Curs.*, 224] argumentó con mucha precisión de modo concluyente. Sin embargo, han quedado desatendidas y olvidadas las construcciones en las que aparecen *pues* y *luego*.

El sentido de oposición entre dos oraciones expresado por medio de *pero* y *sino*, ha llevado a la *Gram. Acad.* a incluir dentro de las coordinadas la actuación de locuciones como *fuera de, excepto, salvo, menos,* etc., que, cuando introducen oraciones, llevan la marca *que* [*Gram. Acad.*, 344 g].

En general, parece que se involucran criterios semánticos y funcionales. En la presente exposición se reservará el término *coordinación* para toda relación de elementos u oraciones marcada por medio de conjunciones, según han sido entendidas más arriba (v. 6.3.) u ordenadores léxicos especializados, en oposición a las relaciones marcadas mediante pronombres y conjuntivos.

9.1. Conjunciones copulativas en la oración simple

Estas conjunciones unen palabras o elementos oracionales que se afirman —*y*, *e*— o se niegan —*ni*—, señalando que hay que tomarlos en cuenta como constituyentes de un solo elemento sintáctico complejo o como elementos de la misma categoría sintáctica:

> **sujetos**: El instinto y la necesidad nos hicieron sociables (Salaverría, *En la Vorágine*, 13); **adjetivos referidos al núcleo del sujeto**: Detrás del tío Juan había aparecido otra mujer flaca y joven (C. Laforet, *Mis Páginas mejores*, 19); **atributos**: Todo en aquella mujer parecía horrible y desastrado (*id.*, 18); **CD**: Tenía los cabellos entrecanos [...] y cierta belleza en su cara oscura y estrecha (*id.*, 19); **incremento del nombre**: Las planchas de la cámara aparecen cubiertas con fina madera de haya y dibujos de cuadros y rosetones (Ledesma Miranda, *La Casa de la Fama*); **otros incrementos**: [El maletón] lo llevaba yo misma con toda la fuerza de mi juventud y de mi ansiosa expectación (C. Laforet, *Mis Páginas mejores*, 16).

En la coordinación de dos nombres término de una misma preposición [*Gram. Acad.*, 325 *a*] y que exijan artículo, se suele omitir artículo y preposición ante el segundo sustantivo de la coordinación. Cuando la preposición se repite al frente de cada miembro, se da a la construcción un cierto tono enfático y pausado. En definitiva, su uso u omisión depende de la intención del hablante y del propósito expresivo que se proponga.

La coordinación puede igualmente afectar a oraciones subordinadas en su condición de términos primarios, secundarios o terciarios dependientes del verbo ordenador de la oración compuesta:

> [...] con una sonrisa de asombro miraba la gran Estación de Francia y los grupos que estaban aguardando el expreso y los que llegábamos con tres horas de retraso (C. Laforet, *Nada*, 11).

9.1.1. Coordinación de predicados verbales

La coordenación de predicados verbales puede implicar, de hecho, la coordinación de dos oraciones con sujeto común, caso de que sean personales:

> Al oír esto, las otras hijas de la Princesa [...] habláronse en voz baja [...] y salieron de la estancia con alegre murmullo (Valle-Inclán, *Sonata de Primavera*, 113).

Cuando los verbos tienen común además un complemento y éste exige régimen distinto con cada uno de los verbos coordinados [*Gram. Acad.*, 326 *e-f-g*], se recomienda expresar el complemento con uno de los verbos y repetirlo por medio de un pronombre con la preposición que le corresponda con el otro. Bello [1.193-1.198] censura por eso frases como la siguiente:

> ¡Cómo qué! ¿Es posible que una rapaza que apenas sabe menear dos palillos de randas se atreva a poner lengua y a censurar las historias de los caballeros andantes? (Cervantes, *Quijote*, II, 16).

Salvá cita el intento de Blanco-White y Jovellanos de callar el término con la primera preposición y expresarlo con la segunda. Esta práctica se mantiene alguna que otra vez en escritores actuales, pero no se conoce en la lengua hablada, a menos que haya un especial intento de afectación y énfasis:

> Providencias exigidas por, y acomodadas al estado actual de la nación (Jovellanos).

Semejante solución [Bello, 1.197] comporta, además, el problema de la diferencia de modo exigida por cada uno de los verbos. Bello censura la siguiente frase, aunque es usual en lenguaje periodístico: *Estamos seguros y nos alegramos de que tenga esas intenciones el gobierno.*

9.1.2. Coordinación de oraciones independientes gramaticalmente

Cuando las oraciones son independientes gramaticalmente, se suceden unas a otras en la coordinación ateniéndose a lo ya notado sobre la copulación de elementos oracionales:

> A trechos la neblina se afinaba; bajaba desde el sol una lluvia de ámbar y se encendía la esmeralda de un prado (Pérez de Ayala, *El Ombligo del Mundo*, 109); Quince años había estado allí en aquel zaguán, y me entristecía el tener que marcharme a otro lado (Azorín, *Antonio Azorín*, 155).

La independencia gramatical de las oraciones coordinadas no afecta a su dependencia lógica [Gili, *Curs.*, 210]. De hecho la relación de sentido se sobrepone a la relación indicada formalmente por medio de las marcas lingüísticas y se pueden señalar, como se ha visto antes, relaciones lógicas semejantes a las conseguidas mediante la subordinación. Evidentemente, el hablante, al ordenar la sucesión de enunciados, lo hace dominado por una determinada relación de sentido. Las relaciones lógicas, de circunstancialidad, causalidad, etc., están subsumidas en el contenido mismo de las oraciones.

Sin embargo, a estas relaciones hay que añadir otras que se pueden advertir en la coordinación copulativa. En todos los casos se subraya por medios gramaticales la relación entre una y otra coordinada:

(a) Una oración parentética se une mediante *y* a una oración miembro de la frase:

> Aunque esto fuera verdad (y todas las mujeres creen que lo es), nada se adelanta con que el sexo débil se fortalezca y readorne con todos los atributos masculinos (Á. Ganivet).

(b) La segunda oración toma como sujeto el contenido o una parte del contenido de la primera:

> En este punto amaneció la aurora, y fue una explosión de luz original, una alegría imponderable, un color y un encanto sin ejemplo (Salaverría, *Vieja España*).

(c) La relación de sentido puede venir subrayada por la presencia en la segunda oración de un pronombre neutro que alude al contenido de la primera. Estos elementos anafóricos son *con esto/eso, con ello, por eso, por ello, por tanto, por lo tanto,* etc.:

> Esto me sucede a mí ahora, querido Sarrió; y por eso este apretón de manos ha puesto en mí tanta ufanía (Azorín, *Antonio Azorín*, 162); No era capaz de la menor iniciativa y por eso apreciaba de modo especial a Roca (R. Fernández de la Reguera, *Cuerpo a tierra*, 238); Belarmino entonces, resolvió poner en orden de paz y hermosura su mundo interior, y, por lo tanto, el mundo exterior, que no es sino imagen sensible del otro (R. Pérez de Ayala, *Belarmino y Apolonio*, 142).

Un énfasis especial y carácter concesivo se consigue introduciendo *eso que* al frente de una oración que cubre el segundo miembro de una coordinación. Se recuerda un aspecto de la cuestión que ha sido pasado por alto y que hay que tener presente para valorar en su justo sentido lo enunciado hasta allí:

[...] aun el día de su boda se encerró tres horas para laborar; y eso que su mujer, según Vives nos cuenta, era hermosísima (G. Marañón, *Luis Vives*, 172).

(d) De manera análoga, la relación de sentido queda de relieve cuando en la segunda copulativa aparece un adverbio o locución adverbial que marca el sentido temporal, causal, etc., que el hablante establece entre ambas oraciones. Son adverbio o locuciones como *en efecto, efectivamente, en consecuencia, desde luego, en cambio, por el contrario, así, a la vez,* etc.:

Dos de los más altos modos de la ejemplaridad humana [...] transparecen con singular energía [...]. Y a la vez, con no menos precisión, los dos sentimientos [...] (P. Laín Entralgo, *España como problema*, 334); Y, desde luego, como si lo viera: al padre le parecerá muy bien la vida que lleva su hijo (R. Pérez de Ayala, *Troteras y Danzaderas*, 21); Pues es seguramente un materialista. Nos acercamos, y, efectivamente, lo era (P. Baroja, *La Ciudad de la Niebla*, 94); —¡Qué exageración! —pensaban los viejos verdes y los jóvenes calaveras. Y, en efecto aquello era una exageración (J. Camba, *Sobre casi nada*, 47).

9.1.3. Polisíndeton y asíndeton

En la enumeración tanto de miembros oracionales como de oraciones, el castellano sitúa la conjunción copulativa entre los dos últimos miembros cuando se trata de más de dos. Frente a esta construcción, la conjunción *ni* se sitúa al frente de cada miembro.

Con propósito estilístico e intención particular, la lengua admite la supresión de la conjunción *y/e* entre los dos últimos miembros de la enumeración, con lo que todos los miembros coordinados resultan simplemente yuxtapuestos, o bien, repite la conjunción al frente de cada uno de ellos. Desde antiguo se llama **asíndeton** al primer recurso y **polisíndeton**, al segundo. Con el asíndeton se consigue una mayor indeterminación y vaguedad, una mayor ligereza en la enumeración frente a la fuerza y énfasis del polisíndeton que va subrayando, con la detención que exige la aparición de la conjunción, cada uno de los miembros enumerados:

> Doña Inés va recostada en el fondo del coche; las cortinillas están corridas. Un chal de vivos colores a cuadros cae sobre el pecho, después de dar la vuelta por los hombros. La pamela de anchas alas forma un abarquillado sobre el rostro; lucen los ojos en la penumbra; una cinta de seda pasa por debajo de la carnosa barbilla y sujeta el sombrero (Azorín, *OC*, IV, 761).

La enumeración o la simple sucesión de miembros en la coordinación queda abierta en la asíndeton. En general, la sucesión se cierra con el último miembro. Sin embargo, puede ocurrir la suspensión que se marca por la falta de conjunción entre los dos últimos miembros y los puntos suspensivos en el escrito, la conclusión cortada por medio de frases significativas (*etcétera, y los demás, y los otros, y más, y mucho más,* etc.) o el cierre subrayado intencionalmente reforzando el último miembro o la copulativa por determinadas palabras.

(a) Se marca la conclusión por medio de adverbios o locuciones *—y por fin, y finalmente, y por último—* o por medio de *hasta* o *incluso* que señalan que hay que tomar en cuenta el último miembro como miembro de la enumeración:

> El escaparate de *Los Trece Peces* se hallaba totalmente ocupado por un acuarium, en donde los anfibios, los repti-

les, los peces de colores y hasta un molino de juguete, andaban a sus anchas (P. Baroja, *La Ciudad de la Niebla*, 152); [...] me adiestró en la caza de éstos, revelándome algunos procedimientos de su invención, y, por último, me hizo saber que aquellos carneros me pertenecían [...] (Palacio Valdés, *La Novela de un Novelista*, 15); Lo que es él, ni con las mujeres de San Pablo, ni con las de Olinda, ni, por último, con las ninfas que había tratado en París, se había engolfado nunca en tales honduras y discreteos (J. Valera, *Genio y Figura*, 99).

(b) Se marca la conclusión y, al mismo tiempo, se añade el último miembro como un nuevo miembro adicionado y por sí mismo concluyente. Se emplea en la sucesión argumentativa —*y además que, y sobre todo que*—. En la forma negativa, *ni siquiera, ni aun,* etc.:

[...] como no es usted mi padre, ni mi tío, ni menos mi abuelo, y tan sólo es un amigo muy apreciable, yo no estoy en el caso de que usted me riña (Galdós, *Mendizábal*, 284); Cañamel no era del Palmar, ni siquiera valenciano (Blasco Ibáñez, *Cañas y Barro*, 65); [...] aquella gota, la gota terrible de los flacos, desoladora; ni siquiera la gota optimista de los gordos y rubicundos (G. Marañón, *Luis Vives*, 173); Es horroroso desear la muerte de alguien, y más aún la de una persona que tanto te quiere (J. Valera, *Genio y Figura*, 98); En lo íntimo no estimaba el arte pictórico sino como arte ancilario [...] y aún más por bajo, como pretexto para abrillantar la prosa (R. Pérez de Ayala, *Troteras y Danzaderas*, 34); El que seas jefe del convoy no te da ningún derecho. Y, además, si tú eres el jefe, Hernández ¿qué? (R. F. de la Reguera, *Cuerpo a tierra*, 234); [...] los campeones eran en gran parte compatriotas nuestros: Lax, Celaya, Martínez Población, Juan Dolz y muchos otros (G. Marañón, *Luis Vives*, 164).

En la prosa clásica [Bello, 1.287] se emplea el grupo *y más* con el valor de *y además*:

> Aunque eso así suceda, nunca llegará tu silencio a donde ha llegado lo que has hablado... y más que está muy puesto en razón (Cervantes, *Quijote*, II, 20).

9.1.4. ÉNFASIS EN LA ENUMERACIÓN NEGATIVA

En la enumeración negativa, es muy característico elidir la enumeración dejando solamente un último miembro encabezado por *ni*. El interlocutor rehace toda posible gradación hasta llegar al miembro conclusivo, único expresado:

> —¡Mira tú que tienen mala l...! ¡Ni comer le dejan a uno! (R. F. de la Reguera, *Cuerpo a tierra*, 180); ¡Pobre trasnochador que no ha de ser comprendido nunca, ni aun en lo más íntimo de su hogar! (J. Camba, *Sobre casi nada*, 98).

A veces, es expletivo y así acentúa su fuerza enfática y encarecedora:

> No se le ocurrió ni por un momento, dudar de la sinceridad de Rafaela (J. Valera, *Genio y Figura*, 99); Ni remotamente creía que el [método de enseñanza] que ella trataba de imponer allí, valiera ni siquiera tanto como el otro (Pereda, *La Puchera*, 325); Creo que no podría soportarlo ni un minuto más (R. F. de la Reguera, *Cuerpo a tierra,* 235); No tenía ni aun el bienestar material que hubiera necesitado la madurez de su obra creadora y los achaques de su cuerpo (G. Marañón, *Luis Vives,* 173).

Frases hechas de variado tipo concluyen una enumeración o sirven para encarecer y negar lo que se dice: *ni a tiros, ni chicos ni grandes, ni a uno siquiera, ni mut, ni Cristo que lo fundó, ni tanto así, ni en broma, ni en sueños, ni de intento, ni para un remedio, ni nada,* etc.

¡Ah!, ¡y que no corría ni na! (R. F. de la Reguera, *Cuerpo a tierra,* 182); No había coñac, ni ron, ni anís, ¡ni Cristo que lo fundó! (*id.*, 180).

9.1.5. Uso inicial de "y"

El empleo de la copulativa inicial absoluta de período presupone de ordinario relación con lo dicho, pensado anteriormente. Sin embargo, se adverbializa [Bello, 1.286] en interrogaciones y exclamaciones directas y se emplea tras la aceptación de un argumento con cierto valor semejante al adversativo *pero*:

Bueno, ¡y a mí qué me importa! (R. F. de la Reguera, *Cuerpo a tierra,* 182).

9.2. Las disyuntivas «o» y «u»

Alternan en la disyunción, prefiriéndose modernamente la forma *u* cuando la palabra que le sigue comienza por *o-*. En la época clásica no era sistemático este empleo. De ordinario, une dos oraciones o dos miembros oracionales y se emplea la conjunción ante el segundo miembro. En algunos casos se subraya la disyunción exclusiva anteponiendo la conjunción delante de cada uno de los miembros:

O no lo sabes, señora, o eres falsa y desleal (Cervantes, *Quijote*, I, 5); O sirvo o no sirvo (Galdós, *Zumalacárregui,* 71).

Ya desde antiguo, en el dilema de mandato suele aparecer el segundo miembro encabezado por el anunciativo *que* [M-L, III, 549]: *O haces lo que te mando o que te zurzan.*

9.2.1. Oposición contradictoria o dilemática

Es la disyunción exclusiva de la Lógica. Los miembros enlazados por la disyuntiva se excluyen de tal manera que, si se realiza uno, no se puede realizar el otro. La forma enunciativa, interrogativa, de mandato, etc., introduce diversos matices en la relación de oposición o alternativa que ofrecen:

> Dudoso estuvo entre huir campos afuera o quedarse para ver la hembra descolgada (Galdós, *Zumalacárregui,* 44); Una de dos: o retrocedía hacia la frontera de Francia o se situaba en la Améscoa Baja (*id.*, 233).

La oposición puede servir de refuerzo retórico para dar mayor énfasis a lo que afirma en una de las dos proposiciones. El miembro de refuerzo responde a fórmulas como *mucho me engaño, mucho me equivoco,* etc.:

> O yo me engaño mucho —repuse— o ahora van a atacar a San José (Galdós, *Zaragoza,* 42).

Puede tomar carácter condicional cuando se construye el primer miembro en imperativo o forma de mandato y el segundo es una enunciación en indicativo: *Ven o te mato.*

9.2.2. Disyunción alternativa

Coincide con la disyunción inclusiva de la Lógica. El hablante expone cada uno de los miembros enlazados por la conjunción como posibilidad que no invalida necesariamente la otra posibilidad ofrecida. Es usual al describir o presentar qué acciones habituales varían de una ocasión a otra o se dan conjuntamente como posibilidades en un determinado momento:

[...] corría apenas dejaba atracada en el canal la barca del padre o del abuelo (Blasco Ibáñez, *Cañas y Barro*, 64).

Puede tomar valor descriptivo cuando se presentan las diversas acciones o situaciones que coinciden en una enumeración. Tiene entonces un cierto valor distributivo y se aproxima a la función de *y*:

Las figuras del cuadro son también aquí las mismas que en el resto de Galicia: mujeres que van y vienen conduciendo el ganado o los carros, cavando las tierras o llevando en la cabeza las sellas del agua, o los cestos con fruta o pescado (Pérez Lugín, *La Corredoira y la Rúa*, 49).

9.2.3. Disyunción explicativa

El segundo miembro introducido por la conjunción sirve para explicar de alguna manera el contenido del primer miembro. Hay una parcial equivalencia entre ambos miembros sin llegar a una absoluta coincidencia:

Se vendían también, o por lo menos se exhibían, peces estrafalarios (P. Baroja, *La Ciudad de la Niebla*, 152); Al menos él no las había encontrado, o bien ellas, considerándole profano, le habían ocultado su retórica y su filosofía (J. Valera, *Genio y Figura*, 99).

La aclaración en estos ejemplos viene como añadida para dar mayor claridad a lo enunciado en el primer miembro. La aclaración puede consistir también en introducir un concepto más general y amplio. Suele ir la conjunción reforzada por expresiones como *bien, por lo menos, mejor dicho*, etc.

La mitad de los urbanos o habían muerto o estaban fuera de combate (Galdós, *Zumalacárregui*, 49).

9.2.4. Disyuntiva de equivalencia

Los miembros son equivalentes o, cuanto menos, sustitutivos uno de otro. Se presentan (a) como alternativa; (b) como tanteo, sobre todo en las comparaciones. En este caso, cada uno de los miembros aventura una comparación más expresiva, cualquiera de las cuales describe igualmente el objeto; (c) por sinónimos. En esta última forma, es característica la construcción en que el segundo miembro renuncia al sinónimo posible cuando el hablante no conoce el nombre preciso que aventura en el primer miembro de la disyunción:

> En aquel momento alguien dio un chillido de alarma parecido a la campanilla de los bomberos o al especial claxon del coche de la policía (C. Laforet, *Mis Páginas mejores*, 32); Era un calesín o "corricolo" a la antigua (P. Baroja, *El Laberinto de las Sirenas*, 255); Pero no querían ausentarse de Villafranca sin conocer la suerte de sus infelices maridos, hermanos o lo que fuesen (Galdós, *Zumalacárregui*, 45).

9.2.5. Otros usos de la disyuntiva

Se usa también para expresar valor aproximado, enlazando los adverbios *más* y *menos*, en contraste con la copulativa *ni más ni menos*, que expresa valor exacto:

> Si abandonaba a Tonet, volvería más o menos pronto (Blasco Ibáñez, *Cañas y Barro*, 173); [...] luciendo a lo más su ingenio en *calembours* más o menos desvergonzados y burdos (J. Valera, *Genio y Figura*, 99).

9.3. «Mas» adversativo

Proviene del *magis* latino que en latín vulgar conoció ya el valor adversativo. Primeramente, aparece para añadir una nueva circunstancia a la manera como actualmente se hace con *es más, esto más, todavía más, hay más,* etc. El *mas* adversativo se coloca al frente del miembro que introduce, el cual se opone en cierta medida, pero muy atenuadamente, al contenido del enunciado anterior. Modernamente es poco usado y sirve solamente para evitar la repetición de *pero* o tiene un innegable regusto de afectación y arcaísmo. Es anterior, históricamente, al *pero.* Su empleo en la lengua clásica fue mayor:

> Apenas recordaba nada. Mas en cuanto fue recobrándose, pareció agarrarse con más desesperado tesón a la vida (Unamuno, *Tres Novelas ejemplares,* 114); Sebastián recelaba la razón de todo esto y le corroía, mas no se atrevía a contrarrestarla de una manera abierta y eficaz (M. Delibes, *Aún es de día,* 11); Alguna vez, cuando la enferma pedía algo, los dos se levantaban presurosos a dárselo, mas al recoger un frasco, si sus manos se tocaban, Marta retiraba la suya velozmente (A. Palacio Valdés, *Marta y María,* 307).

9.3.1. "Mas" inicial

Es igualmente, poco usado. Señala el enlace con lo pensado o dicho anteriormente. Tiene valor semejante a la *y* inicial cuando se construye con una oración interrogativa con *si* que expresa una sospecha que nos asalta de repente [Bello, 1.251]: *¿Mas si después de tantas sospechas es inocente?*

9.4. Construcciones de «pero»

Proviene del latín *per hoc* ("por esto", "por tanto") con vaor conjuntivo en el latín posclásico. Su acentuación etimológica sobre la última sílaba, que se mantiene en catalán e italiano, se abandona en castellano por su posición proclítica. Tuvo valor consecutivo en el latín medieval peninsular. Con frases negativas tomó el sentido adversativo que ha ido acentuando hasta nosotros. Frente al portugués, en castellano invadió el campo de uso de *mas* hasta prácticamente eliminarlo.

Representa comúnmente una copulación de tipo adversativo entre dos oraciones o una oración y un miembro oracional o entre dos miembros oracionales. Enlaza valores opuestos en gradación diversa que va desde la contradicción a la mera clarificación de sentido. Sintácticamente los miembros enlazados tienen el mismo valor:

> **enlaza oraciones**: El dios se resistía pero no lo pudo evitar (L. F. de Moratín, *La Derrota de los Pedantes*); **dos elementos oracionales**: La noche era tibia pero cargada de humedad (C. Laforet, *Mis Páginas mejores*, 28); **una oración y un elemento oracional**: Lúzaro es un pueblo bonito, oscuro como todos los pueblos del Cantábrico; pero de los menos sombríos (P. Baroja, *Las Inquietudes de Shanti Andía*, 143).

9.4.1. Relación de sentido

Aunque, como en toda coordinación, en el período adversativo los miembros coordinados mantienen también su independencia gramatical y su equivalencia sintáctica. Su relación de sentido, posibilitada por la conjunción, crea una particular dependencia que justifica que se considere a uno de sus miembros como *primario*, en este aspecto, y al otro, como *adversativo*, propiamente. Se llama así miembro u oración primario de la oposición al que sirve de base del contraste, y miembro u oración adversativo al introducido y marcado por *pero*:

(1) Un hombre bueno, **pero** incapaz, se hizo cargo de la empresa.

(2) Tengo prisa **pero** no me puedo ir.

En la oposición que se establece, al introducir un miembro u oración adversativo, se pueden distinguir ciertos matices de sentido:

(a) **Modificativo**: El miembro introducido por *pero* matiza y precisa el miembro primario añadiendo nuevos detalles, circunstancias, cualidades, etc., que contribuyen a clarificar el enunciado primario:

> Se decía que doña Águeda había muerto, pero no se hallaba confirmada la noticia (P. Baroja, *Zalacaín, el Aventurero*, 155); Se llamaba Francisco Sánchez; pero después supe que su nombre de guerra era Panchito (P. Baroja, *Locuras de Carnaval*, 121).

(b) **De contraste**: El miembro introducido por *pero*, en cierta forma, se valora por comparación con el término primario:

> Puede el hombre quitarse la vida, pero, si vive, no puede elegir el mundo en que vive (J. Ortega y Gasset); La industria pide agua corriente pero a la poesía le basta la que está quieta (Unamuno).

Con frecuencia, se refuerza el sentido de oposición y contraste que puede llegar a la contradicción con frases como *por el contrario, en contraste, a despecho de, en desquite,* etcétera:

> Y es que el trabajo de la vendimia se asemeja algo a una gran batalla, donde se exige al soldado extraordinario desarrollo de energía, despilfarro de músculos y sangre, pero, en desquite, es preciso tenerle siempre prevenido lo necesario para reparar sus fuerzas en los momentos de descanso (Pardo Bazán, *El Cisne de Vilamorta*, 182).

(c) **Adversativa inversa**: Se aproxima al sentido de la concesiva con *aunque*. La oposición entre ambos miembros es manifiesta, pero en esta construcción es el miembro primario el que introduce la reserva que ha de permitir entender, enriquecida, la enunciación adversativa. Frecuentemente, *pero* va incrementado por ordenadores de discurso como *sin embargo, no obstante, a pesar de ello/eso, a pesar de lo cual,* etc.:

> Yo no le conozco, pero él ha querido expresarme sus simpatías (Azorín, *Antonio Azorín*, 161); [...] un fuerte olor de drogas y medicinas partía de los frascos acumulados en la mesilla de noche; pero Marta no se mareaba con ningún olor (A. Palacio Valdés, *Marta y María*, 307); En el asedio de Villafranca hubo de sufrir Zumalacárregui desfallecimientos de sus tropas; pero su energía supo trocar el desánimo en loco frenesí de combate (Galdós, *Zumalacárregui*, 245).

(d) **Restrictivo y rectificativo**: Es clásico el uso de *pero* con el mismo valor restrictivo de *sino* [Keniston, 40. 877] tras negación. El miembro adversativo sustituye y rectifica al miembro primario de la oposición que queda invalidado. Modernamente, ha disminuido completamente tal uso:

> Un desdichado no sólo no halla agua en el mar, pero ni tierra en la tierra (B. Gracián, *El Criticón*); ¡Cuántas ve-

ces se rebelan los pueblos en sangrientas revoluciones, no por adquirir la libertad, pero por posesionarse del mundo! (Salaverría, *En la Vorágine*, 46); Esto bien manejado, te dará de dieciocho a veinte mil pesetas al año, con las que podrás vivir, no con grandes lujos, pero en paz y sin sobresaltos (Zunzunegui, *Ramón*, 192).

(e) **Intensificativo**: De la construcción anterior —*no... pero*— se pasa, subentendiendo el miembro primario, a un uso intensificador en el que el *pero* subraya y da relieve al miembro que introduce:

> Amemos la tradición, pero en su esencia, y procurando descifrarla como un enigma que guarda el secreto del porvenir (Valle-Inclán, *La Lámpara maravillosa*, 78).

9.4.2. Posición de la conjunción

De una manera actualmente absoluta, la conjunción se sitúa al frente del miembro adversativo. En la época clásica, por influjo del italiano, aparece pospuesta a la primera o primeras palabras del miembro adversativo. Keniston no registra ningún caso. Se citan, sin embargo, junto con ejemplos de autores del siglo de oro —Garcilaso, Cervantes—, textos del Arcipreste de Hita y del de Talavera:

> [...] para que hiciéredes della a toda vuestra voluntad y talante, guardando, pero, las leyes de la caballería (Cervantes, *Quijote*, I, 52).

En cabeza del miembro adversativo, éste puede ir al comienzo del período o a continuación del miembro primario. En el primer caso, puede tomar, aparte del sentido propiamente adversativo, el llamado inicial, mediante el cual el hablante inicia su intervención en el coloquio. Se utiliza, aunque no haya propósito de contrastar lo que se va a decir con lo ya dicho, pensado o sugerido por la circunstancia. Su sentido adversativo se atenúa en frases interrogativas y exclamativas. En la enunciación introduce un reparo a lo dicho o comentado.

¡Pero qué maneras son ésas, hijo! —terciaba el padre (I. Aldecoa, *Pájaros y Espantapájaros*, 73).

Cuando el miembro adversativo ocupa segundo lugar respecto al primario, puede aparecer concluido éste o como incidental. En el primer caso se opone "mediante el nexo atenuado de la semicadencia" [NT, *Ent.*, 50]; en el segundo, interrumpe como paréntesis la marcha de la frase cuando la oposición se cumple concretamente en uno de los miembros de la enunciación primaria:

Daba el Corralón al paseo de las Acacias; pero no se hallaba en la línea de este paseo (P. Baroja, *La Busca*, 71).

9.4.3. La agrupación "pero qué"

Es construcción antigua con sentido concesivo, ya arcaísmo en el siglo xv en Santillana y Pérez de Guzmán [Hanssen, 682]:

[...] pesol mucho de coraçon pero que se encubrio (*Crónica General*).

En el castellano actual se combina con *que* relativo o anunciativo:

relativo: Pensaba que tenía dos hijos, a los que había sacado adelante con muchos esfuerzos, eso sí, pero que no le habían defraudado y eran gentes de provecho y de cultura (I. Aldecoa, *Pájaros y Espantapájaros*, 95); [...] siempre alegaba algún pretexto baladí pero que implicaba el cumplimiento de un sagrado deber (P. A. Alarcón, *El Es-*

cándalo, 82); **anunciativo**: Créense escuelas y tengamos todos aquellos órganos útiles para la vida colectiva; pero que el organismo principal, con su viejo carácter, quede en pie (Á. Ganivet).

Con el *que* anunciativo introduce proposiciones sustantivas dependientes o no (*pero que, pero para que, pero porque*, etc.) en sustitución o rectificación de otra proposición del miembro primario o bien, como oración independiente con el refuerzo *que*. Abundan las fórmulas con *que* y subjuntivo de mandato, deseo, etc.

Por último, esta agrupación toma valor intensivo en el uso coloquial en frases de encarecimiento. No existe entonces término primario aunque en algunos textos puede sobrentenderse:

Debe de estar pasando pero que las morás (R. Pérez de Ayala, *Troteras y Danzaderas*, 137); [...] me va usted a servir en seguidita. Pero que por el aire [...] (Pérez Lugín, *La Casa de la Troya*, 164).

El mismo o semejante valor tiene su agrupación con *si*:

Pero si es tardísimo (García Hortelano, *Nuevas Amistades*, 65).

9.4.4. "Empero"

Compuesto de *en(de)* y *pero* se emplea pospuesto a la primera o primeras palabras del miembro adversativo. Es, ya en su formación, de origen culto como lo comprueba el hecho de no aparecer en la *Crónica General* y sí en los textos legales. Actualmente, ya no se emplea ni en textos técnicos y cultos, sino muy rarísima vez y con marcado carácter arcaico:

Estaba aguardando que se le diese señal precisa de la arremetida; empero nuestro lacayo tenía diferentes pensamientos (Cervantes, *Quijote*, II, 56).

9.5. Construcciones con «sino»

Se forma esta conjunción con el *si* conjetural seguido de la negación *no* y toma un cierto carácter adversativo con tres valores fundamentales: (a) **exceptivo** (*Vi a todos sino a Pedro*); (b) **sustitutivo** (*No la guerra sino la paz*) y (c) **aditivo** (*No sólo el pan sino lo demás*). Enlaza elementos oracionales. Cuando sustituye una oración por otra puede ir reforzado por el *que* anunciativo.

9.5.1. "Sino" exceptivo

Es el más próximo a su sentido conjetural originario. Introduce un elemento que representa una restricción o excepción respecto a lo dicho en el miembro a que se refiere [Bello, 1.278]:

Respondiéronle que todas escuchaban, sino su señora que quedaba durmiendo (Cervantes).

9.5.2. "Sino" sustitutivo

Es el más característico y frecuente incluso en la lengua hablada. Consiste en un recurso retórico en el que se niega el primer miembro coordinado necesariamente para que, de esta manera, cobre mayor fuerza el miembro introducido por *sino* o *sino que*. El miembro que introduce es un elemento cubierto por una palabra o por una proposición marcada por cualquier otro relativo:

sujeto: [...] cual si lo compusieran, no ya soldados monteses y fieros, sino leopardos con alas (Galdós, *Zumalacárregui*, 7); **atributo**: [...] cipreses que no quieren ser melancólicos sino buenos hermanos de esta naturaleza fecunda y prolífica (L. Bello, *Viaje por las Escuelas de España*, I, 247); **CD**: No imaginaba un hombre sino una cabeza de desenterrado (G. Miró, *Años y Leguas*); **autónomo causal**: Azotó a las mujeres de los urbanos no por gusto de maltratar inhumanamente a seres indefensos, sino por contentar a las otras (Galdós, *Zumalacárregui*, 43); **oración independiente**: No se paró a averiguar el motivo de aquella afrenta, sino que corrió en busca del conde Gormaz y le dio muerte en el acto (P. A. Alarcón, *El Escándalo*, 97); **el elemento es una proposición**: Por sí o por no, la hija de don Baltasar no miraba al caballero sino cuando estaba segura de que el caballero no la miraba a ella (Pereda, *La Puchera*, 350).

El primer miembro es *otra cosa, más*, etc.:

Yo no le deseo más sino que se case con una gorda (Hermanos Álvarez Quintero, *El Patio*, 128); En estos artículos no demostraba más sino que era hombre adusto, individualista y enemigo de las convenciones e hipocresías sociales (P. Baroja, *Locuras de Carnaval*, 76).

Igualmente puede ser un interrogativo:

¿Qué es todo esto sino que Dios me ha visto apurado y me ha puesto un socorro al alcance de la mano? (C. Arniches, *OC*, I, 847).

El primer miembro puede faltar, como en las siguientes frases:

Nadie daba por cada arroba sino seis o siete reales menos de lo que valía (J. Valera, *Doña Luz*, 15); No se puede ser revolucionario sino en la medida en que se es incapaz de sentir la historia (J. Ortega y Gasset, *El Tema de nuestro tiempo,* 49); Las culturas, después de todo, no son sino asociaciones humanas (R. de Maeztu, *Ensayos,* 139).

9.5.3. "Sino" aditivo

Cuando el primer miembro viene precedido de los adverbios *sólo* o *únicamente* se salva la exclusión y la construcción toma carácter aditivo y enfático. El segundo miembro puede ir reforzado por *además, también,* etc. En las frases interrogativas la negación queda implícita:

Las coplas de Manrique no son únicamente la flor de nuestra lírica, sino un acontecimiento histórico (R. de Maeztu, *Ensayos,* 36).

9.6. Construcciones con «pues»

La conjunción *pues* proviene del latín *post.* Su significado etimológico (*después*) se encuentra en castellano preclásico:

Diziendole que pues él lo mandaua, que yo lo quería, pues el cómo y el quándo de la justa ordenada fuesse (Diego de San Pedro, *Cárcel de Amor,* ed. Gili Gaya, 30).

Se presenta solo o acompañado de *que* con valores consecutivo, continuativo o inicial, causal, condicional, concesivo, etc.

9.6.1. "Pues" de consecuencia lógica

Se presenta en la forma simple o con *que.* Para Bello [1.266], *pues* es un adverbio relativo y, cuando se agrupa con *que*, es preposición cuyo término es el anunciativo *que*. Sin embargo, parece evidente su carácter de conjunción según se vio (v. 6.3.). Va en cabeza del miembro que expresa la consecuencia de lo dicho o propuesto antes:

> ¿No hubo muchos santos que se negaron a soportar la pesadumbre de la mitra? Pues menos podrían traerla sus flacas sienes (G. Miró).

La consecuencia se deduce de lo dicho en la oración precedente; pero, con frecuencia, se presupone un supuesto no expreso, implicado por lo dicho:

> Le repugnaba algún manjar de la mesa; pues se imponía la penitencia de comerlo dejando en cambio, otros que le placían extremadamente (A. Palacio Valdés, *Marta y María*).

9.6.2. "Pues" continuativo o inicial

Esta última posibilidad le permite comenzar el discurso enlazando con lo dicho o simplemente con lo pensado o sugerido por la conversación o como simple recurso de iniciación [Bello, 1.267]:

> Pues anda que los antecedentes de éste [...] (A. Paso, *El Juzgado se divierte*, 8).

Esta posibilidad le hace aproximarse al valor de una interjección en el uso coloquial. Si bien en algunos casos se puede relacionar con los valores de causa, consecuencia, condición, etc., en otros queda reducido a cumplir una función rítmica y estilística [Kany, 393]. Su uso excesivo es frecuente en el habla familiar de Vasconia, Navarra, Rioja y amplias zonas de América.

Del amplio y riquísimo uso de este *pues* es una muestra

la locución *¡pues no!* con valor afirmativo. El hablante emplea la expresión con evidente sentido irónico y descarta, así, toda otra posibilidad de actuar que la que enuncia su interlocutor. El recurso se documenta ya en el siglo de oro:

> —¿Piensa vuesa merced esperar, señor don Quijote? —¿Pues no? [...] Aquí esperaré (Cervantes, *Quijote*, II, 34); —¿Pagaste el aceite de ayer? —¡Pues no! (Galdós, *Misericordia*, 62).

El *pues* expletivo puede encontrarse dentro de la frase. Balart censuró el abuso innecesario de *pues* como imitación del *donc* francés; sin embargo, en la lengua hablada se justifica en relación con este *pues* continuativo:

> [...] y como es tan atrevido [...] y no me deja ni a sol ni a sombra, pues, [...] me divierto haciéndole rabiar (R. León, *Alcalá de los Zegríes*, 49).

9.6.3. La causa con "pues" y "pues que"

Se distingue por la marcada pausa que le separa del enunciado anterior. Toma el valor de supuesto del que hay que deducir una consecuencia y se sitúa de ordinario en cabeza del período. Según la *Gram. Acad.* expresa "la causa lógica o la razón de lo que se afirma" [345]:

> **en fin de frase**: Una noche fuimos Diego y yo a la casa de Lázaro a enterarnos de su salud, pues no lo habíamos visto hacía una semana (P. A. Alarcón, *El Escándalo*, 84); **parentética**: Conocía y trataba indudablemente (pues ya había recibido cartas que lo probaban) a todas las personas notables de Madrid (P. A. Alarcón, *El Escándalo*); **inicial**: En fin, pues Dios así lo había dispuesto, se abrazaba otra vez estrechamente a su resignación (Galdós, *Zumalacárregui*, 10).

La agrupación *pues que* inicial acentúa su semejanza con *puesto que*. Introduce una proposición que se toma como base del razonamiento para deducir la consecuencia que se enuncia. Por su constitución, puede separar sus dos componentes e introducir un paréntesis entre ambos:

> [...] y pues que en obtenerla estriba su felicidad [...] me atrevo a pedirle la mano de doña Magdalena (Pereda, *Don Gonzalo González de la Gonzalera*, 276); —Y ¡cómo —dijo Sancho— si era sabio y encantador, pues (según dice el bachiller Sansón Carrasco que así se llama el que dicho tengo) que el autor de la historia se llama Cide Hamete Berenjena! (Cervantes, *Quijote*, II, 2).

Cuando hay relación de causalidad entre ambas coordinadas, como en otras ocasiones, si la oración marcada por *pues* va en subjuntivo, puede tener valor condicional o, incluso, concesivo. No parece construcción usual en el castellano moderno, pero se da en los clásicos. Keniston cita los siguientes ejemplos:

> **condición**: [...] desacreditas a ti mismo, pues tu poder de criador se estreche a tan extraordinarios medios (Mateo Alemán, *Guzmán de Alfarache*, I, 163. 19); **concesión**: [...] pues nunca era inclinada a mucho mal... mas puesta en la ocasión, estaba en la mano el peligro (Santa Teresa, *Su Vida*, 1-1).

9.7. Ordenadores léxicos coordinantes

Se emplean específicamente para marcar relación adversativa los ordenadores *sin embargo* y *no obstante*, que son recogidos por la Gramática tradicional como conjunciones. A diferencia de éstas, admiten delante la conjunción *y*, y actúan como refuerzo significativo dentro del período copulativo. Expresan que lo que antecede no invalida la comunicación dentro de la cual aparece el ordenador y, por tanto, el miembro marcado por el ordenador puntualiza de alguna manera lo dicho en el primer miembro:

> **sin embargo**: Pedro enredaba en la cremallera, atento, sin embargo, a las palabras de Julia (García Hortelano, *Nuevas Amistades*, 73); ¿Para qué sirve la corbata? ¿Qué fin cumple o qué necesidad satisface? Y, sin embargo, no nos atrevemos a salir a la calle sin corbata (R. Pérez de Ayala, *Troteras y Danzaderas*, 45); En fin, hasta nuestro amigo [...] hallábase entre los curiosos, sin embargo de sus setenta y ocho inviernos y gloriosísimos achaques (P. A. Alarcón, *El Niño de la Bola*, 209); **no obstante**: [...] tiene tres hijos, y no obstante, le gusta tener gatos (R. Sánchez Ferlosio, *El Jarama*, 136); [...] no temía Lena la reprimenda por el excesivo gasto de luz. No obstante, se precipitó a apagar la del corredor (Dolores Medio, *Nosotros, los Rivero*, 271).

10. SINTAXIS DE LA FRASE

10.0. LA FRASE *

La frase ha sido definida (v. 7.0.1) como una de las formulaciones del enunciado en la comunicación. Formalmente se opone a la oración por no llevar verbo en forma personal como núcleo ordenador de la secuencia. Por tanto, la frase será una clase de enunciado sin verbo en forma personal. Desde el punto de vista del contenido, puede cumplir la misma función que la oración. No puede ser rasgo caracterizador la ausencia de tiempo, porque la falta de esta información, por no emplear formas personales del verbo, puede, en algunos casos, ser suplida por medio de adverbios.

Tanto la frase como la oración tienen los mismos rasgos entonacionales y el mismo valor en la comunicación. Cir-

* Werner Beinhauer, "Dos tendencias antagónicas en el lenguaje coloquial español (Expresiones retardatarias, comodines, muletillas y expletivos)", en *EAc*, n.º 6, 1965, pp. 1-2; E. Benveniste, "La phrase nominale", en *BSLP*, 1950, pp. 19-36; L. Hjelmslev, "Le verbe et la phrase nominale", en *Mélanges Marouzeau*, París, 1948, pp. 253-281; José S. Lasso de la Vega, *La oración nominal en Homero*, Madrid, CSIC, anejo de *Em*, XII, 1955; A. Lombard, *Les constructions nominales dans le français moderne*, Uppsala, 1930; J. Martínez Álvarez, "Llorar, cualquiera llora", en *AO*, XVI, 1966, pp. 35-38; A. Meillet, "La phrase nominale en indoeuropéen", en *Mémoires de la Société de Linguistique de Paris* (París), XIV, p. 3 y ss.; A. Nysenholc, "La phrase nominale dans *Amers* de Saint-John Perse", en *Le Français Moderne*, XXXVII, 1969, p. 198 y ss.; M. Romera Navarro, "Apuntaciones sobre viejas fórmulas castellanas de saludo", en *RR*, XXI, 1930, pp. 218-223.

cunstancias de vario tipo —rapidez, emotividad, economía expresiva—, y, sobre todo, especiales exigencias de situación, harán preferible el uso de la frase a la organización de enunciados como oraciones.

La frase aparece en variados tipos de comunicación. Es especialmente abundante en la lengua hablada, en el diálogo y en su reelaboración literaria en novelas de tipo realista y obras dramáticas, con fidelidad variable. Para su comprensión, desempeña un papel importante la situación en que se produce, que ha de ser tomada en cuenta en todo momento.

Por otra parte, determinadas formas de comunicación como la exigida por la publicidad o por los "media" tanto orales como escritos, emplean la frase y distorsionan las posibilidades contenidas en la lengua para sus mensajes, con diversas intenciones expresivas: influencia sobre el público, expresividad, etc. En anuncios, titulares, pies de ilustraciones, títulos, en que la economía cuenta de manera muy importante, la concisión justifica la frase. De la misma manera, en carteles, órdenes, señalizaciones de todo tipo, la frase domina sobre la enunciación por medio de oraciones. En todos estos casos, el medio de comunicación y la finalidad imponen particularidades de estructura que no nos son bien conocidas.

10.1. Estructura de la frase

Parece prematuro un intento de fijación de estructuras de frase. La Gramática tradicional acudía al viejo concepto de *elipsis* o *eclipsis*, figura de construcción consistente en omitir en la oración palabras que no son indispensables para la claridad del sentido. Sin embargo, una aplicación de tal concepto a la explicación de la frase como oraciones truncas falsea, para gran número de casos, la realidad misma de la comunicación, ya que el elemento elidido tendría que ser necesariamente el verbo personal y, para otros casos, en que la frase llega a tener cierta fijeza en la comunicación, obliga a presuposiciones muy aventuradas y subjetivas.

Por la espontaneidad en la producción de frases, semejante a la de oraciones, hay que pensar que responden a unos esquemas reducidos en número que justificarán la razón de ser de la frase. En esta breve exposición se prescindirá de los casos en que la frase se incorpora a la construcción oracional tal como ocurre en construcciones absolutas de gerundio o participio, en los segundos términos comparativos y en tantos otros casos. Se intentará simplemente una aproximación a la organización de la frase independiente en cuanto va limitada por pausas de la misma intensidad que las que limitan la oración.

Una previa discriminación permite separar frases **unimembres**, de frases **bimembres**. Se justifica tal división por la presencia o la ausencia de predicación. Se pueden distinguir dos miembros en las construcciones de gerundio, participio o infinitivo que constituyen el núcleo ordenador y tienen un elemento expreso o exigen un elemento implícito que actúa como soporte de lo enunciado. Frente a estas construcciones, las frases unimembres están constituidas por una secuencia cuya forma está impuesta, unas veces, por la existencia de un verbo personal anterior en el discurso y, en otras ocasiones, por su propia naturaleza morfológica.

10.2. Secuencias elementales

Se describen en este punto las frases constituidas por un elemento oracional cuyo verbo hay que buscarlo en los enunciados que preceden a la frase. Se producen fundamentalmente, aunque no de forma única, en el diálogo entre dos o más interlocutores, y así se encuentra (a) tras pregunta o duda formulada por un hablante que exige contestación, (b) en las peticiones de información, fórmulas de mandato, cortesía que llegan a alcanzar gran fijeza, o (c) tras cualquier enunciado, tanto en el propio discurso como en el del interlocutor, para completarlo o rectificarlo.

En todos los casos, además del contexto lingüístico dentro del cual se produce la frase, tiene particular importancia la situación que ayuda a orientar la secuencia elemental hacia el verbo al que está gramaticalmente subordinado. Sólo en algunos casos, el verbo queda implícito. Esto ocurre fundamentalmente en las fórmulas de mandato, cortesía, etc.:

—¿Entonces, tú qué quieres? [...] —No tener tanto trabajo. No renegarme los domingos, acordándome de toda la semana (R. Sánchez Ferlosio, *El Jarama*, 201); —¿Vas al pueblo? —No, a los baños (F. García Pavón, *Las Hermanas Coloradas*, 216); —Recuerdo que papá hablaba mucho de usted. —Papá y el periódico —añadió María casi jubilosa (*id.*, 225); **fórmulas de mandato**: ¡En marcha; ¡Silencio!; ¡Manos arriba!; **fórmulas de cortesía**: A sus pies; De nada; Gracias; **maldiciones**: Al cuerno; A paseo.

10.3. Abreviaciones

Se trata de comunicaciones que toman organizaciones muy particulares y que pueden actuar como sustitutos de oraciones cuyo contenido confirman, niegan o contradicen. En otros casos son enunciados sin verbo que puede ser sobrentendido por la situación:

Plácido: —Ayer compré un collar para el perro. Reposo: —¿Sí? Plácido: —Sí. —¿Te ha costado mucho? —Siete reales. —Es barato. —Sí. —Me alegro. —¿Por qué? —Porque sí. —Ya, vamos (Hermanos Álvarez Quintero, *El Patio,* 138); —¿Y no me ahorcará Usía si lo consigo? —preguntó irónicamente el alguacil. —¡Al contrario! (P. A. de Alarcón, *El Sombrero de Tres picos,* 162); —¿Y usted no le preguntó nada a la prima Alicia? —volvió José María con voz opaca. —Pues sí, señor; claro que sí (F. García Pavón, *Las Hermanas Coloradas,* 177).

Forma particular de la frase la constituyen ciertos refranes o máximas en las que hay un verbo sobrentendido:

A otro perro con ese hueso; A lo hecho, pecho; A rey muerto, rey puesto; A río revuelto ganancia de pescadores.

Carácter distinto tienen las secuencias de tipo designativo constituidas por nombre solo o complementado. Son enunciadores que pueden hacer suponer un verbo existencial, a veces, mediante las cuales se da cuenta de una realidad. Se emplean en las titulaciones, anuncios y recursos semejantes. A veces llegan a la expresión literaria dentro de un contexto más amplio a manera de aposiciones:

Peligro de muerte; Consulta de 7 a 8; Sesión permanente; Temporada de verano; Grandes rebajas; **textos literarios**: La ventana abierta del todo. Sol de las huertas silenciosas; sol de domingo de noviembre, que pasaba desde la concavidad perfecta y azul (G. Miró, *El Obispo leproso,* 329); Los fanales del tren, esas lamparillas que se van enjugando, y el aceite turbio, espeso y verdoso remansa en el fondo del vidrio cerrado; esas lamparillas que dejan un penoso claror en las frentes, en los pómulos, quedando los ojos en una trágica negrura, y alumbran la risa, la tribulación, el bullicio, el cansancio de gentes renovadas que parecen siempre las mismas gentes; esas lamparillas deben

sus cuadros de luz a los lados del camino, y doraban un trozo, un rasgo del paisaje (G. Miró, *Libro de Sigüenza*, 101); Levante: colinas que se perfilan en el azul, cubiertas de plantas olorosas; colinas de romero, el tomillo, el cantueso. Mediterráneo; rosa, violeta, morado, oro. Calas silenciosas entre las rocas. Y otra vez Castilla, el reborde ingente de piedra allá arriba, en la llanada de Europa, frente al balcón de Suiza. De balcón a balcón; de la altiplanicie esteparia, cargada de la espiritualidad de los místicos, a las cumbres serenas y canas de Helvecia. Los vallecitos sosegados en la plana de Castilla; aspiración al infinito. Silencio en los largos claustros. Pasos quedos ahora; tintineo de un rosario; el conflicto íntimo, profundo, bajo la inmutabilidad de la faz. La represión constante de las fuerzas psíquicas indómitas y el borbolleo de las pasiones que surge de nuevo y se extravasa del ánima. ¡Qué lejos de Biarritz! ¡A qué distancia inmensa de esta mundanidad! (Azorín, *Félix Vargas*, 157); **en el diálogo**: —¿Y cómo lo sabes? —Un espía (Caballero Bonald, *Dos días de Septiembre*, 236); —¿Qué pasa? —No, nada, es que a mí, la viña, de capataz, no es así una cosa que me vaya bien, es decir, que yo ya me había hecho otros planes (*id.*, 171); De repente, una voz cálida, de matiz claro, como el chasquido del cristal, les hizo volverse. —Papá, papá, un momento (F. Urabayen, *La Última Cigüeña*, 105).

Por último, pueden incluirse como enunciaciones abreviadas determinadas frases exclamativas e interrogativas en que se valora la mención o se pregunta por su realidad. Junto a ellas, forman particulares estructuras los juramentos.

¡Qué tiempos aquéllos! —suspiró María (F. García Pavón, *Las Hermanas Coloradas*, 226); ¡Dámelo, Andrés, dámelo! ¡Azúcar, Dios mío! ¡Azúcar! ¡Qué rayo de luz divina! (Galdós, *Gerona*, 159); —Nunca me he olvidado. —¿No?

¿Y aquellas siete pesetas de la señora Josefa? ¿Dónde están aquellas siete pesetas? (C. J. Cela, *La Colmena*, 163).

10.4. Estructuras bimembres

Toma muy variadas formas según el núcleo sobre el que se construye la frase. Tiene particular importancia la frase nominal constituida sobre la base de adjetivo o participio que ha sido objeto de tratamiento literario y es de uso frecuente en títulos, anuncios, etc. (*Prohibido el paso*). Es esencialmente frecuente la utilización del llamado gerundio epigráfico para los titulares y pies de ilustraciones (*Jugador lanzando un golpe de castigo*). Por último, las frases de infinitivo que se emplean con diversas intenciones y en niveles distintos de lengua:

> Adelante, señor Fago, y no desmayar (Galdós, *Zumalacárregui*, 140); ¡A ellos ahora mismo! [...], a quitarles las camas (*id.*, 134); Somos como la abeja y la rosa. Ella, a clavarme el aguijón; yo a dar miel (C. Arniches, *OC*, I, 877); ¡A mi edad, cambiar de aguas! (Unamuno, *San Manuel Bueno, mártir*, 67); Nada de banderillas ni de pasar en una cuadrilla sometido al despotismo de un maestro. Matar toros desde el principio: pisar la arena de las plazas como espada (Blasco Ibáñez, *Sangre y Arena*, 76); Primer honor: pasear hora tras hora, con un fusil sobre el hombro, por delante de una puerta; segundo honor: dar vueltas durante la noche, con un machete al cinto, por una sala donde duermen los camaradas [...]. Luego, los otros honores: atizar fogones, barrer establos, fregar pisos, limpiar letrinas (B. Jarnés, *Lo Rojo y lo Azul*, 145); Déjelo en paz. ¿Para qué derramar más sangre? (R. J. Sender, *Réquiem para un Campesino español*, 82).

Aparte hay que consignar las construcciones en que dos términos se corresponden como predicación y soporte. El soporte puede estar explícito, o bien el predicado presupone un soporte que el enunciado de alguna manera caracteriza:

¡Mentira, que no hace eso! (R. Sánchez Ferlosio, *El Jarama*, 139); Vaya sermón, hijo, ¡qué barbaridad! (Caballero Bonald, *Dos días de Septiembre*, 119); A quien vaya atrasado, y no hay que decir nombres, el peor momento (*id.*, 235); No había ejercicio corporal en que no brillase; gran jinete; certero tirador de pistola, ágil y diestro en la esgrima y valsador airoso y gallardo (J. Valera, *Pasarse de listo*, 144); ¡Delicioso! ¡Es usted delicioso! Yo, no (F. Urabayen, *La Última Cigüeña*, 104); ¡Yo cristino, yo liberal! (Galdós, *Zumalacárregui*, 178); ¡Cada día más trabajo, qué asco! El dueño tan contento, pero nosotros a partirnos en dos (R. Sánchez Ferlosio, *El Jarama*, 201).

Relación de autores y ediciones de las obras de donde han sido tomados los ejemplos

Alarcón, Pedro Antonio de: *El Niño de la Bola,* Madrid, V. Suárez, 1940; *Historietas Nacionales,* Madrid, M. Tello, 1881; *El Sombrero de Tres Picos,* Madrid, Suc. de Rivadeneyra, 1935; *El Escándalo,* Madrid, V. Suárez, 1943.

Alas, Leopoldo: *véase* Clarín.

Aldecoa, Ignacio: *El Fulgor y la Sangre,* 1954; *Con el Viento Solano,* Barcelona, Planeta, 1956; *Pájaros y Espantapájaros,* Madrid, Ed. Bullón, 1963; *Gran Sol,* Barcelona, Noguer, 1972.

Álvarez Quintero, Serafín y Joaquín: *Teatro Completo,* t. II, Madrid, 1923 (contiene *La Vida Íntima, El Patio, Los Galeotes*).

Andújar, Manuel: *Vísperas,* Barcelona, Ed. Andorra, 1970.

Arce, Manuel: *Pintado sobre el Vacío,* Barcelona, Destino, 1958.

Arniches, Carlos: *Teatro Completo,* 4 vols., Madrid, Aguilar, 1948; *El Santo de la Isidra. Es mi Hombre,* Buenos Aires, Espasa-Calpe, Austral: 1.193, 1954.

Azorín (José Martínez Ruiz): *La Voluntad,* Madrid, Renacimiento, s. a. [1914]; *Antonio Azorín,* Madrid, Renacimiento, 1913; *El Paisaje de España visto por los españoles,* Madrid, Espasa-Calpe, Austral: 164, 1954; *Castilla,* Buenos Aires, Ed. Losada, Colección Contemporánea, 1958; *Visión de Es-*

paña, páginas escogidas por Erly Danien, Madrid, Espasa-Calpe, Austral: 226, 1972; *Obras Completas,* t. IV, Madrid, Aguilar, 1948; *En torno a José Hernández,* Buenos Aires, Ed. Sudamericana, 1939; *Félix Vargas,* Madrid, Biblioteca Nueva, 1928; *El Licenciado Vidriera visto por* —, Madrid, Publ. Residencia de Estudiantes, 1915.

BAROJA, Pío: *La Ciudad de la Niebla,* Madrid, Espasa-Calpe, 1931; *Locuras de Carnaval,* Madrid, Espasa-Calpe, 1937; *Zalacaín, el Aventurero,* Barcelona, Doménech, 1909; *César o Nada,* Madrid, Caro Raggio, 1927; *Páginas escogidas,* selección, prólogo y notas del autor, Madrid, Calleja, 1918; *Mala Hierba,* Madrid, Espasa-Calpe, 1938; *La Busca,* Madrid, Caro Raggio, 1920; *Obras Completas,* t. III, Madrid, Biblioteca Nueva, 1947; *El Laberinto de las Sirenas,* Madrid, Caro Raggio, s. a.; *Las Inquietudes de Shanti Andía,* Madrid, Renacimiento, 1911; *El Árbol de la Ciencia,* Madrid, Espasa-Calpe, 1937.

BELLO, Luis: *Viaje por las Escuelas de España,* Madrid, Magisterio Español, 1926.

BENAVENTE, Jacinto: *Los Intereses Creados. Señora Ama,* Madrid, Espasa-Calpe, Austral: 34, 1956; *Ni al Amor ni al Mar,* Madrid; *La Farsa,* VIII, núm. 344, 1934.

BLASCO IBÁÑEZ, Vicente: *La Barraca,* Madrid, La Novela Ilustrada, s. a.; *Cañas y Barro,* Buenos Aires, Espasa-Calpe, Austral: 410, 1947; *Sangre y Arena,* Valencia, F. Sempere, s. a.

BÖHL DE FABER, Cecilia: *véase* Fernán Caballero.

CABA, Pedro: *Las Galgas,* Barcelona, Ed. Juventud, 1934.

CABALLERO, Fernán (Cecilia Böhl de Faber): *Cuentos de Encantamiento,* editados por Paul Patrik Rogers, Nueva York-Londres, Harper, 1932; *La Gaviota,* Madrid, Espasa-Calpe, Austral: 364, 1960.

CABALLERO BONALD, J. M.: *Dos días de Septiembre,* Barcelona, Seix Barral, 1962.

CAJAL, Rosa María: *Juan Risco,* Barcelona, Destino, 1948.

CAMBA, Julio: *Sobre casi nada,* Buenos Aires, Espasa-Calpe, Austral: 687, 1947; *Un año en el otro mundo,* Buenos Aires, Espasa-Calpe, Austral: 714, 1955; *La Casa de Lúculo,* Madrid, Espasa-Calpe, Austral: 343, 1956; *Sobre casi todo,* Madrid, Espasa-Calpe, Austral: 654, 1946.

CARRANQUE DE RÍOS, A.: *Uno,* Madrid, Espasa-Calpe, 1934.

CASTILLO PUCHE, José Luis: *Paralelo 40,* Barcelona, Destino, 1963.

CELA, Camilo José: *La Colmena,* Madrid-Barcelona, Alfaguara, 1971; *Mis Páginas preferidas,* Madrid, Gredos, 1956; *Viaje a la Alcarria,* Buenos Aires, Espasa-Calpe, Austral: 141, 1953; *El Nuevo Lazarillo. Nuevas andanzas y desventuras de Lazarillo de Tormes,* Madrid, La Nave, 1944; *El Molino de Viento y otras novelas cortas,* Barcelona, Noguer, 1956.

CLARÍN (Leopoldo Alas): *La Regenta,* Madrid, Alianza Editorial, 8, 1966; *Su Único Hijo,* Madrid, Renacimiento, 1913; *Páginas escogidas,* selección, prólogo y comentarios de Azorín, Madrid, Calleja, 1917.

DELIBES, Miguel: *Aún es de día,* 1949.

DÍAZ CAÑABATE, Antonio: *Historia de una Taberna,* Buenos Aires, Espasa-Calpe, Austral: 711, 1947.

DÍAZ FERNÁNDEZ, José: *La Venus Mecánica,* Madrid, Renacimiento, 1929.

D'ORS, Eugenio: *El Nuevo Glosario: Los Diálogos de la Pasión meditabunda,* Madrid, Caro Raggio, 1923; *Oceanografía del tedio,* Madrid, Calpe, 1921.

ESPINA, Concha: *La Esfinge Maragata,* Madrid, Espasa-Calpe, Austral: 1.230, 1964.

FERNÁNDEZ DE LA REGUERA, Ricardo: *Cuerpo a tierra,* Barcelona, Garbo, 1954.

— y Susana MARCH: *Héroes de Filipinas,* Barcelona, Planeta, 1963.

FERNÁNDEZ DE MORATÍN, Leandro: *Epistolario*, Madrid, CIAP, s. a.

GALDÓS: *véase* Pérez Galdós, Benito.

GALLEGOS, Rómulo: *Pobre Negro*, Buenos Aires, Espasa-Calpe, Austral: 307, 1942; *Doña Bárbara*, Buenos Aires, Espasa-Calpe, Austral: 168, 1950.

GANIVET, Ángel: *Idearium español*, Madrid, V. Suárez, 1905; *Los Trabajos del infatigable creador Pío Cid*, 2 vols., Madrid, Beltrán-V. Suárez, 1928; *La Conquista del Reino de Maya por el último conquistador Pío Cid*, Madrid, Beltrán-V. Suárez, 1928.

GARCÍA HORTELANO, Juan: *Nuevas Amistades*, Barcelona, Seix Barral, 1961; *Tormenta de Verano*, Barcelona, Seix Barral, 1962.

GARCÍA PAVÓN, Francisco: *Las Hermanas Coloradas*, Barcelona, Destino, 1970.

GÓMEZ DE LA SERNA, Ramón: *El Incongruente*, Madrid, Calpe, 1922.

GONZÁLEZ ANAYA, Salvador: *Luna de Plata*, Madrid, Biblioteca Nueva, 1941.

GOYTISOLO, Juan: *Duelo en el Paraíso*, Barcelona, Planeta, 1955; *Señas de Identidad*, México, Joaquín Mortiz, 1969.

GROSSO, Alfonso: *Testa de Capo*, Barcelona, Seix Barral, 1963.

GÜIRALDES, Ricardo: *Xaimaca*, Buenos Aires, Ed. Losada, Colección Contemporánea: 129, 1944.

HOUSE, Guillermo: *El Último Perro*, Buenos Aires, Emecé, 1949.

IRIARTE, Tomás de: *Los Literatos en Cuaresma*, Madrid, CIAP, s. a.

JARNÉS, Benjamín: *Lo Rojo y lo Azul*, Madrid, Espasa-Calpe, 1932.

JIMÉNEZ, Juan Ramón: *Platero y Yo.* Elegía andaluza (1907-1916), Buenos Aires, Ed. Losada, 1946.

LAFORET, Carmen: *Mis Páginas mejores,* Madrid, Gredos, 1956; *Nada,* Barcelona, Destino, 1945.

LAÍN ENTRALGO, Pedro: *España como problema,* Madrid, Aguilar, 1962.

LEÓN, Ricardo: *Alcalá de los Zegríes,* Madrid, Espasa-Calpe, Austral: 1.291, 1960.

LINARES RIVAS, Manuel: *La Garra,* Madrid, *La Farsa,* VIII, núm. 380, 1934.

LÓPEZ PINILLOS, J.: *Embrujamiento,* Madrid, A. Pueyo, 1923.

LÓPEZ SALINAS, Armando: *Año tras Año,* París (Ruedo Ibérico), 1962.

MAEZTU, Ramiro de: *Ensayos,* Buenos Aires, Emecé, 1948.

MALLEA, Eduardo: *Rodeada está de sueño* (Memorias poemáticas de un caballero desconocido), Buenos Aires, Espasa-Calpe, Austral: 402, 1946.

MARAÑÓN, Gregorio: *Luis Vives* (Un español fuera de España), Madrid, Espasa-Calpe, 1942; *Vida e Historia,* Madrid, Espasa-Calpe, Austral: 185, 1948; *Raíz y Decoro de España,* Madrid, Espasa-Calpe, 1941.

MARCH, Susana: *véase* Fernández de la Reguera, Ricardo.

MARTÍNEZ GARRIDO, Alfonso: *El Miedo y la Esperanza,* Barcelona, Destino, 1965.

MARTÍNEZ RUIZ, José: *véase* Azorín.

MARTÍNEZ SIERRA, Gregorio: *Tú eres la Paz,* Buenos Aires, Espasa-Calpe, Austral: 1.231, 1954.

MARTÍN SANTOS, Luis: *Tiempo de Silencio,* Barcelona, Seix Barral, 1965.

MATHEU, José M.: *Un bonito negocio,* en *Después de la Caída,* Madrid, Colección Argensola, 1923, pp. 127-200.

MEDIO, Dolores: *Nosotros, los Rivero,* Barcelona, Destino, 1955.

MIRÓ, Gabriel: *Las Cerezas del Cementerio*, Madrid, Biblioteca Nueva, 1926; *El Humo dormido*, Madrid, Biblioteca Nueva, 1938; *Libro de Sigüenza*. Jornadas de este Caballero levantino, Madrid, Biblioteca Nueva, 1938; *Años y Leguas*, Madrid, Biblioteca Nueva, 1928; *Figuras de la Pasión del Señor*, Madrid, Biblioteca Nueva, 1928; *Nuestro Padre San Daniel*, Madrid, Biblioteca Nueva, s. a.; *El Obispo leproso*, Madrid, Biblioteca Nueva, 1926.

MORATÍN, L. F. de: *véase* Fernández de Moratín, Leandro.

MORENO VILLA, José: *Vida en Claro*. Autobiografía de —, México, El Colegio de México, 1944.

MOURLANE MICHELENA, Pedro: *El Discurso de las Armas y las Letras*, Bilbao, Biblioteca de Amigos del País, 1915.

MUÑOZ ROJAS, José A.: *Historias de Familia*, Madrid, Revista de Occidente, 1945.

NOEL, Eugenio: *España nervio a nervio*, Madrid, Espasa-Calpe, 1924.

ORTEGA Y GASSET, José: *El Tema de nuestro tiempo*, Madrid, Revista de Occidente, 1934; *En torno a Galileo*, Madrid, Revista de Occidente, 1959.

PALACIO VALDÉS, Armando: *La Novela de un Novelista*, Madrid, Fax, 1946; *Marta y María*, Barcelona, Arte y Letras, 1883; *Riverita*, Madrid, V. Suárez, 1920.

PARDO BAZÁN, Emilia de: *Doña Milagros*, Madrid, Pueyo, s. a.; *Insolación*, Buenos Aires, Espasa-Calpe, Austral: 1.243, 1954; *Obras Completas. Novelas y Cuentos*, 2 vols., Madrid, Aguilar, 1956; *El Cisne de Vilamorta*, Madrid, Fernando Fe, 1885.

PASO, Antonio: *El Juzgado se divierte*, Madrid, *La Farsa*, VIII, núm. 333, 1934.

PEREDA, José M. de: *Tipos y Paisajes*, Madrid, Hernando, 1935; *Don Gonzalo González de la Gonzalera*, Madrid, Tello, 1889; *Pedro Sánchez*, prólogo y notas de José M. de Cossío, 2 vols., Madrid, Espasa-Calpe, Clásicos Castellanos: 144-145,

1958; *Peñas Arriba*, Madrid, Aguilar, Colección Crisol: 4, s. a.; *La Puchera*, Madrid, Tello, 1889.

PÉREZ DE AYALA, Ramón: *Belarmino y Apolonio*, Buenos Aires, Ed. Losada, Colección Contemporánea: 48, 1944; *El Curandero de su Honra*, Madrid, Pueyo, 1930; *El Ombligo del Mundo*, Madrid, Renacimiento, s. a.; *Luna de miel, Luna de hiel*, Madrid, Mundo Latino, 1924; *Los Trabajos de Urbano y Simona*, Madrid, Mundo Latino, 1924; *Troteras y Danzaderas*, Madrid, Pueyo, 1930.

PÉREZ GALDÓS, Benito: *Torquemada en la Hoguera*, introducción y notas de Ángel del Río, Nueva York, Instituto de las Españas, 1932; *Misericordia*, París, Thomas Nelson, s. a. [1913]; *Fortunata y Jacinta* (Dos historias de casadas), Madrid, Hernando, 1944; *La Campaña del Maestrazgo*, Madrid, Hernando, 1929; *El Grande Oriente*, Madrid, Hernando, 1929; *Narváez*, Madrid, Hernando, 1929; *O'Donnell*, Madrid, Hernando, 1931; *La de los tristes destinos*, Madrid, Hernando, 1929; *Memorias de un cortesano de 1815*, Madrid, Hernando, 1948; *Trafalgar*, Madrid, Hernando, 1932; *Zumalacárregui*, Madrid, Hernando, 1949; *Zaragoza*, Madrid, Hernando, 1928; *El 19 de Marzo y el 2 de Mayo*, Madrid, Hernando, 1929; *Cádiz*, Madrid, Hernando, 1948; *Mendizábal*, Madrid, Hernando, 1952; *Cánovas*, Madrid, Hernando, 1953; *Gerona*, Madrid, Hernando, 1955; *Juan Martín, el Empecinado*, Madrid, 1950.

PÉREZ LUGÍN, Alejandro: *La Corredoira y la Rúa*, Madrid, Hernando, 1927; *La Casa de la Troya*. Estudiantina, Santiago de Compostela, Galí, 1953.

PRIETO, Jenaro: *El Socio*, Buenos Aires, Espasa-Calpe, Austral: 132, 1945.

QUIROGA, Elena: *Tristura*, Barcelona, Noguer, 1960.

REGUERA, R. F. de la: *véase* Fernández de la Reguera, Ricardo.

SALAVERRÍA, José M.: *Vida de Martín Fierro*. El gaucho ejemplar, Madrid, Espasa-Calpe, 1934; *En la Vorágine*, Madrid, Caro Raggio, 1919.

SÁNCHEZ FERLOSIO, Rafael: *El Jarama*, Barcelona, Destino, 1956.

SÁNCHEZ MAZAS, Rafael: *La Vida Nueva de Pedrito de Andía*, Madrid, Editora Nacional, 1951.

SENDER, Ramón J.: *Imán*, Madrid, Cenit, 1930; *Réquiem para un Campesino español*, México, Ed. Mexicanos Reunidos, 1968.

SERNA, R. G. de la: *véase* Gómez de la Serna, Ramón.

UMBRAL, Francisco: *Memorias de un niño de derechas*, Barcelona, Destino, 1972.

UNAMUNO, Miguel de: *Niebla*, Nivola, Madrid, Espasa-Calpe, 1935; *La Tía Tula*, Madrid, Espasa-Calpe, Austral: 122, 1964; *El Espejo de la Muerte*, Buenos Aires, Espasa-Calpe, Austral: 199, 1942; *Tres Novelas ejemplares y un prólogo*, Madrid, Espasa-Calpe, s. a.; *San Manuel Bueno, mártir, y tres historias más*, Madrid, Espasa-Calpe, 1933.

URABAYEN, Félix: *Don Amor volvió a Toledo*, Madrid, Espasa-Calpe, 1936; *La Última Cigüeña*, Madrid, Calpe, 1921.

VALERA, Juan: *Doña Luz*, Madrid, Biblioteca Nueva, 1937; *Genio y Figura*, Madrid, Biblioteca Nueva, 1937; *Las Ilusiones del doctor Faustino*, Madrid, *Obras Completas*, 5 y 6, s. a. (citado sólo el 5); *Pasarse de listo*, Madrid, *Obras Completas*, 8, 1922; *Pepita Jiménez*, ed. de Manuel Azaña, Madrid, Espasa-Calpe, Clásicos Castellanos: 80, 1933; *Apuntes sobre el nuevo arte de escribir Novelas*, Madrid, *Obras Completas*, 16, 1934.

VALLE-INCLÁN, Ramón del: *Los Cruzados de la Causa*, Madrid, Espasa-Calpe, Austral: 460, 1960; *Jardín Umbrío*, Madrid, Perlado, Páez y Cía., 1914; *La Lámpara maravillosa*, Madrid, *Opera Omnia*, I, 1912; *Sonata de Primavera*, Madrid, *Opera Omnia*, V, 1922; *Viva mi dueño*, Madrid,

Opera Omnia, XXII, 1928; *Cara de Plata*, Madrid, *Opera Omnia*, XIII, 1923; *Sonata de Estío*, Madrid, *Opera Omnia*, VI (SGEL), 1917.

VARGAS LLOSA, Mario: *La Casa Verde*, Lima, José Godard, s. a.

ZUNZUNEGUI, Juan A. de: *Ramón o La vida baldía*, Buenos Aires, Espasa-Calpe, Austral: 1.084, 1952.

BIBLIOGRAFÍA

Bibliografías generales y repertorios

L'année philologique (Contiene una sección de lingüística y gramática clásicas). Se publica desde 1924; París, "Les Belles Lettres".

Bibliographie linguistique de l'année, publiée par le Comité International Permanent de Linguistes sous les auspices du Conseil International de la Philosophie et des Sciences Humaines. Se publica desde 1949; Utrecht-Amberes, Spectrum.

MLA, International Bibliography of Books and Articles on the Modern Languages and Literatures, Modern Language Association of America, Nueva York.

Rice, Frank A., y Allene Guss, eds., *Information Sources in Linguistics: A Bibliographical Handbook,* Washington, DC, Center for Applied Linguistics, 1965.

Sebeok, Thomas A., *Current Trends in Linguistics,* La Haya-París, Mouton, 1963- .

Viet, J., ed., *Liste mondiale de périodiques spécialisés. Linguistique, Linguistics World List of Specialized Periodicals,* La Haya-París, Mouton, 1971.

Year's Work in Modern Languages Studies, The, The Modern Humanities Research Association, Leeds, W. S. Maney and Son.

Lingüística románica

MOURIN, Louis, y Jacques POHL, *Bibliographie de linguistique romane,* Bruselas, Presses Universitaires, 1971[4].

PALFREY, Thomas R., J. G. FUCILLA y W. C. HOLBROOK, *A Bibliographical Guide to the Romance Languages and Literatures,* Evanston, Illinois, Chandler, 1971[8].

Romanische Bibliographie, Suplemento de la *ZRPh,* Tubinga, Max Niemeyer.

Resúmenes e índices

Language and Language Behavior Abstracts, Nueva York, Appleton.

ALVAR, Elena, con la colaboración de C. MAS, P. MULET y V. ROBLES, bajo la dirección de Manuel ALVAR, *Índice de voces y morfemas de la RFE,* 2 vols., *RFE,* Anejo LXXXVIII, Madrid, CSIC, 1969.

ALVAR, Elena, *Thesaurus. Índice de los tomos I-XXV, 1945-1970,* Bogotá, Instituto Caro y Cuervo, 1974.

CONTRERAS, Lidia, "Bibliografía analítica de los trabajos contenidos en el *Boletín de Filología* de la Universidad de Chile. Tomos I al IX", *BFUCh,* X, 1958-1959, pp. 403-437.

—, "Los trabajos del *Boletín de Filología* de la Universidad de Chile. Guía bibliográfica", *BFUCh,* XX, 1968, pp. 329-372.

GOLDEN, Herbert H., y Seymour O. SIMCHES, *Modern Iberian Language and Literature: A Bibliography of Homage Studies,* Cambridge, Mass., 1958.

GUERRERO, Fuensanta, Antonio QUILIS y Juan Manuel ROZAS, *La lengua y la literatura modernas en el Consejo Superior de Investigaciones Científicas,* Repertorio bibliográfico, Madrid, CSIC, 1965.

Guía para la consulta de la Revista de Filología Española (1914-1960), compilada por Alice M. POLLIN y Raquel KERSTEN, codificación electrónica de Jack HELLER, Nueva York, New York University Press, 1964.

LITTLEFIELD, Mark G., *A Bibliographic Index to "Romance Philology"*, vols. I-XXV, Berkeley-Los Angeles, University of California Press, 1974.

BAAL, Índice general (tomos I-XXIX, 1933-1964), BAAL, XXX, 1965, pp. 129-194.

BHS, "The Bulletin of Hispanic Studies (1923-1973)", *BHS*, Suppl. L, 1973, pp. 433-583.

Bulletin Hispanique. Sommaire index des tomes I-LX (1899-1958), 3 vols., Burdeos, Féret et Fils, 1963.

BRAE, Índices de los vols. I-XXV (1914-1946), Madrid, 1947.

Biblioteca Románica Hispánica, Libro de índices, Madrid, Gredos, 1969.

Hispania, Index I-XL, 1918-1957, Nueva York, Kraus Reprint Corporation, 1968.

Hispanic Review. Index to Volumes I-XXV, 1933-1957, vol. XXV Supplement.

Language. Index to Language. 1-50 (1925-1974), Lan, L, 4. Part 2, diciembre 1974.

Lingua. Master Index 1-10 (1947-1961), prepared by A. G. SCIARONE, Amsterdam, North-Holland, 1966; *Master Index 11-20 (1962-1968)*, prepared by Mariëtte WINKEL, Amsterdam, North-Holland, 1971; *Master Index 21-30 (1968-1972)*, prepared by M. WINKEL, Amsterdam, North-Holland, 1974.

MLN, General Index, vols. I-L, Compiled by E. P. KUHL, R. A. PARKER, and H. H. SHAPIRO, edited by H. H. SHAPIRO, with a Foreword by H. CARRINGTON LANCASTER, Baltimore, The John Hopkins Press, 1935; vols. LI-LX, compiled by H. H. SHAPIRO and H. C. LANCASTER, edited by H. CARRINGTON LANCASTER, Baltimore, The John Hopkins Press, 1946.

REPERTORIOS BIBLIOGRÁFICOS HISPÁNICOS

HUBERMAN, Gisela Bialik, *Mil obras de lingüística española e hispanoamericana. Un ensayo de síntesis crítica,* Madrid, Plaza Mayor, 1973.

ROHLFS, Gerhard, *Manual de filología hispánica. Guía bibliográfica, crítica y metódica,* traducción castellana del ms. alemán por Carlos PATIÑO ROSSELLI, Bogotá, Publicaciones del Instituto Caro y Cuervo, núm. XII, 1957.

SERÍS, Homero, *Bibliografía de la lingüística hispánica,* Bogotá, Publicaciones del Instituto Caro y Cuervo, núm. XIX, 1964 (vid. la reseña de Hensley C. WOODBRIDGE, en *RPh,* XX, 1966-1967, pp. 107-112. Tanto la obra de G. B. HUBERMAN como la de H. SERÍS, salvando todas las distancias, deben ser manejadas con bastante cuidado).

ARNAUD, E., y V. TUSÓN, *Guide de bibliographie hispanique,* Toulouse, Privat-Didier, 1967.

WOODBRIDGE, Hensley C., "An Evaluation of Studies in Spanish Philology", en *H,* XXXV, 1952, pp. 283-295.

WOODBRIDGE, Hensley C., y Paul R. OLSON, *A Tentative Bibliography of Hispanic Linguistics (Based on the Studies of Yakov Malkiel),* prólogo de Henry R. KAHANE, Urbana, Illinois, 1952.

ALVAR, Manuel, *Dialectología española,* Cuadernos bibliográficos núm. VII, CSIC, 1962.

AVELLANEDA, María R., Norma BUCCIANTI, Eda LECKER DE PRATS, Jorge PRATS y Juana V. RODAS, "Contribución a una bibliografía de dialectología española y especialmente hispanoamericana", en *BRAE,* XLVI, 1966, pp. 335-369; XLVII, 1967, pp. 125-156 y 311-342.

SOLÉ, Carlos A., *Bibliografía sobre el español en América: 1920-1967,* Georgetown University School of Languages and Linguistics, Georgetown University Press, Washington, 1970.

—, "Bibliografía sobre el español de América: 1967-1971", en *ALM,* X, 1972, pp. 253-288.

NICHOLS, M., *A Bibliographical Guide to Materials on American Spanish,* Cambridge, 1941.

KIDDLE, L. B., "Bibliografía adicional para la obra de la señorita Nichols", en *Revista Iberoamericana,* VII, 1943, pp. 213-240.

CARRIÓN ORDÓÑEZ, Enrique, y Tilbert Diego STEGMAN, *Bibliografía del español en el Perú,* Tubinga, Max Niemeyer, 1973.

CRADDOCK, Jerry R., "Spanish in North America", en *CTL,* X, 1.ª parte, 1973, pp. 467-501.

DAVIS, Jack Emory, "The Spanish of Argentina and Uruguay. An Annoted Bibliography for 1940-1965", en *Orbis,* XV, 1966, pp. 160-189, 442-488; XVII, 1968, pp. 232-277, 538-573; XIX, 1970, pp. 205-232; XX, 1971, pp. 236-269.

FERNÁNDEZ, Belisario, *Bibliografía del español de la Argentina,* Buenos Aires, Consejo Nacional de Educación, 1967.

FODY III, M., "The Spanish of the American Southwest and Louisiana: A Bibliographical Survey for 1954-1969", en *Orbis,* XIX, 1970, pp. 529-540.

LÓPEZ MORALES, Humberto, "El español de Cuba: situación bibliográfica", en *RFE,* LI, 1968 [1970], pp. 111-137.

MONTES, José Joaquín, "Contribución a una bibliografía de los estudios sobre el español de Colombia", en *Thesaurus,* XX, 1965, pp. 426-465.

WOODBRIDGE, Hensley C., "Spanish in the American South and Southwest: A Bibliographical Survey for 1940-1953", en *Orbis,* III, 1954, pp. 236-244.

WOODBRIDGE, Hensley C., *Central American Spanish. A Bibliography,* Washington, DC, 1956.

LAVANDERA, Beatriz R., "On Sociolinguistic Research in New World Spanish: A Review Article", en *Language in Society,* III, 2, 1974, pp. 247-292.

POLO, J., "El español familiar y zonas afines (Ensayo bibliográfico)", en curso de publicación en la revista *Yelmo.*

Polo, J., *Lingüística, investigación y enseñanza (Notas y bibliografía),* Madrid, Oficina de Educación Iberoamericana, 1972.

Deben consultarse las listas bibliográficas contenidas en *BHi, NRFH, PMLA* y *RFE,* así como las innovaciones léxicas y trabajos que aparecen en el *Boletín de la Comisión Permanente* de la Asociación de Academias de la Lengua Española.

Índices de tesis

Comprehensive Dissertation Index 1861-1972, Xerox University Microfilms, Ann Arbor, Michigan, 1973.

Chatman, James R., y Enrique Ruiz-Fornells (with the collaboration of Sara Matthews Scales), *Dissertations in Hispanic Languages and Literatures. An Index of Dissertations Completed in the United States and Canada, 1876-1966,* Lexington, Kentucky, The University Press of Kentucky, 1970.

Hutet, C. L., "Dissertations in the Hispanic Languages and Literatures, 1971", en *H,* LV, 1972, pp. 278-292.

—, "Dissertations in the Hispanic Languages and Literatures, 1972", en *H,* LVI, 1973, pp. 386-399.

—, "Dissertations in the Hispanic Languages and Literatures, 1973", en *H,* LVII, 1974, pp. 270-283.

Jones, C. A., "Theses in Hispanic Studies Approved for Higher Degrees by British Universities to 1971", en *BHS,* XLIX, 1972, pp. 325-354.

Haro, J. B., "American Doctoral Degress Granted in Foreign Languages, 1972-1973", en *MLJ,* LVIII, 1974, pp. 32-52.

Zubatsky, D. S.: "An International Guide to Completed Theses and Dissertations in the Hispanic Languages and Literatures", en *H,* LVI, 1973, pp. 293-302.

Alfabeto fonético

"Alfabeto fonético de la RFE, El", en *RFE,* II, 1915, pp. 374-376.

Navarro Tomás, Tomás, "El alfabeto fonético de la *Revista de Filología Española*", en *ALM,* VI, 1966-1967, pp. 5-10.

Principles of the International Phonetic Association being a description of the International Phonetic Alphabet and the manner of using it, illustred by texts in 51 languages, The, Londres, 1949 (reimpresión, 1974).

Diccionarios

Real Academia Española, *Diccionario Histórico de la Lengua Española,* Madrid, 1960- .

Boggs, R. S., L. Kasten, H. Keniston y H. B. Richardson, *Tentative Dictionary of Medieval Spanish,* 2 vols., Chapel Hill, North Carolina, 1946.

Casares, Julio, *Diccionario ideológico de la lengua española. Desde la idea a la palabra; desde la palabra a la idea,* Barcelona, 1971².

Corominas, Juan, *Diccionario Crítico Etimológico de la Lengua Castellana,* Madrid, Gredos, Berna, Francke, 1954-1957.

Cuervo, Rufino José, *Diccionario de Construcción y Régimen de la Lengua Castellana,* París, A. Roger et F. Chernoviz, t. I (A-B), 1886; t. II (C-D), 1893; existe una reedición facsimilar, Friburgo, ICC, 1953-1954. En el *BICC* se han publicado algunos artículos correspondientes a la letra E.

García de Diego, Vicente, *Diccionario etimológico español e hispánico,* Madrid, 1954.

Gili Gaya, Samuel, *Tesoro lexicográfico,* Madrid, 1947.

Hill, John M., *Voces germanescas,* Indiana University Publications, Humanities Series, n.º 21, Bloomington, Indiana, 1949.

JUILLAND, Alphonse, y E. CHANG RODRÍGUEZ, *Frequency Dictionary of Spanish Words,* Londres-La Haya-París, Mouton, 1964.

LÁZARO CARRETER, Fernando, *Diccionario de términos filológicos,* Madrid, Gredos, 1968[3].

MARTÍNEZ AMADOR, Emilio M., *Diccionario gramatical,* Barcelona, Sopena, 1954.

MOLINER, María, *Diccionario de uso del español,* 2 vols., Madrid, Gredos, s.a.

ROMERA NAVARRO, Miguel, *Registro de lexicografía hispánica, RFE,* Anejo LIV, Madrid, 1951.

SECO, Manuel, *Diccionario de dudas y dificultades de la lengua española,* Madrid, Aguilar, 1973[6].

STAHL, Fred A., y Gary E. A. SCAVNICKY, *A Reverse Dictionary of the Spanish Language,* Univ. of Illinois Press, Urbana, 1973.

MANUALES Y ESTUDIOS GRAMATICALES BÁSICOS

REAL ACADEMIA ESPAÑOLA, *Gramática de la lengua castellana,* Madrid, Espasa-Calpe, 1931.

—, *Esbozo de una nueva gramática de la lengua española,* Madrid, Espasa-Calpe, 1973.

ALARCOS LLORACH, Emilio: *Gramática estructural (según la escuela de Copenhague y con especial atención a la lengua española),* Madrid, Gredos, *BRH,* Manuales-3, 1951.

—, *Estudios de gramática funcional del español,* Madrid, Gredos, Estudios y Ensayos-147, 1970.

ALONSO, Amado, y Pedro HENRÍQUEZ UREÑA, *Gramática castellana,* 2 vols., Buenos Aires, Losada, 1938.

Cuestionario para el estudio coordinado de la norma lingüística culta, Madrid, CSIC-PILEI, 1971-

BARRENECHEA, Ana M.ª, y Mabel V. MANACORDA DE ROSETTI, *Estudios de gramática estructural,* Buenos Aires, Paidós, 1969.

BASSOLS, Mariano, *Sintaxis histórica de la lengua latina,* Barcelona, CSIC, 1945-1947 (sólo han aparecido los vols. I y II-1).

BEINHAUER, Werner, *El español coloquial,* Madrid, Gredos, Estudios y Ensayos-72, 1963.

—, *El humorismo en el español hablado (Improvisadas creaciones espontáneas),* Madrid, Gredos, Estudios y Ensayos-185, 1973.

BELLO, Andrés, *Gramática de la lengua castellana destinada al uso de los americanos,* Santiago de Chile, 1847. Nueva edición sobre la 9.ª de Valparaíso (1870), con notas de R. J. CUERVO, Bogotá, 1874. (Debe considerarse definitiva la edición de París, 1898).

BOLINGER, D. L., J. D. BOWEN, *et al., Modern Spanish,* Nueva York, Harcourt, Brace and Worls, 1960.

BOUZET, Jean, *Grammaire espagnole,* París, Lib. Classique Eugène Belin, 1946.

BULL, William E., *Spanish for Teachers,* Nueva York, The Ronald Press Company, 1965.

CEJADOR, Julio, *La lengua de Cervantes (1547-1616): I. Gramática del "Quijote",* Madrid, 1905.

COSTE, J., y A. REDONDO, *Syntaxe de l'espagnol moderne,* París, SEDES, 1965.

CRIADO DE VAL, Manuel, *Gramática española,* Madrid, SAETA, 1958.

—, *El verbo español,* Madrid, SAETA, 1969.

CUERVO, Rufino José, *Apuntaciones críticas sobre el lenguaje bogotano,* Bogotá, 1867-1872.

—, *Disquisiciones sobre Filología Castellana,* Bogotá, 1950.

CHARAUDEAU, Patrick, *Description sémantique de quelques systèmes grammaticaux de l'espagnol actuel,* París, Centre de Documentation Universitaire, 1970.

FERNÁNDEZ RAMÍREZ, Salvador, *Gramática española. I. Los sonidos, el nombre y el pronombre,* Madrid, Revista de Occidente, 1951.

GARCÍA BORDÓN, Salvador, *Estudio estructural del español. I. Elementos,* Lovaina, Univ. Catholique de Louvaine, 1967; *II. Praxis morfosemántica. Teoría morfosemántica,* Lovaina, Univ. Catholique de Louvaine, 1968.

GARCÍA DE DIEGO, Vicente, *Elementos de gramática histórica castellana,* Burgos, 1914.

—, *Gramática histórica española,* Madrid, Gredos, 1951.

GILI GAYA, Samuel, *Curso superior de Sintaxis española,* México, Ediciones Minerva, S. de R. L., 1943. (Ediciones posteriores, Barcelona, Spes.)

HADLICH, Roger L., *A Transformational Grammar of Spanish,* Englewood Cliffs, Nueva Jersey, Prentice Hall, 1971; trad. de Julio BOMBÍN, Madrid, Gredos, *BRH,* Manuales-30, 1973.

HANSSEN, F., *Spanische Grammatik auf historischer Grundlage,* Halle, 1910. Trad. del autor, Halle, 1913 (nueva ed., Buenos Aires, "El Ateneo", 1945).

HERNÁNDEZ, César, *Sintaxis española,* Valladolid, 1970.

HOCKETT, Charles F., *Curso de lingüística moderna,* trad. adaptada al español por Emma GREGORES y Jorge A. SUÁREZ, Buenos Aires, EUDEBA, 1971.

KAHANE, H. R., y A. PIETRANGELI, eds., *Descriptive Studies in Spanish Grammar,* Urbana, The University of Illinois Press, 1954.

—, *Structural Studies on Spanish Themes,* Salamanca, Acta Salmanticensia, XII, 3, 1959.

KANY, Charles E., *American Spanish Syntax,* Chicago, The University of Chicago Press, 1945; trad. de Martín BLANCO, Madrid, Gredos, *BRH,* Estudios y Ensayos-136, 1969.

—, *American-Spanish Euphemisms,* Berkeley, University of California Press, 1960.

—, *American-Spanish Semantics,* Berkeley, University of California Press, 1960.

KENISTON, H., *The Syntax of Castilian Prose. The Sixteenth Century,* Chicago, The University of Chicago Press, 1937.

—, *Spanish Syntax List. A statistical study of grammatical usage in contemporary Spanish prose on the basis of range and frequency*, Nueva York, Holt, Rinehart and Winston, 1937.

LAPESA, Rafael, *Historia de la lengua española*, Madrid, Escelicer, 1942 (1968⁷).

LENZ, Rodolfo, *La oración y sus partes. Estudios de gramática general y castellana*, Madrid, Publicaciones de la *RFE*, 1920 (existe reed. de Santiago de Chile, Nascimento, 1944).

LORENZO, Emilio, *El español de hoy, lengua en ebullición*, Madrid, Gredos, Estudios y Ensayos-89, 1966.

MARCOS MARÍN, Francisco, *Aproximación a la gramática española*, Madrid, Cincel, 1974².

MENÉNDEZ PIDAL, Ramón, *Manual elemental de gramática histórica española*, Madrid, 1904.

MEYER-LÜBKE, W., *Grammaire des langues romanes*, 4 vols., París, H. Welter, 1900.

NÁÑEZ, Emilio, *Construcciones sintácticas del español. Preposiciones*, Santander, 1970.

PASTOR, Norbert, *Étude morphologique de l'espagnol*, Nancy, Cahier du CRAL, números 7 y 9, 1969.

PÉREZ RIOJA, José Antonio, *Gramática de la lengua española*, Buenos Aires-Madrid-México, Tecnos (Soria, 1953).

POTTIER, Bernard, *Morphosyntaxe espagnole (Étude structurale)*, 2 vols., París, Ed. Hispanoamericana, s.a.

—, *Lingüística moderna y filología hispánica*, Madrid, Gredos, Estudios y Ensayos-110, 1968.

—, "L'espagnol", en A. MARTINET, ed., *Le Langage*, París, Encyclopédie de la Pléiade, 1968, pp. 887-905.

—, *Grammaire de l'espagnol*, París, PUF, 1969; trad. de A. QUILIS, Madrid, Alcalá, 1970.

RAMSEY, M. M., *A text-book of modern Spanish*, Nueva York, 1894; reedición revisada por Robert K. SPAULDING, Nueva York, Holt, 1956.

ROCA PONS, José, *Introducción a la gramática*, 2 vols., Barcelona, Vergara, 1960; reedición aumentada, Barcelona, Teide, 1970.

SALVÁ, Vicente, *Gramática de la lengua castellana según ahora se habla,* París, 1830.

SECO, Manuel, *Arniches y el habla de Madrid,* Madrid, Alfaguara, 1970.

—, *Gramática esencial del español,* Madrid, Aguilar, 1971.

SECO, Rafael, *Manual de gramática española,* 2 vols., Madrid, CIAP, 1930; nueva edición revisada y ampliada por Manuel SECO, Madrid, Aguilar, 1971⁹.

SOLÀ, Joan, *Estudis de sintaxi catalana,* 2 vols., Barcelona, Edicions 62, 1972-1973.

STEVENSON, C. H., *The Spanish Language Today,* Londres, Hutchinson University Library, 1970.

STOCKWELL, R. P., y John W. MARTIN, *The Grammatical Structures of English and Spanish,* Chicago, The University of Chicago Press, 1965.

Enciclopedia Lingüística Hispánica, I, Madrid, CSIC, 1959; Suplemento, I, 1962; II, 1962.

Presente y futuro de la lengua española, Actas de la Asamblea de Filología del I Congreso de Instituciones Hispánicas, 2 vols., Madrid, Ediciones de Cultura Hispánica, OFINES, 1964.

Problemas y principios del estructuralismo lingüístico, Madrid, Publicaciones de la *RFE,* 1967.

OTRAS OBRAS CITADAS

ALONSO, Amado, *Estudios lingüísticos. Temas españoles,* Madrid, Gredos, Estudios y Ensayos-2, 1961.

BRØNDAL, Viggo, *Essais de linguistique générale,* Copenhague, Einar Munksgaard, 1943.

CONTRERAS, Heles, compilador, *Los fundamentos de la gramática transformacional,* México, Siglo XXI, 1971.

COSERIU, Eugenio, *Teoría del lenguaje y lingüística general,* Madrid, Gredos, Estudios y Ensayos-61, 1962.

FRIED, V., ed., *The Prague School of Linguistics and Language Teaching,* Londres, Oxford University Press, 1972.

GUILLAUME, Gustave, *Langage et science du langage,* París-Quebec, A. G. Nizet-Presses de l'Université de Laval, 1964.

HJELMSLEV, Louis, *Essais linguistiques,* Copenhague, 1959.

KURYLOWICZ, Jerzy, *Esquisses linguistiques,* Wroclaw-Krakow, Polska Akademia Nauk, 1960.

LYONS, J., *Introduction to Theoretical Linguistics,* Londres-Nueva York, Cambridge University Press, 1968 (trad. de R. CERDÁ, Barcelona, Teide, 1971).

MARTINET, André, *La linguistique synchronique. Études et recherches,* París, PUF, 1965.

MEIER, Harri, *Ensaios de filologia romanica,* Lisboa, 1948.

RUWET, Nicolas, *Théorie syntaxique et syntaxe du français,* París, Éditions du Seuil, 1972.

VACHEK, J., ed., *A Prague School Reader in Linguistics,* Bloomington, Indiana University Press, 1964.

ÍNDICE ALFABÉTICO

B

CH

D

F

H

I

J

LL

M

N

Q

R

S

T

U

W

X

Y

Z

ÍNDICE

Impreso en el mes de septiembre de 1988
en Talleres Gráficos HUROPE, S. A.
Recaredo, 2
08005 Barcelona